PEDIATRIC
OTORHINOLARYNGOLOGY

소아이비인후과학

개정증보판

소아이비인후과학

첫째판 1쇄 발행 | 2016년 03월 25일
개정증보판 1쇄 인쇄 | 2020년 10월 26일
개정증보판 1쇄 발행 | 2020년 11월 06일

지 은 이   대한소아이비인후과학회
발 행 인   장주연
출 판 기 획   장희성
책 임 편 집   이경은
편집디자인   양은정
표지디자인   김재욱
일 러 스 트   김경열
발 행 처   군자출판사(주)
         등록 제4-139호(1991. 6. 24)
         본사 (10881) 파주출판단지 경기도 파주시 회동길 338(서패동 474-1)
         전화 (031) 943-1888   팩스 (031) 955-9545
         홈페이지 | www.koonja.co.kr

ISBN 979-11-5955-615-9

정가 98,000원

소아이비인후과학

Pediatric Otorhinolaryngology

집필진(가나다순)

구본석 ∣ 충남대학교병원 이비인후과	**변효진** ∣ 세브란스병원 마취통증의학과
구자원 ∣ 분당서울대학교병원 이비인후과	**안재철** ∣ 분당차병원 이비인후과
권성근 ∣ 서울대학교병원 이비인후과	**우승훈** ∣ 단국대학교병원 이비인후과
김도현 ∣ 서울성모병원 이비인후과	**우정수** ∣ 고려대학교구로병원 이비인후과
김동규 ∣ 춘천성심병원 이비인후과	**은영규** ∣ 경희대학교병원 이비인후과
김성동 ∣ 부산대학교병원 이비인후과	**이명덕** ∣ 서울성모병원 외과
김성완 ∣ 경희대학교병원 이비인후과	**이병주** ∣ 부산대학교병원 이비인후과
김성헌 ∣ 세브란스병원 이비인후과	**이승훈** ∣ 고려대학교안산병원 이비인후과
김수환 ∣ 서울성모병원 이비인후과	**이현주** ∣ 분당서울대학교병원 소아과
김신영 ∣ 성빈센트병원 외과	**이효정** ∣ 한림대학교성심병원 이비인후과
김연수 ∣ 건양대학교병원 이비인후과	**장지원** ∣ 강남성심병원 이비인후과
김원식 ∣ 서울대학교병원 이비인후과	**정영호** ∣ 서울아산병원 이비인후과
김정훈 ∣ 분당서울대학교병원 이비인후과	**정유삼** ∣ 서울아산병원 이비인후과
김진환 ∣ 강남성심병원 이비인후과	**제보경** ∣ 고려대학교안산병원 영상의학과
김철호 ∣ 아주대학교병원 이비인후과	**조석현** ∣ 한양대학교병원 이비인후과
김한수 ∣ 이대목동병원 이비인후과	**조재훈** ∣ 건국대학교병원 이비인후과
김형종 ∣ 한림대학교성심병원 이비인후과	**주영훈** ∣ 부천성모병원 이비인후과
김홍중 ∣ 성남시의료원 이비인후과	**채성원** ∣ 고려대학교구로병원 이비인후과
나윤찬 ∣ 고려대학교안산병원 이비인후과	**최규영** ∣ 강남성심병원 이비인후과
남인철 ∣ 인천성모병원 이비인후과	**최병윤** ∣ 분당서울대학교병원 이비인후과
문일준 ∣ 삼성서울병원 이비인후과	**최승호** ∣ 서울아산병원 이비인후과
박주현 ∣ 동국대학교일산병원 이비인후과	**최정석** ∣ 인하대학교병원 이비인후과
박준욱 ∣ 은평성모병원 이비인후과	**최지윤** ∣ 조선대학교병원 이비인후과
박찬순 ∣ 성빈센트병원 이비인후과	**한규철** ∣ 가천대 길병원 이비인후과
변재용 ∣ 경희대학교병원 이비인후과	**홍성화** ∣ 삼성창원병원 이비인후과

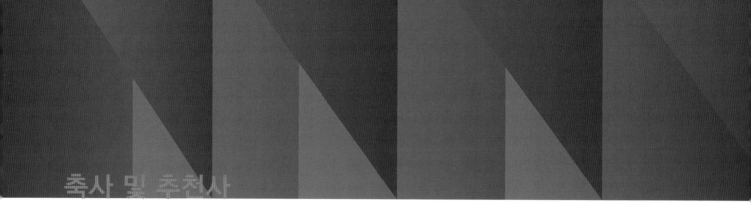

대한소아이비인후과학회 창립 20주년 축사 및 소아이비인후과학 개정증보판 추천사

1999년 10월 말 "대한소아이비인후과연구회"라는 명칭으로 창립 준비위원회를 구성하고 준비위원 대표로서 창립회원을 모집한 것이 대한소아이비인후과학회의 모태가 되었습니다. 초대 회장으로 추대되어 시작한 대한소아이비인후과학회가 많은 우여곡절을 겪으면서도 소아이비인후과 영역의 특수성 때문인지, 학문적 갈증은 물론 많은 개원의사들이 진료현장에서 직면하는 어려움을 해소하기 위한 강한 요구로 학회는 발전을 거듭하여 창립 20주년을 맞이하게 되어 감개무량합니다.

최근에는 이비인후과 분과학회 중에 회원들의 참석률이 매우 높은 학회가 되었을 뿐만 아니라 또한 김형종 회장과 김성완 회장 때, 저명한 집필진들을 위촉하여 수년간의 준비 과정을 거쳐 2016년에 소아이비인후과학 교과서를 성공적으로 발간한 것도 놀랍고 감사했습니다. 또한 유관학술단체나 의사들과의 교류를 증대하는 쾌거를 이루어 왔습니다. 저를 뒤이어 학회를 이끌어준, 역대 회장인 장선오 교수, 김형종 교수, 김성완 교수, 채성원 교수에게 심심한 감사의 마음을 전합니다.

올해는 성년이 되는 학회 창립 20주년을 기념하는 성대한 기념학술대회를 개최하는 것이 마땅하나, 예기치 못한 코로나 19사태로 인하여 소아이비인후과학 교과서 개정증보판을 발간하는 것으로 아쉬움을 달래 봅니다.

급변하는 시대에 뒤처지지 않도록 4년 만에 초판을 업데이트하고 필요하고 중요한 챕터들을 추가하여 개정증보판을 발간한 정유삼 현 회장의 학문적 열정을 치하합니다. 새로운 교과서가 소아 관련 이비인후과 교육과 진료에 표준을 제공하고, 진료실과 연구실 책장마다 단순히 꽂혀 있을 뿐만 아니라 많이 읽히는 책이 되었으면 합니다.

2020년 11월
대한소아이비인후과학회 초대회장
정 명 현

국내 최초의 소아이비인후과학 교과서 1판이 발간된 지 4년이 흘렀습니다. 그간 대한소아이비인후과학회는 매년 학술대회와 교육강좌, 전공의 교과서 리뷰, 대한이비인후과 종합학술대회의 심포지엄, 지부집담회로 많은 회원들과 학문적 교류가 있었고 아시아-태평양 소아이비인후과 학회, 세계 소아이비인후과 학회를 통해 국제적으로도 위상을 다져왔습니다. 특히 올해는 대한소아이비인후과학회가 출범한 지 20년이 되는 해로 이제 청년의 나이에 들어가고 있습니다.

소아이비인후과학 교과서는 많은 분들에게 사랑을 받아 1쇄가 완판되고 2쇄가 판매되고 있는 중 대한소아이비인후과학회 출범 20년을 맞이하여 최신의 경향을 담고 1판의 수정을 포함하고자 개정 증보판을 내게 되었습니다. 6개의 장이 추가되어 모두 41개의 장으로 이루어져 있으며 기존에 존재하던 장들도 모든 저자에게 수정요청을 하여 더욱 새로운 내용을 소개하고자 하였습니다. 교과서 편찬위원회를 이끌며 추가와 수정된 개정증보판을 내는 데 많은 노력을 기울인 정영호 교수님을 비롯한 편찬위원회에 감사드리고 출범초기부터 대한소아이비인후과학회를 이끌어주시고 지지를 보내주시는 정명현, 장선오, 김형종, 김성완, 채성원 전임 회장님들께 감사드립니다. 각자 병원에서 바쁜 시간을 보내고 있는 와중에도 소아이비인후과학을 위해 물심양면으로 애써주시고 계신 전임과 현 상임이사님들께 감사의 말씀을 드립니다.

많은 교수님들의 힘을 모아 새롭게 출발하는 "소아이비인후과학 개정증보판"이 소아이비인후과 환자의 치료 방향을 정하는데 등불이 되어 자라나는 어린이들의 건강을 지키는 데 큰 몫을 할 것으로 기대하고 젊은 의사들의 관심이 소아이비인후과학의 발전으로 이어지기를 기원합니다.

2020년 11월

대한소아이비인후과학회 회장

정 유 삼

머리말

대한소아이비인후과학회의 눈부신 발전을 배경으로 그 동안의 학문적 성과를 정리하고 이론적 표준을 제공하기 위해 소아이비인후과학 교과서가 6년 전 발간 준비과정을 시작하여 4년 전 2016년 3월 초판 발간되었습니다. 발간 직후부터 수년간 이비인후과 소아 진료와 소아이비인후과 전문가 양성을 위한 교육에 전문 참고도서로 널리 사용되어 왔습니다. 초판 1쇄 1천 권은 2018년 말에 모두 판매되었고 2019년부터 2쇄가 판매되는 중에, 새로운 질병군의 출현, 분류체계나 병기체계의 변경, 표준치료의 변화 등으로 소아이비인후과학 교과서 개정과 챕터 증보의 필요성이 대두되었습니다. 이에 대한소아이비인후과학회에서는 초판에 참여하였던 집필진들을 중심으로, 초판에서의 내용을 더욱 풍성하게 하고 초판에서 아쉬웠던 점이나 업데이트되어야 할 점들을 개정판으로 담아내고자 하였습니다. 새롭게 추가되어야 할 챕터에 대해서는 해당 주제에 있어서 저명한 분들을 새로운 집필진으로 위촉하였습니다.

책의 구성은 초판과 같이 5개 1) 기초, 2) 이과, 3) 비과 및 두개안면부, 4) 경부, 5) 구강, 인두, 타액선, 후두, 기관, 식도 편으로 나누었습니다. 총 챕터는 기존의 35챕터에서 41 챕터로 6 챕터가 늘어났습니다. 1) 기초 편에 예방접종(이현주 교수, 소아과), 2) 이과 편에 소아 난청의 보청기 선택(장지원 교수), 3) 비과 및 두개안면부 편에 소아 수면장애(박찬순 교수, 김동규 교수), 소아 만성기침(안재철 교수) 5) 편에는 소아 침샘질환(은영규 교수), 소아 인후두역류질환(남인철 교수) 등이 추가되었습니다. 추가된 챕터들은 우리 회원들이 많이 궁금해 하는 주제들과 새롭게 임상적으로 많은 관심을 받는 주제들 중에서 선정되었습니다. 기존의 35챕터 중에서 5챕터는 초판과 저자가 변경되어서 다른 관점으로 주제를 다루었습니다. 나머지 30챕터는 초판 저자들이 최근 5년간 변경된 사항들을 반영하여 검토 및 수정 과정을 거쳤습니다.

개정 증보판이 소아이비인후과학회 창립 20주년에 맞추어 계획된 시기에 발간될 수 있도록 원고를 마무리해주신 모든 집필위원들께 심심한 감사를 드립니다. 교과서 개정의 모든 과정을 함께 해주신 힘써주신 9분의 편찬위원과 편찬고문으로 수고해주신 김진환 교수, 편찬위원회 주간사로 고생하신 박주현 교수께 특별한 감사를 드립니다. 코로나19 사태로 어려운 상황에서 교과서 개정 작업을 물심양면으로 지원해주신 정유삼 회장께 감사를 드립니다. 앞으로도 대한이비인후과학회의 전문 지식의 결과물이자 중요한 자산인 교과서가 시대에 뒤쳐지지 않고 지속적으로 업데이트되고 풍성해지기를 바랍니다.

2020년 11월
대한소아이비인후과학회 교과서편찬위원장
정 영 호

목차

SECTION **03**

비과 및 두개안면부 Nose and Craniofacial

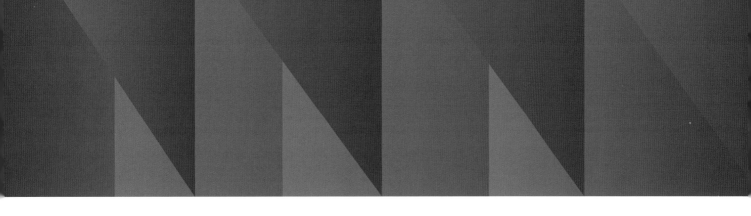

SECTION 04

경부 Neck

목차

기초

General Consideration

01

소아이비인후과학의
일반적 고려사항

General Considerations of the Pediatric Otolaryngology

김형종, 김도현

1. 서론

임상의로서 소아들의 질병을 치료하고 나서 치유되는 것을 지켜보는 것보다 더 큰 보람은 없다. 소아들은 아프기도 잘 하지만, 제대로 처치하면 좋아지기도 잘 하고, 특히, 만성 질환을 앓는 소아들이 잘 치유되어 최선을 다하며 자신의 삶을 살아가는 것을 곁에서 지켜보는 것은 세상의 무엇과도 비교되지 않는 의사로서의 기쁨이고 자부심이다.

성인과 비교하여 소아의 진료에서 다른 점은 근본적으로 다른 생리학적 문제 때문에 발생하는 것들과 함께 부모를 포함한 보호자에게 정보를 구해야 하고, 이해를 시켜야 한다는 점이다. 소아는 단순히 크기가 작은 어른이 아니기 때문에 특별한 접근법이 필요하고, 신생아학과 중환자관리의 눈부신 발전에 힘입어 예전에는 불가능했던 미숙아들의 생존이 늘어나며 이 분야의 영역이 크게 넓어졌다. 과학의 발전과 더불어 새로운 의학기술이 계속 임상에 적용되고 있어서 전문가로서의 지식을 지속적으로 유지하는 것이 필요하고, 이와 더불어 관련분야 전문가와의 긴밀한 소통을 통하여 최선의 의사결정을 하는 것이 무엇보다도 중요하다. 또한, 소아 진료는 믿음에 바탕을 둔 보호자와의 유대관계가 매우 중요하기 때문에 각 환자와 보호자의 상황에 맞는 맞춤형 진료를 해야 하는 점이 성공적인 진료를 위해 꼭 필요하다. 그러므로 보호자의 적극적 협조를 받으면서 소아의 질환을 잘 치료하는 것이 유능한 의사의 필요충분조건이라고 할 수 있다.

소아이비인후과학은 이비인후과학의 한 세부분야로서 구미선진국에서 시작되었다. 소아이비인후과 질환의 병태생리가 성인 질환과는 많이 다르고, 이 분야에 내시경과 레이저 등 특수의료기기를 활용하는 새로운 진단기술과 치료방법들이 속속 개발되어 적정진료를 위해서는 전문의 취득 후 전임의 수련 받아야만 하는 특수전문분야로서 자리를 잡았다. 외국자료에 의하면 이비인후과 일선진료의 25-50%가 소아의 질환을 취급한다고 알려졌고, 우리나라에서도 크게 다르지 않을 것으로 예상된다. 우리나라의 소아이비인후과학은 역사가 매우 짧고, 현재까지 전임의 수련프로그램이 제대로 확립되어 있지 않지만 최근 대한소아이비인후과학회에 참여하는 회원들의 관심도가 크게 높아지는 현황으로 볼 때 국내에서 이 분야의 수련프로그램의 정착과 더불어 전문지식을 공유할 수 있는 교과서의 보급이 절실하다.

이 장에서는 소아의 생리학적 기본체계를 살펴보고, 소아이비인후과 진단을 위한 접근법, 흔한 전신질환, 그리고 수술 또는 처치 전후에 요구되는 관련 지식을 간략하게나마 정리함으로써 이 분야의 진료를 하는 의사들에게 도움이 되고자 하였다.

2. 생리학적 기본체계

1) 성장과 발육

유소아의 진료는 산전진찰부터 시작되며 선천질환이나 출산합병증의 예방 및 조기진단이 매우 중요하다. 정상 임산부의 임신기간은 40±2주이고, 정상 신생아의 체중은 2.5 kg에서 4.0 kg의 범위에 있어 2.5 kg 미만의 아기는 저체중으로 그리고 4.0 kg이 넘으면 과체중으로 분류하여 정상범위를 벗어나는 경우 고위험군 감시대상이 된다. 우리나라에서는 국가사업으로 모든 신생아를 대상으로 선천대사질환 6종(갑상선기능저하증, 호모시스틴증, 페닐케톤뇨증, 갈락토스혈증, 단풍당뇨증, 선천성부인형성증)에 대한 신생아선별검사를 전액 지원하고 있고, 저소득층을 대상으로 신생아청각선별검사를 무료쿠폰 방법을 통해 지원하고 있으며 대부분 산부인과와 보건소에서 검사가 시행되고 있다. 또한 2018년 10월부터 건강보험 보장성 강화대책 사업의 일환으로 발생빈도가 높고 탠덤질량 분석법(Tandem mass spectrometry)으로 검사할 수 없는 갑상선기능저하증, 부신피질과형성증, 갈락토스혈증과 탠덤질량분석법에 의한 50여 종의 선별 검사(유기산 대사 이상, 아미노산 대사 이상, 지방산 대사 이상 등)에 건강보험이 적용됨으로써, 전액 건강보험 지원(1회 검사비용)을 받을 수 있게 되었다.

우리나라에서는 보건복지부 질병관리본부에서 1967년부터 10년마다 소아성장도표를 제정 및 발표해오고 있으며, 2017년에 WHO Growth Standard 성장도표를 도입한 버전이 발표되었다. 현재 성장상태 측정 계산기(https://knhanes.cdc.go.kr/knhancs/sub08/sub08_04.do)를 이용하면 간단하게 현재 소아의 키, 체중, 머리둘레 및 체질량지수의 백분위수와 판정을 도표로 확인할 수 있다.

표 1-1은 신생아부터 만 5세까지의 성장과 발육에 대한 발달이정표를 나타내고, 큰 운동(gross motor), 작은 운동(fine motor), 문제해결, 언어, 사회성 발달로 나누어 정리하였다. 머리를 가누고, 눈을 마주치고, 낯가리고, 수저를 쥐고, 말을 시작하고, 원, 사각형, 삼각형을 그릴 수 있는 시기 등을 표시하고 있어 아기의 신체 및 정신적 발육에 대한 대략적인 내용을 포함한다.

2) 호흡기계통

엄마의 태반으로부터 산소와 영양분을 공급받던 태아가 신생아로 태어나자마자 갑자기 대기와 외부로부터 산소와 영양분을 받아 스스로 해결해야 하는 환경으로 바뀌는 급격한 변화를 겪게 된다. 정상 신생아로 태어났다고 해도 호흡에 관여하는 근육은 미발육되어 있고, 대뇌의 호흡기중추반사도 미성숙되어 있어 신생아에서 나타나는 호흡현상이 정상적 생리변화에 기인한 것인지 또는 병리적인 원인 때문인지 구별하는 데에 어려움이 있다. 호흡기능의 측정은 호흡근육들이 체내 산소-이산화탄소 상태에 반응하여 제대로 기능하는지 성인의 기준에 맞추어 검사하는 것이고, 신생아나 미숙아에선 기준이 크게 다르다. 게다가 호흡을 위한 안면마스크나 기관튜브를 삽입하게 되면 호흡근육들의 반응과 함께 동맥혈 가스분석(arterial blood gas analysis)에 영향을 미쳐 결과 판정은 더욱 어려워진다.

호흡을 담당하는 근육섬유는 크게 1형과 2형 섬유로 구성되어 있다. 1형 섬유는 천천히 반응하고 산소를 많이 소모하며 쉽게 피로하지 않는 특성이 있고, 2형 섬유는 빠르게 반응하는 반면 쉽게 피로하게 되는 경향이 있다. 정상 신생아는 출생 직후엔 1형 섬유가 모자라지만 연령이 증가하면서 1형 섬유 부분이 커지는 성숙단계를 기친다. 기령, 미숙아에선 1형 섬유가 10% 미만이고, 정상분만 신생아에선 30%, 그리고, 생후 1년에 대부분 성인 수준인 55%까지 도달하게 되는데 미숙아에서 이러한 호흡근육 미성숙이 호흡피로가 쉽게 오는 주 원인이다.

신생아에서는 체중 대비 기초내사량이 성인에 비해 높은 상태이기 때문에 성인과 생화학적으로 비슷하게 호흡반사가 일어나도 호흡이 불완전한 상태에 있게 되며 체중 대비 이산화탄소 분압에 반응하는 호흡횟수가 상대적으로 높

표 1-1. 유소아 성장과 발육에 대한 발달이정표*

Age	Gross Motor	Fine Motor	Problem Solving	Language	Social
2 months	Holds head midline	Fisted hands	Follows past midline	Recognizes parent	Smiles socially
4 months	Rolls front to back	Holds rattle	Reaches for objects	Listens to speaker, responds	Laughs aloud
6 months	Sits leaning forward with support, rolls both ways, while Prone pushes up on straight arms, primitive reflexes disappear, righting reflexes appear	Reaches, grasps object and transfers, mouths objects	Peek a boo, looks for dropped toy	Babbles, mimics speaker, raspberries	Stranger anxiety, understands different facial expressions
12 months	Crawls rapidly, pulls to stand, cruises, first independent steps	Pincer grasp, holds, inspects objects, first words, associates meaning to words	Object permanence causality	Immature jargoning, first words, associates meaning to words	Cautious, assertive, concept of self, stranger anxiety
18 months	Crawls up stairs, runs	Builds tower of 3-4 blocks, scribbles	Matches objects to body parts	10-25 words, points, uses spoon and cup	Shyness, shame, guilt
2 years	Up/down steps, kicks ball, squats	Builds tower of 7-8 cubes, imitates vertical stroke	Two step commands, matches objects to pictures	>50 words, 2-word combinations, pronouns	Socialization, assists in undressing
3 years	Alternates feet up steps, pedals tricycle, jumps from a step	Copies a circle, builds 9-10 block tower, draws a head	Asks why, remembers rhymes, time	Sentences, tells stories	Shares toys, friendships beg in, imaginary friends, impulse control
4 years	Alternates feet down steps	Copies a square, dresses, catches ball	Colors, sings song from memory, first and last name, draws person with 3 parts	Tells tales	
5 years	Skips, jumps over low object	Copies a triangle	Recognizes most letters, address, and phone number		Plays competitive games, dresses, plays make believe

*From Johnson CP, Blasco PA. Infant growth and development. Pediatr Rev 1997;18(7):224-242.

다. 정상신생아의 호흡은 성인과 마찬가지로 이산화탄소 분압이 높을수록 일정비율로 증가하지만 미숙아에서는 이 증가비율이 정상과 다르다. 이산화탄소 분압뿐 아니라 산소 분압에 대한 호흡반응도 달라 100% 산소를 주었을 때 호흡반응이 떨어지는 소견을 보이며 이것은 성인에서는 나타나지 않는 반응이다.

신생아는 연령, 체중, 체온, 그리고 수면상태에 따라 저산소증에 반응하는 호흡반응이 모두 다르게 나타난다. 정상체온에 깨어있는 상태의 미숙아나 생후 일주일 내의 정상 아기는 흔히 호흡저하와 과호흡을 반복하는 패턴을 보인다. 그러나, 저체온 상태에서는 과호흡 없이 저산소증에 반응하지 않는 호흡저하만 관찰되며 이것은 저산소증에 대한 대뇌 호흡중추의 반응과 말초 화학수용체의 미성숙이 원인인 것으로 생각되고, 이런 아기들의 수면 중 많은 부분을 차지하는 렘수면(Rapid Eye Movement, REM)도 한몫을 한다. 수면 중에 저산소증이 나타나면 반사반응이 떨어져 있어 정상적 호흡반응으로 돌아오기 위해서는 렘수면에서 깨어나는 수밖에 없다. 출생 후 2-3주가 지나야 저산소증 각성반응이 제대로 일어나고, 말초 화학수용체도 함께 성숙되면서 저산소증 및 이산화탄소 과다증에 대한 호흡반응이 함께 개선된다.

정상 신생아에서는 호흡저하와 과호흡을 반복하거나 중간에 무호흡상태가 되는 호흡패턴이 흔히 나타나며 이것은 중추 호흡기 피드백이 완전치 못한 것에 기인한다. 무호흡 기간에는 이산화탄소 분압은 증가하나 대개 심작박동의 변화는 없고, 보통 6세까지 계속되는 이런 호흡반응에 의해서 심각한 생리적 후유증은 초래되지 않는다. 그러나 미숙아에서는 무호흡상태가 20초 이상 계속되고, 심박저하가 동반되며 생명을 위협하는 상태가 될 수 있다. 그러므로 미숙아의 호흡은 렘수면, 호흡피로, 그리고 저산소증에 대한 반응의 미성숙이 복합적으로 작용되어 일어나는 것이고, 이때의 유일한 처치는 렘수면을 깨우는 것이다. 아미노필린 등 각성제나 CPAP (continuous positive airway pressure) 사용이 유용한 대체치료로서 소개되어 있다.

유소아의 호흡이 성인과 다른 또 한 가지는 독특한 유소아의 수면패턴에 기인한다. 미숙아는 총 수면시간의 50-60%가 렘수면에 해당하고, 렘수면 동안에는 다른 골격근과 마찬가지로 호흡근육 활동도 억제된다. 신생아에서는 보통 가슴의 움직임이 호흡방향과 반대로 일어나는데 호흡근육까지 억제되어 있으므로 횡경막 근육 역시 쉽게 지치게 된다. 하루 24시간 중 수유할 때를 빼고는 대부분 시간에 잠을 자는 신생아는 렘수면이 반 이상이고, 불완전한 호흡에 의한 체내 산소공급이 어렵게 유지되어 있어서 작은 불균형만 있어도 생명을 위협하는 심각한 결과가 초래될 수 있다.

영유아 호흡기가 성인에 비해 불리한 점으로는 신생아의 상기도 안지름은 매우 좁고 후두개(epiglottis)가 상대적으로 크기 때문에 비강호흡을 하게 된다. 코막힘이 심하면 신생아와 영아도 구강 호흡을 하지만 원활하지 못하기 때문에 코막힘으로도 호흡곤란이 발생할 수도 있으므로 주의해야 하며, 만 2세경 성인형 호흡 운동으로 전환된다.

후두의 연골도 충분히 발달되지 않아 협착이 자주 일어나며, 만 1세경 이러한 증상은 대다수 좋아진다. 소아는 기도가 좁고 말초 기도의 저항도 높기 때문에 기관지 감염과 이물뿐만 아니라 가래만으로도 기도 폐쇄가 쉽게 발생하고 호흡곤란을 일으키기도 한다. 또한 기도의 점액샘 밀도가 높아 염증이 생겼을 때 많은 점액이 분비되는 반면, 기관지 평활근의 양이 적고 미숙해서 배출이 성인에 비해 어렵다.

(1) 후두연축(Laryngospasm)

후두의 주요기능은 이물질 흡인으로부터 폐를 보호하는 일이다. 후두의 모음근(adductor) 반응은 매우 강한 반사로 나타나며 후두모음근 반사가 빈맥, 혈압상승 및 무호흡과 함께 나타날 때 후두화학반사(Laryngeal chemoreflex, LCR)라고 칭한다. LCR은 산과 염기 그리고 압력의 자극에 의해 유발되고, 식염수에 의해 차단되는 것으로 알려졌으며 LCR과 유아돌연사와의 연관성에 대한 연구가 보고되었다. 이산화탄소과다증이 잘 알려진 LCR의 증강요인인데 신생아의 호흡반사가 좋아지는 나이와 유아돌연사 발생이 줄어드는 나이가 일치한다는 보고가 있었고, 아기의 수면자세를 엎어 재우던 것에서 바로 재우는 것으로 바꾸었더니 돌연사의 발생이 줄어들어 유아의 위식도역류에 의한 후두자극과 관련이 있다는 보고가 있었다. 이에 근거하여 수유를 조금씩 자주하고, 트림을 자주 시키고, 이유식의 덩어리를 작게 하고, 위식도역류를 일으키는 자세를 피하는 것이 신생아 돌연사의 발생과 무호흡 횟수를 줄이는 데 도움이 된다.

(2) 폐의 용량

신체의 크기 대비 총폐용량(total lung capacity), 기능잔기용량(functional residual capacity) 및 일회호흡량(tidal volume)은 성인과 유소아에서 크게 다르지 않다. 정상분만 유아의 총폐용량은 약 160 ml이고, 기능잔기용량은 반인 약 80 ml, 일회호흡량은 1/10인 약 16 ml, 그리고 무용공간(dead space)은 약 5 ml를 차지하며 여기서 다른 점은 유아에서 성인에 비해 작은 폐용량 때문에 무용공간이 조금만 커져도 신체에 미치는 충격이 훨씬 크다는 점이다. 임상적으로 더 중요한 것은 외형적 부피보다 실제 표면적이 반영된 폐포환기(alveolar ventilation)이며 신생아에서 체중 kg당 100-150 mL로 성인의 60 ml보다 훨씬 크고, 유아의 폐포 기능잔기용량비율은 5:1로 성인의 1.5:1에 비해 훨씬 크다. 결과적으로 유아에서는 기능잔기용량의 여분이 훨씬 작아져서 흡기호흡 개스성분의 작은 변화만 있어도 폐포 모세혈관 수준에서 훨씬 빨리 반영되는 결과를 초래한다. 이것이 유아에서 성인에 비해 흡입개스에 의한 마취유도가 잘 되는 이유이고, 유아의 높은 대사율로 인해 성인에 비해 호흡 기능의 여유분이 훨씬 작기 때문에 수술 도중 무환기 상태가 조금만 지속되어도 유아에서는 위험이 초래될 수 있다는 것도 다른 점이다.

유아 폐의 총 표면적은 2.8 m²으로 상대적으로 작고, 이것이 유아의 높은 대사율과 함께 작용하여 유아 호흡기 능의 여유분은 매우 작은 상태여서 여기에 선천적으로 폐의 구조적 발육장애나 손상의 문제가 동반되면 생명을 위협하는 치명적인 상태가 된다.

(3) 호흡횟수

신생아의 가장 효율적 호흡횟수는 분당 약 37회 정도이다. 정상신생아는 총 대사에너지의 1%를 호흡운동에 사용하며 약 0.5 mL/0.5 L(호흡량)이 소모되지만, 미숙아에서는 0.9 mL/0.5 L 정도이며 폐의 질환이나 손상을 받은 경우 더 증가하게 된다. 이 경우 결과적으로 칼로리 소모가 크게 일어나고 이에 필요한 영양보급이 요구된다. 호흡횟수는 유아에서 젖을 빨고, 삼키고 숨쉬는 순환운동과 밀접한 관계가 있어 산소공급이 부족하면 호흡횟수가 늘고, 이것은 다시 젖을 빠는 시간을 부족하게 만들어 영양분 섭취가 줄어드는 악순환을 초래하고 결과적으로는 발육부전을 초래한다.

(4) 호흡-혈액순환 관계

태아가 받던 모태로부터의 혈액공급이 갑자기 끊어졌을 때 신생아에서 일시적으로 해부학적 혈관 shunt가 존재하고, 폐의 closing volume은 상대적으로 큰 상태여서 폐의 호흡과 혈액순환은 불완전한 관계를 보이게 된다. 출생 시 신생아의 산소분압은 50 mmHg 정도이지만 생후 첫 24시간 동안 혈액순환이 정상화되고 폐가 펴지면서 부피의 급격한 증가를 보이고, 이후 수개월-수년에 걸쳐서 서서히 증가하는 변화과정을 거친다(표 1-2).

표 1-2. 정상 유소아의 동맥혈 산소분압

연령	실내 공기에서의 산소분압(mmHg)
0-1주	70
1-10개월	85
1-8세	90
12-16세	96

(5) 호흡부전의 진단

위에 언급한 바와 같이 신생아에서는 흉부 내외 기도를 포함하는 호흡기계의 미발육과 더불어 호흡중추의 미성숙으로 인하여 환기(ventilation)/관류(perfusion)의 불균형이 잘 일어나고, 호흡부전이 초래되기 쉽다. 표 1-3은 호흡부전을 일으키는 질환의 부류에 따른 진찰소견, 흉부영상, 혈액개스분석, 흔한 질환 등의 주요 소견을 정리하였다.

3) 심혈관계통
(1) 신생아 심장박출량

신생아의 심장은 성인과 달리 우심실의 두께가 좌심실보다 크고, 심장초음파검사를 하면 우측편위 소견을 보인다. 출생 후 태아혈관계가 닫히고 나서 좌심실이 커지기 시작하고, 생후 6개월에 성인의 좌우심실 비율과 같아진다. 신생아의 심장근육도 호흡근육과 마찬가지로 성인과 다르며 수축근육이 상대적으로 적고 섬유조직이 더 많아 휴지기에는 탄성도가 떨어지고, 수축 중에는 긴장도가 약하다. 그러므로 성인의 Starling 심혈관계의 곡선은 신생아에서는 적용되지 않고, 신생아 심장박출량은 박동수에만 비례한다. 심근서맥은 박출량의 감소로 이어지는데 신생아 심장근육의 미성숙으로 인해 박출량의 감소를 만회하기 위한 심근수축력의 증가가 일어나지 않는 이러한 특징을 서맥이 초래되는 수술이나 마취를 시행할 때 잘 인식하고 있는 것이 필요하다. 심장근육 미성숙과 더불어 자율신경계의 발달도 완전치 못하기 때문에 교감신경에 의한 심박의 증가도 원활치 않아 신생아 심장은 외부 스트레스에 매우 취약한 상태에 있게 된다.

표 1-3. 호흡부전을 일으키는 질환의 주요 소견*

	Extrathoracic Airway	Central Respiratory Control Center	Neuromuscular Diseases	Thoracic Wall Disease	Intrathoracic Airway and Lung
Prominent physical exam findings	Stridor Snoring Mouth breathing Protruding tongue Drooling	Apnea Periodic breathing Decreased consciousness	Shallow or weak respiratory effort Paradoxical chest versus abdominal movement with respiration Generalized decreased muscletone	Asymmetric breath sounds Scoliosis Pectus excavatum Gibbus Other contractures	Tachypnea Wheezing Rale/rhonchus Suprasternal and subcostal retractions
Chest x-ray	Usually normal	Normal or variable atelectasis	Bell-shaped thoracic shape High diaphragms Scoliosis Asymmetry	Small lung volumes High diaphragms Scoliosis Asymmetry	Hyperinflation Patchy atelectasis Diffuse radiodensity
$PaO_2/PaCO_2$	Early: normal Later: proportionally increased PCO_2 and decreased PO_2	Early: normal Later: proportion- ally increased PCO_2 and decreased PO_2	Proportionally increased PCO_2 and decreased PO_2	Early: normal Later: proportionally increased PCO_2 and decreased PO_2	Early: Mild to moderate hypoxemia with normal or decreased PCO_2 Later: Moderate to severe hypoxemia with normal or increased PCO_2
Pulse oximetry	Early: normal Later: desaturation corrected with small increasesin FiO_2	Early: normal Later: paroxysms of desaturation corrected with small increases in FiO_2	Early: normal Later: paroxysms of desaturation corrected with small increases in FiO_2	Desaturation corrected with small increases in FiO_2	Early: mild desaturation treated with mildly increased FiO_2 Later: desaturation requires high FiO_2
Common diseases: Congenital Infection Trauma/Toxin	Congenital tracheal stenosis Laryngomalacia Tonsillar/adenoidal hypertrophy Croup Epiglottitis Acquired tracheal stenosis	Apnea of prematurity Arnold Chiari malformation Post epilepsy CNS infection Systemic infection or sepsis Head trauma Sedative or narcotic effect	Werdnig-Hoffman Muscular dystrophy Guillain-Barré Infant botulism Spinal cord injury Steroid and neuromuscular blockade overdose	Congenital vertebral malformation Cerebral palsy Idiopathic scoliosis Other Flail chest Post thoracotomy Obesity	Hyaline membrane disease of the newborn Bronchopulmonary dysplasia Asthma Bronchiolitis Aspiration pneumonia Acute respiratory distress syndrome

*From Lavelle JM, Costarino Jr AT. Care of the pediatric patient. In: Wetmore RF, Muntz HR, McGill TJ, Potsic WP, Healy GB, Lusk RP (eds) Pediatric Otolaryngology, Thieme. Publ., New York; 2000. p3-31

표 1-4. 연령에 따른 정상 심장박동수

연령	심장박동수(분)	
	평균	범위
신생아	120	100-170
1-11개월	120	80-160
2세	120	80-160
4세	100	80-120
6세	100	75-115
10세	90	70-110

정상 신생아의 심박수는 분당 100-170회이며 규칙적 리듬을 보이고, 연령이 증가하면서 심박수는 감소한다(표 1-4). 신생아의 평균혈압은 수축기 60 mmHg이고, 이완기 35 mmHg이며 소아에서 경미한 심방부정맥은 흔히 보이나 이외 다른 부정맥은 모두 병적으로 간주된다.

(2) 혈액량

신생아 혈액량은 분만 전후에 태반으로부터 아기 쪽으로 이동하는 혈액량에 따라 급격한 변화를 보인다. 아기 출생 후에 탯줄을 과도하게 짜 주거나 제대 결찰을 늦게 하는 경우 혈액량이 20%까지 증가하고, 혈액을 포함한 체내수분이 초과 공급됨으로써 호흡곤란을 일으킬 수 있다. 반대로 분만진통 중에 태아의 혈관 수축이 심한 경우 혈액이 태반 쪽으로 이동하여 출생 후 혈액량이 부족할 수도 있다.

신생아에서 총 혈액량이 그리 크지 않기 때문에 간단한 수술에 의한 적은 양의 출혈도 신생아에선 큰 충격이 될 수 있다. 이러한 기전으로 신생아 교환수혈을 위해 혈액을 뽑아내는 경우 수축기 혈압과 심박출량의 급격한 저하가 일어나는 것이 관찰되며 같은 혈액량을 다시 넣어주면 바로 이것들이 원상복구 되는 것을 볼 수 있고, 이때, 심박수는 일정하게 유지되며 혈액량 부족의 정도에 비례해서 혈압이 감소되는 것을 관찰할 수 있다. 그러나 신생아에서 심혈관계와 화학수용체가 아직 제대로 성숙되지 않았기 때문에 혈액량부족을 견딜 수 있는 한도는 매우 제한되어 있다.

유아의 수축기 혈압이 총 혈액량을 잘 반영한다는 사실은 오랜 임상경험에 의해 증명되어 왔고, 전신마취 수술 중 적절한 혈액이나 수분공급의 훌륭한 지표로서 사용되고 있다.

(3) 저산소증에 대한 반응

신생아의 신진대사는 상대적으로 높고, 호흡능력이나 심박능력의 여유는 작은 편이어서 사소한 원인에 의해서도 서맥을 동반하는 저산소증에 급격하게 빠질 수 있다. 그러므로 수술 중 원인 없이 나타나는 서맥은 우선 산소공급과 환기량의 증가로써 처치를 해야 한다.

성인에서는 저산소증에 대한 신체의 반응으로서 전신혈관확장 및 심박출량 증가를 통해서 조직으로 가는 산소운반을 원활하게 하지만, 태아 또는 일부 신생아에서는 저산소증에 대한 반응으로 폐혈관수축과 폐동맥고혈압을 나타낸다. 태아에서 혈관수축을 하면 태반으로 혈액을 많이 보내 산소공급을 더 원활하게 받을 수 있지만, 출생 직후 제대혈관이 끊어진 후에는 이것이 불가능하고, 저산소증을 더 악화시키는 원인이 된다. 심박출량 감소도 함께 동반되면 산소공급은 더 어려워지고, 심장의 부담은 더 커지는 상태가 된다. 출생 직후 신생아에서 보이는 심한 서맥은 가끔 심근 저산소증이나 대사 또는 호흡산증에 기인하는 경우도 있다.

이러한 기전으로 저산소증을 겪는 미숙아나 일부 신생아에서는 폐혈관 및 전신혈관의 수축, 심박출량 감소 및 서맥으로 바로 이어지고, 심하면 심폐정지나 신생아 사망에도 이를 수 있어 상황에 맞게 신속한 진단과 처치가 이루어져야 한다.

(4) 혈액량 및 산소 전달

신생아의 혈액량은 만기 출산 시 체중 kg당 약 80 ml이고, 조산아인 경우는 이것보다 약 20% 정도 높다. 탯줄을 언제 묶는지에 따라 조금씩 달라지지만 신생아에서 헤마토크릿 수치는 60%이고 헤모글로빈량은 18 g/100 ml이며 헤모글로빈량은 태어나서 일주일간은 큰 변화가 없다가 그 이후부터 점차 감소하며 조산아인 경우 이 변화가 더 급격히 일어난다. 신생아 헤모글로빈의 70-90%는 성인유형이 아닌 태아유형이며 이 유형은 산소에 대한 흡착력이 강해 폐에서는 산소를 더 많이 붙여 운반하지만, 산소를 사용하는 조직에서는 산소를 덜 떨어뜨려 효율이 떨어져서 신생아 헤모글로빈량이 성인보다 더 높은 것은 이것을 극복하기 위한 것이다. 신생아 헤모글로빈이 12 g/mL 이하이면 빈혈에 해당하고, 산소결핍증이나 무호흡이 동반된 경우 수혈에 의한 헤모글로빈 교정이 필요하다.

생후 일주일간 적혈구 생성억제가 일어나며 헤마토크릿 수치도 떨어진다. 태아유형의 헤모글로빈은 산소운반에 더 적합한 성인유형으로 치환되어 생리적 빈혈은 생후 2-3개월에서 최저치 헤모글로빈 9-11 g/100 ml에 도달하고, 영양공급이 적절히 되면 수 주일에 걸쳐 서서히 헤모글로빈 12-13 g/100 mL으로 개선된 후 정상치로서 유지된다.

(5) 순환기부전의 진단

유소아에서 순환기부전은 임상적 쇼크증후군이라고 칭하며 보통 질병이나 외상에 의해 초래되고, 성인에 비해서 이환율이나 사망률이 훨씬 더 높다. 임상적 쇼크증후군은 크게 혈량저하성(hypovolemic), 심인성(cardiogenic) 및 분포성(distributive)의 3유형으로 분류한다. 혈량저하성이 가장 흔하고, 혈량감소로 인하여 혈류가 저하되고, 조직관류가 되지 않아 일어나는 유형이고, 심인성은 심근염에서와 같이 심장펌프가 작동하지 않거나 대동맥협착과 같이 심박출이 막혀서 일어나거나 부정맥에 기인하는 유형이며 분포성은 아나필락시스나 척수손상 때와 같이 혈관운동신경성 소실로 인하여 일어나는 유형이다. 쇼크를 겪는 소아는 산소결핍으로 인한 임상적 증상으로 입주변 창백, 청색증, 발한 등의 소견을 보이고, 중추 저산소증으로 자극과민, 착란, 섬망, 발작, 혼수의 소견이 나타나며, 심장 저산소증으로 빈맥, 서맥, 저혈압, 소변량감소, 장폐색, 저산소혈증, 대사산증 등이 나타난다. 혈량저하증이 가장 흔한 유형이기 때문에 제일 먼저 등장성용액(크리스탈로이드용액 20 mL/kg)의 정맥 내 투여를 통해 심박출량을 개선시키는 것이 필요하다. 각성수준, 빈맥, 혈압, 말초혈관수축, 소변량감소, 대사산증 등이 개선되는 소견을 통해 환자상태를 감시하고, 60 mL/kg 이상의 수분보충으로도 개선되지 않으면 도파민과 같은 강심제 투여를 고려해야 한다.

4) 수분-전해질

성인과 마찬가지로 소아에서 술 전, 술 중 및 술 후 수액 관리는 매우 중요한 부분이고, 위에 언급한 소아 호흡기와 순환기 계통의 생리학적 차이로 인해 소아에서 수액-전해질의 적절한 공급은 무엇보다도 중요한 처치이다. 성인에서 총수분량은 체중의 55-70%이며 소아에서는 75%로 더 많고, 세포외 수분:세포내 수분의 비율은 성인에서 35:65인데 비해 소아에서는 45:55에 이르며 이 차이는 소아에서 체구에 비해 체표면적이 큰 것이 원인이다. 소아의 혈액은 체

중 kg당 70-80 mL이고, 총량이 크지 않기 때문에 몸 안에서 수액 균형의 작은 변화에 의해서도 쉽게 탈수가 되거나 과다공급이 초래된다. 그러므로 소아에서 수액 관리는 미리 문제가 있는지 잘 감시하고, 잘못된 경우 빨리 발견하여 적절하게 조치를 하는 것이 매우 중요하다.

연령에 따라 세포내외의 전해질 조성에는 큰 변화가 없지만, 체내수분의 부위별 분포는 변화를 보이게 된다(표 1-5). 소아에서 수분 요구량은 대사율과 활동량에 따라 공식으로 간단하게 표현될 수 있으며 장기에 따른 칼로리당 수분손실은 표 1-6과 같고, 체중에 따른 수분요구량은 표 1-7과 같다.

수액-전해질 공급은 다음의 순서에 기초해서 교정되어야 한다. 첫째, 부족분 또는 초과분이 얼마나 되는지 평가하고, 둘째, 공급의 속도를 결정하고, 셋째, 임상소견의 감

표 1-5. 유소아의 정상 세포내외 전해질의 조성

	Na$^+$ (mEq/L)	K$^+$ (mEq/L)
세포내	10	150
세포외	140	4.5

표 1-6. 유소아의 장기별 수분손실

장기	수분손실(mL/100cal/day)
신장	55
폐	15
피부	30
합계	100

표 1-7. 유소아의 체중별 수분요구량

체중	예상 수분요구량(mL/hr)
0-10 kg	4 mL/kg/hour
11-20 kg	40 mL/hr(2 mL/kg/hr)
>20 kg	60 mL/hr(1 mL/kg/hr)

표 1-8. 소아 탈수증후군에서 권장되는 표준 수분보충요법

Type	Acute (<3 days)		Chronic (>3 days)	
	Replacement Fluid	Rate	Replacement Fluid	Rate
Isotonic (Normal serum Na)	OS ½NS	(1) Maintenance plus ½ the deficit in the first 8 h (2) Maintenance plus the second ½ of deficit over the next 12 h	DS ¼NS	(1) Maintenance plus ½ the deficit in the first 12 h (2) Maintenance plus the second ½ of deficit over the next 24 h
Hypotonic (Na⁺<130 mfq/L)	D5 ½NS	(1) Maintenance plus ½ the deficit in the first 8 h (2) Maintenance plus the second ½ of deficit over the next 12 h	DS ½NS	(1) Maintenance plus ½ the deficit in the first 12 h (2) Maintenance plus the second ½ of deficit over the next 24 h
Hypertonic (Na⁺>150 mEq/L)	DS ¼NS	(1) Maintenance plus ½ the deficit in the first 12 h (2) Maintenance plus the second ½ of deficit over the next 36 h	DS ¼NS	(1) Maintenance plus ½ the deficlt in the first 24 h (2) Maintenance plus the second ½ of deficit over the next 48 h

약자해설: D5 1/2 NS, 5% dextrose in 1/2 normal saline solution; D5 1/3 NS, 5% dextrose in 1/3 normal saline solution; D5 1/4 NS, 5% dextrose in 1/4 normal saline solution; D5 1/5 NS, 5% dextrose in 1/5 normal saline solution; Na, sodium
*From Lavelle JM, Costarino Jr AT. Care of the pediatric patient. In: Wetmore RF, Muntz HR, McGill TJ, Potsic WP, Healy GB, Lusk RP (eds) Pediatric Otolaryngology, Thieme. Publ., New York; 2000. p3-31

시를 통해 공급량을 가감하며, 넷째, 설사나 신부전과 같은 동반된 요인을 고려하여 수정해야 한다. 표 1-8은 소아탈수증후군에서 권장되는 표준 수분보충요법을 잘 정리하여 나타내고 있다. 수분-전해질 교정에 관한 구체적인 내용은 관련 소아과학 및 내과학 교과서를 참고하거나 관련 전문의에게 자문을 구해야 하고, 이 장에서 자세히 기술하지 않았다.

3. 소아이비인후과 진단을 위한 접근법

1) 환자

유소아 환자도 성인과 마찬가지로 수술 후에 닥칠 고통에 대한 두려움이나 불안감을 수술 전에 똑같이 느끼지만, 아직 어려서 그것을 극복할 수 있는 기술이 모자랄 뿐이며, 유소아에서는 불안감을 느끼는 즉시 반사적으로 나타내고, 생각하고 난 후에 반응하는 일은 거의 없다. 대부분 유소아들은 부모가 데리고 오기 때문에 의사는 진료를 부모

와 시작해야 하는 한편 환자는 부모를 따라 온 것이기 때문에 왜 그곳에 왔는지 모르는 경우가 많다. 말은 안 통하지만 어린 환자와 유대관계를 잘 만드는 일은 진료 개시에서 매우 중요하며 이는 환자에게 편안한 분위기를 만들어 줄 뿐 아니라 부모 입장에서도 의사가 자신의 아기를 위해 진심으로 대한다고 느끼기 때문이다. 병력조사나 진찰, 검사를 하면서 이건 왜 하고, 어떤 결과가 예상되는지 부모와 환자 모두에게 진찰 단계마다 계속해서 설명하는 것이 필요하다. 환자들은 부모의 분위기에서 현재 상황을 눈치채는 경우가 많으므로 부모를 편안하게 해주고 이해를 시켜주면 환자들도 편안한 상태가 된다. 더불어 불편함이나 통증을 유발할 수 있는 처치나 검사는 가능하면 진찰의 마지막 부분에 배치하는 것이 세심한 배려이다.

환자에게 불필요한 불편감이나 스트레스를 주지 않으면서 신속하고, 꼼꼼하게 진찰할 수 있는 기술은 짧은 기간에 만들어지지 않고, 경험이 요구되므로 좋은 의사가 되기 위해서는 평소에 환자에게 애정을 갖고 지침에 따라 진료를 하는 습관을 만드는 것이 필요하다. 예전에 침습적인 처

치를 할 때 환자를 꼼짝도 못 하게 꽉 잡고 하던 것은 평생 남는 정신적 상처를 남기는 잘못된 위험한 진료이고, 이런 경우에는 차라리 진정마취나 전신마취를 이용하는 것이 낫다.

2) 보호자

부모는 의사의 설명을 듣고 아픈 아기를 대신해서 치료 받을지 말지를 결정해야 하는데 치료에 따른 위험, 합병증, 치료 후 고통 등 불확실한 것들이 심리적으로 쉽지 않은 상황을 야기한다. 의사는 정직하고 열린 마음으로 어떠한 치료가 있는지 그리고, 각 치료의 장점과 위험은 무엇인지 그리고, 치료 후 경과는 어떻게 되는지 상세하게 설명함으로써 부모가 보호자로서 나중에 후회 않는 결정을 내릴 수 있게 유도해야 한다. 의사가 생각하는 최선의 치료법이 있겠지만, 부모는 과거의 경험, 다른 가족이나 친구의 권유, 또는 매스컴으로부터의 정보 등으로 인해서 치료방법에 대한 편견을 갖고 있을 수 있다. 의사가 권하는 치료법이 다른 것에 비해서 왜 더 좋은지 시간을 갖고 충분히 전달하고 이해를 시킴으로써 이 문제를 해소해야 한다. 이 부분이 잘되지 않으면 치료결과가 좋지 않았을 때 진료갈등이나 분쟁의 원인이 되므로 어떤 경우엔 부모가 원하는 치료방법을 따라야 할 수도 있다.

3) 일차 진료의사 및 다전문분야 진료팀

성인과 달리 유소아는 예방주사 접종을 위해서 또는 경미한 증상에도 의사에게 자문을 구하는 경향이 있어 대부분의 환자들은 가까운 인근의 소아과나 가정의학과 일차기관에 주치의를 두고 있고, 우리나라에서는 이비인후과 개원의가 그 역할을 하는 경우도 있다. 그러나, 합병증을 동반했거나 수술적 치료가 필요한 이비인후과질환의 경우에는 소아과 전문의나 소아이비인후과 전문의가 있는 3차 의료기관으로 전원 의뢰하는 것이 보통이다. 이때, 일차 진료의사(의뢰한 의사)는 3차기관 의사(의뢰 받은 의사)에게 간단한 진료정보와 함께 의뢰하게 된 목적을 요약하여 전달하게 되며 때에 따라서는 수술적 치료가 필요할 때 환자 보호자에게 알기 쉽게 미리 설명한 후 의뢰하는 경우가 흔하다.

오랫동안 유대가 맺어진 환자-보호자-의사 관계 때문에 의뢰한 의사의 설명과 권유에 보호자는 강한 신뢰를 하게 되고 의뢰 받은 의사 쪽에서는 그렇지 않았으면 얻기 힘든 도움을 받는다.

성인의 내과-외과 관계에서와는 달리 유소아의 소아과-소아이비인후과를 포함한 외과에서는 대개 수술 전후에 다수의 전문분야의 협업에 의해서 이루어진다. 이러한 접근법은 환자에게 보다 나은 양질의 진료가 제공된다는 긍정적 요인이 있지만, 책임주치의의 개념이 명확하지 않으면 의사결정과 술 후 문제가 생겼을 때 책임소재가 모호해질 수가 있다. 다전문분야의 진료를 개시하기 전에 책임 개념을 분명히 해놓는 것이 필요하며 대개는 수술을 집도하는 의사가 책임주치의가 되고 수술여부의 의사결정을 하는 것이 보통이지만 수술적으로 할지 비수술적 치료를 할지의 결정에 대해서 보호자도 납득해야 하고, 의뢰한 의사와 다른 전문가그룹도 모두 동의를 해야만 다전문분야 진료팀을 쉽게 이끌어 치료과정에만 전력투구할 수 있다.

마지막으로 소아이비인후과 전문의는 환자의 부모를 포함한 가족, 의뢰한 의사, 그리고, 진료팀원들 모두에게 치료에 관련된 최신 지식과 술 후 경과에 대한 정보를 실시간으로 교육함으로써 투명하게 신뢰를 얻을 수 있고, 피드백 양방향 조언이 가능하여 최선의 결과를 성취할 수 있다.

4) 병력조사

소아의 병력조사를 위해 보통 세 곳에서 정보나 자료를 얻게 된다. 첫째, 일차 진료의사로부터 받은 진료의뢰서의 내용에는 간단한 병력과 의뢰하게 된 주 진단이 기술되어 있어 중요한 일차 정보를 제공하므로 초진 시간을 많이 절약할 수 있다. 일차 진료에서 시행한 진단 및 치료 내용과 의뢰 받은 기관에서의 검사소견이 일치하는지 확인함으로써 보다 더 확실하게 진단을 내릴 수 있고, 치료방침을 환자/보호자에게 설명하는 데에도 도움이 된다. 둘째, 진료의뢰서에 적힌 병력 내용으로 보호자의 병력청취를 내신할 수는 없다. 보호자는 대개 애정을 갖고 하루 24시간 환자의 일거수일투족을 함께 하는 경우가 많아 미세한 관찰까지 가능하므로 자세하고 빠짐없는 병력문진을 함으로써 보호자가 제공하는 중요한 정보를 놓치지 않도록 해야 한다. 셋째, 환자에게 직접 듣는 병력도 필요하다. 급성질환인 경우 유소아 환자가 직접 표현을 할 수 있겠지만, 만성질환을 가진 경우 자신의 문제가 무엇인지 잘 모르고, 그 상태를 정상으로 간주하고 지내는 경우가 보통이다. 그렇지만, 유소아 환자들에게 말을 걸어 진료에 참여시키는 것이 도움이 될 수 있고, 중요하지 않은 정보일지라도 전체를 종합하였을 때 유익한 정보가 될 수 있으므로 소아와의 문진도 필요하다. 이와 함께 가족력이나 형제 자매들의 병력조사도 필요하고, 임신 출산 기왕력도 물어보아야 하고, 가정 스트레스나 학교생활 문제도 포함시켜야 한다.

5) 진찰

유소아의 진찰은 가능한 한 환자의 불안감이 해소된 분위기에서 시작해야 한다. 그러기 위해서는 환자와 유대관계가 잘 생겨야 하는데 예를 들면 전기이경 같은 것을 진찰 시작하기 전에 환자의 손에 쥐어주고 이것은 아프지 않다는 것을 말해 주는 것이 도움이 될 수 있다. 아기들이 가장 먼저 병원을 방문하는 것은 예방주사 맞으러 갈 때이므로 대부분의 아기들은 병원에 가면 아픈 주사를 맞는다는 생각을 먼저 한다는 것을 이해할 필요가 있다.

대부분의 이비인후과 진찰은 통증이 동반되지 않는다. 진찰 처음에 갑자기 헤드미러나 헤드램프를 쓰게 되면 아기들이 겁을 먹을 수 있으니 다른 간단한 검사부터 하여 익숙해진 다음에 사용하는 것이 좋다. 이경검사는 큰 어려움 없이 시행할 수 있고, 공기이경검사는 미리 설명을 하고 천천히 하면 큰 어려움이 없다. 비내시경 검사는 큰 깔대기 이경과 굵기가 작은 내시경을 함께 사용하면 간편하게 할 수 있고, 구강검사는 설압자를 쓰지 않고도 가능하고, 후인두 관찰이 필요한 경우에는 설압자를 쓸 수 있다. 경부의 촉진 검사는 가능한 부드럽게 시행하고, 종물이 있으면 위치, 크기 및 압통여부를 확인해야 한다. 이와 함께 안면 기형, 이개 기형, 눈의 이상외형 등을 확인하고, 비강과 구개의 이상 여부도 확인해야 하며 호흡음을 잘 들음으로써 상기도 폐쇄 소견을 간접적으로 확인할 수 있다. 이 모든 검사를 간단하고 신속하게 그렇지만 빠짐없이 시행하는 것이

중요하다.

6) 특수검사

(1) 수술현미경을 이용한 이경검사

수술현미경 이경검사는 진단뿐만 아니라 처치도 할 수 있는 매우 유용한 검사로 검사 전에 환자의 협조를 이끌어내는 것이 필요하다. 환자가 수술현미경을 보고 겁내는 경우에 수술현미경을 통하여 의사의 엄지손가락을 보게 하고 이 기계는 단지 확대경이라는 것을 알려주거나 모니터가 딸려있는 경우에는 진찰 화면을 보게 함으로써 협조를 이끌어낼 수 있다. 어린 유소아의 경우 진찰의자에 앉힐 때 보호자가 뒤에서 환자의 팔과 몸을 안아서 앉고, 간호사 또는 보조인력이 머리를 고정시킴으로써 고막관찰을 위한 외이도 이물 제거 시 외상이 일어나지 않게 돕는다. 외이도 이물은 흡인기, 면봉, 미세겸자, 또는 다른 미세기구를 사용하여 제거할 수 있고, 상황에 맞게 적절한 술기를 사용해야 하고, 흡인기 사용시 큰 소리가 날 수 있으므로 놀라지 않도록 미리 알려주는 것이 필요하다. 대부분의 경우 단순 진찰을 위해서 진정제 사용이나 전신마취는 필요하지 않다.

(2) 유연내시경검사

유소아의 비강을 통해 넣은 유연내시경을 써서 비강, 인두, 하인두와 후두를 관찰하는 검사는 매우 유용하다. 최근에는 굵기가 작은 고화질의 내시경이 개발되면서 사용이 더 간편해졌고, 소아이비인후과 진찰의 필수적 장비로써 이용되고 있다. 고속촬영과 동영상저장이 가능한 장비를 함께 사용하면 잠깐씩 밖에 관찰이 어려운 유소아의 진찰소견을 녹화재생을 통해 다시 확인해 볼 수 있는 장점이 있다. 국소마취는 옥시메타졸린과 같은 점막수축제와 함께 리도카인젤이나 폰토카인분무액을 사용하여 마취하고, 소아에서 코카인 마취는 사용하지 않는다. 마취 후 기도흡인의 위험 때문에 시술 후 30분간 음식이나 음료를 먹지 않도록 교육하고 합병증으로서 비출혈은 있을 수 있지만 경미하고, 호흡곤란이 흔치는 않지만 발생할 수 있으므로 언제든 사용할 수 있는 응급키트를 준비해 놓아야 한다.

(3) 세침흡인조직검사

세침흡인검사는 소아에서도 쉽게 시행할 수 있는 검사이고, 세침삽입으로 인한 통증이 혈액채취를 위한 주사기 삽입 때 보다 더 아프게 시행되어서는 안 된다. 경부 종물 부위에 국소마취제인 EMLA 크림을 도포한 후에 벽의 흡인기에 연결된 10 mL 주사기와 23게이지 주사바늘을 사용하여 촉진되는 종물의 중앙에서 시료를 흡인하여 채취하고, 흡인된 시료는 대개 주사바늘의 내부에 있게 된다. 주사기에서 유리슬라이드에 밀어낸 시료를 밀어서 얇게 편 후에 포르말린에 고정하고 소견을 즉시 관찰하는 것이 이상적이다. 흔히 시료가 부족한 경우가 있으므로 대기하고 있는 세포병리전문의가 신속하게 판독하고, 결과를 알려줄 필요가 있다. 시료가 부족하면 같은 방법으로 반복해야 하는데 소아환자들은 보통 첫 번째보다 두 번째 시술을 더 잘 견디어 내는 경향이 있다.

(4) 청각검사

신생아 난청의 조기 발견과 적절한 처치는 향후 언어발달에 엄청나게 큰 영향을 미치기 때문에 새로 태어난 아기의 인생을 좌우하는 일이라고 할 수 있다. 요즘 우리나라에서도 신생아청각선별검사(universal newborn hearing screening, UNHS)를 위한 장비가 산부인과 개원의나 보건소에 설치된 곳이 많고, 정부에서 검사비를 지원하는 프로그램이 있어서 신생아선별검사로서 청력검사를 받는 아기들이 많아졌다. 2018년 10월부터 신생아 난청 선별검사도 건강보험이 적용되었으며, 최소 출생 후 1개월 내에는 검사를 실시하도록 권고하고 있다. 검사 방법은 2가지로 자동청성뇌간반응(automated auditory brainstem response, AABR)과 자동이음향방사(automated evoked otoacoustic emissions, AOAE)가 있다. 선별검사결과는 자동검사기기에서 통과(pass) 또는 재검(refer)으로 나타난다.

신생아나 6개월 이하의 유아에서 난청이 일단 의심되면 이비인후과 전문의에게 의뢰를 함으로써 늦지 않게 적절한 재활프로그램을 시작하는 것이 중요하다.

4. 흔한 전신질환

소아이비인후과 질환은 각론부분에서 구체적으로 기술할 것이므로 본 장에서는 유소아에서 흔한 전신질환인 감염성질환, 외상성질환 및 아동학대에 관해서만 간략하게 살펴보았다. 아울러 보호자를 대상으로 예방 가능한 것들을 연령에 맞추어 교육하는 것은 질환을 치료하는 것 못지않게 중요하다. 표 1-9는 아기의 연령에 따른 보호자 면담 스케줄과 기본적으로 필요한 교육 내용이고, 표 1-10은 우리나라 질병관리본부에서 권장하는 표준예방접종 스케줄(https://nip.cdc.go.kr/irgd/introduce.do?MnLv1=1&MnLv2=4)을 정리하였다.

1) 감염성질환

감염성질환은 소아의 급성질환의 대부분을 차지하고, 가장 흔한 감염은 호흡기와 소화기계통에서 발생한다. 신생아와 2세 미만의 아동에서는 특히, 세균성감염에 취약하고 상하기도 감염, 폐렴, 뇌수막염, 연조직염(cellulitis), 패혈관절염, 요도감염, 골수염과 패혈증으로 진행될 수 있어 특히, 2개월 이하 유아에서 38도 이상의 발열은 주의를 요하며 지침에 따른 정밀검사가 필요하다. 정기적 이비인후과 진찰을 통해서 호흡기감염을 효과적으로 관리하는 것이 좋은 방법이다. 그림 1-1은 유소아 발열에서의 치료 알고리듬이고, 표 1-11에서는 흔한 감염성질환과 권장되는 항생제 사용법을 정리하였다.

2) 외상성질환

외상은 생후 1년 이후 소아 사망을 초래하는 가장 흔한 원인이다. 소아 외상을 일으키는 유형 중 자동차 사고가 가장 흔하며 그 다음이 아동학대에 의한 외상이고, 불행하게도 최근 들어 그 빈도가 점점 증가하고 있다. 유형이 무엇인지에 관계없이 소아에서는 두부가 다른 신체에 비해 상대적으로 큰 이유로 인해서 두부의 외상으로 나타나는 것이 흔하다. 소아의 두부 급성외상에서는 흔히 응급기도처치가 필요하고, 신경학적 치료가 길어지거나 급성처치와 관련된 후두기관 손상이 있는 경우에는 인공호흡기를 사용하는

표 1-9. 연령에 따른 보호자 면담 스케줄과 기본적 교육내용*

Age	Highlights of Anticipatory Guidance
Pienatal	Physical and emotional preparation for the new baby
Neonatal	Breast/bottle feeding and care of cord, circumcision.nails, and skin; fevers, signs of illness. car seat, crib safety, supine sleep position, smoke detectors, water temperature <120℃, smoke-free environment
1-2 weeks	Review feeding, check weight gain, temperament, and parent adjustment
1 month	Crying peaks at 6 weeks
2 month	Signs of illness, Emergency procedures. dayrare/children issues
4 month	Introduction of solid food, establish bedtime routine, begin to child proof home
6 month	further child proofing, avoid walkers, syrup of ipecac, solids, 2-3 times daily, avoid propping bottle, start cup use, assess need for supplemental fluoride, brush teeth
12 month	Water safety. sunscreen, lower crib mattress. bike helmet, close supervision, eats meals, with the family plus 2-3 snacks, start whole milk, limit sugar, limit TV, curiosity about genitalia
15 month	No hitting or biting
18 month	Eat with utensils, outings should be kept short, supervise closely
2 years	Supervise closely, toilet training when child is ready
3 years	Playground, stranger safety, limit TV, encourage reading
4 years	Consistency with rules, limits, school issues
5 years	Physical activity, sleep, prepare for school
6 years	Self-discipline, chores, family rules, sports, school
8 years	Nutrition, avoid tobacco, alcohol, drugs, reinforce helmet, water safety, issues of violence, encourage parents to know their child's friends
10 years	Prepare for puberty
11 years	Encourage nutrition; routine physical, activity; drug, alcohol, and violence avoidance; learn how to say no to pees; safe sex issues
12 years	Same is 11 years
13 years	School performance, screen for mental health problem, especially depression
14 years	Same is 13 years
15 years	Same is 13 years

*From Green M, Palfrey JS, eds. Bright futures: Guidelines for Health Supervision of Infants, Children, and Adolescents, 2nd ed. Arlington, VA, National Center for Education in Maternal and Child Health; 2002

표 1-10. 흔히 시행되는 유소아 예방접종 스케줄

대상 감염병	백신종류 및 방법	횟수	출생-1개월 이내	1개월	2개월	4개월	6개월	12개월	15개월	18개월	19-23개월	24-35개월	만4세	만6세	만11세	만12세
결핵	BCG (피내용)	1	BCG 1회													
B형간염	HepB	3	HepB 1차	HepB 2차			HepB 3차									
디프테리아 파상풍 백일해	DTaP	5			DTaP 1차	DTaP 2차	DTaP 3차		DTaP 4차				DTaP 4차			
	Tdap	1													Tdap 6차	
폴리오	IPV	4			IPV 1차	IPV 2차	IPV 3차						IPV 4차			
b형헤모필루스 인플루엔자	Hib	4			Hib 1차	Hib 2차	Hib 3차	Hib 4차								
폐렴구균	PCV	4			PCV 1차	PCV 2차	PCV 3차	PCV 4차								
	PPSV	–										고위험군에 한하여 접종				
홍역 유행성이하선염 풍진	MMR	2						MMR 1차					MMR 2차			
수두	VAR	1						VAR 1회								
A형간염	HepA	2						HepA 1-2차								
일본뇌염	IJEV (불활성화 백신)	5						IJEV 1-2차				IJEV 3차	IJEV 4차		IJEV 4차	
	LJEV (약독화 생백신)	2						LJEV 1차				LJEV 2차				
사람유두종바이러스 감염증핵	HPV	2														HPV 1-2차
인플루엔자	IIV	–						IIV 매년 접종								
로타바이러스 감염증	RV1	2			RV 1차	RV 2차										
	RV5	3			RV 1차	RV 2차	RV 3차									

- **국가예방접종**: 국가에서 권장하는 예방접종(국가는 감염병의 예방 및 관리에 관한 법률을 통해 예방접종 대상감염병과 예방접종의 실시기준 및 방법을 정하고, 이를 근거로 재원을 마련하여 지원하고 있음
- **기타예방접종**: 예방접종 대상 감염병 및 지정감염병 이외 감염병으로 민간 의료기관에서 접종 가능한 유료예방접종
① BCG: 생후 4주 이내 접종
② B형간염: 임산부가 B형간염 표면항원(HBsAg) 양성인 경우에는 출생 후 12시간 이내 B형간염 면역글로불린(HBIG) 및 B형간염 백신을 동시에 접종하고, 이후의 B형간염 접종일정은 출생 후 1개월 및 6개월에 2차, 3차 접종 실시
③ DTaP(디프테리아·파상풍·백일해): DTaP-IPV (디프테리아·파상풍·백일해·폴리오) 또는 DTaP-IPV/Hib (디프테리아·파상풍·백일해·폴리오·b형헤모필루스인플루엔자) 혼합백신으로 접종 가능
④ Tdap: 만 11-12세에 Tdap 또는 Td로 접종하고, 이후 10년마다 Td 재접종(만 11세 이후 접종 중 1번은 Tdap로 접종)
⑤ 폴리오: 3차 접종은 생후 6개월에 접종하나 18개월까지 접종 가능하며, DTaP-IPV (디프테리아·파상풍·백일해·폴리오) 또는 DTaP-IPV/Hib (디프테리아·파상풍·백일해·폴리오·b형헤모필루스인플루엔자) 혼합백신으로 접종 가능
　※ DTaP-IPV (디프테리아·파상풍·백일해·폴리오): 생후 2, 4, 6개월, 만 4-6세에 DTaP, IPV 백신 대신 DTaP-IPV 혼합백신으로 접종할 수 있음. DTaP-IPV/Hib (디프테리아·파상풍·백일해·폴리오·b형헤모필루스인플루엔자): 생후 2, 4, 6개월에 DTaP, IPV, Hib 백신 대신 DTaP-IPV/Hib 혼합백신으로 접종할 수 있음
　※ 혼합백신 사용 시 기초접종 3회를 동일 제조사의 백신으로 접종하는 것이 원칙이며, 생후 15-18개월에 접종하는 DTaP 백신은 제조사에 관계없이 선택하여 접종 가능
⑥ b형헤모필루스인플루엔자: 생후 2개월-만 5세 미만 모든 소아를 대상으로 접종, 만 5세 이상은 b형헤모필루스 인플루엔자균 감염 위험성이 높은 경우(겸상적혈구증, 비장절제술 후, 항암치료에 따른 면역 저하, 백혈병, HIV 감염, 체액면역 결핍 등) 접종하며, DTaP-IPV/Hib (디프테리아·파상풍·백일해·폴리오·b형헤모필루스인플루엔자) 혼합백신으로 접종 가능
⑦ 폐렴구균(단백결합): 10가와 13가 단백결합 백신 간에 교차접종은 권장하지 않음
⑧ 폐렴구균(다당질): 만 2세 이상의 폐렴구균 감염의 고위험군*을 대상으로 하며 건강상태를 고려하여 담당의사와 충분한 상담 후 접종
　※ 폐렴구균 감염의 고위험군
　- 면역 기능이 저하된 소아: HIV 감염증, 만성신부전과 신증후군, 면역억제제나 방사선 치료를 하는 질환(악성종양, 백혈병, 림프종, 호치킨병) 혹은 고형 장기 이식, 선천성 면역결핍질환
　- 기능적 또는 해부학적 무비증 소아: 겸상구 빈혈혹은 헤모글로빈증, 무비증 혹은 비장 기능장애
　- 면역 기능은 정상이나 다음과 같은 질환을 가진 소아: 만성 심장 질환, 만성 폐질환, 당뇨병, 뇌척수액 누출, 인공와우 이식 상태
⑨ 홍역: 유행 시 생후 6-11개월에 MMR 백신이 가능하나 이 경우 생후 12개월 이후에 MMR 백신으로 재접종 필요
⑩ A형간염: 1차 접종은 생후 12-23개월에 시작하고 2차 접종은 1차 접종 후 6-12(18)개월(제조사

에 따라 접종간격이 다름) 간격으로 접종
⑪ 일본뇌염(불활성화 백신): 1차 접종 후 7-30일 간격으로 2차 접종을 실시하고, 2차 접종 후 12개월 후 3차 접종
⑫ 일본뇌염(약독화생백신): 1차 접종 후 12개월 후 2차 접종
⑬ 사람유두종바이러스 감염증: 만 12세에 6개월 간격으로 2회 접종하고, 2가와 4가 백신 간 교차접종은 권장하지 않음
⑭ 인플루엔자(불활성화 백신): 접종 첫 해는 4주 간격으로 2회 접종이 필요하며, 접종 첫 해 1회 접종을 받았다면 다음 해 2회 접종을 완료, 이전에 인플루엔자 접종을 받은 적이 있는 6개월-만 9세 미만 소아들도 유행주에 따라서 2회 접종이 필요할 수 있으므로, 매 절기 인플루엔자 국가예방접종 지원사업 관리지침을 참고

- **백신 두문자어**

대상 감염병	백신종류	
결핵	BCG (피내용)	Intradermal Bacille Calmette-Gerin vaccine
B형간염	HepB	Hepatitis B vaccine
디프테리아, 파상풍, 백일해	DTaP	Diphtheria and tetanus toxoids and acellular pertussis vaccine adsorbed
	Td	Tetanus and diphtheria toxoids adsorbed
	Tdap	Tetanus toxoid, reduced diphtheria toxoid and acellular pertussis vaccine, adsorbed
디프테리아, 파상풍, 백일해, 폴리오	DTaP-IPV	DTaP, IPV conjugate vaccine
폴리오	IPV	Inactivated poliovirus vaccine
b형헤모필루스인플루엔자	Hib	Haemophilus influenzae type b Vaccine
디프테리아, 파상풍, 백일해, 폴리오, b형헤모필루스인플루엔자	DTaP-IPV/Hib	DTaP, IPV, Heamophilus Influenzae type b conjugate vaccine
폐렴구균	PCV	Pneumococcal conjugate vaccine
	PPSV	Pneumococcal polysaccharide vaccine
홍역, 유행성이하선염, 풍진	MMR	Measles, mumps, and rubella vaccine
수두	VAR	Varicella vaccine
A형간염	HepA	Hepatitis A vaccine
일본뇌염	IJEV	Inactivated Japanese encephalitis vaccine
	LJEV	Live-attenuated Japanese encephalitis vaccine
사람유두종바이러스 감염증	HPV	Human papillomavirus vaccine
인플루엔자	IIV	Inactivated influenza vaccine

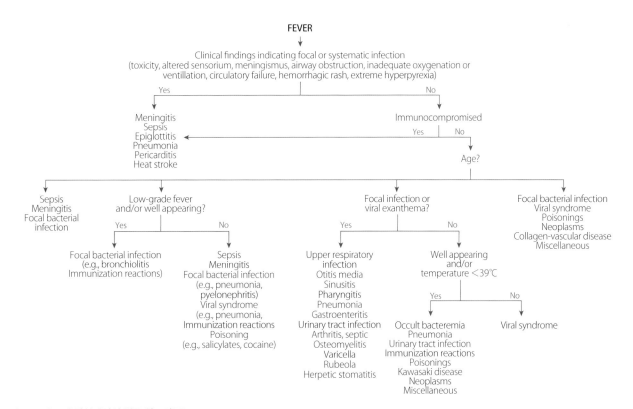

그림 1-1. 유소아 발열에서의 치료 알고리듬*

* From Alpern ER, Henretig FM. Practical pathway: Fever. In: Fleisher GR, Ludwig S. Textbook of Pediatric Emergency Medicine, 5th ed. Baltimore, Lippincott Williams & Wilkins; 2006. p.295-306.

표 1-11. 소아이비인후과에서 흔한 감염성질환 및 항생제 사용법

Clinical Syndrome	Major Pathogens	Antibiotics

Bacterial meningitis	Neonates (<1 month)
	   Group B streptococcus, Escherichia coli,
	   other enterics, Listeria monocytogenes
		Ampicillin and gentamicin

	Children
	   Streptococcus pneumoniae, Neisseria
	   meningitides, Haemophilus influenzae type b
		Vancomycin and cefotaxime/ ceftriaxone

Sepsis	Neonates
	   Group B streptococcus
	   E. coli
		Ampicillin and gentamicin or cefotaxime

	Children
	   S. pneumoniae
	   N. meningitides
	   H. influenzae
	   Staphylococcus aureus
	   Gram-negative bacilli
		Cefotaxime/ceftriaxone

Neonatal fever (<2 months)	Group B streptococcus Gram-negative bacteria L. monocytogenes	Ampicillin and gentamicin Ampicillin and cefotaxime/ceftriaxone (if CNS disease present)

약자해설: CNS, central nervous system

From Lavelle JM, Costarino Jr AT. Care of the pediatric patient. In: Wetmore RF, Muntz HR, McGill TJ, Potsic WP, Healy GB, Lusk RP (eds) Pediatric Otolaryngology, Thieme. Publ., New York; 2000. p3-31.

장기치료가 필요하다. 이때 이비인후과 의사는 소아기도 처치 전문가 팀의 일원으로서 참여하게 된다.

3) 아동학대

2007년에 미국에서 삼백만 건의 아동학대가 보고되었고, 그 중 80만 건(인구 10만 명당 10.6)에서 증거가 관찰되었으며, 1,760명의 사망(인구 10만 명당 2.35)이 집계되었다. 여기에는 신체적, 성적, 감정적 학대와 기아(neglect)를 포함한 수치이고, 이것이 아동학대를 발견한 보호자나 의사는 반드시 기관이나 경찰에 반드시 보고해야 하는 법적 제도의 시발점이 되었다. 아동학대의 진단은 병력과 진찰 및 관찰로서 이루어진다. 병력이 없거나 병력과 일치하지 않는 외상의 정도, 연속적 진찰에서 외상이 심해지거나 외상 후 한참 만에 병원을 찾았거나 형제나 친구가 외상의 원인이라고 하거나 자해를 했다고 하는 병력은 아동학대에서 흔히 발견되는 특징적인 소견이다.

　가장 흔하고 조기에 나타나는 소견은 피부에서 관찰되며 아동학대의 80%에서 보인다. 피부의 소견으로서 큰 멍이 보이거나 시간차로 생긴 여러 개 멍이 있거나 손톱자국 매맞은 자국, 화상을 동반한 소견 등이 나타날 수 있다. 특히 화상은 뜨거운 물에 의한 것이 많고, 양손이나 발에 나타내는 경우가 흔하다. 2세 이하 소아에서는 전신 X선 검사상 갈비뼈, 손가락 발가락뼈, 팔, 다리 뼈, 두개골 등에 오래된 골절 소견으로 나타날 수 있어 세심한 판독이 필요하고, 두부외상이 의심되면 뇌 CT검사를 시행하여 뇌출혈 유무를 확인하여야 한다.

　성적학대나 폭력은 피해자가 의사에게 병력을 알려주어야만 진찰 및 검사의 소견을 넛붙여 신난할 수 있다. 이내 진찰은 치료가 필요한 외상이 있는지, 증거가 될 소견이나 물질이 있는지 그리고, 가장 중요한 것은 피해자의 상태가 괜찮은지 확인하는 목적으로 한다. 성적학대의 진찰에서 26-73%에서 정상소견을 보이며 이때 피해자나 보호자에게 진찰결과 정상소견이고 다치지 않았다고 전달하는 것은 이 상황에서 매우 중요한 처치이다.

　병력조사와 진찰에서 아동학대가 의심되거나 발견되면 이 분야의 전문가에게 의뢰하거나 경찰서에 보고하는 것이 담당의사가 우선적으로 해야 할 일이다. 아동폭력의 경우 치료보다 더 중요한 것은 재발방지이기 때문이다.

5. 수술 또는 처치 전후 고려사항

1) 입원

입원 또는 수술적 치료를 받기로 결정되었으면 최선의 결과를 위해서 환자나 보호자를 심리적으로 안정시켜 주어야 한다. 우선 치료과정을 자세히 설명해 주어야 하고, 현실적인 치료 기대효과를 이해시켜야 한다. 병원 구조와 수술실, 수술 진행순서를 미리 안내해주는 병원프로그램이 도움이 될 수 있고, 말로 듣는 것보다는 눈으로 보는 것이 효과적인 경우가 많아 동영상이나 팜플렛 등을 써서 술 전, 술 후 지켜야 할 수칙들을 교육하는 것도 좋은 방법이다. 수술 전날 면담을 통해 궁금한 모든 것을 물어보게 하는 것도 심리적 안정을 도모하는 좋은 방법이다. 환자 보호자와의 신뢰관계가 든든하게 생긴 경우에 치료결과도 좋은 경우가 많다.

　소아병원은 소아 중심 진료체계를 위해 이상적인 환경을 제공한다. 환자와 질병을 중심으로 소아과, 소아외과, 소아마취과를 포함한 분과 전문의들이 필요에 따라 협진을 하는 팀이 구성되어 있고, 의사, 간호사, 검사실 기사, 언어, 놀이 치료사, 사회사업사 등 전문직이 협업을 하며 배치되어 있다. 소아병원이 어느 곳에나 있지 않고, 소아세부전문의들을 가까운 곳에서 찾기 힘들 수도 있지만, 소아이비인후과 진료는 가능한 한 최고의 전문가로 이루어진 팀 접근법을 해야 한다는 것이 세계적인 최근 경향이다.

2) 마취

소아마취는 특별한 수련과정과 경험이 필요한 세부전문분야 중에서도 으뜸으로 꼽힌다. 신체에 대한 마취 개스의 효과는 연령에 따라 다르고 나이가 어릴수록 더욱 복잡해져서 능숙한 소아마취를 위해서는 긴 기간의 경험이 요구된다. 적정의 소아마취는 술 전, 술 중, 술 후 회복의 안전을 위해서는 물론 수술의 효과를 좌우할 정도로 중요하여 집도의와 환자를 위한 최선의 수술적 치료의 첫 단계는 두말

할 나위 없이 좋은 소아마취 전문의를 찾는 일이다.

소아마취로 국소마취법을 사용할 수도 있지만, 수술 중 협조가 가능한 소아환자여야 하고, 수술을 신속하고 완벽하게 마칠 기술이 있는 집도의여야 한다. 진정제 정맥내주사를 병용하는 마취도 가능하지만, 술 중 언제든지 전신마취로 전환을 할 수 있고 환자의 상태를 계속해서 모니터하는 인력이 있어야 가능한 방법이고, 병원의 방침에 따라선 어느 정도 이상 시간을 요하는 소아의 진정마취 수술은 허용하지 않고 있고, 특히, 기도 유지가 필요한 두경부의 수술 자세에서는 기도삽관하지 않는 진정마취는 권장하지 않는다.

3) 수술 후 관리

수술 후 관리의 가장 중요한 부분은 수술 전 교육이라고 할 수 있다. 수술의 효과와 수술 직후에 나타나는 증상과 현상들을 술 전 보호자와 환자에게 미리 알려줌으로써 수술 후에 받는 스트레스를 줄일 수 있고, 술 후 능동적인 치료 협조를 이끌어낼 수 있다. "정말, 의사가 알려준 대로 되어가네. 병원에서 시키는 대로 하면 아마 잘 회복될 거야"하고 생각하게 유도하는 것이다. 말로써 전달하기에 많은 내용이라면 팸플렛을 이용하는 것도 좋은 방법이고, 미리 응급통화를 할 수 있는 전화번호를 알려주는 것도 심리적으로 안정을 줌으로써 불필요하게 많은 전화통화를 하게 만드는 불안감을 줄여줄 수 있다.

소아의 술 후 관리에서 드레싱 교체, 봉합사 제거, 비강 패킹 또는 귀패킹 제거하는 일 등은 통증과 불안감을 유발할 수 있어 소아에서 술 후에 쉽지 않은 처치 중 하나이다. 자주 교체하지 않아도 되는 드레싱재료를 사용하거나 피하 봉합만 하고 테이프를 사용하거나 또는 인체에 저절로 흡수되어서 제거하지 않아도 되는 패킹을 사용하는 방법을 써서 불필요한 진정마취나 전신마취를 하지 않도록 수술방법을 수정하는 것은 소아수술의 특수한 고려사항이라고 볼 수 있다.

4) 통증관리

일반적으로 신생아는 신경계통의 미성숙으로 인하여 통증을 느끼지 못하고 기억도 하지 못한다고 알려져 있지만, 최근 연구에 의하면 신생아에서 통증을 유발하는 자극을 주었을 때 심장박동과 호흡수 그리고 혈압이 변하는 것이 증명되었으며 이는 통증에 의한 생리적 변화와 더불어 정서적인 후유증 가능성도 유추할 수 있다. 이런 측면에서 보면 모든 신생아에서 시행하는 유대교의 할례 수술에 관해 찬반의 논란이 활발해진 배경을 이해할 수 있다.

통증은 개인의 감각적 및 정서적인 경험이 심리적인 요소에 영향을 받는 복합적 작용에 의해 심한 정도가 다르게 느껴지는데 여기서 개인의 심리적 요소는 과거의 경험에 비추어 예상하는 통증 불안감의 정도에 따라 차이가 많이 난다. 그러므로 스트레스, 불안감 및 공포를 줄여주면 국소마취 수술 중이나 전신마취 수술 후에 느끼는 통증을 현저히 줄여줄 수 있다. 어느 정도 이상의 연령이 되면 심호흡, 최면술 또는 이미지 연상법(guided imaginery)을 이용해 통증을 심하게 하는 심리적인 부분을 줄여줄 수 있고, 나이에 맞추어 이해가 잘 되도록 설명을 해주면 불안감과 통증을 줄이면서 환자의 협조를 이끌어낼 수 있다. 유소아 환자는 심리적 단서를 부모나 보호자의 분위기에서 찾는 경향이 있어 보호자가 불안해 하면 환자는 더 불안해지고 보호자가 침착하고 안정되어 있으면 환자는 불안을 훨씬 덜 느끼게 되므로 이러한 것들에 대해 보호자에게 미리 알려주는 것도 필요하다.

가장 흔히 쓰는 진통제는 매 4시간마다 acetaminophen 10-15 mg/kg 경구투여이고, 다른 비스테로이드소염제도 효과가 좋은 편이나 이것들은 혈소판기능저하 초래할 수 있으므로 출혈소질이 있는 소아에서는 주의를 요한다. 중등도 이상의 통증에는 마약류 진통제를 처방할 수 있지만, 특히, 신생아에서 사용할 때는 부작용에 대한 감시가 필요하다. 앞에서 언급하였듯이 신생아에서는 저산소증과 과이산화탄소증에 대한 호흡기계의 반응이 성숙되어 있지 않아 마약류의 사용 후에 심각한 호흡저하가 일어날 수 있다. 또한, 약제의 대사되는 속도나 반감시간도 다르고, 혈액 뇌장벽의 투과도 더 잘 된다는 것을 숙지해야 한다. 또한, 성인에서는 증상을 봐가면서 용량을 조절할 수 있지만, 소통이 어려운 유소아에서는 증상 완화 정도를 알 수 없기 때문에 실제 필요량보다 저용량 또는 고용량의 투여가 될 수 있어 주의를 요한다. 종합하면, 마약류를 포함한 진통제를 사용하면 술 후 환자를 편안하게 해 줄 수 있으나 신생아에서는 약제의 부작용과 용량을 잘 감시하면서 사용하는 것이 매우 중요하다.

최근에 개원하는 소아전문병원에서는 소아진정마취(pediatric sedation) 전문팀을 운영하고 있으며 안전관리 측면에서 기관 수준의 엄격한 지침에 따르며 환자/보호자에게는 보다 더 편안한 진료를 제공하고 있다. 일반적인 방법은 전문인력에 의한 집중감시와 기도관리를 하며 짧은 지속시간의 진정제를 정맥내 투여를 하는 것이고, 전신마취까지는 필요치 않은 간단한 수술이나 시술에서 사용되고, 진통이 심한 술 후 관리에서도 활용되고 있다.

6. 결론

본 장에서는 소아이비인후과 진료를 시작하기 전에 소아진료의 일반적 원칙들을 살펴보았다. 소아의 진료가 성인의 진료와 근본적으로 다른 점은 생리학적으로 현저한 차이가 있는 소아를 다룬다는 점과 함께 부모를 포함한 보호자를 피진료자이면서 진료의 도우미로서 상대해야 한다는 점이다. 소아는 단순히 크기가 작은 어른이 아니기 때문에 특별한 접근법이 필요하다는 것을 잘 이해하고, 믿음에 바탕을 둔 보호자와의 유대관계를 잘 만들어 보호자의 적극적 협조를 받으면서 질환을 잘 치료하는 것이 중요하다.

■■■■ 참고문헌

• Alpern ER, Henretig FM. Practical pathway: Fever. In: Fleisher GR, Ludwig S. Textbook of Pediatric Emergency Medicine, 5th ed. Baltimore, Lippincott Williams & Wilkins; 2006. p.295-306.

• Berlan ED, Bravender T. Confidentially, consent, and caring for the adolescent patient. Curr Opin Pediatr 2009;21(4):450-456.

• Bodegard G, Schwieler GH, Skoglund S, Zetterstrom R. Control of respiration in newborn babies. I. The development of Hering-Breuer inflation reflex. Acta Pediatr 1969;58:567-571.

• Boineau FG, LEwy JE. Estimation of parenteral fluid requirements. Pediatr Clin North Am 1990;37(2):257-264.

• Bryan AC, Bryan MH. Control of respiration in the newborn. Clin Perinatol 1978;5:269-281.

• Capute AJ, Palmer FB, Shapiro BK, Wachtel RC, Schmidt S, Ross A. Clinical linguistic and auditory milestone scale: prediction of cognition in infancy. Dev Med Child Neurol 1986;28(6):762-771.

• Cook CD, Sutherland JM, Segal S, Cherry RB, Mead J, Mciloy MB, Smith CA. Studies of respiratory physiology in the newborn infant. III. Measurements of mechanics of respiration. J Clin Invest 1957;36:440-448.

• Costarino AT, Baumgart S. Neonatal water metabolism. In: Cowett RM ed. Principles of peripheral neonatal metabolism. New York, Springer-Verlag; 1991. p.624.

• Giardino AP, Christian CW, Giardino ER. A Practical Guide to the Evaluation of Child Physical Abuse and Neglect. Thousand Oaks, CA. Sage Publcatins; 1997. p.181-191.

• Graham GR. Circulatory and respiratory physiology of infancy and childhood. Br J Anesth 1960;32:97-105.

• Green M, Palfrey JS, eds. Bright futures: Guidelines for Health Supervision of Infants, Children, and Adolescents, 2nd ed. Arlington, VA, National Center for Education in Maternal and Child Health; 2002

• Johnson CP, Blasco PA. Infant growth and development. Pediatr Rev 1997;18(7):224-242.

• Kliegman RM. The newborn infant. In: Behrman RE, Kliegman RM, Arvin AM, eds. Nelson Textbook of Pediatrics. 15th ed. Philadelphia. Sauders, 1996. P.433-440.

• Lavelle JM, Costarino Jr AT. Care of the pediatric patient. In: Wetmore RF, Muntz HR, McGill TJ, Potsic WP, Healy GB, Lusk RP (eds) Pediatric Otolaryngology, Thieme. Publ., New York; 2000. p3-31

• McMurray JS. General considerations in pediatric otolaryngology. In: Flint PW, Haughey BH, Lund VJ, Niparko JK, Richardson MA, Robbins KT, Thomas JR (eds) Cummings Otolaryngology Head and Neck Surgery, 5th ed., Vol 3, Mosby. Inc., Philadelphia; 2010. P.2569-2576

• Report of the Second Task Force on Blood Pressure Control in Children-1987. Task Force on Blood Pressure Control in Children. National Heart, Lung, and Blood Institute, Bethesda, Maryland, Pediatrics 1987;79(1):1-25(2-19)

• Thomas NJ, Carcillo JA. Hypovolemic shock in pediatric patients. New Horiz 1998;6(2):120-129.

• Walgren G, Barr M, Rudhe U. Hemodynamic studies of induced acute hypo- and hyper-volemia in the newborn infant. Acta Pediatr Scandi 1964;53:1-12.

• Walgren G, Hansen JS, Lind J. Quantitative studies of the human neonatal circulation. 3.Observations on the newborn infant's central circulatory response to moderate hypovolemia. Acta Pediatr Suppl 1967;179:45+.

• Winters RW. Maintenance fluid therapy, 1st ed. The body fluids in pediatrics. Boston, Little Brown & Company; 1973. P.113-133.

Chapter 02

두경부의 발생과 해부

Anatomy and Embryology of Head and Neck

김원식

1. 귀의발생

1) 외이

(1) 이개(auricle)

이개는 태생 4-6주경 제1새궁(first branchial arch) 및 제
2새궁(second branchial arch)의 간엽조직 내의 이개융기
(hillock)로부터 발달한다(그림 2-1). 12주경 이개융기가 서
로 융합하거나 분리되어 첫 번째부터 세 번째 이개융기는
앞쪽 이개(tragus and crus helicis)를 형성하고 네 번째부
터 여섯 번째 이개융기는 뒤쪽 이개(lobule, helix, and an-
tihelix)를 형성하게 된다(그림 2-2). 무이증(anotia)이나 소
이증(microtia)의 경우 태생 7-8주경 발달과정에 문제가생
기는 경우 발생하게 되며 이보다 경한 귀의 기형의 경우 태
생 12주에 근접하여 발생한 경우 발생하게 된다. 출생 시에
는 성인 귀의 66%의 길이와 76%의 너비를 가지게 된다.

(2) 외이도(external auditory canal)

외이도는 제1새열(first branchial cleft)로부터 발생하게 된
다. 태생 8주경까지 제1새열의 외배엽이 내측으로 이동하
여 중배엽과 만나게 되고 이 과정에 의해 고실륜(tympanic
ring)이 만들어진다. 이들의 안쪽은 제1인두낭(first pha-

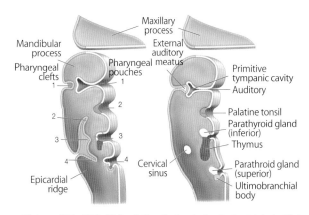

그림 2-1. **새궁, 새열, 새낭.** 이개는 제1새궁과 제2새궁으로부터 발달한다.

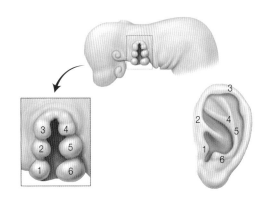

그림 2-2. **이개융기.** 제1-제3이개융기는 앞쪽 이개를 형성하고 제4-제6이
개융기는 뒤쪽 이개를 형성하게 된다.

ryngeal pouch)의 내배엽인데 이들이 중이강을 형성하게 된다. 고실륜은 태생 12주부터 골화를 형성하여 외이도의 골부를 형성하게 된다. 태생 28주까지 터널을 만들어 외이도를 형성하고 이후 고막과 외이도가 분리된다. 상피의 증식과정 또는 터널화 과정에 실패할 경우 외이도 폐쇄증이 발생하게 된다. 부분적인 발생이상은 외이도 협착을 유발하게 된다.

2) 중이 및 이소골

태생 4-6주경 제1인두낭이 제1새열 쪽으로 함몰되어 중이강이 발달하기 시작하고 공간 안에는 간엽조직으로 채워지게 된다. 이들은 후에 흡수되고 이소골 구조로 치환되게 된다. 이때 이관(Eustachian tube)이 제1인두낭으로부터 발달하게 되고 유양돌기(mas-toid)가 발달하게 된다. 추골(malleus)과 침골(incus)은 태생 5주경 발달을 시작하게 되는데 제1새궁으로부터 추골의 두부(head and neck)와 침골의 체부(body) 및 short process가 발생하게 되고 제2새궁으로부터 추골병(malleus maneubrium)과 침골의 장돌기(long process) 및 등골의 전후각 및 족판(stapes crura and base)이 발생하게 된다(그림 2-3). 추골과 침골의 골화과정은 태생 15주경 시작하여 24주경 완성되게 된다. 등골의 골화과정은 18주경 시작하여 26주경 완성되게 된다.

3) 내이

(1) 이낭(otic cyst)

이낭은 내이 발생에 핵심적인 구조이다. 이낭으로부터 와우, 난형낭, 구형낭, 세반고리관, 내림프관이 만들어지게 된다. 이낭은 발생 22일성 두부 측면의 외배엽이 두꺼워 지면서 만들어지게 된다. 이를 이판(otic placode)이라고 하며 이판은 발생 28일경 함몰되어 이와(otic pit)를 만들게 되고 함몰 부위가 깊어져 이낭을 형성하게 된다(그림 2-4). 발생 31일경 이낭은 상부 구조와 하부 구조로 나누어지게 된다. 상부 구조에서는 난형낭, 세반고리만, 내림프관이 만들어지게 되고 하부구조에서 구형낭, 와우가 만들어지게 된다.

(2) 와우와 코르티기관(cochlea and the organ of corti)

와우는 이낭의 하부구조에서 발생하게 된다. 발생 7주경 와우의 첫 번째 회전이 끝나고, 발생 8주경 1과 1/2회전을 마치게 된다. 이 시기에 발생을 멈추게 될 경우 선천성 감각신경성 난청에서 흔하게 볼 수 있는 Mondini 기형이 발생하게 된다. 발생 10주경 2와 1/2 회전을 모두 마치게 된다. 원시 와우를 둘러간 간엽 조직은 연골 껍질로 분화하게 되고 이들은 전정계(scala vestibule) 및 고실계(scala tympani)로 발달하게 된다. 와우관은 내림프액으로 채워져 있고 Reissner's membrane에 의해 전정계와 분리돼 있고 basilar membrane에 의해 고실계와 분리돼 있다. 와우관의후벽 상피는 더 분화하여 막성 미로의 핵심 구조인 코르티기관이 된다(그림 2-5).

2. 귀의해부

1) 외이

(1) 이개(auricle)

이개는 불규칙한 깔대기 모양의 타원형 탄성 연골로 이루어져 있다. 전방의 이개는 피부에 단단히 부착되어 있는 반면에 연골에 느슨하게 부착되어 있고 후방부의 이개는 얇은 결합 조직으로써 피부와 연골 모두 느슨하게 붙어있다. 이개는 외이도와 3개의 인대와 외재근을 통해 부착되어 있다. 내재근의 경우 사람에서는 거의 발달되어 있지 않다.

이개는 눈의 가쪽 끝부분과 같은 레벨로 위치하고 있다. 귀의 각도는 수직 15도를 넘지 않는 범위로 위치한다. 귀의 위치나 각도의 이상은 선천성 두개안면기형이 존재한다는 지표가 된다.

이개의 신경 분포는 5번, 7번, 10번 뇌신경 및 2번, 3번, 경추 신경으로부터 나온다.

이개의 역할은 외부 환경으로부터 오는 소리를 모아 외이도로 전달하는 역할을 한다. 또한 이개의 연골은 외부의 소리가 어디에서 오는지를 인식하는 데 중요한 역할을 한다(그림 2-6).

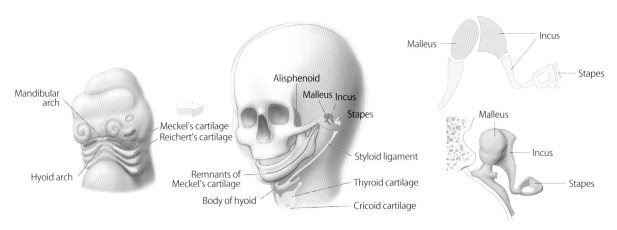

그림 2-3. **이소골의 형성.** 제1새궁으로부터 추골의 두부(head and neck)와 침골의 체부(body) 및 short process가 발생하게 되고 제2새궁으로부터 추골병 (malleus maneubrium)과 침골의 장돌기(long process) 및 등골의 전후각 및 족판(stapes crura and base)이 발생하게 된다.

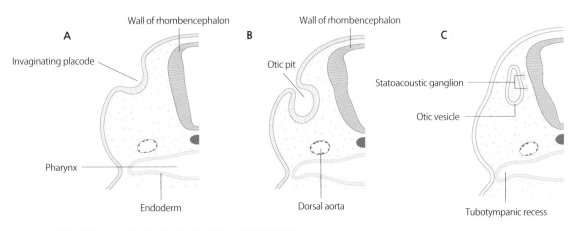

그림 2-4. **이낭의 형성.** 이판이 함몰되어 이와를 만들고 이낭이 형성된다.

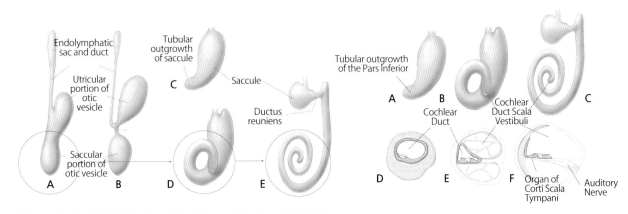

그림 2-5. **와우와 코르티기관의 발생.** 와우는 발생 10주경에 2와 1/2회전을 마친다.

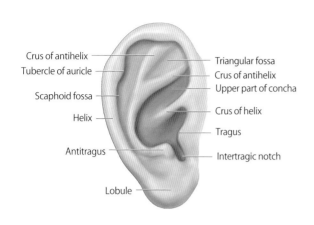

그림 2-6. **이개의 구조 및 명칭**

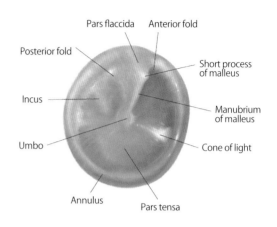

그림 2-7. **고막의 구조와 명칭.** 이완부와 긴장부로 나뉜다.

(2) 외이도(external auditory canal)

외이도는 2.5 cm 길이의 고골(tympanic bone)로부터 고막까지 연결된 도관이다. 외이도의 내측 부위는 가측 부위보다 앞쪽으로 위치하고 있다. 따라서 이경으로 귀를 관찰할 때 이개를 후상방으로 당길 경우, 보다 쉽게 고막을 관찰할 수 있다. 외이도의 바깥 1/3은 연골을 둘러싼 얇은 결합 조직과 피부로 구성되어 있다. 이 부위의 피부는 모낭, 피지샘, 귀지샘을 함유하고 있다. 귀지샘의 경우 변경된 땀샘 기관으로서 우유와 같은 물질을 분비하고 이것이 공기 중에 노출될 경우 갈색으로 변성되게 된다. 이것에 피지샘에서 분비되는 중성지방과 지방산 에스테르가 합쳐져 귀지가 만들어진다. 따라서 귀지는 외이도의 바깥 부분에만 존재해야 한다. 고막의 제(umbo)로부터 외이도의 바깥부분까지 귀지를 밀어내는 현상은 귀지가 안에 쌓이는 것을 막아준다.

외이도의 내측 2/3는 뼈와 골막에 피부가 단단히 부착되어 있다. 뼈와 연골이 만나는 부위가 가장 좁은 부위로 협부라고 불리운다. 외이도는 7번, 9번 뇌신경의 지배를 받는다. 외이도는 바깥에서 들어오는 소리를 공명현상을 일으켜 고막으로 전달한다. 대략 3,000 Hz의 크기로 공명을 하여 소리를 수배 증폭시킨다.

2) 고막(Tympanic membrane)

고막은 외이도의 내측을 형성하고 고실강의 외측을 형성하는 커튼과 같은 역할을 한다. 고막은 9-10 mm 두께의 4겹으로 구성된 막이다. 가쪽으로부터 안쪽까지 다음과 같은 층으로 구성되어 있다. 피부층, 방사형 결체조직층, 윤상 결체조직층, 점막층. 고막은 외이도에 annulus라고 불리는 섬유조직으로 부착되어 있다.

고막의 전체 면적은 70-80 mm²이지만 실제로 기능을 하는 면적은 55 mm² 정도이다. 고막의 공명은 800-1,600 Hz 주파수이다. 고막은 추골병이 붙는 위치에 따라 구분할 수 있다. 추골병은 고막의 섬유층에 단단히 부착되어 있고 추골병의 가장 끝 부위는 고막의제(umbo)에 붙어 있다. 추골병의 남은 부위는 plica mallearis라고 불리는 점막에 부착되어 있다. 추골 단돌기(short process) 부착 부위의 윗부분은 이완부(pars flaccida)라고 불린다. 추골 단돌기의 아랫부분은 긴장부(pars tensa)라고 하며 고막의 대부분을 차지하고 있다. 이완부는 긴장부보다 두껍지만 섬유층이 존재하지 않는다. 이완부의 내측의 중이강 내의 공간을 Prus-sak's space라고 한다. 이 부위는 중이염에서 함몰되기 쉽고 진주종이 발생하기 쉬운 부위이기 때문에 임상적으로 중요하다(그림 2-7).

3) 중이(Middle ear and tympanic cavity)

중이는 여러 공간으로 구분된다. 상고실(epitym-panum)은 고막의 윗부분과 고실개(tegmen) 사이의 공간이다. 뒤쪽으

로는 유돌동구(mastoid antrum)로 열리고 가쪽으로는 scu-
tum에 의해 경계 지어진다. 하고실(hypotympanum)은 고막
의 아래쪽과 중이의 바닥 사이의 공간이다. 중고실은 고막
의 바로 뒤쪽으로 보이는 중이강 내의 공간이다(그림 2-8).

4) 이소골(Ossicles)

중이강 내에는 3개의 이소골, 2개의 근육, 여러 개의 신경들
이 존재한다. 이소골은 고막과 난원창(oval window) 사이의
공간을 채우는 역할을 한다. 공명 주파수는 500- 2,000 Hz
이다. 가쪽부터 안쪽까지 추골-침골-등골로 구성되어 있다.
추골경부의 안쪽 표면에 붙는 고막 긴장근(tensor tympani)
은 2 cm의 길이로 이관과 평행하게 주행한다. 이관의 입구
부근에서 나와 cochleariform process에서 직각으로 방향을
꺾어 추골 경부에 부착한다. 이 근육은 삼차신경에 의해 지
배를 받고 강한 소리 자극에 대해 수축하여 추골을 안쪽으
로 당기고 고막의 긴장도를 증가시키는 역할을 한다.

추골 경부는 침골 체부와 관절을 이룬다. 침골의 단돌기
(short process)는 posterior incudal ligament에 의해 고정
되어 있다. 장돌기(long process)는 추골병과 평행하게 주

행하여 두상돌기(lenticular process)를 만들고 주행은 끝이
난다. 두상돌기는 등골의 두부와 관절을 이루게 된다.

침골-등골 관절은 혈관의 경계선이 되는 중요한 부분으
로 외상이나 감염에 취약한 부분이다.

등골은 이소골 중 가장 모양의 변이가 많은 부분이다.
두부는 전각, 후각(anterior, posterior crus)에 의해 족판
(footplate)에 의해 연결되어 있다. 등골근은 pyramidal
eminence로부터 인대의 형태로 나와 등골의 두부와 후각
이 만나는 지점에 부착하게 된다. 이 근육은 안면신경에 의
해 지배를 받게 된다.

족판은 난원창 위에 위치하여 내이로 연결된다. 족판의
크기는 1.5×3 mm^{2}의 크기이고 난원창의 크기는 -3 mm^{2}이
기 때문에 고막의 크기 55 mm^{2}에서 깔때기 모양으로 소리
가 전달되어 소리는 17배 커지게 된다. 또한 추골병은 침골
의 장돌기보다 1.3배 길어 소리를 증폭시키는 역할을 한다.
따라서 고막에 들어온 소리는 내이에 전달되기까지 22배
(17×1.3) 증폭되어 약 25 dB 소리를 증폭시키는 역할을 한
다. 이 소리는 보통 물속에서 소리의 에너지를 잃어버리는
크기와 비슷하다(그림 2-9).

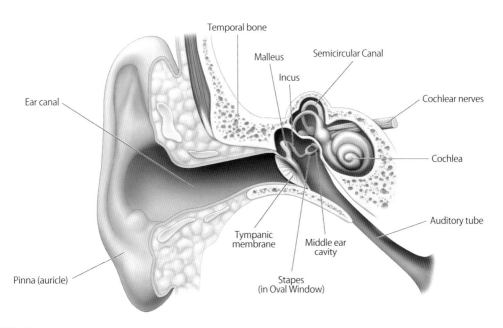

그림 2-8. **중이의 구조**

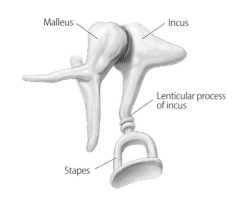

그림 2-9. **이소골**

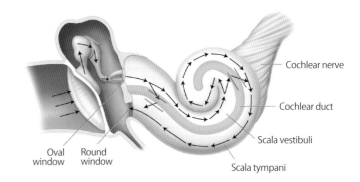

그림 2-10. **난원창과 정원창**

5) 난원창 및 정원창(Oval and round windows)

난원창은 중이와 내이를 연결하는 2개의 막성 경계 중 하나이다. 난원창은 중이강의 내측에 놓여있고 와우돌기(cochlear promontory) 위에 놓여있다. 정원창은 내이와 중이를 연결하는 두 번째 막성경계로 난원창 아래에 위치한다(그림 2-10). 정원창 앞쪽으로 갑각지각(subiculum)이 위치하고 있는데 이는 정원창과 정원창소와(round window niche)를 구분한다.

상고실의 가쪽 벽에는 뼈로 구성된 융기가 있는데 이를 scutum이라고 한다. 중이 수술 시 난원창을 가리는 경우가 있어 일부 절제가 필요하다. 더우기 중이염이나 진주종에서 scutum이 녹는 경우를 흔히 볼 수 있다.

6) 이관(Eustachian tube)

이관은 중이강의 배액과 환기를 담당하는 통로 역할을 한다. 평균 길이는 35 mm로 전내측 2/3는 섬유연골로 구성되어 있고 후외측 1/3은 뼈로 구성되어 있다.

이관의 코인두 입구는 코인두 바닥보다 10 mm 정도 높고 torus tubarius라고 불리는 연골 융기로 경계 지어있다. 이관을 이완시키는 주된 근육은 구개범장근(tensor veli palatini muscle)이다. 이 근육은 삼차신경의 지배를 받는다. 구순구개열 환아의 경우 구개범장근의 기능이 떨어져 이관기능의 장애를 일으킨다(그림 2-11).

소아의 경우 성인보다 이관이 상대적으로 짧고 수평하게 놓여있다. 성인이 되면서 좀 더 수직에 가까워지고 길어지며, 이관내 근육이 성숙해짐에 따라 중이의 환기와 배액에 좀 더 기능을 잘하게 된다. 이는 소아에서 성인보다 중이염이 잘 생기는 원인이 된다.

7) 내이

내이는 소리를 듣고 균형을 잡는 감각말단기관이다. 골성미로(bony labyrinth)는 내이의 뼈로 구성된 구조로 전정, 반고리관, 와우를 포함한다. 막성미로(membranous labyrinth)는 골성미로 내의 감각상피 및 지지구조로 구성되어 있다. 여기에는 코르티 기관, 반고리관 내의 섬모, 그리고 난형낭, 구형낭 내의 평형반(macula)이 있다.

내이에는 두종류의 세포외액이 있는데 이는 외림프와 내림프이다. 외림프는 체액과 체액과 조성이 유사한 세포외액으로 나트륨의 조성이 높고 칼륨의 조성이 낮다. 외림프액은 전정계(scala vestibuli)와 고실계(scala tympani)뿐만 아니라 전정(vestibule)과 반고리관 내에도 존재한다. 내림프액은 칼륨의 비중이 높고 나트륨의 비중이 낮은 독특한 구성으로 세포내액의 조성과 유사하다. 내림프액은 와우 내의 중간계(scala media) 내에 위치한다.

(1) Auditory inner ear

와우는 골성 미로의 가장 앞쪽에 위치하고 있으며 와우관(cochlear duct)이 나선형으로 꼬이면서 앞쪽 가족으로 향하

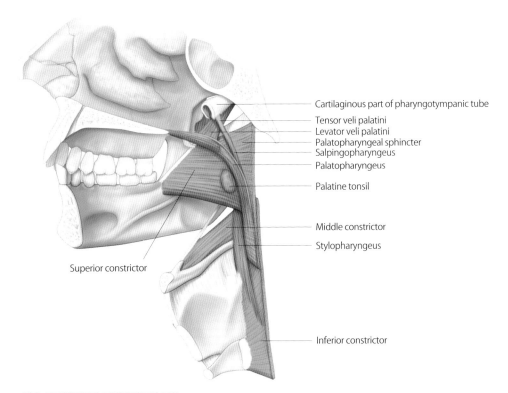

그림 2-11. **이관, 구개범장근과 구개범거근의 구조**

는 구조를 이루고 있다. 나선 구조의 축을 이루는 5 mm 길이의 골격 구조를 와우축(modiolus)이라고 한다. 와우의 전체 길이는 31-33 mm 길이로 2와 1/2 회진을 하게 된다.

와우축에 수직으로 와우관을 싸고 있는 막은 Reissner's membrane과 기저막(basilar membrane)이다. 이 두 막에 의해 와우는 3개의 공간으로 나뉘게 된다. 전정계와 고실계는 바깥쪽의 두 공간이며 내부에는 외림프액으로 차 있다. 이들은 apex에서 합쳐지게 되는데 이를 scala communis라고 부른다. 등골의족판을 통해 들어온 기계적 에너지는 외림프를 따라 전달되어 기저막을 진동시키게 된다. 기저막에 위치한 코르티 기관은 에너지를 전달받게 된다.

와우의 유모세포(hair cell)는 청력 감각기관으로 3열로 구성된 외유모세포(총 12,000개)가 있다. 여기에는 48-150개의 섬모들이 W모양으로 배열되어 있다. 섬모는 곧게 솟아 있으며 짧은 섬모가 내측에 긴 섬모가 외측에 배열되어 있다.

한 줄로 배열된 내유모세포는(총 3,500개) 120개의 섬모를 가지고 있다. 배열은 외유모세포와 같다. 외유모세포와 내유모세포는 tunnel of Corti에 의해 구분되어 있다(그림 2-12).

(2) Vestibular inner ear

내이의 전정기관은 두 이석기관으로 구성되어 있다. 난형낭, 구형낭과 반고리관이다. 구형낭은 골성미로의 가장 안쪽 벽을 차지하고 있는 구조로 대략 구의 형태를 취하고 있고 ductus reuniens에 의해 와우와 연결되어 있고 내림프관에 의해 내림프낭(endolym-phatic duct)과 연결되어 있다.

난형낭은 납작한 타원형 주머니 구조로 내림프관의 가쪽 구조로부터 발달해 있다. 난형낭으로부터 세개의 반고리관이 연결되어 있다. 각각의 반고리관은 90도 각도를 이루고 있고 수평반고리관은 머리의 수평면과 30도의 각도로 누여있다. 후반고리관과 상반고리관은 두부의 시상면을 기준으로 45도 꺾여 있다. 각각의 반고리관은 끝에 부풀어 있는 부분이 있고 부풀지 않은 부분이 있는데 부푼 부분을 팽대부릉(ampulla)이라고 하며 부풀지 않은 부분을

crus라고 한다. 상반고리관과 후반고리관의 crus가 연합하여 crum communis를 형성한다.

전정기관의 유모세포는 2가지 종류로 나뉜다. 깔대기 모양으로 생긴 Type I 유모세포, 실린더 모양으로 생긴 Type II 유모세포가 그것이다(그림 2-13).

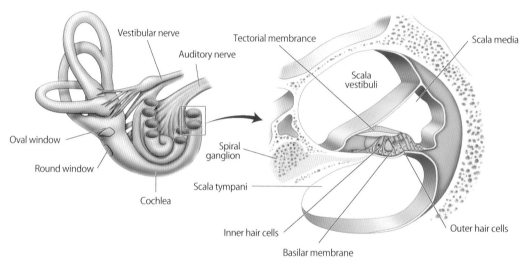

그림 2-12. **와우의 구조 및 유모세포**

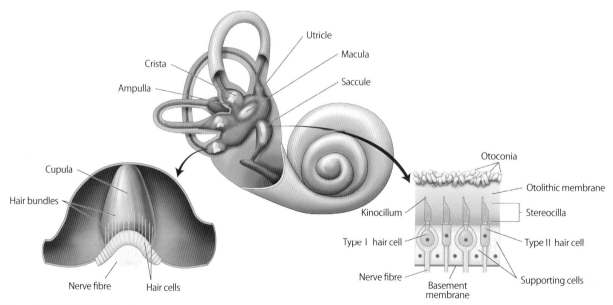

그림 2-13. **전정기관과 유모세포의 구조.** 전정기관의 유모세포는 type I과 type II가 있다.

3. 비·부비동의발생

1) 코의 발생

발생 4주에서 신경 능선 세포(neural crest cell)가 midface로 caudad 이동을 시작한다. 두개의 대칭 코플라코드(placode)가 하방으로 발생하며 nasal pit이 medial nasal process와 lateral nasal process로 나뉜다. Medial process는 비중격과 인중, 전상악(premaxilla), 코를 형성하고, lateral process는 코측면을 형성한다. 발생 10주에 비협점막(nasobuccal membrane)은 입과 코를 분리한다. 후각 피트(olfactory pit)가 깊어지면서 choana와 비인두가 형성된다(그림 2-14, 15, 16). 이 발생 10주의 안면발생이 잘못되면 choanal atresia, nasal cleft, nasal atresia와 같은 기형이 생길 수 있다.

2) 부비동의 발생

(1) 상악동

상악동은 가장 처음 발생하는 부비동으로 구상돌기(uncinate process)와 사골포(Bulla ethmoidalis) 사이에서 발생하는 함기화된 공간이다. 처음 태어났을 때에는 영상검사

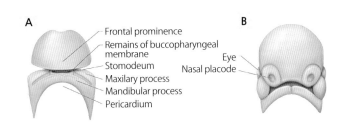

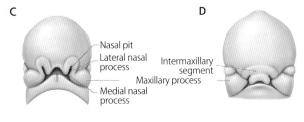

그림 2-14. **코의 발생**

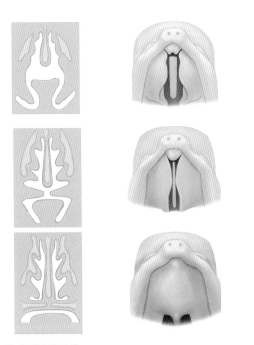

그림 2-15. **입천장의 발생**

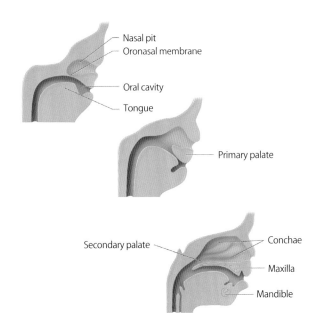

그림 2-16. **입천장의 발생**

에서 보이지 않지만 4-5개월이 되면 확인할 수 있게 된다. 상악동의 성장은 이상성 패턴을 보이는데 출생 시부터 4살 때까지 그리고 8살부터 12살 때까지 급속한 성장이 이루어 진다. 첫 급속 성장기에는 하안와신경부터 하비갑이 붙는 위치까지 확장된다. 7살 때까지는 하비도의 중간 위치까지 확장을 한다. 이 시기에는 상악동의 공간이 작기때문에 치아뿌리가 외상에 의해 손상당하기 쉽다. 두 번째 급속 성장 기에는 함기화가 가쪽 안와벽까지 확장되고 비강까지 도달 한다. 12살부터 22살까지 함기화가 더 진행되어 성장이 마 무리된다(그림 2-17).

(2) 사골동

사골동은 출생 시까지도 존재하지 않다가 생후 2살이 되어 서야 CT 등의 영상검사로 확인된다. 출생 시 사골뼈(eth-moid bone)는 두개의 미로(labyrinth)로 이루어져 있다가 생후 1살에 수직판(perpendicular plate)과 crista galli가 골 화되면서 미로와 결합한다. 사상판(cribriform plate)은 미 로와 수직판으로부터 부분적으로 골화한다(그림 2-18).

(3) 접형동

접형동은 접형골 내의 함기화된 공간이다. 출생 시에는 발 달되어 있지 않지만 5세 이후 접형골이 성장하며 급격이 성장하기 시작한다. 7살까지 터키안장(sella turcica)까지

확장되고 12-15세까지 성장이 완료된다.

(4) 전두동

전두동은 부비동 중 가장 늦게 함기화되는 공간으로 출생 시에는 발견되지 않는다. 보통 4-8세 사이에 천천히 성장하 게 된다. 10대 후반까지 완전하게 성장하지 않기 때문에 청 소년기에 전두동 부비동염의 합병증이 높은 이유는 이 때 문이다. 양측 전두동이 균등하게 성장하는 경우는 드물지 만 아예 형성이 되지 않는 경우는 거의 없다.

4. 비부비동의 해부

1) 외비

코는 피라미드 모양의 구조로 안면골격의 정중앙 입구인 서양배 모양의 이상구(pyriform aperture)에 놓여 있다. 미 용적인 목적에서 코는 세 부분으로 분류할 수 있다. 골부, 연골부, lobule이 그것이다.

골부(bony pyramid)는 코의 상부 1/3을 형성하고 있다. 골부에는 비골(nasal bone)이 있으며 양측 비골이 내측 전 방으로 향하여 결합하게 된다. 비골은 위쪽으로는 이마뼈 (frontal bone)와 관절을 이루고 있고 정중앙에서 만나 비 근(nasion)을 형성한다. 이마뼈의 코가시(nasal spine)는 비

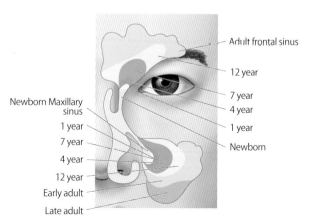

그림 2-17. **나이에 다른 부비동의 발생**

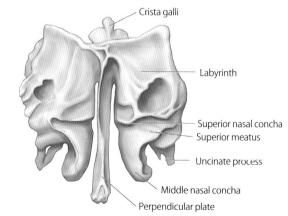

그림 2-18. **사골동의 구조**

골의 위쪽 구조를 지지하고 사골뼈 수직판(ethmoid per-pendicular plate)은 비골의 뒤쪽 구조를 지지한다. 비골의 아래쪽으로는 측비연골(upper lateral cartilage)과 접하고 있고 이들이 만나는 곳을 비공점(rhinion)이라고 한다.

연골부(cartilaginous vault)는 측비연골과 비중격연골로 구성된다. 측비연골의 내측은 비중격 연골의 사각연골(quadrangular cartilage)과 단단히 접해 있고 가장 아래쪽은 비중격으로부터 떨어져 있다. 측비연골의 하부로는 비익연골(lower lateral cartilage)과 접해 있고 옆으로는 상악(maxilla)과 단단히 접해 있다. 연골부의 두부(cephalic portion)는 단단히 고정되어 있어 안정된 구조인 반면 미

부(caudal aspect)는 좀 더 유연하고 잘 움직일 수 있다. 이런 유연함 때문에 외상에 대해 좀 더 잘 대처할 수 있다(그림 2-19).

Lobule은 코의 하부 1/3을 차지하고 있고 비첨(tip), 비익(ala), 비주(columella), 전정(vestibule)으로 구성되어 있다. Lobule의 주된 구조로는 비익연골과피부, 근육이다. U 모양의 비익연골은 lobule의 골격구조를 지지하고 내측각(medial crura)과 외측각(later-al crura)을 형성한다. 비첨은 코에서 가장 앞쪽으로 튀어나와 내측, 미측으로 가장 높은 지점을 의미한다.양측의 내측각은 정중앙에서 느슨하게 관절을 이루고 있고 비주의 지지구조를 형성한다. 전정

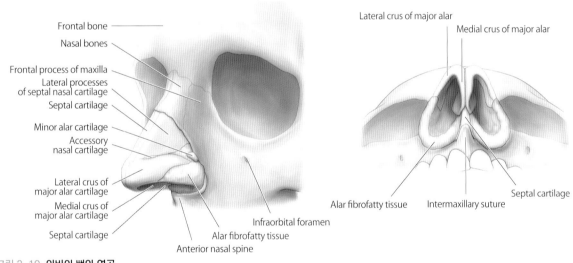

그림 2-19. **외비의 뼈와 연골**

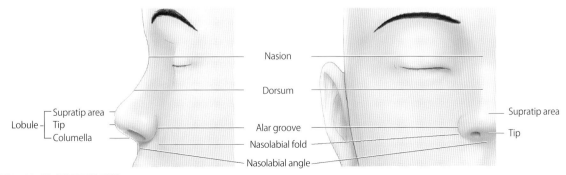

그림 2-20. **외비의 구조와 명칭**

은 구조라기보다는 코 안쪽의 공간을 의미한다. 가쪽으로
는 비익과 안쪽으로 비주에 의해 경계 지어지고 뒤쪽으로
는이상와가 위치하고 있으며 비강의 앞쪽 공간을 형성한
다. 전정의 앞쪽은 각질화된 편평상피가 위치하고 있고 뒤
쪽으로는 호흡 상피가 위치하고 있다(그림 2-20).

2) 비강

비강의 천장은 많은 뼈들로 구성된다. 비골과 이마뼈가 앞
쪽 경계를 이루게 된다. 중간 부분에는 사골뼈의 사상판
(cribriform plate)과 이마뼈가 위치하고 있고 뒤쪽으로는
접형골(sphenoid bone)이 위치하고 있다.

사상판은 얇은 수편의 뼈로 코 천장의 내측면을 차지하
고 있다. 여기에는 수많은 구멍이 나 있는데 후각신경이 통
과하게 되며 지주막하 공간과 밀접하게 접해 있다. 사상판
옆으로 사골뼈가 열려 있고 이곳을 이마뼈가 덮고 있다. 비
강 천장의 양옆으로는 단단한 이마뼈가 위치해 있어 외상
에 더 잘 대응할 수 있다. 얇고 외상에 취약한 사상판에 손
상을 주지 않기 위해 수술할 때는 위치를 잘 파악해야겠다.

비강의 바닥으로는 경구개(hard palate)가 위치하고
있다. 앞쪽 3/4은 상악이고 뒤쪽 1/4은 구개골(palatine
bone)로 구성되어 있다. 이러한 융합과정이 실패한다면 구
개열이 발생하게 된다.

비중격 연골은 코를 두 공간으로 구분하게 된다. 비중
격 연골은 골부와 연골부로 구성되어 있다. 주된 구성성분
은 사각연골, 사골뼈의 수직판, 그리고 보습뼈(vomer)이
다. 사각연골은 아래쪽으로 코가시(nasal spine) 및 상악릉
(maxillary crest)과 접하고 있고 뒤쪽으로는 사골뼈의 수직
판 및 보습뼈와 접하고 있다. 비중격 연골은 곧은 경우가 거
의 없고 보통 정중앙에서 사람마다 서로 다른 각도로 휘어
있다. 비중격 연골의 심한 변위와 사각연골과 보습뼈가 접
해서 생기는 돌출부(spur)는 코막힘을 유발할 수 있다(그림
2-21).

비강의 가쪽벽은 가장 복잡한 공간이다. 가쪽벽은 상악,
하비갑, 사골뼈로 구성되어 있고 중비갑, 상비갑을 모두 포
함한다.

비갑은 비강의 가쪽벽에서 비강을 향해 능선 모양으

로 수평으로 주행하는 돌출된 구조이다. 중가갑, 상비갑의
골격의 경우 사골뼈에서 나오지만 하비갑의 뼈는 다른 구
조물이다. 내시경 부비동 수술을 할 경우 중비갑이 첫 번
째 수술적 지표가 된다. 그리고 사골뼈의 내측 경계를 나
타내준다. 중비갑의 뼈가 닿는 부위를 기준으로 전사골동
과 후사골동을 구분하는 기준이 된다. 중비갑이 붙는 부위
는 사상판의 1 cm 하부이며, 중비갑의 뒤쪽 2/3는 종이판
(lamina papyracea)에 붙기 때문에 주의를 해야 한다. 중비
갑의 뒤쪽으로 나비입천장 구멍(sphenopalatine foramen)
이 있고 이곳으로 나비입천장동맥 및 상악신경의 가지가
지나가게 된다. 그래서 이곳을 국소마취 시 마취하게 되고
수술 중 출혈의 원인이 될 수 있다.

비도(meatus)는 비갑개의 하부에 있는 공간을 의미하는
데 상비도는 후사골동에서 나오는 배액 통로가 열려 있다.

중비도는 가장 중요하고 수많은 구조를 포함하고 있
다. 구상돌기(uncinate process)와 사골포(ethmoid bulla)
의 골성 돌기가 존재하고 이들 사이의 좁은 공간을 반월
열공(hiatus semilunaris)이라고 한다. 이곳을 통해 사골누
두(ethmoid infundibulum)로 들어갈 수 있고 사골누두는
상악동열공(maxillart sinus ostia) 및 전사골동, 전두골와
(frontal recess)로 들어가는 틈이 된다. 이 공간을 부비동 개
구 복합체(osteomeatal complex)라고 한다. 이 공간에 염
증이 생길경우 작은폐색이라도 생길 경우 상악동, 전두동,
전사골동에 병이 파급되게 된다.

코눈물관(nasolacrimal duct)은 하비도로 열리는 유일
한 구조이다. 이 구조는 하비도의 앞쪽에 위치하고 있어 상
악동 수술 시 손상받을 수 있다(그림 2-22).

3) **혈관**

내경동맥과 외경동맥이 코의 혈액을 공급한다. 안와 내에
서 내경동맥의 분지인 안와동맥(ophthalmic artery)이 전
사골동맥(anterior ethmoidal artery)과 후사골동맥(poste-
rior ethmoidal artery)으로 나뉘지고 이것은 지판을 뚫고
사골동으로 들어가게 된다. 사골동맥은 사골동의 지붕을
가로질러 주행하기 때문에 골격 구조에 의해 보호되게 된
다. 전사골동맥은 하비갑, 중비갑, 그리고 비중격의 전방부

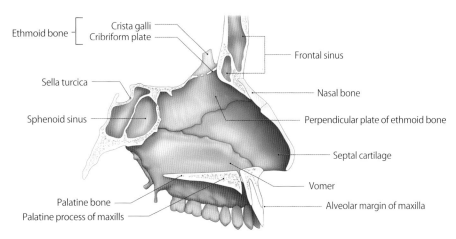

그림 2-21. **비중격의 구조와 명칭**

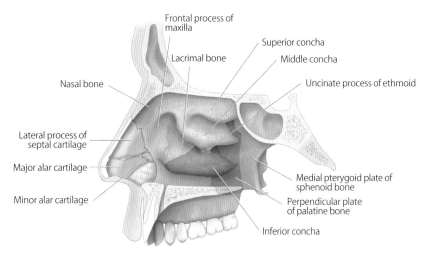

그림 2-22. **비강 가쪽벽의 구조와 명칭**

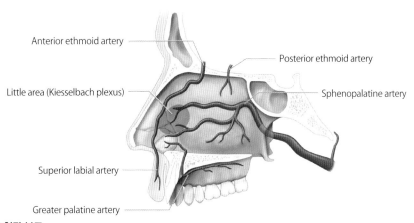

그림 2-23. **비강의 혈관 분포**

위에 혈액을 공급한다. 후사골동맥은 상비갑과 비중격의 후방부위에 혈액을 공급한다. 전사골동맥을 덮고 있는 뼈 덮개는 앞쪽에서 결손되어 노출될 수 있는데 이곳이 가장 취약한 부분이다. 수술 시 이 부위를 조심하여 혈관의 손상을 막고 전두개와의 손상을 피해야 한다.

내악동맥(internal maxillary artery) 및 안면동맥(facial artery)은 외경동맥의 분지로 코에 혈액을 공급한다. 내악 동맥은 익구개와(pterygopalatine fos-sa)를 거쳐 접형구개동맥(sphenopalatine artery) 및 하행구개동맥(descending palatine artery)으로 갈라진다. 접형구개동맥은 접형구개 구멍을 통해 나와 중비갑, 하비갑, 비중격의 후방부에 혈액을 공급한다. 하행구개동맥은 대구개동맥의 분지를 내어 전방으로 향하고 접형구개동맥 및 전사골동맥 그리고 상순 동맥(superior labial artery)과 문합하게 되는데 이를 Little's area라고 한다. 이 곳은 코피의 흔한 발생 부위이다(그림 2-23).

정맥의 주행은 동맥의 주행과 함께 한다. 사골정맥은 안와로 주행하여 안정맥으로 이행되고 후방으로 주행하여 해면정맥동으로 들어가게 된다.

4) 신경

코의 신경은 코의 생리에 있어 중요한 역할을 한다. 일반감각뿐 아니라 자율신경 및 후각을 담당하는 역할을 한다.

삼차신경의 상악분지는 코의 일반감각의 대부분을 차지한다. 정원공(foramen rotundum)에서 나온 신경은 중두개와(middle cranial fossa)를 거쳐 반월 신경절(semilunar ganglion)을 거쳐 나오게 된다. 이 신경은 익구개와를 거쳐 안와 및 열공(intraorbital foramen)을 거쳐 나오게 된디. 이 신경의 말단은 코의 가쪽벽 및 비익을 신경지배한다. 이 신경 중 일부는 접구개공을 통해 코 안으로 들어와 상비갑과 중비갑의 감각을 담당한다.

삼차신경의 안분지(ophthalmic division)는 추가적인 감각을 담당한다. 안신경은 전사골 신경 및 후사골신경으로 분지되고 지판을 뚫고 들어가 신경지배를 하게 된다. 후사골 신경은 상비갑과 비중격의 후방부를 담당한다. 전사골 신경은 측비연골, 비골, 비첨부의 신경지배를 하게 된다.

자율신경은 콧물의 분비와 점막의 혈류분포를 지배하고 공기의 가온, 가습을 조절하는 역할을 한다. 삼차신경의 상악분지는 교감신경과 부교감신경 모두를 가지고 있다.

5) 부비동
(1) 상악동

상악동은 부비동중 가장 큰 공간으로 상악의 체부를 차지한다. 상악의 안면부(orbital surface)는 상악동의 지붕을 이루고 있다. 하안와 동굴(infraorbital canal)은 하안와신경(infraorbital nerve)을 포함하는 데 보통 상악동의 지붕에 튀어나와 가로지르는 경우가 많다. 상악동의 바닥에는 두 번째 소구치, 첫 번째, 두 번째 대구치가 돌출되어 있는 경우가 많다. 소아에서는 상악동의 바닥이 코의 바닥보다 위에 놓여있고 성인의 경우 비강의 바닥보다 4-10 mm 아래에 위치해 있다.

상악동의 입구는 사골누두(ethmoid infundibulum)로 열려 있다. 소아에서의 위치는 성인보다 좀 더 앞쪽 아래쪽으로 위치하고 있다. 10-30%의 확률로 부공(accessort ostia)이 발견되는 경우도 있다. 상악동의 점액섬모운동방향은 자연공으로 향하고 부공을 향하지는 않는다. 그래서 부비동염 수술 시에 자연공을 확인하여 길을 여는 것이 수술의 예후를 결정하는 데 중요하다.

(2) 사골동

사골동은 사골뼈 안에 함기화된 공간들의 집합이다. 이들은 전사골동과 후사골동으로 구분할 수 있는데 전사골동은 사골누두를 통해 중비도로 배액되고 후사골동은 상비도로 배액되게 된다.

사골동은 함기화되는 것에 있어 다양성을 보이기 때문에 경계를 명확히 구분하기는 어렵다. 보통 2개에서 8개의 공간으로 구성되어 있다. 사골포(ethmoid bulla)는 거의 대부분 존재하며 가장 큰 앞쪽에 존재하는 공간이다. 보통 92%의 환자에서 발견된다. Agger nasi는 80%의 환자에서 발견되며 가장 앞쪽 상방으로 존재하는 공간이다. 중비갑이 붙는 부위를 기저판(basal lamella)이라고 하는데 이는 전사골동과 후사골동을 구분하는 지표가 된다.

지판(lamina papyracea)는 사골동과 안와를 구분하는 얇은 판이다. 사골동의 후벽은 두꺼운 접형골(sphenoid bone)이다.

함기화된 공간은 종종 사골동을 벗어나는 경우가 있다. Concha bulloms는 중비갑 내의 함기화된 공간을 말한다. Haller cell은 사골동이 상악동의 자연공입구까지 확장된 것을 말하여 Onodi cell은 사골동의 후벽까지 함기화가 확장되어 접형골의 가쪽상부까지 확장된 것을 말한다. Onodi cell을 확인하는 것이 중요한데 그 이유는 안신경과 경동맥이 가쪽벽을 통해 지나가기 때문이다.

(3) 접형동

접형동의 성장은 개인마다 편차가 크고 양측이 균등하게 성장하는 경우는 드물다. 접형동 내의 격막으로 구분되게 된다. 양측 접형동의 자연공은 전방 내측으로 열리게 되는데 보통 상비갑의 하방을 기준으로 10 mm 위로, 그리고 주로 상비갑 내측으로 열리게 된다.

접형동의 자연공으로 들어가는 방법은 2가지가 있다. 한 가지는 접형사골 오목(sphenoethmoidal recess)을 통해, 그리고 접형동의 전벽을 통해서 들어가는 방법이다. 전벽을 통해 들어가는 경우는 사골동 수술을 먼저 진행해야 가능하다.

접형동 주위에는 여러 구조가 인접해 있다. 하수체(hypophysis), 해면정맥동(cavernous sinus), 상악신경(maxillary nerve), 안신경(optic nerve), 내경동맥(internal carotid artery)가 있다. 중요한 구조물들은 뼈에 둘러싸여 있지만 간혹 노출이 된 경우도 있기 때문에 수술 시에 주의를 요한다.

(4) 전두동

전두동은 이마뼈에서 전방으로 함기화된 공간이다. 전두동의 전벽은 두꺼운 벽으로 구성되어 있고 후벽은 얇은 벽으로 구성되어 전두개와(anterior cranial fossa)와 구분지어 준다. 전두동의 자연공은 전두동의 뒤내측 통로를 따라 이마뼈 오목으로 열린다. 이마뼈 오목 내측의 얇은 뼈는 사상판(cribriform plate)이라고 하는데 수술 중 손상에 의해 뇌척수액이 유출되는 흔한 통로이다. 이마뼈 오목(frontal recess)을 통해 중비도로 배액된다.

5. 두경부의 발생

1) 경부의 발생

발생 초기에 원식 전장(foregut)은 인두, 식도, 위, 상부 십이지장으로 분화한다. 발생 초기에는 인두가 전장의 대부분을 차지하게 된다. 발생 5주경 6쌍의 중배엽으로 구성된 새궁이 나타난다. 새궁은 머리부터 아래쪽으로 번호를 매기게 되는데 I부터 VI까지 번호를 매긴다. 각각의 새궁은 바깥쪽의 외배엽으로 구성된 새열(branchial cleft)과 안쪽

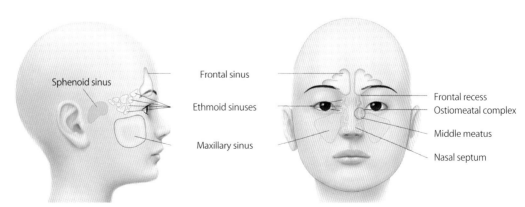

그림 2-24. **부비동의 구조와 위치**

의 내배엽으로 구성된 인두낭에 의해 구분되어 진다. 각각의 새궁은 근골격 및 뇌신경, 혈관으로 발생할 중심 구조를 가지고 있다.인두낭의 경우 내분비 기관 또는 소화기관 관련 구조로 발달하게 된다. 각각의 새궁은 뇌혈관의 신경 지배를 받는데 같은 새궁에서 발생한 근육은 서로 같은 뇌신경의 지배를 받게 된다(그림 2-24).

(1) 새궁(branchial arches)
① 제1새궁
제1새궁으로부터 발생한 근육은 저작기능과 관련이 있다. 측두근(temporalis muscle), 교근(masseter muscle), 익돌근(pterygoid muscle)이 그것이다. 또한 하악설골근(mylohyoid muscle), 이복근의 전복(anterior belly of the digastrics muscle), 고막장근(tensor tympano muscle), 구개범장근(tensor veli palatine muscle)도 제1새궁으로부터 기원한다. 제1새궁에는 삼차신경이 신경지배를 하게 된다. 골격구조로 추골과 침골을 형성한다(그림 2-25).

② 제2새궁
제2새궁에서 얼굴의 표정을 담당하는 근육인 협근(buccinators muscle), 넓은목근(plastymal muscle)이 발생하며 이복근의 후복(posterior belly of digastrics muscle), 경돌설골근(stylohyoid muscle), 등골근(stapedius muscle)이 발생하게 된다. 신경은 안면신경이 분지하게 되며 얼굴의 표정과 외이도의 감각을 담당하는 기능을 한다.

③ 제3새궁
제3새궁에서는 설골의 대각 및 하부 체부가 발생하게 되고 근육 구조로는 경돌인두근(stylopharyn-geus)과 상, 중 인두 수축근(superior and middle pharyngeal constrictor muscle)이 발달하게 된다.신경은 설인신경이 담당하게 되고 내경동맥 및 외경동맥, 총경동맥을 발생하는 역할을 한다.

④ 제4 및 이하새궁
제4 및 이하새궁에서는 후두의 골격구조가 발달하게 된다. 갑상연골, 윤상연골, 피열연골과 설상연골이 발달하게 되고 윤상갑상근 및 하부 인두 수축근이 발달하게 된다. 신경은 미주신경이 발생하게 된다.

(2) 인두낭(branchial pouches)
제1인두낭에서 이관, 중이, 유양동이 발생하게 된다. 제1인두낭이 가쪽으로 발달하여 제1새열과 만나게 되는데 이것이 고막이 된다. 제2인두낭의 등부는 중이를 형성하고 배부는 편도를 만들게 된다. 제3인두낭의 등부는 하부 부갑

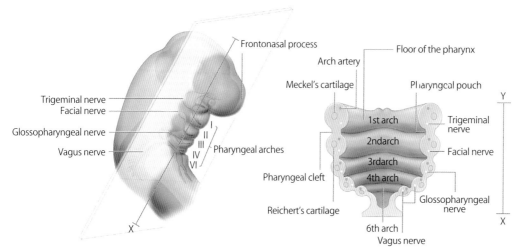

그림 2-25. **새궁.** 각 새궁에서 발생하는 구조물들은 같은 새궁에서 발생한 신경의 지배를 받게 된다.

상선을 만들고 배부는 가슴샘(thymus)을 만들게 된다. 제 4인두낭의 등부는 상부 부갑상선을 만들고 배부는 갑상선을 만들게 된다. 제4인두낭의 등부는 제5인두낭과 합쳐져 갑상선으로 발달하게 된다.

(3) 새열(branchial clefts)

발생 5주경 4쌍의 새열이 존재하게 된다. 제1새열은 외이도를 만들게 되고 고막의 형성에 관여하게 된다. 발생과정에서 새열이 막히지 않는다면 새열낭종이나 새열누공이 생기게 된다.

6. 두경부의 해부

1) 경부의 해부

(1) 후삼각(posterior triangle)

경부는 흉쇄유돌근(sternocleidomastoid muscle)에 의해 전삼각과 후삼각으로 구분되어 진다. 후삼각의 경계는 승모근(trapezius muscle), 쇄골, 흉쇄유돌근에 의해 지어진다. 후삼각의 바닥은 심재성 경근막(deep ceivical fascia)의 심층이 되고 지붕은 심재성 경근막의 천층이 이루게 된다. 후삼각을 이루는 구조물로는 쇄골하 동맥, 상완 신경얼기, 척추부신경(spinal accessory nerve), 후경부 림프절이 있다. 견갑설골근(omohyoid muscle)에 의해 후삼각은 후두삼각(occipital triangle)과 쇄골하 삼각으로 구분할 수 있다(그림 2-26).

(2) 전삼각(anterior triangle)

전삼각은 흉쇄유돌근, 경부의 정중선, 하악을 경계로한다. 바닥은 하악설골근(mylohyoid muscle), 설골설근(hyoglossus), 갑상설골근(thyrohyoid muscle)으로 구성되어 있고 지붕은 심재성 경근막의 천층과 광경근(plastymal muscle)이 이루고 있다. 전삼각은 이복근, 경돌설골근, 견갑설골근에 의해 4가지 삼각으로 더 구분된다. 악하삼각, 이하삼각, 경동맥삼각, 근삼각이 그것이다. 전삼각을 이루는 구조물로는 총경동맥,내경동맥, 외경동맥이 있고 내경

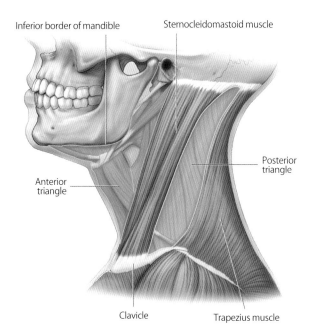

그림 2-26. **후삼각과 전삼각.** 후삼각은 승모근, 쇄골, 흉쇄유돌근을 경계로 하고, 전삼각은 흉쇄유돌근, 경부의 정중선, 하악을 경계로 한다.

경맥, 인두, 후두신경 및 미주신경이 있다. 악하선 및 림프 구조물 또한 존재한다.

2) 인두의 발생과 해부

(1) 인두의 발생

원시 전장은 발생 2주부터 7주 사이에 길어지고 성장하여 인두로 발달하게 된다. 아가미 기관은 전장이 가쪽으로 확장되어 발달되는데 형태학적으로 물고기의 아가미를 닮았다고 하여 명칭하게 되었다. 새낭은 내배엽으로 이루어져 있기 때문에 연골, 뼈, 혈관, 근육, 신경과 같이 다양한 구조로 분화할 수 있다.

(2) 인두의 해부

인두는 두개저 바닥부터 윤상연골까지이어지는 근섬유로 이루어진 튜브모양의 구조이다. 인두는 호흡과 소화기관의 공동 통로가 된다. 인두는 3가지 부분으로 구분할 수 있는데 두개저 바닥부터 연구개까지 이어지는 코인두, 연구

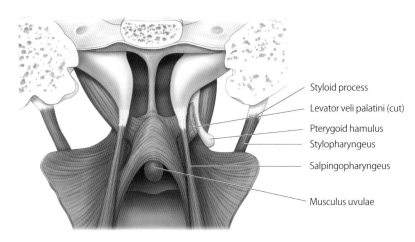

Styloid process
Levator veli palatini (cut)
Pterygoid hamulus
Stylopharyngeus
Salpingopharyngeus
Musculus uvulae

그림 2-27. **구개인두근과 중이관인두근의 구조**

개부터 혀의 기저부까지 이어지는 구인두, 혀의 기저부부
터 윤상연골까지 이어지는 하인두가 그것이다. 인두 벽은
5층으로 구성되어 있다. 안쪽부터 바깥쪽까지 순서대로 점
막층, 점막하층, 섬유층, 근육층, 성긴 결합조직층으로 구
성된다. 이 결합조직층은 협인두 근막을 형성한다. 인두를
구성하는 장축의 긴 근육은 구개인두근(palatopharyngeus
muscle), 중이관인두근(salpingopharyngeus muscle)이다
(그림 2-27).

　　인두를 둘러싸는 윤상근육은 상, 중, 하 인두 수축근윤이
다. 각각의 수축근육들은 뒤쪽 정중선에서 만나게 된다. 상
인두수축근이 익돌판(pterygoid plate)의 안쪽 부분에 붙게
되는데 이곳을 익돌하악봉선(pterygomandibular raphe)이
라고 한다. 상인두 수축근이 상부 경계는 Passavant's ridge
를 형성하게 되는데 구개범인두폐쇄(velopharyngeal clo-
sure)에 중요한 역할을 한다. 중인두 수축근은 설골과 경돌
설골인대로부터 시작하게 된다. 하인두 수축근은 인두와
식도의 접합 부위에 놓여있다.

　　인두를 움직이는 근육의 신경은 미주신경으로부터 오게
된다. 다만 경돌인두근육은 설인두신경의 지배를 받는다.
인두의 감각은 설인두 신경으로부터 지배받는다.

3) 후두의 발생과 해부
(1) 후두의 발생
후두와 기관은 발생 20일경 전장(foregut)의 내배엽과 중배
엽으로부터 발생한다. 이들은 후두기관구(laryngotracheal
groove)를 형성하는데 이는 점점 깊어지고 융합하여 생후
28일경 기관식도 중격(tracheoesophageal septum)을 형성
한다. 이 융합이 실패할 경우 기관식도루가 형성되거나 후
두새열이 발생하게 된다. 생후 32일에 제6새궁으로부터 피
열융기(arytenoid swelling)가 나타나게 된다. 이 융기는 정
중부에서 합쳐져 후두개(epiglottis)가 된다. 갑상연골은 제
4새궁으로부터 발생하고 윤상연골과 기관지 연골은 제6새
궁으로부터 발생한다. 후두의 내강은 발생 10주경 폐쇄되
고 다시 터널을 형성하게 된다. 터널 형성에 실패한 경우
선천 후두 협착이 발생하세 된다. 발생 12주경 후두와 기관
지의 발생이 끝나게 되고 이후 성숙되는 과정을 거치게 된
다(그림 2-28).

(2) 후두의 해부
① 후두 골격
후두골격은 9개의 연골로 구성되어 있고 이들은 인대와 막
에 의해 연결되어 있다. 3개의 연골(갑상연골, 윤상연골, 후

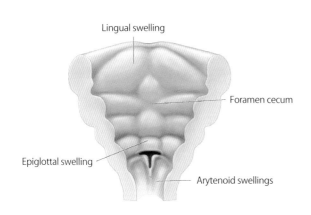

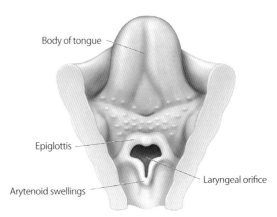

그림 2-28. **후두의 발생**

두개)은 단일 연골이고 3개의 연골(피열연골, 소각연골, 설상연골)은 쌍으로 구성되어 있다.

갑상연골은 후두에서 가장 큰 연골로 4번 경추 위쪽 level에 위치한다. 아래쪽 2/3는 두개의 판이 정중앙에서 융합하여 만들어져 돌출된 형태를 만들게 되는데 이를 Adam's apple라고 부른다. 갑상연골의 위쪽부분은 V모양으로 꺾여져 있다(그림 2-29).

갑상연골의 뒤쪽으로 위와 아래방향으로 튀어나와 있는 부분이 있는데 이를 상각(superior horn)과 하각(inferior horn)이라고 부른다. 갑상연골의 상부 경계와 상각은 갑상

설골막에 의해 부착되어 있다. 정중앙의 두꺼운 막은 갑상설골 인대라고 한다. 갑상연골의 하각은 윤상연골과 관절을 이루고 있다. 윤상갑상관절의 움직임은 갑상연골을 회전 및 미끄럼 움직임을 만드는데 이는 성대의 길이를 변화시키는 역할을 한다.

윤상연골은 완전한 구형이며 반지와 같은 모양을 하고 있다. 윤상연골의 뒷부분은 판의 모양이고 앞쪽은 아치모양이다. 윤상연골은 갑상연골보다 크기가 작지만 더 두껍고 강하다. 윤상연골은 갑상연골의 하부에 붙어있고 기관지 첫 번째 연골과 붙어 있다(그림 2-30).

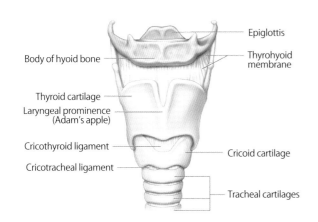

그림 2-29. **후두의 골격(정면)**

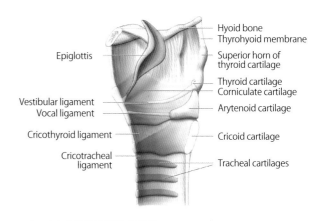

그림 2-30. **후두의 골격(측면내측)**

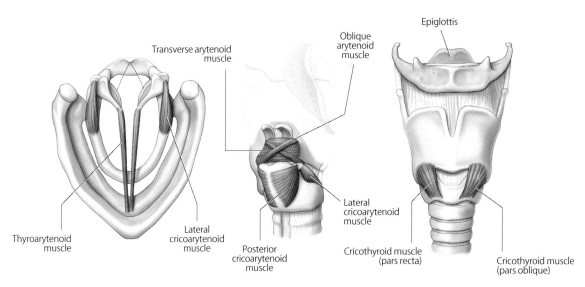

그림 2-31. **후두 내근**

　　쌍으로 구성된 피열연골은 3면으로 구성된 피라미드 모양으로 윤상연골의 상부와 관절을 이루고 있다. 위쪽으로는 첨단부(apex)가 있고 앞쪽으로는 성대돌기(vocal process) 뒤쪽으로는 근육돌기가 위치하고 있다. 피열연골의 첨단부에는 소각연골이 위치하고 있고 피열후두개주름(aryepiglottic fold)에 붙어있다. 성대돌기에는 성대인대가 붙고 있고 근육돌기에는 후윤상피열근(posterior cricoary-tenoid muscle) 및 가측윤상피열근(lateral cricoarytenoid muscle)이 붙는다. 윤상피열 관절은 피열연골이 정중앙으로 또는 그반대로 슬라이드 운동을 할 수 있게 해주고 앞쪽 또는 뒤쪽으로는 흔들림 운동을 가능하게 해준다. 이러한 운동은 성대의 신상도를 높이거나 줄이는 역할을 한다(그림 2-31).

　　후두개의 연골은 탄성연골로서 후두개의 탄성을 만들어 준다. 후두개는 심장모양으로 생긴 점막으로 둘러쌓인 연골이다. 혀뿌리와 설골의 뒤쪽에 그리고 후두입구의 앞에 위치한 후두개는 후두 입구의 전상벽을 구성한다. 아래쪽으로 내려가면서 크기가 작아져 갑상연골과 접하고 있다.

　　설골후두개인대(hyoepiglottic ligament)는 후두개와 설골의 앞쪽에 붙어있다. 얇은 점막하 결합조직인 후두사각막(quadrangular membrane)은 피열연골과 후두개의 가쪽벽을 연결해 주는 막이다. 상부는 피열후두개주름(aryepiglottic fold), 하부는 전정주름(laryn-geal vestibular fold)를 형성한다.

　　소각연골은 피열연골의 첨단부에 위치하며 설상연골은 피열후두개주름 내에 위치한다.

■■■■ **참고문헌**

• Pediatric Otolaryngology, 2nd edition.

Chapter 03

소아이비인후과 응급질환

Pediatric Otorhinolaryngology Emergencies

주영훈

1. 이물(Foreign bodies)

유, 소아는 주변 환경이나 물건들에 많은 관심을 보이며 작은 물건들은 코나 귀, 혹은 입으로 가져가 삽입하게 된다.

일반적으로 비강이나 외이도의 이물은 응급질환인 경우가 많지 않으나 이물이 목이나 기도에 위치하는 경우는 기도 폐쇄를 유발하여 매우 위급한 상황을 유발한다(표 3-1).

표 3-1. **Common pediatric ears, nose, and pharynx foreign body management**

Location	Common Foreign Bodies	Removal Technique	Indications for Referral
Ear	Beads, paper, toys, pebbles	Irrigation with water Grasping foreign body with forceps, cerumen loop, right-angle ball hook, or suction catheter Acetone to dissolve Styrofoam foreign body	Need for sedation Canal or tympanic membrane trauma Foreign body is nongraspable, tightly wedged, or touching tympanic membrane Sharp foreign body Removal attempts unsuccessful
Nasal	Beads, buttons, toy parts, pebbles, candle wax, food, paper, cloth, button batteries	Patient "blows nose" with opposite nostril obstructed Grasping with forceps, curved hook, cerumen loop, or suction catheter Thin, lubricated, balloontip catheter Parent's kiss; positive pressure may also be delivered by bag mask	Bleeding disorder Removal attempts unsuccessful Septum or bone destruction, granulation tissue from chronic foreign body or button battery
Pharynx	Plastic, balloons, pins, seeds, nuts, bones, coins	Magills if able to see, such as a balloon, but often need to be removed endoscopically, requiring sedation and, thus, referral	Inadequate visualization Need for sedation Signs of airway compromise

*From Johnson CP, Blasco PA. Infant growth and development. Pediatr Rev 1997;18(7):224-242.

1) 비강 이물(Nasal foreign bodies)

소아에서 비강에 위치한 이물은 응급실에서 비교적 흔하게 접할 수 있다. 비강 내의 이물의 진단은 환아나 보호자의 진술이 결정적이지만, 의사표현을 하지 못하는 환아인 경우에는 진단이 쉽지 않을 수 있다. 이런 경우에 가장 흔한 증상은 이물이 위치한 비강에서 콧물이 흐르는 것이다. 상기도 감염의 증상 없이 환아가 콧물을 흘리는 경우는 비강 내의 이물을 한번 의심해 볼 필요가 있다. 이물이 의심되는 경우는 전비경이나 비강내시경을 통해 이물을 확인한다. 비강 이물 중 특히 주의를 요하는 것이 단추형의 알칼리성 건전지이다. 이 경우 발견 즉시 건전지를 제거하여야 하는데 그 이유로는, 건전지에서 발생하는 전류나 건전지에서 유출되는 알칼리성 용액 등에 의해 비점막에 액화성 괴사가 발생하기 때문에 즉각적인 처치를 요한다.

전비강 내의 이물로 진단된 경우에 이물의 제거를 위해 여러 가지 방법이 사용될 수 있는데 제거 방법에는 겸자나 직각 훅을 이용하는 방법, 풍선 도뇨관을 이용한 제거법, 구강대 구강 호흡법이나 백-밸브 장치 등을 이용하여 양압으로 제거하는 방법, 접착제를 이용하는 방법, 비강 세척법을 이용하는 방법이나 재채기를 유도하는 방법 등이 있다.

겸자를 이용하여 제거하는 방법은 대부분의 의사들에게 익숙하고, 사용하기가 쉬우며, 비강의 앞부분에 위치할 경우에 적응이 된다. 그러나, 겸자를 비강 내에 넣어 이물을 잡을 때까지 약간이라도 움직이면 열상의 위험 및 안쪽으로 깊이 밀려 들어갈 수 있어서 환아의 협조나 환아를 지속적으로 고정하는 것이 필요하다. 장난감 총알과 같이 둥글고, 표면이 딱딱하고, 매끄러운 이물인 경우에는 잡는 과정에서 미끄러져서 더 깊이 밀어 넣을 수도 있다. 또한 콩과 같이 잘 깨시는 이물은 삽을 때 이물이 분리되어 선부 제거하기가 어려울 때가 있다. 겸자를 이용하다가 이물의 제거에 실패할 경우 이차적 손상을 일으켜 비강 점막의 부종, 비출혈 등의 합병증이 발생할 수 있다.

풍선 도뇨관을 이용하여 제거하는 방법은 겸자로 잡기가 힘든 전비강 내의 이물이나, 후비강의 이물, 콩과 같은 잘 깨지는 이물의 제거에 용이하며, 전비강 내의 둔형 이물의 제거에서도 많이 사용되는 방법이다. 또한 겸자로 쉽게

제거될 것 같은 전비강의 앞에 위치한 이물도 표면이 미끄러워서 밀려들어갈 가능성이 있는 경우에라도 우선적으로 고려의 대상이 될 수 있다. 그러나 풍선 도뇨관을 이용하는 방법의 단점은 환아에게 침습적이라는 점과 비출혈의 합병증이 발생 가능하다는 것이다.

양압을 이용하는 방법으로 구강대 구강 호흡법을 하는 방법이나 백-밸브 장치를 사용하여 구강내에 공기를 넣어 양압을 유도하여 코를 통해 이물이 밀려 나오도록 하는 방법이 있다. 한쪽 코를 전부 막을 정도의 큰 이물로 겸자나 풍선 도뇨관의 삽입이 불가능할 경우 좋은 적응이 된다. 시행 방법은 환아를 앙와위로 눕히고 이물이 없는 쪽의 코를 눌러서 막은 후에 시행자의 입과 환아의 입을 밀착시킨 후 순간적으로 공기를 밀어 넣는 것이다. 예를 들어 오른쪽에 이물이 있는 경우, 시행자는 환아의 왼쪽에서 왼손으로 환아의 볼과 입술을 잡아 머리를 고정하고 오른손의 엄지손가락으로 왼쪽 코를 눌러서 막은 후 공기를 밀어 넣는 것이다. 이 방법의 시행은 환아와 친숙하여 서로 협조가 되어야 하기 때문에 환아의 부모가 하는 것이 적절하다. 시행 전에 부모나 보호자에게 자세한 설명을 해야 한다.

흡입관(suction catheter)을 이용하여 제거하는 방법은 크기가 작은 둔형의 이물로 전비강의 앞쪽에 위치한 이물의 제거에 용이하다. 관의 끝은 우산 형태의 플라스틱 팁을 부착하고, 100-140 mmHg의 음압으로 관이 밖으로 나올 때까지 그대로 유지하여 이물과 같이 나오도록 하면 된다.

2) 외이도 이물(Ear foreign bodies)

외이도 이물은 이비인후과 영역의 이물 중에서 16.3%를 차지할 정도로 비교적 흔하게 응급실에서 접할 수 있는 질환이며, 부생이물, 유생이물, 식물성, 광물성 이물 등 상당히 다양하다. 소아에서 특이 많이 발생하는데 콩, 구슬, 연필 끝의 지우개, 면봉 등이 관찰된다.

유생이물은 제거 전에 반드시 죽여야 한다. 에테르를 적신 솜이 효과적이다. 약 5분 정도면 어떤 곤충이라도 충분히 마비되며, 그 후에 세척을 하여 곤충을 제거할 수 있다.

전신마취하 수술적 방법으로 제거해야 하는 적응증으로는 잘 협조가 되지 않는 환아나 여러 차례 시도를 했으나

성공하지 못한 경우, 이물을 제거하기에 너무 크거나 날카로운 이물인 경우, 외이도나 고막 손상이 확인된 경우, 디스크 건전지나 유리 같은 이물의 외형이 비전형적인 경우엔 수술적 방법으로 제거하는 것을 권하고 있다. 이물 제거 시 주된 문제 부위는 외이도의 협부이다. 종종 이물을 제거하다가 협부를 넘어 오히려 더 밀어 넣는 경우가 생긴다. 이물이 외이도 직경보다 작으면 Hartmann 검자로 잡아서 제거할 수 있다. 더 큰 이물은 이물보다 깊숙이 hook나 loop를 넣은 후 잡아당기면서 제거할 수 있다. 어떤 경우에는 이구를 제거할 때처럼 상부 외이도로 세척액을 뿌려 넣어서 이물이 밀려나오게 할 수도 있다.

외이도 이물에 의한 외이도 열상, 외이도염, 외이도 혈종 등은 흔히 발생할 수 있는 외이도 이물에 의한 손상이며, 또한 외이도 이물에 의한 고막 손상을 동반한 이소골 손상도 자주보고 되고 있다.

3) 기도 이물(Airway foreign bodies)

기도 이물 흡인은 호흡기 응급상황 중 가장 흔하게 일어나며 대개 유, 소아에 많이 발생하는 사고로 알려져 있다. 심각한 경우 즉각적인 응급처치를 시행하지 않으면 생명을 위협할 수도 있다. 신속하고 정확한 진단이 이루어지지 않을 경우 호흡곤란의 가능성과 함께 폐렴, 무기폐, 기관지확장증 등의 심각한 합병증이 발생할 수 있어 세밀한 병력 청취와 정확한 진찰 및 이학적 소견이 매우 중요하다. 기도 이물은 어른보다 소아에서 더욱 흔히 관찰된다. 특히 18개월에서 3세 사이의 유, 소아는 이물을 입으로 가져가는 습성을 보이며 대구치의 미발달로 음식 분쇄 능력이 떨어지고, 음식을 삼킬 시 후두상승과 성문의 닫힘이 미성숙한 특정이 있어 이물이 기도내로 흡인되기가 쉽다.

유, 소아에서 기도 이물은 심각한 합병증을 야기하며 특히 진단이 늦어지는 경우는 더욱 악화될 가능성이 많다. 기도 이물의 진단은 주로 병력과 이학적 소견을 통해 이루어지나 유, 소아의 경우 스스로 이물 흡인을 표현할 수 없는 경우가 많기 때문에 병력 청취상 애매한 경우가 많으며, 흡인 기왕력 확인까지 24시간 이상 소요되는 경우도 있다. 기관지내의 이물이 장기간 제거되지 않을 경우 호흡기도 점막의 염증과 괴사를 유발하여 폐렴, 무기폐, 폐기종, 기관지확장증, 기관지 식도 누공 등의 심각한 합병증이 발생할 수 있다. 해부학적인 차이로 인해 우측 주 기관지의 직경이 크고 기관과 이루는 각도가 작아 주로 이물이 우측에 흔하게 위치한다고 하나 항상 그런 것은 아니므로 위치 확인이 필요하다.

기도 이물 흡인의 치료는 기관지경을 통한 기도 및 기관지내 이물의 직접적인 확인과 제거가 최선의 방법이다. 유, 소아의 이물 제거 시 주로 강직성 기관지경을 사용하며 전신 마취하에서 환기형 기관지경술을 사용하는 것이 안전하다. 굴곡성 기관지경은 전신 마취가 필요 없고 관찰 부위가 넓어 깊숙이 위치하거나 접근이 힘든 위치의 이물 제거에 용이하며, 이물질의 존재 여부를 판단할 때 사용되나 시술 도중 지속적 환기 상태를 유지하기 힘들고 기침반사 유발로 인한 호흡곤란, 이물 위치 변화 등으로 인해 유, 소아에서는 적용이 제한적이다. 기관지 내시경을 이용한 술식에서 드물게 흡인된 이물질을 모두 다 제거할 수는 없는 경우가 있으며 이런 경우 수술적인 치료가 필요할 수도 있다. 자세한 내용은 제 5편 40장 기도 및 식도 이물에서 다룬다.

2. 외상(Trauma)

1) 구강 손상(Oral injuries)

응급실에서 쉽게 접할 수 있는 소아의 구강 내 외상은 가벼운 연부 조직 손상부터 심한 심부 조직 관통으로 인한 치명적 손상 및 혈전 등으로 인한 신경학적 손상 등을 초래할 정도의 손상까지 다양한 임상양상을 보일 수 있다. 이전 연구에 의하면 구강영역의 외상은 10세 이전에 많이 발생하고 특히 미취학 아동의 경우 구강영역의 손상은 전체 신체적 손상의 17%를 차지할 정도로 높게 보고되고 있다. 응급 상황에서는 소아의 불안과 공포가 증가하기 때문에, 협조가 되지 않을 경우 정확한 검사를 통한 진단과 치료가 어려워지게 된다. 구강이나 후인두부에 손상을 받은 경우 소아에서는 구강섭취의 감소, 침을 흘리거나 피를 토하게 된다.

많은 경우에 연필이나 칫솔 등을 입에 물고 뛰어다니다 넘어지면 구강 혹은 후인두 부위에 열상을 입히게 된다. 기도 폐쇄가 동반되었다면 기도확보가 우선시 되어야 하며, 기도 폐쇄가 없다면 구강 및 구인두 손상부위를 잘 확인해야 하는 데 가장 중요한 부위는 내경 동맥 근처인 연구개 외측과 편도궁이다(그림 3-1).

구강 내 외상으로 내원한 환자를 접하게 되면 먼저 출혈이나 잔류 이물로부터의 기도 확보가 가장 선행되어야 하며 외상 부위의 깊이나 길이를 세밀히 관찰 후 외상의 원인에 대해 자세한 문진 및 이학적 검사가 필요하다. 방사선학적 검사로는 잔류 이물 유무, 비정상적 공기 음영 유무, 후인두 부위의 부종 유무 등을 판단하기 위한 경부 연부 조직 측면 단순 촬영이 도움이 된다. 방사선 검사에서 비정상적 공기음영 시 폐기종, 후인두 열상, 식도 이물 등을 의심할

수 있으며 후인두 부위 부종소견 시 후인두 농양 등의 경부 감염, 출혈로 인한 혈종 등을 의심할 수 있다.

외상부위의 출혈이 심하거나 창상 열개의 정도가 봉합이 필요하다고 판단될 정도로 큰 경우에는 단순 창상 봉합을 실시하며 상처 부위가 오염된 경우에는 이차적 봉합 혹은 괴사조직 제거 후 봉합을 시행한다. 발열, 화농 등을 동반하는 경부 심부 감염과 치명적인 종격동염 같은 위험한 합병증의 예방을 위해서 예방적인 항생제 사용을 권고한다.

입원 치료의 기준으로는 내경동맥의 좌상에 의한 신경학적 합병증 발생이 가능하다고 판단되는 환자, 전신 마취 하에 봉합 및 주위 조직 손상여부 관찰이 필요한 환자, 경구 섭취 불충분으로 수액요법이 필요한 환자 등이다.

상처의 정도와 위치에 따라 다양한 합병증이 나타날 수 있지만 합병증의 발생률은 비교적 낮다. 구강 내 외상 특히, 편도 상부 외상 시 가장 심각한 합병증으로 내경동맥 열상 외에 내경동맥 혈전증을 들 수가 있는데 이는 이 부위에 손상이 가해지게 되면 근접해 있는 경동맥초가 경추 횡돌기와 물체 사이에서 눌리면서 생기는 동맥 내막 파열로 인해 혈전이 발생된다. 이러한 동맥 내막 파열은 동맥에 직접적인 둔상, 혈관의 갑작스런 신전 등에 기인한다. 신경학적 증상이 나타나지 않는 명료기가 약 3-48시간으로 나타나며 이는 내경동맥 혈전 생성과 전파에 걸리는 시간 때문이라고 추정된다

2) 안면 손상(Facial injuries)
제3편 24장 소아 안면골절에서 자세히 다룬다.

3) 비출혈(Epistaxis)
제3편 21장 소아 비출혈에서 사세히 나룬나.

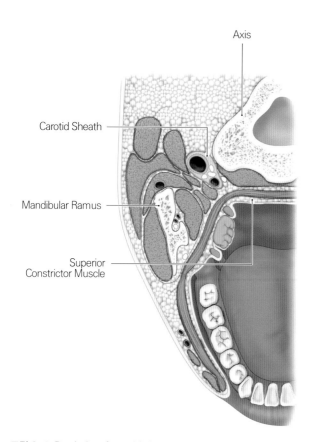

Axis

Carotid Sheath

Mandibular Ramus

Superior
Constrictor Muscle

그림 3-1. **Proximity of carotid sheath to posterior pharynx**

3. 감염(Infection)

1) 급성중이염(Acute otitis media)
제2편 14장 급성중이염에서 자세히 다룬다.

2) 안와내 감염(Orbital cellulitis)
급성 부비동염은 이비인후과 영역에서 흔한 질환으로 안와염증을 일으키는 원인의 75%를 차지한다. 해부학적으로 안구의 격막을 기준으로 격막 전에 국한된 안와주위염과 격막 후방으로 진행한 경우 생길 수 있는 안와내 감염의 두 가지 군으로 분류할 수 있다(그림 3-2). 감염병소가 되는 부비동은 부비동의 발달과 연관이 있어 영,유아기에는 상악동염이 흔한 원인병소이며, 학동기에는 사골동염, 청장년기에는 사골동과 전두동이 흔한 병소이다. 사골동에서 감염이 기원한 경우 안와 정맥이나 지판의 선천적 결손을 경로로 안구내로 파급되므로 안와내에서도 내측에 위치한 골막하부에 흔히 발생하지만 다른 부위에서도 생길 수 있다. 안구합병증은 소아에서 보다 흔한 이유는 흔한 상기도 감염, 판간형(diploic type)의 안면돌, 증가된 골벽의 혈관, 얇은 골벽, 두개골 봉합선의 개봉, 작은 부비동 자연공 때문이다.

안와주위염(periorbital cellulitis)은 가장 경도의 단계로 소아에서 흔히 볼 수 있다. 상악동염에 병발한 경우는 흔히 하안검에, 사골동염에서는 상안검에 주로 생긴다.

안와봉와직염(orbital cellulitis)은 감염이 안와격막을 뚫거나 지판을 통하여 직접 전파되어 안구 주위의 지방조직에 급성 염증이 병발한 상태이다.

안와골막하농양(subperiosteal abscess)은 안와를 둘러싸고 있는 골막하에 농이 고여 생긴다. 신체 검사상 시력장애, 복시, 안근마비 및 안구돌출을 보일 수 있고 특히 내측 골막하에 발생하는 경우 안구의 외측 돌출과 내측 주시 장애가 특징적이나, 소아 환자의 경우 이런 증상을 인지하기 어려운 경우가 많다. 따라서 방사선학적 검사로 농양의 위치 및 크기를 파악하는 것이 중요하며, 현재까지는 부비동 전산화 단층촬영이 가장 유용하다고 알려져 있다. 안와 골막하 농양은 15-30%의 환자에서 영구적인 안구합병증을 일으킬 수 있는 질환으로 농양의 배농 및 경정맥 항생제 치료가 필수적이다. 최근에는 수술적 치료 없이 내과적 항생

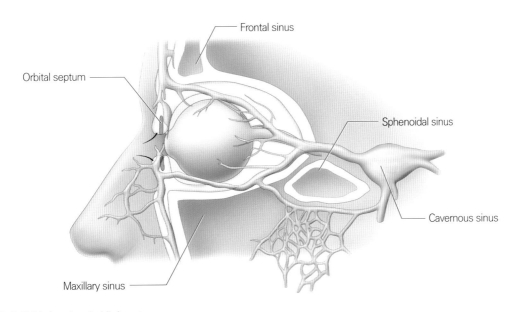

그림 3-2. **Orbital and periorbital anatomy**

제 치료만을 적용한 예가 많이 보고되고 있으나 아직까지는 논란이 많다.

안와농양(orbital abscess)은 급성부비동염이 안와골막을 통과하거나 안와봉와직염이 화농하여 발생한다. 농양은 흔히 감염된 사골동 주위에 존재한다.

해면정맥동혈전(cavernous sinus thrombosis)은 가장 예후가 불량하며 무서운 안와내합병증이다. 일반적으로 후사골동염, 접현동염과 연관이 있으며 해면정맥동으로 연결된 정맥의 역행성 혈전성 정맥염에 의해 발생한다. 초기의 증상으로 두통과 삼차신경 분포부위의 동통성 감각이상이 생기며 진행하면 심한 두통, 뇌막염의 증상, 안구통, 빠른 시력상식이 생긴다. 제2,3,4,5번 뇌신경의 마비가 나타날 수 있다. 빠른 진단과 치료 시에도 시력상실, 뇌막염이 발생할 수 있으며 심한 경우 사망에 이를 수 있다.

3) 심경부감염(Deep neck infection)

감염은 주로 항생제 개발 이전이나 구강위생이 좋지 않을 때에 흔히 발생되었으나 항생제 개발과 구강위생이 좋은 근대에도 심경부감염은 여전히 심각한 결과를 초래할 수 있다. 특히 소아환자는 성인에 비해 증상을 잘 표현하지 못하며 검사에 협조적이지 않을 뿐만 아니라 구인두의 크기가 작아 관찰이 어려워, 진단에 어려움이 있으며, 이로 인해 치료가 지연되거나 감염의 진행으로 인한 심각한 합병증이 유발될 수 있다. 심경부감염을 동반한 소아의 평균 연령은 대개 4세 정도로 보고된다. 연령 분포를 놓고 비교해 보면, 환아의 나이가 증가할수록 심경부감염의 발병률이 감소하는데, 이는 영유아들의 면역체계가 아직 미성숙하기 때문이다.

증상으로는 경부 통증, 발열, 경부 종창, 연하 곤란, 그리고 식욕 부진 등을 호소할 수 있다. 4세 이하에서는 보챔, 기침, 침흘림, 기면, 호흡곤란, 흉부 함몰, 비루, 천명 등이 흔한데, 바이러스의 상기도 감염 때와 증상이 비슷하기 때문에 정확한 진단을 어렵게 만든다. 일반적으로 말초혈액검사상 백혈구 수가 15,000 cells/mm³ 이상인 경우는 36-46%로 보고되며 원인균은 황색포도구균이 가장 흔히 동정된다.

편도주위농양은 구개 편도의 급성 염증이 주위 결체 조직으로 이루어진 편도 주위강에 파급되어 농양을 형성하는 질환으로, 경부 심부 감염증의 가장 흔한 형태이다. 편도주위농양은 구개편도의 상극에서 대부분 발생하는데 이것은 구개편도 상극에 위치하는 소타액선인 웨버씨선(Weber's gland)이 모여있기 때문이다. 편도주위농양은 구개편도염의 가장 진행된 단계라고 할 수 있으며 임상에서 흔하게 접하는 질환이지만 아직까지도 치료방법에 대해서는 논란이 있으며, 편도주위농양의 조기 진단에 이은 치료가 농양이 주변조직으로 전파되는 것을 막는 가장 좋은 방법이다. 편도주위농양의 치료는 적절한 항생제의 사용과 농양의 제거인데, 농양을 제거하는 방법으로는 크게 흡인천자만 하는 경우와 흡인천자와 절개 배농을 함께하는 방법 두 가지로 나눌 수 있다. 편도주위농양의 근본적인 치료라고 할 수 있는 구개편도절제술은 편도주위농양의 완치효과 및 재발적인 인후통 감소 효과가 있는 것으로 알려져 있다.

편도주위공간을 제외한 경우 흔한 발생 부위는 인두후공간과 인두주위강, 전후삼각부위, 악하강이다. 심경부감염은 결핵처럼 원발성으로 발생할 수 있으며, 편도선염이나 타액선, 림프조직, 선천성 기형 조직, 치아 등의 감염에 의해 이차적으로 발생할 수도 있다.

소아 심경부농양의 내과적 혹은 외과적 배농 치료의 기준에 대한 논란이 있는데 몇몇 저자들은 인두후공간과 인두주위강의 농양에서 직경 2 cm 미만 되는 농양뿐만 아니라 2 cm 이상 3 cm 미만 되는 농양도 내과적 치료에 효과적이었다고 보고하였으며 농양의 크기가 3 cm 이상일 때 수술적 치료를 권유하였다.

심경부감염의 합병증은 종격동염, 패혈증, 기도폐쇄, 경정맥 혈전증, 성봉맥 파열, 농양의 자연파열로 인한 흡인성 폐렴 등이 있지만, 소아에서는 이러한 합병증이 성인에 비하여 드물다. 그 이유는 성인의 감염은 대개 근막공간 안에 발생하기 때문에 수직적으로 잘 파급되지만, 소아에서는 림프절의 피막 안에 발생하여 진행이 느리고 패혈증도 드물어 치료에 잘 반응하기 때문이다.

4. 수술 후 합병증(Postprocedural complicatioins)

1) 편도절제술 후 출혈(Posttonsillectomy hemorrhage)

편도절제술은 이비인후과 영역에서 가장 많이 시행되는 수술로, 술 후 출혈은 비교적 흔한 합병증이다. 보고자에 따라 출혈의 정의가 각기 다르기는 하지만 0.8%에서 15% 정도의 발생률과 0.002%의 사망률을 보인다. 이제까지 알려진 술 후 출혈에 영향을 미치는 요소로는 환자의 연령, 성별, 수술 시 출혈량, 수술 시간, 지혈 방법, 술자의 숙련도, 수술 전 염증 여부, 편도 주위 농양의 과거력, 수술 전 혈액학적 인자, 술 후 비스테로이드성 항염증제 복용 여부 등이 있다.

편도절제술 후 출혈의 발생 이유는 편도부위의 풍부한 동맥혈 공급으로 인한 것으로 편도의 상부는 하행구개동맥으로부터 혈액 공급을 받고, 중앙 부위는 상행인두동맥으로부터, 하부는 설동맥의 편도가지와 안면동맥의 편도가지, 상행구개동맥으로부터 혈액공급을 받는다.

편도절제술 후 출혈은 발생한 시간에 따라 두 가지로 분류할 수 있다. 술 후 24시간 이내에 출혈이 발생한 경우 일차적 출혈(primary hemorrhage), 24시간 이후에 출혈이 발생한 경우를 이차적 출혈(secondary hemorrhage)로 정의한다. 일차적 출혈은 그 빈도가 감소하는 것으로 보아 수술 방법과 관련이 있는 것으로 여겨지며, 흡인, 후두연축 등의 위험이 있어 이차적 출혈에 비하여 위험하다. 이차적 출혈은 술 후 5-10일 후에 호발하며, 빈도는 과거와 비슷한 점에서 수술수기와는 큰 연관성이 없는 것으로 생각되며, 소아 보다 청장년층에서 빈번하고, 출혈 예방을 위한 주의사항 불이행, 부주의한 식생활 습관, 술 후 과도한 활동, 술 전 반복된 감염에 의한 조직유착 등이 주된 원인으로 여겨진다.

편도의 출혈은 일반적으로 전기소작기, 결찰, 혈관수축제나 지혈제를 이용한 압박을 통해 조절된다. 전기소작은 매우 효과적이고 결찰을 통한 지혈보다 더 빨리 지혈시킬 수 있다.

2) 편도절제술 후 통증(Posttonsillectomy pain)

편도절제술 후 발생하는 통증은 그 자체로 환자에게 불편감을 줄 뿐만 아니라 음식물을 삼키기 어렵게 만들어 특히, 소아에서는 흔하게 정맥내 수액 요법이 필요할 정도의 탈수를 초래할 수 있다.

소아환자는 통증에 대한 언어표현능력이 떨어지고 행동 양식이 비 특이적이어서 수술 후 통증 조절을 위해 적절한 진통제를 투여하는 데 어려움이 있으며 진통제의 효과를 예측하기 어렵고 호흡억제의 위험이 있기 때문에 투여가 망설여질 수 있다. 비스테로이드성 소염제(NSAIDs)와 acetaminophen은 수술 후 진통을 위해 자주 사용하는 약물이며, 심각한 부작용이 드물어 소아에서도 많이 쓰이는 진통제이다. 이 약물들은 소량의 아편양제제와 함께 사용할 경우 아편양제제의 용량을 줄일 수 있는 효과(opioid-sparing effect)가 있어 아편양제제의 부작용인 호흡억제, 서맥, 저산소증 등을 최소화하면서 진통작용을 효과적으로 나타낼 수 있다. 하지만 비스테로이드성 소염제의 장기간 투여 시 위장관 및 수술부위 출혈의 위험, 신기능 장애가 나타날 수 있다.

수술 후 통증을 줄이기 위한 노력은 크게 두 가지로 나눌 수 있는데 첫 번째는 재료제를 도포하는 방법으로 섬유소 응고제, 꿀 등이 있다. 두 번째는 수술 방식의 변화를 통해 수술 후 통증을 줄이는 방식으로 Coblation, Harmonic scalpel 등의 기구를 사용한다. 그중에서 Coblation은 생리식염수를 매개로 고주파 양극전류 에 의해 플라스마 장(plasma field)을 형성하여 분자 수준에서 조직의 분리를 시켜주는 방법이다. 비교적 저온의 열(40-70℃)만 발생하여 동반되는 주위 조직의 열손상을 줄여줌으로써 통증이 감소될 것으로 생각되나 아직 논란의 여지가 많다.

▬▬▬ 참고문헌

• Alexander RJ, Kukreja R, Ford GR. Secondary post-tonsillectomy haemorrhage and informed consent. J Laryngol Otol 2004;118: 937-40.

• Anseley JF, Cunningham HJ. Treatment of aural foreign bodies in children. Pediatrics 1998;101:638-41.

• Backlin SA. Positive-pressure technique for nasal foreign body removal in children. Ann Emerg Med 1995;2 5:554-5.

• Baharloo F, Veyckemans F, Francis C, Biettlot MP, Rodenstein DO. Tracheobronchial foreign bodies: presentation and management in children and adults. Chest 1999;115:1357-62.

• Bellucci RJ. Traumatic injuries of the middle ear. Otolaryngo Clini North Am 1983;16:633-50.

• Bittencourt PF, Camargos PA, Scheinmann P, de Blic J. Foreign body aspiration: clinical, radiological findings and factors associated with its late removal. Int J Pediatr Otorhinolaryngol 2006;70:879-84.

• Braudo M. Thrombosis of Internal carotid artery in Childhood after injuries in region of soft palate. British Med J 1956;1:665-6.

• Bressler K, Shelton C. Ear foreign-body removal a review of 98 consecutive cases. Laryngoscope 1993;103:367-70.

• Choo MJ, Kim JS, Kim JW, Shin SO, Cha SH. Efficacy of computed tomography for diagnosis and treatment of the deep neck infection. Korean J Otolaryngol-Head Neck Surg 1997;40:1826-32.

• Coticchia JM, Getnick GS, Yun RD, Arnold JE. Age-, site- and time specific differences in pediatric deep neck abscesses. Arch Otolaryngol Head Neck Surg 2004;130:201-7.

• Hengerer AS, Degroot TR. Internal carotid artery thrombosis following soft palate injuries: A case report and review of 16 cases. Laryngoscope 1984;94:1571-5.

• Hsu WC, Sheen TS, Lin CD, Tan CT, Yeh TH, Lee SY. Clinical experiences of removing foreign bodies in the airway and esophagus with a rigid endoscope: a series of 3217 cases from 1970 to 1996. Otolaryngol Head Neck Surg 2000;122:450-4.

• Kadish HA, Corneli HM, Howard MC. Removal of nasal foreign bodies in the pediatric population. Am J Emerg Med 1997;15:54-6.

• Karakoç F, Karadağ B, Akbenlioğlu C, Ersu R, Yildizeli B, Yüksel M, et al. Foreign body aspiration: what is the outcome? Pediatr Pulmonol 2002;34:30-6.

• Kirse DJ, Roberson DW. Surgical management of retropharyngeal space infections in children. Laryngoscope 2001;111(8):1413-22.

• Lee DW, Lee HS, Lee KY, Park IB, Park CW, Tae K. A clinical study of deep neck infection in children. Korean J Otolaryngol-Head Neck Surg 2005;48:1382-7.

• Lichenstein R, Giudice EL. Nasal wash technique for nasal foreign body removal. Pediatr Emerg Care 2000;16:59-60.

• Marret E, Flahault A, Samama CM, Bonnet F. Effects of postoper—ative, nonsteroidal, antiinflammatory drugs on bleeding risk after tonsillectomy: meta-analysis of randomized, controlled trials. An—esthesiology 2003;98:1497-502.

• Martin M, Warren GC. Thrombosis of the internal carotid artery due to intraoral trauma. South Med J 1969;62:103-7.

• Messervy M. Forced expiration in the treatment of nasal foreign bodies. Practitioner 1973;210:242.

• Midulla F, Guidi R, Barbato A, Capocaccia P, Forenza N, Marseglia G, et al. Foreign body aspiration in children. Pediatr Int 2005;47: 663-8.

• Nagy M, Pizzuto M, Backstrom J, Brodsky L. Deep neck infections in children: A new approach to diagnosis and treatment. Laryngoscope 1997;107:1627-34.

• Nandapalan V, MacIlwain JC. Removal of nasal foreign bodies with a Forgaty biliary balloon catheter. J Laryngol Otolaryngol 1994;108:758-60.

• Park SJ, Lee BD, Park JR, Choi HS, Chang HS, Kang JW. A statistical analysis of foreign bodies in otolaryngological field. Korean J Otolaryngol 1986;29:848-57.

• Petersson EE, Andersson L, Sorensen S. Traumatic oral vs non-oral injuries. Swed Dent J, 1997;21:55-68.

• Radkowski D, McGill TJ. Penetrating trauma of the oropharynx in children. Laryngoscope 1993;103:991-4.

• Randall DA, Hoffer ME. Complications of tonsillectomy and ade—noidectomy. Otolaryngol Head Neck Surg 1998;118:61-8.

• Saquib Mallick M, Rauf Khan A, Al-Bassam A. Late presentation of tracheobronchial foreign body aspiration in children. J Trop Pediatr 2005;51:145-8.

• Thompson JW, Cohen SR, Reddix P. Retropharyngeal abscess in children: A retrospective and historical analysis. Laryngoscope 1988;98:589-92.

• Tokar B, Ozkan R, Ilhan H. Tracheobronchial foreign bodies in children: importance of accurate history and plain chest radiography in delayed presentation. Clin Radiol 2004;59:609-15.

• Towne JB, Neis DD, Smith JW. Thrombosis of the internal carotid artery following blunt cervical trauma. Arch Surg 1972;104:565-8.

• Wee BR, Ko KI. A clinical study on the pediatric oropharyngeal trauma. Korean J Otolaryngol 1995;38:459-62.

• Windfuhr J, Seehafer M. Classification of haemorrhage following tonsillectomy. J Laryngol Otol 2001;115:457-61.

• Zaupa P, Saxena AK, Barounig A, Höllwarth ME. Management strategies in foreign-body aspiration. Indian J Pediatr 2009;76: 157-61.

Chapter 04

소아유전학

Genetics

최병윤

1. 유전학 개론

1) 유전체

유전체란 생물체가 가지고 있는 유전정보 전체를 일컫는 말이다. 인간의 유전체는 약 20,000-25,000개 유전자로 이루어져 있다. 유전자는 deoxyribonucleic acid (DNA) 서열로 구성되며 이것들이 염색체를 이룬다. DNA는 adenine (A), guanine (G), thymidine (T), cytosine (C)의 네 가지 염기의 중합체(polymer)로 구성되어 있다. 대부분의 인간 체세포 핵은 46개 염색체 23쌍으로 구성되어 있다. 미토콘드리아를 제외한 모든 인간 유전체 내의 유전자들은 이들 염색체에 포함되어 있다. 염색체 상의 유전자 배열 순서는 대개 주어진 생물종 내에서 일정하기 때문에 인간 유전자 순서에 대한 지도를 작성할 수 있다. 유전자는 염색체 단위로 유전된다. 유전자 교차(cross over)가 일어나는 경우를 제외하고 한 염색체 내에 있는 모든 유전자들은 함께 다음 세대로 유전되고 짝을 이루는 대립 염색체는 같이 유전되지 않는다. 유전자 교차는 부계 및 모계 유전자가 모자이크를 이루게 하고, 이러한 유전자 교차 빈도에 대한 정보를 이용하여 유전자 간의 거리를 측정할 수 있다. 두 유전자 간의 물리적 거리는 두 유전자 간의 염기서열 갯수로 정의되며 megabase (Mb) 혹은 kilobases (kb) 단위로 표시한다. 그러나 유전적 거리(genetic distance)는 두 유전자 간의 재조합 빈도를 바탕으로 계산된다. 교배와 그 후손에 대한 유전자 분석을 통하여 알 수 있다.

인간 홑배수 염색체(haploid genome)는 약 3×10^9 염기쌍의 DNA로 구성된다. 가장 크기가 큰 1번 염색체는 전체의 10%를 차지하는 반면, 가장 작은 21번 염색체는 약 2.5%를 차지한다. 약 20,000-30,000개 유전자가 있으므로, megabase 당 20-30개 유전자가 존재할 것으로 예상된다. 게놈 프로젝트의 목적은 특정 질환의 원인이 되는 특정 유전자를 효율적으로 찾을 수 있도록 유전체 색인을 작성하는 것이었다. 이비인후과적 관점에서는, 이를 통하여 많은 이비인후과 관련 질환들의 특정 원인 유전자들을 발견할 수 있게 되었고 이들의 유전형태에 대한 정보를 통하여 치료적 관점에서 도움을 받을 수 있게 되었다.

2) 유전질환의 원인

유전질환은 (1) 염색체성(chromosomal), (2) 단일유전자(monogenic), 그리고 (3) 복합(complex) 유전질환으로 분류할 수 있다.

(1) 염색체성 질환

하나 이상의 염색체의 상대적으로 많은 부위에서 변화가 일어나 발생한다. 몇몇 예외적인 경우 이외의 염색체성 질환은 유전되지 않는다. 염색체 이상으로 인한 신체적 기형들은 광범위한 중복(duplication) 혹은 결실(deletion)로 인하여 발생하며 여러 개 유전자 이상이 관여한다. 가장 흔한 염색체성 유전질환은 Down syndrome (trisomy 21)이다. 이 외에도 Turner syndrome (성염색체 한 개의 결실) 등이 이에 속한다. 염색체성 유전질환은 ① 염색체 이수성(aneuploidy), ② 결실(deletion), ③ 중복(duplication), ④ 재조합(rearrangement)에 의하여 발생한다.

(2) 단일 유전자 질환

하나의 유전자에 발생한 돌연변이로 인하여 발생하는 유전질환을 일컫는다. 많은 유전성 난청 질환들이 단일 유전자 질환으로 알려져 있다. 우성(dominant)과 열성(recessive)이라는 용어는 특정 질환의 유전형태를 의미하며, 두개의 대립형질(alleles)의 조합이 표현형(phenotype)을 나타내는 방식을 일컫는다. 우성 유전형태에서는 하나의 돌연변이 대립형질을 가지고 있는 개체(heterozygote)와 두 개의 동일한 돌연변이 대립형질을 가지고 있는 개체(homozygote)가 동등한 질환의 표현형을 나타낸다. 하지만 열성 유전에서는 두 개의 돌연변이가 대립형질을 보유하고 있는 개체만이 질환의 표현형을 나타내며, 이형접합체는 정상 표현형을 보인다.

(3) 복합 유전질환

여러 개의 관련된 유전자들의 상호작용으로 해당 질환이 발생하는 경우로써 구개순 혹은 구개열, 난녹승, 암, 고혈액 등이 이에 속한다. 염색체성 질환은 대개 중증이며 난청과 두경부 질환 등 다양한 기관의 증상들을 동반하는 경우가 많다. 단일 유전자 질환 역시 중증을 일으킬 수 있지만, 대부분 다른 기형 혹은 정신지체 등을 동반하지 않는다.

3) 유전형태에 따른 분류
(1) 우성 유전

유전자 투과도(penetrance)가 100%일 경우, 각각의 이환된 개체들은 이환된 부모들을 가지고 있다. 우성 돌연변이는 수직 전파(vertical transmission)와 수 대에 거쳐 여러 명의 자손들에서 나타나는 가계도를 나타낸다(그림 4-1). X-linked 유전자 또한 우성 유전될 수 있다. 이 경우 여성에서 남성보다 2배 많은 이환율을 보인다. 성염색체 우성 유전은 상염색체 우성 유전과 유사하지만, 남성에서 남성으로의 유전이 나타나지 않는다는 차이를 보인다.

① Haploinsufficiency, ② dominant-negative effect, ③ two-hit effect의 세 가지 메커니즘으로 우성 유전에서의 표현형 발현을 설명할 수 있다. ① Haploinsufficiency란 유전자의 불활성화되어 정상 수준의 세포 기능을 유지하기에 부족한 경우를 일컫는다. 대사 활성 조절 혹은 대사 이동에 관여하는 유전자들이 여기에 속한다. ② Dominant-negative effect란 돌연변이 단백질이 새로운 기능을 얻어 기존의 정상 기능을 방해하거나 정상 단백질과 경쟁적으로 작용하는 경우이다. ③ Two-hit effect는 한 개의 대립형

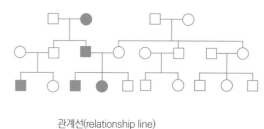

그림 4-1. **상염색체 우성 유전**

질이 불활성화된 상태에서, 두 번째 돌연변이가 발생하여 질환이(예를 들면, retinoblastoma) 발생하는 경우이다. 이 경우, 개체 수준에서 우성 유전으로 나타나지만, 세포 수준에서는 열성으로 작용한다. Carotid body tumor 등과 같은 우성 유전의 암 증후군들이 이러한 기전으로 발생한다. 이비인후과 영역에서 우성 유전되는 대표적인 질환들로는 우성 유전의 비증후군성 난청들, Waardenburg syndrome, Branchio-oto-renal (BOR) syndrome, Treacher Collins syndrome 등이 있다.

(2) 열성 유전
이환된 개체는 동형접합체이어야 하기 때문에, 이환되지 않은 보인자(carrier) 부모들로부터 이환된 자손이 태어날 수 있다(그림 4-2). 현대는 대부분 자손의 수가 작기 때문에 대부분의 열성 질환은 가족력 없이 단일 이환 개체(singleton)으로 발생하며, 근친결혼 풍습이 있는 곳에서 열성 유전질환이 많이 발견된다. 예를 들면 50% 이상의 Usher syndrome 환자들은 가족력을 보이지 않는다. 만일 정상 표현형의 부모들 사이에서 열성 유전질환 자식이 태어났을 경우, 다음 자손에서 열성 유전질환이 나타날 확률은 25%이다. 우성 유전을 보이는 주요 질환들로는 비증후군성 난청, Pendred syndrome, Usher syndrome, Alstrom syndrome 등이 있다. 많은 열성 유전질환들은 특정 효소 결핍으로 인한 대사과정 저해로 인하여 발생한다. 이형접합체의 경우 대사 과정을 수행하는데 충분한 효소를 발현하기 때문에 정상 표현형을 보인다.

종종 특정 인구집단에서 특정 돌연변이 빈도가 증가하는 founder effect를 볼 수 있다. 예를 들면 Louisiana에 초기 정착민들 중 일부에서 돌연변이가 발생하여, 유전적으로 고립된 French Acadian들 사이에서 harmonin 유전자 돌연변이로 인한 Usher syndrome type 1C의 유병률이 높게 나타난다. 또한 아프리카인에서 sickle cell anemia를 유발하는 hemoglobin beta-S 대립형질이 높은 빈도로 나타나는 것과 같이 동형접합체에 비하여 이형접합체에서 발생학적 이득이 존재하여 높은 빈도의 열성 돌연변이를 나타내는 경우도 있다.

몇몇 유전질환들은 두가지 유전자들의 돌연변이에 의하여 발생한다(digeny). 예를 들어 connexin 26과 30에 의한 난청의 경우, 13번 염색체에 위치한 GJB2와 GJB6 돌연변이에 의하여 발생한다. 이 경우 GJB6의 결실 돌연변이로 인하여 GJB2 유전자 발현 조절에 영향을 주어 난청을 나타낸다.

(3) X-linkage
X-linked 열성 유전의 경우, 여성의 경우 돌연변이 동형접합체만이 유전질환 표현형을 나타내며 이형접합체의 경우 보인자가 되지만, 남성의 경우 X염색체가 1개이므로 하나의 돌연변이 유전자를 가지고 있는 경우에도 질환이 발현된다(그림 4-3). 우성 혹은 열성의 성염색체 유전은 여성에서 남성보다 더욱 다양한 표현형을 나타낸다. 이것은 여성에서 하나의 X염색체가 불활성화되는 Lyon hypothesis로 설명된다. 발생 초기에 각 세포 내의 한 개의 X염색체가 무작위적으로 불활성화 되고, 그 딸세포들은 동일한 불활성화된 X염색체를 갖게 된다. 만일 성염색체 연관 유전자에

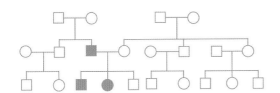

그림 4-2. **상염색체 열성 유전**

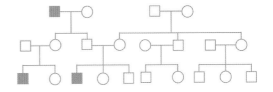

그림 4-3. **성염색체 열성 유전**

관하여 이형접합체인 여성의 경우, 다양한 정도로 정상 X 염색체가 불활성화될 수 있고, 이에 따라서 다양한 표현형을 나타내게 된다.

(4) 산발적 유전(sporadic cases)

가계 내에서 한 명의 이환된 개체만 나타나고 그 유전형태가 명백하지 않은 경우를 의미한다. 예를 들면 소아 난청에서 종종 산발적 유전을 볼 수 있다. 그 원인으로는 ① 부모 대에서 보이지 않았던 새로운(de novo) 우성 돌연변이가 발생한 경우, 앞서 언급한 바와 같이 ② 자손의 숫자가 적기 때문에 열성 유전이 한 개체에서만 발견된 경우, 혹은 ③ 남성의 경우 성염색체 연관 유전일 경우 등이 있다. 또한 밝혀지지 않은 비유전적 요인들에 의한 복합 유전질환일 가능성이 있다.

(5) 미토콘드리아 유전

미토콘드리아는 비염색체성 DNA만을 가지고 있다. 각 세포들은 동일한 유전형을 보이는 수백만개의 미토콘드리아를 가지고 있다. 미토콘드리아는 난자의 세포질 내에만 있고 정자에는 거의 없으므로 모계유전을 한다. 이환된 모체의 자손들은 모두 질병에 이환 되는데 반하여, 부계 유전은 보이지 않는다(그림 4-4). 아미노글리코사이드 이독성 난청에 대한 취약성을 보이는 미토콘드리아의 12S rRNA유전자의 A1555G 돌연변이, Kearns-Sayre syndrome 등이 있다. 이들은 정상과 돌연변이가 혼재되어 있는 heteroplasmy를

보이기 때문에 매우 다양한 정도의 난청을 보이며, 이러한 heteroplasmy를 보이는 원인으로는 돌연변이 유전자만 가지고 있을 경우(homoplasmy) 개체에 치명적(lethal)이기 때문으로 여겨진다.

4) 유전적 이질성(Genetic heterogeneity)

표현형은 유사하지만 유전적 원인이 상이한 경우를 말한다. 소아난청, Usher syndrome, retinitis pigmentosa 등이 좋은 예들이다. 적어도 5가지 이상의 유전자들이 중증 형태의 Usher syndrome 1을 유발하는 것으로 알려져 있다. 이들의 표현형은 동일하기 때문에, 분자유전검사를 통해서만 감별진단을 할 수 있다. 만약 Usher syndrome type 1B 남성과 Usher syndrome type 1D 여성이 결혼할 경우, 그 자손은 정상 청력과 시력을 갖지만, Usher syndrome type 1B와 1D 보인자가 될 것이다.

2. 유전질환 각론

1) 유전성 난청
(1) 비증후군성 난청

유전성 난청의 70%를 차지한다. 신생아에서 발견되는 감각신경성 난청의 절반가량이 멘델 유전을 따라 발생한다. 75-80% 가량이 열성 유전을 보이고, 약 20% 가량이 상염색체우성 유전, 2-5%가 성염색체유전, 약 1% 가량이 미토

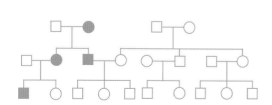

그림 4-4. **미토콘드리아 유전**

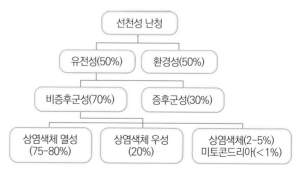

그림 4-5. **미토콘드리아 유전**

콘드리아 유전방식을 보인다(그림 4-5). 비증후군성 난청은
"DFN (nonsyndromic DeaFNess)"로 표시하며, A는 우성
유전, B는 열성 유전, 그리고 X는 X염색체 연관 유전을 의
미한다. 그 뒤에 원인 유전자위가 발견된 순서에 따라 숫자
를 붙인다. 따라서 DFNA1과 DFNB1은 각각 최초로 발견된
비증후군성 우성 및 열성 원인 유전자좌를 의미한다.

① 상염색체열성 비증후군성 난청

대개 언어습득기전(prelingual)에 발생하는 중증 혹은 심
도의 난청이 전 주파수 영역에 걸쳐 나타난다. 2014년도와
2015년도에 많은 새로운 유전자좌(loci)가 밝혀지고 있으
며, 현재까지 103개의 유전자좌와 53개의 원인 유전자들
이 동정되었다(표 4-1).

ⅰ) DFNB1

1994년 Guilford 등이 최초로 13q12-13 좌위에 위치
한 상염색체열성 비증후군성 난청을 DFNB1이라 명명
하였다. 3년 뒤 Kelsell 등은 DFNB1 유전자가 *GJB2*라
는 gap junction 유전자라는 것을 밝혀냈다. *GJB2*에 의
하여 발현되는 connexin 26은 다른 5가지 connexin 단
백질들과 결합하여 connexon을 형성한다. 2개의 con-
nexon은 gap junction을 형성하여 칼륨 이온이 외유모
세포에서 지지세포, 나선인대(spiral ligament), 혈관조
(stria vascularis) 를 통하여 재순환하여 기계신경적 전
달과정(mechanosensory transduction)을 촉진한다. 따
라서 *GJB2*는 혈관조, 비신경 상피세포, 나선인대, spiral
limbus 등에서 발현된다.

많은 인구집단들에서 약 50%의 중증 혹은 심도 선천
성 상염색체열성 비증후군 난청 환자들에서 *GJB2* 돌연
변이가 발견된다. 100개 이상의 난청 유발 돌연변이들
이 밝혀져 있으며, 몇 가지 돌연변이들은 특정 인종에
서 높은 빈도로 나타난다. 예를 들어 35delG 돌연변이
는 유럽에서 흔하게 나타나며, 중서부 미국인에서 2.5%
의 보인자 빈도를 보인다. 반면 Ashkenazi Jewish에서는
167delT가 가장 흔한 돌연변이로 약 4%의 보인자 빈도
를 보인다. 일본 및 한국 등에서는 235delC 돌연변이가

표 4-1. 비증후군성 상염색체 열성 유전성 난청

Locus Name	Location	Gene Symbol
DFNB1	13q12	GJB2
DFNB2	11q13.5	MYO7A
DFNB3	17p11.2	MYO15A
DFNB4	7q31	SLC26A4
DFNB5	14q12	unknown
DFNB6	3p14-p21	TMIE
DFNB7/11	9q13-q21	TMC1
DFNB8/10	21q22	TMPRSS3
DFNB9	2p22-p23	OTOF
DFNB10	see DFNB8	
DFNB11	see DFNB7	
DFNB12	10q21-q22	CDH23
DFNB13	7q34-36	unknown
DFNB14	7q31	unknown
DFNB15	3q21-q25	
	19p13	GIPC3
DFNB16	15q21-q22	STRC
DFNB17	7q31	unknown
DFNB18	11p14-15.1	USH1C
DFNB18B	11p15.1	OTOG
DFNB19	18p11	unknown
DFNB20	11q25-qter	unknown
DFNB21	11q	TECTA
DFNB22	16p12.2	OTOA
DFNB23	10p11.2-q21	PCDH15
DFNB24	11q23	RDX
DFNB25	4p13	GRXCR1
DFNB26	4q31	unknown
DFNB27	2q23-q31	unknown
DFNB28	22q13	TRIOBP
DFNB29	21q22	CLDN14
DFNB30	10p11.1	MYO3A
DFNB31	9q32-q34	WHRN

표 4-1. **비증후군성 상염색체 열성 유전성 난청(계속)**

Locus Name	Location	Gene Symbol	Locus Name	Location	Gene Symbol
DFNB32	1p13.3-22.1	CDC14A	DFNB81	19p	unknown
DFNB39	7q21.1	HGF	DFNB82	see DFNB32	
DFNB40	22q	unknown	DFNB83	see DFNA47	
DFNB42	3q13.31-q22.3	ILDR1	DFNB84	12q21.2	PTPRQ / OTOGL
DFNB44	7p14.1-q11.22	ADCY1	DFNB85	17p12-q11.2	unknown
DFNB45	1q43-q44	unknown	DFNB86	16p13.3	TBC1D24
DFNB46	18p11.32-p11.31	unknown	DFNB88	2p12-p11.2	ELMOD3
DFNB47	2p25.1-p24.3	unknown	DFNB89	16q21-q23.2	KARS
DFNB48	15q23-q25.1	CIB2	DFNB90	7p22.1-p15.3	unknown
DFNB49	5q12.3-q14.1.	MARVELD2 / BDP1	DFNB91	6p25	SERPINB6
DFNB51	11p13-p12	unknown	DFNB93	11q12.3-11q13.2	CABP2
DFNB53	6p21.3	COL11A2	DFNB94		NARS2
DFNB49	5q12.3-q14.1.	MARVELD2 / BDP1	DFNB95	19p13	GIPC3
DFNB51	11p13-p12	unknown	DFNB96	1p36.31-p36.13	unknown
DFNB53	6p21.3	COL11A2	DFNB97	7q31.2-q31.31	MET
DFNB55	4q12-q13.2	unknown	DFNB98	21q22.3-qter	TSPEAR
DFNB59	2q31.1-q31.3	PJVK	DFNB99	17q12	TMEM132E
DFNB61	7q22.1	SLC26A5	DFNB100	5q13.2-q23.2	PPIP5K2
DFNB62	12p13.2-p11.23	unknown	DFNB101	5q32	GRXCR2
DFNB63	11q13.2-q13.4	LRTOMT/COMT2	DFNB102	12p12.3	EPS8
DFNB65	20q13.2-q13.32	unknown	DFNB103	6p21.1	CLIC5
DFNB66	6p21.2-22.3	DCDC2	DFNB104	6p22.3	FAM65B
DFNB66/67	6p21.31	LHFPL5	DFNB105		see DFNB32
DFNB68	19p13.2	unknown	DFNB106	11p15.5	EPS8L2
DFNB71	8p22-21.3	unknown	DFNB108	8q22.1	ROR1
DFNB72	19p13.3	GIPC3		17q25.1	WBP2
DFNB73	1p32.3	BSND		8q22.1	ESRP1
DFNB74	12q14.2-q15	MSRB3		11q23.3	MPZL2
DFNB76	19q13.12	SYNE4		19q13.31-q13.32	CEACAM16
DFNB77	18q12-q21	LOXHD1		17p11.2	GRAP
DFNB79	9q34.3	TPRN		17p13.2	SPNS2
DFNB80	2p16.1-p21	unknown		16p13.3	CLDN9
DFNB81	19p	unknown			

가장 흔한 *GJB2* 돌연변이이다. DFNB1은 다양한 정도의 난청으로 발현된다. Missense 돌연변이들은 더 많은 잔청을 보인다. 235delC 돌연변이의 경우 저주파 쪽에 잔청이 많은 경향을 보이며, 또한 V37I의 경우는 특히 아시아 지역에서 경도 혹은 중등도 난청을 일으키는 것으로 보고되었다. *GJB2* 돌연변이에 대한 유전검사는 높은 빈도를 보이는 *GJB2* 돌연변이를 스크리닝함으로써 많은 유전성 난청 진단을 효율적으로 할 수 있을 뿐만 아니라, 난청 예후에 대한 정보를 제공한다. 최근 많은 연구들에서 *GJB2* 돌연변이 난청 환자들에서 인공와우이식수술 후 좋은 결과를 보고하고 있다.

ii) DFNB4

SLC26A4 돌연변이는 *GJB2*와 더불어 아시아인의 유전성 난청 중 가장 흔한 원인유전자로 감각신경성 난청과 전정도수관확장증을 동반한 Pendred 증후군 혹은 비증후군형의 난청(DFNB4, OMIM 600791)을 일으킨다. 임상적으로 출생 시에는 잔존 청력이 있다가 주로 언어습득시기에 악화되며 서서히 진행하는 양상을 보이고, 경미한 두부외상, 스트레스, 상기도 감염 등에 의해 변동하며 악화되는 양상을 보이기도 한다. 펜드린(pendrin)은 *SLC26A4*에 의해 암호화(coding)되는 세포막단백질로 내이, 갑상선, 신장 등 여러 장기에서 발현되며, 내이의 내림프액 pH 조절에 관여하며 청각을 유지한다. *SLC26A4* 돌연변이는 현재까지 약 200여 개가 알려져 있고 표현형도 다양하며, 난청의 정도와 발생시기, 변동, 악화 등 환자마다 다양하다. 또한 *SLC26A4* 돌연변이는 한국인을 포함한 아시아인의 유전성난청 중 가장 흔한 원인이면서, 아시아에서도 중국과 한국, 일본이 다른 것으로 알려져 있다.

전정도수관확장증과 연관된 *SLC26A4* 돌연변이는 언어습득기전(prelingual) 난청의 약 5-10%를 차지하고, 또한 *SLC26A4* 돌연변이 유병률은 미국이 20%, 프랑스가 40%정도인 데 비하여, 중국에서는 약 97.9%, 일본은 82%로 보고되었다. 한국에서도 전정도수관확장증 환자에서 적어도 하나 이상의 *SLC26A4* 돌연변이 유전자가

발견된 경우기 92%로 높은 빈도를 보이고, 분자유전학적 분석에서도 한국인에서의 돌연변이 유전자 보유자(carrier) 빈도는 *GJB2*가 41명 중 1명, *SLC26A4*가 75명 중 1명인 것으로 알려져 있다.

한국인에게 가장 흔한 변이는 미스센스 돌연변이인 p.H723이며 splicing 돌연변이인 c.IVS7-2A>G, 그 밖에 c.IVS9+3A>G, p.M147V, c.365insT가 있다. *SLC26A4* 돌연변이의 유전형과 표현형의 상관관계를 밝히기 위해 여러 연구가 진행되어 왔는데, 향후, 한국인의 유전형에 맞는 맞춤형 분자유전학적 약물치료가 개발된다면, *SLC26A4* 돌연변이 환자들의 잔존청력을 보존함으로써 청각재활에 많은 기여를 할 것으로 기대한다.

iii) DFNB9

국내 선천성 중·고도 난청은 신생아 1,000명 중 1명 수준으로 이 중 8%는 청각신경병증이 원인이다. 청각신경병증(auditory neuropathy)은 이음향방사나 cochlear microphonic (CM)은 나타나지만, 청성뇌간반응은 나타나지 않거나 매우 비정상적인 소견을 보이는 감각신경성 난청으로, 병리학적으로는 외유모세포의 기능은 보존되어 있으면서, 내유모세포와 제1형 청신경세포를 통한 청각전달로의 이상이 원인으로 내이까지 정상적으로 들어온 소리가 뇌로 전달되는 과정에 장애가 발생해 난청을 유발한다. 알려진 유전자변이는 *MPZ*, *PMP22*, *OTOF* 등이 있다.

OTOF 유전자 변이는 nonsyndromic recessive auditory neuropathy와 관련이 있고, *OTOF* 유전자는 내유모세포에서 발현되고, otoferlin 단백질은 transmembrane transport와 내유모세포의 synaptic vesicle fusion에 관여하는 것으로 알려져 있다.

한국인의 청각신경병증에서 *OTOF* 돌연변이 발생률은 5.2%로 보고되어 있고, *OTOF* 돌연변이는 특징적으로 엑손 21-46에 걸쳐 분포하였으며, p.Arg1939Gln는 *OTOF* 돌연변이 발생 빈도에 있어 11명의 DFNB9 환자들의 22개의 대립 유전자 중 40.9% (9/22)로 가장 흔하게 나타나고, p.Glu841Lys가 두번째로 흔하였고(13.6%,

3/22), 그 다음으로는 p.Leu1011Pro와 p.Arg1856Trp가 각각 9.1% (2/22)를 차지한다. 이 네 주요 대립유전자의 전체 기여도는 *OTOF* 돌연변이가 있는 모든 청각신경병증 환자들 중 72.7%를 차지하는 것으로 보고되었다.

청각신경병증 환자의 치료는 일반적인 감각신경성 난청과는 다른 관점에서 이루어져야 한다. 영유아 환자의 경우 자연회복의 가능성이 있으므로 반복적인 청력검사와 면밀한 관찰이 필요하다. 순음청력역치와 무관하게 공통적으로 어음 변별력이 저하되어 있으므로 보청기는 큰 도움이 되지 못하며, 최근에는 보존적 치료에 도움을 받지 못하는 경우 와우이식을 통해 많은 도움을 받고 있다.

iv) DFNB16

STRC 유전자는 경증 중등도 난청을 유발하는 알려진 난청 유전자이며, DFNB16 유전자 좌위의 염색체 15q15.3에서 large deletion에 의하여 난청을 유발하는 것으로 알려져 있다. STRC deletion비율은 난청환자의 1%에서 5% 사이인 것으로 추정되고 있다. STRC 유전자의 서열 데이터의 해석은 STRC 유전자와 98% 상동성을 갖는 pseudo-STRC 유전자(pSTRC)의 존재로 인해 이 지역에서는 SNV 또는 CNV를 detection하기가 어렵다.

소아 중등도 난청의 병인에 대한 시기적절한 진단 및 식별은 의학적으로 사회 경제적으로 중요하나, 정확한 병인 스펙트럼은 여전히 불확실하다. 최근 연구에서 CNV (Copy Number Variation) 및 효율적인 유전자 검사 파이프라인을 포함한 스펙트럼 구축하고, 중등도 소아 환자 집단 비증후군성 감각신경성 난청(sensorineural hearing loss, SNHL) (n=110) 환자군으로 Exome Sequencing, MLPA 및 Nested PCR을 통한 약 2/3 (52/83, 62.7%)의 피험자에서 STRC 관련 난청변이(n=29, 34.9%)가 원인임을 알아냈고 그 다음으로 MPZL2 관련 난청 변이(n=9, 10.8%)를 발견하였다. 위와 같은 결과를 통해 산발 소아과 중등도의 SNHL의 약 2/3가 멘델 유전자 병인학을 따르고 그 중 1/3은 STRC와 관련된 CNV와 MPZL변이와 관련이 있음을 규명하여, 소아 중등도 감

각신경성 난청의 분자진단을 위한 새로운 지침이 마련되어졌다.

② 상염색체 우성 비증후군성 난청

현재까지 67개의 상염색체 우성 비증후군성 난청 유전자 좌가 밝혀졌고, 31개의 원인 유전자들이 동정되었다(표 4-2). 대개, 언어습득기 이후의(postlingual), 진행성의, 열성 유전보다 경한 정도의 난청을 보이며 몇 가지 유전자는 특징적인 청력도를 보인다.

i) DFNA2(고주파수 난청)

KCNQ4 (DFNA2), *DFNA5* (DFNA5), *COCH* (DFNA9), *POU4F3* (DFNA15) 돌연변이 등이 상염색체 우성, 고주파 난청을 유발하는 것으로 알려져 있다. 이들 돌연변이는 많은 경우 dominant-negative 기전으로 상염색체우성 난청을 일으킨다. *KCNQ4*는 14개 exon으로 구성되어 있으며 그 단백질은 6개의 transmembrane domain과 P-loop를 가지고 있어서 channel pore에 K^+ 이온에 대한 선택성을 나타낸다. 4번째 transmembrane domain에 있는 전압센서가 단백질 구조의 변화를 일으켜 채널을 연다. *KCNQ4*는 전형적으로 homotetramer가 기능적 채널을 형성한다. G285S 대립형질이 최초로 밝혀진 DFNA2 돌연변이다. Glycine이 serine으로 치환되면서 채널 구멍의 P-loop에 존재하는 잘 보존되어 있는 GYC 서열에 영향을 주어, 채널의 기능을 망가뜨린다. 내이에서 *KCNQ4* 기능의 저하는 K^+ 이온 재순환에 영향을 미친다. *KCNQ4* 채널은 내이 유모세포에서 발현되어 K^+ 이온을 세포 외로 이동 시켜, 지지 세포들에 의하여 흡수되어 중간계(scala media)로 순환하도록 놉는다. *KCNQ4*의 돌연변이는 이러한 K^+ 이온 재순환을 방해하여 외유모세포의 세포자멸(apoptosis)을 유발하고, 진행성의 고주파 난청을 유발한다.

ii) DFNA8/12, DFNA13(중간 주파수 난청)

표현형-유전형 연관성(phenotype-genotype correlation)은 상염색체 우성 감각신경성 난청의 원인 유전

표 4-2. **비증후군성 상염색체 우성 유전성 난청**

Locus Name	Location	Gene Symbol	Locus Name	Location	Gene Symbol
DFNA1	5q31	DIAPH1	DFNA30	15q25-26	unknown
DFNA2A	1p34	KCNQ4	DFNA31	6p21.3	unknown
DFNA2B	1p35.1	GJB3	DFNA32	11p15	unknown
DFNA3A	13q11-q12	GJB2	DFNA33	13q34-qter	unknown
DFNA3B	13q12	GJB6	DFNA36	9q13-q21	TMC1
DFNA4	19q13	MYH14	DFNA38	see DFNA6	
DFNA4B	19q13.32	CEACAM16	DFNA39	4q21.3	DSPP
DFNA5	7p15	DFNA5	DFNA41	12q24-qter	P2RX2
DFNA6	4p16.3	WFS1	DFNA42	5q31.1-q32	unknown
DFNA7	1q21-q23	unknown	DFNA43	2p12	unknown
DFNA8	see DFNA12		DFNA44	3q28-29	CCDC50
DFNA9	14q12-q13	COCH	DFNA47	9p21-22	unknown
DFNA10	6q22-q23	EYA4	DFNA48	12q13-q14	MYO1A
DFNA11	11q12.3-q21	MYO7A	DFNA49	1q21-q23	unknown
DFNA12	11q22-24	TECTA	DFNA50	7q32.2	MIRN96
DFNA13	6p21	COL11A2	DFNA51	9q21	TJP2
DFNA14	see DFNA6		DFNA52	4q28	unknown
DFNA15	5q31	POU4F3	DFNA53	14q11.2-q12	unknown
DFNA16	2q24	unknown	DFNA54	5q31	unknown
DFNA17	22q	MYH9	DFNA56	9q31.3-q34.3	TNC
DFNA18	3q22	unknown	DFNA57	19p13.2	unknown
DFNA19	10 (pericentr.)	unknown	DFNA58	2p12-p21	unknown
DFNA20	17q25	ACTG1	DFNA59	11p14.2-q12.3	unknown
DFNA21	6p21	unknown	DFNA60	2q21.3-q24.1	
DFNA22	6q13	MYO6	DFNA64	12q24.31-12q24.32	SMAC/DIABLO
DFNA23	14q21-q22	SIX1	DFNA65	16p13.3	TBC1D24
DFNA24	4q	unknown	DFNA67	20q13.33.	OSBPL2
DFNA25	12q21-24	SLC17A8	DFNA68	15q25.2	HOMER2
DFNA26	see DFNA20		DFNA69	12q21.32-q23.1	KITLG
DFNA27	4q12	unknown	DFNA70	3q21.3	MCM2
DFNA28	8q22	GRHL2	DFNA73	12q21.31	PTPRQ

자를 찾는 데에 중요한 역할을 한다. 예를 들면 저주파 난청은 *WFS1* 난청(DFNA6/14/38)과 연관되어 있고 "cookie-bite (중간 주파수 난청)"은 *TECTA* 난청(DFNA8/12)와 연관되어 있다. DFNA8/12는 선천성, 비진행성 난청을 유발한다. 이들 유전자위의 원인 유전자는 alpha-tectorin (TECTA)로 오스트리아의 DFNA8과 벨기에의 DFNA12 가계에서 밝혀졌다. 두 가계 모두 missense 돌연변이로 dominant-negative effect에 의하여 tectorial membrane 구조에 변형을 유발하는 것으로 알려져 있다. alpha-tectorin은 tectorial membrane을 구성하는 주요 noncollagenous 성분이다. 마우스에서 *TECTA*에 missense 돌연변이가 있을 경우 신경 역치의 상승, nueral tuning의 둔화, neural tuning curve의 감수성 감소 등을 보인다. *TECTA*는 DFNB21 좌위에서 열성 난청을 유발하기도 한다. DFNB21 또한 선천성 난청을 보이지만, 전 주파수 대에 걸친 중증 혹은 심도의 난청을 일으킨다.

DFNA13은 초기에 중간주파수 난청을 보이며 tectorial membrane 구조를 망가뜨린다. 미국과 네덜란드의 DFNA13 가계에서 *COL11A2* 유전자의 missense 돌연변이를 밝혀냈으며, 이것이 collagen 단백질의 triple helical domain에 영향을 주는 것으로 예측되었다. *Col11a2-/-* 마우스 모델에서 중등 혹은 중증 난청과 구조적으로 와해되고 넓게 분포한 collagen fibril들로 인한 넓어진 tectorial membrane을 관찰할 수 있었다. Tectorial membrane의 collagenous 그리고 noncollagenous region을 이루는 유전자들의 돌연변이는 상염색체 우성의 중간 주파수 난청을 유발할 수 있다.

iii) DFNA6/14/38(저주파수 난청)

DFNA6/14/38 유전자 위의 Wolfram syndrome 1 (WFS1) 돌연변이는 저주파수 난청을 일으킨다. WFS1은 당뇨, 시신경위축증, 그리고 종종 난청을 보이는 상염색체 열성 유전의 신경퇴행성 질환인 Wolfram syndrome의 원인 유전자로 알려져 있었다. 이후에, *WFS1* 유전자는 6가계에서 DFNA6/14 좌위에서 상염색체 우성 비증

후군성 지연성 발현의, 천천히 진행하는, 저주파수의 감각신경성 난청의 원인으로 밝혀졌다. 이들 가계들은 모두 C-terminal domain을 암호화하고 있는 8번 exon에 missense 돌연변이를 가지고 있었다. 이 단백질은 9개 transmembrane domain으로 구성되어 있지만, 그것의 역할과 난청 유발 기전은 명확하게 밝혀지지 않았다. V770M 돌연변이는 대조군에서 1/336명의 비율로 발견된다. 이러한 빈도는 Wolfram syndrome의 이형접합 보인자 빈도인 0.3-1%와 비슷한 수치이다. 이러한 보인자들에서 감각신경성 난청의 위험도가 높아지는 것으로 보고된 바 있기 때문에, WFS1은 저주파 감각신경성 난청의 흔한 원인으로 예상된다.

③ 성염색체 비증후군성 난청

비증후군성난청의 2% 미만을 차지한다. 현재까지 6개 유전자좌와 4개의 원인 유전자가 밝혀져 있다. DFNX1 가계에서 정신 지체 등의 증상이 같이 발현되는 것이 발견되어 성염색체 연관 증후군성 난청으로 재분류되었다. DFNX2가 가장 흔한 DFNX 돌연변이 좌위이며 *POU3F4*라는 전사인자의 돌연변이로 발생한다. *POU3F4*는 선천성 등골 고정, 넓어진 가쪽 내이도와 전정의 확장 소견을 보인다. 난청은 대개 혼합성이다. 다른 성염색체 연관 비증후군성 난청의 난청 정도는 다양하다.

④ 미토콘드리아 비증후군성 난청

현재까지 2가지 유전자에서 7가지 mtDNA 돌연변이가 비증후군성 난청을 일으키는 것으로 알려져 있으며, 이 중 1555 A-to-G mtDNA 돌연변이가 가장 잘 알려져 있다. 앞서 언급한 바와 같이 이 돌연변이는 아미노글리코사이드 이독성과 연관되어 있다. 대개 경도의, 고주파의, 진행성 난청을 보인다. 아미노글리코사이드에 노출되지 않은 경우 지연된 시기에 난청이 발생한다. 노인성 난청(presbycusis) 또한 미토콘드리아 유전과 연관되어 나타날 수 있다. 미토콘드리아 DNA는 핵 DNA 돌연변이보다 몇 배 빠르게 축적되어, 미토콘드리아 기능을 파괴하여, 노인성 와우 기능 이상을 일으킨다.

(5) 소아의 고심도 난청과 경-중등도 난청 간의 유전 방식의 차이

소아의 고심도(severe to profound) 감각신경성 난청의 경우는 대부분 상염색체 열성 유전인 데 반하여 소아의 경중도(mild to moderate) 감각신경성 난청의 경우는 다양한 유전 방식(우성, 열성, X-linked)에 의해 모두 일어날 수 있다.

(2) 증후군성 난청

난청 이외의 다른 증상들이 같이 발현되는 증후군성 난청은 400개 이상이 보고되어 있다. 본 절에서는 이들 중 몇 가지 흔한 종류를 살펴보도록 한다.

① 상염색체 우성 증후군성 난청

ⅰ) Branchio-oto-renal syndrome

Melnick이 1975년 최초로 난청 환자들에서 인두관(branchial), 귀(otic), 신장 기형이 동반된 증후군을 BOR 증후군을 명명하였다. 상염색체 우성으로 유전되며, 거의 100%의 침투도를 보이며 1/40,000의 신생아에서 발생한다. BOR은 심도 난청 소아의 2%를 차지한다. 이과적 증상은 외이, 중이, 내이를 침범할 수 있다. 외이 기형으로는 전이개누공(82%) 혹은 전이개 부속물(tag), 이개 기형(32%), 소이증, 외이도 협착증 등이 있으며, 중이 기형으로는 이소골 기형(결합, 분리, 발달저하), 안면신경 노출, 난원창(oval window)의 결실, 중이열(middle ear cleft)의 크기 감소 등이 있으며 내이 기형으로는 와우 형성저하증과 형성이상 등이 있다. 가쪽 세반고리관 형성 저하의 경우 와우 혹은 전정수도관의 확장을 관찰할 수 있다. 난청은 BOR 증후군의 가장 흔한 증상으로 거의 90%에서 보고된다. 난청은 전도성(30%) 혹은 감각신경성(20%)일 수도 있지만 혼합성(50%)인 경우가 가장 많다. 약 1/3에서는 중증 난청을 보이며 1/4에서는 진행성 난청을 보인다. 인두관 기형은 laterocervical fistula, sinus, cyst 등의 형태를 보이며, 신장 기형은 약 25%의 환자에서 발견되며 무형성증에서부터 형성이상까지 다양한 형태로 나타난다. 좀 더 드문 증상으로 lacrimal duct aplasia, short palate, retrognathia 등이 있다. Drosoph-

ila eyes absent 유전자의 인간 동종 유전자인 EYA1이 원인 유전자로 밝혀져 있다. EYA1은 16개 exon으로 559개 아미노산을 암호화하고 있다. EYA1 돌연변이는 약 25%의 BOR 증후군 환자들에서 발견되며, 표현형은 EYA1 단백질 양의 감소에 따라 나타나는 것으로 알려져 있다. SIX1, SIX5도 BOR 증후군의 원인 유전자로 알려져 있으며, 이 두 가지 유전자는 모두 EYA와 PAX 유전자 네트워크 안에서 기관형성을 조절하는 역할을 한다.

ⅱ) Neurofibromatosis type 2 (NF2)

양측성 vestibular schwannoma와 schwannomas, 뇌수막종, glioma, ependymoma 등 다른 두개내 그리고 척추 종양을 일으킨다. 또한 이환된 환자들은 posterior subcapsular lenticular opacity를 보인다. 진단 기준은 ① 양측성 vestibular schwannoma가 20대에 발생, 혹은 ② 1대 가족에서 NF2의 가족력이 있으면서, 일측성 vestibular schwannoma가 30세 이전에 발생, 혹은 뇌수막종, glioma, schwannoma, juvenile posterior subcapsular lenticular opacities/juvenile cortical cataract 중 2가지가 발생했을 경우이다. 원인 유전자는 17개 exon으로 595개 아미노산을 암호화하고 있는 염색체 22q12에 위치한 merlin 유전자이다. Merlin은 actin cytoskeleton을 조절하는 종양억제 유전자이다. 비록 발병 기전은 명백히 밝혀지지 않았지만, microarray 분석을 통하여 많은 다른 유전자들이 종양 발생 과정 중에 조절되지 않는 것을 발견하였다. NF2는 약 40,000에서 90,000명 중 1명의 빈도로 발생한다. 난청은 대개 고주파의 감각신경성 난청을 보이며, 어지럼, 이명, 안면신경마비가 동반될 수 있다. 진단은 임상적 그리고 가족력, 신체검진, 그리고 영상학적 검사(MRI) 등을 통하여 이루어진다.

ⅲ) Stickler Syndrome (SS)

1965년에 Stickler는 Mayo Clinic에서 5대에 걸쳐서 myopia, clefting, 난청의 증후군을 보이는 가계를 기술하였다. SS는 1/10,000명의 빈도로 발생하며 type II와 type XI 교원질(collagen)을 암호화하고 있는 *CO-*

L2A1, *COL1A2*, *CO11A1* 유전자에 의해 발생한다. SS는 1) 선천성 유리체 변성(vitreous anomaly)와 2) 다음의 증상 중 3가지를 동반할 때: 6세 이전에 발견된 근시(myopia), 류마티스성 망막박리 혹은 paravascular pigmented lattice degeneration, 관절 과운동성(joint hypermobility), 감각신경성 난청, midline clefting, 진단할 수 있다. SS에서 난청은 전도성, 감각신경성, 혹은 혼합성으로 발생한다. 전도성 난청의 경우, 구개열과 연관된 이관기능 이상으로 발생한다. 감각신경성 난청의 발생률은 나이가 들수록 증가한다. 감각신경성 난청의 기전은 명확하게 밝혀지지 않았지만 내이의 색소 상피세포의 변형으로 인한 일차적 신경감각상실 혹은 내이 교원질의 이상 때문으로 여겨진다.

iv) Waardenburg 증후군(WS)

약 10,000-20,000명의 1명의 빈도로 발생한다. 편측 혹은 양측의 감각신경성 난청과 색소이상으로 전두백발(white forelock), 홍채이색(heterochromia irides), 백반(vitiligo) 등이 나타나고, 안각이소증(dystopia canthorum), 광비근(broad nasal root), 일자눈썹(synophrys) 등의 표현형을 나타낸다. WS1은 DNA에 결합하는 전사인자로 알려진 *PAX3*의 돌연변이로 발생한다. WS2는 WS1과 달리 안각이소증이 나타나지 않는다. 약 15%의 WS2 환자들은 melanocyte 발생에 관여하는 전사인자인 *MITF*의 돌연변이로 발생한다. WS3형은 Klein-Waardenburg 증후군이라 하며 WS1 형에 상지 골격계 기형이 동반되며 *PAX3* 돌연변이로 발생한다. WS4 는 Waardenburg-Shah 증후군이라 하며 WS2 형과 유사하지만 Hirschsprung 병이 동반되며, 그 원인 유전자로는 *endothelin 3 (EDN3)*, *endothelin receptor B (EDNRB)*, *SOX10*이 알려져 있으며 상염색체 열성으로 유전된다. 난청의 정도는 다양하여, WS1에서는 36-66.7%가 선천성 난청을 보이는 반면, WS2에서는 57-85%가 선천성 난청을 나타낸다. 청력도의 모양도 다양한데, 저주파 난청이 좀 더 흔하게 나타나며 일측성 난청도 드물지 않게 보인다.

v) Treacher Collins 증후군

상염색체 우성 유전되며 두개안면부 발달이상을 보인다. 상악과 하악의 발달이상과 비정상적인 안각의 위치, ocular colobomas, choanal atresia, 그리고 이소골 고정으로 인한 전도성 난청을 보인다. Treacle 단백질을 암호화하고 있는 *TCOF* 유전자의 변이로 발생한다.

② 상염색체열성 증후군성 난청

i) Pendred 증후군(PS)

Pendred에 의하여 1896년 최초로 보고되었다. 감각신경성 난청과 비정상적인 요오드 대사로 인한 갑상선종을 동반한다. 100,000명 중 7.5-10명의 빈도로 발생하며, 유전성 난청의 약 10%를 차지한다. 난청은 대개 선천성, 중증 혹은 심도 난청을 보인다. 전정도수관확장과 Mondini 이형성을 보인다. 대부분의 PS은 내이에서 발현되는 음이온 운반 단백질인 pendrn을 암호화하는 *SLC26A4* 유전자의 변이에 의해 발생한다. 이환된 환자들은 보통 20대에 갑상선종이 발생하지만 갑상선 기능은 대개 정상으로 유지된다. 갑상선 기능의 이상은 perchlorate discharge test로 진단할 수 있다. *SLC26A4* 돌연변이가 요오드를 thyrocyte에서 colloid로 이동하는 것을 방해하고, perchlorate가 혈액으로부터 thyrocyte로 요오드를 운반하는 Na/I symporter의 작용을 막아서 thyrocyte의 요오드를 혈액으로 방출시키며, 10% 이상의 요오드 방사선이 방출되면 PS로 진단할 수 있다. 난청은 대개 언어습득기 이전의, 양측성, 심도의 진행성 양상을 보인다. *SLC26A4* 돌연변이는 비증후군성 상염색체 열성 난청인 *DFNB4*를 일으키기도 한다. 증후군 혹은 비증후군 난청 여부는 변형된 단백질의 잔여 기능의 정도에 따라 결정된다. 최근 연구에서 *SLC26A4* 유전자와 *FOXI1* 유전자 돌연변이의 이형접합체에 의하여 PS이 발생한 것이 보고된 바 있다.

ii) Jervell, Lange-Nielsen 증후군(JLNS)

선천성난청, QT간격 증가, 실신발작이 동반되는 증후군으로 1957년 Jervell과 Lange-Nielsen에 의하여 보고되었다. 심장과 내이에서 칼륨통로를 형성하는 KVLQT1과 KCNE1이 원인 유전자고 알려져 있다. 난청은 내림프 항상성 변화에 의하여 발생하며, 선천성, 양측성, 중증 혹은 심도 난청을 보인다. 선천성 난청환자들에서 JLNS 의 빈도는 0.21%에 불과하지만, 심장이상으로 인한 사망 위험이 있으므로 그 진단은 매우 중요하다. 베타차단제 치료효과는 71-6%로 보고되어 있다.

iii) Usher 증후군

감각신경성 난청과 망막색소변성(retinitis pigmentosa)가 동반되며 종종 전정기능이상을 보인다. 미국에서 600명 중 1명의 빈도로 보고되어 있으며, 선천성 난청 환자들의 3-6%를 차지한다. 또한 난청과 실명을 동반한 환자들의 50%를 차지한다. 임상적으로 3가지 유형이 있으며, 1형은 중증 혹은 심도 난청, 전정기능이상, 그리고 망막색소변성이 소아기에 나타난다. 2형은 중등 혹은 중증 선천성 난청, 전정기능이상, 그리고 망막퇴화가 30-40대부터 시작한다. 3형은 진행성 난청, 다양한 정도의 전정기능이상, 그리고 다양한 시기로부터 시작되는 망막색소변성을 보인다. 가장 흔한 아형은 USH1B와 USH2A로 US의 약 75-80%를 차지한다. USH1B는 1형 US의 75%를 차지하며 MYO7A가 원인 유전자로 알려져 있다. USH2A는 가장 흔한 형태로, 1,551개 아미노산으로 구성된 usherin 단백질을 암호화하고 있는 유전자가 원인이다. 그 밖에도 다양한 유전자들이 US의 원인이 되는 것으로 보고되어 있다.

③ 성염색체 유전 증후군

i) Alport 증후군

제4형 교원질 유전자의 변이가 원인이다. 혈뇨성 신장염, 난청, 안구이상을 나타낸다. 80% 이상이 성염색체 유전으로 발생하지만, 상염색체 열성 혹은 우선 유전도 가능하다. 미국에서 5,000명에 1명의 빈도로 보고되고 있다. COL4A5 유전자 변이가 성염색체 유전 Alport 증후군을 유발한다고 알려져 있다. 제4형 교원질은 기저막의 주요 구성 성분으로 이 단백질 결핍은 신장, 와우, 그리고 안구의 기저막 결함을 일으킨다. 현재까지 COL4A5에서 300개 이상의 질병 유발 돌연변이를 발견하였으며, 이중 약 9.5-18%는 새롭게 발생(de novo)한다. 성염색체 유전질환의 특성상 질병의 표현형은 남성에서 더 두드러지게 나타난다. 모든 남성 환자들은 결국 신장부전이 발생하게 된다. 약 1/3의 환자들에서 anterior lenticonus 등 특징적인 안구 이상을 보여 근시가 유발된다. 신장부전은 30세 이전에 발생한다. Alport 증후군 환자들에서 난청은 흔하게 발생하며 대개 대칭적, 고주파 감각신경성 난청이 늦은 소아기에 발견되어 점차 전주파수 영역으로 진행된다.

④ 미토콘드리아 증후군

미토콘드리아 질환은 전형적으로 많은 에너지가 필요한 근육, 망막, 뇌간, 이자, 그리고 와우와 같은 기관에서 증상을 일으킨다. 미토콘드리아 증후군들은 보통 다기관 침범을 보이고, 약 70%의 환자들에서 난청이 동반된다. mitochondrial encephalopathy, lactic acidosis, and strokelike episodes (MELAS) 증후군, myoclonic epilepsy with red ragged fibers (MERRF) 증후군, Kearns-Sayre 증후군 (KSS), maternally inherited diabetes and deafness (MIDD) 증후군 등이 알려져 있다. MELAS 증후군에서 난청은 감각신경성, 진행성, 양측성, 고주파를 주로 침범하는 특징을 보인다. MELAS 환자의 측두골 병리조직에서 혈관조의 심한 위축을 관찰할 수 있었다. MERRF 증후군은 난청, 실조(ataxia), 치매, 시신경위축, 단신(short stature)를 동반한다. 미토콘드리아 DNA의 point mutation에 의해 발생하는 MELAS와 MERRF와 달리, KSS는 광범위한 결실(large deletion)이 원인이다. KSS는 1958년 처음 기술되었으며, 진행성 external ophthalmoplegia, 비정형성 망막 색소증, 그리고 심장마비가 20세 이전에 시작된다. 약 50%의 KSS 환자들에서 감각신경성 난청이 동반되며, 측두골 병리소견상 cochleosaccular degeneration을 보인다. MIDD는 당뇨환자들의 약 0.5-2.8%에서 발견된다. 난청은 늦은 시기에 진행성, 양측성, 고주파 난청 양상으로 나타난다. 미토콘드리아 DNA의 3243 A-to-G 돌연변이의 heteroplasmy 정도에 따라 증상이 발현된다. 아미노글리코사이드 이 독성에 대한 감수성 또한 모계 유전된다. 아미노글리코사이드 이독성 난청을 보이는 환자들의 약 17-33%에서 미토콘드리아 DNA의 1555 A-to-G 돌연변이가 발견된다. 이 돌연변이는 12S rRNA를 변형시켜서 박테리아 rRNA와 유사한 구조로 만들어 아미노글리코사이드의 표적이 된다. 아미노글리코사이드를 적정용량 사용했을 때에도 난청이 유발되며, 잔청의 개인차가 크다. 난청은 아미노글리코사이드 사용 수 개월 이후에 나타날 수 있다. 와우 기저부의 외유모세포에 먼저 침범하지만, 난청이 진행하면서 와우 첨부와 내유모세포도 침범한다. 동일한 돌연변이는 비증후군성 미토콘드리아 난청을 유발할 수도 있다.

2) 악안면질환

여러 가지 선천성 악안면질환들이 유전적 원인에 의하여 발생할 수 있다. 후비공폐쇄 환자의 약 50%는 Treacher-Collins 증후군, 새궁기형, 심장 및 위장관기형 등 다른 선천성 기형을 동반하며, 특히 양측성인 경우 선천성 기형의 동반이 흔하다. 또한 CHARGE (coloboma, congenital heart disease, choanal atresia, retard growth and development, genital anomal in male, ear anomalies and deafness) 증후군의 한 양상으로 발현될 수도 있다. 유전적 그리고 환경적 원인 모두 구순열(cleft lip) 혹은 구개열(cleft palate) 발생에 영향을 미친다. 일란성 쌍둥이의 40-60%가 도시에 구개순 혹은 구개열을 동반한다. 구순을 침범하는 일차구개열의 약 70%는 비증후군성이며, 이차구개열의 약 50%가 비증후군성으로 발생한다. 증후군성 구순 혹은 구개열은 한가지 유전자 변이에 의해 발생하며 상염색체 우성, 상염색체 열성, 혹은 성염색체 유전을 따른다. 500가지 이상의 증후군들이 구순 혹은 구개열을 동반할 수 있다. 구순열을 동반하는 가장 흔한 증후군은 interferon regulatory factor (IRF6) 유전자 변이에 의하여 발생하여 상염색체 우성 유전을 따르는 van der Woude 증후군이다. IRF6 이외에도 VAX1, MSX1, BMP4, TGF-alpha, TGF-beta3 등의 유전자들이 악안면 발달과정에 관여한다. 이러한 유전자들의 돌연변이나 단백질 발현의 지연, 혹은 이들 유전자들에 영향을 주는 환경적 요소 등이 구순 혹은 구개열을 일으킬 수 있다.

3) 혈관기형

혈관기형은 70-80%에서 두경부에 발생하며, 동맥, 정맥, 림프관 모두에서 발생할 수 있다. 혈관기형은 초기 배아기의 혈관발생과정의 이상과 연관되어 있으며 유전적 결합, 특히 조직의 과성장(overgrowth)과 관계 있다. 몇 가지 혈관기형들에서 그 유전적 원인이 밝혀져 있는데 대표적으로 선천성 정맥 기형에서 protein receptor tyrosine kinase (Tie2) 유전자의 변이가 알려져 있다. Tie2는 정상적으로 정맥의 발생에서 필수적인 혈관내피세포의 smooth muscle communication을 돕는다. Tie2 유전자의 변이에 의하여 혈관의 smooth muscle layer에 결함이 발생하여 혈관기형을 유발한다. 이와 유사하게 제 1형에서 제3형에 이르는 유전성 출혈성 모세혈관확장증(Hereditary Hemorrhagic telangiectasia)에서 발생하는 혈관기형 또한 혈관내피세포 기능에 영향을 주는 돌연변이에 의해 발생한다. 유전성 출혈성 모세혈관확장증은 피부 및 점막의 미만성 모세혈관확장증과 동정맥기형을 동반하는 상염색체 우성 질병이다. 발병률은 10만 명당 1-2명으로 알려져 있으며 20%에서 가족력이 있다. 가장 흔한 증상은 비출혈로 12세경 전후하여 발견되는 경우가 많다. 그 외 점막에서 출혈하는 경우 호발부위는 구강 점막이며 구순, 혀, 구개에 많다. 점상 모세혈관 확장(cherry red spot)이 가장 많으며 약간 융기되어 있고 누르면 창백해진다. 모세혈관확장증은 기저막의 직하부에 위치한 소정맥이 확장된 것이다. 이런 소정맥들은 탄성조직 없이 혈관내피세포로만 구성되어 있어 작은 손상에도 쉽게 출혈한다. 또한 모세혈관뿐만 아니라 큰 동맥에도 영향을 미쳐서 동맥류를 일으키기도 한다.

신생아기에는 보이지 않다가 영아기에 나타나서 6-9개월까지 증식하였다가 이후 수년 간에 걸쳐서 퇴화하는 Familial hemangioma of infancy (HOI)는 15번 염색체와 연관이 있으며 HOI의 마커로 glucose transportor 1 (GLUT-1)이 알려져 있다. Glomangioma는 glomulin 단백질 기능의 결함에 의해 발생하여 다른 정맥기형들과 감별진단 된다. 동정맥 기형은 RASA1과 연관된 것으로 보여진다. 혈관

기형 근처의 조직들의 비대(hypertrophy)는 *PTEN* 종양억제유전자의 변이와 다른 새로운 유전자들의 변이가 연관되어 있다. 이러한 원인 유전자들에 대한 정보들은 혈관기형의 병리생태에 관한 이해를 돕고 새로운 유전자 치료법의 가능성을 열어 준다.

4) 두경부 종양
성인에서는 상피성 종양이 많은 반면, 소아에서는 중간엽 혹은 내피성 종양이 흔하게 발생한다. 몇가지 유전성 증후군들이 특정 두경부 종양 발생과 연관이 있는 것으로 알려져 있다. Burkitt 림프종 환자들에서는 대부분 8번 염색체의 유전자 발현을 증가시키는 enhancer 주위 좌위(locus)의 *c-myc* 유전자의 전위(translocation)가 나타난다. *c-myc* 유전자 전위 위치는 종양세포 내의 Epstein-Barr virus (EBV) DNA의 유무에 따라서 달라져서, *c-myc*의 upstream에서 전위가 있는 경우 95%에서 EBV가 발견되는 데 반하여, *c-myc* 유전자 내에서 breakpoint가 있는 경우 약 15%에서만 EBV가 발견된다. Rhabdomyosarcoma (RMS) 중 예후가 좋지 않은 것으로 알려져 있는 alveolar tumor의 경우 염색체 2번과 13번, 혹은 좀더 드물게 염색체 1번과 13번 장완의 전위에 의하여 *FKHR* 유전자가 *PAX3* 혹은 *PAX7* 유전자에 가깝게 위치하게 된다. *PAX3*은 초기 근육 발생과정에서 전사를 조절하는 역할을 하고, 이들 유전자의 결합은 해당 유전자들을 과발현 시킨다. 또한 embryonal RMS는 종종 11p15 에 있는 *insulin growth factor 2 (IGF2)*에 loss of heterozygosity에 의한 종양성 과발현에 의해 발생한다. 이러한 배아성 종양(embryonal tumor)은 배아 과생장 증후군(fetal overgrowth syndrome)으로 11p15의 비정상적인 유전자 발현(gene dosage)에 의해 발생하는 Beckwith-Wiedemann 증후군에서 많이 발생하는 것으로 알려져 있다. 갑상선유두종(papillary thyroid carcinoma, PTC)은 소아에서 unencapsulated tumor의 형태로 광범위한 glandular invasion을 보인다. 성인에서 PTC가 주로 BRAF 유전자 변이에 의해 발생하는 것에 반하여, 소아의 경우 약 80%가 *RET* 유전자 재조합(*RET/PTC* oncogenes)에 의하여 발생한다. RET 종양유전자의 변이는 세가지 종류의 갑상선수질암(medullary thyroid cancer, MTC) 증후군과 관련되어 있다. *RET* 유전자의 exon 10과 exon 11의 전위는 MEN-2A를 일으키고, exon 16의 변이는 MEN-2B를 유발한다. 소아 갑상선 암에서 MET 유전자 과발현(MET overexpression)은 높은 재발률과 연관되어 있다. 갑상선여포암(follicular thyroid cancer, FTC)은 *RAS* 유전자 변이와 *PAX8-PPAR* 유전자 전위와 관련 있다.

3. 유전성 난청 환자의 관리

1) 진단
병력, 신체검사, 그리고 청각검사가 난청의 원인을 진단하는데 중요한 요소들이다(그림 4-6). 유전성 난청을 진단하는 데에 있어서 난청의 가족력, 근친결혼 여부, 인종, 유전양상, 환자의 난청 유형을 파악해야 한다. 증후군성 난청 여부를 파악하기 위해 내분비질환(당뇨, 갑상선종), 색소이상(white forelock, heterochromic irides), 시각이상(retinitis pigmentosa, retinal detachment), 악안면이상(dystopia canthorum, aural atresia, cleft palate, branchial anomalies), 심장이상(실신, 부정맥, 급사), 신장이상 등을 조사한다. 또한 후천성 난청의 원인들로 알려져 있는 cytomegalovirus (CMV)와 같은 자궁 내 감염, 뇌막염, 저산소증, 이독성 약물 등의 병력을 조사한다.

청각검사는 초기 진단과정에 중요한 역할을 한다. 영아에서는 행동검사가 불가능한 경우가 많다. 뇌간유발반응검사, 이음향방사검사 등의 전기생리학적 검사들을 통하여 객관적으로 난청을 진단할 수 있다. 6개월 이상의 영아에서는 행동검사를 통하여 난청을 진단할 수 있다. 병력, 신체검사, 청각검사 후 비증후군성 난청이 의심될 경우 유전자 검사를 시행한다. 증후군성 난청일 경우에는 해당 증후군과 관련된 진단적 검사를 시행한다. 하지만 Usher 증후군의 경우 망막병증이 진행하기 전에는 비증후군성 난청으로 오인될 수 있으므로 많은 비증후군성 난청 유전자 검사 패널에 Usher 증후군의 원인 유전자들을 포함시키고 있다.

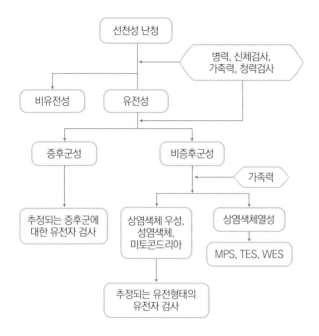

그림 4-6. **유전성 난청 진단 흐름도**
MPS (massive parallel sequencing), TES (targeted exome sequencing),
WES (whole exome sequencing)

2) 유전자검사

미국의 경우, 다운증후군의 3배, spina bifida 환자의 6배, phenylketonuria 환자의 50배에 달하는 선천성 감각신경성 난청 발생빈도가 보고되고 있다. 매년 약 4,000명의 영아들이 중증 혹은 심도 양측성 난청을 보이며, 또 다른 8,000명의 영아들이 일측성 혹은 경도 혹은 중등도의 양측성 감각신경성 난청을 보인다. 선천성 난청의 50% 이상이 유전적 원인으로 발생한다. 따라서 선천성 난청 환자들에서 유전자 검사의 필요성이 제기되어 왔다.

인간게놈프로젝트(Human Genome Project)를 통하여 30억 달러의 비용으로 몇 개의 대규모 연구센터에서 11년간에 걸쳐 인간의 전체 게놈 염기서열을 밝혀내었다. 하지만 현재는 massive parallel sequencing (MPS) 기술의 발달로 수천 달러의 비용으로 24시간만에 같은 길이의 염기서열을 읽어낼 수 있다. 이러한 유전자검사기법의 발달은 유전성 난청과 같이 그 원인 유전자가 매우 다양한 경우에서의 유전자 검사의 효율성을 높였다. 최초의 난청에 대한 유전자 검사는 1990년대에 한가지 돌연변이에 대하여 가능하였다. 1990년대 후반과 2000년대 초반, 한 개의 exon 혹은 전체 유전자에 대한 염기서열 분석이 가능해졌고, 최근 5년간에 걸쳐서 여러 개 유전자 검색 패널이 개발되었으며, 현재는 whole-exome 혹은 whole-genome sequencing 등이 임상적으로 사용되고 있다.

60개 이상의 유전자들의 1천 개 이상의 돌연변이들이 비증후군성 난청을 유발한다고 알려져 있다. 따라서 하나의 돌연변이에 대한 유전자 검사를 이용하는 경우 진단율이 매우 낮다. 따라서 새로운 게놈염기서열분석법들이 많이 사용되고 있다. 최근 몇몇 연구들에서 이러한 다양한 유전자 염기서열 분석 패널들을 비증후군성 난청 환자의 진단에 효율적으로 사용됨을 보고하고 있다. 보통 60개 이상의 비증후군성난청 원인 유전자들과 Usher 증후군과 Pendred 증후군의 원인 유전자들을 포함하여 검사를 진행한다. 이러한 유전성 난청 검사들을 제공하는 연구소의 명단을 Genetic Testing Registry (http://www.ncbi.nlm.nih.gov/gtr)에서 확인할 수 있다. 다른 방법으로 모든 알려진 난청 유전자들의 염기서열을 분석하는 whole-exome sequencing이 있다. Whole-exome sequencing과 MPS panel은 비슷한 유전자 검사 기술을 사용하여 한꺼번에 많은 난청 원인 돌연변이들을 스크리닝할 수 있다는 공통점을 갖는다. 하지만 whole-exome sequencing은 그 비용이 훨씬 많이 소요되며, 많은 유전자 서열을 한꺼번에 검사하게 됨으로써 다른 유전질환들에 관하여 알게 되어 윤리적 문제를 일으킬 수 있다는 차이점을 갖고 있다.

산전진단

제태 15-18주에 amniocentesis를 통하여, 혹은 제태 10-12주에 chorionic villus sampling을 통하여 태아 DNA를 추출하여 유전성 난청을 산전진단 하는 것이 가능하다. 하지만 유전성 난청을 산전진단 하는 것은 현재까지는 임상적으로 매우 드물고, 조기진단이 아닌 임신중절이 그 목적이 된다면 윤리적으로 큰 문제가 될 수 있다. 따라서 유전성 난청이 확인된 가계 내에서 환자의 필요에 따라 여러 상황을 신중히 고려하여 선택하여야 한다.

3) 유전상담

유전 상담은 부모, 자식과 3대에 걸친 친척에 대하여 가족력, 건강상태, 청력 등을 조사하여 질환의 원인이 되는 난청 유전자를 찾고, 앞으로 태어날 형제(sibling)가 난청에 이환될 확률이 얼마나 되는지, 그들의 난청을 악화시킬 수 있는 위험 요소로는 어떠한 것이 있는지, 난청이 계속 진행할 것인지, 이에 대한 치료방법으로는 어떤 것이 있는지 등 정보를 전달하는 데 최대의 목적이 있다. 첫 아이가 난청일 경우 둘째가 난청일 확률에 대한 계산은 분자유전진단이 되는 경우가 많아지면서 보다 정확해지고 있다. 예전에는 전적으로 경험적 위험표(empiric risk table)에 의한 예측에 의존하였으나. 원인 유전자가 밝혀지는 경우가 많아지면서 발견된 유전자의 유전 방식에 의해 계산하는 경우가 늘고 있다. 정상적인 부부가 원인이 불분명한 산발적(sporadic) 난청아를 가진 경우에는 경험적 위험표(empiric risk table)에 의해 난청의 재발률에 대한 예측을 할 수밖에 없다. 첫아이가 난청일 때 둘째가 난청일 확률은 요사이는 17.5%로 예상되며, 비유전성 선천성 난청의 빈도의 감소와 증후군성 난청에 대한 진단율이 높아지면서 예전의 추정치보다 높아졌다. 다음에 태어난 아이들이 정상이라면 유전적 원인의 가능성은 줄어든다. 즉 한 명의 난청아와 두 명의 정상아를 가진 경우는 다음 아이의 위험성은 6-7%로 줄어든다. 반대로 두 번째 아이도 난청아이가 태어난다면 열성 유전이라고 판단해야 해서 그 위험성은 25%로 증가한다. 한쪽이 난청인 부부에서 난청아가 나올 확률은 경험적으로 평균 6-10% 정도로 생각되지만 정상아가 출생할수록 비유전적 질환에 가까워져 그 위험성은 당연히 떨어진다. 하지만 난청아가 태어난다면 우성 유전 질환으로 생각되어 위험성은 40.8%로 증가한다. 부모가 둘 다 난청 환자인 경우 같은 유전자에 의한 상염색체 열성 난청이라면 자손은 모두 난청에 이환되고, 부모가 같은 유전자에 의한 상염색체 우성 난청이라면 자손의 난청 확률은 50%가 된다. 부모가 모두 난청이지만, 적어도 같은 열성 유전자에 의한 유전적 원인인지 모르는 경우라면 경험적으로 자손이 난청에 이환될 위험성은 10% 정도이고, 첫 아이가 정상인지 난청인지에 따라 다음 아이들이 난청에 이환될 확률이 크게 달라진다. 즉 첫 아이가 난청아라면 둘째가 난청에 이환될 확률은 62% 정도로 증가하고 한 명의 난청아와 한 명의 정상아를 가진 경우에 또 다른 난청아를 가질 확률은 32.5%이다. 난청아가 연속해서 여러 명 출생한다면 부모의 난청은 같은 열성 유전자에 의한 가능성이 높으며, 확률적으로 만약 다섯 명의 아이가 모두 난청이라면 그 다음 아이가 난청아가 될 위험성은 100%이다. 유전 상담은 환자 및 부모의 미래에 지대한 영향을 미칠 수 있으므로 매우 신중히 시행해야 한다. 유전검사를 통해서 나온 결과와 임상적 의의와 한계를 충분히 설명해주고, 부모나 환자가 결과를 해석하고 판단을 하는데 최대한 도움을 주어야 한다. 하지만 이러한 유전 상담이 부모나 환자로 하여금 특정 선택을 하도록 강요하는 수단으로 사용되어서는 안되고, 그들의 판단에 도움이 되도록 충분한 정보를 전달하는데 주안점을 두어야 한다.

4) 치료

유전성 난청이 진단되면, 증후군성 질환의 경우 그 질병에 맞는 의학적 조치가 필요하다. 예를 들어 Jervell and Lange-Nielsen 증후군 환자의 경우 베타차단제 치료를 통하여 부정맥을 예방해야 할 것이다. 만약 Usher 증후군이라면, 지속적인 안과적 검진이 필요하다. PS의 경우 갑상선 질환에 대한 검진이 사춘기 이후부터는 필요할 수도 있다. 그러나 *GJB2*에 의한 비증후군성 난청의 경우 동반된 다른 기관의 증상이 없으므로 이러한 추가적인 조치는 필요치 않다. 환자와 그 가족들에게 유전상담이 이루어져야 할 것이다. Green 등은 정상 부모 사이에서 첫 아이가 난청일 때 둘째 아이가 난청으로 태어날 확률을 17.5%로 예측하였다. 이 수치는 이전에 알려졌던 9.8% 보다 증가된 수치로써, 분자유전학의 발달로 인한 유전성 난청 유전자의 종류의 증가와 선천적으로 발현되는 후천적 원인에 의한 난청이 감소하는 것을 그 증가 원인으로 들 수 있다. 유전상담은 유전자 검사 전후로 이루어 져야 한다.

난청의 치료는 가능한 빠른 시기에 적절한 소리증폭을 제공하는 것을 그 목적으로 한다. 경도 혹은 중등도 난청 환자에서는 여러 종류의 보청기를 이용하여, 그리고 중증 혹은 심도 난청 환자에서는 인공와우이식 등을 이용하여 청각재활을 할 수 있다. Joint Committee on Infant Hearing 에서는 언어 발달의 지연을 예방하기 위하여 생후 6개월 이내에 난청의 진단 및 재활이 시작되어야 한다고 명시하고 있다. 이를 위하여 신생아 청각선별검사 및 청각검사가 수행되고 있다.

참고문헌

• Marci M. Lesperance MD, Paul W. Flint MD, Cummings pediatric otolaryngology, Elsevier Saunders, 2015, p

• Paul W. Flint, Bruce H. Haughey MBChB, Valerie Lund CBE, John K. Niparko, K. Thomas Robbins, J. Regan Thomas, et al. Cummings otolaryngology, 6th ed. Elsevier Saunders, 2015, p2275 – 2284 (genetics of ear disorders), p2285-2300 (genetic sensorineural hearing loss)

• 대한이비인후과학회, 이비인후과학-두경부외과학, 개정판, 일조각, p. 733-745

• Van Camp G SR, Hereditary Hearing loss Homepage, 2015 May 13th, Available from: http://hereditaryhearingloss.org

• Kim AR, Chang MY, Koo JW, Oh SH, Choi BY. Novel TECTA mutations identified in stable sensorineural hearing loss and their clinical implications. Audiol Neurootol. 2015;20(1):17-25. doi: 10.1159/000366514. Epub 2014 Nov 19.

• Kim SY, Park G, Han KH, Kim A, Koo JW, Chang SO, et al. Prevalence of p.V37I variant of GJB2 in mild or moderate hearing loss in a pediatric population and the interpretation of its pathogenicity. PLoS One. 2013;8(4):e61592. doi: 10.1371/journal.pone.0061592. Print 2013.

• Kim SY, Kim AR, Han KH, Kim MY, Jeon EH, Koo JW, et al. Residual Hearing in DFNB1 Deafness and Its Clinical Implication in a Korean Population. PLoS One. 2015;10(6):e0125416. doi: 10.1371/journal.pone.0125416. eCollection 2015.

• Choi BY, Park G, Gim J, Kim AR, Kim BJ, Kim HS, Park JH, Park T, Oh SH, Han KH, Park WY., Diagnostic Application of Targeted Resequencing for Familial Nonsyndromic Hearing Loss, 2013 ;8(8):e68692

• Park J, Kim NK, Kim A, Rhee J, Oh S, Koo JW, et al. Exploration of molecular genetic etiology for Korean cochlear implantees with severe to profound hearing loss and its implication;9(1):167.

• Smith RJ, Bale JF, Jr, White KR: Sensorineural hearing loss in children. Lancet 365(9462):879–890, 2005

• Kenneson A, Van Naarden Braun K, Boyle C: GJB2 (connexin 26) variants and nonsyndromic sensorineural hearing loss: a HuGE review. Genet Med 4(4):258–274, 2002.

• Choung YH, Moon SK, Park HJ: Functional study of GJB2 in hereditary hearing loss. Laryngoscope 112(9):1667–1671, 2002.

• Kharkovets T, Dedek K, Maier H, et al: Mice with altered KCNQ4 K+ channels implicate sensory outer hair cells in human progressive deafness. EMBOJ 25(3):642–652, 2006.

• Cryns K, Pfister M, Pennings RJ, et al: Mutations in the WFS1 gene that cause low-frequency sensorineural hearing loss are small noninactivating mutations. Hum Genet 110(5):389–394, 2002.

• Bork JM, Peters LM, Riazuddin S, et al: Usher syndrome 1D and nonsyndromic autosomal recessive deafness DFNB12 are caused by allelic mutations of the novel cadherin-like gene CDH23. Am J Hum Genet 68(1):26–37, 2001.

• Ando M, Takeuchi S. Immunological identification of an inward rectifier K+ channel (Kir4. 1) in the intermediate cell (melanocyte) ofthe cochlear stria vascularis of gerbils and rats. C ell T issue Res 298:179-183, 1999.

• Kim BJ, Oh DY, Han JH, et al. Significant Mendelian genetic contribution to pediatric mild-to-moderate hearing loss and its comprehensive diagnostic approach. Genet Med. 2020;22(6): 1119-1128.

Chapter 05

소아의 영양지원

Nutrition Support

이명덕, 김신영

소아의 영양지원은 영양상태 개선뿐만 아니라 적절한 성장 및 발달이 될 수 있도록 도와주는 것이다. 소아는 성장을 하고 있는 시기이며 소모량이 더 많고, 체내 저장분이 적어 성인에 비하여 단위 몸무게 당 필요한 열량이 높다. 이런 시기에 영양불량이 지속되면 성장 및 발육 지연이 오며, 치료 시기를 놓치면 성장이 멈추어 버린다. 그러므로 소아의 영양지원 목표는 최적의 성장 및 발육을 위한 적절한 열량과 영양소를 공급하는 것이다.

영양지원 방법의 선택은 환자 나이, 앓고 있는 질환의 임상적 상태, 소화장기의 기능 및 해부학적 변형 여부, 경구섭취의 가능성, 삼킴 운동의 적절성, 식사 습관 및 비용 등이 고려된다. 또한 적절한 영양 평가를 통하여 영양불량의 유무와 정도 및 치료 효과를 판단하는 것이 중요하다.

1. 영양불량의 정의

소아 이비인후과 영역에서는 1) 정상적 삼킴 운동을 방해하는 심한 악안면복잡기형 환자에게 장기간에 걸친 영양지원을 시행하는 것, 2) 수술을 앞둔 영양불량 상태의 환자를 준비하여 술 후 합병증을 최소화하고 빠른 회복을 돕는 것,

그리고 3) 수술 후 일정 기간 적절한 영양 상태를 유지 시키어 회복을 돕는 것 등이 그 대상이 될 것이다. 이러한 분야와 이를 뒷받침 하기 위한 영양학의 기초를 설명하고자 한다. 영양불량(malnutrition)은 영양의 불균형 상태를 통칭하는 것으로 주요 영양소의 부족증인 영양실조, 비타민, 무기질 등 미량 원소의 성분 결핍뿐 아니라 영양 과잉의 비만까지를 망라한다.

영양불량은 급성 질환이나 대수술 후 주로 나타나는 부종(edema) 및 근육소모(muscle wasting) 등 단백질 결핍이 주를 이루는 콰시오커(kwashiorkor)와 만성적인 총 열량 부족을 주로 하여 단백질뿐만 아니라 거의 모든 영양소의 심한 결핍으로 나타나는 마라스무스(marasmus) 등의 두 가지로 나뉜다(표 5-1). 따라서 콰시오커는 성장장애는 가능하나 부종 등으로 체중은 정상에서 큰 차이가 없는 반면에 마라스무스는 총체적 부족증으로 체중 감소, 체지방 및 근육소모가 보이지만 혈액 검사에서는 별 이상도 나타나지 않고 부종도 없는 점이 특징적이다.

수술 등 외과적 처치를 앞둔 환자 중 고위험군의 환자는 체중 감소와 근육 소모가 심한 마라스믹한 환자로써 수술 전 특별한 상태 개선책 없이 진행한 후 적절한 영양지원이 뒤따르지 못한 때인데 이를 마라스믹한 환자에게 콰시오

표 5-1. **영양불량의 분류(Wellcome classification)**

나이별 몸무게 기대값에 대한 비율	부종이 있을 때	부종이 없을 때
60-80%	콰시오커 형	영양결핍증
<60%	마라스므스-콰시오커 형	마라스므스 형

커가 겹치는 경우라 하며 가장 예후가 어려운 환자가 된다. 이는 체중 저하뿐만 아니라 성장 장애 및 지연, 전해질 불균형, 알부민을 비롯한 혈청 단백질 저하, 소화 및 면역 기능 저하 등이 겹쳐 감염률이 높아지고 상처치유도 지연되기 때문이다. 아직도 상반된 의견이 있기는 하지만 수술을 앞둔 중등도 이상의 영양결핍상태인 환자는 적어도 3-5일간의 적절한 영양지원으로 근육기능회복의 시작을 알 수 있어서 도움이 된다는 의견이다.

반대로 과잉 섭취의 소아비만도 수면 무호흡증, 고지혈증, 지방간 등과 수술 후 호흡 부전, 창상 감염 증가 등의 약점이 많지만 수술을 앞둔 단기적인 대책은 오히려 위험성이 더 크므로 좀 더 오랜 기간의 사전 준비작전이 필요하다.

2. 영양 집중 지원(Nutrition care)

1) 영양 선별 검사(Nutrition screening)
영양지원에 앞서 가장 먼저 이루어져야 하는 과정은 영양지원이 필요한 환자를 가려내는 영양 선별 검사를 시행하는 것이다. 고위험군 환자를 찾기 위해선 적절하게 환자의 영양 상태를 평가해 나가야 하지만 모든 환자 즉 다수를 대상으로 우선 훑어본 후 트집이 잡힐 때 세밀한 영양평가를 하는 것으로 진행한다. 입원 기간 단축을 중요시하는 요즈음의 진료 행태는 수술 직전 입원이 대세인 바 외래에서 입원 결정 시기에 훑어보기가 이루어져야 하겠지만 시간, 인력 등 우리가 처한 외래 여건에서 시행하기는 곤란한 것이 현실이다. 그러나 가능한 한 성장 지연, 활동 감소, 체중 감소 등의 병력만이라도 걸러 내는 관심은 꼭 필요하다. 일반적으로 입원한 환자들에 대하여는 24시간 안에 영양 평가를 적절히 하여 고위험군을 선별해 내고 필요할 때는 바로 영양 지원을 시행한다. 병원에 따라 객관적인 체크 항목을 정해놓고 누가-어떤 방식으로-어떻게-진행할 것인지를 미리 마련된 프로그램에 따라서 운영하게 된다.

2) 영양 평가(Nutrition assessment)
우선 훑어보기에서 걸러진 환자들은 다음 단계의 영양평가 항목인 의학적 및 영양학적 병력, 약물복용 이력, 신체 검사, 인체 계측(anthropometric measurement), 검사실 결과(laboratory measurement)를 기반으로 개개인의 영양 상태를 세밀히 파악한다. 소아에서는 성인에서와 같이 각각의 평가 항목도 중요하지만 성장과 발달에 관한 포괄적인 평가가 더욱 좋은 지침이 되기도 한다. 영양평가 항목은 아래와 같다.

(1) 식사 평가
먹는 음식의 양이 적당하고 적절한 열량을 섭취하는가? 이 정보는 아이들에게서 직접 알기는 어려워 부모에게 자세히 물어보게 된다. 식단표를 작성하게 해서 현재 먹고 있는 음식, 양, 섭취 방법, 섭취 완성도 등을 기록한 자료는 큰 도움이 된다.

(2) 병력 및 약물 이력
병력 특히 음식 먹는 것과 연관된 신체 이상력에 대하여 자세히 알아야 하며 약물 복용 여부 및 이력에 대해서 알 필요가 있다. 앓고 있는 병과 관련하여 음식 먹는데 장애가 있는가? 소화는 잘 되며, 흡수는 잘 되는가? 입으로 못 먹는 아이라면 관급식(tube feeding)이나 정맥영양(parenteral nutrition, PN)을 포함한 인공영양의 종류, 투여량, 방법, 부작용 유무, 투입 도구 상태 등도 듣고 보아야 한다.

(3) 인체계측

키, 몸무게, 머리 둘레(2세 이하) 및 각각의 정상 성장곡선에서의 위치를 확인하여 성장과 발육 상태를 잘 파악한다.

(4) 검사실 검사

혈액검사인데 특히 혈중 내장단백질농도(visceral protein) 검사가 중요하다. 내장단백질 농도는 혈청 알부민(albumin)이 시금석 같은 기준이나 반감기가 20일이나 되어 변화에 민감치 못한 단점이 있으므로 변화가 빠른 전알부민(prealbumin, 반감기 2일), 트랜스페린(transferrin), 레티놀결합 단백(retinal-binding protein, 반감기 12시간) 등을 함께 확인하여 보완하며, 단편적인 농도보다는 일정 기간 동안의 연속 검사를 통한 변화를 읽으므로 치료 대책을 세우는 데 결정적인 가치를 제공한다.

3) 영양집중지원 계획(Nutrition care plan)

영양 평가 결과에 따라 상태 판정이 등급화되면 영양지원방법을 정하고 목표치를 정하며 투여를 시작하면서 부작용을 읽고 목표치 접근의 정도를 주기적으로 반복되는 검사치로서 모니터링하여 재평가와 처방 수정을 반복하는 것이 영양집중지원법이다. 이런 영양집중지원 계획은 각 병원단위의 영양집중지원팀(Nutrition Support Team, NST)을 통한 다학적 접근으로 시행하는 것이 좋은 시스템이어서 국내에서도 이미 제도화되어 있다. 주치의 혼자서 고민할 필요 없이 각 환자의 구체적인 사항에 대한 전 과정을 NST에 의뢰함으로써 계속적인 지원을 받을 수 있게 되었다.

3. 정상 영양 권장량

1) 필요 열량

하루 생활에 필요한 열량 단위로 계산하며, 소아는 성장을 하여야 하므로 이 부분을 첨가해서 생각하면 된다. 소아에서의 대사 정도는 체중, 체표면적 및 성장 연령에 따라 변

화가 많고 복잡하여 외우지도 못할 난수표 같긴 하지만 추정된 필요 열량을 표 5-2에 제시하였다. 이렇게 일일이 표를 견주며 산정하는 것과는 달리 비교적 이해하기 쉽고 변치 않는 원리는 1 kcal의 열량을 대사하는 데 1 mL의 수분이 필요하다는 것이다. 즉 어렵게 계산할 필요 없이 각 소아의 필요수액양(표 5-3) 만큼의 열량을 공급하면 20 kg 이하의 어린이에서는 크게 벗어남이 없다. 1,000 mL 수액이 필요한 어린이는 1,000 kcal의 열량 공급이 필요하다는 말이다. 다만 이때 산출된 양은 일일 수액유지용량이 된다. 이렇게 하면 나이가 들수록 약간 초과 급식하는 셈이 되어 90% 정도만 공급하는 것이 대세이다. 다행히 대부분의 어린이용 유제품이나 관급식용 경장제(enteral nutrient)가 1 kcal/mL의 조성으로 만들어져 있고 소아용 정맥영양제(parenteral nutrient)는 대략 0.9 kcal/mL로 조성되어 있기에 편리하긴 하지만 정밀성을 추구하는 성격에는 미치지 못하여 세밀한 에너지 요구량은 표준 도표나 노모그램(nomograms)을 통해서도 구할 수 있고, 남녀 어린이용 Harris-Benedict 공식으로 기초필요열량을 계산하는 방법과 산소소모량과 이산화탄소 생성량을 측정하여 안정 시

표 5-2. 나이에 따른 추정된 하루 에너지 필요량

나이(년)	킬로칼로리(몸무게 kg단위)
미숙아	90–120
0–1	75–85
1–7	65–75
7–12	55–65
12–18	30–55

표 5-3. 체중에 따른 수액 요구량(Holliday-Segar method)

몸무게	수액 필요량
3–10 kg	100 mL/kg
10–20 kg	1,000 mL + 50 mL/kg 몸무게 10 kg 초과분, kg 단위
>20 kg	1,500 mL + 20 mL/kg 몸무게 20 kg 초과분, kg 단위

에너지소모량(resting energy expenditure)을 측정하는 간접열량측정법(indirect calorimetry) 등 단가가 높은 방법이 쓰이고 있다.

그러나 어느 것 하나 개개인의 특성화된 정밀한 필요열량을 산출하기에는 이론적으로도 불완전하고, 임상적으로도 그 과정 중에 개입하는 왜곡인자들이 많아 오차가 크게 작용한다. 결국 비싸고 복잡한 과정을 거쳤으나 추정치일 뿐이라는 의미이다. 여기에 각 어린이의 활동 정도에 따른 활동인자를 1-5 kcal/kg, 성장에 필요한 추가 열량을 5 kcal/kg 정도로 보고 첨가해 주어야 한다. 아주 혼동스럽다. 혼동스러움을 느끼지 못하고 있다면 아직 이해 수준에는 접근조차 하기 어려운 레벨에 있음을 스스로 깨달아야 할지 모른다. 따라서 보다 중요한 것은 여러 방법 중 자기가 익숙한 방법으로 필요 열량을 도출하고 이에 따라 일단 투여한 후 그 결과를 환자 관찰이나 검사를 통하여 읽어 평가한 후 그 다음 투여량을 재조정하여 나가는 되먹이식 방법(feed-back method)이 개인적 특성을 감안한 가장 믿을 만한 것이다.

2) 수액 및 전해질 필요량

하루에 필요수액 양은 몸무게를 이용한 방법이 간단하여 많이 통용되고 있다. 체중 10 kg까지는 100 mL/kg (4 mL/kg/hr), 그 다음 20 kg까지는 1,000 mL + 50 mL/kg (체중 10 kg 초과분), 30 kg까지는 1,500 mL + 20 mL/kg (체중 20 kg 초과분)으로 산정하는 공식이다(표 5-3).

경구와 정맥 수액 필요량은 같다. 불감손실량은 24시간에 1 mL/100 kcal로 계산하면 보충할 수 있다. 설사가 없는 경우엔 경구로 섭취하는 수액은 거의 다 흡수된다고 보면 된다. 이 기초 수분 공급양에서 설사, 배액관을 통한 배액이나 장루 배출액, 경비위관 배액 등의 추가손실분에 대하여는 추가로 그 양만큼 보충되어야 하며, 위액은 생리식염수로, 장액은 하트만액으로 같은 용량을 보충하면 손실된 전해질까지 동시에 채워진다. 탈수 등의 상태에선 별도의 수액보충요법이 필요하지만 생체 내에서는 모든 것이 계산대로만 되지는 못하므로 수액요법에는 제3의 안전장치를 쓰고 있다. 즉 소변량이다. 영유아에서 대사산물 배설에는

최소한 1 mL/kg/hr의 소변 배설이 필요하며 이 양 이하일 때(oliguria)에는 노폐물이 몸 안에 축적되고 BUN, Cr 등 혈중 질소분이 증가한다. 이러한 상태가 지속되지 않게 추가 수액공급을 서둘러야 한다.

전해질 유지에 필요한 공급 양은 나트륨(sodium) 5 mEq/kg/day, 칼륨(potassium) 1-2 mEq/kg/day, 클로라이드(chloride) 5 mEq/kg/day이다. 추가 전해질 손실이 예상되는 상태에는 미리 공급하는데 예를 들어 위액이 100 mL 배액된다면 생리식염수 100 mL를 보충하는 것이다. 영아에서는 전해질 용액만 공급하는 경우 저혈당증이 나타날 수도 있기 때문에 포도당액을 기본으로 보충하는 것이 안전한데 1:4 DS 500 mL에 KCl 5 mEq (1 mEq/100 mL)를 섞으면 위의 조건을 충족하는 손쉬운 기초수액이 만들어지므로 양만 조정하면 되며, 포도당 농도를 5% DW 이상으로 좀 더 높이고 싶다면 50% DW 50 mL을 함께 배합하면 7% 내외의 적당한 용액이 될 것이다.

3) 영양소의 구성 및 요구량

탄수화물, 단백질과 지질을 적절히 배합해서 공급하고 비타민과 미량원소 등을 적절히 공급해 주어야 한다.

(1) 탄수화물

소아에서 탄수화물은 총 칼로리 섭취량의 40-50%를 차지하도록 한다. 유아기의 주 원료는 젖당(lactose)이며 그 이후에는 전분(starch)과 당(sugar)으로 탄수화물을 섭취한다. 경장으로 공급할 경우에는, 특히 신생아에서는, 고혈당이나 저혈당이 발생하지 않는지 살펴야 한다. 공급 속도는 신생아에서는 포도당 6-8 mg/kg/min 정도로 시작하여 투여하고 상태를 관찰하면서 10-14 mg/kg/min까지 증량할 수 있다.

(2) 단백질

정상 소아에서의 단백질 필요량은 다음과 같다(표 5-4). 소아에서의 단백질 필요량은 체중에 비해 성인보다 더 높으며 열량 대 질소 비율을 100-300:1정도(참고: 성인은 125-150:1)로 유지한다. 이를 일일이 계산해서 조리를 하거나 인공영양액을 만들지는 못하며, 이를테면 조금 높은 단백

표 5-4. **소아에서의 단백질 필요량**

나이	단백질 필요량(g/kg/day)
미숙아	3-4
영아(1-12개월)	2-3
소아(1-10세)	1-2
사춘기 아동(11-17세)	0.8-1.5

질 비율로 된 재료를 이용하여 열량을 기준으로 공급하면 함께 충족된다는 개념이다. 특히 신생아에서는 간 내 효소 미성숙으로 특정 아미노산 합성 능력이 떨어지기 때문에 적절히 공급해 주는 것이 필요하며, 이를 상대적 필수 아미노산이라고 부르는데, 특히 신생아군에서는 꼭 포함시켜야 하는 것으로 되어 있다. Taurine, cysteine, tyrosine, histidine 등의 아미노산이 이에 해당되는데, PN에서는 신생아나 영유아용으로 이를 포함한 전용 아미노산액이 공급되고 있다. 너무 많은 양의 아미노산을 공급하는 것도 비정상적인 혈액화학검사 결과 및 고질소혈증(azotemia) 등을 유발할 수 있기 때문에 주의가 필요하다. 적자질소균형(negative nitrogen-balance)을 유발할 수 있는 질병이 있거나 성장을 따라 잡아야 하는(catch up growth) 소아에서는 평균 필요량보다 더 많은 단백질이 필요하다.

(3) 지질

지질은 유아 및 어린 아이들에게서 에너지의 주 원료이다

(9 kcal/kg). 뿐만 아니라 어린이 뇌 발육과 세포막형성은 물론 여러 대사물질인 사이토카인들의 주 원료이므로 필수적으로 공급되어야 한다. 체내에서 합성하지 못하는N-6와 n-3 지방산은 정상적인 성장과 발달에 필수이며 지용성 비타민(A, D, E, K)이 흡수되려면 지질이 포함된 식사가 필요하다. 생후 1년 안에는 지질 공급에 제한을 두지 않으며 2세 이상에서는 총 에너지 섭취량의 30% 이하로 총 지질을 섭취하도록 권장하고 그 중 포화지방산(saturated fatty acid)은 10% 이하가 되도록 권고하고 있으나 인공영양 특히 정맥영양에서는 수술, 외상, 패혈증 등의 전신염증성증후군에 속하는 중환자에서는 필수지방산 중 n-6 공급양을 대폭 제한하고 n-3 비율을 높이며, 염증성 반응에 개입하지 않고 열량공급용으로만 쓰이는 포화지방산이나 n-9 불포화지방산의 비율도 높이는 방침이 주류를 이루며 이러한 비율로 조성된 정주용 지질 및 복합영양주사제들이 개발-공급되고 있다.

(4) 미량영양소(micronutrients)

소아에서 비타민과 미량원소(trace elements)는 성장과 건강유지에 필요한 무기화합물(inorganic compound)이다. 이런 미량영양소들은 경장영양이든 정맥영양이든 충분히 보충되어야 하는데, 정상적인 음식물에는 적절히 포함되어 있으며, 인공영양을 하는 경우에도 몇 년 전부터 시중에 유통되는 대부분의 경장제에는 미량원소가 포함되어 있으므로 어느 정도 입으로 먹는 환자에서는 별 문제가 되지 않는다. 다만 심한 설사, 궤양성 대장염 등 흡수 장애 환자나

표 5-5. **나이에 따른 미량원소 요구량**

미량원소	미숙아 <3 kg (μg/kg/day)	만삭아 3-10 kg (μg/kg/day)	소아 10-40 kg (μg/kg/day)	청소년 >40 kg (mg/day)
아연(Zinc)	400	50-250	50-125	2-5
구리(Copper)	20	20	5.0-20	0.2-0.5
망간(Manganese)	1	1	1	0.04-0.1
크롬(Chromium)	0.05-0.2	0.2	0.14-0.2	0.005-0.015
셀레늄(Selenium)	1.5-2	2	1.0-2	0.04-0.06

정맥영양법 중인 환자에게는 면밀히 계산되어 투여되어야
한다(표 5-5).

4. 경장영양

장 기능이 유지되고 있는 아이라면 경장영양(enteral nutri-
tion)을 시작하게 되는데 소아 환자에서의 경장영양은 안
전하고도 효과적이며, 대부분의 이비인후과 영역 환자는
이 범주에 속할 것으로 판단된다. 소아의 각종 영양관련 질

환 중 장 기능의 문제가 있는 괴사성 장염(necrotizing en-
terocolitis), 장 천공, 기계적 혹은 마비성 장폐색, 심한 염
증성 장질환, 장무공증 등은 금기로 여겨진다.

1) 경장영양 지원 경로

위장이나 소장으로 투여되며 각종 급식관(feeding tube)
을 이용한 관급식(tube feeding)이 된다. 위관급식은 용량
이 크고 분비물이 많은 위장에 투여하므로 한 번에 많은 양
을 투여할 수 있으며 고삼투압에 대한 적응력도 우수하다.
또한 생리적인 소화 기능과 호르몬 반응을 유발하며, 위

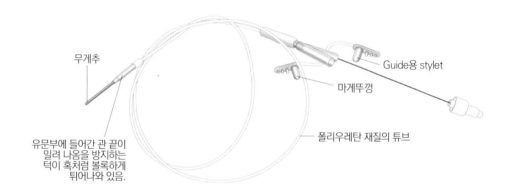

그림 5-1. **유문후 급식 전용 급식관.** 관 끝에 무게 추와 유문관에서 미끄럼을 방지하는 턱이 있다.

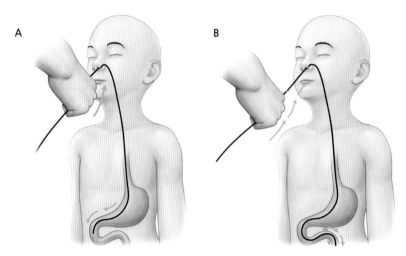

그림 5-2. **유문후 급식관 삽입방법.** 때로는 투시 조작이 필요하다.

산의 항균작용이 유지되고 설사 및 덤핑증후군(dumping syndrome)이 상대적으로 적다. 유문후급식(postpyloric feeding)은 역류가 적어 기관 흡입의 가능성이 높거나 위무력증, 위장출구패쇄 등에서 유리한데 특이한 급식관(그림 5-1)과 기술(그림 5-2)이 필요하다.

경장영양이 단기(6-8주)로 이뤄질 계획이라면 비위관(nasogastric tube)이나 구위관(orogastric tube)으로도 충분하며, 합병증도 낮고 비교적 싸며 쉽게 삽관할 수 있다. 경장영양의 예상기간이 이보다 더 길어질 것으로 판단되면 내시경을 이용한 급식용 위루관을 설치(percutaneous endoscopic gastrostomy, PEG)하거나 관급식용 위공장루(feeding gastrojejunostomy)를 설치하여 사용하는 것이 권장되는데, 설치 시기를 너무 미루며 경비위관을 오래 사용할 때 필연적으로 뒤따를 수 있는 위식도역류가 병발한 경우에는 위루관의 설치만으로는 역류를 막을 수 없어 위저벽주름성형술(fundoplication)을 동시에 시술해야 한다. 뇌신경손상 등의 환자가 주로 이에 해당되며, 대부분의 이비인후과 환자는 단기적인 치료를 하는 경우가 많아 여기 까지는 해당되지 않으나 악안면복잡기형 등 치료 예상 기간이 1개월이 넘고 인후-후두부의 교통이 복잡하여 급식관

유지가 치료에 거침돌이 될 때에는 위식도역류가 합병되기 전에 위루술을 서두르는 것이 좋다. 위루급식관 설치는 내시경이나 복강경보조술식으로 개복 없이 쉽게 할 수 있다. 위루급식관은 2개월이 지나 안정되면 간편한 버튼형 위루관(그림 5-3)으로 간단히 교체하여 사용할 수도 있어 어린이에서는 특히 편리하다.

2) 경장영양 지원 방법
경장영양을 공급하는 방법으로는 간헐적 투여(intermittent), 연속적 투여(continuous), 복합적 투여(combined)가 있다. 위관급식에서는 대부분 간헐적인 bolus 투여로 잘 적응하여 편리하다. 그러나 위정체가 심하여 위장비우기가 늦거나(delayed gastric emptying) 장 기능이 저하되어 있거나 영양불량이 심하고 만성 설사 등이 있는 아이들은 연속투여를 하는 수밖에 없다.

연속투여 시 속도는 필요량을 24시간 동안 일정한 속도로 나누어 주며, 간헐적 투여는 투여 후 위 잔류량과 위장비우기 속도에 따라 일반적 수유 간격인 2-4시간 간격을 기준으로 해서 투여하며, 보통 30분 동안 중력을 이용하여 자연낙하 투여하거나 펌프를 이용하여 계산된 속도로 투여한다. 영아와 중환자는 관급식용 펌프가 현재는 보험급여 대상이 되어 있다. 처음 적응기간 동안에는 유치된 급식관으로 매번 투여 전 잔류량을 측정해보고 투여량을 증가 시켜 목표량에 이른다. 구토나 역류로 인한 급성호흡부전이나 흡인성폐렴 합병증을 방지하기 위함이다. 만약 아이가 경구로 식이가 가능하나 양이 부족한 상태라면 낮에는 먹이고 밤에는 관급식을 시행하는 복합적 투여방법이 목표량을 달성하는 데 큰 도움이 된다.

3) 경장영양액의 종류
경장영양액은 열량과 영양소 구성이 나이에 맞게 공급되어야 한다. 소아용 표준제제인 복합제(polymer)는 1 kcal/mL의 에너지를 공급하고 등장액이며(300-350 mOsm/kg) 유당과 글루텐이 없는 비유제품(non-dairy product)을 선호한다. 필요에 따라 농축된 영양액(1.3-2.0 kcal/ml)을 공급할 수도 있으나 이에 따른 경험과 주의가 필요하다. 복합제

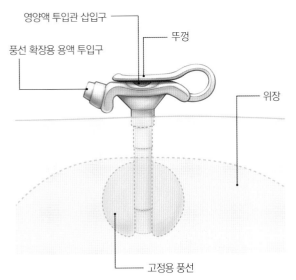

영양액 투입관 삽입구

풍선 확장용 용액 투입구

뚜껑

위장

고정용 풍선

그림 5-3. **버튼형 위루관**

에는 3대 영양소가 온전한 상태로 포함되어 있다. 이 제제는 필요 영양소를 다 포함하고 있고, 먹기 편하고 싸기 때문에 가장 많이 공급되고 있고 선호되는 제품이다. 주영양소가 부분적으로 분해되어 있어 최소한의 소화기능이 보조만 되어도 좋은 영양액은 '반성분영양제(semi-elemental)' '펩티드제', 또는 '올리고제(oligomeric)'로 칭한다. 올리고제품은 단백질이 가수분해 되어 저항원성이므로 식품 알레르기가 있는 아이들에게 좋다. 단백질이 분자 아미노산 상태로 완전 분해되어 있는 제품은 단량제(monomeric) 또는 성분영양제(elemental diet)로 불리며, 탄수화물은 올리고당질로, 지질은 긴고리중성지질(LCT)과 중간고리중성지질(MCT)이 혼합되어 있다. 이 영양액은 올리고제에도 반응하는 심한 복합적 식품 알레르기가 있거나 소화와 흡수 기능이 현저히 떨어져 있는 환자(예, 단장증후군, 극심한 흡수장애)에서 사용한다. 각각의 경장영양제에 따른 비교는 다음과 같다(표 5-6).

4) 합병증

상당히 안전하지만 아래와 같은 합병증에 주의가 필요하다 (표 5-7).

소화기 증상이 가장 흔한 합병증 중의 하나다. 설사와 변비, 오심, 구토 등이 생길 수 있는데 이를 최소화하기 위해서는 적절한 경장영양액을 선택하고 경로와 방법을 환자에 맞게 선택해야 한다. 또한 영양액의 양은 서서히 증량시키는데 위잔류량을 확인하고 임상적 경과에 따라 적절히 결정해야 한다. 위잔류량 허용치는 나이에 따라 위장의 부피가 다르기 때문에 차이가 있으나 위장비우기 시간을 2시간 내외로 보기 때문에 간헐적 투여에서는 보통 2시간 이상의 간격으로 투여하며, 신생아는 10 mL, 영아는 20-30 mL 이하를 위잔류량 허용치로 보아 다음 급식 투여 전 그 이상이 남

표 5-6. 경장영양액의 비교

	복합체 제제	올리고체 제제	단량체 제제
단백질 함량, g/l	30-80	20-50	19.5-25
질소 소스	복합펩티드, 단백질	작은 펩티드	아미노산
탄수화물 함량, g/l	90-200	100-200	81-146
지방 함량, g/l	20-90	5-20	35
열량 농도, kcal/mL	1-2	0.67-1.7	0.67-1
삼투압, mOsm/l	300	300-500	300-600
장점	맛 있고, 값이 쌈	저알레르기성, 쉽게 흡수됨	비알레르기성
단점	정상 위장관이 필요, 알레르기성	값이 비쌈	고삼투압성, 값이 비쌈, 맛이 없음

표 5-7. 경장영양의 합병증

위장관계	설사, 구역질, 토함, 배에 가스가 참, 배부름
기술적(급식관과 관련된)	관 막힘, 위치 이동
대사적	수액, 당분 전해질 불균형
감염성	위장관염, 패혈증
정신적	식사 기피증, 자기 몸에 대한 자아상 변화

아 있을 때는 양을 줄이거나 간격을 늘려야 한다. 20 kg 이상의 큰 소아는 50 mL, 40 kg 이상의 성인 체형의 경우 150 mL을 위잔류량 허용 한계로 보고 있다.

장염 증상이 있을 때는 영양액의 세균성 오염(bacterial contamination)을 고려해야 하고 이는 심하면 패혈증으로까지 발전할 수 있으므로 영양액을 다룰 때는 깨끗하게 해야 하며, 영양액의 투입 용기 내 실온 노출 시간은 4시간을 넘지 않도록 하고, 일단 개봉한 영양액은 본래의 용기 내에 보관되더라도 12시간 이내 사용하며, 그 후는 버리는 것이 안전하다. 영양액 용기 및 주입세트는 재사용하지 않도록 하지만 현실은 그렇지 못하다. 매회 사용 후 깨끗이 씻어 말려야 하며, 주 1회 이상 끓는 물로 소독하거나 중조 혹은 중성세제로 씻은 후 흐르는 맑은 물로 충분히 세척하고 말려서 사용하며, 제품에 따라 다르긴 하지만 3-6개월 간격으로 정기적으로 새 것으로 교환하여야 한다. 현재는 투여기간 내내 외기에 노출되지 않는 밀봉형 경장영양액(ready-to-hang, RTH)이 관련 장비와 함께 공급되어 세균 오염에 대한 안전성을 높였다. 설사가 지속되는 경우 *Clostridium difficile* 감염을 우려하여 대변 검체를 염기성 세균배양으로 확인하여야 한다.

경장급식관의 기술적인 문제도 생길 수 있는데 주로 관이 막히거나 빠지거나 원하지 않는 곳으로 이동하는 경우가 있다. 특히 급식관으로 농도 높은 영양액을 주입하거나 약물 등을 투입했을 때 막힘(clogging)이 잘 생길 수 있어서 간헐적 투여 시에는 투여 전과 후로 미지근한 물을 적어도 10-30 mL 정도 flushing을 해주는 것이 좋고(이 양은 나이에 따라 조정되어야 한다) flushing 후 즉시 투입구를 막아 영양액이 급식관 내에 되올라 와서 머물지 않도록 방지하여야 한다. 그러나 급식관 내면과 음식물 사이에 발생하는 정전기 현상으로 영양액 찌꺼기가 급식관 내면에 달라붙어 점점 막히게 되기 때문에 주 1-2회 '코카콜라법'으로 유통성을 유지시킨다. 중탄산염(Bicarbonate)액이나 코카콜라는 영양액 찌꺼기를 수축 침전시켜 급식관 벽에서 떨어지게 하므로 정기적으로 10 mL 정도를 채우고 5-10분 후 미지근한 물로 통과시키는데 급식관이 막힌 경우에도 제일 먼저 시도해 보면 좋은 효과를 볼 수 있다. 지속적 투여 시

에는 적어도 4시간마다 미지근한 물로 flushing을 해주는 것을 원칙으로 권고하고 있다.

관급식을 오랜 기간 지속하면 입으로 먹지 않으려는 습관(oral aversion)이 발생하여 재활이 어렵다. 입으로 빨아먹기나 삼킴을 할 수 있도록 자극해 주는 것이 중요하며, 묽은 레몬즙을 묻혀 혓바닥과 구강 점막을 마사지하여 자극시키면 음식에 대한 맛 감각을 되살리는 데 도움이 되는 경우가 많다(경구식이 재활치료).

5. 정맥영양

정맥영양은 경구나 경장영양으로는 충분한 영양분을 공급할 수 없는 환자에게 시행하게 된다. 특히 악안면복잡기형 수술 시에는 급식관이 수술시야를 지날 수도 있고 피판술 등 수술 과정에서 걸림돌이 되거나 오염원이 되기도 한다. 현재는 다양한 형태의 중심정맥, 말초정맥 및 PICC (peripheral inserted central catheter)를 원하는 신체 부위 어디에나 위치하도록 설치할 수 있고 이에 합당한 정맥영양액도 공급되기 때문에 필요에 따라 선택할 수 있다. 정맥영양이 반드시 필요한 경우는 아주 극심한 만성적 영양불량(failure to thrive)이거나 심한 장 부전(intestinal failure)이 있는 경우이지만 현재 수준은 장비, 재료, 기술 등 모든 면에서 안정된 상태이며, 필요한 만큼 정확한 양을 계획한 대로 투여할 수 있기 때문에 언제라도 안전하게 시행 할 수 있는 급식방법이며, 정맥영양을 정맥급식(intravenous alimentation)이라고도 부르는 이유이다. 즉 정맥영양은 경장영양이나 급식과 마찬가지로 필요한 영양소를 보충하여 현상 유지, 창상치유 및 회복, 성장과 발달이 균형 있게 일어날 수 있도록 하는 것이다. 투여 재료와 방법이 다르며 경장영양법보다는 강제적 급식에 해당하므로 정밀하게 유지하지 못하면 대사 장애나 장기 부전 등을 초래할 수 있기 때문에 좀 더 세심한 감시가 필요하다.

정맥영양의 시작은 환자의 나이, 크기 및 질병 상황에 따라 결정하게 된다. 미숙아에서는 하루 정도의 금식도 치명적일 수 있는 반면 정상적인 신생아는 출생 후 하루 동안

은 거의 먹지 않고도 아무런 이상이 없다. 오히려 태아기의 수중 생활로 인한 과분한 체내 수분을 배출하여야 공기 중 생활인 전환기를 거쳐 생존할 수 있는데, 이 기간 중에는 어머니의 모유 분비가 충분치 않아 먹일 수도 없다는 점이 신생아 생리의 수분대사 균형 유지와 맞물려 신비한 조화를 이루는 자연의 이치에 한번 더 감탄하게 된다. 수술을 하게 되는 신생아는 채혈도 하고, 출혈도 하며 여러 가지 외과적 스트레스에 노출되므로 정상출생아와는 입장이 전혀 다르기 때문에 수액 및 영양요법도 다르게 짜야 하는 것이다. 외과적 신생아는 저혈당의 위험으로 포도당을 포함한 수액요법은 생후 첫날부터 일찍 시작되나 정맥영양은 먹이지 못할 금식 예상기간이 며칠 이상이 되면 주저 없이 바로 시작한다. 좀 더 나이 많은 청소년기에는 7일 이상의 금식기가 예상될 때 시작하는 것이 일반적이다.

1) 정맥영양의 경로

정맥 영양은 말초혈관을 이용하는 말초정맥영양과 중심정맥을 이용하는 중심정맥영양이 있다. 말초정맥영양은 환자가 수액공급량이 좀 많아도 괜찮은 상태이고 말초혈관 상태가 좋으며 단기간으로 끝날 것 같거나 중심정맥로 확보에 어려움이 있을 때 시행한다. 말초정맥영양액은 아직도 삼투압이 600-900 mOsm 혹은 그 이상이 되기 때문에 혈관이 잘 터지고 정맥염도 많고 조금 아픈 편이라 영유아는 어려움이 많다. 매일 혹은 2-3일 간격으로 주사 위치를 다시 잡아야 하는 고통이 있으나, 적어도 학동기 이상에서는 큰 어려움은 없다.

　중심정맥영양을 하기 위해서는 중심정맥로를 확보(central vacular access)하여야 한다. 정맥영양의 예상 기간이 3주 이하로 추정되는 경우에는 임시적인 중심정맥관을 설치하는 것이 적절하고 흉부에 설치할 경우 잘 쓰면 한 달 가량도 가능하다. 그 이상의 장기적으로 정맥영양이 필요한 때에는 피하에 심는 케모포트(chemoport)나 터널형 히크만(Hickman)관이 필요하며 작은 소아에서는 혈관에 들어가는 부분 만을 더 가늘게 뽑은 브로비악(Broviac)관을 이용한다. 최근에는 말초혈관을 타고 들어가 중심정맥에 이르는 PICC가 어른, 어린이 및 신생아용 모두 개발되어

많이 쓰이고 있다. PICC는 대부분 전신마취가 필요 없으며 혈관의 직접적인 조작 없이 신생아와 소아에서 효과적으로 사용할 수 있음이 입증되었다. 이 모든 장치의 문제는 설치 위치에 따라서는 수술에 방해가 되기도 하므로 이를 설치하는 전문의와 사전에 충분히 상의하는 것이 좋다.

　카테터 설치에는 카테터 끝(tip)의 위치가 중요한데 아직도 논란은 진행 중이나 대체로 상대정맥(superior vena cava) 하방 1/3 지점이나 심방교차점(atrio-caval junction) 또는 우심방 중앙에 위치하도록 권고되고 있다. 중심정맥관과 관련된 감염 등 여러 합병증도 속발할 수 있으므로 항상 그 관리에 유의하여 지침을 따름이 중요하다.

2) 정맥영양소의 권장량

환자마다 매일 각각의 영양소별 필요양을 각각 계산한 다음 전체 용량에 맞춰 배합하는 개별처방법(individualized prescription)이 있으며, 일반적인 원칙에 따라 일정한 열량 대 질소 비율로 조성한 표준영양액을 조제한 후 필요열량에만 맞춰 공급하면 나머지는 주요영양분은 대부분 비슷하게 맞도록 하는 표준처방법(standard prescription)에 따르는 방법이 있다. 표 5-8에 나타난 바와 같이 소아에서는 구성 요소가 모두 다 소량이기 때문에 개별처방법에 따른 영양액 배합 시 정량을 지키는 것이 생각보다 쉽지 않으며, 전산화된 처방도 시간이 필요한 데 비하여 표준처방은 환자별 정밀성은 좀 떨어지지만 시간과 배합오류를 줄일 수 있는 장점이 있다.

　현재 시판되는 2-bag, 3-bag이라고 불리는 RTU (ready-to-use) 영양제는 표준처방의 대표적인 것으로 감염방지, 장기간 보관, 운송, 특수 용기로 인한 용액의 안정성, 인력 절감 등 여러 면에서 탁월하며, 신생아 및 일부 영아를 제외하면 사용에 무리가 없어 2세 이상의 유아전용 RTU도 수입품이 공급된다. 표준처방법은 개별처방법처럼 병원조제 정맥영양액(hospital compounding)으로도 가능하므로 각 병원 NST와 적극 상의할 필요가 있다.

3) 정맥영양의 합병증

중심정맥관과 관련된 합병증은 설치 시 발생할 수 있는 기

표 5-8. **정맥주사제 영양소의 소아 나이에 따른 권장량**

나이	수분, ml/kg	열량, kcal/kg	아미노산, g/kg	포도당, g/kg	지질, g/kg
미숙아	140-160	110-120	1.5-4	18	Up to 3-4
신생아	140-160	90-100	1.5-3	18	Up to 3-4
0-1 yrs	120-150(max 180)	90-100	1-2.5	16-18	Up to 3-4
1-2 yrs	80-120(max 150)	75-90	1-2	13	Up to 2-3
3-6 yrs	80-100	75-90	1-2	13	Up to 2-3
7-12 yrs	60-80	60-75	1-2	13	Up to 2-3
13-18 yrs	50-70	30-60	1-2	13	Up to 2-3

나이	Na, mmol/kg	K, mmol/kg	Ca, mmol/kg	P, mmol/kg	Mg, mmol/kg
미숙아	3-5	2-5			
신생아	2-3	1.5-3			
0-1 yrs	2-3	1-3	0-6 ms: 0.8 7-12 ms: 0.5	0.5	0.2
1-2 yrs	1-3	1-3	0.2	0.2	0.1
3-6 yrs	1-3	1-3	0.2	0.2	0.1
7-12 yrs	1-3	1-3	0.2	0.2	0.1
13-18 yrs	1-3	1-3	0.2	0.2	0.1

흉(pneumothorax), 혈흉(hemothorax), 심낭압전(cardiac tamponade) 등이 있다. 카테터가 혈액 응고로 막힐 수가 있는데 몇 시간 이내라면 혈전용해제(urokinase)를 써서 다시 통하게 할 수도 있으나 그렇지 못한 경우에는 카테터를 제거해야 한다. 혈전과 함께 발생한 감염은 치료가 어려워 교체하는 것이 옳다. 중심정맥관의 감염은 아주 흔하게 일어나는데 장기적으로 사용할 경우에는 60%까지도 나타난다고 한다. 특징적으로 정맥주사 시작 후 1-2시간 내에 발열이 발생하며, 주사를 멈추면 보통 한 시간 내에 열이 사라지는 것이 전형적이다. 중심정맥관의 감염으로 인한 균혈증(bacteremia)을 catheter-related bloodstream infection (CRBSI)라고 일컫는데 과거에 카테터패혈증이라고 부르던 것으로 용어가 새롭게 통일되었다. 이는 중심정맥관에서 뽑은 혈액에서 말초혈관혈액보다 혈액 균 배양검사에서 강양성으로 나왔을 때로 정의할 수 있다. 혈행을 타고 계속 감염의 씨앗을 전신에 뿌리는 셈이 되어 패혈증으로 사망까지도 이를 수 있기 때문에 CRBSI와 관련된 증상이 있을 경우 즉시 검사 및 치료를 하여야 한다. 중심정맥관의 감염이 확인된 후에는 감수성 검사 결과에 맞는 항생제를 2주 이상 중심정맥관을 통하여 주입하며, 추가 배양검사에서 음성이 확인되어야 한다. 중심정맥관감염은 관 내면의 세균 군락 표면에 섬유소막이 덮고 있어 혈전용해제와 함께 투여하여야 효과가 있다. Urokinase-항생제 복합-lock이나 에타놀-lock은 치료 성적은 좋으나 전문적인 경험이 필요하며, 만약 감염이 해결되지 않고 발열이 지속되며 환자의 상태가 나빠진다고 판단이 되면 중심정맥관은 즉시 제거하고 감응항생제를 전신적으로 2주 이상 투여하여야 한다. 칸디다(Candida) 등 진균이 동정되고 이로 인한 패혈증이 발생하면 즉시 카테터를 제거한 후 항진균제를 투여해야 한다.

중심정맥관 감염을 방지하기 위해서는 카테터 삽입부위의 격리를 철저히 해야 하며, 조작 전후에 손 위생은 필수이며 무균법을 지키는 것이 중요하다. 특히 장루나 기관절개창 같은 오염원이 될 만한 상처가 동일 환자에게 함께 있는 경우 그 위험도가 증가하므로 각각의 경로 및 중심정맥관 연결부위(hub)를 철저히 보호하고 격리하는 조치가 필요하다.

소아에서 장기간 정맥영양을 시행할 경우 가장 흔하게 나타나는 것은 정맥영양유관담즙울채증(PN-associated cholestasis, PNAC)이다. PNAC는 장기간 정맥영양을 투여받은 아이들의 30-60% 까지도 발병률이 보고되며, 발생 평균 기간은 약 42일이라고 보고되고 있다. PNAC의 위험을 높이는 인자로는 미숙아, 저체중, 초과급식(overfeeding), 경구섭취가 없는 경우, 긴 정맥영양 기간, 반복되는 패혈증과 단장증후군이다. 현재는 단장증후군 등 장부전환자에서 선택적으로 잘 나타나며, 어느 정도 식이를 동반하면 방지하거나 호전시킬 수 있어 장부전유관간병증(Intestinal-failure-associated liver disease, IFALD)이라고 통칭하게 된 만큼 일반 환자에서는 PN을 비록 장기간 사용했다고 하더라도 흔치 않다. 대부분의 이비인후과 소아 환자는 이에 해당되지 않으므로 더 이상의 설명은 생략한다.

영양결핍증도 중요하지만 초과급식도 피해야 할 합병증이다. 우선 간의 지방축적으로 나타나는데 이로 인하여 원인 모를 간효소치(AST/ALT) 상승과 간초음파에서 지방변성이 관찰된다. 간의 지방축적을 피하기 위해서는 초과급식을 피함은 물론 나이에 따른 적정 포도당투여량을 지켜야 하며, 적절한 지질 투여는 오히려 탄수화물 과량투여(참고; glucose baby)보다 간내 지방변성 발생이 적다고 한다. 신생아단장증후군을 제외한 지질 투여량은 만삭 신생아 4 g/kg/day, 미숙아 및 유아 2 g/kg/d로 알려져 있다. Ursodeoxycholic acid (UDCA)를 경구 투여하며, 주기적 PN (cyclic-TPN)과 경장영양 병용이 도움이 되나 이 역시 대부분의 이비인후과 영역 소아 환자에게는 해당되지 않을 것으로 보인다.

■■■■■ 참고 문헌

- 이명덕. 중환자 영양관리. 중환자의학, 제 8장, 중환자의학회 발행, 군자출판사, 2006,119-132.

- A.S.P.E.N. Board of Directors and the Clinical Guidelines Task Force. Guidelines for the use of parenteral and enteral nutrition in adult and pediatric patients. JPEN J Parenter Enteral Nutr 2002;26:1SA-138SA.

- Braegger C, Decsi T, Dias JA, et al. Practical approach to paediatric enteral nutrition: a comment by the ESPGHAN committee on nutrition. J Pediatr Gastroenterol Nutr 2010;51:110-122.

- Corkins MR. The ASPEN Pediatric Nutrition Support Core Curriculum. Silver Spring, MD: American Society of Parenteral and Enteral Nutrition; 2010; 409-476.

- Corkins MR, Griggs KC, Groh-Wargo S, et al. Standards for nutrition support: pediatric hospitalized patients. Nutr Clin Pract 2013;28:263-276.

- Jeejeebhoy KN. Rhoads Lecture-1988. Bulk or Bounce-The object of nutritional support. JPEN J Parenter Enteral Nutr 1988;12:539-549.

- Koletzko B, Bhatia J, Bhutta, ZA, et al. Pediatric Nutrition in Practice. 2nd ed. World Review of Nutrition and Dietetics. Basel, Karger; 2015; vol 113, lipid.

- Silberman H. Consequences of malnutrition, (chap. 1) in Parenteral and Enteral Nutrition. 2nd Ed. Appleton & Lange. Norwalk;1989;1-17.

Chapter 06

소아 항생제 처방의 일반 원칙

Principle of Antibiotics Therapy

조재훈

1. 서론

다양한 염증성 질환에서 효과적인 항생제를 선택하는 것도 중요하지만 효과를 유지하면서도 약물 독성과 내성균 발현을 최소화할 수 있는 용량을 정하는 것도 매우 중요하다. 약물에 대한 반응은 장기의 기능, 신체 크기, 소아의 성숙도 등에 따라 다양하며, 약물의 흡수, 분포, 대사, 제거도 나이에 따라 다르기 때문에 어떤 하나의 공식으로 모든 소아에 적용할 수 있는 용량을 정할 수는 없다. 또한, 비만이거나 면역기능이 저하된 특수 환아군에서는 추가적인 고려가 필요하다. 따라서, 기본적인 약역학(pharmacokinetic)과 약동학(pharmacodynamic)을 이해한 후 이를 개별적인 환아의 상태에 맞추어 처방해야 한다.

2. 항생제의 약역학 및 약동학

약역학이란 시간에 따른 혈장, 조직, 체액의 약물 농도 변화를 다루는 분야로 이는 약물의 흡수, 분포, 대사, 제거 속도에 따라 정해진다. 약동학은 약물의 효과를 다루는 분야이다. 항생제의 약역학은 환자 요인에 의해 주로 결정되지만,

약동학은 세균을 함께 고려해야 하는 차이가 있다. 항생제가 세균을 죽이는 능력을 파악하기 위해 전통적으로 최소억제농도(mini- mum inhibitory concentration, MIC)를 측정하는데 이는 체외에서 세균의 증식을 억제할 수 있는 최소한의 항생제 농도를 의미한다. 하지만, MIC만으로는 실제 항생제 복용 시 성공 여부를 정확히 예측할 수 없는데, 이는 MIC가 체내에서 약동학을 측정한 것이 아니기 때문이다. 따라서, 항생제 투여 후 체내에서의 농도 변화와 감염부위의 항균력을 함께 고려해야만 특정 세균에 대한 항생제의 효과를 정확히 예측할 수 있다. 항생제의 효과는 농도와 시간의 측면으로 나누어볼 수 있다. 항생제의 혈중 농도가 증가할수록 항균력이 커지지만, 일정 시간이 지난 후에 농도가 더 이상 증가하지 않고 평행을 이루게 되는데, 이 기간이 길수록 효과는 증대된다. 항생제 투여 후 얼마나 항균 효과가 지속되는가 하는 것은 약물의 작용 기전, 세균의 종류, 약물의 투여 방법 등에 따라 달라진다. 항균 작용의 특징에 따라, 항생제는 세 군으로 나눌 수 있다(표 6-1). 각 항생제의 항균작용 특징을 파악하면 용량을 정하는 데 도움이 된다.

일반적으로 약물의 약역학과 약동학 지표들은 동물 실험을 바탕으로 정해지고, 성인을 대상으로 한 임상 실험에서 지표들을 재확인하는 과정을 거치는데, 소아를 대상으

표 6-1. 항균제 효과에 따른 분류 및 투여 원칙

항균제 효과에 의한 분류	항생제의 종류	약역학과 약동학을 대표하는 지표	용량을 정하는 원칙
지속 효과가 보통인 농도 의존성 약물	Aminoglycosides Fluoroquinolones Metronidazole Daptomycin Ketolides	Cmax/MIC AUC0 24/MIC	원칙) 약물 농도를 최대로 한다. 방법) 용량을 늘린다.
지속 효과가 짧은 시간 의존성 약물	β-Lactams: Penicillins Cephalosporins Carbapenems Aztreonam Erythromycin	T>MIC	원칙) 약물 노출을 최대로 한다. 방법) 주입 시간을 늘리거나 투여 횟수를 늘린다.
지속 효과가 긴 시간 의존성 약물	Macrolides Tetracyclines Glycopeptides Clindamycin Linezolid	AUC0 24/MIC	원칙) 약물 노출을 최대로 한다 방법) 용량을 늘린다. 　　　 주입 시간을 늘리거나 투여 횟수를 늘린다.

Cmax, maximum serum concentration; MIC, minimum inhibitory concentration; AUC0 24, area under the concentration time curve over a 24-h period; T>MIC, percentage of the dosing interval above the MIC.

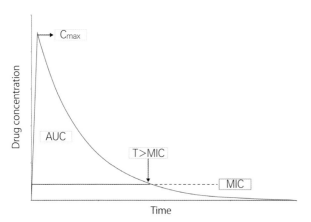

그림 6-1. **약역학과약동학을연구하는데필수적인주요지표**

로 한 연구는 거의 시행되지 않는다. 이론적으로는 성인에서 정해진 항생제 농도가 소아에서도 비슷하게 적용될 것으로 여겨지지만, 정확히 입증된 것은 아니다. 약역학과 약동학을 연구하는 데 필수적인 주요 지표는 세 가지가 있는데(그림 6-1), 이들은 항생제의 임상적 효능을 비교적 잘 반영하는 것으로 알려져 있다. 최대 혈청 농도(maximum serum con- centration, Cmax)와 MIC 비율(Cmax/MIC)은 지속 효과가 보통인 농도 의존성 약물(concentration-dependent drugs with moderate-to-persistent bactericidal ef ect)의 효능을, 투약 간격 사이에 MIC 간 의존성 약물(time-dependent drugs with mini- mal-to-no persistent bactericidal ef ect)의 효능을, 24시간 농도-시간 곡선의 전체 넓이(AUC0-24)와 MIC 이하인 부분의 넓이 비율(AUG0-24/MIC)은 지속 효과가 긴 시간 의존성 약물(time-dependent drugs with moderate-to-prolonged persistent bactericidal ef ect)의 효능을 각각 반영한다.

3. 지속 효과가 보통인 농도 의존성 약물

이 계열의 대표적인 항생제는 aminoglycoside와 fluoro-quinolone로, 약물의 농도가 가장 높을 때 항균 효과도 가장 크며 이후 약물의 농도가 MIC 아래로 떨어질 때까지 효과가 지속된다. 이들 약제는 한 번에 많은 양을 긴 간격으로 투여해야 효과도 높이고 항생제 내성이나 부작용도 줄일 수 있다.

1) Aminoglycoside

Streptomyces 균주에서 처음 추출하여 60년 이상 사용하고 있는 약제로 세균의 16S rRNA에 비가역적으로 결합하여, 단백질 생성을 방해한다. Cmax는 정맥 주사의 경우 주입 직후에 도달하며, 이후 조직으로 확산되어 간다. 그람 음성균에 폭넓게 작용하며 그람 양성균에도 일부 효과를 보인다. Cmax와 MIC 비율(Cmax/MIC)이 높을수록 효과가 좋으며, 그람 음성균에 대해 성인에서는 Cmax/MIC가 8-10을 유지하는 것이 효과적이다. 하루에 한 번 고용량을 주사하는 것이 나누어서 주사하는 것보다 효과적인 방법이며, 내성 균주의 발현도 최대한 줄일 수 있다. 신독성과 이독성이 발생할 수 있는데, 신독성의 경우 대부분 가역적이나 이독성은 종종 비가역적인 손상을 남길 수 있다.

　유아들의 경우 신장기능이 완전하지 않아 약물의 배출이 늦고 투약 사이 약물의 혈중 농도가 증가되므로, 약물 투여 간격을 더 늘리지 않으면 독성이 문제될 수 있다. 반면 성인에 비해 분포 용적(volume of distribution)이 커 Cmax가 떨어진다. 따라서 이들에게는 좀 더 많은 용량을 24-48시간의 간격으로 투여하는 것이 좋다.

4. 지속 효과가 짧은 시간 의존성 약물

이 계열의 항생제는 MIC 이상의 혈중농도를 지속적으로 유지하는 것이 중요하다. MIC 이하의 농도에서는 약물의 효과가 거의 없는 반면, 농도가 증가한다고 효과가 커지는 것은 아니다. 대표적인 항생제로 β- Lactam계 항생제가 있다.

1) β-Lactam계 항생제

Fleming이 1928년 최초로 penicillin을 발견하였고, 이후 50개 이상의 항생제가 이를 바탕으로 개발되었다. Cephalosporin의 경우 세균을 죽이는 속도가 늦기 때문에 T>MIC가 60-70%를 유지하도록 용량과 투여 속도를 정해야 하며, penicillin은 50%, carbapen-em은 40%를 유지해야 한다. β-Lactam계 항생제의 경우 안전성이 높아 다양한 소아 감염 질환에 사용되고 있다. 중이염의 매우 흔한 원인균인

Streptococcus pneumoniae은 penicillin 결합 단백질을 변화시켜 내성을 유발하는데, 이를 극복하기 위해 항생제 사용량을 증가시켜야 한다. 평균적으로 T>MIC가 40-50%를 유지할 경우 80-85% 치료 효과를 보이며, T>MIC가 60-70%가 되면 거의 100% 치료된다. 중이는 모세혈관이 잘 발달되어 있고, 세포외액(interstitial fluid)이 적어 항생제가 빠르게 도달하며, 혈중 항생제 농도가 떨어져도 중이의 항생제 농도는 비교적 오랫동안 높게 유지된다. 따라서 고용량의 amoxicillin을 하루 두 번 투여하면 충분한 농도가 중이에서 유지되며 내성도 발생하지 않는다. Penicillin-resistant S. pneumoniae의 경우 75-90 mg/kg/day을 권유한다. Ceftriaxone을 1회 50 mg/kg 근육 주사하면 중이 삼출액에서 항생제 농도가 72시간 후 9.5 μg/mL, 96시간 후에도 4.8 μg/mL로 유지되어, S. pneumoniae에 대해 T>MIC 100%로 수일간 유지할 수 있다. 최근에는 정맥주사를 통한 지속적 혹은 장시간 주입이 전통적인 간헐적 주입보다 혈중 항생제 농도를 MIC 이상으로 유지하는 데 더 유리하며, 효과도 더 좋다는 연구들이 발표되고 있다.

5. 지속 효과가 긴 시간 의존성 약물

β-Lactam 계 항생제의 경우 혈중 항생제 농도가 MIC 이상으로 유지되어야만 효과를 발휘하지만, 이 계열의 항생제들은 혈중 농도가 MIC 이하가 되어도 어느 정도 효과가 있다. 대표적인 약물로는 macrolides, tetracyclines, clindamycin, linezolid, vancomycin 등이 있는데, 약물의 효능은 주로 24시간 농도-시간 곡선의 전체 넓이(AUC0-24)와 MIC 이하인 부분의 넓이 비율(AUG0-24/MIC)로 평가하게 된다.

1) Vancomycin

Vancomycin은 glycopeptide로 1958년부터 사용되었으며, penicillin에 내성이 생긴 Staphylococci들이 출현하면서 주목받게 되었다. 현재도 MRSA (meti-cillin-resistant S. aureus) 감염에 자주 사용된다. 성인의 MRSA 감염에 AUC0-

24/MIC 값이 400 이상이면 효과가 있다고 알려져 있지만, 소아에서는 명확히 입증되지 않았다. 일반적으로 소아의 심각한 MRSA 감염에 정맥으로 15 mg/kg 용량을 매 6시간마다 투여하여, AUC0-24/MIC 400 이상을 유지하는 것이 이상적이라고 여겨지나, 수치에 의존하기보다 개별 환아의 상태에 따라 의사가 적절한 용량을 판단해야 한다.

6. 개인별 항생제 용량의 결정

약동학에서 제시하는 수치는 평균적인 수치이므로 개별 환아에서 보정이 필요하다. 특히 항생제의 경우 환아의 상태에 따라 개인별 변동이 심하다. 많은 항생제가 경험적으로 처방되고 있지만, 독성을 최소화하면서 충분한 효과를 보기 위해 가장 좋은 방법은 혈중 약물농도를 측정하며 사용하는 것이다. 최근에는 이를 위한 도구와 프로그램도 많이 개발되었다. 특정 환자군만을 대상으로 한 약동학 수치도 참고할 수 있다. 약물의 농도 측정이 어려운 경우 인구통계적 자료에 근거한 경험적 자료와 임상적 상태를 잘 고려해서 처방해야 한다.

▬▬▬▬ 참고문헌

• Downesa KJ, Hahna A, Wilesb J, Courterc JD, Vinks AA. Dose optimisation of antibiotics in children: application of pharmacokinetics/pharmacodynamics in paediatrics. Int J Antimicrob Agents 2014; 43(3):223-30.

• Anderson BJ, Holford NH. Tips and traps analyzing pediatric PK data. Paediatr Anaesth 2011;21:222-37.

• Kearns GL, Abdel-Rahman SM, Alander SW, Blowey DL, Leeder JS, Kauffman RE. Developmental pharma- cology?drug disposition, action, and therapy in infants and children. N Engl J Med 2003;349:1157-67.

• Drusano GL. Antimicrobial pharmacodynamics: crit- ical interactions of 'bug and drug'. Nat Rev Microbiol 2004;2:289-300.

• Craig WA. Pharmacokinetic/pharmacodynamic para- meters: rationale for antibacterial dosing of mice and men. Clin Infect Dis 1998;26:1-10.

• Bundtzen RW, Gerber AU, Cohn DL, Craig WA.Postantibiotic suppression of bacterial growth. Rev Infect Dis 1981;3:28-37.

• Craig, WA. Pharmacodynamics of antimicrobials: general concepts and applications. In: Nightingale, CH.; Ambrose, PG.; Drusano, GL.; Murakawa, T., editors. Antimicrobial pharmacodynamics in theory and clinical practice. 2. New York, NY: CRC Press 2007;1-19.

• Eagle H, Fleischman R, Levy M.'Continuous'vs 'discontinuous' therapy with penicillin; the effect of the interval between injections on therapeutic effica- cy. N Engl J Med 1953;248:481-8.

• Drusano GL. Prevention of resistance: a goal for dose selection for antimicrobial agents. Clin Infect Dis 2003;36(Suppl 1):S42-50.

• Jones EM, Howard WL. Streptomycin in the treat- ment of tuberculosis in children. Dis Chest 1949; 16:744-60.

• Pagkalis S, Mantadakis E, Mavros MN, Ammari C, Falagas ME. Pharmacological considerations for the proper clinical use of aminoglycosides. Drugs 2011; 71:2277-94.

• Touw DJ, Westerman EM, Sprij AJ. Therapeutic drug monitoring of aminoglycosides in neonates. Clin Pharmacokinet 2009; 48:71-88.

• Moore RD, Lietman PS, Smith CR. Clinical response to aminoglycoside therapy: importance of the ratio of peak concentration to minimal inhibitory concentra- tion. J Infect Dis 1987;155:93-9.

• Mohamed AF, Nielsen EI, Cars O, Friberg LE. Pharmacokinetic pharmacodynamic model for gen-tamicin and its adaptive resistance with predictions of dosing schedules in newborn infants. Antimicrob Agents Chemother 2012;56:179-88.

• Rao SC, Srinivasjois R, Hagan R, Ahmed M. One dose per day compared to multiple doses per day of gen-tamicin for treatment of suspected or proven sepsis in neonates. Cochrane Database Syst Rev 2011;(11):CD0058091.

• Rougier F, Claude D, Maurin M, Maire P. Aminoglyco side nephrotoxicity. Curr Drug Targets Infect Disord 2004;4:153-62.

• Beaubien AR, Desjardins S, Ormsby E, Bayne A, Carrier K, Cauchy MJ, et al. Incidence of amikacin ototoxicity: a sigmoid function of total drug exposure independent of plasma levels. Am J Otolaryngol. 1989;10:234-43.

• Tozuka, Z.; Murakawa, T. β-Lactam pharmacody- namics. In: Nightingale, CH.; Ambrose, PG.; Drusano, GL.; Murakawa, T., editors. Antimicrobial pharmacodynamics in theory and clinical practice. 2. New York, NY: CRC Press 2007;129-46.

• Ampofo, K.; Byington, CL. Streptococcus pneumoni- ae. In: Long, SS.; Pickering, LK.; Prober, CG., edi- tors. Principles and practice of pediatric infectious disease. 4. Churchill Livingstone 2012;721-8.

• Craig WA, Andes D. Pharmacokinetics and pharma- cody-namics of antibiotics in otitis media. Pediatr Infect Dis J 1996;15:255-9.

• Canafax DM, Yuan Z, Chonmaitree T, Deka K, Russlie HQ, Giebink GS. Amoxicillin middle ear fluid penetra- tion and pharmacokinetics in children with acute oti- tis media. Pediatr Infect Dis J 1998;17:149-56.

• Gudnason T, Gudbrandsson F, Barsanti F, Kristinsson KG.

Penetration of ceftriaxone into the middle ear fluid of children. Pediatr Infect Dis J 1998;17:258-60.

• Rybak MJ. The pharmacokinetic and pharmacody-namic properties of vancomycin. Clin Infect Dis 2006;42(Suppl 1):S35-9.

• Knudsen JD, Fuursted K, Raber S, Espersen F, Frimodt-Moller N. Pharmacodynamics of glycopep- tides in the mouse peritonitis model of Streptococcus pneumoniae or Staphylococcus aureus infection. Antimicrob Agents Chemother 2000;44:1247-54.

• Hermsen, ED.; Ross, GH.; Rotschafer, JC. Glycopeptide pharmacodynamics. In: Nightingale, CH.; Ambrose, PG.; Drusano, GL.; Murakawa, T., editors. Antimicrobial Pharmacodynamics in theory and clinical practice. 2. New York, NY: CRC Press 2007; 189-215.

• Kullar R, Davis SL, Levine DP, Rybak MJ. Impact of vancomycin exposure on outcomes in patients with methicillin-resistant Staphylococcus aureus bac-teremia: support for consensus guidelines suggested targets. Clin Infect Dis 2011;52:975-81.

• Moise-Broder PA, Forrest A, Birmingham MC, Schentag JJ. Pharmacodynamics of vancomycin and other antimicrobials in patients with Staphylococcus aureus lower respiratory tract infections. Clin Pharmacokinet 2004;43:925-42.

• Frymoyer A, Hersh AL, Benet LZ, Guglielmo BJ. Current recommended dosing of vancomycin for chil- dren with invasive methicillin-resistant Staphylococcus aureus infections is inadequate. Pediatr Infect Dis J 2009;28:398-402.

• Vinks AA. The application of population pharmaco- kinetic modeling to individualized antibiotic therapy. Int J Antimicrob Agents 2002;19:313-22.

Chapter 07

소아이비인후과 수술의 마취

Anesthesia for Pediatric Ear, Nose, and Throat Surgery

변효진

1. 소아마취 총론

1) 수술 전 준비

소아는 마취와 수술로 인하여 신체적 혹은 정신적 스트레스를 받게 되며 이는 환아 가족에게도 나타날 수 있다. 이러한 주술기 스트레스는 퇴원 후 환아의 경과에도 영향을 미칠 수 있다. 따라서 소아의 마취와 수술을 준비할 때에는 소아의 신체적인 안전뿐 아니라 정신적인 안정도 고려하여 적절한 수술 전 준비를 하여야 마취 관리가 쉽게 이루어지고 마취와 수술로부터의 회복기간과 수술 후 나타날 수 있는 행동변화를 줄일 수 있다. 소아의 정신적인 스트레스를 감소시키기 위해서는 소아의 신체적인 발달은 물론 정신적인 발달에 대해서도 이해해야 한다.

부모의 감정이 소아에게 그대로 전이되어 나타날 수 있기 때문에 부모의 불안과 두려움을 해소하는 것이 중요하다. 부모의 입장을 고려하여 앞으로 있을 수술과 마취의 과정에 대한 정확한 지식을 제공하여 수술이나 마취에 대한 불안과 두려움을 해소할 수 있다.

생후 6개월 이하의 영아는 마취와 수술로 인한 정신적인 문제가 크지 않은 것으로 보고되었지만 부모로부터 격리되는 것으로 인한 심리적인 스트레스는 있을 것으로 보

인다. 생후 6개월에서 4세의 유아는 정신적인 상처가 쉽게 일어날 수 있는 발달 단계이므로 부모로부터 격리될 때 불안을 느낄 수 있다. 소아가 이전에 수술과 마취를 받았다면 그로 인한 통증을 예상할 수 있다. 이로 인해 수술과 마취에 관한 설명을 제대로 이해하지 못하고 퇴원한 경우에는 다양한 양상의 퇴행 행동이 나타날 수 있다.

학동기의 소아는 낯선 환경에 적응할 수 있는 능력이 있고 부모로부터의 격리에 익숙하지만 수술과 마취에 대한 이해 부족으로 인한 불안감이 있을 수 있으므로 소아의 눈높이에 맞춰 수술과 마취에 대하여 설명함으로써 불안감을 해소시켜 주어야 한다.

2) 마취 전 환자평가와 마취 전 처치

마취의 과정은 수술실에서가 아니라 마취 전 방문으로부터 시작된다. 소아와 보호자 면담 및 이학적 검사, 의무기록 열람을 통해서 소아의 전신상태를 평가하고 마취와 수술로 인한 위험을 감안하여 마취 관리의 계획을 세운다. 마취 전 방문에서 과거 마취기록이나 병록지를 통해 마취 관련 부작용, 기도 확보의 난이도, 심폐계 질환의 유무에 대해 반드시 확인하도록 한다. 소아의 경우에는 유전적인 선천성 기형이나 증후군이 있는지 파악하여 마취 계획에 반영해야

한다. 대체로 성인과 비교하여 소아의 기도확보가 어렵기 때문에 이학적 검사를 시행하면서 호흡음을 청진하고 입과 목 안을 시진하여 기도확보의 난이도를 예상한다. 유치를 가는 시기의 소아에서는 치아의 손상이나 이로 인한 폐흡인의 위험이 있으므로 흔들리는 치아가 있는지 확인하고 치아 손상을 예방하기 위해 주의하여야 한다. 소아의 상태를 보다 면밀히 파악하기 위하여 일반혈액검사, 흉부방사선사진 및 심전도와 같은 수술 전 검사를 시행할 수 한다. 획일적인 수술 전 검사는 건강한 소아환자에서는 그 필요성이 낮은 것으로 알려져 있으나 수술의 난이도와 합병증 발생과 그로 인한 법적인 문제 등을 고려하여 시행하고 있다. 또한 소아나 부모에게 소아의 전신상태, 마취 계획, 마취로 인한 위험성에 대해 구체적으로 설명하고 동의를 구한다. 마취 전 방문을 통해 소아나 부모에게 마취에 관한 정확한 정보를 전달하고 불안을 해소하여 심리적인 안정을 줄 수 있다. 소아의 전신상태에 대한 평가, 마취 계획과 마취 전 투약과 같은 마취 전 처치에 관한 사항을 의무기록에 기재하여야 한다. 특별히 소아에서 수술이 연기되는 가장 흔한 원인 중 하나는 바이러스성 상기도 감염이다. 상기도 감염이 있을 경우 기도가 예민해지고 호흡기계 부작용이 일어날 가능성이 증가하므로 일반적으로 38℃ 이상의 고열, 가래를 동반한 기침과 콧물이 심할 경우 2개월가량 수술을 연기하는 것을 권유한다. 하지만 빠른 수술의 필요성, 마취방법, 상기도 감염의 증상 및 경과와 같은 다양한 임상적 요인들을 종합적으로 고려하여 소아에게 더 유리한 쪽으로 판단을 하여야 한다. 전신 마취 중 폐흡인에 의한 폐렴이 발생할 수 있고 이로 인한 사망률이 50%까지 보고된 바 있다. 흡인성 폐렴을 예방하기 위하여 마취 전 금식을 시행하고 있고 소아의 경우 모유나 물은 3시간, 우유나 연동식은 6개월 이하 소아는 4시간, 6개월 이상 소아는 6시간, 정규식사는 6시간 이상을 권유하고 있다. 금식 시간도 소아의 건강상태나 수술종류 및 수술 스케줄 등을 고려하여 결정하여야 한다. 최근에는 적은 양의 물의 경우 수술 직전까지도 허용하는 경우가 있고, 각 의료기관의 상황에 맞춰 기관별 금식 가이드라인을 제시하기도 한다.

3) 마취유도

마취를 시작할 때에는 기도폐쇄, 저산소증, 혈압이나 심박수의 급격한 변화와 같은 부작용이 나타날 수 있다. 따라서 소아용 마취장비, 환자감시장비, 기도확보기구, 응급용 약제 등을 준비해야 하고 소아마취에 충분한 경력을 가진 의료진에 의해 시행되어야 한다. 미숙아, 영아와 같이 작은 소아의 경우 체온 유지에 각별한 관심을 가져야 한다.

보통 정맥로가 확보되어 있는 소아에서는 정맥마취제를 투여 후 소아의 의식이 없는 상황에서 수술실로 이동하며, 정맥로가 없는 소아에서는 수술실로 이동한 뒤에 안면마스크를 이용하여 고농도의 흡입마취제를 투여하여 마취유도를 한다. 수술실 밖에서 정맥마취제를 투여할 때는 소아의 기도 확보가 쉬울지, 심폐기능이 정상인지를 확인하여야 하며 그렇지 못한 경우에는 먼저 수술실에 입실하여 환자감시장치를 거치하여 소아의 상태를 관찰하며 마취유도를 시행한다. 안면마스크를 이용하여 마취유도를 하는 경우에는 소아의 불안을 감소시키고 의료진과 익숙하기 위해 인형 등의 장난감을 이용하여 소아와 대화를 하거나 앉은 자세에서 미리 안면마스크를 대보는 등의 노력이 필요하다.

4) 감시장치

전신마취 중에는 활력징후가 심하게 변할 수 있으므로 전신마취를 시행 받는 모든 환아에게 적절한 활력징후의 감시가 필요하다. 대부분의 기관에서 소아의 수술 중 심전도, 혈압, 맥박산소포화도, 호기말 이산화탄소분압, 체온을 감시한다. 심전도와 혈압을 감시하여 심혈관계 기능을, 맥박산소포화도와 호기말 이산화탄소분압을 통해 주로 호흡계 기능을 감시한다. 맥박산소포화도는 소아 농맥혈의 산소화를 평가하여 저산소증을 조기에 확인할 수 있으며 동맥혈류의 박동성을 이용하므로 심장박동과 말초의 관류상태도 동시에 파악할 수 있다. 호기말 이산화탄소분압의 파형을 감시하여 소아의 환기상태, 기관튜브의 위치나 인공호흡기 호흡회로의 단절을 빠르게 파악할 수 있다. 소아는 체온손실이 쉽게 일어나기 때문에 성인보다 수술 중 체온의 변화가 심할 수 있으므로 주의 깊게 감시하여야 한다.

5) 기도관리 및 기관내 삽관

소아는 성인에 비하여 해부학적으로 기도확보가 어렵고 생리적으로 쉽게 호흡장애가 생길 수 있으므로 마스크 환기시 기도유지기를 시용해야 하는 경우가 많다. 또한 소아는 기관삽관 후 성문하부종이 쉽게 발생하므로 기관내튜브 굵기의 선택에 유의하여야 한다. 삽관 후에는 15-25 cmH₂O의 흡기압에서 공기가 새는 것을 확인하여 튜브의 굵기가 적절한지 평가한다. 소아의 기관은 짧기 때문에 기관내튜브가 깊게 위치하면 일측폐환기가 되고 얕게 위치하면 수술 중 튜브가 빠지거나 튜브의 커프(cuff)가 성대를 누를 수 있다. 따라서 소아에서 기관삽관할 때는 정확한 깊이를 확인하고 유지하는 것이 중요하다. 기관내튜브의 깊이는 인공호흡 시 양측 흉부의 움직임, 양측 폐야의 청진음이나 흉부방사선 사진으로 확인한다. 기관내튜브의 적절한 내경과 깊이는 표 7-1과 같다. 내경의 경우 커프가 없는 기관내튜브를 기준으로 하므로 커프가 있는 기관내튜브를 사용하는 경우 표에서 권장하는 굵기보다 0.5 mm 작은 것을 선택하는 것이 좋다. 또한 소아의 머리와 목의 자세에 따라 튜브의 깊이가 변할 수 있기 때문에 자세 변화 후에 튜브의 깊이를 다시 확인하는 것이 좋다.

기도유지가 어려운 경우나 후두경을 사용하여 성문을 직접 확인하기 어려운 경우에는 후두마스크(laryngeal mask airway)로 기도를 유지하면서 수술을 할 수도 있으며 기관지내시경이나 광봉(lightwand)을 이용하여 기관삽관을 할 수 있다. 최근에는 어려운 기도를 가진 소아에서

기관삽관이 반드시 필요한 경우가 아니라면 후두마스크와 같은 성문위 기도유지기구(supraglottic airway device)가 많이 사용되고 있다. 소아에서는 기도확보가 어려운 경우 기관삽관을 시도하며 공기가 위로 들어가 팽창되는 경우가 많다. 이로 인한 구토 및 폐흡인의 위험이 있으므로 기관내튜브를 고정한 후 위를 흡인하여 공기를 제거하는 것이 좋다.

6) 마취유지

전통적으로 빠른 마취유도와 회복이 가능하고 마취심도의 조절이 편리한 흡입마취제가 전신마취제로 많이 사용되고 있다. 흡입마취제는 고농도의 산소와 함께 투여할 수 있고 근이완 효과를 함께 나타낼 수 있다. 최근에는 마취 유도와 회복이 빠른 정맥마취제들이 개발되었으며 목표조절주입법과 같은 정맥마취제 투여 방법이 개선되어 소아에서도 정맥마취제를 이용한 전정맥마취가 시행되고 있다. 근이완은 마취유도 시 기관삽관을 위해 투여한 근이완제의 효과가 대개는 30-40분간 지속되므로 짧은 수술의 경우는 마취 심도를 적절하게 유지하면 근이완제를 추가로 투여할 필요가 없다. 하지만 긴 수술의 경우에는 근이완제를 주기적으로 일회 정주하거나 지속정주하기도 한다.

7) 마취로부터의 각성 및 회복

마취에서 깨어나는 회복기는 마취전의 상태로 돌아가는 과도기로 마취를 시작할 때와 마찬가지로 소아의 전신 상태

표 7-1. 소아에서 적절한 기관내튜브의 굵기와 깊이

		굵기(내경, mm)	깊이(cm)
신생아(제태연령 40주)		3.5	9-10
만 1세		4.0	12
만 1세 이상		4+나이(age)/4	12+나이(age)/2
성인	남	8	23-24
	여	7	21-22

* 굵기는 커프가 없는 기관내튜브 기준

가 불안정하며 마취 관련 부작용이 자주 발생하는 시기이다. 마취 회복기에서 소아는 심혈관계의 안정을 유지하면서 기도반사와 자발호흡이 회복되고 의식이 되돌아와야 한다. 마취 유도와 유지를 위해 투여된 흡입마취제, 정맥마취제, 마약제제, 근이완제 및 국소마취제 등의 다양한 약제로부터 회복이 이루어져야 한다.

소아에서 마취 회복기에 기관내튜브의 적절한 발관 시기를 결정하는 것은 쉬운 일이 아니다. 기관내튜브를 발관하기 위해서는 의식수준이 적절히 회복되어야 하고, 근이완이 완전히 회복되어 흉벽과 복부의 움직임이 조화롭고 호흡이 규칙적이고 적절한 횟수여야 하며 일회호흡량과 호기말 이산화탄소분압이 적당하여야 한다. 발관 후에도 자발호흡이 충분히 유지되는 것을 확인하고 회복실로 이송하게 된다. 이송 중에도 지속적으로 기도확보를 하고 호흡이 적절한지 확인을 하여야 한다.

기관내튜브를 발관할 때 후두 자극으로 무호흡증, 후두경련, 흉벽강직, 위 내용물 흡인이 일어나서 저산소증과 청색증이 올 수 있다. 이것은 마취심도가 충분히 깊거나 혹은 마취로부터 완전히 회복된 상태에서 발관할 때 보다 마취가 완전히 회복되지 않아 의식이 명료하지 않는 상태에서 발관을 시도할 때 자주 생긴다. 따라서 소아의 나이, 수술 전 호흡기 기능을 비롯한 전신상태, 수술 종류 등을 종합적으로 고려하여 발관 시기를 결정한다. 일반적으로 소아의 나이가 어릴수록 마취로부터 완전히 회복되어 의식이 완전히 돌아온 것을 확인한 후에 발관을 시도한다. 기도에 남아 있는 침과 같은 분비물이나 혈액으로 인해 후두경련이 일어나거나 폐로 흡인될 수 있으므로 발관 직전 기관내튜브 내부와 구강의 분비물을 배출시킨다. 기관내튜브 발관 시에는 100% 산소로 용수환기하면서 분비물이 폐로 흡인되지 않도록 15-20 cmH$_2$O의 양압을 가하면서 발관을 시도한다.

앞서 말한 것처럼 마취의 유도와 회복은 흔히 비행기의 이륙과 착륙에 비유될 정도로 환아의 전신 상태에 변화가 많고 마취와 관련된 합병증이 자주 일어나는 시기이다. 따라서 회복실에서 환아의 전신상태가 갑자기 변할 수 있다. 이에 대비하여 합병증을 예방하고 즉각적인 치료가 가능하도록 의료진이 상주하며 환자감시를 철저히 하고 관련 장비와 약제를 갖추어 두어야 한다. 소아도 성인과 마찬가지로 회복실에서 통증, 구역 및 구토, 불안, 섬망과 같은 다양한 증상이 나타날 수 있다. 특히 부모로부터 격리되어 일어나는 심리적인 불안을 이해하고 세심한 관리를 하여야 한다. 소아에서는 연령이나 개인 특성에 따라 통증을 표현하는 것이 다르기 때문에 의료진이 소아에서 통증을 정확히 평가하는 것이 어렵다. 과거에는 소아에서 수술 후 통증을 가볍게 보는 경향이 있었지만 최근에서 미숙아에서도 수술 후 통증을 느끼고 이에 따른 생리적인 반응이 있다고 보고되었다. 따라서 마취 계획을 세우면서 수술 후 통증의 치료 계획도 함께 세워야 한다. 수술의 종류에 따라 마약제제나 비스테로이드성 진통소염제를 예방적 목적으로 투여하며 통증을 호소하면 추가적으로 투여할 수 있다. 심한 통증이 예상될 경우 수술 후 자가통증조절(patient controlled analgesia, PCA)을 통한 지속적 정주 방법도 많이 이용되고 있다.

8) 마취와 관련된 합병증

소아에서 마취와 관련하여 자주 일어나는 합병증은 기도폐쇄, 호흡부전, 수술 후 통증, 구역 및 구토, 섬망 등이다. 성인과 비교하여 소아는 합병증의 증상을 정확히 표현하기 힘들기 때문에 정확한 진단과 치료가 어렵다. 하지만 최근에는 소아에서도 수술 후 통증, 구역 및 구토, 섬망에 대한 적극적인 예방과 치료를 하고 있다. 여기에서는 모든 합병증에 대해 다루기보다는 소아에서 마취와 관련하여 가장 흔한 합병증인 기도폐쇄와 가장 중한 합병증인 악성고열증에 관하여 집중하여 다루기로 한다.

(1) 발관 후 기도폐쇄

기도 폐쇄 환자의 관리에서 기도 폐쇄의 증상을 인지하는 것은 매우 중요하다. 기도폐쇄는 적절하게 치료하지 못하고 방치하면 호흡부전, 빈호흡, 가스교환 장애, 고탄산혈증 등이 진행되어 저산소증이 일어나고 결국 환자의 생명을 위협할 수 있다. 폐쇄된 기도의 원인을 빠르게 파악하고 적당한 처치를 시행하여 신속하게 기도를 확보함으로써 환기가 이루어지도록 하여야 한다.

① 원인

기도 폐쇄는 매우 다양한 원인이 있을 수 있다. 기도 폐쇄의 가장 흔한 부위는 후두인두(hypopharynx)로, 의식이 없는 상태에서 머리가 앞으로 굽혀지거나 바로 누운 자세에서 혀와 목 근육이 이완되어 혀 바닥이 인두 후방벽에 내려앉고 후두덮개가 뒤쪽으로 밀려나서 기도폐쇄가 일어난다. 다른 원인으로는 상기도에 이물질이 있거나, 드물지만 의식이 완전히 회복되지 못한 상태에서 상기도를 자극할 때 후두경련이 초래될 수 있고, 기관지경련이나 이물질의 흡인 등으로 하기도 폐쇄가 일어날 수도 있다. 기도 폐쇄 환자를 처치할 때는 환자의 상태에 따라 즉각적인 치료의 시작과 동시에 기도 폐쇄의 원인을 파악하고 원인에 따라 치료해야 한다.

② 증상 및 진단

무의식 환자에서 상기도 폐쇄의 주요 원인은 후두덮개이다. 기도 폐쇄는 완전 폐쇄와 부분 폐쇄로 구분되며 완전 폐쇄일 때는 입, 코를 통한 공기 흐름을 감지할 수 없으며, 만약 자발 호흡 운동이 있으면 흡기 시 빗장위오목(supraclavicular fossa)과 갈비 사이 부위에 뒤당김(retraction)이 보이고, 인공 호흡을 시도하여도 가슴 운동이나 폐의 팽창이 일어나지 않는다. 부분 기도 폐쇄일 때는 호흡 시 소음이 생기는데 코 고는 소리는 혀의 바닥이 인두 후방벽에 내려 앉아 부분 폐쇄를 일으켜서 나는 소리이고, 까마귀 울음 소리는 기관지경련, 배울림(gurgle)은 이물질이 존재할 때, 쌕쌕거림(wheezing)은 기관지 폐쇄가 있을 때 나는 소리이다. 완전 기도 폐쇄로 산소 공급이 중단되면 심장 정지 및 뇌 손상이 초래될 수 있으며, 그 정도는 기도 폐쇄가 일어나기 전에 혈액의 산소 공급이 충분히 된 경우에는 약 10분까지 견딜 수 있으나, 저산소증이 있는 환자에서는 단지 수십 초의 무호흡 상태에서도 심장 정지와 뇌손상 등 치명적인 결과가 일어날 수 있다.

③ 치료

기도 폐쇄가 의심되는 환자에서 산소요법은 흡입 산소의 농도를 증가시켜서 혈중 산소 포화도를 복원시킬 수 있다.

수기 기도 확보법을 통해 기구의 사용없이 시술자의 손을 이용하여 쉽게 기도 확보를 할 수 있다. 의식소실에 의하여 아래턱뼈, 혀, 후두덮개를 지지하는 근육이 이완된 상태에서 혀의 바닥과 후두덮개를 전방으로 밀어주어 기도 폐쇄를 해소한다. 삼중 기도 처치법(triple airway maneuver)은 머리 후방기울임, 아래턱뼈 밀어 올리기, 입 벌림의 3가지를 동시에 유지하는 처치로 가장 확실한 수기 기도 확보법이다. 시술자는 환아의 머리 위쪽이나 옆쪽에 서서 양손의 5번째 손가락을 환아의 양쪽 귓불 앞쪽에 위치시키고, 나머지 4, 3, 2번째 손가락 순으로 환자의 아래턱뼈 오름가지(ascending rami of mandible)를 잡고 상-전방으로 밀어 올리면서 머리를 뒤로 젖히고, 엄지손가락으로는 아랫입술을 전-하방으로 밀어 입을 벌리게 한다. 주의점은 아래턱뼈의 수평가지(horizontal rami)는 잡지 말아야 한다. 이러한 삼중 기도 처치법은 목 손상이 있는 경우에는 주의가 필요하며, 목의 굽힘, 회전 및 심한 후방기울임은 절대 금기이다. 이러한 환자에서는 매뉴얼 인-라인 안정화와 결합된 턱 밀기를 시도할 수 있다. 경구 기도유지기과 비인두 기도유지기는 기도를 유지하는 데 유용한 기구로 혀로 인한 기도폐쇄나 연구개 폐쇄를 막아준다. 기도유지기를 삽입하다가 구강, 비강 혹은 기도에 기계적인 손상을 줄 수 있기 때문에 시술자가 직접 눈으로 보면서 주의 깊게 삽입하는 것이 중요하다. 두개골절 또는 혈액응고 이상이 의심되는 환자에서는 비인두 기도유지기의 사용을 피해야 한다. 경구 기도유지기는 앞니에서 턱 관절까지의 거리를 측정하여 크기를 결정한다. 하지만, 후두반사가 존재하는 의식이 있는 환자는 구역, 구토와 후두 경련을 일으킬 수 있어 경구 기도유지기 삽입을 견디기 어려울 수 있다. 기도유지기를 사용한 후에도 기도 폐쇄가 사라지지 않으면 안면마스크를 이용한 용수환기, 성문위기도기(supraglottic airway device)를 삽입하거나 기관삽관을 시행하여 호흡을 유지하도록 한다.

(2) 악성고열증(malignant hyperthermia)

악성고열증은 매우 드문 마취 관련 합병증이지만 빠른 진단과 치료를 하지 못하면 매우 높은 사망률을 보이는 심각한 질병이다. 전형적인 악성고열증은 할로탄, 엔플루란, 이소플루란, 데스플루란, 세보플루란과 같은 휘발성 할로겐화 알케인 흡입마취제와 숙시닐콜린과 같은 탈분극성 근이완제를 사용하는 전신마취 중 관찰되는 임상증후군이다. 5분 사이에 1℃ 정도의 급격한 체온 상승과 심한 대사성산증을 보이고, 골격근의 횡문근 변형(rhabdomyolysis)까지 초래할 수 있다. 골격근세포 내 칼슘조절능력이 급격히 상실되어 골격근의 대사가 비정상적으로 증가하는 것이 원인이다. 전격성 악성고열증은 드물며, 임상적인 악성고열증의 초기 징후는 매우 미약하거나 나타나지 않을 수 있다. 악성고열증을 일으키는 요인이 많으며 임상양상도 다양하여 진단에도 어려움이 많다. 초기의 사망률은 70% 정도였으나, 조기 진단을 하여 치료제인 단트롤린(dantrolene)을 사용하게 되면 사망률이 5% 이하로 낮아진다. 보고에 따르면 유발약제를 사용하지 않을 경우 62,000건의 마취제 사용 중 한 건, 유발약제를 사용할 경우 4,500건의 마취제 사용 중 한 건의 악성고열증이 일어난다. 임상적으로 악성고열증을 보이고 근육생검에서 양성을 보이는 환자의 50-80%는 유전학적으로 제1형 리아노딘(ryanodine) 수용체(RyR1;SR Ca^{2+} 분비통로) 유전자에서의 110개의 돌연변이 중 한 개 돌연변이 또는 L-형 칼슘이온 통로(L-type Ca^{2+} channel) CaV1.1에서의 돌연변이와 연관이 있다.

① 증상 및 진단

일단 심각한 대사의 항진 및 열 생성이 발현되면 진단은 확실해지는 반면에 사망이나 비가역적인 심각한 손상을 예방할 수 있는 치료를 할 시간적 여유가 없을 수 있다. 만일 증후군이 서서히 증가하는 호기말 이산화탄소 분압(초기)과 함께 시작된다면 완전한 임상적인 정밀진단이 이루어진 후에 치료를 시작할 수 있다. 일반적으로 유발인자에 노출되지 않으면 악성고열증은 일어나지 않는다. 흡입마취제나 숙시닐콜린이 사용된 경우, 예기치 않은 호기말 이산화탄소 분압의 증가, 과도한 빈맥, 빈호흡, 부정맥, 반상 피부, 청색증, 체온 증가, 근육강직, 발한, 또는 혈압 불안정 등의 징후가 있다면 악성고열증을 의심해야 한다. 그리고 이러한 이상 징후들이 나타난다면 대사량 증가, 대사성 산증 또

는 고칼륨혈증 등의 징후도 같이 찾아봐야 한다. 동맥혈 가스분석 결과는 대사성 산증을 보이게 되며, 만일 대사율의 증가를 환기 증가로 보상하지 못한다면 호흡성 산증도 일어난다. 동맥혈보다 중심정맥 내의 산소 및 이산화탄소 분압이 훨씬 변화가 심하기 때문에 호기말 또는 중심정맥 탄소분압이 전신적인 이산화탄소 축적상태를 보다 정확하게 반영하게 된다.

② 치료

모든 마취약제의 투여를 중지하고 100% 산소만으로 과환기를 시킨다. 호기성 대사가 증가되면서 대사에 의해 배출되는 이산화탄소를 제거하기 위하여 환기량을 증가시켜야 하는데, 중탄산염 투여로 인한 산의 중화로 인하여 이산화탄소의 생성이 증가될 수 있으므로 과환기가 더욱 필요할 수 있다. 단트롤린을 2 mg/kg 용량으로 5-10분마다 증상이 사라질 때까지 정맥투여 하며, 총 용량은 10 mg/kg까지 사용한다. 대사성 산증을 교정하기 위해 2-4 mEq/kg의 중탄산염을 정맥투여 하며, 이때 동맥혈 가스분석을 자주 실시한다. 피부 냉각, 얼음물을 이용한 체강의 냉각, 펌프 산소기를 이용한 열교환 등 여러 방법을 동원하여 체온을 하강시킨다. 이러한 냉각 시술에 너무 열중하여 가장 중요한 치료인 단트롤린 투여를 간과해서는 안 된다. 냉각은 저체온을 예방하기 위하여 38-39℃에서 멈춰야 한다. 신장에 대한 손상 또는 급성 세뇨관괴사, 마이오글로빈의 확인 등을 위하여 소변량을 감시하고 이뇨를 시킨다. 추가적인 치료는 혈액가스분석, 전해질 측정, 부정맥 여부, 근육 긴장도, 소변량 등에 따라서 이루어져야 한다. 혈액응고 검사를 분석한다.

③ 이환성 환자의 마취

악성고열증이 일어날 확률이 높은 이환성 환자의 마취약제로는 아산화질소(nitrous oxide), 바비츄레이트, 에토미데이트, 프로포폴, 아편유사제, 비탈분극성 근이완제 등을 사용하여야 한다. 강력한 흡입마취제와 숙시닐콜린은 단트롤린이 준비되어 있어도 사용해서는 안 된다. 일부 환자에게는 이렇게 주의를 하여도 과잉 대사상태를 경험하는 경

우가 있는데, 이러한 환자들은 대개 단트롤린 정맥주사에 잘 반응한다. 단트롤린의 수술 전처치는 필요 없다는 것이 일반적인 견해인데, 그 이유는 안전한 마취약제를 사용하면 대부분 문제가 없기 때문이다. 부위마취로 수술을 시행할 수 있다면 부위마취가 전신마취에 비교하여 안전하기 때문에 선호된다. 아마이드(amide)계 국소마취제들은 과거에는 위험한 것으로 알려졌으나 최근 연구에서 아마이드 및 에스테르(ester)계 국소마취제 모두 안전하게 사용될 수 있음이 보고되었다. 이환성 환자를 마취하기 전에는 마취기에 남아있는 흡입마취제를 제거하여야 하는데, 산소 또는 압축공기로 여러 시간 동안 흘려보낼 필요는 없으며, 기화기의 연결을 제거하고 소다 석회(soda lime)를 교체하며, 신선 가스 출구 호스를 교체하고, 5분간 10 L/min로 일회용 마취회로를 사용하는 정도면 충분하다. 호기가스 분석기를 사용한다면 마취회로에서 흡입마취제 증기가 완전히 제거되었는지를 확인할 수 있다.

2. 이비인후과 수술을 위한 마취

이비인후과 수술은 소아의 전신마취 중 가장 큰 부분을 차지한다. 대부분의 소아이비인후과 수술은 길지 않으며 소아환자는 전반적으로 건강한 경우가 많다. 그러나 종종 생명을 위협하는 상기도 폐쇄(예: 급성 후두개염)나 급성호흡부전을 동반하는 경우가 있음을 잊지 말아야 한다.

최근의 감시장비의 발달, 새로운 마취약제의 개발 덕분에 전신마취는 좀 더 안전하고 효과적으로 이루어지고 있다.

지난 20년 동안 백신의 발달로 소아 환자에서 응급상황 중 하나였던 급성후두개염은 급격하게 감소했다. 반면에 레이저 기구와 후두성형술의 발전으로 인해 소아에서 상기도의 보호 또는 유지가 어려운 경우가 증가하고 있다. 또한 아데노이드절제술, 경직성 기관지내시경, 레이저 유두종 제거술 등과 같은 수술에서는 짧은 시간 동안 깊은 마취상태에 도달하여 환아가 움직이지 않도록 해야 한다. 효율적인 수술실 운영을 위해 빠른 시간에 기도자극 없이 마취에

서 회복시켜야 한다. 최근 소아마취에서 주로 사용하는 흡입마취제인 세보플루란은 과거에 사용하던 할로탄에 비하여 안전하기는 하지만 대신 술후 섬망의 발생이 증가하였다. 프로포폴은 성인에서는 가장 흔하게 사용되는 정맥마취유도제로서 기존에 많이 사용되던 펜토탈에 비하여 기도자극이 적을 뿐 아니라 후두경련에 치료효과가 있는 것으로 밝혀졌다. 또한 프로포폴은 항구토효과가 있고 각성섬망의 발생이 적다. 이런 장점들로 인해 소아에서도 프로포폴의 사용이 증가되고 있으며 특히 이비인후과 수술을 위한 소아의 마취에 유용한 약제가 될 수 있다.

1) 이과학(otologic) 수술의 마취

중이염을 앓는 소아들은 지속적인 염증반응, 통증, 발열, 현기증, 수면장애, 청력감소에 시달리는 경우가 많으며 종종 고막절개술과 고막튜브 삽입이 필요하다. 고막튜브를 삽입하는 많은 환아에서 선천성 기형이 동반된다. 구개열, 두개안면기형, 다운증후군, 터너증후군, 인간면역결핍바이러스 감염증 환자에서 중이염으로 인한 고막튜브 삽입술의 필요성이 증가한다. 이런 환자에서는 기도나 다른 내과적 문제를 동반할 가능성이 많다. 그리고 경비기관삽관을 장기간 유지한 중환자에서도 중이염이 일어날 가능성이 높다.

(1) 고막절개술과 고막튜브삽입술

숙련된 이비인후과의사가 시행하는 경우 단순한 양쪽 고막절개술과 고막튜브삽입술의 소요 시간은 5 내지 10분 정도이다. 이비인후과의사의 숙련도나 이도가 좁은 정도 등을 고려하여 수술시간을 예상하여 마취를 계획해야 한다. 고막절개술은 외래수술로 시행되는 경우가 많다. 수술 전 진정은 환아의 불안 정도에 따라 결정할 수 있다. 기관삽관없이 안면마스크를 이용해 고농도의 흡입마취제를 흡입시켜 마취를 시작하고 유지하면서 수술을 진행하기도 한다. 각성과 회복이 빠르므로 효율적인 방법이지만 인력과 장비가 갖추어진 경우에 가능하다. 임상 상황에 따라 정맥로의 확보 없이 마취유도를 시행하기도 한다.

(2) 유양돌기절제술과 고실성형술

유양돌기절제술과 고실성형술을 받는 소아는 기본적인 감시장치 이외에 안면신경 손상을 예방하기 위해 종종 근전도 감시를 하는데 이때 근이완제가 근전도 검사를 방해할 수 있다. 근전도 감시를 할 예정이라면 근이완제를 사용하지 않거나 속효성 근이완제를 투여한 후 기관삽관을 한다. 아산화질소는 폐쇄공기체강에 유입되어 가스용적을 증가시키므로 고막성형술에서는 사용하지 않는다. 수술을 위한 자세는 앙와위에서 머리를 옆으로 돌리는데 이때 전신마취 상태에서 환축추 아탈구 가능성이 있으므로 조심스럽게 돌려야 한다. 가장 흔한 수술 후 합병증은 수술 후 오심과 구토인데 그 원인은 대체로 마취약제와 진정 미로부(labyrinth)에 수술적 자극이다. 마취유지를 위해 흡입마취제보다는 프로포폴을 사용하거나 덱사메타손 정주가 수술 후 오심과 구토의 예방할 수 있다.

(3) 와우이식술

마취와 관련하여 고려할 것들은 앞서 언급한 유양돌기절제술, 고실성형술과 유사하나 다른 점은 환아의 청력기능에 대한 확인 후 그에 적합한 의사소통 방법을 사용해야 한다는 것이다. 필요한 경우 부모나 의사소통을 도와줄 전문가와 수술실로 함께 입실하는 방법도 있다.

(4) 귀성형술

미용적인 목적으로 주로 이루어지는 귀성형수술은 양쪽 귀의 형태를 확인하며 수술을 해야 하기때문에 머리를 자주 움직이므로 기관내튜브를 고정할 때 주의해야 한다. 머리와 목의 자세에 따라 기관내튜브의 깊이가 변하므로 머리와 목의 자세변화 후 기관내튜브의 위치를 다시 확인하여 수술 중의 적절한지 못한 기관내튜브 깊이로 인한 일측폐환기나 발관을 방지한다.

2) 비과학 수술

(1) 비골골절 정복술

비골골절은 심한 비출혈을 동반할 수 있으므로 혈액을 삼켜 금식시간과 관계없이 위팽만이 있을 수 있다. 골절의 정복은 몇 분만에 끝나지만 폐흡인을 방지하기 위해 기관삽관이 필요하다. 수상 후에 며칠을 기다려 부기가 가라앉은 후에 수술하는 경우 수술 부위를 방해하지 않을 유연성이 있는 후두마스크로 기관삽관을 대체할 수도 있다.

(2) 비강 용종제거술

대부분의 비강 시술 중에는 인두부에 거즈를 넣는데 이때 거즈에는 반드시 택을 붙여 입 밖에서 확인할 수 있도록 해야 하며 수술실에서 목 안으로 넣은 거즈에 대하여 기록하고 반드시 제거하는 것도 확인해야 한다. 이와 관련하여 의료진들 사이에 정확한 소통이 이루어지도록 한다.

비강용종이 생긴 낭성 섬유증 환아를 마취할 때는 주의할 점들이 있다. 낭성 섬유증은 진하고 끈적거리는 분비물과 반복적인 감염이 있는 심한 폐쇄성 폐질환으로 흔히 보조산소요법이 필요하다. 전신마취 중에는 반복적으로 기관튜브 안을 생리식염수로 세척하고 흡인해 주어야 한다. 분비물이 산소화와 호흡을 방해하기 때문에 최고흡기압이 증가하는 경우 기관내튜브 안을 흡인하는 것이 필요하다. 기관확장제를 흡인시키는 것이 도움이 될 수 있다. 심한 하부기도 폐쇄가 있어 공기가 호기되지 못하는 경우 폐포가 지나치게 확장되어 터질 수 있으므로 아산화질소는 사용하지 않는다.

(3) 부비동수술

내과적 치료가 효과가 없는 만성부비동염 환자는 수술적 치료가 필요한데 소아에서는 면역결핍증, 비운동성 섬모 증후군, 낭성 섬유증이 동반되는 경우가 많다. 수술을 위하여 혈관수축제를 사용하게 되는데 이에 대하여 이비인후과 의사와 마취과의사는 용량이나 사용시간에 내하여 충분히 논의한 뒤 사용해야 한다. 수술이 끝나고 지혈을 위하여 거즈나 상품화된 지혈제를 사용할 경우 하부기도로 들어가 호흡을 방해할 수 있으므로 주의해야 한다.

(4) 후비공 폐쇄

후비공 폐쇄가 동반된 유전질환은 아페르트 증후군(Apert's syndrome), 디죠지 증후군(DiGeorge syndrome),

18번 삼염색체증(trisomy 18), 트리처콜린스 증후군 (Treacher Collins syndrome) 등이다. 양측 후비공 폐쇄가 있는 경우 급성호흡부전이 생길 수 있으므로 구강호흡이 유지되어야 한다. 마취는 환자 상태에 따라 일반적인 소아 마취와 다르지 않지만 어려운 기도관리 알고리즘에 따라 기도삽관을 시도하여야 하는 경우도 있다. 양측 후비공 폐쇄 교정술을 받은 환자는 수술 후에도 부분적으로 또는 간헐적으로 상기도 폐쇄가 있을 수 있으므로 호흡이 완전히 회복될 때까지 중환자실에서 집중감시가 필요하다.

3) 인후두 수술

(1) 편도절제술과 아데노이드 절제술

아데노이드-편도절제술은 수술 전 병력과 검사결과, 이학적 검사결과의 확인이 중요하다. 출혈성 질환의 확인과 지혈기능에 대한 검사가 필수적이다. 구강이나 비강을 통한 공기 흐름을 확인하고 편도의 비대나 염증의 상태를 평가해야 한다. 또한 치아에 대한 검사도 필수적인데 심하게 흔들리거나 깨질 위험이 큰 경우 손상된 치아가 기도내로 흡인될 수 있음을 경고하고 때에 따라서는 마취된 상태에서 치아를 제거할 수도 있다. 마취 전에 실내공기에서 산소포화도를 확인하여 호흡기 관리의 기준으로 삼을 수 있다. 수술 중 아편양제제를 투여하면 주마취제의 요구량을 감소시키고 수술 후 진통에도 도움을 줄 수 있다. 고용량의 덱사메타손(1 mg/kg, 최대 25 mg)은 수술 후 부종, 통증, 오심과 구토를 경감시키는 것으로 알려져 있다. 아데노이드-편도절제술 중 출혈은 흔치는 않으나 경동맥분지가 손상될 경우 대량출혈이 있을 수 있다. 수술 종료 후 이비인후과의사는 직접 보면서 인후두 부위의 혈액이나 분비물의 흡인을 실시해야 한다. 회복과 발관 과정에서 부주의하게 흡인하는 것은 위험할 수 있으며 혈액이나 분비물에 의한 기도자극에 주의해야 한다. 편도나 아데노이드가 비대하던 소아는 수술 직후 기도폐쇄의 가능성이 증가하는데 특히 수면무호흡증이 있는 경우 더 위험할 수 있다. 수술 후 호흡기계 합병증이 일어나 오랫동안 산소를 투여하거나 다양한 기구(비강기도유지기, 안면마스크, 기관내튜브)를 이용하여 기도유지를 해야 할 수 있다.

(2) 편도절제술 후 출혈

편도절제술 후 출혈은 계속될 수도 있고 멈췄다가 다시 시작될 수도 있다. 보통 수술 후 24시간 이내를 일차적 출혈이라고 하는데 이차적 출혈보다 심하고 양이 많아 치명적일 수 있다. 출혈이 심한 경우 시야가 확보되지 않아 기관삽관이 불가능하여 응급 기관절개술이 필요할 수도 있다. 이비인후과의사와 보조자가 응급 기관절개술이 준비되면 마취를 시작해야 한다. 이런 환아는 일반적으로 출혈로 인한 저혈량증, 저혈색소증을 동반하고 혈액으로 위는 팽만되어 있고, 정서적으로 흥분되고 정맥로는 확보되지 않은 상태일 수 있다. 일단 가능한 두꺼운 혈관내 카테터로 정맥로를 확보하고 수액과 혈액을 빠르게 공급한다. 환아가 어지럽지 않아 앉아 있을 수 있다면 전신상태를 평가하고 마취계획을 세울 시간이 있다. 그러나 앉아 있는 것이 힘들고 결막이 창백하거나 의식이 없다면 저혈량성 쇽상태이므로 지체 없이 수액을 공급해야 한다.

미리 산소를 충분히 투여한 후 아트로핀, 정맥마취제, 고용량의 비탈분극성 근이완제를 투여하여 빠른 연속삽관법을 이용해 마취유도를 한다. 마취유도와 회복시기에는 저혈량증과 위팽만의 가능성을 잊지 말아야 한다. 내경이 큰 위관을 사용하여 흡인하여도 모든 혈액이나 음식물을 배출시킬 수 없지만 도움이 된다. 양쪽 폐음을 주의 깊게 청진하고 기관내튜브에서 혈액이나 위 내용물을 충분히 흡인해 준다. 수술이 끝나고 필요한 경우 기관내튜브를 발관하기 전에 기관지 내시경이나 흉부방사선 촬영을 시행할 수 있다. 환아의 의식과 상기도 반사가 완전히 회복되면 발관한다.

(3) 레이저 후두수술

수술실 내에서 레이저를 사용하는 것은 화재의 위험이 있으므로 시술자뿐만 아니라 모든 수술실 근무자들은 안전기준을 준수해야 한다. 레이저 수술을 할 때는 금속물질이 포함되지 않은 기관내튜브를 사용하고 흡기산소 비율을 30% 이하로 낮추어야 한다. 흡기산소 산소분압을 올려야 할 때는 헬륨가스를 함께 사용하면 화재 위험성을 낮출 수 있다. 최근에는 다양한 레이저 수술이 가능하도록 레이저 수술용

기관내튜브들이 개발되었는데 튜브의 표면이나 커프 부분이 발화되지 않도록 되어 있다. 소아의 레이저수술에서 마취를 시작할 때는 아산화질소를 사용했다고 해도 수술시작 전에 공기나 헬륨가스 혼합 산소로 교체해야 한다. 눈은 잘 붙인 후에 식염수 패드로 덮어주고 주변에도 식염수로 충분히 적신 타올 등을 준비하고 수술을 시작해야 한다. 환자가 움직이지 않도록 충분히 근이완을 시켜야 하며 덱사메타손을 투여하여 부종을 예방할 수 있다.

　기도 발화는 레이저 수술에서 흔하지 않으나 발생할 경우 대단히 위험하므로 주의를 기울이고 수술 전에 대비해 놓아야 한다. 발화의 요인은 주로 기관내튜브와 면직 물질들이다. 일단 발화가 되면 즉시 발화된 물질을 제거한다. 산소공급을 중단하고 상태를 파악한다. 인화물을 제거할 수 없다면 식염수를 뿌려 진화한다. 그 다음 조직의 손상 정도를 검사하여야 하는데 수술 부위뿐만 아니라 하부 기관기관지 분지까지 확인해야 한다.

(4) 기관절개술

기관절개술은 응급수술 일 수도 예정수술 일 수도 있다. 수술 전에 이비인후과 의사와 마취과 의사는 환자의 상태를 파악하고 수술 중 생길 수 있는 상황에 따른 계획을 함께 세우는 것이 꼭 필요하다. 환자는 후두나 기도 손상, 안면 손상, 상기도 폐쇄 등이 동반될 수 있으며 이런 경우 응급 기관절개술이 필요하다. 신생아에서의 응급 기관절개술이 필요한 경우는 선천성 기도기형이 흔하며 조금 더 큰 소아의 경우는 기도의 외상, 부식성 물질 음독, 감염, 종양 등이다. 기관삽관이 어려울 수 있으므로 마취과 의사는 사전에 자발호흡을 유지할지 직접후두경을 사용할지 혹은 굴곡성기관지경을 이용할지 계획을 세워야 한다. 이때 마취유도를 위해 호흡억제 효과가 적은 케타민을 정주할 수 있다. 또는 흡입마취제를 이용하면 소아가 편한 상태에서 또는 앉아있는 자세에서 마취유도를 할 수 있다. 환아에게 정맥로가 없다면 정맥로를 확보한 후 항콜린성제제를 투여한다. 마취유도 전에 기도폐쇄가 없었다고 해도 근이완을 시키면 기도가 완전히 폐쇄될 수도 있다. 따라서 근이완제를 투여하지 않고 자발호흡을 유지시킨 마취된 상태에서 리

도케인을 후두에 뿌려 반사를 억제한 다음 기관삽관을 시도할 수 있다. 기관삽관이 실패한 경우 기관절개가 될 때까지 후두마스크를 삽입하여 인공호흡을 할 수 있다. 응급이 아닌 예정된 기관절개술은 주로 이미 기관삽관된 상태에서 진행하게 된다. 식도청진기나 식도체온계, 비위관은 시술자가 기관내튜브로 착각할 수 있으므로 사용하지 말아야 한다. 기관절개관의 삽입을 위해 시술자가 지켜보며 기관내튜브를 천천히 빼고 기관절개관을 제 위치에 삽입한 후 절개관에 인공호흡기의 호흡회로를 연결해서 호흡이 적절히 이루어지는지 확인해야 한다.

(5) 후두협착(급성 성대위염과 후두개염)

일반적으로 응급실에서 후두협착이 진단된 소아는 목 안을 확인하는 과정 없이 산소공급을 하며 수술실이나 집중치료실로 이송된다. 측면 목 X-선 촬영을 통해 기도가 좁아진 것을 확인할 수 있다. 응급 기관삽관을 위한 다양한 크기의 후두경, 기관내튜브, 탐침과 기타 기구들을 준비하고 가능한 기도확보에 숙련된 인력이 필요하다. 수술실에서 감시장치를 부착하고 환아를 앉힌 채로 세보플루란을 흡입시켜 서서히 마취 유도한다. 10-15 cmH₂O의 양압환기를 해서 흡기 기도폐쇄를 최소화해야 한다. 항콜린제인 아트로핀을 투여해야 하는데 그럼에도 불구하고 서맥이 나타날 경우 저산소증을 의심한다. 흡입마취제 농도가 충분히 올라가 환자가 이완되고 동공이 중심에 고정되면 기관삽관을 시도할 수 있다. 흡인의 위험성 때문에 근이완제는 투여하지 않는다. 소아의 나이를 기준으로 했을 때 보다 한두 단계 작은 기관내튜브를 이용해 삽관을 시행한다. 이 때 전형적인 체리색 후두개를 확인하는 것으로 진단을 확진한다. 성대 주변의 부종이 심한 경우 기관삽관이 어려울 수 있다. 이때 보조자가 가슴을 압박하면 일시적으로 호기가스가 배출되는 것을 보고 성대의 위치를 찾는데 도움을 받을 수 있다. 기관내튜브의 끝을 성대를 향하고 튜브를 부드럽게 돌리면서 진입시키면 도움이 될 수 있다. 삽관이 실패하면 응급 기관절개를 시행하여야 한다. 심한 기도폐쇄가 호전되면서 폐부종이 생길 수 있기 때문에 성공적인 삽관을 확인하고 난 후에도 계속 청진으로 호흡음을 감시하는 것이 필

요하다. 이후 환아에 의한 의도치 않은 발관을 피하기 위해 부종이 가라앉을 때까지 진정이 필요할 수도 있다.

(6) 기관지 내시경

소아에서 경직성 또는 굴곡성 기관지 내시경을 시행할 때는 해부학적 영역을 공유하고 있기 때문에 이비인후과 의사와 마취과 의사의 협조와 소통이 필수적이다. 마취과 의사는 기도를 유지하고 환기와 산소화가 적절하게 이루어지면서 흡인이나 부정맥이 일어나지 않고 환자가 움직이지 않도록 하는 것을 목표로 한다. 그에 비해 이비인후과 의사는 필요한 시기에 움직임 없는 깨끗한 수술 시야를 원하므로 갈등이 생길 수도 있다. 경직성 기관지 내시경을 할 때 기도저항이 너무 크면 폐포 과확장으로 인해 호흡성 산증이 생길 수 있다. 특히 신생아나 영아에서 자발호흡을 유지하면서 검사를 하는 경우 마취제와 높은 기도저항에 의해 중추성 호흡억제가 생길 수 있다. 최근 소아용 굴곡성 기관지 내시경이 발달하여 부위마취와 약한 진정으로 진단적 검사를 시행할 수 있다. 또한 기관내튜브나 후두마스크 안으로 굴곡성 기관지 내시경을 삽입하여 시행하는 방법도 사용되고 있다.

(7) 이물질 제거를 위한 기관지 내시경

수술 전 이학적 검사를 통하여 이물질의 위치와 기도폐쇄나 환기의 정도를 파악해야 한다. 폐의 일부가 과확장된 경우 아산화질소를 사용하지 않는다. 환자의 호흡장애가 심하여 생명을 위협하는 경우 금식시간을 지키지 않고 수술을 진행할 수 있다. 환자의 자발호흡을 유지할지 인공환기를 시행할지 여부는 논란이 있다. 자발호흡을 유지하면 환자가 기침을 하여 시술이 방해될 수 있는 반면에 인공환기를 하면 이물질이 더 작은 기도로 밀려 들어갈 수 있다. 이물질을 제거하고 나면 분비물의 흡인이나 무기폐를 예방하고 안정적인 환기와 산소화를 위해서 기관삽관을 하고 마취를 회복시킨다. 예방적으로 덱사메타손을 투여하고 발관 후 크룹이 생기면 에피네프린을 흡입할 수 있다.

■■■■■ **참고문헌**

- Maze A, Bloch E: Stridor in pediatric patients. Anesthesiology 1979;50:132.

- Karl HW, Swedlow DB, Lee KW, Downes JJ: Epinephrine interactions in children. Anesthesiology 1983;58:142.

- American Society of Anesthesiologists American Society of Anesthesiologists : Standards for basic intraoperative monitoring. ASA Newsletter 1986;50:12.

- Anand KJS, Sippell WG, Aynsley-Green A: Randomized trial of fentanyl anesthesia in preterm babies undergoing surgery Lancet 1987;1:243.

- Forman et al., 1987. Forman MC, Kerschbaum WE, Hetznecker WH, Dunn JM: Psychosocial dimensions. In: Behrman RE, Vaughan III VC, ed. Nelson's textbook of pediatrics, ed 13. Philadelphia: WB Saunders 1987.

- Soliman IE, Broadman LM, Hannalah RS, McGill WA: Comparison of the analgesic effects of EMLA (eutectic mixture of local anesthetics) to intradermal lidocaine infiltration prior to venous cannulation in unpremedicated children. Anesthesiology 1988; 68:804.

- Ossof RH: Laser safety in otolaryngology head and neck surgery: Anesthetic and educational considerations for laryngeal surgery. Laryngoscope 1989;99:1.

- Sosis MB: What is the safest endotracheal tube for Nd-YAG laser surgery A comparative study. Anesth Analg 1989;69:802.

- Alexander CA: A modified Intravent laryngeal mask for ENT and dental anaesthesia. Anaesthesia 1990; 45:892.

- Paradise JL, Bluestone CD, Rogers KD, et al: Efficacy of adenoidectomy for recurrent otitis media in children previously treated with tympanostomytube placement results of parallel randomized and nonrandomized trials. JAMA 1990;263:2066.

- Stool and Eavey, 1990. Stool SE, Eavey R: Tracheostomy. In: Bluestone CD, Stool SE, ed. Pediatric otolaryngology, 2nd ed.. Philadelphia: WB Saunders 1990.

- Barker P, Langton JA, Murphy PJ, Rowbotham DJ: Regurgitation of gastric contents during general anesthesia using the laryngeal mask airway. Br J Anaesth 1992;69:314.

- Fisher DM, Zwass MS: MAC of desflurane in 60% nitrous oxide in infants and children. Anesthesiology 1992;76:354.

- Adams WG, Deaver KA, Cochi SL, et al: Decline of childhood Haemophilus influenzae type b (Hib) disease in the Hib vaccine era. JAMA 1993;269:221.

- Williams and Bailey, 1993. Williams PJ, Bailey PM: Comparison of the reinforced laryngeal mask airway and tracheal intubation for adenotonsillectomy. Br J Anaesth 1993;70:30.

- Davis PJ, Cohen IT, McGowan Jr FX, Latta K: Recovery characteristics of desflurane vs. halothane for maintenance of anesthesia in pediatric ambulatory patients. Anesthesiology 1994;80:293-302.

- Devitt JH, Wenstone R, Noel AG, O'Donnell PO: The laryngeal mask airway and positive pressure ventilation. Anesthesiology

1994;80:550.

• Sarner JB, Levine M, David PJ, et al: Clinical characteristics of sevoflurane in children: A comparison with halothane. Anesthesiology 1995;82:38-46.

• Healy, 1995a. Healy GB: The appropriateness of tympanostomy tubes for children. JAMA 1995;273:700.

• Lerman J, Davis PJ, Welborn LG, et al: Induction, recovery, and safety characteristics of sevoflurane I children undergoing ambulatory surgery: A comparison with halothane. Anesthesiology 1996;84:1332-1340.

• Aono J, Ueda W, Mamiya K, et al: Greater incidence of delirium during recovery from sevoflurane anesthesia in preschool boys. Anesthesiology 1997;87:1298-1300.

• Kain Z, Mayes L, Wang S, et al: Parental presence during induction of anesthesia vs. sedative premedication: Which intervention is more effective? Anesthesiology 1998;89:1147-1156.

• Bennie RE, Boehringer LA, Dierdorf SF, et al: Transnasal butorphanol is effective for postoperative pain relief in children undergoing myringotomy. Anesthesiology 1998;89:385.

• Bandla HP, Hopkins RL, Beckerman RC, et al: Pulmonary risk factors compromising postoperative recovery after surgical repair for congenital heart disease. Chest 1999;116:740.

• Bannister CF, Brosius KK, Sigl JC, Meyer BJ, Sebel PS: The effect of bispectral index monitoring on anesthetic use and recovery in children anesthetized with sevoflurane in nitrous oxide. Anesth Analg 2001;92:877-881.

• Hansen TG, Ilett KF, Reid C, et al: Caudal ropivacaine in infants. Anesthesiology 2001;94:579-584.

• Liu YH, Li MJ, Wang PC, et al: Use of dexamethasone on the prophylaxis of nausea and vomiting after tympanomastoid surgery. Laryngoscope 2001;111:1271.

• Motoyama EK, Fine GF, Jacobson KH, et al: Accelerated increases in end-tidal CO_2 (PETCO$_2$) in anesthetized infants and children during rebreathing. Anesthesiology 2001;94:A1276.

• Reber A, Pagonini R, Frei FJ: Effect of common airway manoeuvres on upper airway dimensions and clinical signs in anaesthetized, spontaneously breathing children. Br J Anaesth 2001;86:217.

• Erb TO, Hall JM, Ing RJ, et al: Postoperative nausea and vomiting in children and adolescents undergoing radiofrequency catheter ablation: A randomized comparison of propofol- and isoflurane-based anesthetics. Anesth Analg 2002;95:1577.

• Yellon RF, McBride TP, Davis HW: Otolaryngology. In: Zitelli BJ, Davis HW, ed. Atlas of pediatric physical diagnosis, 4th ed. St Louis: Mosby 2002;818-865.

• Kain ZN, Caldwell-Andrews AA, Mayes LC, et al: Parental presence during induction of anesthesia: Physiological effects on parents. Anesthesiology 2003;98:58-64.

• Tusman et al., 2003. Tusman G, Bohn SH, Tempra A, et al: Effect of recruitment maneuver on atelectasis in anesthetized children. Anesthesiology 2003; 98:14.

Chapter 08

소아 영상검사

Pediatric Diagnostic Imaging

제보경

1895년 X선이 발견되어 의료에 일반 X선촬영이 도입된 이후 진단을 위한 영상검사는 다양한 종류의 기법으로 진화하였다. X선촬영, 전산화 단층촬영(CT), 투시검사, 혈관조영술, 핵의학 검사 등 방사선을 사용하는 검사가 적지 않으므로 소아환자를 검사할 때는 방사선에 과다 노출되지 않도록 진료에 필요한 검사를 잘 선택하고, 최적의 기법을 적용하여 검사를 진행하는 노력이 반드시 필요하다. 이번 장에서는 방사선의 생물학적 영향, 소아 이비인후과 진료를 위한 영상검사의 종류, 질환 부위에 따른 영상검사법에 대해 살펴보고자 한다.

1. 방사선의 생물학적 영향

X선이 인체에 조사되면 X선 입자의 광자(photon)에서 에너지를 받은 전자(electon)가 인체 내 DNA가닥을 끊어 직접 손상시키거나, 전자가 인체 내 물분자와 상호작용하여 만들어 낸 유리기(free radical)가 DNA를 손상시킨다(그림 8-1). DNA 두 가닥 중 하나의 가닥만 끊어지면 바로 복구할 수 있으므로 생물학적 영향은 매우 미미하다. 그러나 두 개의 가닥이 모두 손상을 받으면 복구가 어렵기 때문에 유

전자 변이, 발암, 세포사 등이 일어날 수 있다. DNA의 손상은 방사선 노출 후 수 시간 또는 수 일 내에 일어나지만 이로 인해 암이 발생하거나 유전자가 변형되면서 끼치는 영향은 수십 년이 지난 후 발현된다.

방사선의 생물학적 영향은 결정적 영향과 확률적 영향으로 나눌 수 있다. 결정적 영향은 발생할 수 있는 방사선 노출 역치량이 이미 알려져 있는 경우를 말한다. 예를 들어 백내장은 2그레이(Gy) 이하로 노출되면 발생하지 않고, 건상상피탈락이 10그레이 이하의 노출에서는 발생하지 않는 것이 그 예이다. 알려진 방사선 역치량은 일반적인 진단영상검사에서 노출되는 방사선 조사량에 비해 매우 높기 때문에 역치량 이상으로 방사선에 노출될 경우는 거의 없다고 할 수 있다. 그러나, 최근 뇌관류CT 촬영을 반복한 환자에서, 또는 장시간 인터벤션 시술을 받은 환자에서 피부에 궤양이나 화상이 발생한 예가 보고된 바 있으므로 주의할 필요가 있다. 결정적 영향과 비교할 때 실제 의료 영역에서는 확률적 영향이 더 중요하다. 왜냐하면 이는 방사선 조사량에 관계 없이 발생할 수 있는 영향을 의미하기 때문이다. 따라서 방사선을 사용하는 모든 검사는 확률적 영향에 의해 잠재적인 위해성을 가지고 있다고 생각하여야 한다.

빨리 자라는 조직일수록 방사선의 생물학적 영향을 더

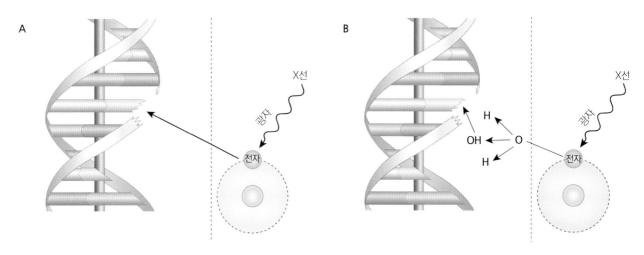

그림 8-1. A. X선의 광자에서 에너지를 받은 전자가 DNA가닥을 직접 손상시킨다. B. 전자가 인체 내 물분자와 작용하여 만든 히드록실(–OH) 유리기가 DNA가닥을 손상시킨다.

많이 받는다. 즉 태아, 영유아, 소아는 성인보다 더 많은 영향을 받기 때문에 임신 중에는 일반적인 방사선 조사량을 초과하여 노출되지 않도록 주의하여야 한다. 소아에서 방사선 관련 발암의 가능성은 중년의 성인과 비교할 때 암의 종류에 따라 대략 2배에서 15배 더 높다고 알려져 있다. 남아보다 여아의 발암 가능성이 더 높은데 이는 여성에서 발생률이 높은 유방암과 갑상선암이 방사선 노출과 관련이 있기 때문이다.

2. 영상검사의 종류

1) 일반 X선촬영

일반 X선촬영이란 검사하고자 하는 부위에 X선을 조사하여 뼈와 공기, 연부조직을 투과하는 X선의 양이 서로 다른 점을 이용하여 흑백 영상을 만들어내는 가장 기본적인 영상검사이다. 예전에는 인체를 투과한 X선이 필름을 감광하면 이를 인화하여 흑백 영상을 만들고, 그 뒷면에 전구로 빛을 비추어 영상을 판독하였다(그림 8-2). 이때는 인화작업을 위한 암실을 별도로 마련하여야 했고, 인화한 필름은

재사용이 불가능하였다. 그러나, 근래에는 필름 및 인화 과정이 필요하지 않은 Computed Radiography (CR), Digital Radiography (DR)이 보편화되고 있다. CR은 내부에 영상판을 가진 카세트를 사용하는 방법이다. 인체를 투과한 X선이 카세트 안에 있는 영상판에 조사되면, 카세트를 CR전용처리기에 넣어 레이저를 반사시킨다. 영상판에 X선이 조사된 정도에 따라 다르게 반사되는 레이저를 검출하여 디지털 영상을 구성하는데, 필름을 사용한 영상보다 더 선명하다. 그리고, 한번 사용한 영상판에 강한 빛을 조사하면 이전 영상을 지울 수 있기 때문에 카세트를 다시 사용할 수 있다. DR은 반도체 소자를 이용한 평면 패널에 X선이 조사되면 바로 디지털 영상을 구성하여 PACS로 전송하는 방법이다. DR을 사용하면 CR전용처리기가 필요하지 않아 X선촬영 장비 외의 공간이 필요하지 않으며 CR보다 예리한 영상을 만들어내는 장점이 있으나 설치 비용이 비싸다.

소아이비인후과 분야에서 일반 X선영상은 부비동 질환을 발견하는 선별 검사로 사용하고 있다. 그리고, 골조직의 이상을 찾을 때 유용하여 두개골이나 안면골에 발생한 선천성 기형, 골절, 종양을 진단하기 위한 1차 검사로 사용할 수 있다. 경부 측면영상은 선천성 기형, 염증, 종양 등의 원

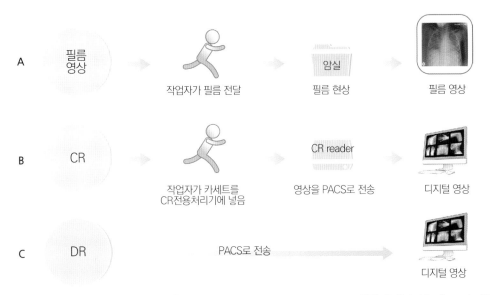

그림 8-2. **X선 영상을 획득하는 방법의 변천.** A. 필름 영상, B. Computed Radiography (CR), C. Digital Radiography (DR)

인으로 발생한 상기도 폐쇄를 진단할 수 있다. 인두와 후두에 누공이 의심되면 조영제를 사용한 투시 촬영으로 누공을 찾을 수 있다. 이때 방사선 노출을 최소화하기 위해 투시검사 전에 미리 방법을 잘 계획하여 진행하는 것이 중요하다. 이와 같이 일반 X선영상은 짧은 시간에 촬영할 수 있고 비용이 저렴한 장점이 있으나 CT나 MRI에 비해 얻을 수 있는 정보가 매우 적어 입지가 줄어들고 있다.

2) 초음파

초음파는 별도의 전처치가 필요하지 않고 비침습적이며 방사선 노출이 없어 소아에서 연부조직을 평가하기에 좋은 영상검사이다. 고주파 탐촉자를 이용하여 두경부의 피부, 피하지방, 근육, 신경, 척수, 림프절에 대한 1차 검사로 사용할 수 있고, 천문이 닫히지 않은 신생아라면 대뇌와 소뇌 등 두개강 내 연부조직도 검사할 수 있다. 선천성 기형, 염증, 허혈성 질환, 종양의 진단에 도움이 되므로 광범위한 적응증에 사용가능한 장점이 있으나, 뼈나 공기가 있는 구조물은 초음파가 투과할 수 없어 평가에 제한이 있다. 그리고, 목이 짧고 움직임이 많은 영유아에서는 검사자의 경험과 실력에 따라 검사의 질이 달라지고 결과가 좌우되는 것

이 단점이다.

3) 전산화 단층촬영(Computed Tomography, CT)

CT는 두경부에 광범위하게 사용되는 영상검사로써 일반 X선영상에 비해 매우 뛰어난 인체 단면 영상을 제공한다. 빠른 시간에 검사할 수 있어 소아에서 진정 처치를 하지 않고 검사할 수 있으며 생체 징후가 불안정한 환자에서 응급으로 빠르게 시행할 수 있어 널리 사용된다. 그리고, 초음파와 다르게 검사자의 경험이나 실력에 따라 검사의 질이나 결과가 좌우되지 않는 객관적 검사이다. 구성 성분에 따른 고유의 CT감약계수가 알려져 있어 영상에서 평가하고자 하는 부위의 CT감약계수를 측정하면 공기, 지방, 물, 출혈, 석회화 등 병변의 성분을 감별할 때 도움이 된다. 그리고, 근래 도입된 multidetector CT는 사용자가 원하는 방향으로 단면 영상을 재구성하고 고화질의 3차원 영상을 제공하여 환자 상태에 대한 이해도를 높여주었다. 그러나 CT는 방사선 노출이 가장 높은 영상검사이므로 남용할 경우 방사선 관련 암의 발생을 높일 수 있다. 앞에서 언급한대로 성인에 비하여 세포 분열이 활발한 소아가 X선에 의한 DNA손상에 더 민감하고, X선 노출 후 생존기간이 더 길기

때문에 방사선 관련 암의 발생율이 더 높다. 따라서, 소아 환자에서 진단에 필요한 영상의 질을 유지하는 최소한의 방사선을 사용한다는 의미의 ALARA (As Low As Reasonably Achievable) 원칙에 따라 방사선 조사량을 최대로 낮추고 검사 횟수를 최소화하며 초음파나 MRI 등 방사선 노출이 없는 검사로 대치하는 등 영상검사를 엄격하게 관리하여야 한다. CT가 반드시 필요한 경우에는 검사 목적에 따라 기계에서 조절할 수 있는 변수, 예를 들어 X선 방출관의 전류, 검사대의 회전 속도, 최고 전압, 피치, 스캔 범위, 스캔 횟수 등을 조정하여 방사선 조사량을 최대로 낮추도록 노력한다. 근래 도입된 CT 장비에 탑재된 영상재구성알고리즘과 이중에너지기법은 적은 조사량으로 영상의 질을 높이는 기술을 구현하고 있다.

조영증강CT는 연부조직에 발생한 질환을 평가할 때 도움이 된다. 이때 사용하는 CT조영제는 요오드를 포함하고 있으며 신장으로 배출되기 때문에, 신기능이 저하된 환자에서는 신장에 축적되어 신독성을 일으킬 수 있으므로 조영제를 사용하지 않거나 충분한 수액을 공급하여 배출을 유도하는 주의가 필요하다. 과거에 CT조영제에 과민반응이 있었던 환자도 주의하여야 한다. 석회화를 찾거나 출혈을 진단할 때, 또는 골조직에 대한 정밀 검사는 조영제를 사용하지 않는 비조영증강CT로도 가능하다.

4) 자기공명영상(Magnetic resonance imaging, MRI)

피검자를 고자장의 환경에 노출시켜 인체 내 수소핵의 움직임을 조정할 때 발생하는 신호를 탐지하여 인체 단면 영상을 만들어 내는 검사로 두경부 연부조직과 신경을 평가할 때 유용하다. CT보다 고해상도의 영상을 얻을 수 있고 훨씬 다양한 프로토콜을 사용할 수 있어 조직을 더 구체적으로 특정할 수 있다. 비침습적 검사이며 방사선 노출이 없는 등 소아에서 사용하기에 큰 장점이 있으나, 검사 시간이 길어 진정 처치가 반드시 필요하고 검사 비용이 높은 것이 단점이다. 따라서 환자의 임상 증상과 의심되는 질환을 고려하여 환자별로 최적의 연쇄(sequence)와 스캔 방향을 미리 정하는 준비가 필요하다. MRI조영제는 가돌리늄을 포함하고 있으며 신장으로 배출되기 때문에, 신기능이 저하

된 환자에서 배출되지 못하면 전신의 피하에 축적되어 섬유화 반응을 일으키는 신원성 전신 섬유증(nephrogenic systemic fibrosis)이 발생할 수 있다.

MR혈관조영술은 조영제를 사용하거나 또는 사용하지 않고 3차원의 혈관 영상을 제공하며 혈관의 기형, 혈관 폐색, 동맥류, 신생혈관, 종양의 공급혈관 등을 판별할 때 유용하다. 확산강조MRI (diffusion weighted MRI)는 액체의 확산도와 병변의 세포충실도에 대한 정보를 제공하므로, 종양의 악성 유무를 판별하거나 림프절 전이를 찾거나 농양을 진단하는 데 도움이 된다. 관류MRI (perfusion MRI)는 미세혈관의 밀집도와 혈류량 및 혈류속도에 대한 정보를 제공한다.

5) 인터벤션

초음파, CT, 디지털 감산 혈관조영술 등의 영상검사 유도하에 진단이나 치료를 위한 인터벤션 시술을 할 수 있다. 예를 들어, 초음파 유도하에 세침흡인세포검사를 하거나 바늘생검으로 조직을 얻을 수 있고, 디지털 감산 혈관조영술 유도하에 혈관 질환을 진단하고 치료적 시술을 할 수 있으며, 낭성 종괴의 내부 액체를 초음파 유도하에 배액하거나 경화술로 치료하고, 농양이 있을 때 배농을 하는 등 다양한 인터벤션을 시행하고 있다.

6) PET-CT

PET-CT를 이용하여 종양이 진단된 환자에서 병기를 결정하거나, 림프절전이가 발견된 환자에서 원발암을 찾아낼 수 있다. 또한, 치료에 대한 반응을 평가하고, 국소 재발이나 원격 전이를 찾아내는 등 암환자에서 중요한 검사로 자리잡고 있다.

3. 부위에 따른 영상검사

1) 부비동

공기와 물, 뼈의 대조도는 일반 X선영상에서도 잘 유지되기 때문에 일반 X선촬영을 급성 또는 만성 부비동염이 의

심되는 소아에서 1차 검사로 시행하고 있다. 그러나 질환이 부비동을 지나 심부까지 침범하면 일반 X선영상만으로 정확히 확인하기 어려워 CT나 MRI가 필요하게 된다. CT는 부비동 내 점막의 비후나 분비물의 고임을 잘 보여준다. 그리고, 골조직을 주변 연부조직과 구분할 수 있으므로 선천성 골질환, 골절, 골종양, 연골질환을 진단할 때 도움이 된다. 특히 고해상도 부비동CT는 부비동개구연합(ostiomeatal unit, OMU)을 포함한 해부학 구조를 확인할 때 유용하다. 부비동염 환자에서 골막하농양 등 합병증이 발생하였을 때에도 CT를 시행하여 농양과 골조직을 함께 확인한다. 부비동염이 안와나 두개강까지 침범하였다면 MRI가 더 도움이 되는데, 경막외농양이나 경막하농양, 또는 정맥동 혈전을 진단하는 데에는 MRI가 CT보다 우월하기 때문이다. 그밖에 MRI는 염증성 질환과 종양을 감별하고, 부비동 종양이 의심될 때 진단 및 병기를 결정하는 데 사용한다. 대표적인 부비동 영상검사는 다음과 같다.

(1) Waters 영상

환자의 턱을 방사선 검출기에 붙이고 방사선 검출기와 안와외이도선이 45도가 되도록 환아의 목을 신전시킨다. 그후 X선을 환자의 후두부에서 턱을 향하게 조사하여 영상을 얻는다. 상악동, 전사골동, 전두동, 안와 측벽, 안와저부의 앞쪽을 평가할 때 유용한 영상이다(그림 8-3A).

(2) Caldwell 영상

환자의 코를 방사선 검출기에 붙이고 방사선 검출기와 안와외이도선이 수직을 이루게 한다. 그 후 X선을 환자의 후두부에서 코를 향하게 조사하여 영상을 얻는다. 전·후 사골동, 상악동 내벽, 상악동 하벽, 안와저부의 뒷쪽을 평가할 때 유용한 영상이다(그림 8-3B).

(3) 부비동 측면영상

전두동과 접형동을 평가할 때 유용한 영상이다. 그밖에 터키안, 비인강, 연구개, 경구개, 익구개와를 함께 평가할 수 있다(그림 8-3C).

(4) OMU CT

부비동과 비강을 포함한 주위 구조를 평가하기에 가장 좋은 영상검사이다. 내시경적 부비동 수술 전 평가가 필요할 때 조영제를 사용하지 않고 골세팅으로 고해상도 CT 축상면 영상을 얻은 후, 관상면, 시상면으로 재구성하면 수술적 접근 경로를 따라 OMU를 평가할 수 있다(그림 8-4). 아울러 해부학적 변이를 확인하고, 삼차원 입체 영상을 만들 수 있다. 부비동염의 합병증이 발생하였다면 조영증강CT가 더

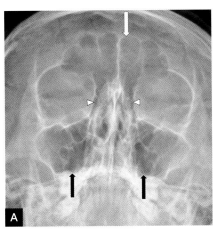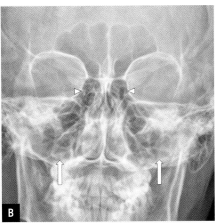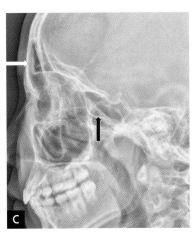

그림 8-3. 9세 여아 부비동 일반 X선영상. A. Waters 영상에서 상악동(검은화살표), 전사골동(화살촉), 전두동(하얀화살표)이 잘 보인다. B. Caldwell 영상에서 전·후 사골동(화살촉)과 상악동(화살표)이 잘 보인다. C. 부비동 측면영상에서 전두동(하얀화살표)과 접형동(검은화살표)이 잘 보인다.

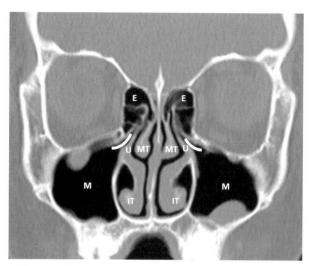

그림 8-4. **8세 여아 부비동CT.** E: 사골동, 곡선: 누두(infundibulum), U: 갈고리돌기(uncinate process), MT: 중비갑개(middle turbinate), IT: 하비갑개(inferior turbinate), M: 상악동

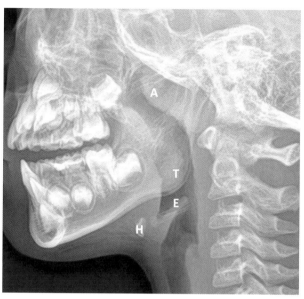

그림 8-5. **아데노이드 비대와 편도 비대를 보이는 6세 남아의 일반 X선 측면영상.** A: 아데노이드(비대), T: 편도(비대), E: 후두개, H: 설골

도움이 된다.

2) 구강, 인두, 후두

구강, 인두, 후두의 병변은 가장 먼저 내시경으로 점막의 병변을 확인하거나 조직검사를 하게 된다. 내시경으로 볼 수 없는 점막하 구조물이나 심부 공간을 살펴보아야 할 때 영상검사가 필요하다. 또는 기도 장애가 의심되거나 수술이 필요한 경우, 염증이 파급되어 혈전정맥염이나 골수염이 합병되었을 때에도 영상검사를 시행한다. 이를 통해 병변이 시작한 부위와 병변의 위치 및 범위를 결정하고, 인접한 근육, 근막, 혈관, 신경, 골조직을 침범하였는지 판별할 수 있다. 특히, 두개저, 턱, 후두연골, 윤상연골의 침범 여부는 적절한 치료 방침을 세울 때 도움이 된다.

소아에서 흔한 아데노이드 비대나 크루프, 드물게 발생하는 심경부감염, 급성후두개염은 일반 X선영상으로 진단할 수 있다(그림 8-5). 그밖에 구강 및 인두후공간의 공기 음영으로 종격동 기종을 진단하거나(그림 8-6), 하악골에 발생한 미란이나 골파괴를 진단하거나, 타석을 진단할 수도

있다. 그러나, 일반 X선영상으로 병변의 정확한 진단이 어려운 경우가 적지 않으므로, 대부분의 구강 및 인두에 발생한 질환을 평가할 때는 CT와 MRI가 널리 사용된다. 특히 조영증강CT가 선천성 질환, 혈관 기형, 염증, 종양 등의 진단에 기본적으로 사용되고 있으며, MRI는 염증이나 악성종양이 신경, 혈관, 연골, 연골막, 골막, 침샘 등 연부조직으로 침범하였는지 판단할 때 CT보다 도움이 된다. 단, 호흡, 연하운동, 경동맥박동으로 인한 움직임 인공물 때문에 후두부위는 MRI로 선명한 영상을 얻기 어렵다.

3) 기관

기관을 평가하기 위한 일반 X선 촬영은 환자의 협조를 구하여 최대 흡기 시에 시행하는 것이 좋다. 그러나 호기와 흡기를 조절할 수 없는 영유아에서는 호흡과 무관하게 촬영하기 때문에 이를 고려하여 판독하여야 한다. 가끔 신생아의 일반 X선 경부 전후영상에서 기관이 흉강으로 들어가면서 오른쪽으로 휘어지는 모습을 볼 수 있는데, 이는 왼쪽의 대동맥궁이 기관을 오른쪽으로 밀어서 생기는 정상 소

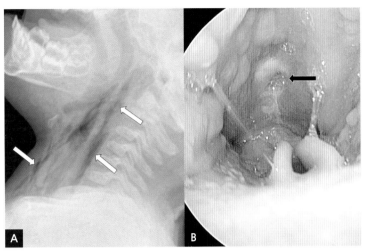

그림 8-6. 장난감에 인두 후벽을 찔린 10개월 남아
A. 일반 X선 경부 측면영상에서 인후두후공간과 경부 피하공간에 비정상 공기음영(하얀화살표)이 보인다. B. 내시경 검사로 인두 후벽 손상부위를 발견하였다(검정화살표).

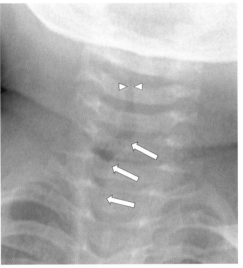

그림 8-7. 13개월 남아의 경부 전후영상
기관이 흉강으로 들어갈 때 오른쪽으로 휘어지는 정상 소견(화살표). 성문하기관이 좁아지는 크루프 소견(화살촉).

견이므로 추가 검사가 필요하지 않다(그림 8-7).

기관의 해부학적 정보를 얻고 기관 병변을 평가하기에 가장 좋은 영상검사는 CT이다. 왜냐하면, 수 초 내에 검사가 가능하여 호흡에 의한 영향이 적고, 기관 및 주변 구조물, 하부 경부, 종격동까지 확인할 수 있으며 병변 내 석회화나 지방 포함 여부, 조영증강 여부가 감별진단에 도움이 되기 때문이다. 그리고, 촬영 후에는 원하는 방향으로 2차원 또는 3차원 영상을 쉽게 재구성할 수 있다. 예를 들어 용적묘사(Volume Rendering)기법을 사용하면 기관의 선천성 질환이나 협착을 이해하는 데 도움이 되며(그림 8-8), virtual bronchoscopy는 실제 bronchoscopy와 유사하게 기관의 내강을 따라가는 동영상을 보여준다. 그리고, 환자의 호흡에 따라 기관이 움직이는 모습을 cine영상으로 얻는 역동적CT가 가능한 장비도 도입되어 후두연화증이나 기관연화증의 진단에 도움을 주고 있다.

4) 측두골

측두골 고해상도 CT는 외이와 중이를 평가할 때 가장 적절

한 영상검사이다. 축상면 영상을 얻어 관상면 영상을 재구성하는 것이 가장 일반적이지만, 근래에는 다양한 후처리 기법을 사용하여 어느 방향으로든 재구성 할 수 있다. 그리고, 절편두께를 0.1 mm 이하로 최소화하여 고해상도의 영상을 재구성하기 때문에 이소골, 등골판, 고실끈신경, 고실신경의 분지 등 미세구조를 모두 확인할 수 있다. 측두골 CT는 일반적으로 조영제를 사용하지 않은 골세팅 영상을 얻지만, 측두골에 발생한 감염이 두개강 및 정맥동을 침범하였을 가능성이 있으면 조영증강CT나 조영증강MRI로 평가하여야 한다.

측두골 MRI는 내이를 평가할 때 유용하다. 왜냐하면, T2강조영상의 여러 기법을 사용하여 내이액, 달팽이관, 전정, 고실을 평가할 수 있고, 안면신경과 전정와우신경의 분지들을 모두 구분할 수 있기 때문이다(그림 8-9). 따라서 일반적으로 전음성 난청이 있으면 CT로 검사하고, 감각신경성 난청이나 현훈, 이명이 있으면 MRI로 검사한다. 질환별로 살펴보면 골경화증, 외상, 만성중이염, 선천성 외이도·중이 기형에서는 CT가 도움이 되고, 청신경슈반세포종, 미

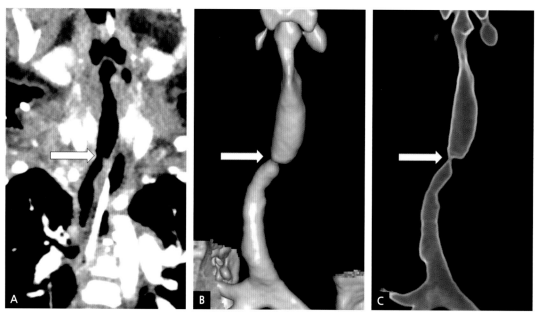

그림 8-8. **기관협착(화살표)을 보이는 CT.**
A. 다평면 재구성 관상면 CT, B,C. 3차원 용적묘사기법을 사용한 Surface Shaded Display 영상(B)과 투명기법 영상(C)

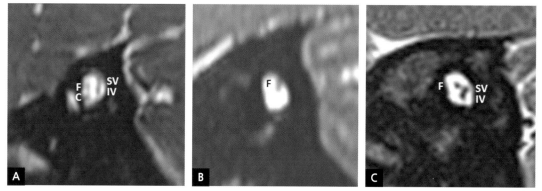

그림 8-9. **내이도 T2강조 시상면 MRI.** A. 정상(F:안면신경, C:와우신경, SV:상전정신경, IV:하전정신경), B. 전정와우신경 무형성, C. 와우신경 무형성

로염, 선천성 내이 기형에서는 MRI의 역할이 더 크다. 진주종은 중이의 상태에 따라 CT와 MRI 중 선택하여 사용한다. 측두골 CT와 측두골 MRI에서 난청의 원인을 찾지 못하였다면 달팽이핵(cochlear nuclei), 능형체(trapezoid body), 외측섬유대(lateral lemniscus), 하구(inferior colliculus), 내측슬상체(medial geniculate body), 청각피질(auditory cortex)을 포함하는 청각 경로를 따라 선택적으로 뇌 MRI를 시행하여 청각 경로에 발생한 병변을 찾는데 도움을 받을 수 있다.

5) 침샘
(1) 초음파
성인의 경우 침샘염이 의심되면 일반적으로 CT를 먼저 시행하지만, 소아에서는 고주파의 선형 탐촉자를 사용하여

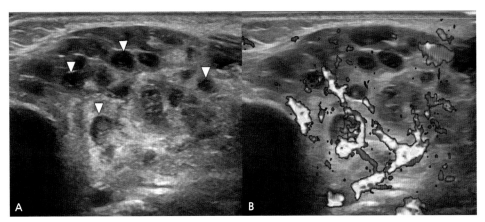

그림 8-10. **이하선염으로 진단된 13세 남아의 초음파**

A. 이하선이 커지고 내부에 저에코 음영이 흩어져 있다(화살촉). 이하선 주변 지방층 에코가 증가하였다. B. 도플러검사에서 혈류가 증가하였다.

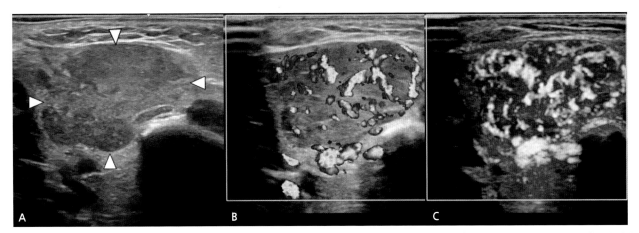

그림 8-11. **이하선 영아혈관종으로 진단된 1개월 남아의 초음파.** A. 이하선 내부에 저에코의 종괴가 있다(화살촉). B. 도플러검사에서 종괴 내부 혈류가 현저히 증가하였다. C. 미세혈관도플러검사는 일반도플러검사(B)보다 더 많은 혈류를 찾을 수 있다.

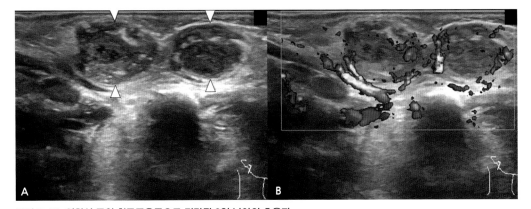

그림 8-12. **이하선 주위 횡문근육종으로 진단된 9일 남아의 초음파**

A. 이하선에 인접하여 저에코의 종괴가 있다(화살촉). B. 도플러검사에서 종괴 주위로 혈류가 증가하였다. 이후 종괴의 크기가 빠르게 증가하여 조직검사를 시행하였으며 횡문근육종을 진단하였다.

초음파를 먼저 시행하는 것이 좋다. 침샘염이 발생하면 침샘이 전체적으로 커지고 침샘 주변 지방층의 에코가 증가한다(그림 8-10). 염증성 반응으로 커진 경부 림프절이 함께 관찰되기도 한다. 늘어난 침샘관 내부에 고에코의 타석을 볼 수도 있다. 침샘에 발생하는 대표적인 양성종양인 영아혈관종은 경계가 불분명한 저에코의 종괴로 나타나는데 도플러검사를 시행했을 때 혈류가 현저히 증가하는 모습을 볼 수 있다(그림 8-11). 드물지만 침샘에 생긴 악성 종양은 영상만으로 양성과 감별하기는 어려우므로(그림 8-12), 초음파 유도하에 세침흡인세포검사나 바늘생검을 시행할 수 있다. 고주파 탐촉자를 이용한 초음파 검사는 고해상도의 영상을 제공하는 장점이 있으나 심부를 평가하기에는 한계가 있으므로 이 때는 CT나 MRI가 필요하다.

(2) CT, MRI

CT와 MRI는 침샘 병변과 주변 구조물의 침범 여부를 보여주고 경부 림프절까지 함께 평가할 수 있는 장점이 있다. 타석증이 의심될 경우 CT로 석회화를 쉽게 찾을 수 있다. 침샘 종양의 경우 CT에서 병변을 찾을 수는 있으나 양성과 악성을 구분하기 어려우며, 이 때는 MRI를 함께 시행하여

종양의 성분, 세포밀도, 범위, 주위 조직으로의 침범 여부를 평가하는 것이 감별진단에 도움이 된다.

6) 갑상선

갑상선과 부갑상선은 일차적으로 초음파로 평가한다. 환아의 목을 뒤로 젖히고 갑상선을 가능한 한 신전시켜 고주파 선형 탐촉자로 검사하면 갑상선의 좌엽, 우엽, 협부가 잘 보인다. 초음파 검사를 통해 갑상선 실질의 에코를 평가하고 갑상선 내 국소 종괴 유무를 확인할 수 있다. 정상 갑상선은 주위 근육보다 약간 높고 균질한 에코를 보이는 반면, 갑상선염에서는 질환의 종류와 시기에 따라 초음파 에코가 정상보다 높아질 수도 있고 낮아질 수도 있다(그림 8-13). 선천성 갑상선 기능저하, 갑상혀관낭(thyroglossal duct cyst), 이소성 갑상선에서는 정상 갑상선의 존재 유무 및 크기와 위치를 평가하는 것이 중요하다. 도플러검사는 갑상선 실질이나 갑상선 종괴의 혈류를 평가하거나, 갑상선 주위 혈관 이상을 찾거나, 낭성 종괴와 혈관을 구분할 때 사용한다. 탄성초음파검사는 조직의 탄성도를 객관적 수치로 측정하는 초음파 기법으로 갑상선 종괴의 악성과 양성을 감별할 때 도움을 준다.

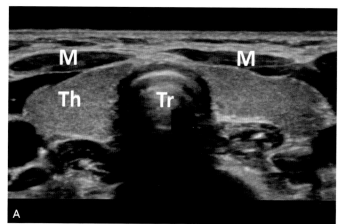
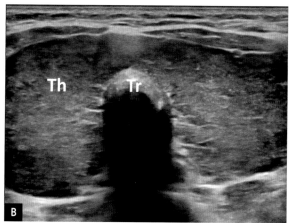

그림 8-13. 정상 갑상선과 비정상 갑상선의 초음파 소견
A. 정상 갑상선(Th)은 주위 근육(M)보다 약간 높고 균질한 에코를 보인다. B. 갑상선중독증을 보이는 14세 여아. 갑상선 실질(Th)의 에코가 비균일하고 크기가 증가하였다. Tr: 기관(trachea)

정상 부갑상선은 초음파 검사에서 잘 보이지 않지만 병적 상태에서 크기가 커지면 볼 수 있다. 부갑상선이 보이면 크기와 숫자를 파악하도록 한다.

초음파 검사로 평가가 어려운 인두, 후두, 기관, 종격에 대한 검사가 함께 필요할 경우에는 CT나 MRI를 시행한다. 정상 갑상선은 혈청보다 높은 농도의 요오드를 함유하기 때문에 비조영증강CT에서 주변 구조보다 높은 음영을 보이고 조영증강이 매우 잘 된다. 따라서 조영증강 CT에서 갑상선 종괴가 정상 갑상선 실질과 잘 구별되지 않을 수 있어 초음파의 역할이 더 중요하다.

7) 림프절

초음파 검사는 림프절에 대한 선별 검사로 적합하다. 정상 림프절은 난원형으로 주위 연부 조직보다 낮은 에코를 보이는데, 정상 림프절 내 지방문(fatty hilum)은 에코가 높고 내부에 정상 혈류가 관찰된다. 반면, 악성 림프절은 난원형보다는 원형에 가까운 모양이고 단축의 길이가 1 cm 이상으로 커진다. 림프절 내 지방문의 높은 에코가 소실되고 내부 혈류도 관찰되지 않으며(그림 8-14), 오히려 림프절 주변부에 혈류가 증가하는 모습을 볼 수 있다. 이와 같이 악성

림프절이 의심되면 초음파 유도하에 세침흡인세포검사나 바늘생검을 고려하여야 한다. 괴사성 림프절은 정상 림프절보다 더 낮은 에코를 보이고 중심부 혈류가 줄어든다. 괴사가 더 진행하여 농양이 되면 에코가 더 낮아져 마치 낭성 종괴처럼 무에코를 보이고 후방음영이 증가하게 된다. 초음파로 평가할 수 없는 심부 림프절에 병변이 의심되면 CT나 MRI를 시행하는 것이 도움이 된다. 일반적으로 MRI가 CT에 비해 조직 대조도가 더 우수하지만 경부 림프절 평가를 위해서는 CT가 더 많이 사용된다.

8) 두경부 종괴

소아에서 두경부에 종괴가 발견되면 영상검사를 이용하여 선천성 질환, 염증성 질환, 혈관 질환, 종양을 감별하는 데 도움을 받을 수 있다. 영상검사가 다양하므로 각각의 이익과 위험을 고려하여 선택하는 것이 중요한데, 특히 소아에서는 방사선 노출과 진정 처치의 위험을 감안하여 선택하는 것이 중요하다. 일반적으로 초음파를 가장 먼저 시행하는데, 방사선 노출이 없고 진정 처치가 필요하지 않으며 조영제를 사용하지 않아 비교적 수월하게 시행할 수 있는 검사이기 때문이다. 고주파 선형 탐촉자를 사용하면 종괴에

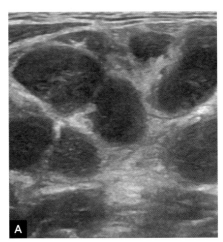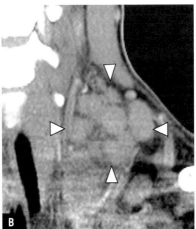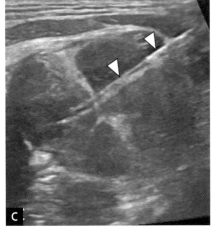

그림 8-14. 호지킨림프종으로 진단된 19세 남아의 초음파와 조영증강 관상면 CT
A. 중심부 지방문의 고에코가 소실된 좌측 레벨4의 림프절 무리, B. 조영증강이 잘 되지 않는 림프절 무리(화살촉), C. 초음파 유도하 바늘생검(화살촉).

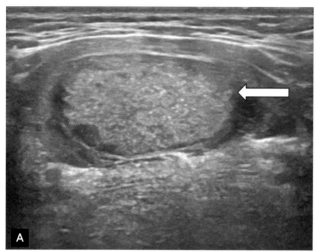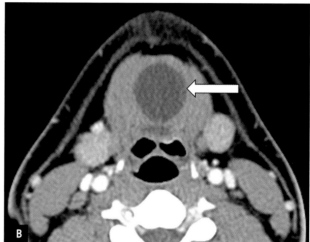

그림 8-15. 유피낭종으로 진단된 16세 남아의 초음파와 조영증강CT
A. 경계가 좋은 고에코 종괴(화살표), B. 조영증강되지 않는 저음영의 종괴(화살표)

대한 고해상도 초음파 영상을 얻을 수 있다. 이를 이용하여 병변의 크기와 위치에 대한 정보를 얻고 종괴가 낭성인지 고형인지 감별할 수 있다. 단순 낭성 종괴는 내부에 에코가 전혀 없는 검은 종괴로 보이고 후방 에코음영을 보인다. 반면, 복합성 낭성 종괴는 출혈이나 조직 파편에 의한 에코가 종괴 내부에 보인다(그림 8-15). 도플러 검사를 시행하여 혈류가 동맥인지 정맥인지 구별할 수 있으며, 혈류가 종괴 내부에 분포하는지 주변부를 따라 분포하는지 알 수 있다. 종괴의 혈류가 정상 조직의 혈류와 비교하여 더 증가하였는지 감소하였는지 판별하는 것도 중요한 소견이다.

　그러나, 초음파 소견만으로 감별진단이 어려운 경우가 많고, 선천성 질환과 후천성 병변에서 유사하게 보이는 소견도 있다. 이에 대한 추가 검사가 필요하거나, 초음파로 관찰하기 어려운 인두후공간 등 심부 연조직에 대한 평가가 필요할 때 CT나 MRI를 시행하여 병변의 특징이나 범위를 더 자세히 평가하도록 한다. 그러나 조영제를 주사하여야 하고 진정 처치가 필요하며 CT는 방사선 노출이라는 단점이 있으므로 신중하게 고려하여야 한다.

▬▬▬▬ 참고문헌

- 김형진, 이정현. 두경부 영상의학. 서울: 범문에듀케이션; 2015
- Som PM, Curtin HD. Head and neck imaging. 5th ed. St.Louis: Elsevier; 2011
- Choudhri AF. Pediatric neuroradiology clinical practice essentials. New York: Thieme; 2017
- Koch BL, Hamilton BE, Hudgins PA, et al. Diagnostic imaging: head and neck. 3rd ed. Philadelphia: Elsevier; 2017
- Coley BD. Caffey's pediatric diagnostic imaging. 12th ed. Philadelphia: Elsevier; 2013
- Hodler J, von Schulthess GK, Zollikofer CL, Diseases of the brain, head & neck, spine. Milan: Springer-Verlag; 2012:122-129
- 대한갑상선영상의학회. 갑상선 영상진단과 중재시술. 2nd ed. 서울: 일조각; 2013; 42-72
- Stern JS, Ginat DT, Nicholas JL, et al. Imaging of pediatric head and neck masses. Otolaryngol Clin N Am 2015;48:225-246

Chapter 09

예방접종

Immunization

이현주

1. 예방접종의 목적

예방접종은 질환의 예방을 위해 사용 가능한 가장 비용-효과적인 방법이다. 예방접종의 일차 목표는 개인 또는 집단 내 감염 예방이며, 최종 목표는 감염 전파를 차단하고, 감염병을 퇴치하여, 병원체를 박멸하는 것이다. 이를 위해 어린 영유아, 소아청소년 및 성인에게 예방접종을 적절한 시기에 잘 하는 것이 매우 중요하다. 효과적이고 안전한 예방접종의 결과, 천연두는 박멸되었으며, 폴리오는 우리나라를 비롯한 대부분의 국가에서 퇴치되었다. 또한 홍역, 풍진, 백일해 등은 백신 도입 전에 비해 발생이 현저하게 감소하였다. 이러한 성과는 효과적인 예방접종 프로그램을 통해 집단 내 예방접종률을 높게 유지하고, 질환 발생에 대한 감시 활동 및 효과적인 공중보건학적 관리 정책을 통해 가능하다.

2. 예방접종의 기본 원리 및 분류

예방접종은 특정 질환에 대한 면역을 유도하는 방법으로 수동 또는 능동면역을 통해 가능하다. 수동면역은 항체가 함유된 성분을 투여하여 면역을 얻게 되며, 능동면역은 면역 체계를 자극하는 백신 또는 독소(toxoid)를 투여함으로써 장기간 지속되는 면역반응을 유도하는 방법이다.

예방접종은 외부 항원에 대한 방어능력을 생성하는데, 이때 면역반응은 B림프구를 통해 항체를 생성하는 과정 및 세포매개면역반응을 유도한다.

1) 수동면역(Passive immunization)

수동면역은 이미 형성된 항체를 투여함으로써 면역을 갖게 된다. 이 경우 면역은 빠르게 획득하게 되며 수주에서 수개월 동안 일시적으로 유지된다. 수동면역의 대표적인 예로, 경태반을 통해 영아가 모체로부터 받는 경태반(transplacental) 수동항체(면역글로블린 G, IgG)이다. 이러한 항체로 감염병에 따라 수개월에서 일 년까지도 예방할 수 있다. 또 다른 예로 모유수유를 통해 항체(면역글로블린 A, IgA)가 전달되는 것을 들 수 있다.

수동면역은 면역글로블린, 특이 또는 과다면역글로블린(hyperimmune immunoglobulin), 동물 기원 항체 또는 단클론 항체(monoclonal antibodies)를 이용한다. 수동면역을 사용하는 주요 적응증은 B-림프구 장애가 있어 항체 형성이 어려운 면역결핍(예: 저감마글로블린혈증) 소아, 감염에 노출되었으나 백신을 통한 면역 형성까지 시간이 불충분한 경우(예: B형 간염 산모에게 태어난 신생아), 또는 감염 질환 중 치료 목적으로 투여하는 경우이다.

2) 능동면역(Active immunization)

백신은 감염병을 예방하기 위해 병원체 전체 또는 일부를 투여하여 면역을 유도하는 것을 말한다. 백신 항원은 병원체 전체를 불활성화하여 만들 수 있으며(예: 소아마비, A형 간염), 병원체의 일부를 사용하거나(예: 사람유두종바이러스, B형 간염), 피막다당(polysaccharide capsule)을 이용하거나(예: 폐구균 다당백신), 피막다당에 운반단백을 결합하거나(예: 뇌수막염, 폐구균, 수막구균 단백결합백신), 바이러스를 약독화하여 사용할 수 있으며(예: 홍역, 유행성이하선염, 풍진, 수두, 로타바이러스, 약독화 인플루엔자 생백신) 독소(예: 파상풍, 디프테리아)를 이용할 수 있다.

백신은 항체를 형성하거나 세포면역을 유도하거나 두 가지 방법 모두를 통해 면역을 유도할 수 있다. 백신은 주로 B 림프구를 통해 항체를 형성하게 하며, 이때 형성된 항체는 독소를 불활성화하거나, 바이러스를 중화하거나, 바이러스가 세포 수용체에 부착하는 것을 막거나 세균의 포식 및 사멸을 돕는 등 다양한 기전을 통해 형성된다. 항체는 백신에 따라 차이가 있으나, 백신 투여 후 7-10일경부터 검출이 가능하여 백신 접종 후 약 1개월 경에 항체가 가장 높다. 추가 접종 후에는 대체로 면역 반응이 더 빠르고 강하게 나타난다.

약독화 생백신은 실제 감염되었을 때와 유사한 면역반응을 유도하여 면역이 장기간 유지된다. 이때 실제 감염증을 유발하는 야생 바이러스 또는 세균, 즉 야생주를 실험실에서 약독화(attenuation)하여 사용한다. 대부분의 생백신은 1회 또는 2회 접종한다. MMR 백신에서 2차 접종의 목적은 1차 접종으로 면역반응이 형성되지 않은 사람에게 면역반응을 유도하게 하기 위함이다.

불활성화 백신 항원은 병원체를 열이나 화학 약품을 사용하여 불활성화시킨다. 불활성화 백신은 병원체가 체내에서 증식하지 않아 감염증을 유발하지 않는다. 대부분 적절한 면역반응을 유도하기 위해 여러 차례 접종하게 되며, 장기간 면역력을 유지하기 위해 추가접종을 하게 된다. 불활성화 백신 접종 후 수년 후에는 항체가 예방력이 있는 수준 이하로 감소할 수 있다. 이러한 현상은 특히 파상풍과 디프테리아의 경우에 현저하여, 이러한 백신은 주기적으로 추가접종이 필요하다. 모든 접종은 주기적으로 추가접종이 필요한 것은 아니며, 일부 소아 연령에서 주로 발생하는 질환(예: b형 헤모필루스 인플루엔자)을 예방하는 백신은 특정 연령 이후에 추가접종하지 않는다. 일부 활성화 백신 중, B형 간염은 백신에 대한 면역기억(immunologic memory)으로 인해 기초 접종 후에도 장기간 또는 평생 면역을 유도하여 추가접종이 필요하지 않다.

3. 백신 성분

백신에 포함된 항원은 백신에 따라 다르다. 고도로 정제된 단일항원(예: 파상풍 또는 디프테리아 독소) 또는 화학성분, 구조가 서로 다른 다수의 항원(예: 무세포 백일해 백신, 폐구균 및 수막구균 단백결합백신, 폐구균 다당백신)이 사용되기도 하며, 약독화 바이러스이 함유된 백신으로 홍역-볼거리-풍진(measles-mumps-rubella, MMR), 수두(varicella), 경구 폴리오 백신(oral polio vaccine), 로타바이러스 백신(rotavirus vaccine) 등이 있으며, 사멸된 바이러스 또는 바이러스 일부를 사용하는 백신(예: 불활성화 폴리오바이러스 백신, A형 간염 백신 및 불활성화 인플루엔자 백신) 또는 재조합 바이러스(예: B형 간염 백신, 사람유두종바이러스 백신 및 재조합 인플루엔자 백신)를 사용하는 백신이 있다.

세균 피막다당질을 항원으로 사용하는 백신은 2세 미만 소아에서 면역원성이 약하고 기억면역을 효과적으로 유도하지 않는다. 이러한 제한점을 극복하기 위해 헤모필루스 인플루엔자(Haemophilus influenzae type b, Hib), 폐구균 및 수막구균 백신의 경우 피막다당질 항원을 운반단백(예: 파상풍 독소, 디프테리아 독소, 수막구균 외막단백)에 화학적으로 결합시킴으로써 더 좋은 면역반응을 유도한다.

백신에는 항원 이외에 면역증강제, 보존제와 안정제 등이 포함된다. 피접종자가 이러한 물질에 알레르기가 있는 경우 알레르기 반응이 나타날 수 있다. 따라서 백신 접종 전 백신에 포함된 성분에 대한 알레르기 여부를 확인하는 것이 중요하다. 면역증강제로 알루미늄염(aluminum salts)이 흔히 사용되며 deacylated monophosphoryl lipid A와 수산화알루미늄(aluminum hydroxide)(ASO3)이 2가 사람 유두종바이러스 백신에 사용된다. 면역증강제는 백신에 포함된 항원에 대한 면역반응을 증강시키는 것뿐 아니라 향상된 면역반응으로 인해 항원 용량을 줄일 수 있어 백신 생산량을 늘리는데 기여할 수 있다. 보존제는 다회바이알 내 세균 및 곰팡이 증식을 억제하기 위해 포함된다. 일부에서는 백신 생산 단계에서 미생물 성장 억제를 위해 사용되기도 한다. 치메로살은 1930년대부터 백신을 포함한 다양한 생물학제제 및 약물에 보존제로 사용되었다. 이전 자폐를 포함한 신경발달장애와 관련 있다는 우려가 있었으나, 여러 안전 평가에서 백신에 포함된 치메로살은 신경발달장애의 위험을 증가시키지 않는 것으로 보고된다. 최근 국내에서 어린 영아에게 사용되는 백신은 치메로살이 포함되지 않거나 매우 소량 함유되었다. 그 밖에 일부 백신은 네오마이신, 폴리믹신 B, 또는 스트렙토마이신 등의 항생제가 포함되기도 한다.

4. 백신 접종 방법

백신 접종의 방법은 경구투여, 근육주사, 피하주사, 피내주사, 비강 내 투여로 나누어지며, 백신에 따라 규정된 방법대로 정확하게 접종하여야 한다. 백신 방법을 달리하거나 부위가 잘못된 경우에는 충분한 예방효과가 생기지 않거나 이상반응 발생이 증가할 수 있다.

5. 백신 접종 시기와 간격

백신은 적절한 면역반응을 유도하기 위해 접종 시기와 간격을 지키는 것이 중요하다. 백신 접종 시 몇 가지 주요 원칙을 지켜서 하여야 한다.

- 백신은 스케줄에 따라 적절한 연령에 하여야 하며, 추천되는 최소 연령 이전에 접종해서는 안 된다.
- 백신은 추천되는 접종 간격을 지켜야 한다. 최소 간격 이내 접종하면 항체 생성이 저하되어 예방효과가 감소할 수 있다. 불가피하게 접종이 지연되는 경우 접종 간격이 길어져도 예방효과가 감소하지 않는다.
- 불활성화 백신은 항체 함유제제(예: 혈액제제) 투여의 영향을 받지 않지만, 약독화 생백신은 영향을 받으므로 항체 함유제제에 따라 투여 시기 및 접종 간격을 고려하여 접종하여야 한다.
- 모든 백신은 다른 백신과 동시접종이 가능하다.

6. 예방접종 스케줄

1) 백신 접종 시기

백신 투여 시기는 피접종자에게 최대의 면역반응을 보이면서 면역 획득을 통해 감염으로부터 예방이 가장 필요한 시기에 접종하는 것이 중요하다. 이때, 최적의 면역 반응이 유도되는 시기 및 방어력이 필요한 시기를 모두 고려하여야 한다. 소아·청소년 예방접종 스케줄은 이 균형을 고려하여 만들어진다. 이러한 이유로 예방접종 시기 및 일정표는 나라에 따라 달라진다.

주사로 투여되는 바이러스 생백신의 경우, 영유아에서 예방접종 시기를 결정할 때 산모로부터 받은 수동면역의 저해 현상이 소실되는 시기를 고려하여야 한다. 즉, 1세 미만의 영아에게 홍역 백신을 투여하였을 때, 산모로부터 전달받은 수동 항체 및 어린 영아의 미숙한 면역력이 백신 접종 시 유도되는 면역반응을 저해한다. 홍역 백신을 12개월 전에 불가피하게 투여해야 하는 경우(예: 유행 지역으로의

표 9-1. 어린이 표준예방접종일정표(2020)(계속)

12개월	15개월	18개월	19-23개월	24-35개월	만 4세	만 6세	만 11세	만 12세
		DTaP 4차				DTaP 5차		
							Tdap/Td 6차	
						IPV 4차		
Hib 4차								
PCV 4차								
					고위험군에 한하여 접종			
MMR 1차						MMR 2차		
Var 1차								
	HepA 1-2차							
	IJEV 1-2차			IJEV 3차		IJEV 4차		IJEV 5차
	LJEV 1차			LJEV 2차				
							HPV 1-2차	

⑦ 폐렴구균(단백결합): 생후 2개월-5세 미만 모든 소아를 대상으로 접종. 일부 폐렴구균 감염의 고위험군에서는 5세 이상의 소아와 성인도 접종(본문 참조). 10가와 13가 단백결합 백신 간에 교차접종은 권장하지 않음

⑧ 폐렴구균(다당): 2세 이상의 폐렴구균 감염의 고위험군을 대상으로 하며 건강상태를 고려하여 담당의사와 충분한 상담 후 접종

※ 폐렴구균 감염의 고위험군 – 면역 기능이 저하된 소아: HIV 감염증, 만성 신부전과 신증후군, 면역억제제나 방사선 치료를 하는 질환(악성 종양, 백혈병, 림프종, 호치킨병) 혹은 고형 장기 이식, 선천성 면역결핍질환 – 기능적 또는 해부학적 무비증 소아: 겸상적혈구 빈혈 혹은 헤모글로빈증, 무비증 혹은 비장 기능장애 면역 기능은 정상이나 다음과 같은 질환을 가진 소아: 만성 심장질환, 만성 폐질환, 당뇨병, 뇌척수액 누출, 인공와우 이식 상태

⑨ 홍역: 유행 시 생후 6-11개월에 MMR 백신 접종이 가능하나 이 경우 생후 12개월 이후에 MMR 백신 재접종 필요

⑩ A형간염: 생후 12개월 이후에 1차 접종하고 6-18개월 후 추가접종(제조사에 따라 접종 시기가 다름)

⑪ 일본뇌염(불활성화백신): 1차 접종 7-30일 간격으로 2차 접종을 실시하고, 2차 접종 후 12개월 후 3차 접종

⑫ 일본뇌염(생백신): 햄스터 신장세포 유래 약독화 생백신 및 키메라 바이러스 생백신으로 1차 접종 후 12개월 후 2차 접종

⑬ 사람유두종바이러스: 만 11-12세에 6개월 간격으로 2회 접종(4가와 2가 백신 간 교차접종은 권장하지 않음). 14세(4가) 또는 15세(2가) 이후 접종은 3회 접종 (0, 1-2, 6개월)

⑭ 인플루엔자(불활성화백신): 6-59개월 소아의 경우 매년 접종 실시. 이 경우 접종 첫해에는 1개월 간격으로 2회 접종하고 이후 매년 1회 접종(단, 이전에 인플루엔자 접종을 받은 적이 있는 6개월-9세 소아들도 유행주에 따라서는 2회 접종이 필요할 수 있으므로, 매 절기 인플루엔자 관리지침을 참고함)

⑮ 인플루엔자(생백신): 24개월 이상부터 접종 가능하며, 접종 첫해에는 1개월 간격으로 2회 접종하고 이후 매년 1회 접종(단, 이전에 인플루엔자 접종을 받은 적이 있는 6개월-9세 소아들도 유행주에 따라서는 2회 접종이 필요할 수 있으므로, 매 절기 인플루엔자 관리지침을 참고함)

⑯ 6주 0일부터 접종할 수 있으며, 제품에 따라 2회(RV1) 또는 3회(RV5) 접종. 최소 접종 간격은 4주이며, 14주 6일까지는 첫 접종을 시작하고 마지막 접종은 8개월 0일까지 완료

여행 또는 노출 위험이 큰 경우) 생후 12개월 이후 권장 연령과 간격에 따라 접종을 2회 마무리하여야 한다.

또한 백신 접종 시기 및 횟수는 면역 반응을 고려하여야 한다. 예를 들어 풍진 백신은 1회 접종으로 면역반응이 잘 유도되지만, 불활성화 백신의 경우 수회 접종으로 이루어진 기초접종이 적절한 면역반응을 위해 필요하다. 백신에 포함된 항원 각각의 면역반응을 모두 반영하여 접종 횟수를 결정한다.

2) 서로 다른 백신의 동시 접종

일반적으로 동시 접종은 안전하고 효과적으로 소아청소년 예방접종 시 연령에 따른 적절한 면역을 획득하고 의료기관 방문 횟수를 줄이기 위해 권장된다. 또한 지연 접종, 소아청소년에서 빠른 방어면역을 유도하기 위해 그리고 해외여행 전 접종을 위한 예방접종 계획을 세울 때 동시 접종이 중요한 접종 전략이 된다. 바이러스 생백신은 접종 간격이 중요한데, 서로 다른 바이러스 생백신을 동시 접종하거나 28일(4주) 이상의 간격을 두고 접종하도록 한다. 불활성화 백신은 대체로 서로 다른 백신 접종 시 최소 투여 간격은 정의된 것은 없으나, 기능적 또는 해부학적 무비증의 경우 일부 수막구균 단백 결합 백신과 폐구균 단백 결합 백신은 면역 간섭 현상으로 인해 최소 4주 간격을 두고 접종한다.

3) 소아청소년 예방접종일정표

소아청소년에게 권장되는 예방접종일정표는 질병관리본부 및 대한소아청소년과학회 감염위원회에서 정기적으로 검토하며 업데이트를 한다. 질병관리본부는 예방접종도우미 예방접종 검색사이트(nip.cdc.go.kr)에서 검색이 가능하며, 대한소아청소년과학회 감염위원회에서는 정기적으로 예방접종지침서를 발간하여 예방접종가이드라인을 제시하며, 새로운 백신이 도입되거나 백신 수급에 어려움이 발생할 경우 별도의 가이드라인을 발급하고 있다. 소아청소년 표준예방접종일정표(2020)는 표 9-1과 같다.

7. 예방접종 이상반응과 안전성

모든 백신은 허가 전 면역원성 및 안전성에 대한 면밀한 평가가 이루어진다. 드물게 백신 접종 후에도 개인은 질환에 이환될 수 있으며, 백신 접종 후 접종 목적과 무관하게 원하지 않은 효과가 나타날 수 있다. 이는 백신반응(adverse reaction)이라고 하며, 백신 접종 이상반응(adverse event)은 백신 접종 이후에 발생하는 모든 의학적 사례를 말한다. 예방접종 후 이상반응은 백신에 의해 발생하거나 백신과 무관하게 우연히 접종 후 발생할 수 있어 이를 구분하는 것이 어려운 경우가 많다. 예방접종 후 이상반응은 국소 이상반응, 전신 이상반응 및 알레르기 반응으로 구분된다. 국소 반응은 일반적으로 중증도가 낮지만 흔히 발생할 수 있으며, 알레르기 반응(예: 아나필락시스)은 가장 심하지만 발생 빈도는 낮다. 백신은 접종에 따른 이득과 위험을 고려하여 접종하여야 한다. 따라서 예방접종은 백신을 통한 방어력을 최대화하고 위험을 최소화할 수 있도록 접종 시기, 투여 방법, 용량과 함께 백신에 따른 주의 사항 및 금기사항을 고려하는 것이 중요하다.

1) 국소 이상반응

국소 이상반응은 주사부위 통증, 종창 및 발적 등을 말한다. 발생 빈도는 백신 종류에 따라 다르며, 불활성화 백신의 경우 가장 흔히 발생한다. 특히 DTaP 백신 등과 같이 면역증강제(adjuvant)를 포함한 백신을 접종한 경우에 나타날 수 있다. 국소 이상반응은 일반적으로 접종 후 수시간 내에 발생하며 대부분 경미하고 후유증 없이 저절로 호전된다. 드물게 매우 심하게 나타날 수 있으며, 이는 과민반응(hypersensitivity reaction)으로 생각된다.

2) 전신 이상반응

전신 이상반응은 접종 후에 발열, 권태감, 근육통, 두통, 식욕감소 등이 있을 수 있다. 불활성화 백신 및 약독화 생백신 후에 모두 발생할 수 있다. 약독화 생백신은 접종 후 자연 감염과 유사한 과정을 유발하므로, 약독화된 병원체가 체내에서 증식하는 과정에서 발열 또는 발진 등이 발생할 수 있다. 이때 대부분 증상이 경미하며, 주로 접종 후 7-21일에 발생한다.

3) 심한 알레르기 반응 또는 아나필락시스 반응

백신에 포함된 성분(항원 또는 안정제, 보존제, 세균 증식을 막기 위한 항생제) 등에 의하여 발생할 수 있다. 빈도는 드물지만 심한 알레르기 반응은 생명에 위협을 줄 수 있다. 백신을 접종하는 기관에서는 아나필락시스 발생 시 대처할 수 있는 응급구조체계 및 약품을 갖추고 있어야 한다.

4) 백신 안전성의 중요성

예방접종은 감염병 예방의 가장 효과적이고 안전한 공중보건 수단이지만, 다른 의약품과 같이 이상반응이 발생할 수 있다. 그러나 이상반응에 대한 우려로 특정한 백신의 사용을 중지하는 경우 예방접종 대상 감염병의 예방 및 관리 측면에서 부정적인 결과를 초래할 수 있다. 예방접종과 이상반응의 연관성 및 이의 위험에 대한 잘못된 판단은 예방접종에 대한 신뢰를 떨어뜨리고 예방접종률과 질병 유행에 중대한 영향을 미칠 수 있다. 반대로 충분한 증거에도 불구하고 연관성을 부인하는 것 또한 지역 사회 내 문제를 초래할 수 있다. 따라서 예방접종과 이상반응과의 연관성 및 그 위험의 정도를 평가하는 것은 백신의 이득과 위험을 검토하여 실제 예방접종사업을 수행하고 평가하는 데 있어 필수적이다.

효과적인 백신 도입 후 예방접종 대상 감염병 발생 빈도는 현저하게 감수하며, 동기간 예방접종 후 이상반응 보고는 증가할 수 있다. 이에 따라 사회에서는 감염병 자체보다 예방접종과 관련된 위험에 더욱 관심을 갖게 되며, 이는 예방접종률을 떨어뜨리는 결과를 초래할 수 있다. 그 결과 감염병이 다시 증가하거나 유행을 경험할 수 있다. 예방접종은 질병의 예방을 목적으로 투여하기 때문에 대체로 건강한 사람에게 투여하는 특성이 있어 고도의 안전성이 강조된다. 따라서 백신을 잘 관리하고 원칙에 따라 올바로 접종하고 예방접종 후 이상반응을 잘 감시하고 관리하는 것이 매우 중요하다.

8. 예방접종 금기사항 및 주의사항

예방접종 금기사항은 백신을 접종받는 사람에게 심각한 부작용이 발생할 가능성이 아주 높을 경우를 말한다. 일반적으로 금기사항이 있는 경우에는 백신을 접종하지 않아야 한다. 주의사항은 백신 접종이 심각한 부작용 발생 가능성이 높은 경우 또는 면역 생성을 저하시킬 수 있는 상태(예: 수혈 후 약독화 생백신을 접종하는 경우)를 말한다. 일반적으로 주의사항에 해당하는 경우 접종을 연기하지만, 백신 접종으로 질병을 예방하여 얻어지는 이익이 이상반응의 위험보다 큰 경우 백신을 접종하는 것으로 결정할 수 있다.

▬▬▬ 참고문헌

• 대한소아과학회. 예방접종지침서 제8판, 서울, 대한소아과학회. 2015

• 질병관리본부, 대한의사협회, 예방접종전문위원회. 예방접종 대상 전염병의 역학과 관리, 제5판 수정판. 2017

• American Academy of Pediatrics. Active and passive immunization. In: Kimberlin DW, Brady MT, Jackson MA, Long SS. Redbook: 2018 Report of the Committee on Infectious diseases. 31th ed. Elk Grove Village, IL: American Academy of Pediatrics, 2018: 1-67.

• Kroger AT, Atkinson WL, Pickering LK. General Immunization Practices. In: Plotkin SA, Orenstein WA, Offit PA, Edward KM eds. Vaccines. 7th ed. Philadelphia: Elsevier, 2017:96-120.

이과

Ear

02

Pediatric Otorhinolaryngology

Chapter 10

소아 청각학: 소아 난청의 진단

Pediatric Audiology: Diagnosis of Infant Hearing Impairment

박주현

1. 서론

청각기능은 출생 직후부터 중요한 의미를 가진다. 정상적인 청각기능을 가지고 태어난 신생아는 성장기간 동안 많은 양의 청각 정보를 수집하고 통합한다. 소아에서 청각은 청성자극을 수용하여 효율적인 의사소통을 가능하게 하는 것뿐 아니라 언어발달과 인지 및 사회적 행동발달에도 중요한 역할을 한다. 난청은 유소아기의 가장 흔한 감각기 손상으로 알려져 있다. 신생아 난청은 약 1.1/1,000명의 비율로 발생하고 선천성 양측 전농은 1,000명 출생당 1-5명 정도에서 발생하는 것으로 알려져 있다. 학령기 아동과 청소년의 경우 그 비율은 더 높아져서 20 dB 이상의 청력역치를 보이는 경도 난청은 약 3.1%까지 보고되고 있다. 유소아 난청이 의심되는 경우 조기에 청각재활을 시행하는 것이 언어, 학습, 및 사회성 발달에 매우 중요하고 이러한 난청은 환아뿐만 아니라 그 가족에게도 영향을 미칠 수 있다. 그러므로 난청의 조기발견과 조기 재활을 위해 신생아청각선별검사 및 유소아를 대상으로 한 정확한 청력평가는 매우 중요하다. 소아의 청력검사는 성인과 다른 몇 가지 특징을 가지고 있다. 첫째, 피검자가 검사에 대한 이해와 협조가 부족하다. 그래서 검사에 흥미를 보일 수

있는 여러 가지 장치가 동원되거나 진정이 필요한 경우가 발생한다. 둘째, 청각기관의 발달이 완전하지 않아 검사결과의 정상범위가 성인과 다를 수 있다. 셋째, 이관기능의 성숙이 이루어지지 않아 중이염이 성인에 비해 많다는 것이며 이 때문에 검사 결과를 해석할 때 특별한 주의가 필요하다. 난청의 관리 방법은 진단 시 연령, 난청의 특성과 정도 및 양측 또는 일측성 등에 의해 영향을 받는다. 양측 고도 난청의 경우 언어발달의 문제 때문에 와우이식술을 고려할 수 있으나 전음성 난청이나 일측성 감각신경성 난청의 경우에는 언어발달의 영향이 없거나 적어서 학동기 전까지 진단이 되지 않는 경우도 있다. 여기서는 소아 난청의 진단을 위한 검사법을 소개하고 각 검사법들의 장단점과 의의를 살펴보고자 한다.

2. 행동청력검사

청각계의 기능을 평가하기 위한 전기생리학적 검사가 발달하고 있지만 청각기능을 평가하는 가장 기본적인 방법은 순음청력검사라고 할 수 있다. 그러나 검사에 협조가 어려운 유소아에서는 일반적인 순음청력검사 대신 행동

청력검사(behavioral audiometry)가 시행된다. 행동청력검사에서 검사자는 아동이 반응을 보이는 가장 작은 소리의 크기가 어느 정도인지 측정하게 된다. 이는 검사자에 의해 주어진 자극에 대해 검사를 받는 아동이 적절한 반응을 보인다는 것을 전제로 한다. 즉, 아동의 자발적인 혹은 학습화된 반응은 아동이 소리를 들었을 때에만 나타나야 한다. 따라서 아동이 청각 자극에 대해 적절히 반응하도록 학습하거나, 아동의 행동이 청각 자극에 의한 것인지 판단하는 데 있어서 숙련된 청각사의 역할이 중요하며 특히, 4-5세 이하의 유소아의 경우 그 역할은 더욱 강조된다. 행동청력검사는 일반적으로 시행되고 있는 순음청력검사에 비해 덜 보편적인 검사이지만, 전기생리학적 검사와의 보완을 통해 비교적 정확한 청력역치를 측정할 수 있으며, 어음에 대한 검사 아동의 반응을 예측할 수 있다. 유소아에서 시행되는 행동청력검사는 아동의 연령과 발달 정도에 따라 행동관찰 청력검사(behavioral observational audiometry), 시각강화 청력검사(visual reinforcement audiometry), 유희청력검사(play audiometry)로 구분할 수 있으며, 4-5세 이상의 아동에서는 일반적인 순음청력검사를 시행할 수 있다. 그러나 검사를 선택할 때는 해당 유소아의 생활연령보다는 발달연령에 근거하여 검사를 선택하여야 한다. 즉 4세 아동이 발달장애로 2세 이하의 인지도를 보인다면 2세 이하에 맞는 검사법을 적용하여야 한다.

1) 행동관찰 청력검사(Behavioral observational audiometry, BOA, 0-6개월)

행동관찰 청력검사는 시각자극의 방향으로 눈이나 머리를 신뢰성 있게 돌리는 것이 불가능한 영아나 발달장애를 가진 유소아에서 시행할 수 있다. 행동관찰 청력검사에서 유의미한 신호로 간주하는 것은 소리 자극이 주어지는 순간에 나타나는 다양한 반응으로 숨을 멈추거나 눈을 크게 뜨는 행동, 젖꼭지 빠는 것을 중단하는 행동 등의 비특이적인 반응을 포함한다. 신체의 어떤 부분에서 나타나는 반응이라고 하더라도 반복적으로 발생하고, 소리 자극과 시간상으로 일치하며, 자극이 없을 때는 나타나지 않는다면 청각

자극에 대한 의미 있는 반응으로 간주한다. 행동관찰 청력검사로 측정한 청력역치는 실제보다 높게 나타나는 경향이 있기 때문에 청성뇌간반응이나 유발이음향검사의 보조적인 수단으로 사용해야 한다. 6개월 이하의 영아가 반응을 보일 것으로 예상되는 표준적인 크기의 소리를 검사에 사용하는 경우 정상 청력의 영아와 경도의 난청을 가지고 있는 영아가 모두 정상으로 해석될 수 있기 때문에 주의해야 한다.

2) 시각강화 청력검사(Visual reinforcement audiometry, VRA, 6개월-2세)

시각강화 청력검사는 반복적인 훈련과 학습에 의해 나타나는 조건반사(conditioned reflex) 반응을 유도하여 유소아에게 순음이나 어음청력검사를 실시하는 방법이다. 보편적인 시각강화 청력검사에서 검사보조자는 아이와 마주보게 된다. 소리의 전달을 위해 이어폰이나 골도 진동기, 스피커 등이 사용된다. 유소아가 충분히 들을 수 있는 강도의 소리를 제시한 후 만약 아이가 고개를 들거나 소리 나는 쪽을 바라보면 빛을 내며 움직이는 장난감 혹은 짧은 만화 동영상 등을 보여주면서 강화제로 제시한다. 소리 자극 후 유소아가 스스로 고개를 돌려 시각적으로 제시되는 강화제를 볼 수 있어야 하므로 적어도 목을 가눌 수 있는 약 6개월부터 사용이 가능하고 만 2세까지 적용할 수 있다. 주로 자극이 스피커를 통하여 제시되므로 소리의 종류는 변조 주파수(frequency modulated) 소리나 아기들이 잘 반응하는 협대역소음(narrow-band noise)을 사용한다. 시각강화 청력검사가 항상 20 dB HL 이하의 청력역치를 가진 영유아를 선별하는 데 유용한 것은 아니나 9-10개월 연령의 정상 발달아에 대해서는 시각강화청력검사를 통해 측정된 청력역치가 실제 청력역치에 매우 근접하게 나타난다. 반면, 6-8개월 연령의 영아에서는 시각강화 청력검사를 통한 청력역치가 실제보다 높게 나타난다. 청각사가 평가한 검사 신뢰도는 시각강화 청력검사를 통해 추정된 청력역치가 실제 청력역치를 반영하는지 판단하는 데에 도움을 줄 수 있다. 만일, 검사보조자가 없는 상황이라면 청각 자극이 없을 때 아동의 시선이 중앙 아래쪽을 향할 수 있도록 부모를 교

육하는 것이 필요하다. 이때 부모는 아동에게 청각자극이 언제 주어지는지에 대한 단서를 주어서는 안 된다. 검사결과는 검사에 대한 부모의 이해도에 따라서도 달라질 수 있다. 한 명의 청각사가 검사를 진행하는 상황에서는 청각사가 검사자와 관찰자의 역할을 동시에 수행해야 하므로 아이와 한 방에 있으면서도 청각 자극을 주고 시각 강화 장치를 작동시킬 수 있도록 별도의 기기가 필요하다.

3) 유희청력검사(Play audiometry, 2-5세)

만 4-5세 이후 일반적인 순음청력검사를 시행하기 전 단계에 실시한다. 재미있는 놀이로 호기심을 끌고 유소아의 짧은 집중시간을 늘려가며 순음이나 어음청력검사를 실시하는 방법이다. 피검자인 유아는 소리가 들릴 때마다 반복적으로 특정 놀이를 수행하도록 교육받게 되고 교육과정은 비언어적으로 이루어진다. 작은 플라스틱 볼이나 모형들을 소리가 들릴 때마다 바구니에 집어넣도록 하는 놀이, 고리 끼우기 놀이, 구슬 꿰기 등을 사용할 수 있다. 검사는 대

개 헤드폰을 착용시키고 검사하여 오른쪽과 왼쪽 귀를 구분하여 검사할 수 있고 가능한 경우 골진동기를 이용하여 골도 검사도 시행할 수 있다. 그러나 헤드폰을 사용할 수 없는 일부 유아들에 대해서는 음장(sound-field)하 검사가 필요할 수도 있다. 유아가 헤드폰을 사용할 수 있는 경우에는 한 명의 청각사만으로도 성공적인 검사를 할 수 있는 경우가 많다. 음장검사를 시행할 경우에는 유아가 검사와 놀이 수행에 집중할 수 있도록 검사 보조자가 필요하다. 유희청력검사를 통해 측정된 청력역치는 일반적인 순음청력검사를 통해 측정된 청력역치만큼의 신뢰도를 가진다.

4) 순음청력검사(Pure tone audiometry, PTA, 4-5세 이상)

전반적인 방법은 성인에서 시행하는 순음청력검사와 동일하다. 순음청력검사의 시행 전에 아동은 소리가 들릴 때마다 손을 들거나 버튼을 누르도록 교육받는다. 청력역치는 각 주파수별로 측정될 수 있으며 이어폰을 사용하거나 난청이 있는 주파수에서 골진동기를 사용할 수 있다.

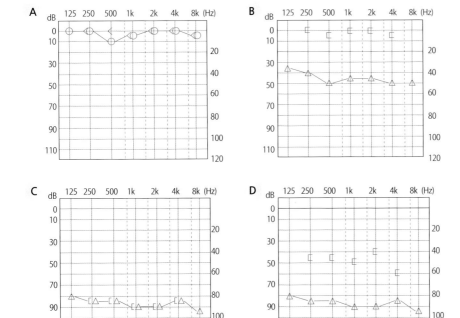

KEY		Air	Masked	Bone	Masked
Right	Red	○	△	<	⊏
Left	Blue	×	□	>	⊐

그림 10-1. **순음청력검사 결과의 예.** A. 정상, B. 전음성 난청, C. 감각신경성 난청, D. 혼합성 난청

골도 청력역치가 기도 청력역치보다 10 dB 이상 좋은 경우나 검사측 기도 청력 역치와 비검사측 골도 청력역치가 40 dB 이상 차이가 나는 경우에는 비검사측 귀에 차폐소음을 준다. 기도 청력역치를 이어폰을 사용해서 측정한다면 검사측 기도 청력역치와 비검사측 골도 청력역치 차가 60 dB 이하일 때 차폐 없이 검사를 시행할 수 있다. 하지만 청력 역치가 애매할 경우, 정확한 청력역치의 측정을 위해 반드시 차폐를 시행해야 한다. 순음청력검사결과의 예는 그림 10-1과 같다.

3. 어음청력검사

어음에 대한 아동의 반응을 측정하는 것은 순음청력검사로 측정된 청력역치의 신뢰성을 뒷받침할 뿐만 아니라, 환아가 인지한 소리의 명료성에 대한 정보를 제공한다. 어음청력검사에서 청각 자극은 각각의 귀에 이어폰이나 골진동기를 통해 주어지거나 음장 하에서 주어질 수 있다. 음장 하에서 어음청력역치를 측정하는 방법은 보청기나 와우의 이득을 측정할 때에도 응용될 수 있다. 어음청력검사에서 주로 평가하는 지표는 어음인식역치(speech detection threshold, SDT), 어음청취역치(speech reception threshold, SRT), 어음명료도(speech discrimination score, SDS) 등이 있으며, 특수한 경우, 조기어음지각검사(early speech perception test, ESP) 등이 시행된다. 소아의 경우 순음 자극보다 어음 자극에 더 친밀감을 가지기 쉽지만 검사대상의 환경에 따라 습득하는 단어의 차이가 클 수 있다. 특히, 난청이 있는 경우 단어 습득이 제한적일 수 있어 정확한 검사에 한계가 있고 난청이 심한 경우 9세 이전에서는 정확한 어음청력검사를 하기 어려운 것으로 알려져 있다.

1) 어음인식역치(Speech detection threshold, SDT)
어음인식역치는 검사어음의 유무를 50% 이상을 감지(이해가 아님)할 수 있는 가장 작은 소리의 음압을 나타낸다. 어음인식역치는 골진동기나 음장 하에서도 측정이 가능하다. 아동이 어음자극에 대해 신뢰성 있게 반응하였을 때, 어음인식역치는 250 Hz에서 4,000 Hz까지의 순음청력역치와 비슷한 값을 나타낸다. 만약 검사 아동이 30 dB HL의 어음 자극에 대해 명확히 반응했으나 50 dB HL 이상의 순음자극에 대해 반응을 보이지 않는다면 주파수 특이 자극에 대한 반응이 부정확하며 역치가 높게 측정되었음을 의미한다. 어음인식역치를 측정할 때에는 음압을 보정한 음악을 자극으로 사용할 수도 있다.

2) 어음청취역치(Speech reception threshold, SRT)
어음청취역치는 검사어음의 50% 이상을 정확하게 알아들을 수 있는 어음의 최소 강도를 의미하며 어음인지역치레벨(speech recognition threshold level)이라고도 한다. 이 때의 어음은 일상생활에서 친숙하게 사용되는 이음절어(bisyllabic word)를 주로 사용하며, '접시', '땅콩' 등이 대표적인 예이다. 아동의 반응은 단어를 따라 말하게 하거나 단어를 나타내는 그림을 가리키는 것으로 판단할 수 있다. 어음청취역치는 500 Hz, 1,000 Hz, 2,000 Hz의 순음청력역치의 평균값과 10 dB 이내의 차이를 보인다. 고주파에서 급격한 경사를 보이는 순음청력도를 가진 환아에서 어음청취역치는 500 Hz와 1,000 Hz의 평균과 일치한 값을 보인다. 익숙한 단어를 사용한다면 모음만 알아듣고도 자음을 유추해 대답할 수 있으므로 부정확한 어음청취역치를 보일 수 있다. 일반적으로 어음청취역치가 3개 주파수의 순음청력역치보다 15dB 이상 낮은 값을 보이는 경우에는 순음청력검사가 잘못되었다고 판단한다. 이때 순음청력검사의 청력역치가 높게 나오는 흔한 원인은 검사 아동이 청각 자극에 집중하지 않거나 일부러 반응을 보이지 않는 경우 등이다. 반대로 어음정취역지가 순음청력억치보나 너 높게 나온 경우는 청각사가 가양성반응을 순음청력역치에 반영시켰을 가능성을 고려해야 한다. 이음절어 목록은 각 연령대에 따라서 일반용(Korean standard-bisyllabic word lists for adults, KS-BWL-A), 학령기용(KS-BWL for school children, KS-BWL-S) 및 학령전기용(KS-BWL for preschoolers, KS-BWL-P)으로 구성되어 있다. 어음청취역치 측정을 위한 이음절어표의 예는 표 10-1과 같다. 학령기 및 학령전기 아

표 10-1. 어음청취역치 측정을 위한 이음절어표

한국표준 일반용 이음절어표(KS-BWL-A)

KS-BWL-A1	편지	달걀	시간	육군	신발	땅콩	안개	마음	허리	욕심	노래	저녁
KS-BWL-A2	사람	토끼	병원	등대	논밭	과일	송곳	딸기	문제	나무	극장	가위
KS-BWL-A3	그림	아들	팥죽	동생	목표	냄새	바다	자연	접시	권투	방석	느낌

한국표준 학령기용 이음절어표(KS-BWL-S)

| KS-BWL-S1 | 날개 | 창문 | 동생 | 약국 | 호박 | 자연 | 거울 | 토끼 | 회사 | 노래 | 신발 | 딸기 |
| KS-BWL-S2 | 나무 | 참새 | 달걀 | 우산 | 학교 | 장갑 | 그림 | 풍선 | 전화 | 병원 | 과일 | 땅콩 |

한국표준 학령전기용 이음절어표(KS-BWL-P, 그림 포함)

| KS-BWL-P | 거울 | 안경 | 전화 | 풍선 | 당근 | 가위 | 사과 | 나무 | 신발 | 모자 | 연필 | 기차 |

동의 경우 검사의 신뢰도를 높이기 위해서 보조검사자와 함께 시행할 수 있도록 하며, 언어발달 단계에 따라 그림판을 활용할 수 있다.

3) 어음명료도(Speech discrimination score, SDS)

어음명료도검사는 어음청취역치보다 30-50 dB 정도의 큰 소리, 듣기 편안한 어음레벨에서 정확히 들은 검사어음의 비율을 측정하는 것으로 어음인지도(speech recognition score)라고도 한다. 단음절어표(korean standard-monosyllabic word list, KS-MWL)를 이용한다. 검사 어음의 크기는 50 dB HL로 고정하여 시행하기도 하며, 이 경우 일정 정도의 난청이 있는 환아에서도 일반적인 대화 환경에서 어음 감지능력을 측정할 수 있다는 장점이 있다. 검사 어음은 청력측정기에서 보정된 육성을 사용하거나 녹음된 자료를 활용할 수 있다. 어음명료도검사는 여러 가지 종류로 나눌 수 있다. 말소리 변별능력검사(closed-set test)는 여러 개의 주어진 보기 중에서 청각사에 의해 제시되는 단어를 골라내는 검사이다. 말소리 이해능력검사(open-set test)는 보기가 주어지지 않으며 검사 아동의 반응이 다양하게 나타날 수 있다. 따라서 검사 아동의 조음능력이 정상이 아닐 때에는 말소리 이해능력검사의 평가는 제한적일 수 있다. 만일, 검사 아동이 특정 단어를 반복적으로 잘못 발음한다면 검사 어음의 청취는 문제없으나 발음능력의 발달에 이상이 있

을 가능성이 있다. 한편, 유소아에서 여러 차례 어음명료도 검사를 하는 경우 유소아의 발달 정도에 따라 말소리 변별 능력검사에서 말소리 이해능력검사로 검사방법이 바뀌면서 어음명료도 점수가 저하된 것처럼 보이는 경우가 있을 수 있어 실제로 어음명료도가 저하된 경우와 감별을 요한다. 유소아에서 어음명료도검사는 검사 아동의 나이, 언어발달 상태, 청력상태에 따라 신중하게 선택되어야 한다. 또한, 타당성과 신뢰성이 검증되어 있는 검사를 선택해야 한다. 결과의 신뢰성 있는 해석을 위하여 표준화된 검사 어음을 사용해야 하고 검사어음 목록이 여러 가지인 경우 검사 어음 목록 간의 난이도가 비슷하도록 보정되어야 한다. 어음명료도 측정을 위한 단음절어표도 성인용(KS-MWL-A)과 학령기용(KS-MWL-S), 학령기전용(KS-MWL-P)이 있으며 예는 표 10-2와 같다.

4) 조기어음지각검사(Early speech perception test, ESP)

와우 이식의 대상자를 선별하고 와우 이식 후 그 효과를 예측할 필요성이 높아짐에 따라 아동, 특히, 고도 난청을 가진 환아에서 시행이 가능한 어음지각검사(speech perception test)가 개발되었다. 조기어음지각검사와 같은 유소아 대상 어음지각검사는 음소의 내용은 부정확하더라도 음절의 패턴을 파악하는 능력을 측정하도록 구성되어 있다. 조기어음지각검사는 특히 정상발달을 보이는

표 10-2. 어음명료도 측정을 위한 단음절어표

	KS-MWL-A							
	A1		A2		A3		A4	
1	귀	벌	난	미	국	틀	산	배
2	남	추	위	솔	마	나	두	솜
3	해	만	죽	벼	봄	곳	공	화
4	밀	죄	더	담	이	운	말	절
5	옷	일	값	처	농	덤	넋	뇌
6	잔	구	모	강	학	주	방	귤
7	댁	삼	금	띠	들	침	힘	여
8	겁	도	효	전	간	억	야	칼
9	시	알	성	늘	컵	후	짐	씨
10	병	꽃	빛	양	새	당	그	돈
11	소	연	서	회	등	매	차	엿
12	점	달	날	겹	개	신	읍	꿀
13	키	혀	깨	인	징	뼈	수	막
14	앞	녹	잠	답	손	낫	돌	비
15	무	김	표	노	유	교	넷	궁
16	논	약	눈	불	밤	발	검	단
17	자	덕	길	목	예	저	놀	요
18	글	조	코	계	십	굴	한	빵
19	용	군	숯	실	얼	꾀	포	늪
20	겉	잎	오	애	쥐	살	의	옥
21	다	폐	강	널	또	님	섬	재
22	뜰	꿈	외	안	파	왕	은	탈
23	피	터	장	쑥	너	곰	때	기
24	상	샘	대	종	맛	면	사	멋
25	네	능	육	음	끼	열	집	우

	KS-MWL-S			
	S1	S2	S3	S4
1	귀	강	곰	종
2	산	십	예	남
3	들	햄	쥐	빛
4	용	끈	둘	동
5	감	잠	앞	애
6	돈	비	씨	글
7	짐	추	등	서
8	물	걸	논	통
9	입	매	수	미
10	셈	조	피	배
11	귤	김	꽃	눈
12	너	닭	자	활
13	끝	옆	육	꿈
14	소	줄	침	약
15	해	왕	겁	길
16	공	네	방	탑
17	집	흙	힘	국
18	코	무	말	달
19	쌀	뒤	떡	점
20	멋	손	개	초
21	이	일	허	형
22	깨	또	칼	은
23	북	상	양	사
24	차	털	금	뼈
25	영	오	새	위

	KS-MWL-P			
	P1	P2	P3	P4
1	새	해	배	개
2	집	일	입	이
3	꿀	불	귤	물
4	피	쥐	비	귀
5	콩	돈	공	손
6	풀	붓	뿔	윷
7	잎	씨	빗	침
8	벌	성	별	형
9	초	눈	코	문
10	햄	잼	뱀	책
11	실	십	칠	김
12	종	총	용	똥
13	털	몸	절	톱
14	강	발	왕	달
15	뼈	영	혀	병
16	밤	활	감	탈
17	꽃	점	솥	섬
18	금	육	은	흙
19	산	파	삼	차
20	춤	국	꿈	북
21	칼	말	쌀	팔
22	떡	컵	턱	껌
23	방	빵	창	양
24	오	곰	소	돌
25	약	탑	닭	밥

약 2세 정도의 유아에서 역치상 어음 정보(suprathreshold speech information)에 대한 반응 여부를 결정하는 데 있어 도움이 된다.

4. 중이기능평가

중이의 기능을 평가하기 위해 시행하는 고막운동성계측검사(tympanometry)와 등골반사검사(stapedial reflex test)는 중이 임피던스 검사에 해당한다. 외이도를 지나면서 저항이 낮은 공기를 통해 전달된 음향 에너지는 저항이 높은 고막에 부딪혀 대부분 반사(impedance)되고 일부분만이 통과하여 중이/내이로 에너지가 전달된다(admittance). 임피던스 청력검사는 이러한 특성을 이용하여 중이의 상태를 평가하는 객관적인 검사이다. 청력이 손상된 환아의 경우에도 중이 내 병변이 없다면 고막운동성계측검사에서 정상 소견을 보일 수 있다. 반대로, 청력이 정상 범위 내에 있는 환아라도 삼출성중이염 등이 동반된 경우에는 고막운동성이 비정상으로 나타날 수 있다. 성인 검사와 동일하지만 영아인 경우 외이도의 특징 때문에 검사 해석에 주의를 기울여야 한다.

고막운동성계측검사에서 고막의 운동성은 외이도 내 공기가 유출되지 않도록 부드러운 재질로 감싼 측정탐침(probe)을 외이도에 위치시켜 측정한다. 검사 시에는 탐침의 스피커를 통해 음향 에너지와 함께 외이노에 미리 설정된 다양한 압력(양압/음압)이 주어지게 되며 각각의 압력에 따라 반사되는 음향 에너지를 측정하게 된다. 고막운동성계측도 또는 고실도(tympanogram)는 주어진 압력에 따라 다르게 나타나는 흡수에너지(admittance)를 연속적으로 나타낸 것이다. 만약 음향에너지가 고막과 중이까지 잘 전달된다면 상대적으로 적은 양의 에너지가 외이도로 다시 돌아온다. 반면, 삼출성중이염이나 이소골 고정에 의해 음

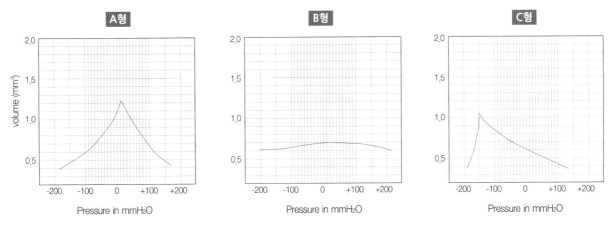

그림 10-2. **고막운동성계측검사(Tympanometry) 결과의 예들**

향 에너지가 중이 내로 잘 전달되지 않는 상태라면 외이도 내로 반사되는 음향 에너지의 양은 증가한다. 정상적인 운동성을 가진 경우 고막은 대기압과 같은 음압에서 흡수에너지가 가장 높게 나타나며(A형)(그림 10-2) 이는 대기압에서 가장 고막의 순응도가 높으며 음향 에너지를 가장 효율적으로 전달한다는 사실을 반영한다. 만약, 중이강 내 음압이 형성되어 고막이 함몰되어 있는 경우 고막운동성계측검사에서 약간의 음압을 주었을 때 고막이 가장 잘 움직일 수 있는 정상 위치에 놓이게 되어 최고점이 왼쪽으로 치우친 고실도 결과를 얻게 된다(C형)(그림 10-2). 중이강 내 음압의 형성 원인은 매우 다양한데 숨을 들이쉬거나 코를 막고 음식을 삼킬 때에도 형성될 수 있다. 중이강 내 양압은 급성중이염이 있을 때 관찰될 수 있으나 정상적인 상황에서도 잠에서 막 깬 경우에도 나타날 수 있다. 최고점이 없는 평평한 고실도 소견(B형)(그림 10-2)은 귀지가 외이도를 꽉 채우고 있는 경우에 나타날 수 있다. 만약 외이도가 깨끗한데도 B형의 고실도가 관찰된다면 삼출성중이염을 강력히 의심할 수 있다. 그러나 삼출성중이염이 있는 경우에도 고막운동성계측검사로 삼출액의 점도나 청력 손실의 정도를 예측하는 것은 불가능하다. 드물게 중이 내 삼출액이 없어도 이소골 고정으로 인해 B형의 고실도가 관찰되기도 한다(그림 10-2). 그러나 대부분의 경우 이소골 고정이 있더라도 정상 고실도 소견을 보이는 경우가 많은데 이것은 고막운

동성계측검사에서 주로 측정되는 부분이 고막의 기능이기 때문이다. 고실도에서는 최고점의 압력(가장 큰 값의 흡수에너지를 보이는 지점의 압력), 정적 탄성(최고점의 흡수에너지와 200 daPa에서의 흡수에너지의 차이), 그리고 고실도의 너비(최고점의 1/2 높이에 해당하는 지점에서의 압력 차이) 등의 요소를 통해 고막운동성을 확인할 수 있다. 또한, 외이도의 부피를 측정할 수 있는데 고막 천공이 동반된 환자에서는 중이강을 포함한 부피를 측정하게 된다. 외이도의 부피를 측정하는 것은 눈으로 확인하기 힘든 이관 개방 여부를 확인하거나 고막 천공여부를 예측하는 데 있어 매우 유용하다. 1-7세의 유소아에서 고막이 정상일 경우 외이도의 부피는 약 0.3-0.9 mL이다. 고막 천공이 있거나 이관이 개방되어 있는 경우 외이도의 부피는 1.0-5.5 mL로 측정되어 정상인 경우와 두 배 이상의 차이를 보인다. 부피가 크게 측정될 경우 부피만으로 고막 천공과 이관이 개방되어 있는지 여부를 구분하는 것은 불가능하며 두 경우 모두에서 고실도는 편평한 B형의 고실도를 나타낼 것이다. 만약 일시적인 이관 개방에 의해 B형의 고실도를 보인 경우라면 이관이 닫혔을 때에는 정상 고실도 소견이 확인될 수 있으며, 삼출성중이염이 있는 경우에는 여전히 B형의 고실도가 나타나게 된다. 6개월 이하 영아의 외이도는 순응도가 높기 때문에 삼출성중이염이 있더라도 고실도가 정상인 것처럼 나타날 수 있다. 226 Hz 이상의 고주파 음을 이용해

서 검사할 경우 이러한 위음성의 가능성을 차단할 수 있다. 현재 6개월 이하의 영아에서는 1,000 Hz에서 검사를 시행하는 것이 표준으로 소개되어 있으나 이 역시 2개월 미만에서는 안정적이지 않은 것으로 알려져 있다. 226 Hz를 이용해 검사했을 때 1세 미만 영아의 고실도에서 최고점의 높이가 0.2 mL보다 낮거나 고실도의 너비가 235 daPa보다 넓은 경우 비정상으로 판단할 수 있다. 또한, 같은 주파수를 이용했을 때 1세에서 학령기까지의 유소아에서 최고점의 높이가 0.3 mL 미만이거나 고실도의 너비가 235 daPa보다 넓은 경우에도 비정상 소견으로 간주할 수 있다. 중이 흡수에너지는 등골반사를 측정할 때도 이용될 수 있다.

정상 귀에 강한 음자극이 들어오면 반사궁을 통해 등골근이 반사적으로 수축하고 등골족판의 움직임이 억제되어 내이로 전달되는 에너지를 줄여 줌으로써 강한 음자극으로 인한 내이손상을 막는다. 등골근이 수축하면 고막의 움직임과 임피던스에도 영향을 주어 외이도 용적의 변화를 초래한다. 등골반사검사는 70-95 dB 이상의 소리 자극을 주었을 때 외이도 용적의 변화유무를 측정한다. 동측에서의 측정이 반대측에서 측정하는 것보다 반사를 일으키는 최소음의 크기가 약 10 dB 정도 작다. 등골반사가 소실되는 경우는 삼출성중이염, 고막 천공, 이구 전색, 80 dB 이상의 감각신경성 난청과 후미로성 난청 등이다. 경도의 감각신경성 난청이 있는 경우 등골반사는 정상적으로 나타날 수 있다. 간혹 정상인에서도 등골반사가 나타나지 않는 경우가 있기 때문에 비정상적인 등골반사소견이 바로 난청을 의미하는 것은 아니지만 등골반사가 정상이라면 반사경로가 정상임을 유추할 수 있으며, 검사된 측 중이에 삼출성중이염 등의 병변이 없음을 짐작할 수 있다.

5. 전기생리학적 검사

1) 청성뇌간반응검사(Auditory brainstem response, ABR)

음향에 의해 일어나는 청각계의 생리학적 반응을 측정하기 위해 많은 검사법이 개발되어 있다. 그 중, 유소아의 청력을 측정하기 위해 가장 흔하게 사용되는 방법은 청성뇌간반응검사이다. 청성뇌간반응검사는 음향자극이 주어진 후 청신경부터 중뇌(midbrain)까지의 경로에서 15-20 msec 안에 일어나는 전기적 신호를 측정한다. 전기적 신호의 변화는 두피에 부착된 세 지점의 전극을 통해 측정된다. I파는 청신경의 활동전위를 반영하며, 이후로 여러 개의 정점을 갖는 파형이 나타난다(그림 10-3). V파는 가장 확실하게 나타나는 파형이며, 청력역치를 측정할 때 사용된다(그림 10-4). V파의 경우, 정점이 나타난 직후에 보이는 현저한 파형의 저하를 관찰하여 확인할 수 있다. V파의 잠복기는 고주파보다 저주파에서 더 길며, 이는 기저막의 Traveling time이 더 길기 때문이다. 청성뇌간반응의 역치는 순음청력검사에서 수평형의 청력도를 보이는 경우 청력역치보다 소아에서는 10-20 dB, 성인에서는 5-10 dB 정도 높게 나타난다. 아동의 청력역치 측정을 위해 청성뇌간반응검사를 시행할 경우, 수면 상태에서 시행하는 것이 좋으며 필요시 진정을 시행할 수 있다. 깨어 있거나 산만한 상태에서 검사를 시행한 경우는 검사결과의 신뢰성이 낮다. 일반적으로 6개월 미만의 영아가 수유 후 잠이 들었을 때에는 진정 없이 검사를 시행할 수 있는 것으로 알려져 있다. 삼출성중이염이 있는 환아에서 고막 절개 및 삼출액 제거를 시행한 이후 수술장에서 청성뇌간반응검사를 시행한 경우, 유소아의 실제 청력에 비해 역치가 높게 측정될 수 있으므로 해석에 주의해야 한다. 청성뇌간반응검사에서 주어지는 청각 자극은 주로 삽입형 이어폰을 이용해 기도 전도로 전달되며, 필요시에는 골도 전도를 통해 전달된다. 초당 10-20회의 빈도로 주어지는 광대역의 클릭음이 가장 흔히 사용되는 자극음이다. 극성에 따라 단극성 자극음이 더 흔히 사용되는데, 이는 V파가 각 극성의 클릭음에 대해 미세하게 다른 잠복기를 보이기 때문이다. 따라서 교번극성(alternating-polarity) 클릭음을 사용할 경우, 평균반응곡선이 덜 분명하게 나타난다. 또한 교번극성클릭음의 경우, 와우음전기전위(cochlear micro-phonic potential, CM) 측정 시에도 각 극성에 따른 반응이 상쇄되어 편평한 선으로만 나타나는 한계가 있어 청성뇌간반응검사에서 추천되지 않는다. 클릭음 유발 청성뇌간반응검사의 역치는 1,000 Hz 부근의 청력을 가장 잘 반

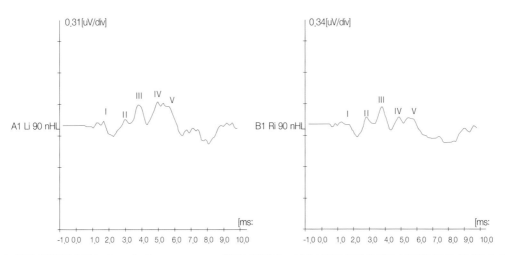

그림 10-3. **청성뇌간반응검사(Auditory brainstem response)에서 나타나는 5개의 파형과 각파의 진폭, 파간잠복기를 확인할 수 있다.**

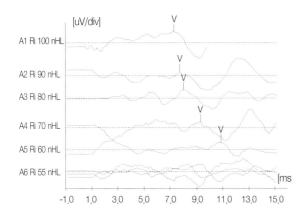

그림 10-4. **청청성뇌간반응검사를 통한 청력역치 결정의 예**
자극음 강도를 높이면 파의 잠복기가 짧아지며 진폭이 커짐을 확인할 수 있다.

영한다. 따라서 4,000 Hz 이상의 고주파 영역이나, 250-1,000 Hz 영역에서 현저한 난청이 있는 환아가 청성뇌간반응검사에서 20-25 dB의 역치값을 가지는 경우도 발생할 수 있다. 또한 정상 범위의 클릭음 유발 청성뇌간반응검사의 역치가 반드시 어음청취 가능성을 보장해주는 것은 아니다. 난청의 감별진단 및 보청기 조절을 위한 주파수 특이 청성뇌간반응역치를 측정하는 방법은 Tone-burst 기법, Derived-band 기법, Notched noise 기법의 세 가지가 있다. 급강하형(주변 주파수보다 20 dB 이상 낮은) 청

력역치 곡선을 보이는 고주파 영역의 난청의 경우, Tone-burst로 측정한 청성뇌간반응검사의 청력역치 그래프는 행동청력검사로 측정한 청력역치그래프보다 강하폭이 얕게 나타난다. 경도나 중등도의 감각신경성 난청이 있는 경우 80 dB HL 등의 큰 소리 자극에 대해 나타나는 파형의 잠복기는 정상 범위에 속한다. 반면, 전도성 난청이 있는 경우에는 파형의 잠복기들은 연장되며, 정상 청력에서 더 큰 소리 자극을 주었을 때와 비슷한 파형을 보인다. 즉, 40 dB의 전도성 난청이 있는 환자에게 60 dB HL의 소리 자극을 주면, 0 dB의 정상 청력 역치를 보이는 피검자에게 20 dB의 소리 자극을 주었을 때와 비슷한 파형을 보이게 된다. 기도 전도에 의한 소리 자극은 외이와 중이를 거쳐 들어가므로 이구 전색이나 삼출성중이염이 있는 경우 청성뇌간반응역치가 증가할 수 있다. 외이와 중이의 정확한 상태는 청성뇌간반응검사를 시행하는 당일에 평가되어야 한다. 주요 평가는 이구의 제거, 귀에 대한 육안적 검진이 포함되며, 고막운동성계측검사는 가급적 청성뇌간반응검사 전에 시행되어야 한다. 청성뇌간반응검사의 파형이 나오지 않는 경우의 가장 흔한 원인은 심도의 감각신경성 난청이지만, 청각 신경병증(auditory neuropathy spectrum disorder, ANSD)이 있을 때에도 비슷한 소견이 나올 수 있다. 청각신경병증은 특정한 병리적 소견을 지칭하는 용어

가 아니며, 청성뇌간반응검사의 파형이 나오지 않으면서, 외유모세포의 기능을 반영하는 이음향방사는 정상적으로 관찰되는 질병군을 의미한다. 이러한 결과는 청신경의 동시적인 반응이 일어나지 않음을 의미하지만, 원인 부위가 와우인지 청신경인지 구분할 수는 없다. 이 경우 단극성 클릭음을 이용해 청성뇌간반응검사를 시행한다면, 수 msec 이후 나타나는 와우음전기전위를 확인할 수 있다. 검사자는 이렇게 나타나는 와우음전기전위와 청성뇌간반응검사의 파형을 구분해야 하는데, 와우음전기전위는 클릭음의 극성이 바뀌는 경우 파형이 뒤집혀 나타나 청성뇌간반응검사의 파형과 차이를 보인다. 또한, tone-burst로 검사를 시행할 경우에는 이어폰 자체에서 발생하는 신호에 의해 추가적인 파형이 발생할 수 있다. 이는 비정상인 와우 반응의 일종으로 잘못 해석될 여지가 있기 때문에 검사 해석에 있어 주의를 요한다.

2) 이음향방사(Otoacoustic emission, OAE)

1978년 Kemp에 의해 처음 소개된 이음향방사는 와우에서 형성되어 외이도에서 작은 음의 형태로 나타나는 신호를 의미한다. 이음향방사는 외이도에 위치한 탐침을 통해 측정되며 청성뇌간반응검사와 달리 두피전극이 필요하지 않다. 이음향방사는 자발이음향방사와 음자극으로 발생되는 유발이음향방사로 나눌 수 있다. 유발이음향방사는 음자극이 주어질 때 나타나는 외유모세포의 물리적 반응에 의해 발생하는 것으로 알려져 있어, 임상적으로 외유모세포의 기능을 평가할 때 시행할 수 있다. 이음향방사는 30-50 dB의 난청이 있는 경우 나타나지 않으므로, 정상 이음향방사가 나타난다는 것은 와우 기능이 정상임을 의미한다. 하지만 이음향방사는 청신경 이전 단계의 반응만을 측정하기 때문에 검사 아동의 청각계 전반을 평가하거나 소리에 실제로 반응하는지 여부를 검사하기에는 한계가 있다. 유발이음향방사는 일과성음유발이음향방사(transiently evoked otoacoustic emissions, TEOAE)와 변조이음향방사(distortion product otoacoustic emissions, DPOAE)의 두 종류로 나눌 수 있다. 일과성음유발이음향방사는 클릭음과 같이 짧고 일시적인 신호를 통해 이음향방사를 유

발한다. 신뢰성 있는 일과성음유발이음향방사 검사는 재현성이 있어야 하며, 기록된 방사음이 소음보다 커야 한다. 일과성음유발이음향방사는 주파수 특이적인 검사가 아니지만 방사음이 나타나는 스펙트럼을 통해 와우의 어떤 주파수대에서 문제가 있는지, 또는 정상인지 여부를 짐작할 수 있으며, tone burst나 tone pip을 통해 좀 더 분명하게 확인할 수 있다. 일과성음유발이음향방사는 30-50 dB HL 이상의 난청이 있는 경우 잘 나타나지 않는다. 따라서 역치가 30dB HL을 넘는 외유모세포의 손상을 감별할 수 있으나 청력손실을 정량적으로 평가할 순 없다(그림 10-5). 변조이음향방사는 서로 다른 두 개의 순음 F1과 F2를 동시에 자극했을 때 발생하는 방사음을 기록한다. 방사음은 비선형적인 특징을 가지며 2F1-F2의 주파수에서 가장 분명하게 나타난다. 예를 들어, F1과 F2가 각각 2,000 Hz, 2,400 Hz인 경우, 방사음은 1,600 Hz에서 가장 분명하게 나타난다. 변조이음향방사는 와우의 기능검사 방법 중 주파수 특이성을 가지고 있다는 점에서 임상적 유용성을 갖는다(그림 10-6). 외이도가 막혀 있거나 중이에 삼출액이 있는 경우 정확한 검사가 이루어지지 않을 수 있다. 검사에 영향을 줄 수 있는 이러한 요소들을 배제한 이후 관찰되는 비정상 소견은 외유모세포의 손상을 의미한다. 변조이음향방사의 경우, 일과성음유발 이음향방사가 나오지 않는 경도의 난청에서도 반응이 관찰되는 경우가 있지만, 40-50 dB HL 이상의 난청에서는 변조이음향방사도 나오지 않는다. 따라서 이음향방사를 통해 50 dB HL 이상의 난청에 대해 난청의 정도를 판별하는 것은 불가능하다. 이음향방사는 검사할 때 전극의 설치가 필요하지 않고 청성뇌간반응검사에 비해 검사시간이 짧기 때문에 임상적으로 여러 영역에서 이용된다. 이음향방사는 신생아청각선별검사에서 이용될 수 있으며, 위난청을 감별하거나, 이독성 약물 사용 시 청력 손실을 모니터링하기 위해 주로 사용된다. 이것은 이음향방사가 청성뇌간반응검사의 대체수단으로 사용되는 예에 해당하지만 이음향방사의 가장 기본적인 검사의의는 청신경경로 전체의 기능과 구분하여 와우의 기능만을 검사하는 것이라고 할 수 있다.

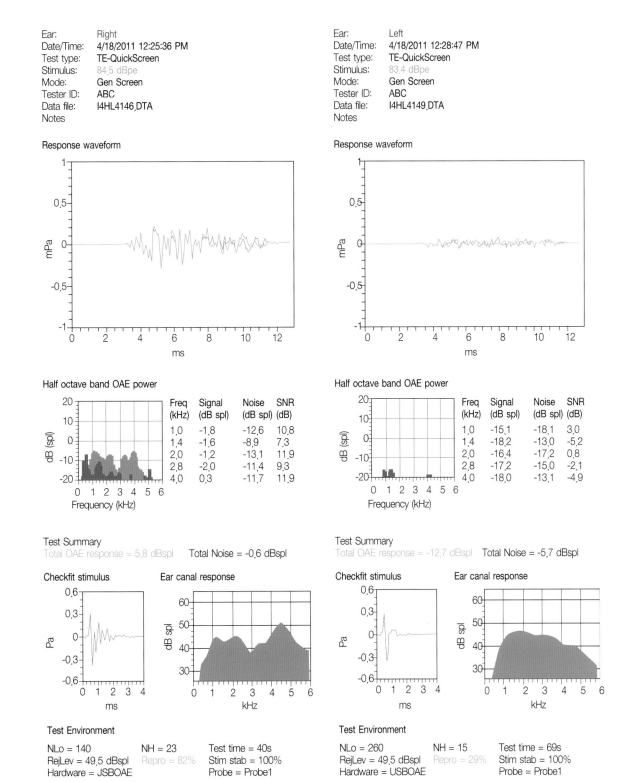

그림 10-5. 좌측 난청이 의심되는 신생아의 일과성음 유발 이음향방사 검사의 예

우측은 정상 소견을 보이고, 좌측은 비정상소견을 나타내고 있다. 자극음과 방사음이 각각 주파수별로 분석되어 나타나고 있다. 자극음은 각각 84.5 dBpe, 83.4 dBpe의 강도이고 방사음은 우측 5.8 dB, 좌측 -12.7 dB의 강도를 보이며, 검사재현성은 우측 82%, 좌측 29%이다.

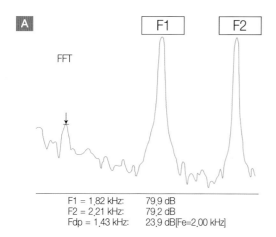

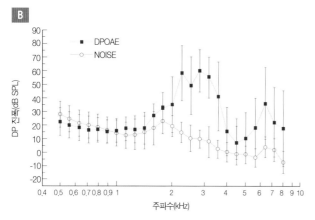

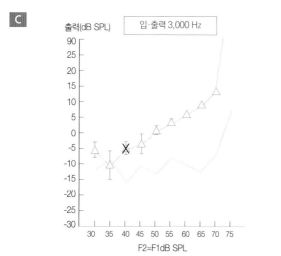

그림 10-6. 정상 신생아의 변조 이음향방사 검사의 예
A. 두 가지 종류의 주파수(F1, F2)로 동시 자극을 주었을 때 내이에서 발생하는 변조음(화살표 표시 부분)이 fast fourier transformation (2F1-2F2)으로 산출된다. B. 변조 이음향방사 청력도에서 1 kHz 이상의 고주파 영역에서 방사음이 나타나고 3 kHz 부근의 방사음이 유의한 최대치를 보인다. C. 3 kHz의 입/출력 곡선에서 자극음이 커지면 방사음도 커지며 40 dB가 방사음의 발현 역치임을 추정할 수 있다(X 표시된 부분).

6. 신생아청각선별검사

청각발달은 정상적인 언어 및 인지발달에 중요한 전제조건이다. 또한, 청각의 신경전달로는 출생 당시 발달이 완전하지 않은 상태로 시작하여 외부로부터 소리 자극을 받아 성숙된다. 출생 후 소리 자극을 충분히 받지 못하거나 청각 재활이 늦어질 경우, 언어발달의 지연으로 인한 언어장애 뿐만 아니라 성장 후 행동장애나 학습장애를 보일 수 있다는 점이 보고된 바 있다. 신생아의 선천성 난청 유병률은 신생아 1,000명당 0.9명부터 5.9명까지 다양하게 보고되고 있다. 양측 40 dB 이상의 청력역치를 보이는 선천성 난청은 신생아 1,000명당 1-2명 정도로 유소아기 가장 흔한 감각 기능장애이며 이 빈도는 나이가 들며 증가해 5세까지 1,000명당 2.7명, 성인에서 3.5명까지 증가한다. 한편, 30 dB 이상의 일측성 난청을 보이는 경우는 신생아 1,000명당 6명이다. 신생아 난청의 유병률은 현재선별검사가 의무화되어 있는 페닐케톤뇨증(3-10/10만 명)이나 갑상선기능저하증(28/10만 명)보다 높다. 또한, 난청위험요인이 있거나 신생아집중치료실(neonatal intensive care unit, NICU)에 입원했던 난청위험요인이 있는 신생아의 경우는 난청의 유병률이 정상 신생아보다 약 10배 정도 높아 2-5%까지 보고되었다. 신생아청각선별검사(universal newborn hearing screening, UNHS)의 목적은 난청을 조기에 발견하여 신속한 조기중재를 통해 통합적이고 융합적이며 가족중심적 접근을 가능하게 하는 것이다. 이는 생후 1개월 이내에 모든 신생아의 신생아청각선별검사를 시행하고 3개월 내에 선천성 영구적 난청을 진단 후 6개월 이내에 치료하는 것을 목표로 하고 있다. 청각선별검사를 시행하지 않는다면 청각장애의 발견이 늦어지게 될 것이며 이러한 장애의 발견 시기는 대개 언어발달이나 행동발달의 지체가 보호자에 의해 인지될 정도로 분명해지는 생후 30개월 전후이다. 따라서 청각선별검사를 시행하지 않을 경우 조기 청각재활의 기회를 잃어버리게 된다. 이에 따라 현재 대부분의 선진국에서는 모든 신생아를 대상으로 신생아청각선별검사를 실시하고 있다. 우리나라에서는 2010년 대한이과학회와 대한청각학회에서 신생아청각선별검사 지침을 소개한 바 있다. 이 지침을 통해 현재 많은 난청 환아들이 조기에 발견되고 있다. 그러나 지연성 난청이나 청각신경병증, 초기 선별검사에서 통과 못한 후 재검사에서 누락되는 등의 청각선별검사에서 궁극적으로 발견되지 못하는 경우가 발생하기도 한다. 특히, 초기 청각선별검사에서 통과하지 못하고 재검이 요구되는 상황에서 재검사가 누락되는 경우는 약 50%까지 보고되기도 한다.

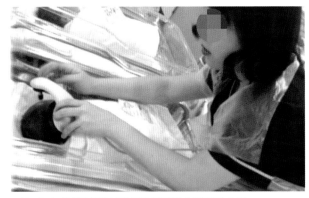

그림 10-7. **신생아에서 시행 중인 자동청성뇌간반응 측정**

1) 신생아청각선별검사의 시기와 검사방법
(1) 검사대상 및 시기
신생아청각선별검사는 원칙적으로 모든 신생아를 대상으로 시행해야 한다. 신생아는 출생 후 시간이 지남에 따라 수면시간이 짧아지므로 출생 후 퇴원 전에 시행하는 것이 좋다. 2010년 발행된 신생아청각선별 검사 지침에서는 모든 신생아를 대상으로 생후 1개월 이내(조산아의 경우 예정 출산일을 기준으로하는 교정연령으로 34주에서 생후 1개월 이내)에 검사를 시행하는 것을 권장하고 있다. 출생 후 검사까지의 시간이 길어질수록 자연 수면시간이 적어져 검사가 어려워진다. 검사는 아기가 자고 있는 상태에서 진행하고 출생 후 적어도 12시간 지난 후 외이도 안의 태지와 양수, 중이 내 저류액이 충분히 빠진 다음에 시행한다.

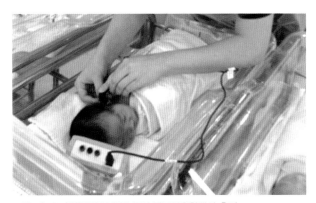

그림 10-8. **신생아에서 시행 중인 자동이음향방사 측정**

(2) 검사 방법
적절한 검사를 위해 신생아청각선별검사의 도구는 검사하기 쉽고, 비침습적이며, 민감도와 특이도가 높아야 한다. 현재 신생아청각선별검사에 주로 이용되는 도구는 자동청성뇌간반응(automated auditory brainstem response, AABR)과 자동이음향방사(automated evoked otoacoustic emissions, AOAE)가 있다. 자동청성뇌간반응검사란 정상 신생아군의 V파를 기준으로 검사대상의 V파를 통계적으로 분석하여 검사결과를 통과(pass) 또는 재검(refer)으로 보고하는 검사이다. 이 때 '통과'란 소리 자극과 소음이 함께 있을 때의 반응과 소음만 있는 경우를 99.8% 이상의 신뢰도로 구별할 수 있었음을 의미하며, 검사의 민감도는 96%, 특이도는 98%에 이른다. 자동청성뇌간반응검사는 자극과 측

정용 탐침이 결합된 형태로 35 dB HL 자극수준의 click이나 chirp음이 외이도 내로 유입되고, 이에 반응해 뇌간에서 발생하는 감각-특이적 파형이 자동적으로 기록, 분석된다(그림 10-7). 검사시간은 20-40분 정도 소요되며, 검사와 판독에 숙련된 청각사가 필요하지 않다는 장점이 있다. 또한, 중이의 병변과 외이도의 이물질 등의 영향을 받지 않는다는 특징이 있지만, 저주파나 아주 높은 주파수의 청력 감소를 감별하기는 어렵고 청각 경로 상의 이상부위를 특정할 수 없다는 제한점이 있다. 자동이음향방사검사는 기존의 이음향방사를 선별검사로서 사용하기 위해 통과(pass) 또는 재검(refer)으로 결과를 보고하도록 자동화한 검사이다. 소리 자극은 기존의 이음향방사와 마찬가지로 자동화된 클릭음이나 순음을 통해 주어지고 발생된 이음향은 외이도에

표 10-3. **자동청성뇌간반응검사와 자동화이음향방사검사의 정보와 장단점의 비교**

	자동청성뇌간반응검사	자동이음향방사검사
시행 전 준비	전극, ear tip	Ear tip
기기 및 소모품 비용(단독 검사기기에 해당)	고가	저가
선별 가능 연령	임신 34주의 조산아~생후 6개월	5세 이하
1인당 검사비	고가	저가
검사 시간(수면 시)	약 20분 내외	약 10분 내외
기준 청력역치	30/35/40/70 dB HL	25-35 dB HL
1회 시행 시 재검률	4%	7-8%
장점	미로성 및 후미로성 병변 이상 측정 중이의 영향을 적게 받음 민감도와 특이도가 모두 좋음	주변 전기 자극 및 소음 영향 적음 전극 등의 소모품의 비용 소요 없음
단점	소음, 전극 등에 영향 미로성 병변 여부 선별 불가	미로성 병변 이상 측정 중이 병변에 영향: 귀지, 태지, 삼출성중이염 청신경병증 등의 후미로성 병변 감별 불가 민감도와 특이도의 차이가 많음
민감도	96%	50-100%
특이도	98%	13-91%

위치한 마이크로폰에 의해 기록된다(그림 10-8). 검사시간은 10-20분 정도로 청성뇌간반응검사보다 짧으며, 비침습적이고, 전극을 위치시킬 필요가 없다는 장점이 있다. 외이도나 중이의 상태 및 내/외부 소음의 영향을 받아 위양성이 나타날 수 있다는 단점이 있으며, 이를 보완하기 위해 재검률이 낮은 생후 24시간 이후에 검사를 시행하는 방안이 추천되고 있다. 또한, 와우의 이상으로 인한 난청만 측정하게 되므로 후미로의 병변에 의한 난청이나 청각신경병증의 선별에는 제한적이다. 따라서 중환자실에 입원한 환아나 고위험군의 경우에는 단독검사는 추천되고 있지 않으며 자동청성뇌간반응검사와 함께 검사하는 것이 주전된다. 자동청성뇌간반응검사와 자동이음향방사검사의 정보와 장단점의 비교는 표 10-3과 같다.

2) 자동청각선별검사의 결과와 해석

(1) 통과(Pass)

신생아가 정상적인 청각능력을 가졌음을 의미한다. 이때의 정상적인 청각능력이란 검사 당시의 청각능력을 의미하는 것으로 검사 이후의 감염이나 유전성 난청의 지연성 발현 등의 요인에 의해 난청이 올 수도 있다는 것을 염두에 두어야 한다.

(2) 재검(Refer)

검사 시점에서 정상청력 여부가 불분명함을 의미한다. 검사 시점에서 35 dB nHL의 자극강도(기기마다 기본값이 차이가 있을 수 있음)에 대한 반응이 명확하지 않으므로 선별검사를 재시행하거나 정밀청력검사의 필요성이 있음을 안내하도록 한다.

(3) 위음성으로 나타나는 경우

전반적으로 정상 청력을 보이지만 특정 주파수에서만 난청이 있는 경우 선별검사가 음성으로 나타날 수 있다. 저주파수 난청(< 1 kHz)이나 고주파 영역의 급격한 저하를 보이는 난청의 경우가 이에 해당한다. 자동청성뇌간반응검사를 시행한 경우에는 중간주파수 난청(0.5-2 kHz)에서도 위음성을 보이는 경우가 있다. 또한, 청각신경병증이나 거대

세포바이러스(cytomegalovirus, CMV) 감염, 전정도수관확
장증(enlarged vestibular aqueduct) 등 진행형의 난청이 발
생하는 경우 청각선별검사에서 음성으로 나타날 수 있다.
한편, 검사 방법에 따라 경도 난청이 의심되는 신생아의 경
우에서 자동이음향방사 검사에서는 선별이 되지만 자동청
성뇌간반응검사에서 통과로 나타날 수 있다. 같은 검사를
여러 번 반복하여 실시하는 경우에도 통계적 확률에 따라
'통과'가 나올 수 있는 가능성이 높아지므로 주의해야 한다.

(4) 위양성으로 나타나는 경우

자동이음향방사검사를 시행하는 경우 외이도나 중이의 상
태, 소음의 영향 등으로 인해 위양성이 나올 수 있다. 이의
방지를 위해 생후 24시간 이후에 검사를 시행하고, 환경
소음을 줄이는 것이 추천된다. 이음향방사검사의 재검률
(referral rate)은 5.5%로 보고되고 있고 이러한 재검률은 초
기 검사 연령, 재검사 시행여부, 고주파수대 검사포함 여부
등에 의해 영향을 받을 수 있다.

3) 신생아청각선별검사 프로토콜
(1) 건강 신생아청각선별검사 프로토콜

정상적인 분만을 통해 출생한 건강한 신생아나 신생아중환
자실에서 4일 이하로 입원하고 건강 신생아실로 옮겨져 퇴
원 예정인 신생아의 경우, 자동청성뇌간반응검사나 자동
이음향방사검사 중 한 가지 방법을 이용하는 1단계 방법이
나, 초기 선별검사로 자동이음향방사검사를 이용한 경우
자동청성뇌간반응검사를 이용하는 2단계 방법 모두 가능
하다. 선별검사는 각각의 귀에서 최대 2번까지 시행하도록
하며 위음성의 가능성을 낮추기 위해 3번 이상은 시행하
지 않는다. 2010년 신생아청각선별검사 지침에서 권고하
는 검사프로토콜은 다음과 같다(그림 10-9). 1단계 프로토
콜로 선별검사를 시행하여 양측 통과가 나온 경우 검사 당
시 청력은 정상인 것으로 간주할 수 있다. 단, 양측 통과인
경우에도 난청 고위험군에 해당한다면 학령 전까지 6개월
또는 1년마다 정밀청력 검사를 실시하도록 한다. 2단계 프
로토콜로 선별검사를 시행할 경우 자동이음향방사에서 재

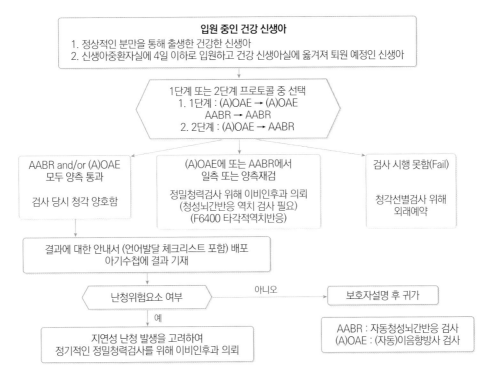

그림 10-9. **입원 중인 건강 신생아의 신생아청각선별검사 프로토콜**

검, 자동청성뇌간반응검사에서 통과인 경우는 선별검사를 최종 통과한 것으로 판정하지만, 자동청성뇌간반응검사에서 재검이 나온 경우 자동이음향방사로 선별검사를 재시행하여 통과가 나왔다고 하더라도 최종 통과로 판정할 수 없으며, 청각신경병증 가능성을 고려하여 정밀청력 검사를 시행해야 한다. 초기 선별검사에서 한쪽 귀라도 재검이 나왔다면 다른 날짜에 양측 귀에 대해 재선별검사를 시행할 필요가 있다. 최종 선별검사에서 자동청성뇌간반응검사나 자동이음향방사 중 어느 검사에서라도 재검이 나온 경우에는 정밀검사를 시행해야 한다.

(2) 신생아중환자실 청각선별검사 프로토콜

신생아집중치료실/신생아중환자실에서 5일 이상 입원하여 치료를 받은 신생아나 중환자실 신생아 중 명백한 일측성 또는 양측성 외이기형이 있는 신생아나 뇌막염으로 확진되었거나 뇌막염 의증을 앓고 난 후 회복된 신생아는 신생아중환자실 청각선별검사 프로토콜에 준하여 선별검사를 시행해야 한다. 또한, 이전 청각선별검사를 통과한 건강 신생아라도 뇌막염을 앓게 되어 신생아중환자실에 재입원하게 된 경우나 출생 4주 이내에 교환수혈이 필요할 정도의 고빌리루빈혈증, 세균이 배양된 패혈증을 앓아 새로이 난청의 고위험군이 된 경우도 신생아 중환자실 청각선별검사 프로토콜에 따라 청각선별검사를 시행한다. 신생아중환자실 청각선별검사 프로토콜은 다음과 같다(그림 10-10). 신생아중환자실 신생아의 청각선별검사의 방법으로는 자동청성뇌간반응검사나 자동이음향방사를 시행할 수 있으나 한 가지 선별검사 방법을 선택해야 한다면 자동청성뇌간반응검사를 선택하도록 한다. 건강 신생아와 마찬가지로 선별검사는 각각의 귀에서 최고 2번까지만 시행하는 것을 원칙으로 한다. 교정연령 1개월 이내에 검사하는 것을 원칙으로 하지만 중환자실에서 치료가 모두 끝나고 전신상태가 양호할 때 시행하는 것이 좋으며, 그 시기가 교정연령

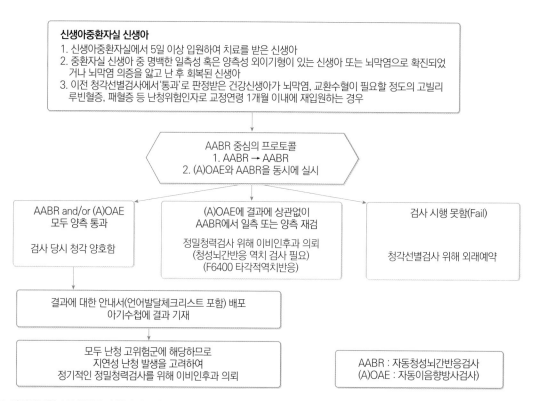

그림 10-10. **신생아중환자실 신생아의 청각선별검사 프로토콜**

1개월을 넘어가는 경우에는 청성뇌간반응검사를 포함한 정밀청력검사를 시행해야 한다. 재태연령 34주 이내의 신생아에 대해서는 선별검사를 시행하지 않는다.

중환자실 신생아청각선별검사 프로토콜의 적응대상에 해당하는 고위험군 환아들은 청각선별검사에서 양쪽 귀 모두 통과했다고 하더라도 학령 전까지 매 6개월 또는 1년마다 정기적인 청각검진을 시행하는 것이 추천된다. 이는 선별검사에서 진단되지 않은 경도의 난청이나, 좁은 주파수 대역의 난청, 지연성 혹은 진행성 난청 등을 진단하기 위한 것이다. 두 가지 검사 중 어느 하나라도 재검이 나온 경우에는 추가검사를 시행하게 되는데 처음 시행한 선별검사가

자동이음향방사인 경우에는 자동청성뇌간반응검사로 재선별검사를 1차로 시행하며, 자동청성뇌간반응검사로 선별검사를 시행한 경우에는 바로 정밀청력검사를 시행하도록 한다. 정밀검사에서 정상이 나온 경우에도 학령 전까지는 매 6개월에서 1년마다 정기적인 청력검사를 요한다.

(3) 외래 신생아청각선별검사 프로토콜

외래 신생아청각선별검사 프로토콜의 검사대상은 ① 출생 후 입원 중 청각선별검사를 시행하지 못했거나, ② 1차 청각선별검사 후 재검으로 판정받거나, ③ 이전의 청각선별검사를 통과했으나 난청 위험요소에 새로 해당하게 되어

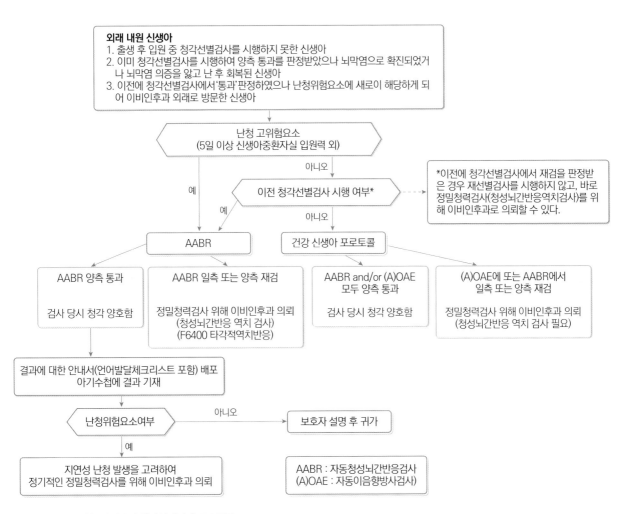

그림 10-11. **외래 내원 신생아의 청각선별검사 프로토콜**

외래로 방문한 경우 등이다. ①의 경우는 난청 위험 요소의 유무에 따라 건강 신생아 프로토콜이나 신생아중환자실 프로토콜 중 선택하여 선별검사를 시행할 수 있다. ②와 ③의 경우, 자동청성뇌간반응검사로 재선별검사를 시행할 수 있다. 재선별검사에서 다시 재검이 나오거나 이미 초기 선별검사로 자동청성뇌간반응검사를 시행하여 재검이 나왔던 환아에서는 청성뇌간반응검사 등 정밀청력검사를 고려한다. 외래에서 신생아청각선별검사를 시행할 때에도 난청의 고위험 요소를 가진 환아의 경우에는 선별검사에서 정상이 나온 경우라도 6개월에서 1년 간격으로 검진 및 정밀청력검사 시행이 추천된다. 외래 내원 신생아를 대상으로 한 청각선별검사 프로토콜은 다음과 같다(그림 10-11).

(4) 생후 1개월 이후의 청각선별검사

신생아 청각선별검사의 경우 교정연령 1개월 이내에 시행하는 것이 원칙이나 자동청성뇌간반응검사의 경우 대부분의 기기에서 생후 6개월까지는 검사가 가능하도록 되어 있으며, 자동이음향방사검사의 경우 연령의 제한이 없다. 따라서 1개월 이내에 검사를 시행하지 못한 경우라면, 적어도 3개월 이내에 선별검사를 시행하여 재검이 나온 경우 3개월 내에 정밀청력검사를 시행하고 이후 청각재활 필요시 6개월 이내에 청각재활을 시행할 수 있도록 해야 한다(1-3-6 원칙). 다만, 신생아의 수면시간은 연령이 증가함에 따라 감소하므로 뒤늦게 청각선별검사를 시행할 경우 수면제 복용이 필요할 수 있다는 점을 보호자에게 설명해야 한다.

(5) 결과에 대한 보호자 설명

검사 결과를 보호자에게 알리는 과정은 검사과정 자체보다 소홀하게 여겨지는 경우가 많다. 부모들이 신생아 청각선별검사에 대해 긍정적으로 여기고 차후 재선별검사에 협조적으로 임할 수 있도록 하기 위해 검사결과의 원활한 전달과 설명은 중요하다. 2010년 신생아 청각선별검사 지침의 권고안에서는 결과를 전달할 때 매우 배려 있고 신중한 자세로 임할 것을 강조하고 있다. 결과를 설명할 때에는 신생아 난청선별검사의 중요성, 선별검사의 방법, '통과'와 '재

검'의 의미, 언어 발달 체크리스트를 포함하여 설명서를 제공하도록 해야 한다. 이때 결과에 대해 설명하는 것은 단순히 '통과'나 '재검'만을 전달하는 것 이상을 의미하며 시행하는 검사의 의미, 난청의 위험 요인, 정상 청력의 발달 과정 등 부모들의 기본적인 질문에 대해 답할 수 있도록 숙지해야 한다. 특히, 검사결과가 '재검'인 경우 부정적인 느낌을 주는 '실패'나 '통과하지 못했다'라고 표현하는 것을 지양해야하며, "결과가 불분명하므로 다시 한 번 선별검사를 하는 것이 필요합니다."라든가 "결과를 확인하기 위해 정밀검사를 시행하겠습니다."와 같이 중립적인 자세를 유지해야 한다. 또한, 신생아 청각선별검사는 난청을 진단하는 검사가 아니라 난청의 가능성이 있거나 정밀검사가 필요한 아이들을 선별하기 위한 검사라는 점을 충분히 설명해 보호자가 결과에 대해 불필요한 불안감과 스트레스를 받지 않도록 주의해야 한다. 그 외에도 난청의 종류와 정도는 다양하며 난청이 곧 전농을 의미하는 것이 아니라는 것도 설명해야 할 필요가 있다. 검사자는 '재검'이 나오는 주요 원인에 대해 설명할 수 있어야 한다. 가장 흔한 원인은 귀지 등에 의해 외이도가 폐쇄된 경우이다. 또한, 삼출성중이염이 있는 경우에도 검사결과에 영향을 미칠 수 있으며 영구적인 양측 감각신경성 난청은 1-2/1,000명 정도로 나타난다. '재검'이라는 결과에 대해 보호자가 지나치게 가볍게 생각하여 추후 검사에 협조하지 않게 되는 것 역시 피해야 하며 이후의 검사 일정과 검사 방법에 대해 정확하게 안내하는 것이 중요하다.

4) 난청 고위험군

JCIH (Joint Committee on Infant Hearing)에서는 2007년 다음과 같이 난청 고위험군에 대한 지침을 개성하였다(표 10-4). 난청 고위험군의 경우 신생아 청각선별검사에서 '통과'로 나왔더라도 지연성 난청 발생률이 그렇지 않은 경우에 비해 10배 이상 높으므로 2010년 신생아 청각선별검사 지침에서는 학령 전기까지 6개월-1년마다 정기적인 이비인후과 검진과 언어발달평가, 정밀청력검사(만 3세 이전에는 청성뇌간반응검사, 만 3세 이후는 순음청력검사를 우선적으로 실시함)를 시행하도록 권고하고 있다.

표 10-4. Joint Committee on Infant Hearing 권고에 따른 유소아 난청의 위험인자들

1. 유전성 소아난청의 가족력

2. 5일 이상 신생아집중치료실에 입원한 경우, 또는 신생아집중치료실에 5일 이내 입원하였더라도 체외막형산소 섭취(ECMO)나 인공호흡기를 사용한 경우

3. 이뇨제(Furosemide, Lasix)나 이독성 약제(Gentamycin, Tobramycin 등의 Aminoglycoside 계 약물)의 사용

4. 태아 감염(톡소플라즈마증(Toxoplasmosis), 풍진(Rubella), 거대세포바이러스(Cytomegalovirus), 단순포진(Herpes simplex), 매독(Syphilis))

5. 교환수혈이 필요한 정도의 과빌리루빈혈증이 있는 경우

6. 감각신경성 난청이나 전음성 난청을 포함하는 증후군의 소견

7. 세균성 또는 바이러스성 뇌막염을 포함한 산후 감염

8. 이개와 외이도 기형을 동반한 두개안면부 기형

9. 두개저나 측두골 골절 등 두부손상

10. 항암제 등의 화학요법 치료의 기왕력

7. 결론

난청의 조기 진단과 조기 청각학적 중재는 정상적인 언어발달을 가능하게 하여 환자의 생애에 매우 큰 영향을 미칠 수 있다. 유소아의 주관적인 청력검사 방법들이 청각시스템을 종합적으로 평가할 수 있지만 객관적이고 생리적인 청격검사는 구체적이고 객관적인 정보를 제공해주고, 검사가 어려운 신생아, 영아에서 청력손실의 조기 발견과 조기재활을 가능하게 한다. 유소아 청력을 정확히 진단하고 적절한 중재방법을 선택하기 위해서 객관적 검사와 적절한 주관적 검사가 함께 이루어져야 한다. 난청이 의심되는 아동의 특성을 고려하여 적절한 검사를 시행하는 것이 중요하며, 특히 신생아청각선별검사는 프로토콜에 따라 계획에 맞춰 진행하여 난청 환자를 감별해야 한다.

■■■■■ 참고문헌

• 대한이비인후과학회. 이비인후과학: 두경부외과학. 개정판. 서울, 대한민국: 일조각 2009.

• 대한청각학회. 청각검사지침(2판). 서울, 대한민국: 학지사 2017.

• Akinpelu OV, Peleva E, Funnell WR, Daniel SJ. Otoacoustic emissions in newborn hearing screening: a systematic review of the effects of different proto-cols on test outcomes. Int J Pediatr Otorhinolaryngol. 2014 May;78(5):711-7. doi: 10.1016/j.ijporl.2014.01.021. Epub 2014 Jan 27.

• Alzahrani M, Tabet P, Saliba I. Pediatric hearing loss: common causes, diagnosis and therapeutic approach. Minerva Pediatr. 2015 Mar;67(1):75-90. Epub 2014 Oct 14.

• Cockfield CM, Garner GD, Borders JC. Follow-up after a failed newborn hearing screen: a quality improvement study. ORL Head Neck Nurs 2012 Fall;30(3):9-13.

• Joint Committee on Infant Hearing (JCIH), Year 2007 Position Statement: Principles and Guidelines for Early Hearing Detection and Intervention Programs. Pediatrics 120(4) 2007:898-921.

• Madell JR, Flexer C. Pediatric Audiology : Diagnosis, Technology, and Management. 2nd ed. New York, United States. Thieme 2013.

• Mehra S, Eavey RD, & Keamy DG. The epidemiology of hearing impairment in the United States: new-borns, children, and adolescents. Otolaryngology-Head and Neck Surgery 2009;140(4):461-72.

• Nikolopoulos TP. Neonatal hearing screening: what we have achieved and what needs to be improved. Int J Pediatr Otorhinolaryngol. 2015 May;79(5):635-7. doi: 10.1016/j.ijporl.2015.02.010. Epub 2015 Feb 16.

• Norton SJ, Gorga MP, Widen JE, Folsom RC, ... & Fletcher KA. Identification of neonatal hearing impairment: summary and recommendations. Ear and hearing. 2000;21(5):529-35.

• Yoshinaga-Itano C. Benefits of early intervention for children with hearing loss. Otolaryngologic Clinics of North America 1999;32(6):1089-1102.

선천성 내이 기형

Congenital Malformation of the Inner Ear

구자원

1. 서론(Introduction)

대부분의 내이 기형은 막성미로가 만들어지는 4주에서 8주 사이에 내이 형성에 중요한 유전적인 결함이나 감염, 약물과 같은 모체 환경의 변화에 의해 내이 형성이 영향을 받아 발생한다. 내이 기형에 대한 일관된 기술을 위해 Jakler, Marangos, Sennaroglu의 분류법이 보편적으로 활용되고 있다. 내이 기형은 흔히 중이나 외이의 기형을 동반하고 양측성으로 나타나는 경우가 많고 또한 증후군의 한 형태로 나타나는 경우도 있다. 따라서 난청이 발견되는 경우 환아의 청각뿐 아니라 전체적인 환아의 상태 평가가 이루어져야 한다. 난청의 정도와 원인에 대한 평가로 이학적 검진, 청각학적 검사, 유전자분석이 필요하고 또한 측두골 전산화단층촬영(TBCT)과 내이도 자기공명영상(IAC MRI)의 영상 검사를 통해 측두골 및 미로구조의 이상과 청신경의 발달여부의 추정이 이루어진다. 골부 내이 기형을 확인할 수 있는 CT로는 선천성 감각신경성 난청 중 20% 정도에서만 뚜렷한 이상 여부를 확인할 수 있고, 나머지 80%에서는 영상진단을 통한 이상 규명에는 한계가 있었다. 다만 최근들어 MRI의 프로토콜 개발과 해상도가 좋아지고 증례가 축적되며 귀의 기형에 대한 진단과 분류법은 변화되어 왔다. 본문에서는 다양한 형태로 나타나는 내이 기형을 이해하기 위해 내이기형의 역학, 병인론적 측면과 내이 발생에 대하여 개괄한 후, 영상진단법, 내이 기형에 대한 분류법과 각각의 내이기형에 대해 기술하였다.

2. 내이 기형의 역학(Epidemiology)

Weerda에 따르면 귀, 코, 목의 기형을 가진 사람의 50%에서 귀의 기형을 포함하고 있고, 귀의 기형 발병률은 신생아 3,800명당 한 명 꼴이다. 귀의 기형은 외이, 중이, 내이에서 모두 발생할 수 있으며 동시에 발생하는 경우도 드물지 않다. 외이와 중이의 기형을 가진 환자 11-30%에서 내이 기형이 발견된다. 외이/중이와 내이가 서로 다른 배아 형성과정을 거치기 때문에 내이 기형을 동반하지 않은 외이/중이 기형이 발생하기도 하고, 또 그 반대의 경우도 있다. 선천성 전농 및 선천성 감각신경성 난청 환자 중에서 내이 기형은 분석방법과 대상 환자의 난청 정도에 따라 2.3%에서 35%까지 보고되고 있다. Kosling은 기형 의심 환자군까지 포함한 감각신경성 난청 환자군에서 CT를 시행하여 25%의 환자에서 내이기형을 진단하였다. MRI는 CT보다 내이의 세부 구조를 보여주는 데 더 적합하기 때문에, CT와 MRI를 동시에 사용하였을 경우에는 감각신경성 난청 환자의 35%에서 내이기형이 발견되었다.

　내이 기형은 배아의 발생 이상 또는 발생 정지로 인해 발병한다. 내이의 각 구조별로 나누어보면, 내이 미로의 무형성, 저형성 및 기형이 보고되었으며, 전정도수관은 좁아지거나 확장되는 경우가 있으나, 반면 와우도수관의 기형은 극히 드물다. 전정청각 신경절 세포는 흔히 그 수가 감소되어 있으며, 기형으로 인하여 내이도가 영향을 받기도 하며, 동맥이나 신경(특히 안면신경)이 제 위치에서 벗어나 있는 경우가 있다.

3. 내이 기형의 병인론(Pathogenesis)

선천적 귀기형이 있는 경우 30%에서 다른 기관의 기능 이상을 동반한 증후군과 연관되어 있다. 대표적으로 이안면 이골증(Treacher-Collins 증후군, Goldenhar 증후군 등), 두개안면 이골증(Crouzon 증후군, Apert 증후군 등), 이경부 이골증(Klippel-Feil 증후군, Wildervanck 증후군), 이골격 이골증(van der Hoeve-de-Kleyn 증후군, Albers-Schonberg 증후군), 그리고 Patau 증후군, Edwards 증후군, Down 증후군 및 18q 증후군 등 염색체증후군 등이 동반된다. 증후군을 동반하지 않은 귀의 기형은 다른 기관의 기형을 동반하지 않고, 단지 귀의 이상만이 있을 경우를 의미한다. 모든 선천적 내이 기형에서, 자연발생적 유전자 변이가 흔히 발견된다. 특히 내이 발달에 관한 많은 연구에서, 다양한 유전자, 전사 인자, 분비 인자, 성장인자, 수용체, 세포 부착 단백들이 귀의 선천성 기형의 원인임이 밝혀졌다. 표현형에 변이를 일으키는 여러 표지자 보고되었으며, Fgf3와 같은 특정 성장인자들은 Ngn1, Lfng, NeuroD, Gata3, 그리고 neurotrophin 및 tyrosine kinase 수용체 등과 함께 와우 전정 신경절, 원심 신경 세포 및 시냅스의 영양 상호 작용의 발달을 촉진한다. 또한, 다양한 세포 외 기질 단백질(특히 기저막을 구성하는 laminin)은 내이 발달에서 코르티기관의 신경분포에 중요한 역할을 한다. 가족력

을 보이는 선천적 난청에서는 9%에서 상염색체 우성, 90%에서 상염색체 열성, 1%에서 X-염색체 유전을 보이고 가족력이 없는 난청에서는 상염색체우성 30%, 상염색체열성 70%, X-염색체 유전이 2-3%, 그리고 드물게 미토콘드리아 유전을 보인다.

　난청을 초래하는 비유전성 내이 기형은 임신 기간 중 모체의 외인성 요인에 의한 경우가 많다. 이는 주로 바이러스에 의한 감염(rubella, cytomegalovirus, herpes virus, mumps, measles, 간염, 소아마비, 수두, coxsachie virus, ecovirus, toxoplasmosis, 매독 등)에 기인한다. 또한 화학 물질, 영양실조, 방사선조사, Rh 부적합, 저산소증, 대기압 변화 및 소음 노출도 원인으로 작용할 수 있으며, 임신 초기의 출혈, 당뇨 등의 대사 이상도 관련할 수 있다. 기형 유발 화학 물질은 주로 약제가 그 원인인데, 대표적인 예가 thalidomide이다. 또한 quinine과 aminoglycoside 항생제 역시 기형을 초래한다. 항암제나 간질약(diphenyl-hydantoin, trimethadione, valproic acid 등)도 원인이 될 수 있다. 임신 기간 중 retinoic acid의 과다(retinoic acid embryopathy)나 부족(vitamin A-deficiency) 모두 귀의 기형을 유발한다. 동물 실험에서, 세포핵의 특정 vitamin A 수용체(RARα 그리고 RARλ) 부족이 심각한 내이기형을 초래한다는 것이 밝혀졌다. 이외 수많은 약제들과 각종 호르몬, 마약, 알코올, 니코틴 등이 기형의 원인으로 제시되었다. 제초제, 수은을 포함한 곰팡이 방지제, 그리고 납 등 각종 환경 물질들도 기형 유발 효과를 나타낼 수 있다. Pendred 증후군에서와 같이 갑상선 호르몬 등의 특정 호르몬의 부족, 혹은 기능 장애 또한 귀의 기형과 연관될 수 있다.

　그러나 많은 경우, 실질적인 원인은 알 수 없는 경우가 많은데, 이는 유전적 원인에 의한 기형이 의심되는 모든 환자에서 유전자 분석을 시행할 수 없고, 아직도 밝혀지지 않은 많은 원인 유전자들이 있을 것이며, 면역성 또는 외인성 영향이 확실하지 않거나 이에 대한 자료가 아직 부족하기 때문이다. 이러한 이유 때문에 유전적 원인이 밝혀진, 또는 유전적 원인이 아닌 것으로 밝혀진 귀의 기형의 비율이 발표시기와 저자들에 따라 다양하게 보고되고 있다.

4. 내이의 발생(Embryology)

내이 발생은 태생 3주경 이판(otic placode)의 형성으로부터 시작된다. 이판은 태생 3주 경 나타나는 제4 뇌실 높이의 두꺼워진 외배엽이다. 발생 4주에 이판이 합입되어 함요(otic pit)를 이루고, 이후 외배엽으로부터 떨어져 나와 상피로 둘러싸인 주머니를 만든다. 이것이 이낭(otic cyst) 혹은 이수포(otic vesicle)가 되고, 중배엽으로 둘러싸여, 막성 미로(membranous labyrinth)의 전구체가 된다. 발생 5주에 이낭의 분화가 시작된다. 이 무렵부터 전정난형낭부(전정부, 난형낭팽대부)가 두측, 배측으로 성장하며, 난형낭(utricle)과 반고리관이 된다. 구형낭 와우부가 복측, 두측으로 발생하며 와우관(cochlear duct)과 구형(saccule)낭을 발생하게 한다. 발생 6주에는 반고리관(semicircular canal)과 와우(cochlea)가 발견된다. 와우관은 빠르게 회전하며 성장하여, 7주에는 1회전, 8주에 1.5회전, 그리고 9-11주에 완전한 2.5회전을 보이게 된다. 발생 3개월 초에 막성 미로의 대부분이 나타난다. 구형낭, 난형낭과 내림프관(endolymphatic duct)은 발생 약 11주와 14주 사이에, 반고리관은 19주에서 22주 사이에, 와우는 22주에서 25주 사이에 발생이 완성된다(그림 11-1). 내이주변의 중배엽 세포는 골미로(bony labyrinth)로 분화되며 태생 22주면 성인의 형태를 갖추게 된다.

이낭은 중배엽으로부터 연골성 이낭(cartilaginous otic capsule)의 발생을 유발한다. 이낭은 미로가 완전히 성장하고 분화할 때까지 연골상태이다. 발생 16주에 골화가 시작되어, 발생 6개월에서 8개월 사이에 완료된다. 그러므로, 출생 시 내이는 이미 모양과 크기가 완전히 성장한 상태이며, 출생 후 더 이상 성장하지 않는다. 이낭은 단순한 낭에서 복잡한 미로(labyrinth)로 변화하여 내부에는 림프액으로 채워지며 청각과 평형감의 변화를 감지하는 감수기로서의 역할을 하게 된다. 이를 위해 미로 속의 상피 세포의 일부분은 특수하게 분화하여 소리와 회전움직임, 중력의 변화에 대한 정보를 일차적으로 감지하는 특수 감각 기관이 된다.

막성 미로와 더불어 8번 뇌신경도 발달한다. 이낭은 제

2-3새궁 근처에 있는데 발생 4주에 이낭의 내측부에는 전정와우 신경절(vestibulocochlear ganglion)이 형성된다. 이낭와 같이, 전정와우 신경절은 상부와 하부, 두 부분으로 나누어진다. 발생 6주 중반에 각 부분에서 출발한 수상돌기 다발은 이포를 향해 주행한다. 이후 발생 8주까지, 전정와우 신경절의 신경모세포의 신경섬유는 미로방향으로, 그리고 소뇌 교각에 위치한 뇌간 부위의 전정와우 신경 중심을 향해 성장한다. 대개 발생 7주에 전정와우 신경을 발견할 수 있다. 발생 9-10주가 되면 수많은 신경섬유가 유모세포의 기저부에 도달하고 구심성 시냅스 접합이 발생한다. 원심성 시냅스 접합은 5개월 이후가 되어야 일어난다. 특정한 미로의 신경 성장 인자는 신경절 신경 발달을 조절한다. 목표 기관에 도달하여 감각세포에 접촉한 신경 섬유만이 살아남으며, 그렇지 못한 나머지 신경 섬유는 죽게 된다. 26주에서 28주경에 유모세포와 청신경의 시냅스는 거의 이루어져 출생 3개월 정도 이전부터 이미 태아는 들을 수가 있다. 이러한 감각세포-신경의 상호작용을 Marangos는 '신경원 안정(neuronal stabilization)'이라 기술하였고, neurotrophin과 tyrosine kinase 수용체가 시냅스 접촉 발생의 필수 매개체로 보인다.

Neurotrophin과 그 수용체의 작용 방식에 대한 세부 사항은 Grothe에 의해 보고되었다. 특정한 영양 상호 작용이 방해받는 경우에도 미로는 여전히 정상적으로 발생하지만, 전정와우 신경은 그렇지 않다. 내이도 골부는 미로 외부에서 별개로 발생하고, 전정와우 신경의 발생과 관련이 있다. 그러나 유도된 신경발생 과정에 관해서는 목표 미로 기관에 유도되어, 미로, 전정와우 신경, 내이도의 세 개의 구조물의 발생과 모두 연관되어 있다. 따라서 어떤 한 구조물의 발생 부전은 다른 구조물의 발생 장애를 유발할 수 있다. 예를 들면, 이포의 발생 정지는 완전 미로 결손(Michel 기형)을 유발한다. 전정와우 신경의 분화가 유도되지 않아 발생하지 않게 되며, 발생을 조절하는 신경이 결손되어 내이도 발생도 불완전하여 최종적으로 오직 안면신경만을 포함하는 좁은 내이도가 된다.

5. 내이 기형의 진단

내이기형 환자를 분류하고 효과적으로 치료하기 위하여, 정확한 지식과 결손에 대한 일관된 기술이 필요하다. 고전적인 영상검사는 기형의 진단에 있어 그 역할이 선별 검사 목적 정도로 제한되어있다. 고전적인 영상검사는 방사선조사량 낮으며, 간편하고, 쉽게 사용할 수 있으며 비용이 저렴하다는 장점이 있다. 그러나 중이와 내이의 구조를 충분히 평가하기에는 한계가 있다. 고해상도 측두골 CT는 골구조를 잘 관찰할 수 있기 때문에, 외이, 외이도, 중이와 유양동의 변화 및 골미로의 발달 정도를 평가하는 데 적합하다.

  MRI는 막성미로, 내이도와 소뇌교각의 신경 구조를 나타내는데 좀 더 우월하다. 조영제(Gadolinium-DTPA) 처치와 다양한 시퀀스를 통하여 MRI는 고해상도 CT에 비하여 연부조직 구조를 정확히 볼 수 있다. MRI는 긴 검사시간이 단점이나, 특히 측두골 영역의 세부 구조를 나타내는 데 우수하며, 재구성 과정 없이 원하는 평면으로 그 단면을 바로 보여줄 수 있다. 또한 3T의 자성 입자 밀도의 고자기 장비를 사용하여 구조를 깨끗하게 확인할 수 있는 고해상도 영상을 확보하는 것이 가능하게 되었다. 촬영 간격이 아주 얇은(0.7-0.8 mm), T2 강조 경사 에코 영상(CISS 시퀀스)은 미로와 내이도의 세부구조를 평가할 수 있다. 이 영상에서는 뇌척수액과 내림프는 아주 높은 신호강도를 보이는 반면, 신경구조(안면신경, 전정와우 신경)는 아주 낮은 신호 강도를 보인다. MRI는 와우, 전정, 반고리관의 크기와 모양 및 와우의 액체성분에 대하여 정확한 자료를 제공한다. 내이의 조영증강이 관찰되면 골화가 임박했음을 시사하며, T2 강조 경사 에코 영상을 통하여 미로의 섬유성 폐색을 발견하는 것이 가능하다. 또한 내림프관과 구형낭의 확인 및 크기를 측정하는 것도 가능하다. 이러한 MRI는 전정와우 신경을 나타내고 안면 신경의 두개 내 분절을 평가할 수 있는 유일한 평가도구이다. 따라서 고해상도 CT와 MRI는 함께 시행되어야 종합적인 정보를 얻을 수 있다.

6. 내이 기형의 분류

MRI가 연부조직의 구조를 평가할 수 있게 되었지만 내이 기능 장애의 원인이 세포 단위 혹은 세포 소기관의 결손인 경우가 많아 여전히 영상진단으로 내이미로의 기형을 확인할 수 있는 선천성 감각신경성 난청은 30% 내외에 불과하다. 측두골 단층촬영으로 내이 기형을 분류할 수 있는데 1987년 발표된 Jackler 등의 분류법이 최근까지 많이 인용되었다. Jackler는 당시 측두골 검사에 있어 다중단층촬영(polytomography)에 기반한 영상소견과 청각학적 소견에 근거하여 98명의 귀 기형을 분류하였지만 골/신경구조에서 각각 훨씬 좋은 해상도를 보이는 측두골 CT와 MRI가 나오며 기형의 범위 및 이에 대한 이해도 세분화되게 된다.

  내이기형을 분류하는 목적은 임상적 기술을 표준화하고자 함이다. 이를 통해 치료 판정 및 청각재활 효과를 비교할 수 있고 기형의 종류에 따라 예후를 예측할 수 있다. 다만 한 가지의 분류체계로 모든 기형을 포함하지 못할 수도 있고, 기형의 정도와 청력저하 사이에 명백한 연관성이 없는 경우도 있다. Jackler가 제시한 여러 와우 기형(그림 11-1)과 전정 기형(그림 11-2)의 모식도 및 분류법(표 11-1)은 다음과 같다.

  Category A의 1번부터 5번 항목과 category B는 단독기형을 지칭한다. 만일 전정도수관확장이 동반된다면 category A와 B의 복합기형은 category A에 배정된다. Jackler에 뒤이어 Kosling은 내이의 한 구조물의 변형뿐만 아니라, 전정과 반고리관의 복합 이상, 전정의 이형성과 전정도수관의 복합을 모두 단독 기형으로 지칭하였다. Marangos는 내이의 불완전 발달 또는 이상 발달을 포함하여, 네 가지 category로 기술하였다(표 11-2).

  선천 감각신경성난청의 여러 분류법이 소개되었지만 기존의 분류법에 완전히 들어 맞지 않는 기형도 있고, CT와 MRI의 해상도가 좋아지며 새로운 기형이 발견되어 분류법은 세분화되게 되었다. 기존의 CT 기술에 기반한 Jackler의 내이기형 분류법에서, 전정 반고리관과 전정와우 원기(vestibulosemicircular and vestibulocochlear anlagen)가 각각 따로 발달하는 것이 고려되었다. 즉, 기형 소견을 통

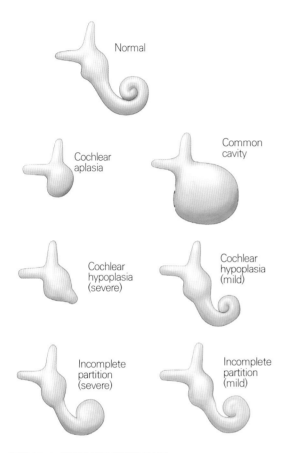

그림 11-1. **다양한 와우 기형의 모식도**

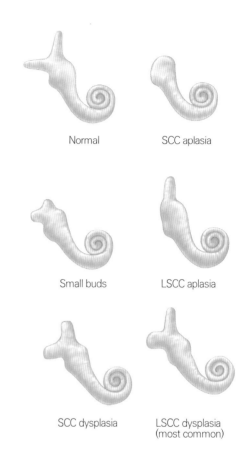

그림 11-2. **다양한 전정 기형의 모식도**

표 11-2. **Jackler에 의한 내이기형의 분류**

Category A	내이의 결손 또는 기형

	1. 미로결손(Michel 기형)
	2. 와우의 결손(cochlear aplasia),
	   전정과 반고리관은 정상 또는 기형
	3. 와우의 저형성(cochlear hypoplasia),
	   전정과 반고리관은 정상 또는 기형
	4. 불완전한 와우(incomplete partition) ,
	   전정과 반고리관은 정상 또는 기형
	5. 공통강: 와우와 전정이 내부 구조 없이
	   공통의 공간을 형성함(common cavity)
	   반고리관은 정상 또는 기형
	   * 전정수도관확장이 동발될 수 있음

Category B	정상 와우

	1. 전정과 측반고리관의 이형성,
	   전반고리관 후반고리관은 정상
	2. 전정수도관 확장과, 전정은 정상 또는 확장,
	   반고리관은 정상

표 11-2. **Marangos에 의한 내이기형의 분류**

대분류	소분류
Category A = 불완전 배아 발달	1. 내이의 완전 무형성(Michel 기형) 2. 공통강(이포: otocyst) 3. 와우 무형성/저형성(전정미로는 정상) 4. 전정미로 무형성/저형성(와우는 정상) 5. 전체 내이미로의 저형성 6. Mondini 이형성
Category B = 배아 이상 발달	1. 전정수도관 확장 2. 내이도 협착(2 mm 미만의 골간지름) 3. 긴 횡릉(crista transversa) 4. 삼분 내이도 5. 와우 내이도의 불완전 분리
Category C = 단독 유전성 기형	X염색체 연관 난청
Category D	증후군과 연관된 기형

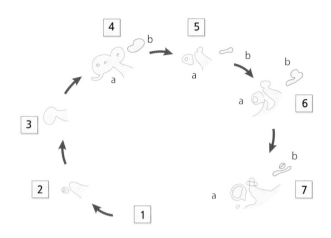

그림 11-3. 내이발달의 다양한 정지 단계의 모식도(Sennaroglu의 모식도에 기반). 1: Michel 기형, 2: 와우무형성, 3: 공통강, 4: 불완전분할 제1형(IP I), 5: 와우저형성, 6: 불완전분할 제2형(IP II), Mondini 기형, 7: 정상. a: 내이도가 관찰되는 단면, b: 정원창이 관찰되는 단면

표 11-3. Sennaroglu에 의한 발달 정지 시기에 따른 와우 기형

와우 기형	배열
Michel 기형 (정지 시기: 제3주)	와우와 전정 구조의 완전결손; 내이도 무형성이 흔히 동반됨; 전정도수관 결손
와우 무형성 (정지 시기: 제3주 후반)	와우 결손; 전정과 반고리관은 정상, 확장, 혹은 저형성; 내이도 확장이 흔히 동반됨; 대부분 정상 전정도수관
공통강 (정지 시기: 제4주)	와우와 전정이 내부구조 없이 공통 공간을 형성함; 반고리관은 정상, 변형, 혹은 결손; 내이도는 좁아지기보다는 확장됨; 대부분 정상 전정도수관
불완전 분할 제1형 (=낭성 와우전정 기형) (정지 시기: 제5주)	내부구조 없이 낭성 형태로 확장된 와우; 전정 확장; 대부분 확장된 내이도; 반고리관은 결손, 확장, 혹은 정상; 정상 전정도수관
와우 저형성 (정지 시기: 제6주)	와우와 전정의 구조가 확연히 구분됨; 작은 와우뢰(cochlear bud); 결손되거나 저형성된 전정과 반고리관; 내이도는 좁거나 정상; 정상 전정도수관
불완전분할 제2형 (=Mondini 기형) (정지 시기: 제7주)	와우 1과 1/2회전; 중간회전과 첨부회전의 낭성 확장(낭성 첨부); 거의 정상 크기의 와우; 다소 확장된 전정; 정상 반고리관; 전정도수관 확장
정상	정상 와우와 전정구조; 정상 내이도와 전정도수관

해 발달 손상의 시기를 추정할 수 있어, Sennaroglu는 발달 정지가 온 시기에(그림 11-3) 따라 여섯 개의 중증도 category로 나누었다(표 11-3).

또한 예후 예측의 측면에서 Jeong 등은 새로운 전정와우기형(cochleovestibular malformation, CVM) 분류를 발표하였다(그림 11-4). 이 분류법은 기존의 Sennaroglu의 분류의 각 category에 적절히 대치되며, 인공 와우이식 후의 언어 인지(speech perception) 정도를 예측하는 데 효과적이다. 전정와우기형을 가진 56명의 환아에서 인공 와우 이식 후 언어 인지 검사를 시행한 결과, CVM type A와 type B군의 점수가 CVM type C와 type D군에 비해 유의하게 높았으며, CVM이 없는 정상 와우 이식 환아 군의 점수와 비슷하다고 보고하였다. 따라서 CVM type은 인공 와우 이식 후 언어인지 검사 점수를 예측하는 데 유의한 척도가 될 수 있다고 하였다.

Adibelli 등은 MRI와 CT소견을 평가하여 내이도(I), 와우신경(N), 와우-(C), 전정도수관(A), 전정(V)의 각 부분의 기형의 심도를 점수화한 INCAV 법을 제안하기도 하였다.

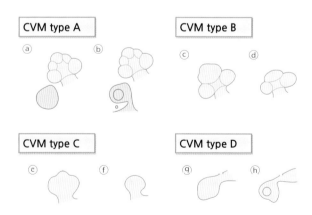

그림 11-4. Jeong의 전정와우기형(CVM)의 새로운 분류법에 대한 모식도. CVM type A는 정상 와우(cochlea)와 정상 와우축(modiolus). CVM type B는 기형 와우와 부분 와우축. CVM type C는 기형 와우와 와우축 무형성. CVM type D는 와우와 와우축 모두 무형성. a-h 모든 단계는 Sennaroglu의 분류법의 각 단계에 해당함. ⓐ semicircular canal/vestibule dysplasia, ⓑ enlarged vestibular aqueduct, ⓒ incomplete partition type II, ⓓ cochlear hypoplasia type III, ⓔ incomplete partition type I, ⓕ cochlear hypoplasia type I or II, ⓖ common cavity, ⓗ cochlear aplasia.

7. 내이 기형의 종류

1) Michel 기형(Michel deformity), 완전미로무형성(Complete labyrinthine aplasia)

모든 와우 및 전정계 요소의 결손으로 나타나며, 내이도 역시 형성되지 않는다(그림 11-5).

2) 와우무형성(Cochlear aplasia)

와우는 형성되어 있지 않지만 전정과 반고리관이 정상이거나 확장되거나 저형성 상태로 존재한다(그림 11-6). 내이도 앞쪽에 치밀한 이골조직으로 관찰되며, 와우의 결손으로 인하여 안면신경관의 미로분절은 와우가 원래 위치한 자리보다 더 앞쪽으로 주행한다. 이 기형을 와우 골화와 감별하는 것이 중요한데, 완전 와우골화에서는, 와우의 기저부 회전이 중이 쪽으로 돌출되는 소견(와우갑각: promontory)을 보이고 내이도 앞쪽의 골부는 정상적인 크기인 반면, 와우무형성에서는 와우갑각의 돌출이 관찰되지 않는다.

3) 공통강(Common cavity)

와우와 전정이 공통 강을 형성하여 구분되지 않는다(그림 11-7). Jackler 등의 보고에 의하면 두 번째로 흔한 기형이다. 내이도의 두께는 다양한데 공통강이 큰 경우에는 내이도가 확장되어 있고, 공통강이 작은 경우에는 내이도가 비정상적으로 좁아져 공통강이 있는 경우 내이도의 크기는 대부분 비정상적이다. 크기가 작은 공통강 환자의 경우 더 이른 시기에 발생이 정지되어 큰 공통 강에 비해 내이도가 좁아져 있을 것으로 추정해 볼 수 있지만, Thai 등은 정상 와우에서도 내이도 협착만 관찰되는 경우도 있다. 정의 상 내이도는 공통강의 중심부로 이어지지만 만약 내이도의 방향이 뒤쪽을 향할 경우, 즉 내이도가 공통강의 앞쪽으로 이어진다면 와우무형성과의 감별이 어려울 수 있다. 이런 경우 내이도의 바깥쪽 말단이 미형성된 와우 기저부로 추정된다. 공통강을 보이는 환자에서는 전정도수관 확장은 관찰되지 않으며, 이는 전정도수관의 발달이 이 단계 이후에 시작한다는 것을 암시한다.

　　Graham 등은 내이기형의 심각한 정도를 Michel 기형, 와우무형성, 와우저형성, 공통강, 그리고 Mondini 기형의 순서로 보고하였다. 이는 발달 정지 단계에서 공통강을 와우저형성보다 다음 단계에 위치시켰으나, Sennaroglu의 분류에 따르면 공통강이 와우저형성보다 앞 단계에 위치하

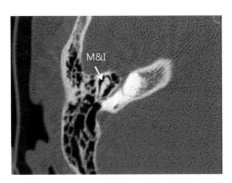

그림 11-5. **Michel deformity.** 내이도 및 어떠한 내이 구조도 형성되어 있지 않으나, 중이의 추골(malleus, M)과 침골(incus, I)은 정상이다.

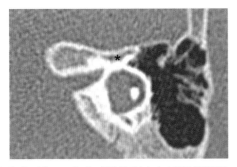

그림 11-6. **Cochlear aplasia.** 와우의 결손(*) 소견이 관찰된다.

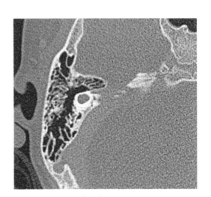

그림 11-7. **Common cavity (CC).** 와우와 전정이 공동강을 이루고 있다.

고 있다. 공통강 상태는 와우와 전정으로의 아직 분리되지
않은 상태이며, 반면에 와우전정 저형성은 와우와 전정으
로의 분리가 이미 일어나, 와우와 전정이 작기는 하지만 별
개의 구조물로 관찰되기 때문이라는 것이 그 근거이다.

4) Incomplete partition type I(낭성 와우 전정 기형, cystic cochleovestibular Malformation)

 불완전분할 제1형(낭성 와우 전정 기형)(그림 11-8)은 와우
와 전정에 연관된 기형이다. 모든 불완전분할 제1형의 증
례에서 낭성으로 확장된 전정이 낭성으로 비어있는 와우
와 동반되었다. Sennaroglu는 모든 불완전분할 제1형이 공
통 강에서 한 단계 더 분화된 형태로 분류하고 있다. 와우
와 전정의 크기는 정상이지만 내부구조가 형성되어 있지
않은데 와우축이 없어 와우는 빈 낭성 구조의 형태를 띠게
되고, 전정 또한 확연히 확장되어 있다. 그러므로 발생정지
는 발생 5주째일 것이라는 추측이다. 중간 회전 및 첨부 회
전만 낭성 강 형태를 띠는 불완전분할 제2형, 즉 Mondini
기형과 비교하면 이 차이가 현저하다. 불완전분할 제2형의

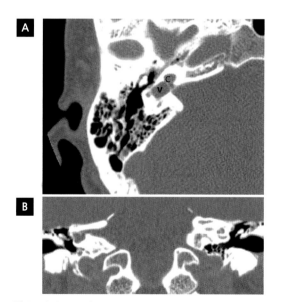

그림 11-8. **Incomplete partition type 1.** A. 횡축 CT 영상에서 비어있
는 낭성 와우(C) 및 확장된 전정(V) 소견으로, figure of 8의 형태를 보인다.
B. 종축 CT 영상에서 우측 와우가 분할 되어있지 않으나 좌측의 정상 와우와
전체적 크기는 비슷하여, 와우 저형성과 구분이 가능하다.

경우 발생 7주에 와우축이 부분적으로 형성된 이후의 좀더
늦은 시기의 발생정지를 의미한다. 불완전분할 제1형의 경
우 기저부부터 첨부까지 와우축이 완전히 결손되어 있다.
대개 와우와 내이도 사이의 사상 부위 역시 결손되어 있다.
모든 낭성 와우 증례에서 확장된 전정이 발견된다. 전정이
확장된 정도는 Mondini 기형에서보다 더 크다. 모든 불완
전분할 제1형에서 전정도수관확장이 동반되지 않은 반면
내이도는 모두 확장되어 있었다.

5) 와우 전정 저형성(Cochleovestibular hypoplasia)

와우 전정 저형성은 불완전분할 제2형보다 덜 분화된 형태
의 기형 분류이다(그림 11-9). 와우와 전정 구조가 확연히
서로 구분되어 관찰 가능하다. 와우 저형성에서는 와우가
정상보다 작으며, 이는 발생 6주에 와우의 발달이 정지된
것을 의미한다. 동반된 전정기형은 주로 결손이나 저형성
이다. 전정도수관 기형은 이 분류에서는 관찰되지 않으며,
내이도 크기는 주로 정상이거나 작다.

6) 불완전 분할 2형(Incomplete partition type 2), Mondini 기형(Mondini malformation)

와우와 전정의 크기가 정상이고 내부구조가 더 발달되어
있기 때문에 불완전분할 제2형(Mondini 기형)(그림 11-10)
는 불완전분할 제1형보다 더 이후 시기인 발생 7주의 발달
정지로 생각된다. 와우는 1.5회전을 보이며, 와우의 중간회
전과 첨부회전 사이의 와우 첨단부에 전정/고실계 사이의
결손이 있다. 이 회전이 융합되어 낭성 모양을 띠게 된다.
기저부의 발달은 정상이다. Slattery 등에 따르면 사람에서
신경절 세포는 와우의 아래쪽 1.5회전에서 발견되기 때문
에 불완전분할 제1형에 비해 나선신경절이 손재할 가능성
이 매우 높아 청력과 인공와우 이식 이후 청력 호전 정도는
불완전분할 제1형에 비해 높다. 전정확장은 불완전분할 제
1형에 비하면 Mondini 기형에서는 경미하다. 모든 증례에
서 전정도수관 확장이 동반되고 양측, 대칭성이며, 이는 내
이발달단계에서 전정도수관의 발생이 이 단계 직전에 시작
됨을 시사한다. 내이도는 대략 60% 정도 증례에서 확장되
어 있다.

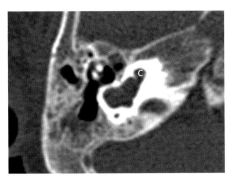

그림 11-9. **Cochleovestibular hypoplasia.** 작은 와우(C)가 관찰된다.

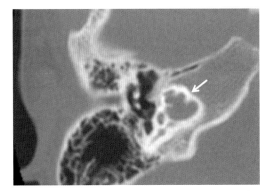

그림 11-11. **Incomplete partition type 3.** 와우의 불완전 형성부전으로 일명 '크리스마스 트리' 모양의 와우(화살표)를 보인다.

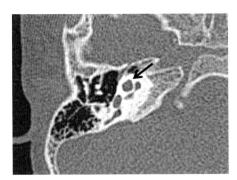

그림 11-10. **Incomplete partition type 2 (Mondini 기형)** Interscalar septum이 없이 와우의 중간회전 및 첨부회전이 분리되지 않은 소견(화살표)을 보인다.

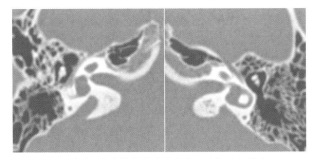

그림 11-12. **전정 도수관 확장.** 확장된 전정도수관을 볼 수 있다.

7) 불완전 분할 3형(Incomplete partition type 3)

측두골 단층촬영에서 양측성으로 와우의 부분적 형성부전 및 내이도 외측 말단 부위의 확장과 내이도와 와우의 기저 회전 사이에 뼈의 결함이나 결손 등의 특징을 보인다(그림 11-11). 이 기형은 Phelps에 의해 처음 기술된 후 최근 pseudo-Mondini stage II 또는 기존에 I, II의 두 가지 종류로 분류되던 불완전 분할에 추가되어 불완전 분할 III 등으로 불리고 있다. 불완전 분할 III형의 내이 기형을 가진 환자들은 진행성의 전도성 또는 감각신경성 난청을 보이며, 특히 남성에서만 이환되는 특징을 가지며 보인자인 여성의 경우에는 다양한 청력양상을 보인다. 불완전 분할 III형 내이 기형을 가진 환자 중 고도 이상의 난청을 보이는 경우에는 와우이식이 좋은 재활방법으로 생각되나, 환자의 빈도가 적기 때문에 불완전 분할 III형 기형 환자들에서의 와우

이식에 대한 보고는 많지 않은 상태이다. Choi 등은 불완전 분할 III를 보이는 와우이식을 시행받은 4명의 환아 모두에서 와우개창술 시 심한 외림프액 분출(perilymph gusher)이 발생하였으며, 향상된 청력 검사 결과 및 언어인지 소견을 보였다고 발표하였다.

8) 전정도수관 확장(Enlarged vestibular aqueduct)

대개의 전정도수관 확장은 와우 기형과 동반되나 독립적으로 존재하는 경우도 있다(그림 11-12). Cochleovestibular malformation 중 15%를 차지하며, 전정도수관의 중간부위에서의 거리가 1.5 mm 이상인 경우, operculum에서의 두께가 2 mm 이상인 경우, 후반고리관의 지름보다 큰 경우 등 몇 가지 기준이 제시되어 왔다. 난청의 정도는 다양하게 나타나고 진행하는 양상인데, 돌발성 난청의 양상으

로 나빠지거나 악화와 호전을 반복하며 점차 청력이 악화되는 경우도 흔히 관찰된다. 또한 전음성 난청 혹은 혼합성 난청의 양상으로 나타나는 경우도 많다.

8. 결론

고도난청을 초래하는 내이기형에서의 궁극적인 청각 재활은 인공와우 이식을 통해 이루어진다. 내이기형의 형태에 따라 적절한 전극을 선택하여 비외상성 수술 기법(atraumatic technique)을 통하여 인공와우 이식을 성공적으로 시행할 수 있다. 다만 안면신경의 주행이 비정상일 수 있어 술 전 충분한 영상자료 리뷰를 통해 안면신경의 손상을 주의하고, 술 후 뇌척수액 유출이 일어나지 않도록 적절한 수술방법을 선택하는 것이 필요하다. 또한 수술 중과 수술 후 영상검사를 통하여 전극이 적절한 위치에 삽입되어 있는지 확인하는 절차가 반드시 필요하다. 다만 와우 발달이 전혀 되지 않고 신경 구조를 기대할 수 없는 Michel 기형과 와우 무형성은 인공와우 이식의 금기이다. 내이기형은 다양한 정도와 양상의 감각신경성 난청의 원인이 된다. 또한 동반된 외이와 중이의 기형이 있는 경우 혼합성 난청의 양상을 보일 수 있기에 적절한 청각재활을 위해서는 개별적인 접근과 평가가 이루어져야 한다.

▆▆▆▆ 참고문헌

• Jackler RK, Luxford WM, House WF. Congenital malformations of the inner ear: a classification based on embryogenesis. Laryngoscope 1987;97:2-14.

• Marangos N. Dysplasia of the inner ear and inner ear canal. HNO 2002;50(9):866-81.

• Sennaroglu L, Saatci I. A new classification for cochleovestibular malformations. Laryngoscope 2002;112:2230-41.

• Weerda H. Surgery of the external ear. Thieme 2004. S105-226.

• Swartz JD, Faerber EN. Congenital malformations of the external and middle ear: high-resolution CT findings of surgical import. AJR 1985;144:501-6.

• Kösling S, Schneider-Möbius C, König E, Meister EF. Computer tomography in children and adolescents with suspected malformation of the petrous portion of the temporal bone. Radiology 1997;37:971-6.

• Bartel-Friedrich S, Wulke C. Classification and diagnosis of ear malformations. GMS Curr Top Otorhinolaryngol Head Neck Surg 2007;6:Doc05.

• Tewfik TL, Teebi AS, Der Kaloustian VM. Syndromes and conditions associated with congenital anomalies of the ear. Congenital anomalies of the ear, nose, and throat. New York: Oxford University Press 1997;125-44.

• Grothe C. Mode of action of neurotrophic factors and their protective effect on neuronal structures. GMS Curr Top Otorhinolaryngol Head Neck Surg 2005;S:77-83.

• Siebenmann F. Broad anatomy and pathogenesis of Deaf. Wiesbaden: J. F. Bergmann 1904. S. 76.

• Terrahe K. Malformations of the inner and middle ear as a result the Thalidomidembryopathie: results of X-ray film studies. Fortschr Röntgenstr 1965;102:14.

• Jeong SW, Kim LS. A new classification of cochleovestibular malformations and implications for predicting speech perception ability after cochlear implantation. Audiol Neurotol 2015;20:90–101.

• Adibelli ZH, Isayeva L, Koc AM, Catli T, Adibelli H, Olgun L. The new classification system for inner ear malformations: the INCAV system. Acta Otolaryngol 2017;137:246-52.

• Thai Van H, Fraysse B, Berry I, et al. Functional magnetic resonance imaging may avoid misdiagnosis of cochleovestibular nerve aplasia in congenital deafness. Am J Otol 2000;21:663–70.

• Graham JM, Phelps PD, Michaels L. Congenital malformations of the ear and cochlear implantation in children: review and temporal bone report of common cavity. J Laryngol Otol 2000;114(25):1–14.

• Slattery WH, Luxford WM. Cochlear implantation in the congenital malformed cochlea. Laryngoscope 1995;105:1184–7.

• Phelps PD. The basal turn of the cochlea. Br J Radiol 1992; 65(773): 370-4.

• Incesulu A, Adapinar B, Kecik C. Cochlear implantation in cases with incomplete partition type III (X-linked anomaly). Eur Arch Otorhinolaryngol 2008;265(11):1425-30.

• Petersen MB, Wang Q, Willems PJ. Sex-linked deafness. Clin Genet 2008;73(1):14-23.

• Choi JH, Lee KY, Lim FJ, Lee SH. Cochlear Implant in Patients with Incomplete Partition Type III. Korean J Otorhinolaryngol-Head Neck Surg 2009;52:492-7.

• Valvassori GE, Clemis JD. The large vestibular aqueduct syndrome. Laryngoscope 1978; 88(5):723-8.

• Levenson MJ, Parisier SC, Jacobs M, Edelstein DR. The large vestibular aqueduct syndrome in children. Arch Otolaryngol Head Neck Surg 1989;115: 54-8.

• Grimmer JF, Hedlund G. Vestibular symptoms in children with enlarged vestibular aqueduct anomaly. Int J of Pediatr Otorhinolaryngol 2007;71:275-82.

Chapter 12

소이증

Microtia

한규철

1. 서론

소이증은 귀 모양을 형성하는 요소인 이륜(helix), 대이륜(antihelix), 대이륜각(crura of the antihelix), 이주(tragus), 대주(antitragus), 이주간 절흔(inter- tragal notch), 주상 오목(scaphoid fossa), 삼각오목(triangular fossa), 이갑개주(concha cymba), 이개강(concha cavum), 그리고 귓불(lobule)들 중에 일부라도 형성이 불완전한 경우다(그림 12-1). 특히 소이증은 귀 모양의 차이뿐만 아니라 외이도 폐쇄증 혹은 안면 부의 비대칭적 발달을 동반하는 증후군의 일부일 수 있다. 따라서 귀 모양의 주요 지표가 없거나 희미한 경우, 소이증 재건 시에 동반되는 청각재 활, 아동 성장과 사회-심리적인 요인, 반복되는 다단계 수술과 경제적 면 등을 고려하여 가족들의 충분한 이해와 협조하에 진단과 치료 과정을 진행해야 한다. 소이증의 재건은 크게 귓바퀴의 재건, 외이도의 재건, 고막의 재건, 그리고 청각 재활로 나눌 수 있다. 본 장에서는 청각재활을 제외한 귀 재건에 대한 내용을 주로 다루기로 한다.

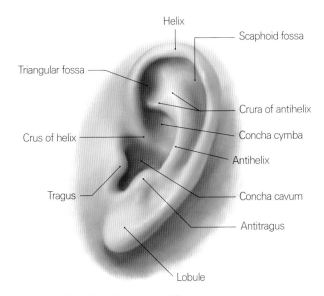

Helix
Scaphoid fossa
Triangular fossa
Crura of antihelix
Crus of helix
Concha cymba
Antihelix
Tragus
Concha cavum
Antitragus
Lobule

그림 12-1. 정상 귀에 포함된 주요 구조물

2. 본론

1) 귀 발생과 성장

귀는 발생학적으로 태생 5주부터 9주 사이에 제1새궁(하악궁, first branchial arch)과 두 번째 새궁(설골궁, second branchial arch)에서 형성된다. 각 새궁에서 6개의 귓바퀴

결절이 형성되어 1번은 이주, 2번은 이륜 기시부, 3번은 이륜, 4, 5번은 대이륜, 6번은 대주를 이룬다. 이갑개주와 이개강은 제1새궁의 외배엽으로부터 기원한다. 발생학적으로 귀 모양이 완성되는 태생 9주를 기준으로 그 이전에 발생한 형태 이상은 기형(malformation), 이개연골의 형태가 완성된 9주 이후에 발생한 귀 모양의 이상은 변형(deformation)으로 분류한다. 귀성형의 관점에서 보면 기형은 연골 등의 지지물 보강이 필요하지만, 변형은 귀 연골이 형성되어 있지만, 주변 근육-피부조직의 위축 혹은 위치변형이 주요한 원인이므로 출생 직후 혹은 그 이후에 몰딩이나 수술적 조작으로 교정할 수 있다. 귀 장축 길이는 6세에 성인의 85%, 9세와 15세 경에 성인의 90%와 95% 정도의 크기로 자란다.

2) 소이증의 역학

소이증의 유병률은 서구의 경우, 출생 10,000명당 0.83-4.34명이지만 아시안을 포함한 일부 인종과 국가에서 17.4명의 높은 유병률을 보인다. 남성이 여성보다 20-40% 흔한 것으로 알려졌다. 소이증의 77-93%는 한쪽에서 발생하며 우측의 발생 빈도가 60%로 더 높지만, 양쪽에 발생할 수 있다. 양쪽이라고 해서 동반 기형이나 소이증의 중증도가 일치하지는 않는다.

한쪽 병변이면 반대편 귀는 대부분 정상 청력을 보인다. 따라서 한쪽 병변인 경우, 언어발달은 지연 혹은 주의력 결핍 장애를 보일지라도 정상적인 경우가 대부분이다. 외이도 형성부전 혹은 외이도 협착의 빈도는 55-93%이다. 전음 기관인 귀와 외이도의 이상으로 인해 환자의 80% 이상에서 공기전도는 40-65 dB HL, 골전도는 90% 이상에서 정상인 전음성 난청의 형태를 보인다.

발생 원인은 완전히 알려지지 않았지만 환경적 혹은 유전적 영향을 받는다. 환경적 위험요인은 출생 시 저체중, 산모의 다출산력, 고령출산, 다태임신, 절박유산의 경험, 임신중독증, 임신 중 빈혈, 임신 초기 모체의 인플루엔자 감염, 모체의 제1형 당뇨, 인종 외에도 2,500 m 이상의 고산지대, 면역억제제인 Mycophenholate mofetil의 사용과 음주력 등이 영향을 준다고 보고됐다. 유전적 요인의 빈도

는 3-34%로 상염색체 우성 혹은 열성, 염색체 이상이 보고된 바가 있다. 반면에 임신 전후기에 엽산(folic acid)의 섭취는 소이증을 줄인다고 최근 보고되었지만 그 기전은 알려지지 않았다.

증후군으로서의 소이증이 의심되는 경우, 척추기형, 대구증(macrostomia), 구개열, 얼굴비대칭, 콩팥이상, 심장결함(cardiac defects), 소안구증(microphthalmia), 완전 전뇌증(holoprosencephaly), 다지증(polydactyly) 등의 동반기형을 찾아봐야 한다.

3) 소이증의 분류

가장 오래되고 흔히 사용되는 Marx 분류법은 4단계로 나누어 grade I은 크기가 정상보다 작지만 모든 귀 구조물이 있고 외이도가 존재하는 경우, grade II는 일부 귀 구조물들이 흔적만 있으면서 외이도 협착 혹은 형성부전으로 인한 전음성 난청이 있는 경우, grade III는 귀가 연조직의 흔적 기관으로만 존재하며 외이도와 고막이 없는 경우로서 가장 흔한 형태이다. 이후 추가된 grade IV는 외이도 부전이 동반된 귀 무형성인 가장 심한 경우이다(그림 12-2). 귀 무형성의 빈도는 전체 소이증의 5-22%이다.

Tanzer의 분류는 수술적 접근에 따라 type 1 (anotia), type 2 (complete hypoplasia, microtia) 이 외에 type 3 (mid le third hypoplasia), type 4 (uper third hypoplasia), type 5 (prominent ear)로 분류하는데 소이증의 스펙트럼이 넓은 것에 비하면 분류의 경계가 모호하다. Weerda와 Siegert의 분류는 귀 발생과 수술 단계, 외이에 선천성 동반 기형에 기반을 두어 Marx와 Tanzer의 분류를 3단계로 변형한 것으로 첫 번째 단계는 정상 귀모양을 갖거나 부분교정이 필요한 경우, 두 번째 단계는 일부 성상 구조물의 형태를 보이지만 연골이식이 필요한 경우, 세 번째 단계는 정상 구조물이 없는 경우이다(표 12-1).

외이도 기형의 분류는 소이증 재건 수술 방법을 결정하는 중요한 요소로 사용된다. 대표적으로는 alt-mann, Dela Cruz, Schuknecht의 분류가 있다.

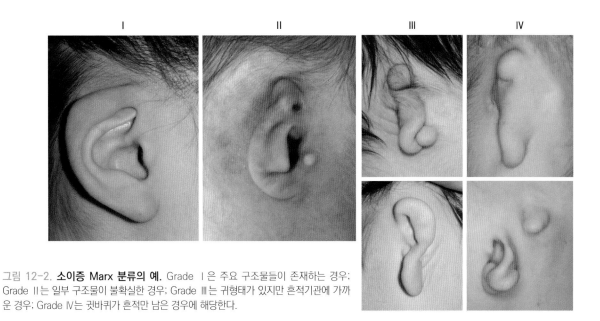

그림 12-2. **소이증 Marx 분류의 예.** Grade Ⅰ은 주요 구조물들이 존재하는 경우; Grade Ⅱ는 일부 구조물이 불확실한 경우; Grade Ⅲ는 귀형태가 있지만 흔적기관에 가까운 경우; Grade Ⅳ는 귓바퀴가 흔적만 남은 경우에 해당한다.

표 12-1. **소이증의 다양한 분류법**

Marx [1926]	Grade I	Abnormal auricle with all identifiable landmarks	
	Grade II	Abnormal auricle without some identifiable landmarks	
	Grade III	Very small auricular tag or anotia	
	Grade IV	Anotia	Rogers [1977] proposed
Tanzer [1978]	Type 1	Anotia	
	Type 2	Completely hypoplastic ear (microtia)	a. With atresia of the external auditory canal b. Without atresia of the external auditory canal
	Type 3	Hypoplasia of the middle third of the auricle	
	Type 4	Hypoplasia of the superior third of the auricle	a. Constricted (cup and lop) ear b. Cryptoptia c. Hypoplasia of entire superior third
	Type 5	Prominent ear	
Weerda [1988]	First degree dysplasia	Most structures of a normal auricle are recognizable (minor deformities)	A. Macrotia B. Protruding ears C. Cryptoptia D. Absence of upper helix E. Small deformities F. Colobomata G. Lobule deformities H. Cup ear deformities
	Second degree dysplasia	Some structures of a normal auricle are recognizable	A. Cup ear deformity type III B. Mini ear
	Third degree dysplasia	None of the structures of a normal auricle are recognizable	A. Unilateral B. Bilateral C. Anotia (Peanut ears are included in this group)

4) 소이증의 재건

귀는 돌출된 탄성을 갖는 얇고 굴곡진 3차원적인 구조물이어서 재건이 쉽지 않다.

소이증 분류법에 따라 일정 정도 이상의 귀 기형이나 변형이 있으면 전재건과 부분재건으로 나누어 교정을 적용할 수 있다. 이 중 전재건술은, Brent의 경우 4단계 수술방법을 사용했으며, Nagata는 이 술식을 2단계로 줄이는 방법을 확립했고, 이를 Weerda, Firmin 등은 나름의 발전된 방법으로 수술을 변형했다(표 12- 2). 수술의 첫 번째 단계는 자가 늑연골을 조각해서 피하 포켓에 삽입하는 것으로 시작한다(그림 12-3). 최근 발표되는 수술법들은 수술을 2단계 이하로 줄이려는 경향이 있으며 상품화된 구조물을 이용해서 한 번에 완성되는 수술법도 소개됐다.

모든 귀 전재건에는 두 가지 요소가 필요하다. 귀 모양을 유지하는 연골 구조물과 얇고 털이 자라지 않는 피부이다. 귀 형태를 만들기 위한 구조물로 자가 늑연골이 많이 사용된다(그림 12-4). Brent 방법은 4단계 수술로써, 1단계에서 조각된 늑연골을 피하에 삽입하고, 2단계에서 귓불전위를 시키고, 3단계에서 귀를 융기시켜 피부이식을 하고, 4단계에서 이주를 만들어 준다. Nagata 방법은 상부구조가 일부 남아있는 경우인 귓불형(lobule type), 이개강, 귓불 및 대주의 형태가 남아있는 이개강형(large conchal type), 작은 이개강형(small conchal type)으로 나눠 형태마다 2단계 술식을 적용한다. 1단계에 이주를 포함하여 늑연골을 피하에 삽입하면서 귓불전위를 동시에 시키고, 2단계에 귀를 융기시키면서 피부이식을 시행한다. 늑연골 외에도 porous high-density polyethylene (Medpor, Stryker, USA)을 구조물로 이용하기도 하는데 일반적으로는 2단계 수술로 이식하게 된다. 1단계 수술에서 자가 늑연골의 조작이 생략되는 대신에 측두정근막피판(temporoparietal fascial flap, TPF)과 전층 피부이 식으로 인공이식물을 덮어야 한다. 2단계에서는 귓불 전위를 시행한다. 이런 새로운 수술

표 12-2. 소이증 재건술 방법의 단계별 비교 요약

	1단계 수술	2단계 수술	3단계 수술	4단계 수술
Brent	자가늑연골로 대이륜 구조물을 조각하여 포켓에 삽입	귓불재건	삽입 구조물 거상 및 귀 뒷면 피부이식	이주재건
Nagata	자가늑연골로 대이륜 구조물에 이주를 포함하여 조각하여 포켓에 삽입 귓불재건	삽입 구조물 거상과 측두정근막피판과 귀 뒷면 피부이식		
Firmin	자가늑연골로 대이륜 구조물에 이주를 포함하여 조각하여 포켓에 삽입 피부피판 이용	삽입 구조물 거상과 측두정근막피판과 귀 뒷면 피부이식		
Weerda/Siegert	자가늑연골로 대이륜 구조물에 이주를 포함하여 조각하여 포켓에 삽입	삽입 구조물 거상 및 근막연조직피판에 절개를 가하여 전방기저피판 이용	외이도 재건술을 시행한 환자는 외이도 입구부 개방	

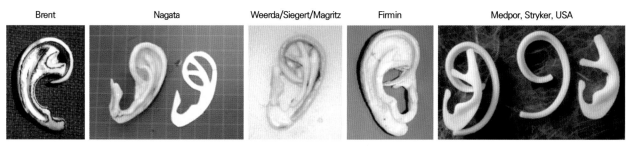

Brent　　　Nagata　　　Weerda/Siegert/Magritz　　　Firmin　　　Medpor, Stryker, USA

그림 12-3. 소이증 수술에 따른 이식될 늑연골의 조각 실례들. Brent 술식에서는 이주재건을 분리하여 시행하기 때문에 첫 이식물에 이주 부분이 없다; 이외에 Nagata, Weerda, Firmin 등의 술식에 사용되는 이식물과 상업적으로 판매되는 Medpor는 형태적으로 유사하다.

법은 3차원 스캐닝 기술을 이용해서 자가 맞춤방식의 정밀 제작이 가능하고 늑연골 공여부의 손상이 없으므로 환아의 성장을 고려하여 제작한다면 3-4세에도 수술이 가능하고, 내시경을 사용하여 작은 피부 절개선을 이용하는 등 술식과 수술 단계가 단순하여 치료 기간이 단축되며 수술 결과에 대한 초기 만족도가 높다는 장점이 있다. 그러나 작은 외상에도 감염이나 보형물의 탈출이 될 수 있고 이런 상처

로 인해 이식물을 제거해야 하는 합병증의 발생률이 10.8%로 보고된 바가 있다. 반면 자가 늑연골은 다듬기가 쉽고, 이물반응이 적으며, 경우에 따라 측두정근막피판을 사용하지 않으므로 절개선이 적어진다는 장점이 있다. 하지만 이식 연골의 변형이나 흡수가 발생하기도 하고 공여부에 결손이 흉곽 변형의 원인이 될 수 있다.

삽입된 구조물을 덮는 피부로는 유양동 부위의 피부가

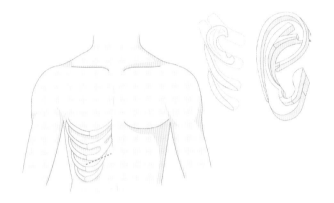

그림 12-4. **자가 늑연골의 채취.** 여성에서 절개선은 유방하 주름에, 남성은 6-7번 늑연골을 채위하여 이식물의 기본틀과 대이륜-이주를 조각한다.

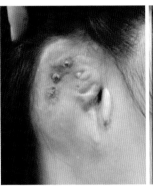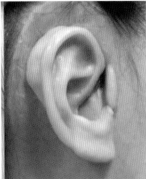

그림 12-5. **인공귀의 착용 실례.** 인공귀 부착을 위한 나사를 이식한 결과 (좌측); 인공귀를 받침대에 끼워 부착한 모습(우측). 인공귀는 실제 귀처럼 영구화장을 하여 최종 착용을 한다.

표 12-3. **소이증 재건술의 장단점 비교**

	장점	단점
자가 늑연골; Nagata	1. 좋은 혈행 공급과 적은 흡수 2. 세밀한 조각이 가능 3. 균형 잡힌 돌출 교정 가능 4. 흉곽변형 최소화 5. 발모선이 낮은 경우나 재수술에도 적용 가능	1. 술기 습득에 오래 걸림 2. 술자의 미적 감각이 필요함
Subfascial tissue expansion and expanded two-flap method; 박철	1. 얇고 넓은 유양동 주위 피부와 근막으로 구조물을 세밀히 한번에 덮음 2. 외이도 모양에 상응하는 깊은 이개강 형성 3. 모든 상흔은 유양동 주위로 제한됨 4. 혈행이 풍부한 피부근막으로 구조물 보호	1. 피부확장을 위한 추가 방문 필요 2. 피판에서 정맥울혈 발생 3. 근막 하에 확장기 삽입을 위해 유양동의 부분삭개가 필요
인공 구조물 삽입(Medpor, Stryker, USA); Reinisch	1. 정상 반대편 귀와 모양과 돌출 정도를 유사하게 맞춤 2. 1회 수술로 완성되며 음압 배액이 필요 없음 3. 늑연골 성장까지 기다릴 필요 없음 4. 외래로도 술기 가능 5. 술기 습득시간이 빠름 6. 외이도 재건술이 되어 있는 경우나 동시에 시행 가능	1. 연조직 괴사 시 재생이 안 되므로 재수술이 필요함 2. 삽입구조물이 1-5%에서 부러짐, 특히 외이도 재건술 시 더 자주 발생함
인공귀 부착; Wilkes	1. 외래에서 장착 가능하며 환자 유래 재료가 필요 없음 2. 종양성 질환이나 자가 늑연골 시술로 실패한 경우 구제술로 사용가능 3. 미적 완성도가 높음	1. 환자와 인공귀 제작자 사이에 긴 유대관계가 필요함 2. 매 2-5년마다 새로운 인공귀로 대체함 3. 부착물 자체가 인공제작물임

매우 적절하고 충분한 공여부이지만 충분하지 않은 경우에는 피부 확장기를 사용할 수도 있다. Nagata 2단계 술식의 변형된 형태 중 피부이식 대신에 피판술을 이용하는 술식들이 개발되었다.

이외에 소이증 재건 방법으로 인공귀(ear prosthesis or epithesis) 혹은 혹은 보형물을 부착하는 방법이 있다(그림 12-5). 첫 단계로 티타늄 계열의 나사를 골유착능(osseointegration)을 이용하여 측두골에 이식한다. 둘째 단계에서 이식물을 노출해 인공귀 받침대(abutments)를 부착시킨 후에 외부에서 인공으로 실리콘 재질의 귀를 피부접착제를 이용하여 적당한 위치에 부착시킨다. 미용상의 만족도가 높은 편이지만 주기적으로 영구 메이크업을 해야 하므로 지속적인 유지비용이 발생한다. 이 방법은 5.8%의 이식 실패율, 9.1%의 피부과민반응, 측두골 성장에 따른 22%의 재수술률을 보였다(표 12-3).

5) 외이도 재건

양측 소이증과 동반된 외이도 폐쇄증이 있다면 조기에 청각재활을 시작해야 하며 수술보다는 골전도 보청기를 착용시킨다. 반면에 단측 외이도 폐쇄증의 경우 진주종, 안면신경마비, 지속적인 이루 등의 뚜렷한 사유가 없다면 성년이 될 때까지 수술을 권유하지 않는다. 하지만 폐쇄판(atretic plate)이 얇고 유양동 함기화가 잘 된 경우라면 조기에 양이청을 제공한다는 의미에서 외이도 재건을 조기에 고려해볼 수도 있다.

소이증 재건술에는 넓고 얇고 고르게 평평한 피부가 필요하다. 만약 외이도 재건술을 먼저 하는 경우 일부 외이도 주변 피부를 거상하는 과정에서 동맥 손상이나 피부 반흔 구축 및 유착이 불가피하게 수반된다. 또한, 재건하려는 외이도의 입구부와 재건할 귓바퀴의 상대적인 위치가 차이나는 경우도 종종 발생한다. 따라서 소이증의 귀 전재건술은 외이도 재건술보다 먼저 시행한다. 이때 사용되는 재료인 늑연골은 호기 시에 흉곽 하부 둘레가 64 cm 이상이 되어야 사용할 수 있다. 따라서 늑연골의 성장을 고려하면 귀전 재건술은 6 내지 8세에 시작하게 된다. 결국, 외이도 재건술의 시점은 8세 이후가 적당하다.

청각학적인 측면에서 청력의 최대 형성 시기(period of greatest plasticity)가 3.5-7세이고 이후 10 내지 12세까지 지속해서 청각기능이 향상한다는 점과 조기에 시행하는 외이도 재건술이 유양동의 성장에 영향을 주지 않는다는 점에서 다소 이르게 외이도 재건술을 시행하는 것을 고려할 수도 있다.

외이도 재건술의 시행 여부 결정에 청각재활 예후가 중요한 변수이며 고해상도 CT에 기반한 Dela Cruz와 Jahrsdoefer grading systems이 사용된다(표 12-4). 즉, 6점은 marginal, 7점은 fair, 8점은 good으로 8점 이상이면 외이도 재건술을 포함한 기능적 수술을 고려할 수 있다. 외이도 재건술을 선택하는 경우라면 최소절개를 통한 전방 접근법으로 후이개피부를 최대한 보존해야 한다(그림 12-6).

표 12-4. 외이도 폐쇄증의 Jahrsdoefer 등급 시스템

판정 변수	점수
Stapes present	2
Oval window open	1
Middle ear space	1
Facial nerve normal	1
Malleus incus complex present	1
Mastoid well pneumatized	1
Incus stapes connection	1
Round window normal	1
Appearance of external ear	1
Total points	10
총점	적응증 판정
10	Excellent
9	Very good
8	Good
7	Fair
6	Marginal
≤5	Poor

6) Marx Grade I 소이증의 전재건술

Marx Grade I에 해당하는 소이증은 Tanzer 분류법의 type 3, 4, 5 혹은 Weerda 분류법상 첫 단계에 해당하며 이는 출생 시 발견되면 수술 없이 교정이 가능하며 그 결과는 영구적인 것으로 보고됐다. 그 이론적 근거는 모체로부터 받은 에스트로겐 농도가 신생아의 귀 연골을 충분히 부드럽게 유지시키기 때문이며 생후 6주까지는 급격히 에스트로겐 농도가 감소하므로 생후 즉시 귀모양 유지를 위한 스프린트로써 폴리에틸렌 코팅이 된 와이어를 사용하여 고정하여 4-8주간 유지한다(그림 12-7). 같은 목적으로 피부접착제를 사용하는 방법과 재료가 상용화되어 있다.

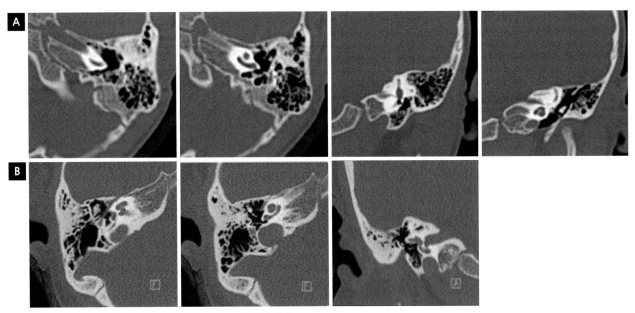

그림 12-6. **선천성 외이도 폐쇄증의 Jahrsdoerfer 등급 결정의 실례**
A. 위의 좌측 외이도 폐쇄증 환자는 4점, B. 아래 우측 외이도 폐쇄증 환자는 9점에 해당된다.

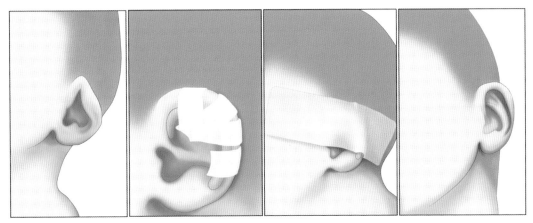

그림 12-7. '임시 귀성형' 또는 '30초 귀성형'이나 '자가 귀성형'으로 불리는 귓바퀴 조기고정법술

7) 재건술 후 합병증

소이증 전재건술에 따른 합병증의 발생률은 16.2%이며 이는 술식의 단계 수나 외이도 재건의 여부에 상관이 없는 것으로 조사됐다. 이중 공여부에서는 흉곽의 비대칭 성장이 36.06%, 흉추 측만증이 22.22%, 흉막 천공으로 인한 기흉이 12.75%였으며, 수어부(recipient site)에서는 결과 불만족 외에 비후성 반흔이 6.29%로 상대적으로 적은 합병증을 보였다.

    늑연골의 채취 시에 흉막 손상으로 인한 기흉은 흉부외과와 상의하여 정도에 따라 경과 관찰, 산소치료 등의 보존적 방법이나 튜브 삽관을 선택할 수 있다. 늑연골 채취로 인해 흉곽 성장의 비대칭을 방지하기 위해 잔여 연골의 재삽입으로 예방할 수 있다. 공여부에 대한 합병증을 최소화하기 위해 수술자가 할 수 있는 노력은 제한적이지만 수여부에 대한 노력은 충분히 예방이 가능한 측면이 있다. 즉, 피부 피판에 과도한 장력을 주거나 혈관 손상이 발생한 경우 감염, 피부 괴사 등의 합병증이 생길 수 있으므로 이를 방지하기 위해 수술 중 혈관 손상을 최소화하며 출혈방지를 위한 과도한 봉합을 피하고, 수술 후 정맥의 울혈을 방지하기 위한 흡입진공배액관 사용과 적절한 항생제나 부종 방지를 위한 스테로이드제제의 투여가 필요하다.

3. 결론

소이증은 선천성 질환이면서 삶의 질과 연관된 매우 사회적인 질환이다. 복잡한 재건의 술식에도 불구하고 외부로 보이는 결과가 아직 미흡한 면이 있다. 재건의 시점과 환자나 보호자의 요구를 정확히 고려해서 치료 계획을 수립하고 삶의 질 향상에 초점을 맞춘 외과의로서의 자세가 요구된다.

■■■■ 참고문헌

- Ishimoto S, Ito K, Karino S, Takegoshi H, Kaga K, Yamasoba T. Hearing levels in patients with microtia: Correlation with temporal bone malformation. Laryngoscope 2007;117:461-5.

- Carey JC, Park AH,Muntz HR. External ear. In: Stevenson RE, editor. Human malformations and related anomalies. Oxford, New York: Oxford University Pre ss. 2006;329-38.

- Johns AL, Lucash RE, Im DD. Lewin SL. Pre and post-operative psychological functioning in younger and older children with microtia. J Plast Reconstr Aesthet Surg 2015;68:492-7.

- Suutarla S, Rautio J, Ritvanen A, Ala-Mello S, Jero J, Klockars T. Microtia in Finland: Comparison of characteristics in different populations. Int J Pediatr Otorhinolaryngol 2007;71:1211-7.

- Porter CJ, Tan ST. Congenital Auricular Anomalies: Topographic Anatomy, Embryology, Classification, and Treatment Strategies. Plast Reconstr Surg. 2005;115:1701-12.

- Luquetti DV, Heike CL, Hing AV, Cunningham ML, Cox TC. Microtia: epidemiology and genetics.m J Med Genet A. 2012;158A:124-39.

- Canfield MA, Langlois PH, Nguyen LM, Scheuerle AE. Epidemiologic features and clinical subgroups of anotia/microtia in Texas. Birth Defects Res A Clin Mol Teratol 2009;85:905-13.

- Shaw GM, Carmichael SL, Kaidarova Z, Harris JA. Epidemiologic characteristics of anotia and microtia in California 1989 1997. Birth Defects Res A Clin Mol Teratol 2004;70:472-5.

- Kelley PE, Scholes MA. Microtia and congenital aural atresia. Otolaryngol Clin North Am 2007;40:61-80.

- Llano-Rivas I, Gonzalez-del Angel A, del Castillo V, Reyes R, Carnevale A. Microtia: a clinical and genet- ic study at the National Institute of Pediatrics in Mexico City. Arch Med Res 1999;30:120-4.

- Stewart JM, Downs MP. Congenital conductive hearing loss: the need for early identification and intervention. Pediatrics 1993;91:355-9.

- Castilla EE, Orioli IM. Prevalence rates of microtia in South America. Int J Epidemiol 1986;15:364-8.

- Klieger-Grossmann C, Chitayat D, Lavign S, Kao K, Garcia-Bournissen F, Quinn D, Luo V, Sermer M, Riordan S, Laskin C, Matok I, Gorodischer R, Chambers C, Levi A, Koren G. Prenatal exposure to mycophenolate mofetil: An updated estimate. J Obstet Gynaccol Can 2010;32:794-7.

- Alasti F, Van Camp G. Genetics of microtia and associated syndromes. J Med Genet. 2009;46:361-9.

- Ma C, Carmichael SL, Scheuerle AE, Canfield MA, Shaw GM. Association of Microtia With Maternal Obesity and Periconceptional Folic Acid Use. Am J Med Genet Part A 2010;152A:2756-61.

- Meurman Y. Congenital microtia and meatal atresia; observations and aspects of treatment. AMA Arch Otolaryngol. 1957;66:443-63.

- Mastroiacovo P, Corchia C, Botto LD, Lanni R, Zampino G,

Fusco D. Epidemiology and genetics of microtia-anotia: a registry based study on over one million births. J Med Genet 1995;32:453-7.

• Tanzer RC. The constricted (cup and lop) ear. Plast Reconstr Surg. 1975;55:406-15.

• Bartel-Friedrich S, Wulke C. Classification and diagnosis of ear malformations. GMS Curr Top Otorhinolaryngol Head Neck Surg. 2007;6:Doc05. Epub 2008;Mar 14.

• Cremers CW, Marres EH. An additional classification for congenital aural atresia. Its impact on the predictability of surgical results. Acta Otorhinolaryngol Belg. 1987;41:596-601.

• De la Cruz A, Teufert KB. Congenital aural atresia surgery: longterm results.Otolaryngol Head Neck Surg. 2003;129:121-7.

• Caversaccio M, Romualdez J, Baechler R, Nolte LP, Kompis M, H usler R. Valuable use of computer-aid-ed surgery in congenital bony aural atresia. J Laryngol Otol 2003;117:241-8.

• Baluch N, Nagata S, Park C, Wilkes GH, Reinisch J, Kasrai L,Fisher D.Auricular reconstruction for microtia: A review of available methods.Plast Surg (Oakv) 2014;22:39-43.

• Brent B. The correction of microtia with autogenous cartilage grafts: I. The classic deformity. Plast Reconstr Surg 1980;66:1-12.

• Brent B. The correction of microtia with autogenous cartilage grafts: II. Atypical and complex deformities. Plast Reconstr Surg 1980;66:13-21.

• Total auricular construction with sculpted costal cartilage. In B. Brent (Ed.), The Artistry of Reconstructive Surgery, St. Louis 1987;The C.V. Mosby Co.:113-127.

• Brent B. Auricular repair with autogenous rib cartilage grafts: Two decades of experience with 600 cases. Plast Reconstr Surg 1992;90:355-74.

• Nagata, S. A new method of total reconstruction of the auricle for microtia. Plast Reconstr Surg. 1993;92:187-201.

• Weerda H, Siegert R. Third degree dysplasias: our surgical techniques. Face 1998;6:79-82.

• Siegert R, Weerda H, Magritz R. Basic techniques in autogenous microtia repair. Facial Plast Surg 2009;25:149-57.

• Firmin F. Ear reconstruction in cases of typical microtia. Personal experience based on 352 microtic ear corrections. Scand J Plast Reconstr Surg Hand Surg 1998;32:35-47.

• Firmin F. La reconstruction auriculaire en cas de microtie. Principes, methods et classification. Ann Chir Palst Esthet 2001; 46:447-66.

• Sivayoham E, Woolford TJ.Current opinion on auricular reconstruction.Curr Opin Otolaryngol Head Neck Surg 2012;20: 287-90.

• Ralf Siegert, Ralph Magritz. GMS Current Topics in Otorhinolaryngology - Head and Neck Surgery 2007; 6:1-11.

• Firmin F, Marchac A.A novel algorithm for autologous ear reconstruction. Semin Plast Surg 2011 Nov;25(4):257-64.

• Nagata S. Modification of the stages in total reconstruction of the auricle: Part I. Grafting the threedimensional costal cartilage framework for lobuletype microtia. Plast Reconstr Surg 1994;93:221-30.

• Nagata S. Modification of the stages in total reconstruction of the auricle: Part II. Grafting the threedimensional costal cartilage framework for conchatype microtia. Plast Reconstr Surg 1994;93: 231-42; discussion 267-8.

• Nagata S. Modification of the stages in total reconstruction of the auricle: Part III. Grafting the threedimensional costal cartilage framework for small conchatype microtia. Plast Reconstr Surg. 1994;93:243-53; discussion 267-8.

• Romo T 3rd, Presti PM, Yalamanchili HR. Medpor alternative for microtia repair. Facial Plast Surg Clin North Am 2006;14:129-36.

• Romo T 3rd, Reitzen SD. Aesthetic microtia reconstruction with Medpor. Facial Plast Surg 2008;24:120-8.

• Helling ER, Okoro S, Kim G 2nd, Wang PT. Endoscopeassisted temporoparietal fascia harvest for auricular reconstruction. Plast Reconstr Surg 2008;121:1598-605.

• Cenzi R, Farina A, Zuccarino L, Carinci F. Clinical outcome of 285 Medpor grafts used for craniofacial reconstruction. J Craniofac Surg 2005;16:526-530

• Menderes A, Baytekin C, Topcu A, Yilmaz M, Barutcu A. Craniofacial reconstruction with highdensity porous polyethylene implants. J Craniofac Surg 2004; 15:719-24.

• Baluch N, Nagata S, Park C, Wilkes GH, Reinisch J, Kasrai L, Fisher D. Auricular reconstruction for microtia: A review of available methods. Can J Plast Surg 2014;22:39-43.

• Pan B, Jiang H, Guo D, Huang C, Hu S, Zhuang H.Microtia: ear reconstruction using tissue expander and autogenous costal cartilage.J Plast Reconstr Aesthet Surg 2008;61 Suppl 1:S98-103.

• Jiang H, Pan B, Zhao Y, Lin L, Liu L, Zhuang H.A 2-stage ear reconstruction for microtia.Arch Facial Plast Surg 2011;13:162-6.

• Kim YS. A new skin flap method for total auricular reconstruction: extended scalp skin flap in continuity with postauricular skin flap and isolated conchal flap: four skin flaps and temporoparietal fascia flap. Ann Plast Surg 2011;67:367-71.

• Br nemark B, Br nemark PI, Rydevik B, Myers RR. Osseointegration in skeletal reconstruction and rehabilitation: A review. J Rehabil Res Dev 2001;38:175-81.

• Nanda A, Jain V, Kumar R, Kabra K. Implantsupported auricular prosthesis. Indian J Dent Res 2011;22:152-6.

• Granstr m G, Bergstr m K, Odersj M, Tjellstr m A. Osseointegrated implants in children: Experience from our first 100 patients. Otolaryngol Head Neck Surg 2001;125:85-92.

• Service GJ, Roberson JB Jr.Current concepts in repair of aural atresia.Curr Opin Otolaryngol Head Neck Surg 2010;18:536-8.

• Hade D Vuyk, Peter JFM Lohuis. Operative technique. Facial Plastic and Reconstructive Surgery 2012;CRC press:375.

• De la Cruz A, Linthicum FH Jr, Luxford WM. Congenital atresia of the external auditory canal. Laryngoscope 1985;95:421-7.

• Jahrsdoerfer RA, Yeakley JW, Aguilar EA, Cole RR, Gray I.C. Grading system for the selection of patients with congenital aural atresia. Am J Otol 1992;13:6-12.

• Yeakley JW, Jahrsdoerfer RA.CT evaluation of congenital aural atresia: what the radiologist and surgeon need to know. J Comput Assist Tomogr 1996 Sep-Oct:20(5):724-31.

• Hirose T, Tomono T, Yamamoto K: Nonsurgical correction for cryptotia using simple apparatuses, in Fonseca J (ed): Transactions of the 7 th International Congress of Plastic and Reconstructive Surgery, Rio de Janeiro, May 1979, Sao Paulo, Catgraf, 1980

• Tank LB, Søndergaard BC, Oestergaard S, Karsdal MA, Christiansen C. An update review of cellular mechanisms conferring the indirect and direct effects of estrogen on articular cartilage. limacteric 2008;11:4-16.

• Tan ST, Abramson DL, MacDonald DM, Mulliken JB. Molding therapy for infants with deformational auricular anomalies. Ann Plast Surg 1997;38:263-8.

• Brown FE, Colen LB, Addante RR, Graham JM Jr. Correction of congenital auricular deformities by splinting in the neonatal period. Pediatrics 1986;78:406-11.

• Hallock GG. Expanded applications for octyl-2cyanoacrylate as a tissue adhesive. Ann Plast Surg 2001;46:185-9.

• Long X, Yu N, Huang J, Wang X. Complication rate of autologous cartilage microtia reconstruction: a systematic review.Plast Reconstr Surg Glob Open 2013;7;1:e57.

Chapter 13

외이도 및 고막의 재건

Reconstruction of the Auditory Canal and Tympanum

김성헌

1. 정의 및 역학

선천성외이도폐쇄증(congenital aural atresia)이란 외이도 발생의 부전으로 인하여 태어날 때부터 외이도가 부분적 혹은 전체적으로 폐쇄된 질환을 일컫는다. 대부분 외이기형과 동반되어 나타나며, 10,000-20,000명당 1명 꼴로 발생한다. 흔히 중이기형을 동반하지만 내이는 정상인 경우가 많으며, 남성이 여성보다 2.5배 정도 흔하게 발생하고, 일측성으로 나타나는 경우가 대부분으로 우측이 좌측보다 더 흔한 것으로 알려져 있다. 외이기형 외에도 안면비대칭, 안면신경마비, 구순구개열, 요로기형, 심혈관계기형, 골격계 기형이 동반되는 경우도 있으므로, 진료 시 이에 대한 세밀한 신체검사 및 협진이 필요하다. 외이도 폐쇄증은 난청 및 외이기형의 동반으로 인하여, 소아의 언어발달뿐만 아니라 정서적인 면에도 영향을 주므로, 단측 혹은 양측의 폐쇄여부, 동반기형의 유무, 청력개선의 가능성 등을 다방면으로 고려하여 상담 및 치료에 임하여야 한다.

2. 발생

외이와 중이 및 내이의 발생은 각각 독립적으로 일어나게 되지만, 외이와 중이는 발생학적으로 서로 연관이 있어 이 둘의 기형은 동반되어 나타나는 경우가 많으며, 내이의 기형이 동반되는 경우는 드물다(12-22%). 발생 4주경 외배엽 제1새열(1st branchial groove)이 내측 제1인두낭(1st pharyngeal pouch) 쪽으로 함몰되며 외이도의 발생이 시작되고, 12주경에 고실륜(tympanic ring) 근처에서 외이도의 골부의 형성이 시작되며, 28주경에 외이도가 완전히 형성된다(그림 13-1). 외이도 협착 및 폐쇄는 발생 시 상피세포의 내측으로의 이주와 불완전한 외이도의 형성에 기인하며, 고실륜 부위의 비정상적인 발달로 인하여 이 부위가 고막이 되지 못하고 폐쇄판(atreticplate)으로 남게 되는 경우이다.

중이의 발생은 발생 4주에 제1인두낭의 끝 부위가 확장되면서 시작되며, 5-6주경에는 내이와 외이 발생부위 중간 지점의 중배엽 간엽조직으로부터 이소골의 발생이 시작된다. 중이강은 발생 20주경 열리기 시작하여 22주에 상고실과 유양동(antrum)이 형성되기 시작하며, 이는 출생 시에 거의 완성이 되고, 이소골은 발생 16주경에 골화가 시작되어 30주경 골화가 완성된다(그림 13-1). 외이 기형과 동반된 이소골의 기형은 주로 추골(malleus)과 침골(incus)에 나타나며, 등골은 보존된 경우가 많은데, 이는 등골의 발생기원이 제2설골궁으로 추골과 침골의 기원인 제1하악궁과는 다르기 때문이다.

안면신경은 3주경 제2새궁(2nd branchial arch)의 안면청각원기(facioacoustic primordium)에서 발생을 시작하여, 이낭(otic capsule)의 발생에 따라 전방으로 밀리며 제1무릎(1st genu)을 형성하게 되고, 발생 10주경에 제2무릎

(2nd genu)이 형성된다. 이 시기에는 안면신경의 유양분절이 외측전방으로 위치하게 되며, 대개 발생 26주경에 성인과 유사한 위치로 이동하게 되고, 이후 외이와 중이 및 유양돌기의 발달에 따라 위치가 점차 후하방으로 전위된다. 외이기형 및 외이도 폐쇄증이 있는 경우는 안면신경의 발달도 영향을 받아 그 위치가 정상에 비해 고실분절에서 제2무릎으로 꺾이는 각도가 보다 예각을 이루어 안면신경이 정상에비해 외측 전방으로 위치하게 되므로(그림 13-2), 수술 시 이에 대한 주의가 필요하다.

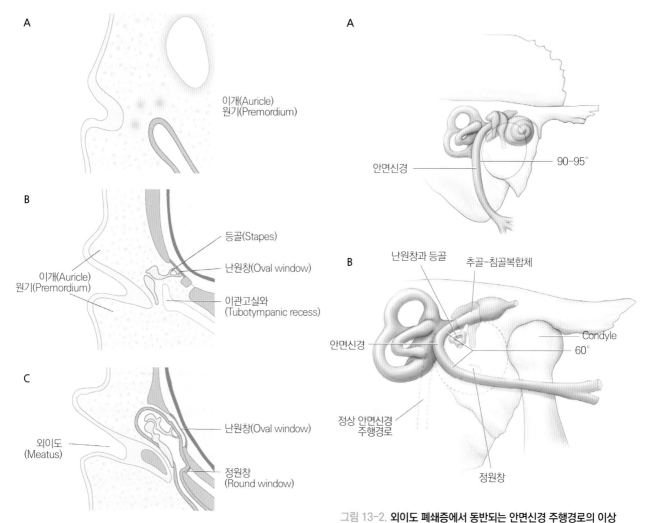

그림 13-1. **외이도와 중이의 발달**
A. 발생 4-5주, B. 발생 10-12주, C. 발생 27주

그림 13-2. **외이도 폐쇄증에서 동반되는 안면신경 주행경로의 이상**
A. 정상. B. 외이도 폐쇄증. 정상에 비해 제2무릎(2nd genu)이 보다 예각을 이루고 있으며 외측 전방으로의 주행경로를 취하는 경우가 많다.

3. 분류

외이도 기형의 분류는 외이도 폐쇄 정도와 중이의기형에 따라 여러 가지 분류법이 제안되어 왔다(표 13-1). Altman 의 분류는 크게 3가지로 나뉘며, 1형(type 1)은 외이도가 부분적으로 형성되어 있으면서 작은 이개, 측두골 및 고막의 형성부전, 정상 혹은 작은 중이강, 정상 혹은 형성부전 이소골이 있을 때, 2형(type 2)은 외이도가 없고 폐쇄판이 존재하며, 작은 중이강과 추골과 침골의 고정과 기형이 있을 때, 3형(type 3)은 외이도가 없고, 중이강이 작거나 거의 없는 형태이다. De la Cruz는 외이도가 없을 때 경증(minor)과 중증(major)으로 분류하였고, 경증은 유양돌기의 함기화와 난원창(oval window) 및 내이가 정상이며, 안면신경과 난원창의 해부학적 위치 관계가 양호한 경우이고, 중증은 유양돌기의 함기화가 불량하고 난원창이 없거나 기형이 있으며, 내이 기형이 있고 안면신경의 고실분절의 주행경

표 13-1. **외이도 폐쇄증의 분류**

저자	분류형	특징
Altman F	Type 1	작은 이개, 측두골 및 고막의 형성부전, 정상 혹은 작은 중이강 정상 혹은 이소골 형성부전
	Type 2	외이도의 부재, 폐쇄판의 존재, 작은 중이강, 추골과 침골의 고정 및 기형, 부분적 외이도의 존재
	Type 2	외이도의 부재, 작거나 거의 없는 중이강
De la Cruz A	Minor	정상 유양돌기 함기화, 정상 난원창, 정상 내이, 양호한 안면신경과 난원창의 해부학적 위치관계
	Major	정상 유양돌기 함기화, 난원창의 기형 혹은 부재, 내이기형, 비정상 안면신경 고실분절의 주행경로

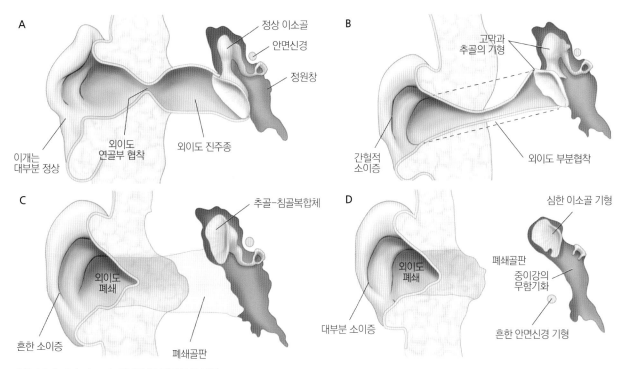

그림 13-3. **Schuknecht의 외이도 폐쇄증의 분류**

로가 비정상인 경우이다. Schuknecht는 외이도의 기형을 A-D의 네 가지로 분류하였으며, A형은 외이도 연골부의 협착 혹은 부분폐쇄로 외이도 진주종을 동반하고 이소골, 안면신경 및 난원창은 정상인 경우이고, B형은 외이도 연골부와 골부에 굴곡과 부분폐쇄 및 고막과 추골의 기형을 동반한 경우이며, C형은 외이도가 전체적으로 폐쇄되어 있고 추골과 침골이 융합되어 있지만 등골은 가동성이 있는 경우, D형은 외이도폐쇄와 유양동 및 중이의 함기화가 불량하고 이소골의 심한 기형과 심한 안면신경 고실분절의 주행이상을 동반한 경우이다(그림 13-3).

4. 진찰 및 검사

1) 문진및신체검사

외이도 기형은 대개 외이기형을 동반하며, 다른 안면기형과 신체 부위의 기형을 동반하는 여러 선천적 증후군이 있을 수 있으므로, 외이기형 환자를 진료 시에는 귀뿐만 아니라 안면 및 다른 신체 부위의 전체적인 자세한 진찰이 필요하다. 외이도 기형이 있는 경우, 외이기형 외에도 전이개누공, 이개 앞 부위의 피부돌출(skin tag), 안면왜소증, 안면신경마비 등도 동반이 될 수 있으며, 심장, 신장, 기관-식도 및 경추의 이상 등에 대한 자세한 문진과 검사를 통하여 Treacher Collins 증후군, VATER (vertebral, anal, tracheal, esophagus, and renal anomalies) 증후군, CHARGE (coloboma, hearing deficit, choanal atresia, retardation of growth, genital defects, and endocardial cushion defects) 증후군, PierreRobin 증후군, Goldenhar 증후군, Klippel-Feil 증후군 등을 감별하여야 한다.

2) 청력검사

외이도 폐쇄는 난청을 동반하므로, 특히 양측성 외이도 폐쇄인 경우 이에 대한 적절한 검사가 매우 중요하다. 병변측은 대개 골도-기도차가 동반되며, 45-60 dB 정도의 청력역치를 보이는데, 이를 확인하기 위해서 순음청력검사 및 어음검사를 시행하며, 검사가 어려운 5세 이하의 소아에서는

유희청력검사나 골도-기도 뇌간유발반응검사를 시행한다.

3) 영상학적검사

측두골고해상도 CT촬영(high resolution tem-poral bone CT scan)이 해부학적 상태를 평가하고 치료계획을 세우는 데 가장 유용한 검사방법이다(그림 13-4). 대개 5세 전후에 CT 촬영을 시행하는데, 너무 이른 시기의 검사는 진주종도 2-3세 이후에 어느 정도 형성되므로 별로 도움이 되지 않고, 오히려 추후 수술 전 다시 촬영을 해야 하므로 반복적으로 환자를 방사선에 노출시킬 수 있다. 양측성외이도폐쇄가 있는 경우에는 조기 수술을 위해서 보다 이른 시기에 CT를 촬영할 수 있는데, 이는 외이도성형술이나 골도 이식형 보청기 등 수술적 치료방법에 따라 적절한 나이에 시행한다.

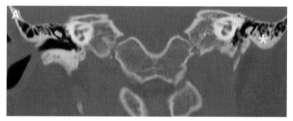
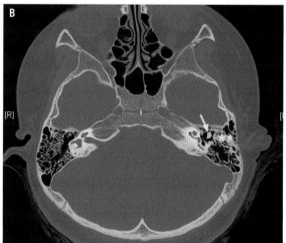

그림 13-4. 외이도 폐쇄증의 측두골 전산화단층촬영의 예
A. 외이도의 부재(*), B. 추골–침골의 기형소견(화살표) 및 폐쇄판(**)을 볼 수 있다.

5. 치료

1) 치료목적

외이도성형술의 목적은 청력의 향상과 미관적으로 정상적인 외이도의 형상을 유지시켜 주는 것이다. 청력의 향상이 일부 부족할 경우에도 형성된 외이도가 잘 유지될 경우 보청기를 착용시켜 청력의 향상을 도모할 수 있다.

2) 치료계획

외이도 폐쇄증에 대한 수술적 치료 계획에 있어 가장 중요한 것은 이개(귓바퀴)기형의 수술적 치료 계획, 외이도 폐쇄의 양측성 및 중이의 해부학적 기형의 경중도이다. 외이기형이 있는 경우 일반적으로 외이도성형술은 이개성형술을 시행한 후에 시행하는데, 그 이유는 외이도성형술을 먼저 시행하는 경우 이개에 혈류공급을 하는 주요혈관의 손상으로 추후 외이성형 시 피부피판의 괴사를 초래할 수 있을 뿐만 아니라, 해부학적 평면의 유착으로 이개성형술식이 복잡해지고, 수술결과가 불량할 수 있기 때문이다. 이러한 경우는 외이성형술이 대개 8-10세에 이루어지므로, 외이도성형술은 대개 이 나이 이후에 시행된다. 하지만, 이는 절대적인 것은 아니며, 양측 귀의 소이증과 외이도폐쇄증이 동반된 경우 청력회복과 정상적인 언어발달 및 교육 때문에 외이도성형술을 먼저 시행할 수도 있다. 외이도성형술을 먼저 시행하는 경우는 중이와 유양동이 적절한 크기까지 자라고, 진주종의 여부를 영상검사로 확인할 수 있는 4세가량에 수술을 시행하며, 그 이전까지는 골전도보청기를 이용하여 청력을 유지시켜준다. 하지만 최근에는 외이도성형술 외에도 청력을 정상에 가깝도록 호전시켜줄 수 있는 각종 임플란트 시술들이 많이 개발되어 소개되고 있어, 이에 대한 적절한 상담도 이루어져야 하며, 외이도성형술과 각 임플란트 술식들의 장단점을 환자 및 보호자가충분히 숙지하도록 하여, 환자와 보호자가 가장 만족할 수 있는 술식을 선택할 수 있도록 해야 한다('골도이식형보청기 및 중이임플란트의 활용' 참고).

　　외이도성형술의 시행여부를 결정하는데 중요한 요인은 내이와 중이의 해부학적 기형 여부와 정도인데, 대개 내이

표 13-2. 측두골 전산화단층촬영(TBCT) 소견에 의한 Jahrsdoerfer 점수체계

TBCT 소견	점수
이개의 보양	1
함기화된 중이강	1
함기화된 유양동	1
추골-침골복합체의 존재	1
침골과 등골의 연결	1
등골의 존재	2
개방된 난원창	1
개방된 정원창	1
정상에 가까운 안면신경 주행	1

의 기형이 동반된 경우는 드물지만 술 전 측두골전산화단층촬영을 통하여 내이의 기형여부를 확인하여야 하며, 내이기형이 동반된 경우는 감각신경성난청의 중증도를 확인하여 적절한 치료방법을 모색하여야 하고, 내이의 기형이 없이 중이의 기형만 동반된 경우는 그 중증도에 따라 수술여부를 결정한다. 외이도성형술을 결정하는 데 영향을 미치는 중이의기형정도는 측두골전산화단층촬영 소견에 기반한 Jahrsdoerfer 점수를 기준으로 판단하는데(표 13-2), 편측성외이도폐쇄증인 경우는 8점 이상, 양측성인 경우 5점 이상인 경우 수술의 적응증이 된다.

3) 외이도성형술

외이도폐쇄증에서는 안면신경의 주행경로가 외측전방으로 향하는 기형이 많으므로(그림 13-2) 수술 전 안면신경모니터링을 시행한다. 이개성형술이 시행된 후에 시행하는 외이도성형술은 이개 후방의 절개를 통하여 접근할 수 있으며(그림 13-5A), 이개성형술 시행 전에 수술을 시행하는 경우는 추후 이개성형술에 영향을 최소화할 수 있도록 피부피판을 디자인하여야 한다(그림 13-5B). 외이성형술에서 외이의 거상이 끝난 후에는 이개 후방의 적절한 위치에 절개를 가하고 이개를 전방 전위시켜 유돌부를 노출시키고,

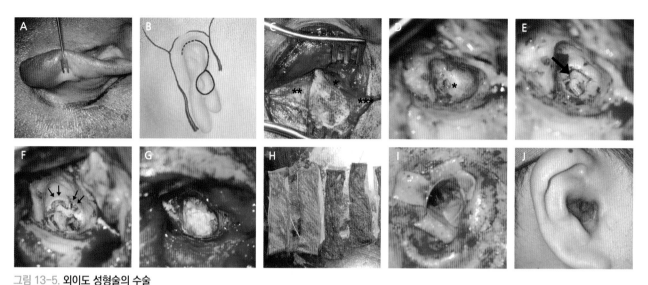

그림 13-5. 외이도 성형술의 수술

A. 이개 후방절개, B. 외이 성형술 시행 전 외이도 성형술 시 피부피판 디자인 예, C. 하악와(*)의 확인 및 유양돌기부 골막(**)과 근(***)피판의 거상, D. 외이도 드릴링의 시작과 폐쇄판(*)의 확인, E. 추골-침골복합체(화살표)의 확인, F. 드릴링을 마친 외이도(화살표: 고실륜의 형성), G. 측두근막을 이용한 고막의 재건, H. 피부이식편의 준비, I. 외이도내 피부이식, J. 수술 후 형성된 외이도 소견

이개 거상이 끝나지 않은 경우에는 이개 거상 시 대개 이개 상방 및 후방으로 1 cm 가량의 피부를 이용하므로, 이개의 후방 1 cm보다 뒤쪽에 절개를 가하여 이개를 전방 전위시키고 유동부를 노출시킨다. 피부절개 후 연부조직을 절개하고 유돌부 골막 위쪽에서 연부조직을 앞쪽으로 거상시켜 하악와(glenoid fossa)를 찾는다(그림 13-5C). 이때 하악와를 지나치게 앞쪽으로 견인할 때 심한 안면신경 기형을 동반한 경우에는 전방으로 전위되어 있는 안면신경이 손상을 받을 수 있으므로 주의한다. 골막은 후에 생성될 외이도 안쪽으로 전위시켜 피부이식편 아래에 위치할 수 있도록 하방 혹은 후하방에 기저부를 둔 골막피판을 만들어 거상한다(그림 13-5C). 이후 외이도를 만들기 위한 드릴링을 시작하는데, 상방의 경계는 중두개와의 뇌경막이고 전방의 경계는 하악와를 기준으로 하며, 이 경계면 사이에서 드릴링을 하기 시작하여 가능한 상방과 전방 경계의 골을 얇게 남기며 전상방 쪽에서 내측으로 드릴을 진행해서 상고실과 중이강을 바로 찾아 들어간다. 만약 이러한 해부학적 구조를 무시하고 드릴링을 할 경우 유돌동이 광범위하게 노출되어 수술 후 피부이식편의 안착에 문제를 초래하고,

함기화 골(air cell)이 노출되어 점액 등의 분비물이 지속적으로 나올 수 있으므로 주의한다. 또한, 후방 드릴링 시에는 전방 전위된 안면신경을 만나게 되는 경우도 있으므로 이에 유의하여야 한다. 지속적으로 드릴링을 하여 들어가면 단단한 폐쇄판을 만나게 되는데(그림 13-5D), 폐쇄판 바로 밑에 이소골복합체가 존재한다. 폐쇄판을 제거하다가 이소골의 손상과 이로 인한 내이 손상까지 초래할 수 있으므로, 폐쇄판은 다이아몬드버(diamond burr)를 이용하여 최대한 얇게 만든 뒤 큐렛(curette) 등을 이용하여 조심스럽게 제거한다. 이를 제거하고 나면 추골-침골복합체를 만나게 되는데, 수술 시야에서 이 복합체의 모양이 신생아의 엉덩이를 닮았다고 하여 buttock sign이라고 한다(그림 13-5E). 추골-침골복합체를 중심으로 주변으로 형성될 외이도를 넓혀 중이강을 노출하는데, 이소골복합체 일부는 폐쇄판에 골이나 골막의 융합이 있어, 이를 적절히 제거하여야 한다. 새로 형성되는 외이도는 정상 외이도에 비해 2배 정도 크게 만들고 고막이 이식될 부위는 골벽 주위에 홈을 파서 고실륜을 만든다(그림 13-5F). 고삭신경(chordatympani nerve)은 대개의 경우 발견하기 힘들지만 발견되더라도

외이도 및 중이의 재건을 위해서는 희생되어야 하는 경우가 많다. 이소골연쇄의 연속성을 확인하여, 건강한 침골-등골 관절이 존재하는 경우는 이소골을 제거하지 않고 사용할 수 있으나, 대개의 경우 추골병(handle of malleus)이 존재하지 않는 경우가 많아 술자에 따라 등골을 제외한 이소골을 제거하고 이소골 보형물을 사용하는 경우도 많다. 침골-등골관절의 연결이 없거나 등골의 상부가 존재하지 않는 경우는 추골-침골복합체를 제거하고 이소골보형물을 사용하여 이소골성형술을 시행한다. 고막의 재건은 흔히 측두근막을 이용하며, 만들어진 고실륜 위쪽으로 외측 이식을 시행하고, 고실륜 부위에 홈을 만들어 측두근막을 끼워 넣음으로써 고막의 둔화(blunting)를 최소화할 수 있다(그림 13-5G). 이후 외이폐쇄부의 피부를 증례에 따라 적절히 전방 혹은 후방기저피판으로 절개하고, 이개강(concha) 부위의 연골을 제거하여 넓게 외이도 입구 부위를 형성시킨 후 전방 혹은 후방기저피판은 외이도 내측으로 전위시킨다. 또한 유돌부골막피판을 외이도내부로 전위시켜 골부를 덮어준다. 이후에 형성된 고막과 외이도 부위의 피부가 없는 부위에는 피부이식을 시행하게 되는데, 피부이식편은 부분층피부이식을 시행하며, 이식편은 허벅지, 둔부, 아랫배, 상완, 혹은 두피 부위에서 크기 약 5×7 cm, 두께 0.01-0.006인치 정도로 채취하여 외이도 내에 전체적으로 삽입하든지 부분적으로 길게 절편을 만들어 여러 개를 겹쳐서 삽입 할 수 있다(그림 13-5 H~I). 피부이식이 완료된 후고막크기정도로실리콘편(silastic sheet)을 둥글게 잘라 삽입하면, 고막의 둔화를 예방하는 데 도움이 된다.이후 외이도 내부에 나일론 거즈 등을 두른 뒤 단단히 패킹을 시행한다.

6. 치료경과 및 예후

수술 후 패킹의 제거는 피부이식편이 안착되고, 외이도가 다시 좁아지는 것을 방지하기 위해서 가급적천천히 제거한다(4주 이상 패킹을 유지). 패킹을 완전히 제거한 이후에는 외이도 내에 몰드를 제작하여 장기간 거치하여 주는 것이 외이도의 재협착을 방지하는데 도움이 될 수 있다. 외이도 성형술 후 청력은 대개 20-30 dB 정도의 골도-기도 차가 남게 되는 경우가 많으며, 전반적으로 15-25 dB의 골도-기도 차가 줄어들게 되고, 50-80%의 환자에서 골도-기도차가 30 dB 이내의 청력을 보이게 된다. 대개의 환자는 골도청력이 정상이므로 수술이 성공적으로 시행된 경우라 하더라도 정상청력보다는 다소 높은 청력역치를 보이게 되는 경우가 거의 대부분이다. 술 후 골도-기도 차가 30 dB 이내로 줄어드는 경우는 양이청의 장점인 소음환경에서의 청력의 향상과 방향구별성의 향상을 보이게 된다. 또한 외이도에 보청기의 착용이 가능하게 함으로써, 청력의 향상을 도모할 수도 있다. 하지만, 장기적으로 추적관찰을 하였을 때에는 골도-기도 차가 30 dB 이내로 유지되는 경우가 처음보다 10-20%가량의 환자에서 줄어든다.

7. 골도이식형 보청기 및 중이임플란트의 활용

수술 후 대부분의 경우 골도-기도 차이가 없이 유지되는 경우는 없으므로, 이러한 점을 극복하기 위해서는 최근에 골도이식형보청기 및 중이임플란트수술을 시행하여 청력을 정상으로 유지하는 것을 제안하는 술자도 증가하고 있다. 골도이식형보청기로는 Bone-Anchored Hearing Aid(BAHA), Sophono alpha, Bonebridge 등을 시행할 수 있으며, 중이임플란트의 경우 Vibrant Soundbridge가 비교적 많이 시행되었고, 두 종류의 장비 모두 골도청력과 유사한 정도의 청력 향상을 도모할 수 있다. 특히 양측성 외이도폐쇄증의 경우 골도이식형보청기수술을 시행하는 경우, 대개 편측에 시행하여 방향구별성에는 많은 도움을 줄 수는 없지만, 골전도를 통하여 양측 청력을 이용하여 들을 수 있으므로 더 효과적이다. Vibrant Soundbridge의 경우 이식하는 귀쪽의 청력을 회복시켜주어 방향구별성에도 도움이 될 수 있다. 골도이식형 보청기와 중이 임플란트 수술을 외이성형술 전에 시행하는 경우에는, 외이성형술을시행하는데 지장을 주지 않는 위치에 수술을 시행하여야 하므로, 수술 전이에 대한 면밀한 검토가 필요하며, 이 외에도 환자의 선호도와 의료보험 허가사항 등을 고려하여 선택되어야 한다.

8. 합병증

대표적인 술 후 합병증으로는 외이도 피부, 연부조직 및 골부에 재협착이 발생하는 것으로 이는 5-30%에서 발생한다고 알려져 있다. 이의 예방을 위해서는 수술 시 외이도를 충분히 크게 만들어야 하며, 외이도골부에 적절한 피부 및 골막 피판을 유지시켜주고, 충분한 기간동안 패킹을 유지하여 피부이식편이 안정화될 수 있도록 하여야 한다. 또한 술 후 패킹을 제거한 후에 외이도몰드를 제작하여 장기간 착용하는 것도 도움이 될 수 있다. 고막의 외측화(lateralization) 및 둔화가 3-20%가량에서 발생할 수 있으며, 이는 술 후 골도-기도차가 좁혀지지 않는 원인이 된다. 0.5-5%가량에서 안면신경 주행경로의 이상에 따른 수술 시 손상으로 안면신경마비가 발생할 수 있으므로, 술 전에 안면신경주행 경로를 측두골전산화단층촬영을 통하여 충분히 검토하고, 수술 시 안면신경 모니터링을 사용하는 것이 좋다.

9. 결론

외이도성형술은 이과분야에서 가장 어려운 수술 중 하나이며, 술자에 따라서도 다양한 결과를 보이게 되므로, 양호한 청력과 외이도를 얻기 위해서는 숙련된 술자에 의하여 수술이 시행되는 것이 바람직하다. 성공적인 수술을 위해서는 면밀한 수술 전 평가를 통하여 적절한 환자에게 수술이 시행되어야 하고 수술 후 예후, 합병증 및 청력향상을 위한 다른 수술방법에 대해서도 환자와 보호자와의 자세한 상담이 필요하다.

▒▒▒▒ 참고문헌

• Altmann F. Malformations of the auricle and the external auditory meatus. A critical review. Arch Otolaryngol 1951;54:115-39.

• Chang SO, Lee JH, Choi BY, Song JJ. Long term results of postoperative canal stenosis in congenital aural atresia surgery. Acta Otolaryngol Suppl 2007;(558):15-21.

• De la Cruz A, Linthicum FH Jr. Luxford WM. Congenital atresia of external auditory canal. Laryngoscope 1985;95:421-7.

• De la Cruz A, Teufert KB. Congenital aural atresia surgery: Long-term results. Otolaryngol Head Neck Surg 2003;129:121-7.

• El-Begermy MA, Mansour OI, El-Makhzangy AM et al. Congenital auditory meatal atresia: a numerical review. Eur Arch Otorhinolaryngol 2009;266(4):501-6.

• Ozeki H. Development of the auricle and external auditory canal. Adv Otorhinolaryngol 2014;75:30-35.

• Jahrsdoerfer RA, Yeakley JW, Aguilar EA et al. Grading system for the selection of patients with congenital aural atresia. Am J Otol 1992;13(1):6-12.

• Jahrsdoerfer RA. Congenital atresia of the ear. Laryngoscope 1978;88(suppl 13):1-48.

• Li CL, Dai PD, Yang L, Zhang TY. A meta-analysis of the long-term hearing outcomes and complications associated with atresiaplasty. Int J Pediatr Otorhinolaryngol 2015;79(6):793-7.

• Lo JF, Tsang WS, Yu JY et al. Contemporary hear-ing rehabilitation options in patients with aural atre-sia. Biomed Res Int 2014;2014:761579.

• Mattox DE, Fisch U. Surgical correction of congeni-tal atresia of the ear. Otolaryngol Head Neck Surg 1986;94:574-7.

• Moon IJ, Cho YS, Park J et al. Long-term stent use can prevent postoperative canal stenosis in patients with congenital aural atresia. Otolaryngol Head Neck Surg 2012;146(4):614-20.

• Schuknecht HF. Congenital Aural Atresia. Laryngoscope 1989;99:908-17.

• Weerda H. Surgery of the Auricle. 1st ed. Stuttgart, Germany: Thieme 2007:234-281.

• Wareing M, Lalwani AK, Jackler RK. Development of the Ear. In: Bailey BJ, Calhoun KH, Healy GB, Pillsbery HC, Johnson JT, Tardy ME, Jr, Jackler RK, editors. Head & Neck Surgery-Otolaryngology. 3rd ed. Philadelphia: Lippincott Williams & Wilkins 2001: 1609-1620.

Chapter 14

급성중이염과 삼출성중이염

Acute Otits Media and Otitis Media with Effusion

채성원, 나윤찬

Ⅰ. 급성중이염

중이염은 소아가 병원을 찾는 가장 흔한 원인 중 하나로 급성중이염은 미국에서 매년 약 520만 건씩 발생하고 있다. 유럽과 미국에서 1세 미만의 62%, 3세 미만의 83%의 소아가 급성중이염에 적어도 한 차례 이상 걸렸던 것으로 나타났다. Faden 등의 연구에 의하면 1세 미만의 소아에서 75%가 급성중이염에 이환된다. 우리나라 급성중이염의 유병률은 2012년 152.7(1,000명당)에서 2017년 137(1,000명당)로 감소하는 추세이며, 0-2세까지 소아에서의 발병이 전체의 68-74%를 차지하고 있다. 또한 연 2회 이상 발병하는 재발성 급성중이염의 유병률은 전체 급성중이염의 약 30%를 차지한다. 급성중이염은 급성(24-48시간 내) 염증 증상, 징후를 동반한 중이내 삼출액의 저류가 발생한 것을 말한다. 급성중이염은 대체로 소아질환으로 여겨지지만 청소년이나 성인에서도 발생한다. 하지만 대부분의 소아에서 중이염은 성장에 따른 해부학적, 생리학적인 구조 변화에 따라 자연스럽게 해결된다. 해결되기 전까지 이는 평형감각, 청력, 언어 발달 등에 영향을 미칠 수 있다. 또한 중이염은 환아뿐만 아니라 그 가족 전체의 경제적 사회적 지위에 영향을 미칠 수 있다. 병원에 방문하는 비용, 약제비뿐 아니라 우는 환아로 인한 보호자의 수면 박탈, 아이를 돌보기 위해 직장을 쉬는 것, 아이를 병원에 데려오는 것에 대한 정신적인 스트레스 등 가족에게 많은 부담이 된다. 5세 이하의 환아에 대한 중이염의 내과적, 외과적 치료 비용은 미국에서 매년 50억 불에 이른다.

이처럼 임상적, 사회·경제적으로 영향이 큰 유소아 중이염에 대해 주요 국가에서는 임상진료지침을 만들어 그 진단과 치료 방법을 추천하고 있다. 우리나라의 경우는 대한이과학회가 2010년 유소아 중이염 진료지침을 개발한 이후 2014년 개정판을 발간하였으며, 미국과 일본에서도 비슷한 시기에 급성중이염에 대한 진료 가이드라인이 제안되었다. 급성중이염의 진단에 있어서 대한이과학회 가이드라인의 경우에는 중이염과 관련된 국소 및 전신 증상과 함께 고막의 팽륜, 수포 형성, 발적, 이루를 동반한 천공, 중이 삼출액 등의 객관적 징후가 1개 이상 있는 경우 급성중이염으로 '확진'되며, 주관적 증상은 있지만 객관적 징후가 분명하지 않은 경우는 '의증'으로 분류한다. 국제 가이드라인도 진단 기준이 크게 다르지 않지만, 2013년 미국 가이드라인에서는 고막 내 삼출액(middle ear effusion)이 동반되지 않은 경우에는 급성중이염으로 진단하지 말아야 한다는 기준이 추가되었다. 또한 '중증' 급성중이염의 기준으로 우리나라는 심한 이통 또는 보챔이 있거나 38.5℃ 이상의 고열이 있는 경우로 정의하지만, 미국 진료지침에서는 중증 이상의 이통과 39℃ 이상의 고열을 동반하는 경우로 규정하였다. 일본 가이드라인의 경우, 급성중이염의 중증도에 대해서 이통, 발열, 울거나 보챔, 고막 발적, 고막 팽륜, 이루 등에 대해서 점수를 측정한 후 총점에 따라 '경도', '중등도', '중증'으로 분류한다. 치료에 있어서는 대부분의 가이드라인에서 일차적으로 이통 등의 증상에 대한 대증 치료를 시행하면서 2-3일간의 증상 관찰 후 필요시 항생제 사용을 추천하고 있다. 초기부터 항생제를 사용하는 경우로 대한이과학회 가이드라인에서는 중증 급성중이염인 경우, 6개월 이내의 연령, 24개월 이내의 연령이면서 급성중이염이 확진된 경우, 급성 고막 천공 혹은 이루가 발생한 경우, 동반 질환에서 항생제가 필요한 경우, 최근 항생제를 이미 복용한 경우 등으로 규정하고 있다. 이에 대해서 기존 미국 가이드라인에서는 2세 이상의 경우에는 확진되어도 중증이 아닌 경우에는 경과 관찰을 하도록 하였으나, 2013년 개정된 가이드라인에서는 이루가 있거나 중증일 때, 6개월 이상 2세 미만에서도 양측성일 때에는 항생제를 사용하고, 이외의 경우에도 항생제 투여 혹은 경과 관찰을 선택하도록 권고되어 항생제 사용의 범위가 이전보다 넓어졌다. 일본 가이드라인의 경우 심한 고막 소견을 보이는 '중등도' 급성중이염과 모든 '중증' 급성중이염의 경우에는 고막 절개(myringotomy)를 시행하도록 제안하고 있다.

1. 급성중이염의 증상 및 고막소견

급성중이염의 증상으로는 이통, 보채는 증상, 발열을 특징으로 한다. 그 외에도 발열, 두통, 구토, 설사, 소화불량, 식욕부진, 무기력감, 불안, 초조감 등 여러 가지 일반적인 염증 증상이 동반될 수 있다.

발열은 염증의 정도에 따라 비례하며 경미할 때는 38.0℃, 중증일 때는 39.0℃까지 체온이 올라가며, 오한도 유발하나 일반적으로 40.0℃를 넘지는 않는다. 고막 천공으로 배농이 일어나면 대부분 발열이 소실된다. 이통은 이

폐색감과 압박감 등이 선행되고 맥박과 일치하는 박동성의 통증이 나타난다. 이통이 발생하면 보통 24시간 이내 소실된다. 박동성 이통은 인두, 눈 등으로 방사되기도 한다. 영아는 보채고 울거나 귀를 잡아당기는 모양으로 이통을 호소할 수 있다. 고막 천공으로 배농이 일어나면 곧 이통도 없어진다. 난청은 중이 특히 이소골 주변, 정원창과 난원창 부근의 점막에 고도의 종창이나 삼출물로 발생한다. 전음성 난청이 나타나며, 드물게는 정원창을 통해 염증이 내이로 파급되어 감각신경성 난청이 동반되기도 한다. 이명은 급성중이염 초기에는 저음의 박동성 이명이 나타나며, 지속적인 경우도 있다. 이루는 고막천공으로 확인된다. 처음에는 다량의 장액성 혹은 장액혈성 이루가 나타나나, 이는 점차 장액농성이나 농성 또는 점액성 이루로 변해가며 3-4일 또는 1-2주 동안 지속되다가 고막천공이 치유되면 없어진다.

치유기에 이르면 고막 발적, 팽륜 및 고막 비후가 점차 없어지고 추골병의 윤곽도 명확해진다. 분비물도 점액성으로 바뀌고 투명해지며 양도 줄어들고, 천공도 차츰 작아져 막히게 된다. 그러나 3개월 이상 농성 이루가 지속되면 단순한 중이강 염증뿐 아니라 합병증이나 만성중이염으로 이행되고 있는지 의심해야 한다. 기타 증상으로 드물게 어지럼증, 안면신경마비, 이개후부종창 등이 나타날 수 있다.

급성중이염에서 고막은 발적, 팽륜, 충만, 종창, 비후 소견을 보인다. 옅은 노란빛을 띄는 이루를 동반한 급성 고막 천공을 나타낼 수도 있다. 또한 경우에 따라서는 중이강내 출혈로 인하여 붉은 삼출액 소견을 보일 수 있다.

2. 급성중이염 경과에 따른 분류

중이염의 병변은 발적, 종창, 분비, 화농의 결과를 취한다. Shambaugh는 이를 5기로 나누어 설명하였다.

1) Ⅰ기(발적기, Stage of hyperemia)
가장 초기 병변으로 이관, 고실, 봉소점막의 충혈과 부종이 나타나는 시기이다. 이관과 점막의 종창으로 서서히 막히

게 되면 고실 내가 음압이 되고 중이강 내에 장액 혹은 장액점액성 삼출액이 고인다. 이 시기의 고막은 전체적으로 발적되어 있고, 광추가 소실되며 추골병의 윤곽이 불분명해진다. 이관이 급속히 막히면 양압상태가 되어 환자가 귀의 충만감을 호소하게 되고 전음성 난청이 된다.

2) II기(삼출기, Stage of exudation)

충혈된 점막은 종창되고 모세혈관의 삼투성이 높아지며 상피에 점액을 생성하는 배상세포들이 많아진다. 따라서 점막의 상피하조직에 부종이나 출혈과 염증세포인 다형핵백혈구 등의 침윤으로 중이강내에 농성 혹은 점액농성 삼출액이 차게 된다. 이 시기에는 고막이 팽창하여 이통이 심해지고 염증독소의 흡수로 인한 발열 등의 전신증상이 나타나며, 발적된 고막이 비후되거나 고실내 삼출액의 압력으로 인해 주로 고막 후상부가 팽륜되는 소견을 보인다.

3) III기(화농기, Stage of suppuration)

중이강내 삼출액의 압력이 증가하여 고막이 자연 천공되고, 농성 및 점액농성의 이루가 나타난다. 초기에는 천공부위가 작아 쉽게 관찰하기 어려울 수 있으나, 이루를 완전히 제거하면 박동성의 이루를 분출하는 작은 천공이 확인된다. 천공은 시간이 경과함에 따라 점차 커진다. 고막 천공으로 삼출액이 나오게 되면 심한 이통과 발열은 소실되나 전음성 난청은 더욱 심해진다.

4) IV기(융해기, Stage of coalescence)

화농이 계속되면 여러 염증세포의 침윤과 새로운 모세혈관 형성이나 섬유소성 조직의 증식 등으로 골점막에 병변이 생겨 골파괴흡수(osteoclastic resorption)가 발생하여 함기봉소의 골이 파괴되어 커다란 농양이 형성된다. 그 속에 육아조직과 농이 차서 압력이 높아지면 주변 골에 골미란 (osteoclastic erosion)을 일으켜 공동이 점점 커지고 뇌막하, 측정맥동 주변 또는 골막하에 농양이 형성된다. 이렇게 되면 농성이루가 계속되고 유양돌기부에 통증이 있으며, 이루와 통증은 밤에 더 심해진다. 미열이 있고 백혈구도 증가하며 심한 난청이 생긴다.

5) V기(합병증기, Stage of complication)

세균에 의한 염증이 중이나 유양돌기 밖으로 퍼져 나가 합병증을 일으키는 시기이다. 가장 흔한 합병증은 골막하 농양, 정맥동주위 농양, 뇌막외 농양이다. 드물게 경뇌막염, 뇌농양, 정맥동혈전, 화농성미로염, 추체염, 안면신경마비 등이 있다. 이러한 합병증은 고실이나 봉소점막 모세혈관의 혈전성 정맥염이 주변골을 통하여 퍼지게 되어 발생한다. 다행히 중이나 봉소점막이 상기도점막 같이 급성염증에 잘 이겨내므로 중이염은 국한된 염증병소라 할 수 있으며, 치료를 하지 않아도 치유되는 경향이 있고 조직도 정상으로 돌아온다. 대부분의 원인균이 베타용혈성연쇄구균이나 폐렴연쇄구균으로 항생제에 잘 반응하기 때문에 적기에 치료하면 잘 나을 수 있다. 농성 분비가 중지되고, 신생골의 증식이나 육아조직의 반흔이 일어나면서 염증이 치유된다. 최근에는 항생제가 발달하여 III기에 이르기 전에 치유되는 경우가 많다.

3. 급성중이염의 진단

급성중이염의 증상과 고막 이상 소견으로 진단할 수 있으나, 유소아의 경우 외이도가 좁고 고막의 경사가 심하며 진찰 시 협조를 얻을 수 없어 진단하기 어려울 때가 있다. 이경검사 시에는 밝은 조명과 확대경으로 관찰해야 하며, 통기이경검사(pneumatic otoscope)로 고막의 운동성을 관찰하는 것이 추천된다.

고실내 압력이 상승하면 고막천공이 생기고 분비물이 나오게 되며, 외이도의 분비물은 이후 혼합감염으로 진행하므로 외이도 균주검사로 원인균을 찾는 것은 부정확하다. 인두의 세균을 배양하여 원인균을 진단하는 것도 곤란하다. 발병 2-3일 이내에 고막이 천공되기 전에 고실을 천자해 균을 검색하는 것이 가장 정확하며 권장된다.

1) 이학적검사

귀에 대한 이학적 검사뿐만 아니라 중이염의 유발인자에 대한 확인을 위하여 적절한 두경부 검진이 필요하다. 다운

증후군, Treacher Collins 증후군 등 안면두개기형을 동반하는 질환을 감별하기 위하여 안면 검진을 시행하고, 목젖 갈림증, 구개열을 확인하기 위하여 구인두검사를 한다. 과비음은 구개인두 폐쇄부전, 저비음은 아데노이드비대, 비용, 비중격만곡증에 의한 비폐색에 의해 발생할 수 있으므로 이에 대해서도 검사를 시행해야 한다.

2) 통기이경검사(Pneumatic otoscopy)

고막 자체와 고막의 운동성을 평가할 수 있어 중이강내 상태 평가를 위한 가장 기본적인 진단 수단이 된다. 정상 고막은 투명하고 오목하며, 양압과 음압을 가할 때 빠르게 반응하여 고막이 움직이게 되는데, 움직임의 기준은 추골병이다. 고막을 평가할 때는 고막의 위치, 색, 투과도, 운동성을 모두 확인해야 한다. 고막의 운동성을 평가할 때 이경 크기는 환자에게 편안하게 맞는 것 중 가장 큰 것을 이용하고 공기가 새어 나오지 않도록 해야 한다.

고막 움직임이 감소되어 있거나, 없는 경우는 고막의 탄성(compliance)이 사라진 것으로 중이강 내 삼출액 저류, 비후와 반흔으로 인한 고막의 경도 증가한 것이 원인이 된다. 고막이 완전히 움직이지 않는 것은 천공이나 환기관 삽입도 원인이 될 수 있다. 고막 움직임의 범위는 심한 유착부터 팽륭까지 나누어 평가할 수 있다. 경도-중등도 유착은 중이내 음압, 삼출액 저류와 연관된 소견이며, 반면에 고도 유착소견은 대부분 삼출액과 관련이 있다. 고막 팽륭, 삼출액 충만 소견은 중이내 압력, 액체 증가에 따른 소견이다. 고막 혼탁은 비후, 반흔, 중이강내 삼출액에 의한 것일 수 있다.

고막이 붉지만 투명한 경우는 영유아가 울거나, 재채기를 할 경우 고막의 혈관이 충혈되면서 나타나는 전형적인 소견일 수 있다. 반면에 고막이 붉으면서 팽륭, 충만 소견을 보이면 급성중이염이라고 판단할 수 있다.

3) 고실계검사(Tympanometry, Immittance testing)

고실계검사는 중이내 상태와 치료를 평가하기에 적합하며, 생후 6개월 이상의 환아에 있어서는 이경검사에 비하여 평가하기가 더 용이하다. 작은 외이도용적에서 평평하고 둥근 패턴을 보일 경우 중이강내 삼출액 저류를, 큰 외이도 용적에서 평평한 패턴은 고막천공이나 환기관 삽입 소견을 의미한다.

정상 중이에서는 고실측정 시 최대압력이 0 daPa이다. 중이내 평가를 위한 다른 측정법(spectral gradient acoustic reflectometry, ultrasound) 등이 개발되고 있지만 제한점이 있으며, acoustic reflectometry 같은 경우는 선별검사 목적으로 사용이 고려될 수 있다.

4) 청력검사

중이내 삼출액은 경도-중등도의 전음성 청력장애를 일으키며, 이는 언어발달에 지장을 일으켜 학업 장애를 일으킬 수 있어 청력 평가는 필수적이다. 행동청력검사(behavioral audiometry)는 환아의 협조가 필요하며 연령에 따라 검사를 선택한다. 시각강화청력검사(visual reinforcement audiometry)는 6개월에서 2세 사이의 환아에게 적용되며 소리 자극에 환아가 고개를 돌리는 반응이 보이는 것으로 평가한다. 유희청력검사(play audiometry)는 2세 이상의 환아에게 적용되며 순음청력검사와 비슷한 방식으로 0.25, 0.5, 1, 2, 4, 8 kHz의 주파수에서 소리를 들려주고 들릴 경우 바구니에 장난감을 놓게 하면서 청력을 평가한다. 청성뇌간반응검사(ABR), 일과성음 유발이음향방사검사(TEOAE)는 소아가 아주 어리거나 발달장애로 인해 협조가 되지 않는 환아에게 적용할 수 있다. 청성뇌간반응검사는 중뇌수준까지의 청각계를 평가하는 것으로 정상 소견을 보인다고 해도 반드시 청력이 정상은 아닐 수 있다. 유발이음향방사검사는 와우내 외유모세포의 기능을 평가하는 것으로 신생아들에게 흔히 시행된다. 만일 환아가 유발이음향방사검사에서 이상소견을 보이면 추후 청력장애의 정도와 유형을 평가하기 위해 청성뇌간반응검사를 시행해야 한다.

4. 급성중이염의 발생원인과 이관기능

중이염의 발병 원인은 매우 다양하다. 현재까지 밝혀진 바에 따르면 바이러스나 세균 등의 감염, 이관의 기능 부전, 알레르기, 그리고 환경적, 유전적 요소가 상호복합적으로 작용하여 중이염이 발병한다고 알려져 있다. 즉 여러 감염원과 개체 방어기선의 상호관계로 중이염이 발병하는 것이다. 즉 이관과 중이점막의 분비상피에는 많은 분비선이 존재하여, 이들로부터 점액, 라이소자임, 락토페린 등의 살균 기능을 가진 여러 물질이 분비된다. 또한 섬모상피세포의 섬모운동이 중이강을 여러 가지 감염체로부터 보호하는 역할을 한다. 이와 같은 요인들 중에서도 특히 중이 기능을 유지하는 데 중요한 역할을 하는 이관의 기능 및 미생물 감염으로 인한 염증반응에서 나타나는 염증세포의 역할과 여기에 관여하는 여러 가지 염증성 매개체가 중이염의 발병이나 만성화의 주된 원인으로 알려져 있다.

중이염이 성인보다 유소아에서 훨씬 흔하게 발생하는 이유는 유소아는 성인에 비해 감염에 대한 면역기능이 미숙하고, 잦은 상기도염 때문에 유소아 때 비인강 내에 풍부한 아데노이드 같은 림프조직에 염증과 부종이 생겨 이관 기능의 장애가 빈번하게 발생하기 때문이다. 또한 유소아의 이관 구조도 성인의 이관에 비하여 상대적으로 더 넓고 짧으며 수평에 가까워 이관을 통해 역류 감염되기 쉬우며, 이관의 개폐에 관여하는 이관 연골이나 연구개의 긴장과 이완 작용을 하는 근육의 발달이 미숙한 것이 원인으로 생각된다.

소아에서의 이관은 성인보다 짧고 너비가 넓으며 비교적 수평으로 되어 있어 중이염의 발생 빈도가 더 많으며, 7세경부터 이관의 모양이 성인과 유사해져서 급성중이염의 발생 빈도가 낮아진다. 정상적인 이관은 중이나 유돌 봉소의 점막으로부터 분비되는 분비물을 비인강으로 내보내는 배출기능, 대기의 압력과 중이강의 압력의 평형을 유지하는 환기기능, 비인강으로부터 중이강쪽으로 오염된 물질이나 비정상적인 압력이 역류되는 것을 막아주는 보호기능을 갖고 있으며 이중 환기기능이 제일 중요하다. 정상적인 상태에서 이관이 닫혀 있을 때 중이강 내의 공기는 혈액 내의 기체와 분압의 차이로 중이 점막을 통해 점진적으로 흡수된다. 그 결과 중이강의 기압이 대기보다 낮아져 하품을 하거나 연하 운동 시 순간적으로 이관이 열렸을 때 공기가 비인강으로부터 이관을 통해 중이강으로 들어가 기압의 평형을 유지하고 흡수된 산소를 보충한다.

중이 기능을 유지하기 위한 이관의 기능부전증이 있는 경우 중이염이 쉽게 발병한다. 이관의 내인성 폐쇄는 이관 내 점막의 감염이나 알레르기에 따른 염증 이후의 협착 때문에 나타나고, 외인성 폐쇄는 종양이나 증식된 아데노이드가 외부에서 이관을 압박하여 나타난다. 기능성 폐쇄는 이관의 개폐에 관여하는 구개범장근이나 구개거근 또는 이관연골의 발육부진으로 인한 이관의 개폐장애 때문이다. 개방성 이관은 평상시에는 닫혀 있어야 할 이관이 항상 열려있는 상태가 지속되는 것으로 쉽게 중이염을 유발된다. 이관의 폐쇄가 장기화되면 중이강의 기압이 더욱 낮아져 이에 대한 보상작용으로 중이강 점막조직에 부종이 발생하고, 이후 모세혈관이 팽창하고 혈관벽의 투과성이 높아져 혈액으로부터 중이강 내로 삼출액이 빠져나와 중이강 내의 음압을 감소시키려는 현상이 생긴다. 결과적으로 중이강 내부의 산소 분압이 정맥혈 분압보다 낮아져 특정 미생물의 감염이 쉽게 발생하게 된다. 이관의 발달 시기나 이관 기능의 유전적인 요소가 인종에 따라 급성중이염의 발병률에 영향을 미칠 수 있다.

대기오염 물질은 미세먼지(PM), 질소산화물(NOx), 아황산가스, 이산화탄소, 오존 등을 포함하며 비강, 후두를 비롯한 상기도와 폐 등의 신체 여러 장기에 알레르기비염, 폐렴, 천식 등 다양한 질환을 유발함이 알려져 있다. 이러한 대기오염 물질들은 유소아의 급만성 중이염 발생과 연관됨이 최근 알려졌다. 특히 10 μm 이하의 미세먼지(PM10)가 5세 이하 유소아 중이염 발생률과 연관되는데, 미세먼지가 증가하면 1주 이내에 중이염 발생률이 증가하며, 특히 2세 이하에서 주로 영향이 많은 것으로 알려져 있다. 미세먼지 농도가 10 μg/m^3 증가할 때마다 중이염 발생률은 약 1.032배 증가한다는 보고가 있다. 미세먼지는 중이 상피 세포 손상과 염증인자의 증가를 통해 뮤신 발현을 증가시키게 되어 중이염의 발생 및 만성화와 관련될 수 있다.

5. 미생물의 감염

미생물은 천공된 고막이나 혈행성으로도 중이를 감염시킬 수 있으나 주요 감염경로는 이관이다. 이관 기능이 정상적이라면 이관을 통해 감염되기가 매우 어려우나, 이관기능부전증이 있으면 감염되기 쉽게 발생한다. 세균과 바이러스 모두 급성중이염을 유발한다. 특히 상기도 감염의 원인이 되는 모든 바이러스는 이관과 중이 점막의 상피세포를 손상하여 2차 세균감염을 용이하게 한다.

1) 바이러스 감염

임상적으로 바이러스에 의한 상기도염이 수일 후에 중이염을 일으키는 경우가 흔하며, 급성중이염이 있는 환자의 비인강이나 중이 삼출액 내에서 바이러스가 검출되는 경우가 많다. 최근 중이 삼출액으로부터 바이러스를 배양 또는 바이러스에 대한 항체검사를 통해 급성중이염 삼출액의 약 17-24%에서 바이러스 감염을 확인할 수 있고, 급성중이염 환자의 비인강에서는 39%에서 바이러스가 검출되었다. 차츰 바이러스가 급성중이염에서 중요한 역할을 하고 있다는 것이 확인되고 있으며, 약 20%는 바이러스 단독으로, 65%는 세균과 복합 작용하여 급성중이염을 일으킨다. 급성중이염에서 가장 흔하게 확인되는 바이러스는 호흡기세포융합바이러스(respiratory syncytial virus) 및 리노바이러스(rhinovirus)가 있고 그 외에 인플루엔자바이러스, 아데노바이러스(adenovirus), 파라인플루엔자바이러스(parainfluenza virus) 등이 흔하게 검출된다.

2) 세균 감염

급성중이염의 가장 흔한 원인균은 폐렴연쇄구균(Streptococcus pneumoniae)이며, 그 외의 원인 세균으로는 인플루엔자균(Haemophilus influenza), 모락셀라카타랄리스(Moraxella catarrhalis), 화농연쇄구균(Streptococcus pyogens) 등이 있으며, 그 밖에 베타용혈성연쇄구균(Group A ß-hemolytic streptococcus), 알파연쇄구균(α-streptococcus), 황색포도구균(Staphylococcus aureus), 녹농균(pseudomonas aeruginosa)이 드물게 발견된다. 급성중이염 30%에서는 중이 저류액에서 세균이 검출되지 않는다.

폐렴연쇄구균이 인플루엔자균, 모락셀라카타랄리스보다 자연적으로 회복되는 경우가 적기 때문에 급성중이염을 효과적으로 치료하기 위해서는 폐렴연쇄구균을 주요하게 다룰 필요가 있으며, 최근 들어 페니실린에 내성을 갖는 폐렴연쇄구균의 출현이 점차적으로 늘고 있는데, 지역에 따라 미국은 10-40%, 네덜란드는 1% 미만이며, 우리나라를 포함한 극동 지역은 80% 이상으로 확인되고 있다. 그 외에 인플루엔자균은 20-50%, 모락셀라카타랄리스는 100%에 가깝게 페니실린에 대한 내성을 가지고 있으며, 이러한 항생제 내성 균주 빈도가 증가하고 있다.

이렇게 페니실린에 내성 균주가 증가하는 원인은 급성중이염 치료를 위해 아목시실린과 세팔로스포린계 항생제를 무분별하게 사용하는 것이 가장 주요 원인으로 생각되며, 우리나라에서도 암피실린(ampicillin)에 내성을 갖는 균주가 많이 발견되고 있고, 최근에는 메티실린(methicillin)에 내성을 보이는 균주가 늘어나고 있어서 임상적으로 큰 문제가 되고 있다.

3) 중이 점막의 변화

세균이 중이점막에 침투하여 감염을 일으키기 위해서는 우선 중이 점막 세포에 부착하여 증식해야 한다. 세균 표면의 부착(adhesion)과 중이 점막 세포 표면의 섬유결합소(fibronectin)는 서로 항원-항체 반응과 유사하게 반응한다. 특정 세균이 점막 표면에 부착하여 세균집락을 형성한 이후 내독소를 분비하여 점막의 보호기능을 파괴한 후 상피층 내를 감염시킨다. 특히 바이러스는 중이점막상피 섬모층을 손상시켜 세균이 상피의 표면에 잘 부착하도록 하여 세균의 2차 감염이 용이하도록 작용한다.

중이강의 상피는 비강, 인두, 후두, 기관, 기관지와 같은 위중층성모원주상피로 되어 있으며, 발생학적으로도 같은 내배엽에서 기원한다. 이들 상피는 표면에 있는 섬유결합소의 구조와 특성이 매우 유사하다. 중이염을 잘 일으키는 세균들이 표면에 부착하기 쉽고, 선택적으로 결합하므로 중이염을 잘 일으키는 세균들은 상기도 점막 모든 부위에나 감염을 잘 일으킨다.

4) 알레르기 및 면역기능

알레르기가 급성중이염의 발병에 있어 중요한 역할을 한다고 생각되어 왔으나, 아직 주요 기전은 밝혀지지 않은 상태이며, 중이염에 대한 항 알레르기성 치료제의 효과에 대한 연구는 아직 부족하다.

알레르기가 중이염을 발생하는 기전으로는 (1) 중이가 표적 기관이 되면, (2) 알레르기가 이관 점막의 염증성 부종을 발생시키고, (3) 비강 내부의 염증성 폐쇄를 발생시키며 (4) 알레르기성의 분비물이 비인두 내에서 중이강으로 흡입되는 순서로 발생한다. 대개 면역 결핍을 보이는 소아들에게서 반복적인 급성중이염이 관찰되고 있으나, 재발성 급성중이염 소아에서 면역학적인 문제가 있는 경우는 드물다.

알레르기와 연관되어 발생하는 대표적인 중이 질환으로 호산구성 중이염이 있다. 호산구성 중이염은 기본적으로 중이 점막에 호산구가 축적되는 특징을 가지는 중이염으로, 중이 저류액에 호산구가 관찰되는 경우가 주진단 기준(major criteria)으로, (1) 중이 저류액이 강한 점성을 보이거나, (2) 기관지 천식의 동반, (3) 비강 용종의 동반, (4) 기존 치료에 저항성을 보이는 경우를 부진단 기준(minor criteria)으로 하여 1개의 주진단 기준과 2개 이상의 부진단 기준이 충족되는 경우 명백한 호산구성 중이염(definite case)으로 진단하게 된다. 기존의 항생제 치료, 중이환기관 삽입이나 유양동 삭개술 등에는 저항성을 보이며, 동반된 알레르기 질환 치료 등과 연관된 전신 스테로이드 요법, 고실 내 스테로이드 주입, 스테로이드와 항생제가 혼합된 국소 이용액 사용 등이 유효하다고 보고되어 있으며, 항-IgE 단클론항체(anti-IgE monoclonal antibody) 사용이 시도되고 있다.

6. 급성중이염의 치료

1) 경과 관찰

급성중이염을 항생제 치료 없이 경과관찰을 하는 것이 2004년 미국 진료지침에서 하나의 'option'으로 제시되었다. 최근 개정된 진료지침에 따르면 6-23개월 연령의 환자

가 심하지 않은 일측성 급성중이염의 경우 그리고 24개월 이상 연령의 심하지 않은 일측 혹은 양측 급성중이염은 경과 관찰을 할 수 있다. '심하지 않은'이란 의미는 '48시간 미만으로 지속되는 경도의 이통, 39℃ 미만의 발열과 같이 심각한 증세가 없는' 것으로 정의되며 48-72시간 내 호전이 없는지를 재차 관찰해야 한다. 또한 새로운 진료지침에서는 경과 관찰을 하는 중에도 적극적인 통증 조절을 하는 것이 권장된다.

2) 약물 치료
(1) 항생제

초기 충분한 양의 적절한 항생제를 쓰는 것은 급성중이염을 급속히 치유하고 유양돌기염이나 그 밖의 합병증을 방지하는 데 도움이 된다. 많은 항생제 중에서도 최근 미국 진료지침에 따르면 아목시실린(Amoxicillin)이 여전히 일차 선택약물이다. 아목시실린 80-90 mg/kg/day 용량으로 하루 두 번 나누어 복용하면 내성 균주를 포함하여 폐렴연쇄구균의 감염을 치료할 수 있다. 30일 내에 아목시실린으로 치료받은 기왕력이 있거나, 화농성 결막염이 병발한 경우, 또는 아목시실린에 반응이 없는 재발성 급성중이염의 과거력이 있는 경우에는 아목시실린/클라불란산(amoxicillin-clavulanic acid) (amoxicillin 90 mg/kg/day and calvulanic acid 6.4 mg/kg/day)을 사용한다. Cefdinir, cefuroxime, cefpodoxime, 그리고 ceftriaxone 같은 세팔로스포린 항생제 계열은 페니실린 알레르기가 있는 환자에서만 일차 항생제로 사용해야 한다. 또한 두개내 합병증이 의심되거나 두개내 합병증을 예방하려면 혈액뇌장벽(blood-brain barrier)을 통과하는 항생제를 사용한다.

일차 약물치료가 실패한 경우 진단이 정확한지 확인하고, 이전에 항생제를 사용하지 않았다면 항생제 치료를 시작하고, 초기 치료로 항생제를 사용하였다면 광범위 항생제로 교체해야 한다. 아목시실린을 사용한 경우 아목시실린/클라불란산으로 바꾸며, 아목시실린/클라불란산 치료에 실패한 경우 ceftriaxone 50 mg을 근내 혹은 경정맥으로 3일간 투여한다. 항생제 치료에 반응하지 않는 환자에서는 고막천자를 통해 중이 세균배양 검사를 하여 적합한

항생제를 찾아야 한다.

(2) 치료 기간

항생제는 통상 10일 정도 투여한다. 부적절한 양을 사용하거나 투여기간이 너무 짧은 경우에는 약한 염증이 잔존해서 삼출성중이염으로 이행하거나 유양돌기염을 일으킬 수 있다. 비용과 항생제 내성을 줄이기 위해 5-7일 같이 더 짧은 치료 기간이 우월하다고 보고되고 있다. 10일간 치료하는 것이 더 어린 소아(0-2세), 최근에 급성중이염으로 치료받은 환자, 그리고 고막 천공이 보이는 환자에서 5일 약물 치료한 경우에 비해 더 적은 초기 치료 실패율이 더 적다. 최근 미국 진료지침에서는 더 어린 소아나 심한 증세를 보이는 소아에서는 10일간 항생제 치료를 할 것을 권고하고 있다. 경도에서 중등도의 급성중이염을 가진 2-5세 소아에서는 7일간, 6세 이상의 경도에서 중등도의 급성중이염을 가진 소아에서는 5-7일간 항생제를 사용할 수 있다. 10일 치료 기간과 20일 치료 기간을 비교하였을 때 20일 치료 결과가 우월하다고 않았다.

(3) 국소이용액

고막 천공으로 이루가 있을 때는 항생제 투여와 함께 국소적으로 이용액(ear drops)을 사용하면 도움이 된다.

(4) 비점막 수축제와 항히스타민제

급성중이염에서 비점막 수축제와 항히스타민제를 사용하는 것은 초기 치료나 증세 호전, 혹은 수술이나 합병증 예방에 도움이 되지 않는다. 2주 이상 지속되는 급성중이염에서 약간의 이득이 있으나, 부작용 등을 고려하였을 때 비점막 수축제와 항히스타민제 사용은 권고되지 않는다.

(5) 스테로이드

항생제 단독 투여한 경우보다 스테로이드와 항생제를 병용 투여한 경우에 중이 점막의 염증 변화가 더 많이 감소한다. 스테로이드를 병용한 경우 중이염 치료 실패율이 더 낮으며 삼출성중이염 기간도 짧다고 한다. 그러나 항생제와 스테로이드를 병용 치료(corticosteroid 2 mg/kg for 5 days)

하였을 때 임상적 경과에 이득은 없었다는 보고도 있어 현재까지 논란이 있다.

7. 재발성 급성중이염 치료

1) 예방적 항생제 치료

아목시실린 또는 sulfisoxazole을 1/2 치료용량으로 수개월간 복용하면 재발성 급성중이염을 예방할 수 있다. 그러나 항생제 내성률이 증가하고 소화기계 부작용 및 알레르기 반응을 일으키는 가능성이 있기 때문에 재발성 급성중이염에서도 예방적 항생제 사용은 추천되지 않는다.

2) 수술적 처치
(1) 고막절개 또는 고막천자

급성중이염에서 고막절개 또는 고막천자는 통증을 감소시킬 수 있고 원인 균주를 배양할 수 있는 검체를 얻어 적합한 항생제를 사용할 수 있다는 장점이 있으나 삼출성중이염의 기간 단축 또는 급성중이염의 재발률 감소 등의 이득은 없다. 전신 상태가 극히 불량할 때, 항생제 치료에 반응이 없을 때, 두개내 합병증이 있을 때, 신생아나 면역결핍 상태일 때는 반드시 고막 절개나 고막천자를 통해 세균배양검사와 항생제 감수성검사를 시행하여 적절한 항생제를 선택하여 치료하는 것이 필수적이다.

(2) 환기관 삽입술

일반적으로 6개월간 3회 이상의 혹은 12개월간 4회 이상의 감염으로 정의되는 재발성 급성중이염에서 약물 치료가 실패했을 경우 환기관 삽입술을 고려할 것을 미국 가이드라인은 'option'으로 제시하였다. 그러나 새로 발표된 환기관삽입 진료지침(tympanostomy tube guideline, 2013)에 따르면 재발성 급성중이염일지라도 검사 당시 중이 내부 삼출액이 없으면 미리 환기관 삽입술을 하지 않아야 한다. 4세 이하의 재발성 급성중이염에서 예방적 항생제보다 환기관 삽입술을 시행한 경우 재발률이 낮았다.

(3) 아데노이드절제술과 아데노이드 및 편도절제술

아데노이드절제술과 아데노이드편도절제술은 수술에 의한 효과 지속 기간이 짧고, 합병증과 비용을 고려하였을 때 모두 초기 치료로는 적합하지 않다. 중이염에 자주 걸리는 4세 미만 소아에서 환기관 삽입술과 아데노이드 절제술을 같이 시행하는 것이 급성중이염 발생률을 유의하게 낮추지 못한다. 아데노이드 절제술은 기도 폐쇄가 있지 않으면 한 초기 처치로 권고되지 않는다. 아데노이드만을 제거하는 것에 비해 아데노이드편도 절제술이 유의한 이득도 없으며 처치에 따른 위험이 이득보다 크다.

8. 급성중이염 예방백신

1) 인플루엔자백신

인플루엔자백신 접종은 급성중이염을 예방하는 데 있어 30-55%의 효능이 있음이 밝혀져, 미국 질병예방보건당국(CDC)과 국내 예방접종 지침에서도 생후 6개월 이상의 모든 소아에서 매년 접종하는 것을 권고되고 있다. 인플루엔자백신 접종 후 급성중이염 발생률의 변화에 대한 메타분석에서 발생률 자체에 대한 영향은 적지만, 항생제 사용량을 감소시키는 긍정적인 효과가 있음이 보고되었다. 6개월 이상의 소아에 대해서 불활성화백신의 접종이 가능하며, 생백신의 경우 24개월 이상의 소아에서 접종이 가능하다. 매년 10-12월 정도에 유행 2주 전까지 접종이 추천되고 있으며, 과거 백신 접종 경력이 없는 경우 4주 간격으로 2회 접종하며, 접종 경력이 있는 경우 연 1회 혹은 유행주에 따라서 2회 접종한다.

2) 폐렴구균백신

폐렴구균백신 접종은 생후 2개월에서 5세 미만의 모든 소아를 대상으로 표준예방접종 일정(생후 2, 4, 6개월에 3회 접종, 생후 12-15개월에 추가접종)에 맞추어 접종하는 것이 권고된다. 소아에게 7가 폐렴구균백신(PCV-7)을 접종하였을 때 13.2-36.4%의 급성중이염 예방 효과가 있다는 보고가 있으며, 10가 폐렴구균백신(PCV-10)의 급성중

이염 예방효과에 대한 최근 무작위 비교 연구에서는 34%의 높은 예방효과가 있음이 보고되었으며, 우리나라 자료에서도 33.21%의 높은 예방효과가 보고되었다. 7가 단백결합 백신은 현재는 더 이상 접종하지 않으며, 2010년에 10가 및 13가 단백결합 백신이 허가되어 현재 사용 중에 있다. 예방 접종에 따른 폐렴구균의 혈청형 대치(serotype replacement) 현상 또한 보고되고 있다. 폐렴구균에서 발견되는 약 90가지의 혈청형 중 소아에서 침습적 감염과 관련되는 4, 6B, 9V, 14, 18C, 19F, 23F 혈청형에 대한 7가 폐렴구균백신(PCV-7)이 도입된 후에는 비백신혈청형인 1, 3, 6A, 6C, 7 F, 19A 혈청형이, 10가 백신(PCV-10) 사용 후에는 19A, 3 혈청형 등의 비율이 증가되었다. 그 중에서도 분리 빈도가 높은 19A 혈청형이 공통적으로 주목받고 있는데, 19A는 다른 혈청형에 비해 항생제 비감수성 비율이 높은 것으로 보고되기 때문이다. 새로 도입된 13가 백신의 경우 19A 혈청형이 포함되어 추후 예방 효과가 높아질 것으로 예상된다. 백신 사용 후에 중이 삼출액 배양에서 확인된 전체적인 폐렴구균 양성률은 높게는 50% 이상 감소하는 것으로 보고되고 있다. 만약 접종 시기를 놓쳐 7-11개월 이후에 첫 접종을 시행하는 경우에는 최소 4주 간격으로 2회 접종을 시행하고, 3차 접종은 12개월 이후에 2차 접종과 최소 8주 이상의 간격을 두고 접종한다. 기초 접종을 하지 않은 생후 12-59개월 영아에서는 최소 8주 간격으로 2회 접종을 시행한다. 폐렴구균다당질백신(23가)은 2세 이상에서 인공와우 시행 또는 예정이거나 선천성 내이 기형 등 급성중이염에 속발한 수막염 발생의 위험이 높은 경우에만 접종이 권고된다.

9. 급성중이염 합병증

급성중이염에 따른 합병증은 적절한 항생제 치료가 도입된 이후 발생 빈도가 감소하였다. 고막 천공을 제외하면, 응급실 내원 환자의 0.26%가 급성중이염 합병증이 원인인 것으로 보고되었다. 고막 천공은 급성중이염으로 가장 흔하게 동반되는 합병증으로, 약 7%에서 동반되며, 일반적으

로 98%에서는 1-2주 이내에 자연적으로 치유가 된다. 고막 천공을 제외한 주요 합병증으로는 유양동염이 가장 흔하며, 대략 급성중이염 환자 1,000명당 1.1명 정도에서 동반되는 것으로 알려졌다. 급성중이염으로 인해 급성 융합성 유양동염(coalescent mastoiditis)이 발생되는 기전은 점막 및 골막의 염증으로 인해 발생한 부종과 증식이 유양동구(aditus ad antrum)를 막아 유양동봉소 격벽에 골염을 유발하고, 이로 인한 인접 유양동봉소들 간의 융합이 원인으로 알려졌다. 급성 융합성 유양돌기염은 2주 이상 지속되는 이루, 이통, 이개 후부 종창 및 이개 돌출이 있으면 의심할 수 있고, 유양동 단순촬영 또는 측두골 단층촬영에서 유양동 봉소의 융합소견이 있으면 진단할 수 있다. 적절한 항생제 사용 및 단순 유양동삭개술(simple mastoidectomy)로 치료하는 것이 추천된다. 유양동으로 파급된 염증이 돌출정맥(emissary vein)을 통해 유양동의 골막으로 침입하면 골막 하 농양(subperiosteal abscess)으로 발전되며, 더 진행하는 경우 베졸드농양(Bezold's abscess)과 같이 유양동 주위 조직에 농양을 유발하기도 한다. 청력 감소와 어지럼증을 유발하는 내이염(labyrinthitis)은 약 0.06% 정도에서 동반되며, 중이강의 염증이 정원창(round window)을 통해 와우관 내부로 파급되어 발생한다. 급성중이염과 동반된 안면마비는 0.03% 미만에서 동반되며, 주로 골성안면신경관(fallopian canal) 결손 부위를 통해 염증이 파급되어 신경의 부종과 압박을 유발하면서 발생한다. 대부분의 경우 적절한 항생제 및 스테로이드 투여를 통해 안면신경 기능이 정상으로 회복되지만, 종종 고막 절개와 함께 수술적인 감압술이 요구되기도 한다. 급성중이염과 연관된 두개 내 합병증인 뇌수막염(meningitis)은 대략 0.002% 미만으로 매우 드물게 발생하며, 기타 뇌농양(intracranial abscess), 횡정맥동 혈전증(lateral sinus thrombosis) 등도 동반되는 것으로 보고되었다.

II. 삼출성중이염

1. 삼출성중이염 유병률과 원인

삼출성중이염은 중이강 내에 삼출액이 고이는 중이염의 일종으로 급성중이염에 속발하거나 감염 없이도 생길 수 있다. 미국의 통계에 따르면, 삼출성중이염은 학령기 이전의 소아에서 약 90%에서 이환되는 것으로 알려져 있으며, 주로 생후 6개월에서 5세 사이에 가장 흔하게 발생한다. 국내에서는 중이염의 발병률에 대한 전국 규모의 연구에서 15세 미만 대상, 1.22%의 유병률이 보고된 바 있다. 국내 한 지역에서 유치원생과 초등학생을 포함한 한 연구에서 삼출성중이염의 평균 유병률은 4.5%였으며, 6세에 10.8%로 가장 높고, 연력이 증가할수록 감소하여 12세에는 2.1%로 감소하는 경향을 나타냈다. 중이강 내 삼출액 저류의 평균 지속기간은 23-40일 정도이며, 급성중이염 환아의 2/3에서 삼출성중이염이 속발하나 80-90%의 삼출성중이염은 3개월 내에 자연완해(spontaneous resolution)된다(그림 14-1). 그러나 중이강 내 삼출액이 3개월 이상 지속되는 경우에는 만성 삼출성중이염(chronic otitis media with effusion, COME)이라 하고, 이때는 수년간 추적 관찰해도 자연완해율이 20-30% 정도에 불과하다.

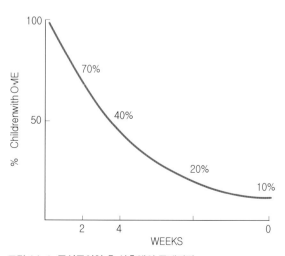

그림 14-1. **급성중이염 후 삼출액의 존재기간**

과거에는 고막 천공과 이루가 동반되는 중이염이 많았으나 1980년대 이후로는 우리나라에서도 고막 천공이 없는 삼출성중이염이 점차 늘어 나고 있다. 특히 유, 소아에서 발생 빈도가 매우 높으며 성인 빈도도 함께 높아졌다. 빈도가 증가한 이유는 명확하지 않았으나, 항생제의 남용, 병원체 독성의 변화, 인간 면역성 변화, 공해와 알레르기 질환의 증가 등이 원인으로 추정되고 있다.

항생제의 개발로 중이염 치료는 크게 발전하였다. 과거에 비하면 감염에 의한 두개내 합병증이나, 장기간 중이강내 삼출액 저류에 의한 청각장애와 같은 만성 합병증이 줄었으나, 최근에도 빈도는 적으나 심각한 합병증이 있을 수 있으며, 전음성 난청 같은 후유증은 흔히 볼 수 있다.

최근 페니실린 저항성 폐렴구균의 증가로 항생제 사용에 변화가 나타나고 있다. 최근에는 심한 재발성 중이염에서 새로운 감염 기회를 줄이고 지속적인 삼출액을 제거하기 위해 수술적 요법을 흔히 시행하고 있다. 약 10%에서 만성화가 발생하며, 초기에 완치하지 않으면 고막천공, 급성유양돌기염, 유착성중이염, 고실경화증, 이소골 고정 또는 단절, 만성중이염, 미로염, 안면신경마비, 두개내 합병증 등을 일으킬 수 있다.

2. 증상

중이강 내부 삼출액으로 고막 운동성이 감소하여 이충만감, 전음성난청, 이명, 간헐적 이통 등이 삼출성중이염의 대표적인 증상이다. 전음성난청은 초기에는 유동적이고, 고음역 난청이 많으나, 점차 수평형으로 변화하며 10-40dB 정도의 난청이 발생하고, 이명이 동반되기도 한다. 그 밖에 이폐색감이나 자신의 음성이 크게 울려 들리는 자성강청(autophonia) 등이 나타난다.

그러나 소아는 이충만감, 청력장애, 이명 같은 증상을 잘 표현하지 못하고, 보호자는 급성 증상의 소실을 급성중이염의 완해로 오인하여 추적관찰이 안 되는 경우가 많다. 국내 연구에 따르면 90% 정도는 주관적 증상 없이 중이강내 삼출액이 확인된 것으로 나타났다. 또한 평소보다 TV 소리를 높이거나, TV를 가까이에서 시청하려는 경우, 수업 중에 주의가 산만한 행동을 하는 것은 급성중이염 소견 없이 발견되는 삼출성중이염이 가능성을 확인해야 하는 청력장애 증상이다.

3. 원인

삼출성중이염의 병인으로는 이관 기능장애가 원인으로 생각된다. 중이강 내부의 환기 장애를 유발되어 중이강 안에 갇혀 있는 공기가 점막으로 흡수되어 음압이 발생하고, 이 상태가 지속되면 고막이 내측으로 함몰된다. 이후 중이 점막의 부종, 혈관 팽창으로 모세혈관의 투과성이 증가되어 삼출액이 분비되어 저류되는 것으로 알려져 있다(ex vacuo theory). 이러한 이관기능 장애를 초래하는 질환으로는 급성상기도염, 비알레르기, 아데노이드 증식증, 만성부비동염, 구개범장근(tensor veli palatini muscle)의 기능장애를 일으키는 구개열, 구개수열, 종양, 급격한 기압 변화로 인한 기압 외상(barotrauma) 등이 있다.

최근에는 삼출액에서 세균이나 바이러스가 발견되는 경우가 더욱 많아지고, 삼출성중이염 환자 대부분이 급성중이염 이환 경력을 가지고 있어 급성중이염과 동일 질환으로 이해되기도 한다. 이관장애가 일시적일 때는 일시적 액체저류 상태로 급성 삼출성중이염이 되지만 이관기능 장애원인이 지속되는 경우에는 만성 삼출성중이염으로 발전되는 것으로 생각된다.

세균배양 검사로 약 50%의 원인균이 확인되는데, 인플루엔자균(Haemophilus influenza)이 가장 흔하고 모락셀라카타랄리스(Moraxella catarrhalis), 폐렴구균(Streptococcus pneumoniae) 순서이다. 그 외에 베타용혈성연쇄구균(Group A β-hemolytic streptococcus), 황색포도구균(Staphylococcus aureus), 그람음성 장간균(G(-) enteric bacilli) 등이 있다. 그러나 6주 이전 유아에서는 그람음성 장간균이 전체 원인균의 20%를 차지한다는 보고도 있다.

일반적인 세균배양검사에서 균이 자라지 않는 경우 비세균성 원인을 고려해야 하는데, 리노바이러스(rhinovirus), 아데노바이러스(adenovirus), 인플루엔자바이러스 (influenza virus), 파라인플루엔자바이러스(parainfluenza virus), 호흡기세포융합바이러스(respiratory syncytial virus) 등과 같은 바이러스와 클라미디아(chlamydiae), 미코플라즈마(mycoplasma) 등이 있다. 만성 중이 삼출액의 0-10%는 박테로이데스(bacteroides species), 펩토코쿠스 (peptococcus species), 프로피오니박테륨(propionibacterium species) 등과 같은 혐기성 세균 빈도가 있으므로, 일반 세균배양검사에서 배양되지 않는 경우 고려해야 한다. 또한 상기도감염 환아 중 24%에서 삼출성중이염이 병발하고 있어 바이러스와 연관성이 있다고 하겠다. 장액성, 점액성 삼출액보다 화농성 삼출액에서 흔히 균이 검출된다는 보고가 있다. 최근 일반적인 세균배양검사에서 균이 배양되지 않는 삼출액에서도 중합효소연쇄반응(polymerase chain reaction, PCR)을 이용하면 80%에서 세균 존재가 확인되고 있다.

감염 이외의 삼출성중이염 발생 요인으로는 숙주 인자 (host factor)로 어린 연령, 면역기능 미성숙, 유전적 소인, 수유 종류 및 방법, 성별(남자) 등이 있다. 또한 환경적 인자(environmental factor)로 상기도 감염, 집단생활이나 비위생적 생활, 간접흡연이 있으며, 마지막으로 이관기능부전을 유발하는 해부학적 인자(anatomical factor)로 구개열, 다운증후군(Down syndrome), 트리처콜린스증후군 (Treacher-Collins syndrome), 에이퍼트증후군(Apert syndrome), 점액다당류증, 섬모운동장애, 낭성섬유증증 등이 있다. 또한 위식도 역류질환이 중이염의 발생 원인이 된다는 보고도 있다.

삼출성중이염과 알레르기 질환과의 관계는 확실하지 않은 상태이다. 삼출성중이염 환자 중에 비알레르기, 천식 같은 알레르기 질환을 가진 사람이 많다. 피부반응검사나 RAST검사 양성률이 높으며, 또한 중이강 또는 혈장에서 T 도움세포(helper-T cell), 면역글로불린 E (IgE)가 증가되거나, 중이 점막에서 비만세포가 발견되는 등 연관성이 있는 보고가 있다. 이와는 달리 호흡기 알레르기 질환과 삼출성 중이염의 호발 계절이 다른 점과 중이 점막, 삼출액에서 호산구가 존재하지 않는 점, 알레르기 치료에 호전되지 않는

삼출성중이염이 많은 것은 알레르기와 삼출성중이염 사이의 연관성이 낮은 근거로 제시되고 있다. 그러나 삼출성중이염, 알레르기 모두 흔한 질환이므로 중이염의 발생과 만성화에서 알레르기 반응의 역할은 추가적인 연구결과가 필요하다.

4. 병리

대부분의 중이 점막은 편평 또는 입방상피이며, 중이 배출 기능을 하는 하고실과 이관 이행부 점막은 섬모상피이고, 그 사이에 분비 기능이 있는 배상세포로 구성되어 있다. 중이 점막에 염증이 발생하면 중이 점막이 섬모원주상피로 바뀌는 원주상피 화생(columnar metaplasia)이 일어나고, 배상세포나 분비선 조직(gland tissue)도 증가하여 점액이 과다하게 분비된다. 그러나 이관 기능이 불량하면 시간이 경과함에 따라 점액은 더욱 농축되어 이관으로 배출되지 못하고 저류하게 되어 세균에 잘 감염되는 배지로 변화된다. 이런 상태에서 중이염이 재발하게 되고 저류액은 점도가 더욱 높아져서 접착제(glue) 같이 된다.

그러나 실제로 저류액은 장액성, 점액성에 관계 없이 염증에 기인한 누출(transudation)과 삼출이 혼합된 것으로 생각된다. 분비세포 기능항진, 이관의 폐색, 이관 주변의 림프계 순환장애는 모두 중이 저류액을 유발하므로 누출, 삼출의 우위에 따라 서로 다른 성상을 나타낸다.

섬모상피나 점액선의 증가는 이관을 통해서 배출시키는 기능을 하며, 혈청보다 저류액 당단백(glycoprotein)이나 IgA가 높은 점은 자가 방어 작용의 일부로 알려져 있다. 그러나 중이, 유양동 내에 생긴 콜레스테롤육아종(cholesterol granuloma)은 중이염의 치유를 방해할 뿐 아니라 삼출액을 생성하여 만성화를 유발한다. 이관협착이 장기화하면 고막은 함몰되고 고실벽과 유착되며 상고실, 특히 이소골 주변 결체조직이 증식하여 이소골 운동을 방해한다.

5. 진단

삼출성중이염을 정확하게 진단하는 것은 치료를 결정하는 데 있어 중요하며, 특히 급성중이염과 구분하여 불필요한 항생제 사용을 줄이는 것이다. 이를 위해서 증상 및 병력 청취를 하는 것이 중요하다. 급성중이염의 약 67%에서 중이강 내 삼출액 저류가 발생하는데, 삼출액 대부분은 급성 증상이 소실된 후 추적관찰 도중 발견된다.

진단 방법으로 통기이경(pneumatic otoscope) 검사로 특유의 고막소견과 고막의 가동성 감소를 관찰한다. 간단하게 시행할 수 있는 1차 검사로 민감도(sensitivity)가 89%, 특이도(specificity)가 80%로 중요한 검사이다. 검사 시행할 때 위치, 색상, 투명도, 가동성에 대한 평가가 필요한데, 정상의 경우 투명한 고막으로 오목한 모양을 가지며 압력 변화에 따라서 원활한 움직임이 있는 데 반하여, 삼출성중이염의 경우 고막이 함몰되거나, 광택이 사라지고, 추골단돌기(malleolus process)가 돌출하며, 추골병(handle of malleus)이 짧아 보이기도 한다. 장액성 삼출액은 상연에서 삼출액선(fluid level)이나 기포(air bubbles)가 고막 안쪽에서 확인될 수 있고, 고막의 색깔이 대부분 황갈색(amber color)이며, 고막의 회백색 혼탁이나 석회침착 혹은 반흔성 비후를 나타내기도 한다. 또한 고막 발적이 삼출성중이염의 5% 미만에서 나타날 수 있으므로 이 소견만으로 급성중이염으로 진단해서는 안 된다. 점액성 삼출액은 갈색 혹은 암회색(dirty gray)으로 두껍게 보이며, 혈액성 삼출액인 경우 청색 고막(blue ear drum)을 나타낸다.

고막소견만으로 진단이 불확실한 경우 또는 이경검사를 시행하기 어려운 경우에는 임피던스청력검사에서 고막운동성계측(tympanometry)을 시행한다. 6개월 이상의 환아에서 쉽게 검사가 가능하고 기록이 되는 이점이 있다. 이 경우 진단적 민감도와 특이도를 모두 90% 이상으로 높일 수 있다. 삼출성중이염에서는 가동성이 전체적으로 낮아진 경우를 나타내는 고실도 B형을 보이거나 중이강 내가 음압임을 나타내는 고실도 C형을 보인다(그림 14-2). 중이강의 상태를 판정하기 위한 기준은 다음과 같다.

* 경사의 고막운동성계측폭 tympanometric width (TW)
  - TW <150 daPa = 삼출성중이염이 아님
  - TW >350 daPa = 삼출성중이염
  - TW 150-350 daPa = 이경검사 소견으로 삼출성중이염 여부 판단

등골반사검사(acoustic reflex, stapedial reflex)는 삼출성중이염의 선별검사로는 부적절하지만 정상적인 고실도를 보이는 환아에서 등골반사가 나타나지 않을 경우 감각신경성난청, 이소골 단절 등을 의심해야 한다.

삼출성중이염에서 경도-중등도 전음성난청을 발생할 수 있어 청력검사도 진단에 도움이 된다. 그러나 순음청력검사는 민감도가 50% 정도로 오류를 범할 위험이 있다. 성인에서 시행하는 일반적인 순음청력검사를 어린 소아의 경

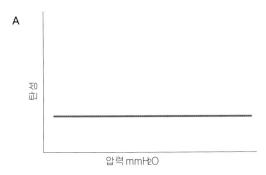

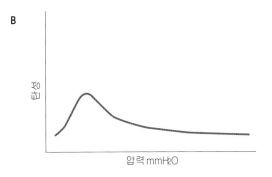

그림 14-2. **삼출성중이염의 전형적인 고실도. B형 (A), C형 (B)**

우 행동관찰청력검사나 유희청력검사로 대체할 수 있다. 청력검사에서 10-40dB 기도골도차(air-bone gap) 전음성 난청이 있다면 삼출성중이염을 진단할 수 있다. 특히 난청이 지속되면 언어 및 학습장애가 발생할 수 있어 청력검사가 필수적이다. 이외에 청성뇌간반응검사(auditory brain-stem response)나 이음향방사검사(otoacoustic emissions)도 협조가 되지 않는 소아나 발달 장애 환아에서 난청의 평가로 사용할 수 있으나 중이강 내 삼출액을 조기 진단하는 데 있어서의 역할은 명확하지 않다.

마지막으로 고실천자(tympanocentesis)로 중이강 내 삼출액을 증명하는 것이 진단 표준이며, 삼출액을 이용한 균 배양검사는 치료에 도움이 되는 장점이 있으나, 협조가 어려운 소아에서는 시행하기 어렵다.

일단 삼출성중이염으로 진단되면 두경부 영역에 대한 진찰을 시행하여 다운증후군, 트리처콜린스증후군과 같은 두개안면기형(craniofacial anomaly)이 있는지 검사하며, 구인두 진찰을 통해 구개열(cleft palate)이나 이분구개수(bifid uvula)와 같이 이관기능장애가 발생할 수 있는 유발하는 원인도 확인해야 한다. 비강 폐색 없이 구강호흡이나 비폐색음을 보이는 경우 아데노이드비후증 가능성도 검사해야 한다.

6. 치료

1) 약물 치료

(1) 항히스타민제, 비혈관수축제
항히스타민제, 비혈관수축제는 삼출성중이염의 치료에 널리 사용되었으나 임상실험에서는 효과가 없는 것으로 밝혀졌다.

(2) 항생제
항생제는 항히스타민제와 비혈관수축제가 치료 효과가 없다는 연구가 발표되면서 새로운 치료제로 각광받았다. amoxicillin과 항히스타민제-비혈관수축제 병용요법, amoxicillin과 위약, 전체 위약 3가지로 나누어 518명 환아에 대한 4주간의 연구에서 amoxicillin 사용한 경우가 위약보다 삼출성중이염 관해율이 2배 이상 높았으며 항히스타민제-비혈관수축제는 치료 결과에 영향이 없었다. 그러나 항생제치료 종료 후 3개월 이내에 대부분 환아에서 삼출성중이염이 재발하였다. 다른 항생제가 amoxicillin보다 더 장기적 효과가 있는지에 대한 연구에서도 유의한 차이가 없었다.

항생제는 단기간에서 치료효과가 있으나, 장기간 조사에서는 효과가 없고, 질환 자체가 자연 관해율이 높아, 항생제 과다사용과 관련된 문제로 항생제 사용이 권장되지는 않는다.

(3) 스테로이드
스테로이드는 항염증작용과 뮤신생성을 억제함으로써 삼출성중이염 일시적 치료 효과가 있으나 장기적인 효과는 없는 것으로 밝혀져 장기적 사용은 권장되지 않는다. 2006년 코크란 리뷰의 12세까지의 아동에 대하여 치료효과를 분석에서 경구, 비강내 국소 스테로이드제 모두 단독투여 혹은 항생제와 병용투여 시 삼출성중이염의 조기 호전에 기여하지만 장기적인 예후에 있어서는 질환의 관해율 및 동반된 난청에 효과가 없었다. 2011년 코크란 리뷰에서도 항생제와 경구 스테로이드제의 병용 투여는 1달 이내에서는 효과가 있지만 장기간 치료 결과와 난청관련 증상 호전에 효과가 없었으며, 비강국소 스테로이드는 다른 치료와 병용하여도 효과가 없었다. 또한 비강 국소 스테로이드제는 삼출성중이염 개선에 도움이 되지 않으며, 7-22%에서는 코피, 비강작열감 등 부작용을 유발하여 사용이 권장되지 않는다.

2) 수술적 치료
2004년 미국 삼출성중이염 진료지침상 수술 적응증은 다음과 같아서, 4달 이상 지속된 삼출성중이염이며, 청력 저하나 다른 징후나 증상이 동반된 경우, 청력 저하와 관계 없이 발달장애와 연관된 재발성, 지속적인 삼출성중이염의 경우, 고막 혹은 중이 내부의 구조적 손상이 동반된 경우 3가지이다.

(1) 고실천자

외래에서 시행할 수 있는 고실천자는 중이내 삼출액을 흡인하고 배양검사를 시행할 수 있다. 이를 통해 통증을 경감시킬 수 있시만, 만약 지속되는 염증이 있는 경우 증상은 곧 재발할 수 있는 단점이 있다.

(2) 고막절개술

소아에서 고막절개술은 삼출액을 흡인해야 하므로 전신마취 상태에서 많이 시행된다. 고막절개술은 고실천자술보다 삼출액 배액에 더 효과적이다. 고막절개술만 시행하면 절개선이 수일 내로 치유되어 장기간 동안 고실내 환기효과가 없기 때문에 권장되지 않는다. 레이저를 이용한 고막절개술은 절개선 개방을 몇 주까지 지속시킬 수 있으며, 국소마취하에 시행할 수 있는 장점이 있으나, 레이저는 널리 보급되어 있지 않고 그 치료 효능가 입증되지 않은 상태이다.

(3) 중이환기관삽입술

중이환기관삽입술은 삼출성중이염에서 가장 흔히 권장되는 치료방법이다. 일반적으로 소아에서 시행하기 위해서는 전신마취가 필요하며, 수술 여부를 결정할 때에는 청력 상태와 발달 장애의 위험도를 고려해야 한다. 삼출성중이염이 3개월 이상 지속되어 청각검사를 시행한 경우 청력 수준에 따라 3가지 치료방침이 정해져 있다. ① 40dB 이상의 중등도 이상 난청이 있고 지속되는 경우에는 환기관삽입술을 시행한다. ② 21-39dB의 경도 난청의 경우 청력과 언어발달 정도에 따라 환기관삽입술, 추적관찰을 시행할 수 있다. 3-6개월 이후에도 삼출성중이염이 호전되지 않았으면 청력검사를 다시 시행한다. ③ 20dB 이하의 정상 청력인 경우에는 추적 관찰하며 3-6개월 뒤에도 삼출성중이염이 호전되지 않으면 청력검사를 재차 시행해야 한다.

(4) 아데노이드절제술

아데노이드절제술은 적응증에 해당되는 경우에만 최초 중이환기관삽입술과 같이 시행할 수 있으나, 삼출성중이염이 재발하여 2번째 고막절개술이나 중이환기관 삽입술을 시행하는 경우 아데노이드절제술을 동시에 시행하는 것이 좋다. 중이환기관 자연적으로 빠질 경우 약 20-25%의 삼출성중이염이 재발하는데, 아데노이드절제술을 동시에 시행하여 재발로 시행할 수술의 47%를 줄일 수 있다. 미국 진료지침에서는 삼출성중이염으로 첫 번째 수술 시 중이환기관삽입술을 시행하는데, 아데노이드절제술의 필요한 경우에만 추가로 시술할 수 있다. 재발된 삼출성중이염으로 2번째 수술하는 경우 아데노이드절제술과 함께 시행할 수 있는데, 고막절개술, 환기관삽입술 여부는 담당의사 판단에 따라 선택할 수 있다. 삼출성중이염 치료를 위해 편도절제술이나 고막절개술 각각을 단독으로 시행하지는 않는다. 이는 아데노이드절제술과 고막절개술, 환기관삽입술을 같이 시행하면 한 가지만 단독 시행하는 것보다 치료 효과가 더 높았기 때문이다.

아데노이드절제술-고막절개술, 아데노이드절제술-중이환기관삽입술, 중이환기관삽입술으로 나눠 치료 효과를 비교했을 때 아데노이드절제술이 포함된 경우 이환 기간이 더 짧고 장기 추적관찰에서 이환 횟수도 감소하는 근거에 따라 아데노이드절제술과 고막절개술을 첫 번째 수술로 시행되기도 한다.

삼출성중이염 예방에 대한 아데노이드절제술의 근거로는 감염균이 저장되는 아데노이드를 제거하여 반복성 급성중이염을 감소시키는 것으로 이는 아데노이드의 크기와는 상관없다. 과도한 아데노이드비후증은 이관 폐쇄 및 기능 저하를 유발하므로 효과가 있다. 그러나 아데노이드절제술과 함께 구개편도절제술을 추가로 시행하여도 삼출성중이염 재발율이 감소하지 않았다.

7. 한국형 유소아 삼출성중이염 진료지침

한국형 유소아 삼출성중이염에 대한 진료지침이 2010년 최초 진료지침 이후에 2014년 개정되었다. 한국형 진료지침은 미국 진료지침과 큰 차이가 없으나, 우리나라 현실에 맞추어 만들어진 장점이 있으며, 향후 지속적인 개정이 필요할 것이다.

1) 삼출성중이염의 진단

이통과 발열 등의 급성 염증의 증상 및 징후가 없으면서 중이내 삼출액이 있는 경우에 가능한 것으로 되어 있으며, 급성 염증의 증상 및 징후의 유무는 병력청취와 신체검사로 판정하고, 중이삼출액의 존재 유무는 이경, 통기이경, 이내시경 혹은 수술현미경을 이용한 고막검진으로 판정하고 고막운동성계측 검사결과를 보조적으로 사용하며 권고등급A로 정해져 있다.

2) 청각검사 적응증

진단 시 난청의 동반여부 및 난청 정도의 확인하기 위해 시행할 수 있고, 경과관찰 도중 난청이 의심되는 증상 보이거나 언어지연, 학습장애 등 난청과 연관된 소견, 3개월간 추적관찰 이후 다음 단계 치료방침의 결정하기 위해서, 마지막으로 심한 난청 혹은 언어발달 지연이 의심될 경우 언어평가를 시행하는 것이 권고등급 A이다.

3) 적극적 조기치료가 필요한 고위험군

삼출성중이염과 별도로 감각신경성 난청 가지는 경우, 교정 불가능한 시각저하, 다운증후군이나 두개안면기형, 구개열, 자폐증 및 전반적 발달장애, 언어발달장애, 인지기능 저하가 있는 7가지 경우를 고위험군으로 분류하여 조기치료가 필요하다.

4) 경과관찰 적응증과 예외

이환 시점부터 3개월까지 경과관찰하는 것이 권장되는 것은 기타 진료지침과 동일하다. 그러나 고위험군, 진단 시점의 청력 역치가 40dB 이상, 언어발달의 지연이 의심되는 경우, 경과관찰 중 고막의 비가역적인 구조 변화가 발생하거나 예측되는 경우 그리고 급격한 청력저하 또는 어지럼 등 합병증이 예상되는 소견인 경우에는 경과 관찰하지 않고 조기에 수술적 치료를 하여야 한다.

5) 약물요법

동반 질환 없이 삼출성중이염이 단독 진단된 경우, 약물 요법 없이 경과 관찰하는 것이 권고등급 A이나, 보호자가 불안해하는 경우, 수술적 치료가 필요한 상태에서 수술에 대한 거부감을 나타내는 경우 등에서는 단기간 항생제 혹은 항생제-스테로이드 병용요법을 사용할 수 있다고 하여 권고등급C로 일부에서 약물 치료할 수도 있다.

6) 수술 적응증

3개월 경과관찰 후 수술 시행 여부를 결정할 수 있는데, 청력검사에서 양호한 귀의 청력수준이 40dB 이상일 때 시행할 수 있으며, 난청의 정도가 20-40dB 사이일 때는 보호자의 선호도, 이환기간, 아동의 발달과 교육에 미치는 영향을 고려하여 수술 여부를 결정하도록 권고등급A로 권장되고 있다.

7) 수술

첫 수술로서 중이환기관삽입술을 권고되며, 첫 수술 시 아데노이드절제술, 편도절제술은 각 적응증에 해당되는 경우에 중이환기관삽입술과 동시에 시행할 수 있으며, 재발성 삼출성중이염으로 중이환기관삽입술을 재시행해야 하는 경우에는 아데노이드절제술을 함께 시행하는 것이 권고등급B로 정해져 있어 일반적인 진료지침과 유사하다.

■■■■■■ 참고문헌

• Marcy M, Takata G, Chan LS, Shekelle P, Mason W, Wachsman L, et al. Management of acute otitis media. Evid Rep Technol Assess (Summ). 2000;(15):1-4.

• Teele DW, Klein JO, Rosner B. Epidemiology of otitis media during the first seven years of life in children in greater Boston: a prospective, cohort study. J Infect Dis 1989;160:83–94.

• Faden H, Duffy L, Boeve M. Otitis media: back to basics. Pediatr Infect Dis J 1998;17:1105–13.

• Service HIRA, Evaluation results of antibiotics acute otitis media in children 2017 http://www.hira.or.kr/cms/open/04/04/12/2018_12.pdf (accessed July 2018)

• Casselbrant ML, Brostoff LM, Cantekin EI, Flaherty MR, Doyle WJ, Bluestone CD, et al. Otitis media with effusion in preschool children. Laryngoscope. 1985;95(4):428-36

• Shaikh N, Hoberman A, Kaleida PH, Ploof DL, Paradise JL. Videos in clinical medicine. Diagnosing otitis media-otoscopy and cerumen removal. N Engl J Med 2010;362(20):e62

• Gates GA. Cost-effectiveness considerations in otitis media treatment. Otolaryngol Head Neck Surg. 1996;114:525-30.

• Korean Otologic Society. Clinical practice guideline: otitis media. 2014. Available from: URL: http://www.otologicsociety.or.kr/member/file/2014_01.pdf

• American Academy of Pediatrics Subcommittee on Management of Acute Otitis Media. Diagnosis and management of acute otitis media. Pediatrics. 2004;113(5):1451-65.

• Lieberthal AS, Carroll AE, Chonmaitree T, Ganiats TG, Hoberman A, Jackson MA, et al. The diagnosis and management of acute otitis media. Pediatrics. 2013;131(3):e964-99.

• Kitamura K, Iino Y, Kamide Y, Kudo F, Nakayama T, Suzuki K, Taiji H, Takahashi H, Yamanaka N, Uno Y. Clinical practice guidelines for the diagnosis and management of acute otitis media (AOM) in children in Japan - 2013 update. Auris Nasus Larynx. 2015;42(2):99-106.

• Glasscock ME, Shambaugh GE. Surgery of the Ear, 4th ed, Philadelphia: WB Saunders, 1990; pp171-8.

• Bluestone CD, Klein JO. Clinical practice guideline on otitis media with effusion in young children: strengths and weaknesses. Otolaryngol Head Neck Surg. 1995;112:507-11

• Klein JO, Bluestone CD. Management of otitis media in the era of managed care. Adv Pediatr Infect Dis. 1996;12:351-86.

• Combs JT, Combs MK. Acoustic reflectometry: spectral analysis and the conductive hearing loss of otitis media. Pediatr Infect Dis J. 1996;15(8):683-6.

• Barnett ED, Klein JO, Hawkins KA, Cabral HJ, Kenna M, Healy G. Comparison of spectral gradient acoustic reflectometry and other diagnostic techniques for detection of middle ear effusion in children with middle ear disease. Pediatr Infect Dis J. 1998; 17(6):556-9.

• Seth R, Discolo CM, Palczewska GM, Lewandowski JJ, Krakovitz PR. Ultrasound character ization of middle ear effusion. Am J Otolaryngol. 2013;34(1):44-50.

• Bluestone CD. Eustachian tube: structure, function, role in otitis media. Hamilton, Ontario, 2005, BC Decker.

• Bluestone CD, Klein JO. Otitis media in infants and children. 4th ed, Hamilton, Ontario, 2006, BC Decker.

• Jang AS, Jun YJ, Park MK. Effects of air pollutants on upper airway disease. Curr Opin Allergy Clin Immunol. 2016 Feb;16(1): 13-7.

• Park M, Han J, Jang MJ, Suh MW, Lee JH, Oh SH, Park MK. Air pollution influences the incidence of otitis media in children: A national population-based study. PLoS One. 2018;28:13(6).

• Heikkinen T, Chonmaitree T. Importance of respiratory viruses in acute otitis media. Clin Microbiol Rev. 2003;16(2):230-41.

• Dowell SF, Butler JC, Giebink GS. Acute otitis media: management and surveillance in an era of pneumococcal resistance. Drug-Resistant Streptococcus Pneumoniae Therapeutic Working Group. Nurse Pract. 1999;24(10 Suppl):1-9.

• Barnett ED, Klein JO. The problem of resistant bacteria for

the management of acute otitis media. Pediatr Clin North Am. 1995;42(3):509-17.

• Hermans PW1, Sluijter M, Elzenaar K, van Veen A, Schonkeren JJ, Nooren FM, et al. Penicillin-resistant Streptococcus pneumoniae in the Netherlands: results of a 1-year molecular epidemiologic survey. J Infect Dis. 1997;175(6):1413-22.

• Iino Y. Eosinophilic otitis media: a new middle ear disease entity. Curr Allergy Asthma Rep 2008;8(6):525-30.

• Iino Y, Tomioka-Matsutani S, Matsubara A, Nakagawa T, Nonaka M. Diagnostic criteria of eosinophilic otitis media, a newly recognized middle ear disease. Auris Nasus Larynx 2011;38(4):456-61.

• Nagamine H, Iino Y, Kojima C, Miyazawa T, Iida T. Clinical characteristics of so called eosinophilic otitis media. Auris Nasus Larynx. 2002;29:19–28.

• Tanaka Y, Nonaka M, Yamamura Y, Tagaya E, Pawankar R, Yoshihara T. Improvement of eosinophilic otitis media by optimized asthma treatment. Allergy Asthma Immunol Res. 2013;5: 175–8.

• Okude A, Tagaya E, Kondo M, Nonaka M, Tamaoki J. A case of severe asthma with eosinophilic otitis media successfully treated with anti-IgE monoclonal antibody omalizumab. Case Rep Pulmonol. 2012;2012:340525.

• Iino Y, Hara M, Hasegawa M, Matsuzawa S, Shinnabe A, Kanazawa H, et al. Clinical efficacy of anti-IgE therapy for eosinophilic otitis media. Otol Neurotol 2012;33(7):1218-24.

• Pichichero ME, Marsocci SM, Murphy ML, Hoeger W, Francis AB, Green JL. A prospective observational study of 5-, 7-, and 10-day antibiotic treatment for acute otitis media. Otolaryngol Head Neck Surg. 2001;124(4):381-7.

• Hendrickse WA, Kusmiesz H, Shelton S, Nelson JD. Five vs. ten days of therapy for acute otitis media. Pediatr Infect Dis J. 1988;7(1):14-23.

• Mandel EM, Casselbrant ML, Rockette HE, Bluestone CD, Kurs-Lasky M. Efficacy of 20-versus 10-day antimicrobial treatment for acute otitis media. Pediatrics. 1995;96(1 Pt 1):5-13.

• Coleman C, Moore M. Decongestants and antihistamines for acute otitis media in children. Cochrane Database Syst Rev. 2008;16(3):CD001727.

• Park SN, Yeo SW. Effects of antibiotics and steroid on middle ear mucosa in rats with experimental acute otitis media. Acta Otolaryngol. 2001;121(7):808-12.

• McCormick DP, Saeed K, Uchida T, Baldwin CD, Deskin R, Lett-Brown MA, et al. Middle ear fluid histamine and leukotriene B4 in acute otitis media: effect of antihistamine or corticosteroid treatment. Int J Pediatr Otorhinolaryngol. 2003;67(3):221-30.

• Chonmaitree T, Saeed K, Uchida T, Heikkinen T, Baldwin CD, Freeman DH Jr, et al. A randomized, placebo controlled trial of the effect of antihistamine or corticosteroid treatment in acute otitis media. J Pediatr. 2003;143(3):377-85.

• Williams RL, Chalmers TC, Stange KC, Chalmers FT, Bowlin SJ. Use of antibiotics in preventing recurrent acute otitis media and in treating otitis media with effusion. JAMA. 1993;270(11): 1344-51.

• Kaleida PH, Casselbrant ML, Rockette HE, Paradise JL, Bluestone CD, Blatter MM, et al. Amoxicillin or myringotomy or both for acute otitis media: results of a randomized clinical trial. Pediatrics. 1991;87(4):466-74.

• Rosenfeld RM. Comprehensive management of otitis media with effusion. Otolaryngol Clin North Am. 1994;27(3):443-55.

• Rosenfeld RM, Schwartz SR, Pynnonen MA, Tunkel DE, Hussey HM, Fichera JS, et al. Clinical practice guideline: tympanostomy tubes in children. Otolaryngol Head Neck Surg. 2013 Jul;149(1 Suppl):S1-35.

• Casselbrant ML, Kaleida PH, Rockette HE, Paradise JL, Bluestone CD, Kurs-Lasky M, et al. Efficacy of antimicrobial prophylaxis and of tympanostomy tube insertion for prevention of recurrent acute otitis media: results of a randomized clinical trial. Pediatr Infect Dis J. 1992;11(4):278-86.

• Paradise JL, Bluestone CD, Colborn DK, Bernard BS, Smith CG, Rockette HE, et al. Adenoidectomy and adenotonsillectomy for recurrent acute otitis media: parallel randomized clinical trials in children not previously treated with tympanostomy tubes. JAMA. 1999;282(10):945-53.

• Koivunen P, Uhari M, Luotonen J, Kristo A, Raski R, Pokka T, et al. Adenoidectomy versus chemoprophylaxis and placebo for recurrent acute otitis media in children aged under 2 years: randomised controlled trial. BMJ. 2004;328(7438):487.

• Hammarén-Malmi S1, Tarkkanen J, Mattila PS. Analysis of risk factors for childhood persistent middle ear effusion. Acta Otolaryngol. 2005;125(10):1051-4.

• Jansen AG, Hak E, Veenhoven RH, Damoiseaux RA, Schilder AG, Sanders EA. Pneumococcal conjugate vaccines for preventing otitis media. Cochrane Database Syst Rev. 2009, Issue 2. Art. No.: CD001480.

• Influenza vaccines for preventing acute otitis media in infants and children. Cochrane Database Syst Rev. 2017, Issue 10. Art. No.: CD010089.

• 대한소아과학회. 예방접종지침서 제9판, 서울, 대한소아과학회, 2018.

• Sohn S, Hong K, Chul Chun B. Evaluation of the effectiveness of pneumococcal conjugate vaccine for children in Korea with high vaccine coverage using propensity score matched national population cohort. Int J Infect Dis. 2020; 92: 214-217.

• Lee TJ, Chun JK, Kim KH, Kim KJ, Kim DS. Serotype Distribution of Pneumococcus Isolated from the Ear Discharge in Children with Otitis Media in 2001-2006. Korean J Pediatr Infect Dis 2008;15:44-50.

• Tin Tin Htar M, Christopoulou D, Schmitt HJ. Pneumococcal serotype evolution in Western Europe. BMC Infect Dis. 2015;15: 419.

• Weil-Olivier C, van der Linden M, de Schutter I, Dagan R, Mantovani L. Prevention of pneumococcal diseases in the post-seven valent vaccine era: A European perspective. BMC Infect Dis. 2012;12:207.

• Morales M, Ludwig G, Ercibengoa M, Esteva C, Sanchez-Encinales V, Alonso M, Muñoz-Almagro C, Marimón JM. Changes in the serotype distribution of Streptococcus pneumoniae causing otitis media after PCV13 introduction in Spain. PLoS One. 2018;13(12):e0209048.

• Ren Y, Sethi RKV, Stankovic KM. Acute Otitis Media and Associated Complications in United States Emergency Departments. Otol Neurotol. 2018;39(8):1005-1011.

• Liese JG, Silverdal SA, Giaquinto C, Carmona A, Larcombe JH, Garcia-Sicilia J, et al. Incidence and clinical presentation of acute otitis media in children aged ⟨6 years in European medical practices. Epidemiol Infect 2014;142:1778–88.

• Atkinson H, Wallis S, Coatesworth AP. Acute otitis media. Postgrad Med. 2015;127(4):386-90.

• Health and Social Care Information Centre, 1 Trevelyan Square, Boar Lane, Leeds, LS1 6AE, United Kingdom. Hospital Episode Statistics. Available from http://www.hscic.gov.uk/hes.

• Gaio E, Marioni G, de Filippis C, Tregnaghi A, Caltran S, Staffieri A. Facial nerve paralysis secondary to acute otitis media in infants and children. J Paediatr Child Health 2004;40:483–6.

• Berman S, Casselbrant ML, Chonmaitree T, Giebink GS, Grote JJ, Ingvarsson LB, et al. Recent advances in otitis media. 9. Treatment, complications, and sequelae. Ann Otol Rhinol Laryngol Suppl. 2002;188:102-24.

• Shekelle P, Takata G, Chan LS, Mangione-Smith R, Corley PM, Morphew T, et al. Diagnosis, natural history, and late effects of otitis media with effusion. Evid Rep Technol Assess (Summ). 2002;(55):1-5.

• Tos M. Epidemiology and natural history of secretory otitis. Am J Otol. 1984;5:459–462

• Kim CH, Jung HW, Yoo KY. Prevalence of otitis media and allied diseases in Korea. J Korean Med Sci. 1993;8(1):34-40

• Chae SW, Hwang KS, Suh HK, Lim HH, Jung HH, Hwang SJ. The Point Prevalence of Otitis Media with Effusion among Kindergarten and Elementary School Children in Ansan Area. Chae SW, Hwang KS, Suh HK, Lim HH, Jung HH, Hwang SJ. Korean J Otolaryngol-Head Neck Surg. 1999;42(6):700-703.

• Bluestone CD, Klein JO. Otitis media and eustachian tube dysfunction. In: Bluestone CD , Stool SE, Alper CM, et al, eds. Pediatric Otolaryngology, 4th ed. Philadelphia: Saunders, 2003, pp.474-685

• Hermans PW, Sluijter M, Elzenaar K, van Veen A, Schonkeren JJ, Nooren FM, et al. Penicillin-resistant Streptococcus pneumoniae in the Netherlands: results of a 1-year molecular epidemiologic survey. J Infect Dis. 1997;175(6):1413-22.

• Casselbrant ML, Kaleida PH, Rockette HE, Paradise JL, Bluestone CD, Kurs-Lasky M, et a1. Efficacy of antimicrobial prophylaxis and of tymanostomy tube insertion for prevention of recurrent acute otitis media : results of a randomized clinical trial. Pediatrics Infect Dis J. 1992;11:278-286

• Bluestone CD, Stephenson JS, Martin LM. Ten-year review of otitis media pathogens. Pediatrics Infect Dis J. 1992;11(8 Suppl):S7-11.

• Kaleicla PH, Kenna MA, Stephenson JA, et al. Do anaerobic bacteria play a major etiologic role in chilcren with chronic othtis media with effusion? In: Lim DJ, Bluestone CD, Klein JO, et al, eds. Recent Advances in Otitis Media. Toronto: BC Decker, 1988, pp.34

• Pitkäranta A, Virolainen A, Jero J, Arruda E, Hayden FG. Detection of rhinovirus, respiratory syncytial virus, and coronavirus infections in acute otitis media by reverse transcriptase polymerase chain reaction. Pediatrics. 1998;102(2 Pt 1):291-5.

• Heikkinen T, Chonmaitree T. Importance of respiratory viruses in acute otitis media. Clin Microbiol Rev. 2003;16(2):230-41.

• Chonmaitree T, Revai K, Grady JJ, Clos A, Patel JA, Nair S, et al. Viral upper respiratory tract infection and otitis media complication in young children. Clin Infect Dis. 2008;46(6):815-23.

• Post JC, Preston RA, Aul JJ, Larkins-Pettigrew M, Rydquist-White J, Anderson KW, et al. Molecular analysis of bacterial pathogens in otitis media with effusion. JAMA 1995;273: 1598-604.

• Bluestone CD. Diseases and disorders of the Eustachian tube-middle ear. In: Paparella MM, Shumrick DA, Gluckman JL, et al, eds. Otolaryngology, 3rd ed. Philadelphia' WB Saunders, 1991, pp.1289-315

• He Z1, O'Reilly RC, Bolling L, Soundar S, Shah M, Cook S, et al: Detection of gastric pepsin in middle ear fluid of children with otitis media. Otolaryngol Head Neck Surg. 2007;137(1):59-64.

• Crapko M1, Kerschner JE, Syring M, Johnston N. Role of extra-esophageal reflux in chronic otitis media with effusion. Laryngoscope. 2007;117(8):1419-23.

• Tewfik TL, Mazer B. The links between allergy and otitis media with effusion. Curr Opin Otolaryngol Head Neck Surg. 2006;14(3):187-90.

• Bluestone CD, Klein JO. Otitis Media in Infants and Children, 4th ed. Toronto: BC Decker, 2006

• Jaeschke R, Guyatt G, Sackett DL. Users' guides to the medical literature. III. How to use an article about a diagnostic test. A. Are the results of the study valid? Evidence-Based Medicine Working Group. JAMA. 1994;271:389-91.

• Shiffman RN, Shekelle P, Overhage JM, Slutsky J, Grimshaw J, Deshpande AM. Standardized reporting of clinical practice guidelines: a proposal from the Conference on Guideline Standardization. Ann Intern Med. 2003;139:493-8.

• Preston K. Pneumatic otoscopy: a review of the literature. Issues Compr Pediatr Nurs. 1998;21:117-28

• Karma PH, Penttila MA, Sipila MM, Kataja MJ. Otoscopic diagnosis of middle ear effusion in acute and non-acute otitis media. I. The value of different otoscopic findings. Int J Pediatr Otorhinolaryngol. 1989;17:37-49.

• Ovesen T, Paaske PB, Elbrond 0. Accuracy of an automatic impedance apparatus in a population with secretory otitis media: principles in the evaluation of tympanometrical findings. AmJ Otolaryngol. 1993;14:100-4.

• Nozza RJ, Bluestone CD, Kardatzke D: Sensitivity, specificity, and predictive value of immittance measures in the identification of middle ear effusion. In Bess FH, Hall JW, editors: Screening children for auditory function, Nashville, 1992, Bill Wilkerson Center Press, pp.315.

• Zielhuis GA, Rach GH, van den Broek P. Screening for otitis media with effusion in preschool children. Lancet. 1989;1:311-4.

• Elden LM. Diagnosis and management of acute otitis media and otitis media with effusion. In: Wetmore RF, Muntz HR, McGill TJ, editors. Pediatric otolaryngology principles and practice pathways. 2nd ed. New York: Thieme Medical Publishers; 2012. pp.244.

• Olson AL, Klein SW, Charney E, MacWhinney JB Jr, McInerny TK, Miller RL, et al. Prevention and therapy of serous otitis media by oral decongestant: a double-blind study in pediatric practice. Pediatrics. 1978;61(5):679-84.

• Klein SW, Olson AL, Perrin J, Cunningham D, Hengerer A, Hoekelman RA, et al. Prevention and treatment of serous otitis media with an oral antihistamine. A double-blind study in pediatric practice. Clin Pediatr (Phila). 1980;19(5):342-7.

• Haugeto OK, Schroder KE, Mair IW. Secretory otitis media, oral decongestant and antihistamine. J Otolaryngol. 1981;10(5):359-62.

• Dusdieker LB, Smith G, Booth BM, Woodhead JC, Milavetz G. The long-term outcome of nonsuppurative otitis media with effusion. Clin Pediatr (Phila). 1985;24(4):181-6.

• Cantekin EI, Mandel EM, Bluestone CD, Rockette HE, Paradise JL, Stool SE, et al. Lack of efficacy of a decongestant-antihistamine combination for otitis media with effusion (secretory otitis media) in children: results of a double-blind, randomized trial. N Engl J Med. 1983;308(6):297-301.

• Mandel EM, Rockette HE, Bluestone CD, Paradise JL, Nozza RJ. Efficacy of amoxicillin with and without decongestant-antihistamine for otitis media with effusion in children. N Engl J Med. 1987;316(8):432-7.

• Mandel EM, Casselbrant ML, Kurs-Lasky M, Bluestone CD. Efficacy of ceftibuten compared with amoxicillin for otitis media with effusion in infants and children. Pediatr Infect Dis J. 1996;15(5):409-14.

• Chan KH, Mandel EM, Rockette HE, Bluestone CD, Bass LW, Blatter MM, et al. A comparative study of amoxicillin-clavulanate and amoxicillin: treatment of otitis media with effusion. Arch Otolaryngol Head Neck Surg. 1988;114(2):142-6.

• Thomsen J, Sederberg-Olsen J, Balle V, Vejlsgaard R, Stangerup SE, Bondesson G. Antibiotic treatment of children with secretory otitis media: a randomized, double-blind, placebo-controlled study. Arch Otolaryngol Head Neck Surg. 1989;115(4):447-51.

• Mandel EM, Casselbrant ML, Rockette HE, Fireman P, Kurs-Lasky M, Bluestone CD. Systemic steroid for chronic otitis media with effusion in children. Pediatrics. 2002;110(6):1071-80.

• Thomas CL, Simpson S, Butler CC, van der Voort JH. Oral or topical nasal steroids for hearing loss associated with otitis media with effusion in children. Cochrane Database Syst Rev. 2006, Issue 3. Art. No.: CD001935.

• Simpson SA, Lewis R, van der Voort J, Butler CC.. Oral or topical nasal steroids for hearing loss associated with otitis media with effusion in children. Cochrane Database Syst Rev. 2011, Issue 5. Art. No.: CD001935.

• Williamson I, Benge S, Barton S, Petrou S, Letley L, Fasey N, et al. A double-blind randomised placebo-controlled trial of topical intranasal corticosteroids in 4-to 11-year-old children with persistent bilateral otitis media with effusion in primary care. Health Technol Assess. 2009;13(37):1-144.

• Rosenfeld RM, Culpepper L, Doyle KJ, Grundfast KM, Hoberman A, Kenna MA, et al., Clinical practice guideline: otitis media with effusion. Otolaryngol Head Neck Surg. 2004;130(5 Suppl):S95-118.

• Elden LM. Diagnosis and management of acute otitis media and otitis media with effusion. Pediatric otolaryngology principles and practice pathways, 2nd ed. Wetmore RF, Muntz HR, McGill TJ. 2012, New York: Thieme Medical Publishers.

• Gates GA, Avery CA, Prihoda TJ, Cooper JC Jr. Effectiveness of adenoidectomy and tympanostomy tubes in the treatment of chronic otitis media with effusion. N Engl J Med. 1987;317(23):1444-51.

• Paradise JL, Bluestone CD, Rogers KD, Taylor FH, Colborn DK, Bachman RZ, et al., Efficacy of adenoidectomy for recurrent otitis media in children previously treated with tympanostomy-tube placement: results of parallel randomized and nonrandomized trials. JAMA. 1990;263(15):2066-73.

• Maw AR. Chronic otitis media with effusion (glue ear) and adenotonsillectomy: prospective randomised controlled study. Br Med J (Clin Res Ed). 1983;287(6405):1586-8.

• Gates GA, Avery CA, Cooper JC Jr, Prihoda TJ. Chronic secretory otitis media: effects of surgical management. Ann Otol Rhinol Laryngol Suppl. 1989;138:2-32.

• Gates GA, Muntz HR, Gaylis B. Adenoidectomy and otitis media. Ann Otol Rhinol Laryngol Suppl. 1992;155:24-32.

• Gates GA. Adenoidectomy for otitis media with effusion. Ann Otol Rhinol Laryngol Suppl. 1994;163:54-8.

• van den Aardweg MT, Schilder AG, Herkert E, Boonacker CW, Rovers MM. Adenoidectomy for otitis media in children. Cochrane Database Syst Rev. 2010, Issue 1. Art. No.: CD007810.

선천성 진주종

Congenital Cholesteatoma

변재용

1. 정의

만성중이염의 한 종류인 진주종성 중이염은, 주머니모양의 중층편평상피세포(stratified squamous sepithelium)로 이루어진 막에 각질(keratin)이 축적되는 병으로 주로 중이강과 유양동에 발생하나 측두골의 어디에나 발생할 수 있다. 또한 주위의 뼈나 연부 조직의 파괴가 진행되며 다양한 임상양상을 보인다. 진주종성 중이염은 발병기전에 따라 선천성 진주종(congenital cholesteatoma)과 후천성 진주종(acquired cholesteatoma)으로 분류할 수 있다. 때로는 진주종 근치수술 후 잔류하거나 재발하는 recidivistic 진주종까지 세 가지 형으로 나누기도 한다. 이 중 선천성 진주종은 주로 소아에서 발생하는 정상고막의 중이강내에 하얀 종물로 발생하는 질환으로 10만 명당 0.12명 정도의 발병률을 보이는 비교적 드문 질환이다. 전체 진주종의 2-5%를 차지하고, 소아의 진주종의 4-24%를 차지하는 것으로 보고되고 있다. 최근에는 귀내시경 등의 진단기법의 발전으로 발생빈도가 점차 증가하는 추세를 보이고 있다. 이 질환은 보통 4-5세경이 가장 흔하고 남아에서 여아보다 약 3배 정도 많이 발병된다. 또한 성인에서 주로 발생하는 후천성 진주종과는 다른 임상소견을 보인다. 선천성 중이 진

주종은 1885년 Luchae의 문헌에 처음 등장한다. 이어서 1992년 선천성 진주종에 대한 개념이 등장하였고 1965년 Derlacki와 Clemis의 제안으로 정상고막 안쪽의 백색 종물로 과거력상 귀의 감염, 고막천공 또는 함몰의 소견이 없고 귀 수술병력이 없는 경우라고 정의되었으나 약 20년 후인 1986년 Levenson 등은 Derlacki의 진단기준 중 소아에 매우 흔한 중이염 병력은 적절치 않다고 주장하여 1) 고막의 내측에 존재하는 백색 종물로, 2) 고막의 이완부(pars flaccida)와 긴장부(pars tensa)는 정상 소견을 보이며 3) 이루나 고막천공의 과거력이 없고 4) 이과적 수술의 과거력이 없고 5) 외이도 폐쇄증, 고막내진주종, 거대진주종은 배제하나 6) 삼출성중이염의 병력은 무관하다는 선천성 진주종의 새로운 진단기준을 제시하였고 이후 널리 사용되어지고 있다. 하지만 병변 초기의 유소아에서는 위 진단기준에 부합한 진단을 쉽게 할 수 있지만, 조기 치료가 이루어지지 않고, 병변이 진행된 경우 후천성 진주종과 감별이 어려울 수 있다. 예를 들어, 진주종낭이 고막 바깥으로 터져서 고막천공이 일어나는 경우 기존의 정의에 의한 진단이 어려울 수 있는데 이 경우는 주로 고막의 천공이 발생되는 위치가 후천성 진주종에서 흔히 발견되는 고막의 이완부나 긴장부의 후상방이 아닌 곳에서 발견되는 경우이다. 이외에

도 진주종 종물에 의해 환기통로가 막혀서 심한 고막유착이 발생되거나 고막의 이완부 함몰이 깊어지는 경우, 또는 유양동으로 확장된 진주종에 의해서 외이도 후벽이 파괴된 진행된 병변의 경우에는 진단이 어려워질 수 있다.

2. 발병기전

일반적으로 후천성 진주종의 발생기전은 일차성 후천성 진주종의 발생을 설명하는 고막의 내함(retraction)에 따른 내함낭(retraction pocket)이 형성되어 진주종이 발생한다는 가설(invagination theory), 이차성 후천성 진주종의 발생을 설명하는 고막의 천공을 통한 외이도 상피의 중이강으로의 이동가설(epithelial invasion, migration theory), 만성염증이 있는 중이 점막의 호흡상피세포의 편평상피 세포로의 이행(metaplasia)하여 발생한다는 가설(squamous metaplasia theory), 편평상피의 기저층 세포의 기저세포층을 벗어난 과증식에 의한다는 가설(basal cell hyperplasia theory) 등이 제시되고 있다.

후천성 진주종의 발병기전과 달리 선천성 진주종의 발생기전은 두 가지 주요가설이 제시되고 있는데 가장 일반적으로 인정받는 가설은 Teed와 Michael이 제시한 중이내 잔존 상피조직에 의한 발생이다. Tee와 Michael은 각각 태아의 중이 조직에서 표피모양의 조직을 발견하여 상피조직의 태아기 잔여조직(embryonic rest)에 의한 표피양 형성(epidermid formation)에 따른 발생을 제시하였다. 또한 1998년 Northrop이 neonatal 측두골에서 상피 잔여조직(epithelial rest)과 함께 존재하는 선천성 진주종을 보고하여 이 가설을 뒷받침하고 있다. 두 번째 가설은 외이도 외배엽(ectodermal) 세포의 고실 협부(tympanic isthmus)를 통한 이동(migration)에 의한 발생이다. 이 경우는 고실륜(tympanic ring)이 태생기 외배엽 세포가 중이강으로 이동하는 것을 방지하는데 이의 결손에 의한 발생으로 설명된다. 각각의 발생 가설은 선천성 진주종의 중이강내에서의 위치와도 연관이 있다. 가장 많이 발견되는 중이강 전상부의 경우 표피양 형성이 주로 위치하는 부위로 표피양 형성

에 의한 선천성 진주종의 발생 가설을 설명할 수 있고, 후방부 선천성 진주종의 경우 전상부에 위치하고 있던 표피양 형성에서 발생된 진주종이 후방으로 진행된 것이라고 설명할 수도 있지만 고실륜 결손에 따른 상피세포의 이동에 의한 것으로 생각할 수 있다. 이외에도 후천성 진주종의 발생기전 중의 하나인 중이내 호흡상피세포의 편평 상피세포로의 이행설 또한 선천성 진주종 발생의 기전으로 제시되어 진다. 또한 드물지만 추체부에서 발생하는 선천성 진주종의 경우 Seessel epipharyngeal pouch에서 유래되는 것으로 생각된다. Bernal-Sprekelsen 등은 자궁 내 또는 주산기 동안 흡인된 태변이나 탈락된 상피세포가 이관을 통하여 중이강내로 들어가 존재하는 것을 선천성 진주종의 기원으로 주장하였다. 이러한 후천성 진주종과 선천성 진주종간의 발생기전이 다르다는 것은 후천성 진주종과 선천성 진주종 간의 cytokine과 다양한 DNA의 발현의 차이로도 그 가능성이 뒷받침되고 있다.

또한 이소골의 형성 과정 중 중이강내 간엽 조직이 충전된 후 흡수되지 못한 외피 잔존물에 의한 표피양 형성과 동반한 이소골의 발달 과정의 정지 또는 이상 발달에 의한 이소골의 기형이 선천성 진주종과 함께 발생할 수 있다.

3. 증상

임상증상은 병변의 위치와 크기에 따라 다양하게 나타난다 초기에는 증상이 없을 수도 있으나 일반적으로는 일측의 전음성 난청이 가장 많고 그 다음 이루의 순으로 나타난다. 진주종 종물의 위치가 중이강의 전상부에 위치하게 되면 증상이 없이 우연히 발견되는 경우가 많으나 선천성 진주종이 중이강의 후상부에 위치하거나 후상부를 침범하게 되면 이소골의 이상을 초래하여 난청을 호소한다. 일반적으로 선천성 진주종은 중이강, 유양동, 외이도, 추체첨부, 고막내 등 측두골내 어느곳 에서나 발생할 수 있으나 고막 소견으로는 고막을 추골병을 기준으로 사분면으로 나누었을 때 약 2/3에서 전상방에서 발생한다고 알려져 있다(그림 15-1). 하지만 후상방에서 약 50% 정도 발견되고(그림 15-

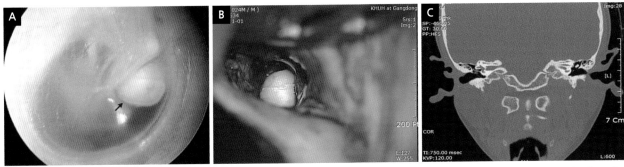

그림 15-1. Ear drum (A), surgical finding (B) computerized tomography (C) of closed type Congenital cholesteatoma in Anterior Superior Quadrant

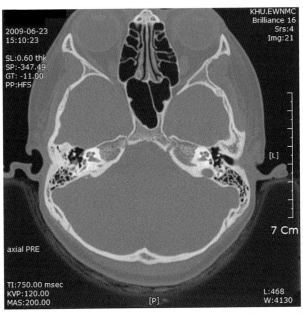

그림 15-2. computerized tomographic finding of Congenital cholesteatoma in posterior quadrant of tympanic cavity

2) 다음으로 두 개 이상의 사분면에서 생기는 다발성 발생 (그림 15-3), 전상방 순으로 발생한다는 보고도 많다. 아시 아권에서는 후상방의 발생이 많고 서구에서는 전상방이 많 았다는 결과도 있다. 이와 같이 발생위치가 보고마다 일정 치 않은 것은 선천성 진주종의 상대적으로 적은 유병률 때 문으로 생각된다. 이통으로 발현되는 경우는 드물어 두통 을 호소할 경우 두개내 합병증을 의심해야 한다. 하지만 두

개내 합병증은 후천성 진주종보다 드문 것으로 알려져 있 다. 세반고리관이나 안면신경관을 침범한 경우 어지럼증 이나 안면신경마비도 발생할 수 있으며 후천성 진주종보다 더 흔하게 발생한다. 드물지만 유양돌기에 발생하는 선천 성 진주종은 정상 고막소견이나 전음성 난청보다는 감각신 경성난청, 두통, 경부통증, 또는 어지럼이나 안면마비를 주 로 호소할 수 있다. 또한 추체부에서 발생하는 선천성 진주 종은 서서히 진행하는 안면신경마비가 가장 흔하고 전정기 능장애, 감각신경성 난청이 발생한다.

1) 분류(Classification)
측두골에서 발생하는 선천성 진주종은 원발하는 부위에 따라 중이강, 고막, 외이도, 유양돌기 또는 추체부 진주종 으로 분류할 수 있고, 진주종의 상태에 따라 개방형(open) 또는 폐쇄형(closed)으로 분류할 수 있다. 대부분의 선천성 진주종은 중이강의 전상방에서 발생하여 시간이 흐르며 후상방 또는 상고실 즉 이소골 쪽으로 진행하고 최종적으 로 유양동까지 침범하게 된다. 따라서 질환의 상태에 따라 치료 방침을 바르게 결정하고 예후를 예측하기 위해 임상 적으로 선천성 진주종의 병기를 분류하고자 하는 노력이 있어 왔다.

선천성 진주종에 대해 여러 병기체계가 제안되어오고 있다. Nelson은 중이강내 국한된 병변으로 추골병을 제외 한 이소골 침범은 없는 경우를 병기 I로, 후고실 또는 후고 실과 상고실에 병변이 있어 이소골을 침범한 경우를 병기

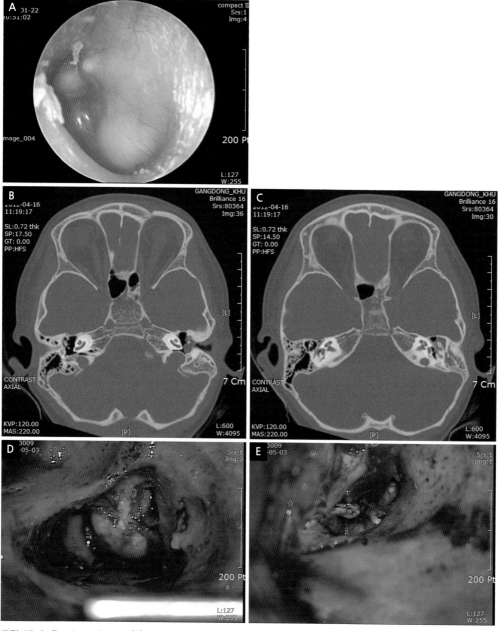

그림 15-3. Ear drum finding (A), computerized tomographic finding (B,C) and surgical finding(D,E) of multiple congenital cholesteatoma extended to mastoid

II로 유양동까지 침범한 경우를 병기 III으로 제시하였고 이 병기에 따르면 병기 I에서 추돌병을 침범하지 않았다면 재 발률이 0%, 병기 II의 경우는 34% 병기 III의 경우 56%의 병 기에 따른 의미 있는 재발률의 차이가 있음을 보고하였다.

또 다른 병기체계인 Potsic 등의 병기는 병기 I은 중이강 내 사분면 중 하나의 부위에만 국한된 경우, 병기 II는 사분 면 중 두곳 이상의 병변이나 이소골 및 유양동 침범은 없는 경우, 병기 III은 이소골 침범은 있으나, 유양동 침범 없는 경우, 병기 IV를 유양동 침범이 있는 경우로 네개의 병기체계로 분류하고 있다. Postic의 분류에 따르면 40%에서 1기였으며 2기가 14%, 3기가 23%, 나머지 23%가 4기로 보고되고 있는데 발견 당시의 연령이 높아질수록 다발성으로 나타난 경우가 많았다 1기로 발견된 경우 평균 연령이 3.9세였고 발견 당시 다발성인 경우는 평균연령이 5.6세 였다. 이러한 병기에 따른 분류는 수술의 결과에도 영향을 미치는데 술 후 잔존진주종이 생길 가능성이 병기 1의 경우 13%였지만 병기4의 경우 67%까지 높아진다는 보고도 있다.

또다른 병기로 Kim은 이소골 침범여부와 관계없이 이소골 성형술이 필요한 경우가 있고 병기에 따라 수술방법이 명확치 않은 점을 고려하여 병기 I을 고실 전방 위치 병변, 병기 II를 이소골 침범과 무관하게 유양동 침범이 없는 고실 후방 병변인 경우로 병기 III은 유양동 침범이 있는 경우 병기 IV는 재발한 경우로 정의하는 새로운 병기체제를 제안하였는데 이는 재발의 경우 원발성 진주종과 유사한 술 전 임상양상과 수술방법이 선택되기 때문이라고 하였다. 그리고 이를 이용하면 병기에 따라 적절한 치료방법의 선택에 도움이 된다고 하였다. 최근 EAONO/JOS에서는 2017년 새로운 병기 체계를 제시하였고 진주종의 심한정도와 결과를 평가하는 데 유용하다고 하였다.

각병기 체제에 대한 정리는 표 15-1과 같다.

표 15-1. Staging systems for congenital cholesteatoma of the middle ear

Author	Stage	Description
Nelson et al	1	lesions are those that are confined to the middle ear but do not involve the ossicles, except for the malleus manubrium.
	2	lesions involve the ossicular mass in the posterior superior quadrant and the attic.
	3	lesions involve the mastoid
Potsic et al	1	Single-quadrant disease without ossicular involvement or mastoid extension
	2	Disease involving multiple quadrants without ossicular involvement or mastoid extension
	3	Ossicular involvement, defined as erosion of ossicles or surgical removal for eradication of disease
	4	Disease with any mastoid extension (regardless of finding elsewhere
Kim (2013)	A	Anterior quadrants
	P	Posterior quadrants with or without ossicular involvement. No mastoid involvement
	M	Mastoid involvement
	R	Recurred cases
EAONO/JOS (2017)	Stage I	Localized cholesteatoma The site of cholesteatoma origin, i.e., the attic for pars flaccida cholesteatoma, the tympanic cavity for pars tensa cholesteatoma, congenital cholesteatoma, and cholesteatoma secondary to a tensa perforation.
	Stage II	Cholesteatoma involving two or more sites
	Stage III	Cholesteatoma with extracranial complications or pathologic conditions Includes: facial palsy, labyrinthine fistula: with conditions at risk of membranous labyrinth, labyrinthitis, postauricular abscess or fistula, zygomatic abscess, neck abscess, canal wall destruction more than half the length of the bony ear canal, destruction of the tegmen: with a defect that requires surgical repair, and adhesive otitis: total adhesion of the pars tensa
	Stage IV	Cholesteatoma with intracranial complications Includes: purulent meningitis, epidural abscess, subdural abscess, brain abscess, sinus thrombosis, and brain herniation into the mastoid cavity

한편, McGill 등은 진주종의 상태에 따라 각질낭종의 폐쇄형(closed type)(그림 15-1)과 각질축적 없이 침윤성 상피로 이루어진 개방형(open type)(그림 15-4)으로 분류하였다. 폐쇄형의 경우 수술적 제거가 용이한 반면 개방형은 진주종 상피가 중이 점막에 유착된 경우가 많아 수술적 제거가 어렵고, 술 후 재발되는 경우가 많다. 한 보고에 따르면 폐쇄형의 경우 재발률은 2.43%였지만 개방형의 경우 20%로 상대적으로 높은 재발률을 보였다. 발생율은 대부분 폐쇄형이 많고 개방형이 적다. 또한 혼합형이 가장 드물다. Soderberg 등은 폐쇄형으로 시작되어 진단이 늦을 경우 개방형으로 나타난다고 주장하였으나 Iino 등은 선천성 진주종은 개방형으로 시작되나, 중이내의 염증이 육아조직을 형성하고, 진주종의 기질을 증가시켜서 결과적으로 낭을 형성하고 폐쇄형으로 변화한다고 주장하였다. 개방형은 대부분 정상 고막 소견을 보이고 단지 전음성 난청으로만 발견되는 경우가 많아 시험적 고실개방술 시 우연하게 발견되는 경우가 많다. 따라서 개방형의 경우 진단이 지연되어 폐쇄형에 비해 뒤늦은 나이에 심하고 진행된 상태에서 발견되는 경우가 많다. 폐쇄형 낭종이 저절로 터져 각질이 이관 쪽으로 배설되고 남아있는 상피세포 조각이 개방형과 혼동을 초래할 수도 있으나 상피와 점막과의 유착이 심한 것이 개방형의 특징이다.

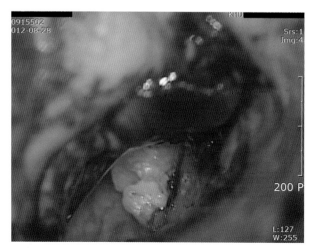

그림 15-4. surgical finding of open type Congenital cholesteatoma

4. 진단 및 평가

선천성 진주종의 조기 진단은 청력의 보존과 광범위한 수술을 피하기 위해 매우 중요하다. 선천성 진주종의 정의에 의하면 하얀 동그란 구모양의 종물이 정상 고막의 안쪽에서 발견된다. 따라서 정상고막의 안쪽에서 조금이라도 의심스러운 소견이 보인다면 선천성 진주종을 염두에 둔 접근이 필요하다.

선천성 진주종의 진단과 병기를 결정하기 위해서 다음과 같은 방법들이 사용될 수 있다

이(耳) 내시경(Endoscopy)은 최근 광학기술의 발달과 소형화로 선천성 진주종의 진단과 치료에 크게 기여하고 있다.

측두골 전산화 단층촬영(temporal bone computed tomogram)은 진주종과 육아종 등의 염증에 의한 질병을 감별하기는 어렵지만 대부분의 선천성 진주종이 함기화가 잘 이루어져 있음을 고려할때 병변의 범위와 이소골 기형등에 대한 정보를 제공할 수 있고 측두골내에 국한된 진주종의 발견, 세반고리관, 안면신경 등의 주요한 구조물의 침범여부를 알 수 있게 해주어 수술계획을 수립하는 데 있어 필수적인 영상검사이다. 측두골 전산화 단층촬영상 저음영의 팽창형의 병변(expansile lesion)이 보이며 조영증강은 되지 않는다.

측두골 자기공명영상(temporal bone magnetic resonance imaging)은 육아조직과 진주종을 구별할 수 있는 검사로 이용할 수 있으며 이때 진주종의 경우 T2영상에서 중등도 이상의 신호세기(intensity)와 T1에서 낮은 신호세기의 종물로 관찰된다. 측두골 자기공명영상 촬영은 특히 뇌막 침범, 뇌농양 등의 두개내 합병증을 배제하는 데 있어 유용한 검사이다.

술전 청력검사는 반드시 진행되어야 하며 이를 통해 수술의 계획을 올바르게 세울 수 있고 술후 청력에 대한 조언과 설명이 가능하다. 일반적으로 선천성 진주종이 전상방에 국한된 경우 청력은 정상소견을 보이고 후상방이나 attic을 침범한 경우 35.9 dB HL, 유양동까지 침범한 경우 평균청력 역치는 47.7 dB HL 정도이다.

5. 치료

선천성 진주종의 치료목적은 진주종의 완전한 제거와 재발의 방지, 잔존청력의 보존 또는 회복, 함께 발생할 가능성이 있는 합병증의 예방이며, 이러한 목적을 이루기 위해 병기에 따른 적절한 치료법을 선택하고 시행하여야 한다.

후천성 진주종과 마찬가지로 선천성 진주종의 치료는 수술적 치료이다. 항생제치료는 단지 동반된 감염이 있을 때만 유용하다. 소아의 선천성 진주종의 수술을 고려할 때 후천성 진주종과는 다르게 이관 기능이 정상이고, 측두골 전산화 단층촬영에서 대부분 정상유양동 함기화를 보이기 때문에 병변 제거만으로 충분한 치료가 가능하다는 점을 기억해야 한다. 따라서 선천성 진주종의 수술에서는 병변을 완전히 제거하고 재발을 예방하되, 최소한의 조작으로 합병증의 위험을 낮추는 것이 중요한 치료 목표라고 할 수 있다.

기존의 주된 수술방법은 고실성형술(tympanoplasty), 폐쇄성 유양돌기 절제술(canal wall up mastoidectomy; closed technique), 개방성 유양돌기 절제술(canal wall down mastoidectomy; open technique)이 있다.

세가지 술식 중 폐쇄성 유양돌기 절제술은 외이도 후벽을 보존하는 술식으로 개방성 유양동 절제술이 갖는 공동의 문제(cavity problem) 즉 잦은 유양동내 가피의 제거, 넓어진 외이도로 인한 보청기 착용의 불편, 물이 닿았을 때 생기는 어지럼이나 염증 등의 문제를 피할 수 있는 장점이 있으나 안면신경와(facial recess)나 고실동(sinus tympani)으로의 접근이 어려운 단점이 있다. 이 단점은 진주종의 잔류나 이로 인한 재발을 야기할 수 있는 치명적 단점일 수 있다. 따라서 폐쇄성 유양돌기 절제술을 결정할 경우 이차관찰 수술(second look operation)을 통한 잔존 또는 재발하는 진주종에 대한 근치를 고려할 수 있다. 또한 계획적인 이차 관찰 수술을 하는 경우 중이 염증이 완전히 소실되어 난원창이나 등골조작이 용이하며 청력의 결과가 더 좋을 수 있다. 이차관찰 수술의 결정에는 수술전 측두골 전산화 단층촬영 소견 또는 일차 폐쇄성 유양동 절제술시 수술 소견이 도움을 줄 수 있는데 상고실(attic)이나 유양동

(antrum)으로의 침범이 없고 이소골의 미란이 없다면 일차 수술만으로 가능한 경우가 많다. 하지만 개방형의 경우는 이차관찰 수술이 필요할 경우가 많다. 폐쇄성 유양동 절제술 시 재발은 주로 상고실이나 중고실에서 발생할 가능성이 높다. 이차관찰 수술을 한다면 잔류진주종의 가능성이 술 후 2년째가 매우 높아지므로 9-18개월 사이에 시행되는 것이 좋다.

개방성 유양돌기 절제술은 외이도 후벽을 제거하여 상고실, 고실동, 안면신경와로의 관찰이나 접근이 용이해 폐쇄성 유양돌기 절제술에 비해 진주종의 잔존을 현격히 감소시킬 수 있다. 하지만 공동의 문제(cavity problem)에 따른 불편감과 청력개선의 결과가 나쁘고 소아들에게서 새로운 골이 형성되는 단점이 있어 Nelson 등은 개방동 유양돌기 절제술은 외이도 후벽의 결손, 진주종이 내이나 추체 첨부를 침범한 경우, 추적 관찰이 힘들 경우 등에서만 제한적으로 시행해야 한다고 주장하였다.

이 세 가지 술식 중에서 진주종의 위치, 범위, 청력 등을 고려하여 적절한 술식을 택하게 된다. 일반적으로 potsic I, II 병기에 해당하는 조기 선천성 진주종의 경우 이내 확장 고실개방술(endaural extended tympanotomy)을, 이소골이나 상고실, 유양동 침범이 있는 potsic III, IV 병기의 진주종의 경우 고실-유양동 삭개술(tympanomatoidectomy)이 널리 사용되어 지고 소아의 경우 근치 유양돌기절제술(radical mastoidectomy)은 매우 드물게 선택된다. Darrouzet 등은 약 8.8%에서만 개방성 유양돌기 절제술이 필요하였고 폐쇄성 유양돌기 절제술로도 약 95%에서 성공적인 결과를 얻었다. 하지만 폐쇄성 유양동 삭개술의 경우 Dodson과 Sanna가 약 42-44%의 recidivism rate를 보고하였고 Marco-Algarra 등은 개방성 유양돌기 절제술을 선택하였을 때 13%의 재발율을 보고하는 등 대부분의 경우 개방성 유양돌기 절제술에서 낮은 재발율을 보고하고 있다. 따라서 많은 기관에서 첫 수술로 폐쇄성 유양돌기 절제술을 시행한 후 재발한 경우에 개방성 유양돌기 절제술을 선택하고 있고 국내에서도 대부분 같은 선택을 하는 것으로 보인다.

하지만 재발율은 Tos, Lau 등이 주장한데로 술식뿐 아니

라 원발병소와 병변의 범위에 따라 다르므로 수술방법은 환자의 개별 상태에 따라 결정함이 옳겠다. 대부분의 진주종의 형태가 개방형인 경우, 고실동과 난원창 등 후상방에 위치한 경우, 이소골의 침범이 있는 경우, 유양동을 침범한 경우, 측두골 전산화 단층촬영상 상고실과 유양동의 함기화가 되어있지 않은 경우, 잔류진주종의 확률이 높은 것으로 알려져 있다. 전체적인 수술의 결과는 재발이나 잔류 진주종을 약 5%에서 70%까지 보고되는 등 매우 다양하다. 이 모든 기존의 술식들은 비교적 큰 후이개 절개와 이내 절개를 가해야 하기 때문에 수술 시간과 입원 기간이 길어질 수 있고, 치료 순응도가 낮은 영·유아에서 수술 후 치료가 어려운 단점이 있다.

이를 개선하기 위해 다양한 술식들을 보고하고 있는데, Holt는 이내 절개만으로 상고실-유돌동 개방술(atticoantrotomy)을 시행하여 유돌동(antrum)까지 충분한 시야 확보가 가능한 경외이도 유돌동 개방술(transcanal antrotomy approach, TCA)을 성인 진주종에서 보고하였으며, 국내에서는 Lym 등이 등골 부위 진주종의 완전 제거가 힘든 TCA의 단점을 보완하여 TCA에 CO_2 laser를 이용하는 최소 절개레이저 수술 기법(minimal incision approach with CO_2 laser, MICL)을 소아 선천성 진주종에 적용하기도 하

였다

또한 유양동이나 이소골을 침범하지 않은 경우에 한해서 최소 침습적 경외이도 고막절개술(minimally invasive transcanal myringotomy)을 통해 선천성 진주종 종물을 제거해내는 술식이 소개되었고 이 술식은 고막절개를 최대한 얕게 하여 진주종의 막을 터지지 않게 하고 후상방으로 밀게 되면 완전 제거가 힘들어지므로 전하방으로 밀며 주변 구조물과 분리하여야 한다. 이 술식을 통해 피부절개 등이 없이 최소한의 수술로 고막 천공이나 감염 등의 다른 합병증 없이 좋은 결과를 보고가 있었다.

최근에는 내시경의 발달과 함께 의학의 여러 분야에서 수술에 대한 부담을 줄이고 치유기간을 단축시킬 수 있는 내시경 수술이 각광받고 있고 선천성 진주종에서 좋은 결과들을 보고하고 있다. 내시경 수술의 장점은 현미경과 달리 이개나 외이도의 굴곡 등에 시야가 방해받지 않고 밝고 선명한 넓은 시야를 확보할 수 있어 잘 보이지 않는 중이 내부의 확인이나 병변의 제거가 가능하다는 점이다. 또한 고막륜 전체가 한 시야에 보이므로 고막이식술을 쉽게 행할 수 있으며(그림 15-5) 골 제거 없이도 수술현미경으로는 관찰이 어려운 후고실의 주요 구조물을 잘 관찰할 수 있어서 후고실의 진주종 제거에 용이하다. 또 다른 장점은 최

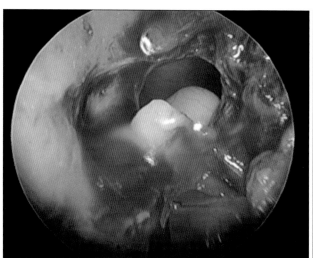
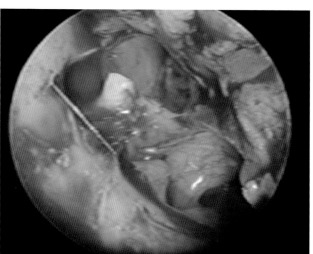

그림 15-5. **Removal of congenital cholesteatoma using endoscope**

소침습적 수술이 가능하여 후이개접근법과 비교하여 피부 및 연조직에 대한 절개 없이 외이도를 통해 수술이 가능하여 염증발생의 가능성이 적으며 흉터가 없다. 또한 수술시간이 단축되어 환자의 호응도가 높고 술 후 재원기간 단축으로 비용 절감 및 치유기간 감소의 효과가 있다 하지만 가장 큰 단점은 한 손은 내시경을 잡아야해서 한 손으로 수술을 진행하여야 한다는 점이다. 하지만 이에 적응을 하게 되면 크게 문제가 되지 않는다. 또 다른 단점은 내시경 수술시 유양동 내에 병변이 있으면 내시경만을 가지고 수술을 시행하기 어렵다는 점이다. 하지만 유양돌기삭개술과 함께 내시경을 이용할 경우 외이도 후벽 보존 확률 및 진주종의 완전 일괄 절제 가능성이 증가한다.

▰▰▰ 참고문헌

• Byun JY, Yune TY, Lee JY, Yeo SG, Park MS. Expression of CYLD and NF-kappaB in human cholesteatoma epithelium Mediators Inflamm. 2010:2010:796315

• Portman M The invagination theory for the pathogenesis of cholesteatoma. In Sade Jed. Cholesteatoma and mastoid surgery. Amsterdam,1982, p265-6

• Tos M: A new pathogenesis of mesotympanic (congenital) cholesteatoma. Laryngoscope 2000, 110:1890-1897.

• Romanet P: Congenital cholesteatoma. Proceedings: 6th International Conference on Cholesteatoma & Ear Surgery. 2001: 315-320

• Potsic WP, Korman SB, Samadi DS, et al.: Congenital cholesteatoma: 20years' experience at the Children's Hospital of Philadelphia. OtolaryngolHead Neck Surg 2002, 126:409-414.

• Karmody CS, Byhatt SV, Blevins N, et al.: The origin of congenital cholesteatoma. Am J Otol 1998, 19:292-297.

• Derlacki EL, Clemis GD: Congenital cholesteatoma of the middle ear and mastoid. Ann Otol Rhino Laryngol 1965, 74:706-727.

• Levenson MJ, Parisier SC, Chute P: et al. A review of twenty congenital cholesteatomas of the middle ear in children. Otolaryngol Head Neck Surg 1986, 15:169-174.

• 김종선 이비인후과학 두경부외과학 p555-570 대한이비인후과학회

• Teed RW: Cholesteatoma verum tympani: its relationship to the first epibranchial placode. Arch Otolaryngol 1936, 24:455-474.

• Michaels L: An epidermoid formation in the developing middle ear: possiblesource of cholesteatoma. J Otolaryngol 1986, 15:169-174

• Aimi K: Role of the tympani ring in the pathogenesis of congenital cholesteatoma. Laryngoscope 1983, 93:1140-1146.

• Gacek RR: Diagnosis and management of primary tumors of the petrous apex. Ann Otol Rhinol Laryngol 1975, 18(suppl): 1-20.

• Bernal-Sprekelsen M, Sudhoff H, Hildmann H: Evidence against neonatal aspiration of keratinizing epithelium as a cause of congenital cholesteatoma. Laryngoscope 2003, 113:449-451

• Akimoto R, Pawankar R, Yagi T, et al.: Acquired and congenital cholesteatoma: determination of tumor necrosis factor-alpha, intracellular adhesion molecule-1, interleukin-1-alpha and lymphocyte functional antigen-1 in the inflammatory process. ORL J Otorhinolaryngol Relat Spec 2000, 62:257-265.

• Kojima H, Miyazaki H, Shiwa M, et al.: Molecular biological diagnosis of congenital and acquired cholesteatoma on the basis of differences in telomere length. Laryngoscope 2001, 111:867-873.

• Lee SK, JY Byun, CI Cha, MS Park: A Case of Congenital Cholesteatoma : Combined with Ossicular Anomaly Korean J Otolaryngol 2007;50:169-73

• Darrouzet V, Duclos J, Portmann D, Bebear J: Congenital middle ear cholesteatomas in children: our experience in 34 cases. Otolaryngol Head Neck Surg 2002, 126:34-40.

• Shohet JA, deJong AL: The management of pediatric cholesteatoma. Otolaryngol Clin North Am 2002, 35:841-851

• Kikuchi M, Yamamoto E, Shinohara S, et al.: Clinical evaluation of congenital cholesteatoma of the middle ear. Nippon Jibiinkoka Gakkai Kaiho 2003,106:797-807.

• Kojima H, Tanaka Y, Shiwa M, etal: Congenital cholesteatoma clinical features and surgical results. Am J Otolaryngol 27 (2006) 299-305

• Hidaka H1, Yamaguchi T, Miyazaki H, Nomura K, Kobayashi T. Congenital cholesteatoma is predominantly found in the posterior-superior quadrant in the Asian population: systematic review and meta-analysis, including our clinical experience. Otol Neurotol. 2013 Jun;34(4):630-8.

• Kim HJ Congenital Cholesteatoma: Diagnosis and Management Korean J Otorhinolaryngol-Head Neck Surg 2013;56:482-9

• Cawthorne T. Congenital cholesteatoma. Arch Otolaryngol 1963;78:248-52.

• Peron DL, Schuknecht HF. Congenital cholesteatomata with other anomalies. Arch Otolaryngol 1975;101(8):498-505.

• McGill TJ, Merchant S, Healy GB, Friedman EM. Congenital cholesteatoma of the middle ear in children: a clinical and histopathological report. Laryngoscope 1991;101(6 Pt 1):606-13.

• Nelson M, Roger G, Koltai PJ, Garabedian EN, Triglia JM, Roman S, et al. Congenital cholesteatoma: classification, management, and outcome. Arch Otolaryngol Head Neck Surg 2002; 128(7):810-4.

• Potsic WP, Samadi DS, Marsh RR, Wetmore RF. A staging system for congenital cholesteatoma. Arch Otolaryngol Head Neck Surg 2002;128(9):1009-12.

• Yung M, Tono T, Olszewska E, et al. EAONO/JOS Joint

consensus statements on the definitions, classification and staging of middle ear cholesteatoma. J Int Adv Otol. 2017;13:1-8.

• H.G. Choi, K.H. Park, S.N. Park, B.C. Jun, D.H. Lee, Y.S. Park, et al., Clinical experience of 71 cases of congenital middle ear cholesteatoma, Acta Otolaryngol. 130 (2010)62-67.

• Soderberg KC, Dornhoffer JL. Congenital cholesteatoma of the middle ear: occurrence of an "open" lesion. Am J Otol. 1998 Jan;19(1):37-41.

• Y. Iino, Y. Imamura, M. Hiraishi, T. Yabe, J.I. Suzuki, Mastoid pneumatisation in children with congenital cholesteatoma: an aspect of the formation of open-type and closed-type cholesteatoma, Laryngoscope 108 (1998) 1071-1076

• Ayache S, Tramier B, Strunski V. Otoendoscopy in cholesteatoma surgery of the middle ear: what benefits can be expected? Otol Neurotol 2008;29(8):1085-90.

• Manolis EN, Filippou DK, Tsoumakas C, Diomidous M, Cunningham MJ, Katostaras T, et al. Radiologic evaluation of the ear anatomy in pediatric cholesteatoma. J Craniofac Surg 2009;20(3):807-10

• De Foer B, Vercruysse JP, Bernaerts A, Maes J, Deckers F, Michiels J, et al. The value of single-shot turbo spin-echo diffusion-weighted MR imaging in the detection of middle ear cholesteatoma. Neuroradiology 2007;49(10):841-8

• Dodson EE, Hashisaki GT, Hobgood TC, et al.: Intact canal wall mastoidectomy with tympanoplasty for cholesteatoma in children. Laryngoscope 1998, 108:977-983.

• Ueda H, Nakashima T, Nakata S: Surgical strategy for cholesteatoma in children. Auris Nasus Larynx 2000, 28:125-129.

• Sivola J, Palva T: One-stage revision surgery for pediatric cholesteatoma: long-term results and comparison with primary surgery. Int J Pediatr Otorhinolaryngol 2000, 56:135-139.

• Victor Vital Pediatric cholesteatoma: personal experience and review of the literature. Otorhinolaryngologia-Head and Neck Surgery Issue 45, July-August-September 2011, 5-14

• Richter GT, Lee KH. Contemporary assessment and management of congenital cholesteatoma. Curr Opin Otolaryngol Head Neck Surg 2009;17(5):339-45.

• Sanna M, Zini C, Gamoletti R, et. al.: The surgical management of childhood cholesteatomas. J Laryngol Otol 1987, 101:1221-1226.

• Marco-Algarra J, Gimenez F, Mallea I, et al.: Cholesteatoma in children: results in open versus closed techniques. J Laryngol Otol 1991, 105:820-824.

• Tos M, Lau T: Late results of surgery in different cholesteatoma types. ORL J Otorhinolaryngol Relat Spec 1995, 1:33-49.

• Holt JJ. Transcanal antrotomy. Laryngoscope 2008;118(11):2036-9.

• Lym DK, Lee CH, Hong JE, Kong WK. Surgical technique of minimal incision approach with CO2 laser for congenital cholesteatoma Korean J Otorhinolaryngol-Head Neck Surg 2012;55(7):422-8.

• Lee SH, Jang JH, Lee D, Lee HR, Lee KY. Surgical outcomes of early congenital cholesteatoma: minimally invasive transcanal approach. Laryngoscope 2014;124(3):755-9

• Yang CJ, Kim SH, Chung JW. Usefulness of Endoscopic Removal of Congenital Cholesteatoma in Children Korean J Otorhinolaryngol-Head Neck Surg 2016;59(3):194-201

Chapter 16

소아난청의 보청기 선택

Hearing Rehabilitation for Hearing Loss in Infants

장지원

1. 서론

1) 영유아난청의 유병률과 난청 조기진단의 중요성

신생아 시기의 난청은 신생아의 선천성 질환 중 발생률이 높은 질환으로 신생아 1,000명당 2-5.9명 정도 발생하는 것으로 알려져 있으며 국내 신생아의 중등도 이상의 난청 유병률은 신생아 1,000명당 4-6명, 고도 이상의 난청 유병률은 1,000명당 1-2명으로 보고된다. 국내 취학 전 아동에 대한 난청 유병률에 대한 조사는 없지만, 국외에서 보고된 바에 의하면 취학 전 아동의 난청은 1,000명당 9-10명으로 알려져 있다. 또한 중이염 등 일시적으로 발생하는 전음성 난청까지 포함하면 전 아동의 14%가 난청을 경험하게 된다고 보고되고 있다. 신생아 및 영유아 난청은 청력저하뿐 아니라 언어발달저하, 학습 및 지능저하 등을 초래하며, 특히 정상 청력으로 인한 언어의 원활한 습득은 유소아의 언어적, 정서적, 사회적, 지적 발달에 매우 중요한 영향을 끼친다. 영유아 난청을 조기에 발견하여 보청기, 인공와우, 언어치료 등의 재활치료를 조기에 시행할 경우 정상적인 언어발달을 도모하며 정상적인 사회 구성원으로 성장하게 되므로, 영유아 난청의 조기 발견은 매우 중요하다.

신생아 난청의 조기진단과 조기 재활치료를 위해 미국영아청각협회와 한국 신생아청각선별검사 지침에서는 생후 1개월 이내에 자동이음향방사검사(automated otoacoustic emissions, AOAE) 또는 자동청성뇌간반응검사(automated auditory brainstem response, AABR)를 이용하여 신생아청각선별검사를 시행하고, 청각선별검사에서 어느 한 귀라도 재검 판정을 받은 경우 생후 3개월 이내 난청여부를 확진하는 검사를 시행하며 최종 난청으로 진단받은 경우 생후 6개월 이내 보청기 등의 청각재활치료를 시행하는 1-3-6 원칙을 권고하고 있다(Early Detection and Hearing Intervention, EDHI). 이는 출생 후 언어와 청각에 대한 청각 피질의 발달이 소리자극에 의존하기 때문이며 난청으로 인하여 청각 피질에 소리가 전달되지 않으면 언어발달이 저하되기 때문이다.

2) 난청의 원인과 진단

난청은 이과 영역에서 가장 흔한 증상으로 원인은 크게 전음성 난청과 감각신경성 난청으로 나눌 수 있다. 특히 영유아의 감각신경성 난청은 진찰시 특별한 이상을 발견하지 못하는 경우가 많고, 또 정확한 청력 역치를 측정하기 어려운 경우가 많이 발생하여 방치되기 쉽다. 그 결과로 소리 자극의 감소나 소실로 언어발달과 사회생활에 심각한 장애

표 16-1. 청각재활에 앞서서 시행하는 이학적 및 청각검사

검사	의의
외이, 외이도, 고막 확인	정상 구조 여부 확인
IA, OAE	삼출성중이염, ANSD 가능성 확인
ABR (2-4 kHz click)	청각역치 확인
ABR (tone burst, Chirp etc), ASSR	주파수 따른 청각역치 확인
Bone ABR	전음성 난청 확인
Behavior audiometry	연령별 청력검사: 생후 6개월 이전
Visual enhanced audiometry	연령별 청력검사: 생후 6-24개월
Play audiometry	연령별 청력검사: 2-5세
Pure tone audiometry, Speech audiometry	연령별 청력검사: 5세 이상

가 생기고, 중추청각경로의 발달과 성숙을 저해하여 진단이 늦어질수록 장애를 교정하기가 더욱 어려워진다.

　유소아 난청의 청각재활치료에 앞서서 무엇보다 중요한 것은 난청의 진단이다. 난청의 여부, 감각신경성 난청 및 전도성 난청, 일측성 및 양측성 난청, 난청의 정도, 난청의 발견시기 등에 따라서 청각재활치료가 달라질 수 있다.

(1) 신생아에서 청력검사

신생아난청의 조기 진단 및 조기치료의 중요성이 강조되면서 2018년 10월부터 전 신생아에 대한 신생아청각선별검사가 건강보험 적용되어 시행되고 있으며, 생후 1개월 이내에 AABR 또는 AOAE를 통해서 선별검사를 시행하고, 청각선별검사에서 어느 한 귀라도 재검 판정을 받은 경우 생후 3개월 이내 난청여부를 확진하는 검사를 시행하게 된다.

　신생아가 난청 확진검사를 위해 외래를 내원하면, 고막소견을 확인하고, 이와 함께 확진검사로 고막운동성검사, 유발이음향방사, 청성뇌간반응 또는 청성지속반응검사 등을 시행하게 한다. 청성뇌간반응 또는 청성지속반응검사 등에서 난청으로 결과가 나온 경우, 감각신경성난청뿐 아니라, 삼출성중이염, 이소골 기형 등의 전음성 난청 가능성도 고려해야 한다. 이 후 2-3개월 이내에 다시 한 번 확진검사를 시행하는데, 이 때에도 고막소견을 확인하고 고막운

동성검사, 청성뇌간반응 등을 시행하지만, 주파수에 따른 감각신경성 난청 정도를 알기 위하여 청성지속반응검사 또는 tone burst, crhip음 등을 사용하여 청성뇌간반응검사 시행하는 것을 고려하고, 전음성 난청을 감별하기 위하여 골전도 청각뇌간반응검사 등을 같이 시행하는 것이 도움이 된다.

(2) 유소아에서 청력검사

유소아에서 신생아선별난청검사를 시행하지 못했거나, 이에서 정상이 나왔더라도 난청이 의심된다고 외래에 내원을 하는 경우가 종종 있다. 9세에서 학교생활에 어려움이 있는 청력저하가 있는 아동을 조사한 연구에서 난청아의 50%가 신생아청각선별검사를 통과한 지연성 난청이 발견되었다. 사실 신생아청각선별검사는 35-40 dB 이상의 난청을 목표로 선별검사를 시행하고 있으나, 학령기는 강당 및 현장 학습 등 소음이 있는 여러 환경에서의 원활한 학교생활을 위해 이보다 좋은 청력수준인 20-25 dB 이내의 청력이 요구된다.

　환아 내원 시 고막소견을 확인하고, 어린 연령에서는 고막운동성검사, 유발이음향방사, AABR 등을 선별검사로 시행할 수도 있지만, 난청이 의심되는 경우에는 신생아와 마찬가지로 청성뇌간반응 또는 청성지속반응검사 등을 시행

할 수 있다. 환아의 연령에 따라 생후 6개월 이전이라면 행동관찰 청력검사, 6-24개월의 유아에서는 시각강화 청력검사, 2-5세의 유아는 유희청력검사 및 5세 이후에는 순음청력검사와 어음청력검사 등을 시행하여 정확한 청력검사를 평가할 수 있다.

무엇보다 영유아, 소아의 경우 정확한 청력 역치 측정을 위해 객관적인 청력검사가 기본이 되어야 하며, 앞서 언급한 청력검사 및 주관적인 반응을 통해 주파수별 역치를 측정해야 한다. 행동관찰 청력검사가 필요한 경우, 청능훈련과 부모, 언어치료사 및 청각사의 협업을 통해 편안한 환경에서 반응을 유도하여 청력검사를 시행한다.

유소아 난청의 경우 중이염, EVAS 등으로 청력이 변화할 수 있고, 고위험군에서 청력이 악화되는 경우도 있고, 전음성 난청의 가능성도 있으므로 이를 고려하여 보호자와 소통을 하고, 청각재활을 하는 것이 중요하다.

2. 소리의 증폭

1) 말, 언어적 접근

소아에서는 양측 또는 적어도 일측의 적절한 청력이 있어야 정상적인 언어발달이 이루어진다. 1 m 거리에서 대화하는 음의 강도는 55-65 dB HL로 알려져 있으며, 거리가 2배씩 멀어질 때마다 음의 강도는 6 dB HL씩 감소한다. 반대로 거리만 반씩 가까워지면 강도는 6 dB HL씩 증가한다. 신생아가 부모의 팔에 안겨있을 때, 부모가 대화 크기의 말로 아이에게 말을 하면 아이는 66-77 dB HL의 크기로 소리를 받아들이게 되며, 중등도 난청 이상의 난청이 없다면, 이 크기의 소리자극은 언어 자극은 청각피질을 자극시키게 된다. 하지만, 아이가 자라면서 부모나 양육자와의 물리적인 거리가 멀어지고 8개월 경에는 방안을 돌아다니고 1년 정도의 나이에서는 문 밖으로 나가게 되는데, 난청이 있는 경우에는 화자와 아이의 거리가 멀어지면, 아이가 받아들이는 음 자극이 크게 감소하게 된다. 어떤 거리나 상황에서도 안정적인 음자극을 얻기 위해 소리의 증폭이 필요하며, 6개월 이전에 청각재활이 이루어져야 언어발달이 효과적

으로 이루어진다.

2) 소리의 증폭

보청기는 마이크로폰(microphone), 증폭기(amplifier), 리시버(receiver) 등으로 이루어진 전자기기로, 마이크로폰에서 소리를 전기신호로 변환시키고, 전기신호는 증폭기와 필터를 거쳐서 다시 합쳐지고, 리시버(송화기)에서 다시 소리로 변화되어 귀로 소리가 전달된다(그림 16-1).

보청기를 이용한 각 주파수의 소리 증폭정도는 fitting 알고리듬, 입력신호의 크기, 그리고 난청아의 각 주파수별 청력역치에 따라 달라진다. 소리증폭의 목표는 청각입력 정보가 최대한 편안하고 부드럽게 잘 들어올 수 있도록 하는 것이다. 소아에서 보청기 처방 시 주의할 것은 난청의 정도와 난청의 주파수 형태, 좋은 귀의 난청 정도, 난청 귀의 구조 그리고 아이의 전반적 발달 상황이다. 보청기를 시작하는 연령에 제한은 없지만, 증폭된 소리가 들어갈 때 이를 아이가 받아들일 수 있어야 하며, 또한 이개와 외이도는 처음 1년간 급속히 성장하므로 BTE type의 보청기와 soft mold를 사용하는 것이 좋다.

귀의 크기가 적절하지 않아 장기간 ear mold를 사용할 수 없거나 전음성 난청인 경우, 골전도 보청기를 사용하여

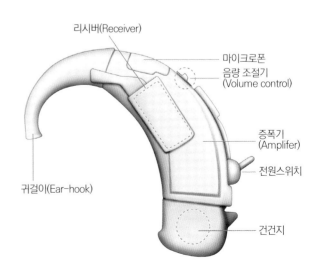

그림 16-1. **보청기의 내부구조**

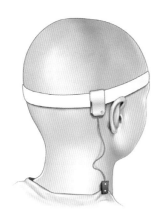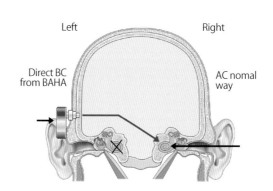

그림 16-2. **밴드형 골도보청기와 BAHA (bone anchored hearing aids)**

소리가 와우로 바로 전달이 될 수 있도록 해준다. 골전도 보청기는 진동기를 통해서 소리를 전달해 주는데, 밴드형 골전도 보청기를 사용하거나, 수술적으로 titanium fixture 를 이개 후방의 뼈에 고정시켜 골융합을 유도한 다음 외부로 노출된 연결장치에 골전도기를 부착하는 방법이 있다 (그림 16-2).

3. 감각신경성 난청의 보청기를 통한 청력재활

감각신경성 난청으로 최종 진단된 경우 생후 6개월 이내에 보청기 착용과 청각재활을 바로 시작해야 한다. 양측성 난청의 경우, 40 dB 이하의 경도 감각신경성 난청이 있거나 청력도에서 고주파 영역의 난청을 가진 아이의 경우 생활에 지장은 심하지 않으나, 일부 환아는 청력이 약한 것을 보상하고자 지나치게 집중하여 빨리 지칠 수 있으므로, 청력이 좋은 귀를 기준으로 경도의 난청이 있더라도 실험적으로 보청기를 착용하는 것이 도움이 된다. 마찬가지로 일측성 난청이 있는 경우에는 아이의 난청의 정도와 보호자와의 상담을 통해 난청이 있는 귀에 보청기를 시행할 수 있다. 처음부터 70 dB 이상의 고도난청이 있어 인공와우수술이 대상인 고심도 난청의 아이들도 수술 전까지 보청기로

적극적으로 재활해야 한다.

보청기를 착용한 이후에도 난청아가 성장하면서 지속적으로 정기적인 청력검사와 언어발달평가를 시행하여, 환아의 청각과 언어발달 상태를 관찰해야 한다. 어린이집이나 학교에서 생활할 때 도움이 될 수 있는 조언과 청각보조기기(FM system)의 사용에 관한 정보를 알려주고, 정상적인 언어발달과 사회화가 이루어질 수 있도록 해야 할 것이다. 대한청각학회에서 2019년 발행된 '난청 아동의 원활한 학교생활을 도와주기 위한 서식지'를 재활 시 난청아의 듣기 수준을 측정하기 위해 사용하고, 아동의 교육 프로그램에 있어 고려할 사항 등을 부모에게 제공하고, 학급 내 자리 배치 등을 요약한 자료를 학교에 제출하도록 하는 것도 도움이 될 것이다.

1) 적절한 보청기의 선택
(1) 보청기 사용 대상
영아와 유소아에서는 중등도 이상의 양측성 난청뿐 아니라, 경도난청, 일측성 난청을 포함한 모든 난청의 환아가 보청기의 고려 대상이 될 수 있다.

(2) 보청기의 형태 및 특징
① 유소아와 소아들은 대부분 귀걸이형 보청기를 가장 많이 사용하는데, 적용 가능한 청력장애의 범위가 넓고 성

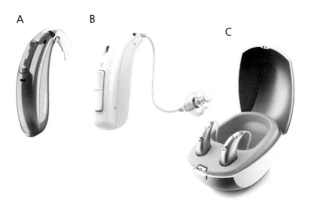

그림 16-3. 소아 보청기 사진
A. 귀걸이형 보청기, B.오픈형 보청기 C. 충전식 보청기

장에 따라 쉽게 조절이 가능하며, 내구성이 뛰어나지만 외형상 잘 보이는 단점이 있다. 귀걸이형 보청기 중 난청의 정도나 외이도 크기에 따라 이개부분에 무게감이 적은 mini-BTE나 RIC를 선택하여 사용할 수 있으며, 외이도가 성장하면 귓속형으로 교체할 수 있다. 채널은 4채널 이상을 선택한다.

② 소아보청기의 경우 색상을 다양하게 조절할 수 있으며, 보청기가 켜져 있는지 보호자가 확인할 수 있는 상태 표시등이 있으며, 높은 방수 방진 등급의 보청기를 선택한다(최대 IP68등급). 또한 안전을 위하여 volume control을 무력화시키거나, battery door가 쉽게 열리지 않게 하는 등 안전에 유의하여야 하고 보호자 교육을 철저히 시행하여야 한다.

(3) 보청기의 fitting, verification, validation

① 청력검사를 통하여 주파수별 청력역치를 얻으면 NAL (national acoustic laboratory) 방식이나, DSL (desired sensation level) 방식을 이용하여 보청기 피팅을 한 후에 실이측정을 하여 목표값에 맞는지 확인하는 과정을 거쳐야 한다. DSL 방식이 실이측정을 하면서 외이도 내 음압을 측정하고 목표치를 조절하기 때문에 유소아에서 주로 사용되고 있다.

② 보청기를 피팅한 후 2cc-copupler에서 출력을 확인한

다. 소아마다 연령에 따라 외이도 용적과 임피던스가 다르므로 실이에서 REAR (real ear aided response) 측정값과 RESR (Real ear saturated response)까지 확인을 해야 한다.

③ 유소아의 경우 보청기 착용 후에도 사운드 필드에서의 적합성 검사와 추적 검사가 더욱 중요하다. 성인처럼 functional gain을 측정하기는 어려우므로, 2세 이상에서는 이음절어를 이용한 SRT를 측정한다. 그 외 소음하 말소리 청력검사, 방향성 검사 등을 시행할 수 있다.

④ 유소아의 수행능력을 확인 소아의 수행능력을 확인하는 것이 중요하여 설문지를 통한 주관적 평가를 할 수 있다. 또한 추적기간에 보청기를 잘 사용하고 있는지 확인하고, 조용한 곳과 소음 환경 모두에서 대화가 가능한지, 환경음에 대한 반응 등을 확인하여 문제점을 파악해야 한다.

⑤ 처음 보청기 착용 후에는 1-2개월 간격으로 검사하고, 이후에는 특별한 문제가 없어도 3-6개월 단위로 정기적인 보청기 평가가 필요하며 아이들의 성장에 따라 몰드 교체가 이루어져야 한다. 보청기 평가에는 청력 확인, 보청기의 fitting verification, validation, 언어평가의 과정을 포함하여 말, 언어발달이 잘 이루어지도록 최상의 듣기 환경 제공을 위한 노력을 해야 한다.

⑥ 또한 부모교육과 소통이 중요한 부분으로 보청기 사용법과 관리, 정기평가의 필요성에 대해 인식하도록 하고 적극적으로 청능, 언어치료(AVT)에 참여하도록 하며, 아이들의 듣기, 언어, 행동 관찰을 보고할 수 있도록 교육한다.

(4) 교실에서 듣기 환경

보청기를 사용하여 소리를 증폭해 듣더라도, 배경소음이 있거나, 소리의 반향(reverberation), 음원에서의 거리가 멀 때 효과가 저하된다. 유소아에게 가장 어려운 듣기 환경은 교실이다. 교실은 큰 공간과 다양한 벽에서 소리가 반사가 되며, 듣고자 하는 음원과 경쟁하는 다양한 내부적 소음(온 냉방기, 컴퓨터, 각종 기기 및 다양한 사람 목소리)과 외부적(교실 밖으로 지나가는 사람, 교통수단 소리 등) 소음이

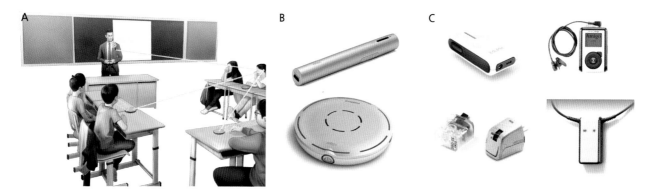

그림 16-4. **FM system을 이용한 사례.** A. 발표자가 있는 회의, B. P사의 송신기와 수신기, C. O사의 송신기과 수신기

있다. 어린 학생들이 있는 교실일수록 그 공간의 신호대잡음비(signal to noise ratio, SNR)는 낮아서 원하고자 하는 소리를 듣기 힘들다는 보고가 있다. 보통 정상 청력의 사람들은 SNR 0 dB 상황(신호와 소음의 크기가 비슷한 상황)에서 대화를 이해할 수 있는데, 난청인의 경우 대화를 이해하기 위해서는 SNR+12~+20 dB의 환경(신호가 잡음보다 12-20 dB 큰 상황)이 요구된다. 미국의 경우 일반적인 교실의 환경은 SNR –6-0 dB로 알려져 있어서 난청아가 수업을 완전히 잘 듣기에는 어려운 환경으로 보고되고 있다. 보청기 자체가 SNR을 향상시키지 않으므로 다양한 방법을 통하여 SNR을 높혀 더 좋음 음질로 환아가 들을 수 있도록 도움을 주는 것이 필요하다. 교실의 벽이나, 바닥, 상 등에서 소리가 반사되지 않도록 처음부터 설계 또는 개조하는 것이 좋다. 하지만, 현실적으로 힘들다면 FM system 사용하는 것이 난청아의 듣기 환경을 호전시킬 수 있다(그림 16-4).

FM system이란 무선통신 기술을 이용하여 멀리 있는 마이크로폰으로 소리가 들어오는 것을 보청기의 리시버로 들을 수 있도록 하는 것으로, 보청기를 사용하는 학생이 있을 때 마이크로폰은 교탁에 두고 신호를 무선으로 보청기로 보내어 들을 수 있도록 하는 기능이다. 이는 주변 잡음이 직은 상태에서 말소리가 마이크로폰으로 전달되기 때문에 더 좋은 음질의 강의를 들을 수 있다. FM system을 사용하는 경우, 설치가 잘 되어 있다면 SNR을 12 dB 정도 상승시킨다고 알려져 있으며, 개인용 FM system을 사용하는 경우

20-25 dB 정도로 SNR을 향상시킨다고 보고된다.

4. 전음성난청의 청력재활

1) 이개 및 외이도 기형
(1) 유병률
이개의 기형은 4-8주 사이에 이개 형성 및 분화가 내적, 외적 요인에 의해 적절히 이루어지지 못할 경우에 생긴다. 이개 기형은 6,000명당 1명 정도의 빈도로 발생하며, 심한 이개 기형은 10,000-20,000명당 1명 정도의 발생 빈도를 보인다. 일측성이 양측성보다 흔하고, 여자보다 남자에게서 조금 더 흔하게 발생한다(남:여=58:42).

외이도 폐쇄증도 대개 외이의 기형과 동반되어 나타나므로, 이개 기형과 비슷한 발생률을 보이고(10,000-20,000명당 1명) 일측성 및 남아(2.5배)에게서 조금 더 흔하게 발생한나.

(2) 청력검사
이개 기형과 동반된 외이도의 부분 혹은 전체 폐쇄는 난청을 동반하기에 청력검사를 반드시 시행해야 한다. 출생 시 EDHI 법칙에 맞추어 3개월 이전에 뇌간유발반응검사를 시행하며, 전도성 난청을 확인하기 위해 골전도 뇌간유발반응검사를 함께 시행하면 도움이 된다. 생후 6개월 이전

에는 행동관찰 청력검사, 6-24개월의 유아에서는 시각강화 청력검사, 2-5세의 유아는 유희청력검사 및 5세 이후에는 순음청력검사와 어음청력검사 등을 시행하여 정확한 청력검사를 평가한다. 대개 이개 및 외이도 기형이 있는 측은 골도-기도차가 확인되며, 45-70 dB 정도의 청력 역치를 보이는 경우가 많다.

(3) 청각재활치료

이개 및 외이도 기형의 치료는 청력의 재활 및 기형의 수술적 치료를 같이 고려하여 계획을 수립하여야 한다. 치료 계획을 수립할 때 제일 먼저 고려해야 할 것이 기형의 양측성 여부이다.

① 양측성

양측성 이개 및 외이도 기형 및 난청이 있을 때는 정상적인 언어발달을 위하여 EDHI 법칙에 맞추어 가급적 조기에 밴드형 골도 보청기를 착용시킨다(그림 16-2).

이러한 경우 환자의 나이가 4-5세가 되어 정확한 청력검사가 가능하고, 수술 후 치료 과정에도 적절한 협조가 가능할 때 청력 개선 수술을 시행하게 된다. 이때 시행하는 청력개선을 위한 수술은 중이 및 내이의 해부학적 구조가 양호할 경우는 외이도 성형술을 시행할 수 있으며, 해당 해부학적 구조의 발달이 양호하지 않거나, 환자 및 보호자가 외이도 재건을 원하지 않을 경우 이식형 보청기 수술을 고려할 수 있다. 청력 개선 수술을 위한 외이도 성형술 또는 이식형 보청기 수술을 시행할 때는 추후의 이개재건술을 고려하여 해부학적 구조물과 평면을 다치지 않도록 유의하여야 한다.

② 일측성

이개 및 외이도 기형이 일측성인 경우는 반대측 청력이 정상인 경우가 많고, 대개는 정상적인 언어발달에 지장이 없으므로 이에 대해 보호자에게 잘 설명하고 추후 기형의 교정 수술 전까지 특별한 청력 보조구 없이 경과를 관찰할 수도 있다. 하지만, 최근에는 양이청의 장점을 일찍부터 살려주기 위해 일측성 기형이 있는 경우 밴드형 골도 보청기를

착용시키기도 하며, 외이도 부분 협착만 있는 경우 기도보청기를 사용할 수도 있다.

9-10세 경 시기에 맞춰서 외이도 및 중이재건 수술을 통해 청력이 호전되는 경우 밴드형 골전도 보청기를 착용하지 않게 되나, 이후에도 호전이 없으면 보호자와 상의하여 보조구 없이 청력경과 관찰을 하거나, 이식형 골전도 보청기 혹은 중이 이식형 보청기 등을 고려할 수 있겠다.

2) 이소골 기형

(1) 유병률

소아의 전음성 난청에서 감별해야 할 질환으로는 선천성 이소골 기형이 있다. 신천성 이소골 기형은 제1새궁, 제2새궁의 불완전의 결과로 발생하며, 대부분의 선천성 이소골 고정은 산발적으로 발생하나 1/4에서 유전성질환과 관련이 있는 것으로 알려져 있다. 등골은 발달 과정상 가장 마지막에 발달하므로 등골과 등골-침골 복합체에서 흔하게 기형이 발생하며, 추골과 침골에서도 기형이 발생할 수 있다. 난청의 정도는 이소골의 연속성과 기형의 심한 정도에 따라서 40-60 dB 정도로 보고된다. 이소골 기형은 전음성 난청의 1% 정도만 차지하는 흔하지 않은 질환이지만, 소아에서 발생하는 전음성 난청 중 삼출성중이염이 큰 부분을 차지하는 것과 최근 신생아에서 13세까지의 측두골을 대상으로 한 연구에서는 약 9%에서 선천성 등골 기형을 발견했다는 결과 등을 감안하면, 이소골 기형으로 난청은 드물지 않을 것으로 예상된다. 즉 소아가 난청을 주소로 내원하여, 이학적 검사상 정상고막 소견을 보인다면, 이소골 기형 등의 전음성난청을 염두에 두어야 하고, 신생아청각선별 검사에서 재검으로 나와, 3개월 이내에 난청이 확진된 경우에도, 전음성 난청 여부를 확인하기 위해 검사를 시행해야 할 것이다.

(2) 청력검사

앞서 언급했듯이 신생아청각선별검사에서 재검으로 결과가 나온 경우 생후 3개월 이내에 난청 여부를 진단하기 위한 청력검사를 시행한다. 정상 고막소견과 정상 고막운동성검사가 나온 경우 청성뇌간반응에서 난청으로 결과가 나

온 경우, 감각신경성난청 이외에 이소골 기형 등의 전음성 난청의 가능성이 있음을 간과하면 안 된다. 이에 생후 3개월 이내에 시행한 청각뇌간반응검사 또는 청성지속반응검사에서 난청이 나온 경우에 보통 2-3개월 이내에 다시 청각뇌간반응 검사 등으로 경과관찰을 하게 되는데, 이때 골전도 청각뇌간반응검사 등을 시행하는 것이 전음성 난청 진단에 도움이 되며, 이로 인해 치료 방향 및 보호자 상담방향이 바뀔 수 있다.

(3) 청각재활치료

정상 외이 구조를 가지고, 이소골 기형으로 인한 전음성 난청이 의심이 되면, 추후에 청력이 수술로 개선이 될 수 있음 보호자에게 설명하고, 6개월 이전에 보청기를 이용한 청각재활을 시작한다. 이때 보청기는 감각신경성난청아처럼 BTE, RIC 형태의 보청기를 사용할 수 있다. 적절한 시기가 되어 수술로 교정이 가능한 나이가 되면, 고실개방술을 통한 이소골재건술, 등골절개술 등을 시행한다. 이 경우에도 수술로 호전이 없거나, 보호자와 상의하여 이식형 골전도 보청기를 고려할 수 있겠다.

3) 삼출성중이염

(1) 유병률

신생아청각선별검사에서 위양성으로 재검이 나온 결과 중, 중이강내 삼출액이 있는 경우가 64.5%로 가장 많은 비율을 차지하였고, 실제로 신생아의 약 반이 삼출성중이염에 이환되는 것으로 추정된다. 또한 삼출성중이염은 유소아난청의 가장 큰 원인으로 알려져 있어서 생후 7개월에서 6세까지, 특히 겨울철에 많이 발생하는 것으로 보고되고 있다.

(2) 진단 및 청력검사

이경검사를 통하여 고막의 형태를 확인하여 진단을 할 수 있다. 하지만, 환자의 연령이 너무 어려 협조가 부족하거나, 신생아의 외이도가 좁고 골성 외이도의 발달이 미숙하여 고막소견이 부정확할 수 있으며, 이에 중이 상태를 정확하게 확인하기 어려운 경우가 있다. 신생아난청검사에서

재검이 나와서 확진검사를 위해 1-3개월 이내에 병원에 내원할 때 기본적으로 고막소견과 함께 고막운동성검사, 유발이음향방사, 청성뇌간반응 또는 청성지속반응검사를 시행하게 된다. 이 때 신생아에서 생후 12개월까지는 통상 사용하는 226 Hz보다는 1,000 Hz 임피던스 검사가 더 정확하다고 알려져 있다.

(3) 청각재활치료

유소아중이염지침에 따라 경과관찰 또는 환기관 삽입술을 시행한다. 이와 달리 영구적인 전음성 난청이 있는 경우 수술로 교정을 하고, 이가 힘든 경우에는 일반적인 보청기 사용을 고려한다.

5. 결론

신생아 및 영유아 난청은 청력저하뿐 아니라 언어발달저하, 학습 및 지능저하 등을 초래하며, 언어의 원활한 습득은 유소아의 언어적, 정서적, 사회적, 지적 발달에 매우 중요한 영향을 끼친다. 그러므로 영유아 난청을 조기에 발견하여 적기에 청각재활치료를 하는 것은 매우 중요하다. 전음성 난청과 감각신경성 난청을 진단을 통하여 감별을 해야 하며, 감각신경성난청을 진단을 내린 경우 청력검사를 통하여 주파수별 청력역치를 확인하여 BTE 또는 RIC 보청기 처방을 하며, 이후에도 정기적인 추적 관찰을 통해 난청아의 말, 언어발달이 잘 이루어지도록 노력을 해야 한다. 또한 부모교육과 교실에서의 듣기 환경 개선을 위한 노력이 기울여야 할 것이다.

■■■■■ 참고문헌

• American Academy of Pediatrics, Joint Committee on Infant Hearing. Year 2007 position statement: principles and guidelines for early hearing detection and intervention programs. Pediatrics 2007;120(4): 898-921.

• The Korean Otologic Society, The Korean Audiological Society. Korean clinical practice guideline: newborn hearing screening 2010. Seoul: ML communication;2010.

• https://www.audiosoc.or.kr/bbs/index.html?code=notice&category=&gubun=&page=1&number=399&mode=view&keyfield=&key=

• 대한이비인후과학회. 이비인후과학 이과. 3rd Ed. 서울; 군자출판사; 2018. Chap 8. 청력검사_일반청력검사.

• 대한이비인후과학회. 이비인후과학 이과. 3rd Ed. 서울; 군자출판사; 2018. Chap.18 소이증 및 선천성 중이기형.

• 대한이비인후과학회. 이비인후과학 이과. 3rd Ed. 서울; 군자출판사; 2018. Chap 40. 보청기_보청기의 종류와 선택..

• 오승하, 박수경. 신생아난청 조기진단사업, 출산정책과 보고서, 2018

• Alaerts J, Luts H, Wouters J. Evaluation of middle ear function in young children: clinical guidelines for the use of 226- and 1000-Hz tympanometry. Otol Neurotol 2007;28(6):727-32.

• Bachor E, Just T, Wright CG, et al. Fixation of the stapes footplate in children: a clinical and temporal bone histopathologic study. Otol Neurotol. 2005;26:866-873.

• Blair JC, Myrup C, Viehweg S. Comparison of the effectiveness of hard of hearing children using three types of amplification. Edu Audiol Monogr. 1991;1(1):4855.

• Boone RT, Bower CM, Martin PF. Failed newborn hearing screens as presentation for otitis media with effusion in the newborn population. Int J Pediatr Otorhinolaryngol 2005;69(3):393- 7.

• Brent B. Microtia repair with rib cartilage grafts: a review of personal experience with 1000 cases. Clin Plast Surg. 2002;29(2):257-71.

• Chang CW, Yang YW, Fu CY et al, Difference between children and adults with otitis media with effusion treated with CO2 laser myriogotomy. J Chin Med Assoc 2012;275:29-35

• Crandell C, Smaldino J. Classroom acoustics for children with normal hearing and with hearing impairment. Lang Speech Hear Serv Sch. 2000;31:362-370.

• de la Cruz A, Linthicum FH J. Luxford WM. Congenital atresia of external auditory canal. Laryngoscope 1985;95, 421-427

• Doyle KJ, Kong YY, Strobel K, Dallaire P, Ray RM. Neonatal middle ear effusion predicts chronic otitis media with effusion. Otol Neurotol 2004;25(3):318-22.

• Esteves SD, Silva AP, Coutinho MB, Abrunhosa JM, Almeida e Sousa C. Congenital defects of the middle earuncommon cause of pediatric hearing loss. Braz J Otorhinolaryngol 2014;80 :251-6.

• FinitzoHieber T, Tillman T. Room acoustics effects on monosyllable word discrimination ability for normal and hearing impaired children. J Speech Lang Hear Res. 1978; 21:440-458.

• Frenzel H, Schonweiler R, Hanke F et al. The Lubeck flow chart for functional and aesthetic rehabilitation of aural atresia and microtia, Otol Neurotol 2012: 33(8): 1363-1367.

• Lee DH, Lee JY, Moon IH, Lee BD, Lee JD, Park MK. Short term follow-up result of unilateral hearing loss referred patient by newborn hearing screening. Korean J Otorhinolaryngol-Head Neck Surg 2013; 56(12):759-63.

• Lee JE, Lee SH, Park JH, Kung HW, Kwon SW, Cho TH. Incidence of Congenital External Ear Anomalies in Taegu City and Kyungpook Province. Korean J Otolaryngol 1999;42:1234-7

• Martines F, Bentivegna D. Audiological investigation of otitis media in children with atopy. Curr Allergy Asthma Resp 2011;11: 513-520

• Mehl AL, Thomson V. Newborn hearing screening: the great omission. Pediatrics 1998; 101(1):E4.

• Olsen WO. Classroom acoustics for hearing impaired children. In: Bess FH (ed.), Hearing impairment in children. Parkton, MD: York Press; 1988.

• Park M, Han KH, Jung H, Kim MH, Chang HK, Kim SH, et al. Usefulness of 1000-Hz probe tone in tympanometry according to age in Korean infants. Int J Pediatr Otorhinolaryngol 2015;79(1): 42-6.

• Park K, Choung YH. Isolated congenital ossicular anomalies. Acta Otolaryngol. 2009;129:419-422.

• Quesnel S, Benchaa T, Bernard S, et al. Congenital middle ear anomalies: anatomical and functional results of surgery. Audiol Neurotol. 2015;20:237-242.

• Raveh E, Hu W, Papsin BC, Forte V. Congenital conductive hearing loss. J Laryngol Otol. 2002;116:92-96.

• Ryu SH, Chang J, Sung TJ, Lee HM, Park JH, Kim MJ, Kim JH, Park SK. Usefullness of 1000 Hz Tympanometry in the Results of Newborn Hearing Screening. Korean J Otorhinolaryngol-Head Neck Surg 2016;59(11):764-9

• Shargorodsky J, Curhan SG, Curhan GC, Eavey R. Change in prevalence of hearing loss in US adolescents. JAMA. 2010 Aug 18; 304(7):772-8.

• Stewart J, Downs M. Congenital conductive hearing loss: the need for early identification and intervention. Pediatrics. 1993; 91:355-359

• Teunissen EB, Cremers CWRJ. Classification of congenital middle ear anomalies report on 144 ears. Ann Otol Rhinol Laryngol. 1993;102:606-612.

• Theunissen EJ. [Screening of hearing in children up to 18 months of age]. Ned Tijdschr Geneeskd 2000;144(13):589-93.

• Weerda H, Katzbach P, Klaiber S et al, Abnomalities, in: Weerda H. editor, Surgery of the auricle, 1st ed. Stuttgart, Germany: Georg Thieme Verlag; 2007. P. 106-233.

소아에서의 와우이식과 청력재활

Pediatric Cochlear Implantation and Hearing Rehabilitation

문일준, 홍성화

1. 서론

소아에서는 1980년 House에 의해 단일 채널을 이용한 인공와우 이식이 처음 시도되었고, 이후 1985년 호주에서 다채널 인공와우 이식이 시행되었다. 성인의 경우 청능 기능을 향상시키고 습득된 인지능력과 구어, 사회성 기술을 통하여 구두 의사소통을 향상시키는 데 목표가 있는 반면, 소아의 경우 인공와우 이식 전까지 청각적 경험이 없기 때문에 인공와우를 통해 들어온 청각적 정보를 이용하여 구두 의사소통을 향상시키는 데 중점을 두었다.

현재 고도난청 이상의 소아에서 인공와우 이식이 말지각과 언어발달에 큰 도움이 된다는 사실은 널리 입증되었고 인공와우 이식은 고도난청 이상의 소아에서 표준적인 치료로 인식되고 있다. 또한 양이 청력의 특성을 최대한 살리고자 양측 인공와우 이식이 급격히 증가하는 추세이다. 현재까지 전세계적으로 시행된 인공와우 이식의 건수는 다양하게 보고되고 있다. 2012년 FDA의 보고에 따르면 전세계적으로 대략 32만 명의 난청 환자에서 인공와우 이식이 시행되었으며, 미국 내 경우 성인에서 5만 8천 건, 소아에서 3만 8천 건의 인공와우 이식이 이루어졌다(Estimates based on manufacturers' voluntary reports of registered devices to the U.S. Food and Drug Administration, December 2012). 우리나라에서는 1998년 Nucleus 22채널 인공와우가 처음으로 시술되었고 2005년부터 우리나라에서도 인공와우 이식에 대한 보험 적용이 이루어져 인공와우 이식을 받는 환자들의 수는 증가하였다. 2011년 국민건강보험에서 발표된 통계에 따르면 2005년부터 2010년까지 총 3,351명의 난청 환자에서 인공와우 이식이 시행되었

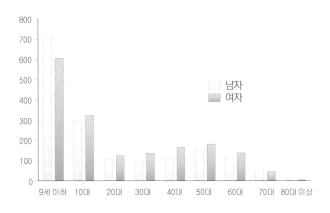

그림 17-1. 연령 및 성별 인공와우 수술 건수(2005-2010년)

주) 2010년은 2010년 10월 지급분까지 반영, 일부 누락되어 있음(의료급여 포함)
출처) 국민건강보험공단 보도자료

고 이 중 40%는 9세 이하 아동에서 시행되었다(그림 17-1). 현재 국내에서는 매년 약 7-800건 정도의 인공와우 이식이 시행되고 있다.

2. 인공와우 이식 대상

1) 인공와우 이식의 적응증

초기에는 인공와우 이식으로 인한 내이의 손상을 우려하여 보청기를 통한 청각재활이 전혀 도움이 되지 않는 소아를 대상으로 시행하였다. 하지만 전극의 디자인과 언어처리 방식, 수용기/자극기의 디자인, 프로그래밍의 기술이 향상 되면서 인공와우 이식의 결과가 향상되었고 이에 따라 임 상적 관점도 변화하였다. 소아의 경우 인공와우 이식의 적 응증은 성인에 비해 훨씬 복잡할 수 있으며, 잔존 청력의 질과 양뿐만 아니라 개개인이 인공와우 수술 시까지 습득 한 언어적 지식과 구음능력 또한 술 후 언어 결과에 영향을 미친다. 따라서 특정 아동에서 인공와우 이식으로 얻을 수 있는 이득을 정확하게 측정하는 것이 중요하다.

1997년에 인공와우 환아들 중 구두 의사소통 환경에서 교육을 받은 경우 말지각 능력이 보청기를 착용하는 70-89 dB HL 범주의 난청 환아들과 비슷한 수준으로 향상하였고, 이후 대규모 연구를 통해 인공와우 환아들의 말지각 능력 이 보청기를 착용하는 중등도 난청 환아들과 비슷했다고 보고하였다. 이러한 결과들을 바탕으로 소아 인공와우 이 식의 적응증에 변화가 생겼고 70-90 dB의 난청을 가진 소 아들에서도 인공와우 이식이 시행되기 시작했다. 인공와 우 기기의 발달과 더불어 최근에는 어느 정도 잔청이 남아 있어도 더 나은 청력을 위해 인공와우 이식을 시행하기도 한다. 또한 인공와우 이식 후 효과에 미치는 인자는 개인마 다 다양하고 이러한 인자들이 양쪽 귀에 동일하게 적용 되 지 않을 수 있기 때문에 양이청의 장점을 얻기 위해 양측 인공와우 이식이 증가하고 있다. 특히 소아에서 양측 인공 와우 이식의 빈도가 높았으며 2010년 제조사에서 발표된 보고에 따르면 양측 인공와우 이식을 시행 받은 환자 중 소 아의 비율은 62%였다.

이러한 내용을 근거로 현재 우리나라에서의 건강보험 세부인정기준은 1세 미만인 경우 90 dB 이상의 양측 심도 난청인 경우와 1세 이상 19세 미만인 경우 70 dB 이상의 양 측 고도난청인 경우 인공와우 이식에 대한 보험 급여 기준 을 설정하였다(표 17-1). Cochlear사와 Med-EL사에서는 각 각 자사의 적응기준(표 17-2,3)을 정하고 있으며, 최근 인공 와우 이식기의 계속적인 개발로 적응기준이 넓어지고 있 다. 또한 신생아 선별청력검사 도입으로 난청 진단의 연령 이 낮아지면서 인공와우 이식을 조기에 시행하게 되었고 12개월 이전에 인공와우 이식을 시행 받는 것이 효과적이 라는 보고가 많다. 특히 선천성 난청인 경우 조기 수술로 재활기간이 단축되고 언어 습득에 많은 장점이 있으므로 가능한 한 조기수술을 시행하는 게 좋다. 이러한 연구결과 들과 국제사회 기준에 발맞추어 국내 보험 급여 기준 또한 뒤처지지 않도록 노력해야겠다.

2) 난청의 원인 및 병리

(1) 선천성 감각신경성 난청

신생아 1,000명 중 1명(0.1%)은 고도이상의 난청으로 태어 나고 성인이 되기 전 소아기에 1,000명당 1명씩 난청이 추 가로 발생한다. 선천성 감각신경성 난청의 원인 중 약 50% 는 유전성이며 20-25%는 환경적 원인에 기인하고 나머지 25-30%는 원인불명으로 생각된다. 유전성 난청은 증후군 의 유무에 따라 증후군성과 비증후군성 난청으로 나뉘고, 약 1/3은 증후군을 동반하고 나머지 2/3는 비증후군성이 다. 전체 유전성 난청 중 75%는 상염색체 열성으로 유전되 고 20%는 상염색체 우성유전, 4%는 성염색체 유전, 1% 미 만에서 미토콘드리아 내 DNA에 의해 유전된다(그림 17-2).

(2) 선천성 내이기형

태아에서 내이의 발생과정에 필요한 유전자가 변이를 일 으키게 되면 특정세포의 형성부전에서부터 내이 골성구조 의 기형까지 여러 가지 선천성 난청을 초래하게 된다. 내이 기형에는 골성미로는 정상이며 막성미로의 발육부전이 있 는 막성미로 이형성이 80%, 골성미로의 발육부전을 보이 는 골성미로 이형성이 20% 정도를 차지한다. 따라서 영상

표 17-1. **대한민국의 와우이식 건강보험 세부인정기준**

적응증	가. 1세 미만인 경우 　양측 심도(90 dB) 이상의 난청환자로서 최소한 3개월 이상 보청기 착용에도 청능 발달의 진정이 없는 경우 나. 1세 이상 19세 미만인 경우 　양측 고도(70 dB) 이상의 난청환자로서 최소한 3개월 이상 보청기 착용 및 집중교육에도 청능 발달의 진전이 없는 경우 　다만, 시술 후 의사소통 수단으로 인공와우를 사용하지 못할 것으로 예상되는 경우는 제외함 다. 19세 이상인 경우 　양측 고도(70 dB) 이상의 난청환자로서 보청기를 착용한 상태에서 단음절어에 대한 어음변별력(speech discrimination)이 50% 이하 또는 문장언어평가가 50% 이하인 경우 　다만, 시술 후 의사소통 수단으로 인공와우를 사용하지 못할 것으로 예상되는 경우는 제외함 라. 상기 가, 나, 다의 난청환자 중 뇌막염의 합병증으로 시급히 시행하지 않으면 수술시기를 놓치게 될 경우에는 예외적으로 시행할 수 있음 마. 아래의 대상자 중 양이청(binaural hearing)이 반드시 필요한 경우 상기 가, 나, 다 각 해당 조건에 만족 시 반대측 또는 양측 인공와우를 요양급여함 　– 아 래 – 1) 요양급여적용일(2005.1.15) 이전 한쪽의 인공와우 이식자 2) 19세 미만의 한쪽 인공와우 이식자 3) 19세 미만의 양측 동시 이식 대상자 *다만, 상기 가), 나)의 경우 순음청력검사 및 단음절어에 대한 어음변별력, 문장언어평가 결과는 인공와우를 착용하지 않은 상태에서 실시한 결과를 적용함
급여개수	가. 인공와우는 1set (내부장치, 외부장치)에 한하여 요양급여의 대상으로 하되, 분실, 수리가 불가능한 파손 등으로 교체 시 외부장치 1개를 추가로 요양급여함 나. 상기 19세 미만에서 양측 인공와우 시술이 필요한 경우는 2set (내부장치, 외부장치)를 요양급여하되, 이후 분실, 수리가 불가능한 파손 등으로 교체 시 외부장치 2개 이내에서 추가 요양급여함 다. 상기 1의 급여대상 및 개수를 초과하여 사용한 치료재료 비용은 「선별급여 지정 및 실시 등에 관한 기준」에 따라 본인부담률을 80%로 적용함
시설, 장비 및 인력 기준	가. 시설·장비 　–청각실: 방음청력검사실, Mapping 장비, 청각유발반응검사 기기를 갖추어야 함 　–언어치료실: Mapping 장비를 갖추어야 함(청각실과 공동사용 가능) 나. 인력 　–시술자: 이비인후과 전문의 2인 이상이 상근하는 요양기관에서 다음 중 각호의 1에 해당하는 이비인후과 전문의가 1인 이상 상근하는 경우 　　1) 전문의 자격증 취득 이후 인공와우이식을 시행하는 상급종합병원에서 2년 이상 이과 전문 경력이 있으면서 그 기간 중 1년 이상 와우이식을 시술하거나 공동시술한 경험이 있는 자 　　2) 전문의 자격증 취득 이후 인공와우이식 실시기준(시설, 장비 및 인력)에 적합하다고 건강보험심사평가원에서 통보받은 기관에서 3년이상 와우이식을 시술 또는 공동시술한 경험이 있는 자 　　3) 교육, 해외연수 등으로 위 각호에 해당하는 자격을 갖추었다고 이비인후과학회에서 인정받은자 　–보조인력: 청각유발반응 검사와 시술 후 mapping을 직접 시행할 수 있는 인력 1인(청각실)과 시술 전·후 언어평가, 시술 후 mapping을 직접 시행할 수 있는 인력 1인(언어치료실) 다. 요양기관은 인공와우이식 실시 이전에 건강보험심사평가원에 상기 가,나에 관한 기준에 적합한 증빙서류를 첨부하여 제출하여야 함

표 17-2. **Cochlear사의 소아 인공와우 이식 FDA 승인 기준**

유아 12–24개월	양측 귀의 심도 이상의 감각신경성 난청 적절한 청각재활에도 듣기능력의 발전이 더딘 경우
소아 25개월–18세 이전	양측 귀의 고도, 심도 이상의 감각신경성 난청 적절한 청각재활에도 듣기능력의 발전이 더딘 경우 보청기를 통한 청각재활의 제약 정의
영유아	3–6개월간의 적절한 청각재활에도 MAIS (Meaningful Auditory Integration Scale) 또는 Early Speech perception test상 청각발달 능력의 발전이 더딘 경우
소아	3–6개월간의 적절한 청각재활에도 MLNT (Multisyllable Lexical Neighborhood Test) 또는 LNT (lexical Neighborhood Test)가 30% 이하인 경우

표 17-3. **Med-EL사의 소아 인공와우 이식 FDA 승인 기준**

소아 12개월-18세 이전	양측 귀의 1 kHz에서 90 dB 이상의 감각신경성 난청 적절한 청각재활에도 듣기능력의 발전이 더딘 경우
보청기를 통한 청각재활의 제약 정의	영유아 3-6개월간의 적절한 청각재활에도 청각발달 능력의 발전이 더딘 경우 단, 영상학적으로 와우 골화가 관찰되는 경우 보청기 착용 기간이 짧아질 수 있음
	소아 3-6개월간의 적절한 청각재활에도 MLNT (Multisyllable Lexical Neighborhood Test) 또는 LNT (lexical Neighborhood Test)가 20% 이하인 경우

그림 15-2. **선천성 난청 환자의 분류**

학적으로 선천성 감각신경성 난청 환자의 약 20%에서 내이기형을 발견할 수 있다. 내이기형은 유전성 원인뿐만 아니라 태아기에 감염, 독성물질이나 약물 등 환경요인 때문에 발달이 저해되는 경우에도 난청과 함께 초래될 수 있다.

가장 흔한 기형은 와우의 계간격막 소실(incomplete partition)과 전정도수관확장증후군이며 나음이 와우형성부전(hypoplastic cochlea)과 와우공동내강(common cavity)이다. 이들 내이기형은 유전성 난청과 연관되어 있는 것들이 많고 Mondini 이형성의 경우 Pendred 증후군, Waardenburg 증후군, Treacher-Collins 증후군 등에서 동반될 수 있으며 거대세포바이러스 감염으로 인한 비유전성 난청에서도 나타난다.

내이기형을 가진 환아에서 인공와우 이식이 가능하나 결과는 정상 환아와 비교해서 좋지 않다고 알려져 있다. 하지만 내이기형 환아에서도 인공와우 수술 시 청력의 호전을 보이며 수술기법의 향상과 특수 전극의 개발로 와우내강의 폐쇄에서도 수술이 가능하다. 내이기형이 있는 경우 와우 내강의 기형, 청각신경세포 수의 감소, 안면신경의 비징상직인 주행, 뇌척수액 분출, 내이도 협착에 의한 청신경 발육부전 등으로 수술에 어려움이 따르고 수술 후 청각수행 능력이 다양하게 나타나므로 술 전 상담이 필요하다. 계간격막 소실(incomplete partition)과 전정도수관확장증후군에서는 수술 후 청각수행 능력이 기형이 없는 환자와 유사하고 와우형성부전과 와우공동내강인 경우에는 불량하다고 보고된다. 전정도수관은 난청 환자의 12%에서 발견되며, 난청 정도는 다양하나 진행성 난청을 보이기 때문에 결국 40%에서는 심도 이상의 난청을 보인다. 전정도수관 증후군에서 인공와우 이식을 시행할 경우 동반기형이 없는 한 청각수행 능력이 정상 환아와 동등하기 때문에 주기적인 청력검사를 통해 적절한 시기에 인공와우 이식을 시행하는 것이 좋다.

난청 환아의 9-12%에서 영상학적으로 내이도가 넓거나 좁은 경우를 발견할 수 있는데 내이도 협착증이 있는 경우 술 후의 청각수행 능력을 예측하기 어려우며 청신경 유무가 인공와우 이식 결과에 중요하다. 내이도의 직경이 정상이지만 청신경이 존재하지 않을 수 있으며 내이도 협착증이 있어도 청신경이 있는 경우 인공와우 이식으로 청각수행 능력을 향상시킬 수 있어 MRI 또는 청각검사를 통해 청신경 유무를 확인하는 것이 중요하다.

(3) 유전성 난청

증후군성 난청은 유전성 난청의 약 30%를 차지하며 염색체 유전방식에 따라 분류할 수 있다. 상대적으로 흔한 원인을 알아두는 것이 인공와우 이식 결과를 예측하는 데 도움이 된다(표 17-4). 이 중 Usher 증후군은 청각과 시각 모두 영향을 미치는 가장 흔한 질환이며, Usher 증후군으로 시력을 잃게 되면 인공와우를 통해 얻게 되는 청각 정보만이 세상과 소통할 수 있는 유일한 정보가 되므로 적절한 시기에 인공와우를 이식하여 세상과 소통하게 해주는 것이 중요하다. 하지만 와우-전정의 해부학적 이상으로 수술적 어려움이 따르고 안면신경 손상과 와우 내 이식 전극의 불완전 삽입 등의 문제를 야기할 수도 있으므로 주의를 요한다.

대부분의 유전성 난청이 비증후군으로 나타나며, 보통 단일 유전자 이상이 원인이며 유전형태가 다양하다. 이러한 비증후군 난청의 75% 이상이 상염색체 열성 유전을 보이며 12-24%가 상염색체 우성, 1-3%가 성염색체, 그리고 일부가 미토콘드리아 방식으로 유전된다. 상염색체 우성 유전은 대개 지연성으로 난청이 발견되어 진행하게 되고, 난청의 진행 정도는 다양하며 중증 혹은 심도 감각신경성 난청을 보이는 경우가 많다. 상염색체 열성 유전의 경우, 선천성 혹은 언어습득기전 난청의 경우가 많고 중고도 혹은 심도 난청을 보인다. 성염색체 유전의 경우 POU3F4 돌연변이가 대표적이며 와우 기형(incomplete partition type III)을 유발할 수 있어 수술 시 뇌척수액 유출에 주의가 필요하다.

CHARGE 증후군은 유전적 원인에 의해 와우의 구조적

표 17-4. 증후군성 난청의 종류

상염색체 우성유전	Waardenburg 증후군	안각이소증(dystropia canthorum), 광비근(nasal root), 홍채이색(heterochromia iridis), 전두백발(white forelock), 눈썹 내측부의 합류
	Branchiootorenal (BOR) 증후군	전이개누공(ear pit), 전이개부속물(ear tag) 경부 누공 등의 새열기형, 신장의 이상
	Treacher-Collins 증후군	소이증, 외이도 폐쇄, 이소골 기형, 안면기형
	신경섬유종증	카페오레 반점, 피부의 신경섬유종 시신경 교종, 총상 신경섬유증, 청신경종양
상염색체 열성유전	Usher 증후군	망막색소변성, 전정기능의 소실
	Jervell, Lange-Nielsen 증후군	심장의 전도이상, 실신발작
	Pendred 증후군	비정상적 요오드 대사, 갑상선종 Mondini 이형성, 전정도수관확장증
성염색체 유전	Alport 증후군	간질성 신염
	Norrie 증후군	시각장애, 소안증(micropthalmia) 가망막종(pseudotumor of retina), 정신장애

이상을 유발하는 매우 드문 증후군으로 청각장애, 시각장애뿐 아니라 다른 다양한 신체적 이상소견이 발견된다. 와우의 해부학적인 이상은 언어처리 프로그래밍 시 어려움을 유발하며 기형이 심한 경우 청력의 역동범위가 작아 프로그래밍이 더 어렵다. 청각수행 능력은 개인에 따라 다양한 결과를 보이지만 보청기만으로 적절한 청각재활이 이루어지지 않는 경우 인공와우 이식을 시행 받는 것이 좋으며, 수술 중 합병증 없이 인공와우를 통해 청각수행 능력의 향상을 보인 경우도 많다. 수술 시 와우 기형 이외에도 중이 및 내이의 해부학적 기형이 동반되므로 주의가 필요하며, 환아들의 80-100%에서 와우, 이소골, 세반고리관의 기형이 관찰되었고 20-40%에서 정원창(round window)의 폐쇄(atresia) 또는 저형성(hypoplastic), 20-80%에서 다양하게 안면신경의 비정상적인 주행을 보였다. 특히, 수술 중 안면신경의 손상 가능성이 높으므로 수술 전 영상의학적 평가를 면밀히 하는 게 좋다.

(4) 감염성 원인에 의한 감각신경성 난청

소아의 감각신경성 난청을 초래하는 흔한 원인은 감염성 질환이다. 산전, 주산기 또는 산후 감염은 신생아의 10% 정도에서 일어나는데 경우에 따라 선천성 또는 후천성 난청의 원인이 될 수 있다. 감각신경성 난청을 동반하는 선천성 또는 신생아 감염의 원인으로 톡소플라즈마증(toxoplasmosis), 풍진(Rubella), 거대세포바이러스(CMV), 단순포진(herpes simplex), 매독(syphilis) 등이 있으며 이들의 앞 글자를 따서 'TORCHES'라고 한다.

CMV 감염은 유소아 감각신경성 난청의 제일 흔한 원인으로 의심되고 있다. 미국에서는 신생아의 0.5-1.5% 정도가 선전성 CMV 감염을 가지고 태어나는데 이 중 10%에서 중추신경계와 세망내피계(reticuloendothelial system)를 침범하여 증상을 나타낸다. 증상이 있는 환아들 중 2/3에서 감각신경성 난청이 동반되며 무증상 환아의 7%에서도 감각신경성 난청이 보고된다. 결과적으로 선천성 CMV 감염의 11-21%에서 난청이 발생하며 대부분 양측성, 대칭성 나타나며 난청의 정도는 다양하다. 난청은 선천성뿐만 아니라 지연성 또는 진행성으로 나타날 수 있으며 특히 비대

칭성 난청을 가진 경우 진행성 난청이 흔하다. 따라서 선천성 CMV 감염이 있다면 신생아 선별검사를 통과하더라도 이후 주기적인 청력검사가 필수적이다.

세균성 뇌막염은 소아에서 나타나는 후천성 감각신경성 난청의 가장 흔한 원인이다. 소아를 대상으로 시행한 연구에 의하면 감염 후 감각신경성 난청의 발생률은 10%에서 영구적 난청이 발생했고 이 중 일측성 난청과 양측성 난청이 각각 5%였다. 와우도수관(cochlear aqueduct)이 일반적인 감염 경로이고, 소아가 어른에 비해 와우도수관이 열려 있는 경우가 많으므로 뇌수막염 후 난청이 소아에서 더 흔하게 발생한다. 난청은 대부분 뇌막염의 경과 중 초기에 나타나며 양측성 난청의 비율이 높다. 세균성 뇌막염에 의해 난청이 발생한 경우 시기 상 청각 경험을 한 후 발생하는 경우가 많기 때문에 선천성 감염에 의한 난청에 비해 인공와우 이식 결과가 좋을 수 있으나 합병증으로 골화 미로염이 발생할 수 있다. 골화 미로염은 뇌막염을 앓은 대상자 중 80%에서 발견되며 대부분 양측성으로 발생하고 인공와우 이식 환자의 10-15%를 차지한다. 뇌막염을 앓은 후 대부분 4주 이내에 골화 진행이 발생하므로 수막염을 앓은 환아가 난청이 진단되면 골화가 진행되기 전 조기에 인공와우 이식을 적극적으로 시행하여 전극이 모두 삽입될 수 있도록 하는 것이 중요하다. 뇌수막염으로 인한 고도 난청의 경우 회복이 거의 되지 않으며 통상 3개월 이상의 보청기 청능훈련 기간 이전에도 수술을 시행할 수 있다. 또한 증례에 따라서는 초기 청각 재활을 위하여 1세 미만에게도 인공와우 이식을 시행한다.

(5) 청신경병증 스펙트럼 질환(auditory neuropathy spectrum disorder, ANSD)

청신경병증 스펙트럼 질환(ANSD)은 유모세포의 기능은 정상이나 중추신경으로 연결되는 청신경의 기능에 이상이 있는 것으로, 이음향 방사가 존재하지만 청성뇌간반응(auditory brainstem response)이 존재하지 않으며 유소아 감각신경성 난청의 약 10%에서 나타난다. 난청 고위험군의 0.2%에서 발생하는 것으로 알려져 있으며 특징적으로 순음청력 역치로 기대되는 정도보다 훨씬 낮은 어음명료도

를 보인다. 대부분 생후 18개월에 청력이 안정되므로 이 연령 이후에 인공와우 이식을 권하며, 수술 후 청각수행 능력에 대해 다양하게 보고된다. 일부 청신경병증 환아에서는 인공와우를 통해 일반적인 환아들과 비슷한 수준의 발달을 보이기도 하므로, 기대치는 낮을 수 있으나, 청신경병증 환아들이 인공와우의 도움을 받을 가능성은 충분히 있다. 인공와우 이식을 고려할 때는 청성뇌간반응의 역치가 실제 청력역치를 반영하지 못하고 일부 환자에서는 청력이 자연 호전될 수도 있으므로 행동반응청력검사를 통해 청력역치를 확인하고, 최소 6개월 이상의 기간 동안 신중한 청력검사와 언어평가를 정기적으로 시행하는 게 좋다.

3. 수술 전 평가

일반적으로 양측 귀에 고도(70 dB 이상) 이상의 영구적 감각신경성 난청이 있고 보청기를 착용한 상태에서 3개월간 청력 재활교육을 받아도 효과가 없는 경우 인공와우 이식 대상자가 된다. 그러나 말초 및 중추 청각신경계의 기능이 어느 정도 남아 있어야 하며, 측두골 영상 검사에서 청각기관 구조의 심한 이상이 없어야 하고, 환자의 전신 상태가 전신마취나 수술에 금기가 될 내과적 문제가 없어야 가능하다. 의학적 평가는 원인, 난청의 정도, 난청의 기간뿐 아니라 인공와우를 관리하는 데 영향을 미치는 다른 의학적 상태를 평가하기 위해 시행한다. 수술 전 검사를 통하여 인공와우 이식의 적응 여부를 결정하고 수술할 귀를 선택한다. 이를 위해 이비인후과 의사뿐만 아니라 청각사, 언어치료사, 사회사업사, 언어병리학자, 교육전문가 등이 함께 참여하여 논의하고 결정된다.

1) 병력조사

병력조사(history taking)에서는 난청의 발생 시점과 원인, 교육 수준과 발달력, 가족력과 환경, 의사소통 수단, 환자와 가족의 수술에 대한 기대, 언어습득에 대한 동기와 기대 등에 대한 자세한 병력 청취가 필요하다. 특히 뇌막염, 중이염, 두부외상 등 다른 질병의 병력이나 수술 여부, 다른

기형이나 발달장애 등에 대한 과거력이 필요하다.

선천성 난청의 경우 인공와우이식을 시행받은 나이가 어릴수록 수술 후 청각 언어 예후가 좋으며 두뇌의 청각 영역 발달에도 긍정적인 영향을 끼친다. 소아의 경우 삼출성 중이염의 빈도가 높으며 인공와우 이식 전 고막상태를 관찰하여 삼출성중이염 유무를 파악하는 것이 좋다. 내과적 치료로 호전이 되지 않는 경우, 인공와우 이식 전 고막환기관 삽입술을 시행하여 중이강 내 삼출액이 없을 시 인공와우 이식을 시행하는 것이 안전하다. 하지만 삼출성중이염이 있는 난청 환아에서 합병증 없이 성공적으로 인공와우 이식을 시행한 연구결과를 고려하면 삼출성중이염으로 인해 인공와우 이식 시기가 지연되지 않는 게 중요하다.

2) 청력검사

청력검사는 인공와우 이식을 결정하기 위한 가장 필수적인 검사다. 검사묶음(test battery)으로 시행하면 검사결과를 서로 비교하여 정확한 청력상태를 확인할 수 있고, 서로 상이한 결과들에 대해서도 해결점을 찾는 데도 도움이 된다. 일반적인 청력검사로는 순음청력검사, 어음청력검사, 임피던스 청력검사, 청성뇌간반응검사, 이음향방사검사, 청성지속반응검사(auditory steady state response) 등을 시행한다.

(1) 주관적 청력검사

유·소아에서는 일반적인 순음청력검사를 시행하기 어려운 경우가 많으므로 연령에 따라 적절한 검사를 시행해야 한다. 1-6개월에는 행동관찰 청력검사(behavioral observation audiometry, BOA), 6-24개월에는 시각강화 청력검사(visual reinforcement audiometry, VRA), 2-5세에서는 유희 청력검사(play audiometry, PA)를 이용하여 주관적 청력역치를 검사한다. 정상적으로 대개 4세가 지나면 꾸준한 반복검사가 가능하므로 검사자와의 친밀감을 유도하면 순음 및 어음청력검사를 할 수 있다. 그러나 습득한 언어는 연령, 생활환경과 밀접한 관계가 있으며, 특히 난청이 있는 경우 습득언어가 극히 제한되어 있기 때문에 어음청력검사 시 문제가 될 수 있으며 심한 청력장애를 가진 경우 검사가

불가능하다. 대개 9세 이전에 완전한 어음청력검사를 시행하기는 쉽지 않다.

(2) 객관적 청력검사

객관적 검사는 연령에 따른 해부학적 및 생리학적 변화에 따른 검사방법 및 검사결과의 차이를 충분히 이해한다면 유·소아에게 적용해도 큰 문제가 없다. 청성뇌간반응검사는 유·소아의 청력평가를 위해 많이 이용되는 검사로 쉽게 시행할 수 있으며, 순음청력검사로 골도청력을 할 수 없는 경우 골도 자극에 대한 청성뇌간반응을 측정한다. 골도청력 측정이 곤란할 때에는 고막운동성 계측과 등골근 반사를 병행하여 전음성 혹은 감각신경성 난청인지 감별에 도움이 된다. 청성뇌간반응검사는 신생아 청력선별검사로 가장 많이 이용되며 선별검사 중 가장 신뢰도가 높고 정확한 검사지만 클릭음을 사용하는 경우 2-4 kHz 주파수 영역을 반영하여 저주파 영역에 잔청이 남아 있는 경우 확인하기 어려우며 신생아에서 음성으로 나올 경우 특이도가 떨어진다. 청성뇌간반응의 역치는 순음청력역치보다 약 10dB 높게 나타나며 청신경병증의 경우 추적관찰 시 역치의 변동이 관찰되기도 하므로 가급적이면 행동관찰 청력검사를 함께 하여 정확한 청력 역치를 확인하고 인공와우 이식을 결정하여야 한다.

그 외 외유모세포 상태를 반영하는 객관적 검사로 신생아 청력선별검사로 많이 이용되는 유발 이음향방사검사가 있다. 검사시간이 짧고, 진정제 투여가 필요 없으며, 검사의 재현성이 좋다는 장점을 가지고 있다. 청성지속반응은 주파수 특이적인 청력역치를 알 수 있고, 70 Hz 이상의 높은 변조주파수(modulation frequency, MF)를 이용할 경우 수면에 영향을 받지 않으며 자동화된 역치 측정방식으로 영·유아의 객관적인 청력검사도구로 각광받고 있다

3) 말-언어평가

적절한 보청기 착용 후 최소한 3개월간 청력재활교육을 집중적으로 실시한 다음 말-언어평가를 통해 소리에 대한 기능적 활용 및 말-언어 발달 정도를 확인한다. 말-언어평가는 수술 후 청각 수행도 향상을 판단하는 기준이 되고, 향후 언어재활치료의 치료 계획을 판단하는 기초자료가 된다. 또한 언어처리기 조율에 따른 일상생활에서의 청각 수

표 17-5. **말-언어평가검사 영역과 검사 종류**

분류	검사 종류
청각 수행능력	• Categories of auditory performance (CAP) • 청각통합능력검사(Meaningful auditory integration scale, MAIS) • 유소아용 청각통합능력검사(IT-MAIS) • MUSS (Meaningful Use of Speech Scale) Ling's 6 sounds test • 보기가 있는 조건에서의 단어/문장인지도검사 • 부기가 없는 조건에서의 단어/문장인지도검사
의사소통 및 언어발달	• 영유아 언어발달검사(Sequenced Language Scale for Infant, SELSI) • 취학 전 아동의 수용언어 및 표현언어 발달 척도(Preschool Receptive Expressive Language Scale, PRES) • 수용-표현 어휘력 검사(Reception & Expressive Vocabulary Test, REVT) • 구문의미이해력검사 • 그림어휘력 검사(Preabody Picture Vocabulary test-Revised, PPVT-R)
말소리 및 명료도 검사	• 우리말조음, 음운검사 • 문장발음검사 • 한국표준어음명료도검사 • Speech intelligibility Rating (SIR)

행도 변화를 반영하며 5세 미만 아동에게는 현재 조율의 적합 여부를 판단하는 자료가 된다. 환자에 따라 결과가 다르게 나타나므로 연령, 난청의 발생 시기, 지적 발달 정도, 성장 환경을 고려하여 검사법을 선택하고 판단하여야 한다. 말-언어평가는 청각 수행능력과 함께 표현능력, 조음능력 및 음성 등이 포함된다(표 17-5).

(1) CAP (categories of auditory performance)

CAP은 난청 아동의 말지각을 포함한 청각적 수행력을 평가하는 검사도구이며, 전문가는 물론 비전문가도 사용할 수 있다. category 0에서 7까지 총 여덟 개의 범주로 구성되어 있으며, 가정과 학교 등 실제 생활 상황에서 아동의 청각적 수행을 관찰하고 각 범주별로 제시된 작업적 정의에 맞추어 부합하는 항목을 선택하면 된다. 인공와우이식 후 장기간에 걸친 청각적 수행력을 평가하기 위해서 개발되었기 때문에 영유아기의 짧은 기간의 청각적 수행력의 진전을 민감하게 평가하는 데에는 한계가 있다.

(2) SIR (speech intelligibility rating)

SIR은 난청 아동의 말소리를 다른 사람이 알아들을 수 있는 정도, 즉 말명료도를 평가하는 검사도구다. 아동의 가정이나 학교에서의 연속적인 발화를 토대로 평가하며 아동의 생활 연령이 어리거나 중복장애가 있더라도 적용할 수 있다. 검사결과에 대한 검사자 간 신뢰도가 높고 비전문가도 이해하기 쉬우나 인공와우 이식 아동의 말 발달을 민감하게 측정하거나, SIR 점수로 청각재활의 목표를 설정하는 데에는 한계가 있다.

(3) 청각-말 수행력 설문검사

인공와우 수술 후 영·유아의 일상생활에서의 청각수행력과 말 산출의 발달을 측정하기 위해서 Meaningful Auditory Integration Scale (MAIS)과 Meaningful Use of Speech Scale (MUSS)이 개발되었다. 이후 MAIS를 0-36개월의 영·유아에게 적용할 수 있도록 MAIS를 수정하여 Infant-Toddler Meaningful Auditory Integration Scale (IT-MAIS)이 발표되었다. 세 가지 도구 모두 보호자 또는 피검자 면담을 통하여 이루어지며 부모가 자유로운 형식으로 보고하게끔 질문을 유도한다. 보호자 면담의 경우 피검자의 언어 능력에 영향을 받지 않는 장점이 있으며 IT-MAIS와 MAIS는 아동의 인공와우 착용 후 청지각적 수행력의 변화를, MUSS는 말-언어 산출 능력의 변화를 측정한다.

(4) 음소수준검사

Ling 6 소리검사는 250-8,000 Hz 범위 내에 속하는 /m/, /u/, /a/, /i/, /ʃ/, /s/로 구성되며, 감지, 변별, 확인 수준에서 시행하여 아동의 음소 탐지 능력을 파악할 수 있다. 무의미 음절 내 자모음 확인검사라 할 수 있는 confusion test는 음소 각각의 조음 방법, 조음 위치, 유성성 같은 말소리 자질에 대한 변별력을 살펴보는 검사로, 보장구 기능 혹은 의사소통 수행 수준을 평가하기 위해서 사용된다.

(5) 음소검사

Glandonald auditory screening procedure (GASP)는 음소 탐지(phoneme detection), 낱말 확인(word identification), 문장 이해(sentence comprehension)와 같은 하위 검사로 이루어져 있다. 아동용 청능 선별검사는 GASP를 근간으로 각 하위 검사 형식에 따라 동일하게 구성하되, 음소 수준에서 '단어 내 음소확인(phoneme identification in word)' 검사를 추가하였다. 음소탐지검사는 open set 조건에서 시행하며 아동은 검사자가 제공하는 음소 자극을 탐지했을 때 '블록을 바구니에 넣기'와 같은 형태로 반응한다.

(6) 단어수준검사

말지각 평가에서 가장 많이 사용되고 있는 검사 중의 하나인 단어수준검사는 일음절(monosyllable) 단어와 이음절(bisyllable) 단어검사를 주로 사용하며, 단어를 듣기에 적절한 강도로 제시하였을 때 정확히 확인하는 능력을 측정하는 검사다. 단어수준검사는 말소리의 기본단위인 음소의 지각능력을 평가하므로 주파수별 음소 및 단어의 특성을 파악하는 데 유용한 정보를 제공한다. 또한 초기 말지각 평가에서 필수적이며, 청력손실을 가진 경우 보청기와 인공와우의 수행능력을 평가함으로써 치료 및 재활에 기본적인 정보를 제공한다.

(7) 문장수준검사

문장수준검사는 문장지각검사와 문장이해검사로 나눌 수 있으며 문장지각검사는 주로 따라 말하기 반응양식을 사용하며 문장이해검사는 문장을 그대로 따라 말하기보다는 문장의 내용과 관련된 질문에 행동이나 말로 답하기, 문장이나 문단을 다시 말하기 또는 요약하여 말하기 등의 반응 양식으로 검사한다. 현재 임상적으로 사용되고 있는 문장지각검사는 대부분 듣기에 적절한 강도의 문장을 듣고 정확하게 확인하는 정도(%)를 측정한다. 우리나라의 경우 인공와우 이식의 보험 급여 적용에 문장듣기검사 결과를 반영하며 19세 이상인 경우 문장언어나 단음절어 검사 결과가 50% 이하 경우 인공와우 이식을 위한 기준으로 제시되고 있다.

4) 영상의학적 검사

인공와우 이식 전 고해상도 측두골단층촬영(HRCT)과 자기공명영상(MRI)으로 이식기가 위치할 두개골과 유양동의 상태를 파악하고, 특히 와우강 내의 전극이 삽입될 공간과 청신경의 존재 여부를 확인한다. HRCT로는 Mondini 이형성증이나 전정도수관확장증후군 같은 난청의 원인이 될 수 있는 내이 구조의 기형의 여부를 확인할 수 있고 내이도 협착증이 관찰되면 청신경의 발생부전을 생각할 수 있다. 또한 안면신경 구조와 유양동의 구조, 고경정맥구(high jugular bulb) 여부, 와우각 하부의 함기봉소(hypotympanic air cells) 존재 여부, 와우의 개방성(cochlear patency)여부를 관찰하면 인공와우 이식의 성공 여부를 예측하는 데 도움이 된다. 뇌수막염 후 동반된 와우강 내 골화가 있는 경우 수술 시 접할 수 있는 어려움을 미리 예측할 수 있는데 뇌수막염으로 인해 농이 된 경우에 HRCT에 의한 와우 골화(cochlear ossification)의 발견율은 71%에 불과하므로 예상치 않은 와우 골화에 대비해야 한다.

　MRI로는 특히 T2 강조 영상에서 와우강 내이 임파액 공간을 확인하므로 와우골화뿐 아니라 HRCT에서 확인할 수 없는 섬유화로 인한 와우강 폐쇄 여부를 확인할 수 있고 내

이도 내에서 주행하는 청신경의 존재 여부를 확인할 수 있다. 인공와우 이식을 시행 받은 환자에서 MRI 촬영을 해야 하는 경우가 문제가 되는데, 인공와우 이식 환자에게 MRI 촬영을 하였을 때 모든 환자가 1.0 또는 1.5 Tesla의 자장에서 별 문제를 보이지 않았다고 하였다. 일반적으로 이전에 시행된 임플란트의 경우 내부 자석이 있는 부위의 머리를 단단히 붕대로 감아 임플란트를 고정 한 뒤 1.5 Tesla 이하의 MRI까지 촬영이 가능하다. 하지만 내부장치의 종류에 따라 이 기준이 다르므로 MRI를 촬영하기 전에는 꼭 정확한 정보를 확인하는 것이 좋다. 최근에는 Cochlear 사와 MED-EL사에서 내부장치의 자석 구조를 변경하여 내부장치를 제거하지 않고도 3.0 Tesla까지 MRI 촬영이 가능한 임플란트를 출시하여 임상에서 활발히 사용되고 있다.

5) 신경전도로의 기능적 확인

청각신경전달경로의 해부학적/기능적 연결이 의심될 때는 와우갑각(promontory)을 전기적으로 자극하여 청성반응을 관찰하는 검사로 신경전도로의 기능을 검사할 수 있다. 성인에서는 경고실 와우각 전기자극검사(transtympanic promontory electric stimulation test)를 시행하지만 10세 미만의 소아에서는 이 방법을 사용하기가 어려워 전신 마취하에 경고실 전기유발 청성뇌간반응 검사(transtympanic electrically evolked ABR)를 시도하기도 한다. 다소 부정확할 수 있으나 영상검사로 해부학적 연결이 확인되지 않으나 반응이 좋으면 신경전도로의 기능이 양호함을 의미하므로 시술할 귀를 선택하는 데 도움을 준다.

6) 정신의학적 검사

정신의학적 검사는 인공와우 이식 대상자의 일반적인 인지능력, 동기, 가족과 환자의 기대에 대하여 중요한 정보를 제공한다. 미네소타 다면적 인성검사(MMPI), 인지기능/발달평가, 유소아에서 사회성숙도검사(social maturity scale) 등을 통해 일반적인 지적 수준을 평가하고 인공와우 이식 후의 재활에 영향을 미치는 다른 문제점들을 파악한다. 최근에는 수술 전 인지기능검사를 통하여 수술 후 청각 언어 예후를 예측하는 인자를 찾기 위한 연구들이 활발히 이루

어지고 있다.

7) 뇌막염 예방접종

2002년 미국식품의약청(FDA)과 질병관리본부(CDC)는 인공와우 이식을 받은 소아들에게 세균성 뇌수막염의 발병률이 높음을 보고하였고 인공와우 이식 대상자에게 수술 전 세균성 뇌수막염의 주요 원인균인 Streptococcus와 Haemophilus influenzae에 대해 예방접종을 시행할 것을 권유하였다. 과거 5세 미만에서 사용하던 7가 단백결합 백신(PCV7)은 2011년부터 국가출하승인이 되지 않으며 생후 2개월부터 59개월 영아 및 소아를 대상으로 10가 단백결합 백신(PCV10) 또는 13가 단백결합 백신(PCV13)을 사용한다(표 17-6). 생후 2, 4, 6개월에 3회 기초접종, 12-15개월에 추가접종을 1회 시행하며 PCV10과 PCV13의 교차접종은 권고하지 않고 있다. 일반적으로 건강한 5세 이상 소아에서는 폐렴구균 백신 접종을 권장하지 않으나 폐렴구균 감염의 위험이 높은 6-18세 소아청소년의 경우 PCV13 1회 접종을 고려할 수 있다. 23가 다당질 백신(PPV23)의 경우 만 2세 이상에서 1회 접종을 시행하며 폐렴구균의 고위험일 경우 마지막 단백결합 백신 접종 후 최소 8주가 경과한 뒤 23가 다당질 백신을 접종한다. 폐렴구균 예방접종은 적어도 인공와우 수술 2주 전에 접종하는 게 좋다.

Heamohpilus influenza type b (Hib) 백신은 각 회사의 제품에 따라 차이가 있으나 대개 1세 이전에 2회의 초회 접종 후 15-18개월 사이에 1회의 추가 접종을 시행한다.

4. 소아 인공와우 수술

인공와우 수술은 전신마취하에 진행하며 마취 시 난청인 소아와 의사소통 하는 데 어려움을 겪을 수 있다. 수술시간은 약 1-2시간 정도 소요되며 기본적으로 중이염 수술 때 시행하는 폐쇄형 유양돌기 절제술 및 후고실 개방술과 유사하다. 하지만 소아의 경우 성인과 달리 유양돌기첨(mastoid tip)이 충분히 발달되어 있지 않고 고실륜(tympanic ring)이 좁으며 피부아래 안면신경의 주요 분지 외측면에 연부조직이 적으므로 수술 시 주의해야 한다.

1) 이식기의 위치 선정 및 피부 절개 도안

귀 뒤 형판(BTE template)을 수술하는 귀 쪽에 위치시켜 안테나 코일과 언어처리기 사이의 공간이 충분하도록 위치를 잡는다. 이식기 형판(implant template)으로 피부에 이식기 위치를 표시하며 형판의 전하방 가장자리가 적어도 이개(pinna)의 가장자리부터 10 mm 뒤쪽에 위치하도록 해야

표 17-6. **소아 폐렴구균 예방접종**

백신종류	첫 번째 접종 시 연령	기초접종	추가접종
PCV10	생후 2-6개월	3회	생후 12-15개월에 1회
	생후 7-11개월	2회	생후 12-15개월에 1회
	생후 12-59개월	2회	–
PCV13	생후 2-6개월	3회	생후 12-15개월에 1회
	생후 7-11개월	2회	생후 12-15개월에 1회
	생후 12-23개월	2회	–
	생후 24-59개월(건강한 소아)	1회	–
	생후 24-71개월(만성질환 및 면역저하상태)	2회	–

출처: 질병관리본부 소아 폐렴구균 예방접종 안내, 2014

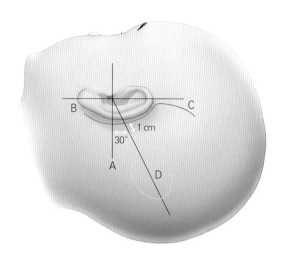

그림 17-3. 피부절개
A 이개안와하수평선(Frankfurt's line; infraorbital/meatal line), B 피부 절개선, C 후이개 절개선 연장, D 수용기/자극기의 이식 위치

하며, 이개안와하수평선(Frankfurt's line)보다 30도 상방에 위치하도록 자리를 잡는다(그림 17-3). 최근에는 어음처리기와 배터리팩, 연결선이 모두 코일 부분에 결합된 일체형 어음처리기가 출시되어 이개와의 거리가 짧아도 착용 가능하다. 절개선은 이식기 탈출 및 감염을 예방하기 위해 이식기로부터 20 mm 정도 떨어져 있는 것이 좋다.

2) 피부절개 및 피부판 형성
유양동을 노출하기 위한 피부절개는 최근 들어 절개방법이 더욱 짧고 미용적으로 우수한 방향으로 변해가고 있는 추세이다. 대부분은 역 J형 피부절개를 통해 후방을 기저부로 둔 피부판을 형성하며 천측두동맥(superficial temporal artery)에 손상이 가지 않도록 해야 피부편의 혈류가 잘 유지된다. 역 J형 피부 절개법은 후이개구(postauricular sulcus)의 하방에서 이개(pinna)가 부착된 상방까지 절개 후 이개안와하수평선(Frankfurt's line; infraorbital/meatal line)의 30도 상방 및 후방으로 80 mm 연장한다(그림 17-3).

피부 절개를 가한 후에 골막과 측두근막의 무혈층(avascular plane)을 따라서 피판 거상을 시행한다. 골막과 측두근을 포함하는 피판은 피부 절개선과 일치하지 않도록 앞

쪽으로 절개하여 거상하며 elevator로 골막 아래 수용기/자극기를 삽입하기 위한 공간을 확보한다. 이식기에 따라 외이도 상부의 측두근 아래로 와우 외 전극(extracochlear ball electrode)이 위치할 수 있는 공간도 확보한다. 피부에서 골막까지 한 번에 거상할 수 있으나 이중 피판을 만들어 각각 봉합하는 것이 추후 창상감염에 안정적이다. 피판 거상 시 예기치 않게 도출정맥(emissary vein)에 출혈이 생길 수 있으므로 주의해야 한다.

3) 폐쇄형 유양돌기 절제술 및 후고실 개방술
중이염 수술에서와 같이 폐쇄형 유양돌기 절제술을 시행하고 정원창(round window)에 대한 시야를 확보할 수 있도록 후고실 개방술은 가능한 한 넓게 시행한다. 유양돌기 절제술 시 전극이 유양동 내에 여유롭게 위치할 수 있도록 후상방쪽으로 충분한 드릴을 시행한다. 유양동의 경계 부위는 삭개(saucerization)를 시키지 않고 bony overhang을 만들어 전극이 유양동 내에 안정적으로 위치할 수 있도록 한다. 유양동 함기화가 불량한 경우 외이도벽의 후상방으로 드릴을 시행하는 것이 안면신경 손상을 최소화할 수 있다. 유양동이 확인되면 상고실(attic)부위는 침골의 단각(short process of incus)이 노출될 정도로만 드릴하고 침골 단각과 기둥(buttress)을 보존하여 안면 신경와(facial recess)를 열 때 기준점으로 사용한다.

소아의 경우 안면신경이 외측으로 주행할 가능성이 있으며 특히 내이 기형이 있는 경우 안면신경의 비정상 주행이 동반될 수 있으므로 주의해야 한다. 안면신경을 노출시키지 않도록 주의하며 유양동 분절을 확인하고 안면신경와를 연다. 이때 드릴의 손잡이가 안면신경의 유양동 분절을 손상시키지 않도록 주의해야 한다. 고사신경(chorda tympani nerve)은 보존하면서 안면신경와를 후하방쪽으로 확장시켜 중이의 후방과 등골건, 갑각(promontory), 정원창와(round widnow niche)를 노출시킬 수 있다. 유양동 분절의 앞쪽 경계를 충분히 드릴 해야 시야를 넓게 확보할 수 있다. 정원창와나 정원창와 전하방의 시야가 확보되지 않을 때는 안면신경의 내측으로 접근하는 법 또는 고삭신경(chorda tympani)을 외측-하방향 면으로 밀면서 후

방 고실륜(annulus) 일부를 드릴하여 시야를 확보한다. 뇌수막염 이후 유착이나 새로운 골 형성으로 인해 정원창이 보이지 않는 경우 난원창(oval window)을 해부학적 지표로 찾을 수 있으며 난원창의 하방 경계로부터 1.5 mm 아래 정원창의 상방경계가 위치한다. 와우각 하부의 함기봉소(hypotympanic air cell)가 있는 경우 정원창으로 착각할 수 있어 수술 전 CT를 통해 해부학적 특성을 숙지하는게 좋다. 고실계는 함기봉소와 달리 전하방으로 회전하므로 전극삽입 시 x-ray를 통해 제대로 삽입되었는지 알 수 있다.

4) 수용기/자극기 이식을 위한 bed 형성 및 고정

수용기/자극기 이식을 위한 bed는 귀걸이형 말소리 처리기와 안경 및 헬멧 착용을 위해 충분한 공간을 확보하고 도출정맥(emissary vein)이 비교적 적은 부위, 즉 외이도 상벽과 후벽을 지나가는 십자형 선의 후상방에 외이도와 최소한 3.5 cm의 거리를 두고 30° 각도가 되는 부위에 마련한다. Bed 깊이는 수술 후 이식기가 도출되지 않도록 0.5 cm 정도면 되고 중앙에 전극이 유양동으로 연결되는 통로를 형성한다. 이식기의 이동을 예방하기 위하여 이식기를 bed에 고정하고 이때 구멍(tie-down hole)을 만들기도 하는데 기계의 안정적인 고정을 위해서 비흡수성 봉합사를 이용해서 단순 봉합을 시행한다. 전극을 삽입하기 전에 수술 중 발생한 뼛가루 제거를 위하여 생리식염수로 수술부위를 충분히 세척한다.

5) 와우개방술

전극을 와우의 고실계에 삽입하기 위하여 와우개방술을 시행하는데, 와우 기저부를 드릴하여 전극을 삽입하는 와우개창술(cochleostomy)과 정원창소와(niche)를 제거한 후 정원창막의 절개를 통해 삽입하는 방법이 있다. 기존의 수술방법인 와우개창술은 정원창의 전하방 1 mm에서 시행하며 1.4 mm 혹은 1.0 mm diamond burr를 이용하여 낮은 속도로 골부를 제거한다. 이때 드릴 방향은 하방에서 상방으로 향해야 나선신경절(spiral lamina)의 손상이 적다. 여러 가지 접근법으로 전극을 삽입한 측두골의 해부학

적 연구상 정원창의 전방으로 전극을 삽입할 때 하방으로 삽입할 때보다 기저막(basilar membrane)과 전정계(scala vestibule)의 손상이 더 많았다고 보고하였다. 따라서 와우개창술 시 정원창의 골융기 부위인 갑각지각(subiculum)을 제거하고 정원창의 전방보다는 하방으로 드릴하는 게 좋다. 와우개창술 부위에 골조각이나 출혈이 없도록 주의를 기울이며 적어도 0.8 mm의 골내막이 노출되도록 드릴을 시행하여 하얀색의 골내막을 확인한다. 뾰족한 pick이나 주사바늘을 이용하여 골내막을 열고 기저막(basilar membrane)의 아래측 면과 와우축 벽(modiolar wall)을 확인한다. 이때 외림프액을 흡인하지 않도록 주의해야 한다.

최근에는 새로운 전극의 개발과 잔존청력의 보존에 대한 필요성이 커짐에 따라 정원창을 통한 전극 삽입 방법이 대두되었다. 와우개창술의 경우 골내막의 손상으로 인해 와우 내 손상을 유발할 수 있고 누공을 통해 혈액이나 골가루가 유입되거나 전정계로 전극이 삽입될 우려가 있다. 이러한 손상을 피하기 위해 정원창을 통한 전극 삽입이 잔청을 보존하는 데 효과가 있다고 발표되었다. 정원창을 통한 방법은 기존에 고실계와 연결되어 있는 정원창막을 통해 전극을 삽입하는 방법으로 정원창와(round window niche)의 후상방 골부를 제거하고 정원창 하방경계를 일부 제거하여 정원창막을 적어도 0.8 mm 노출시킨다. 이후 와우개창술과 동일하게 뾰족한 pick이나 주사바늘을 이용하여 정원창막을 열고 전극을 삽입한다. 정원창을 통한 방법이 대두된 이후 대부분의 인공와우 수술은 정원창을 통한 방법으로 전극을 삽입하나 와우개창술과 정원창을 통한 방법을 비교한 연구들에 따르면 골내막을 손상시키지 않는 이상 청력보존에 큰 차이는 없었다. 와우개창술 시 골내막을 보존하면서 고실계로 부드럽게 전극을 삽입한다면 술자의 선호도 및 환아의 해부학적 특징에 따라 접근법을 사용하여도 무방하다.

와우개방술을 위해 정원창의 위치를 확인하는 것이 중요한데, 소아의 경우 정원창의 위치가 성인보다 상방에서 나타날 수 있다. 소아의 경우 상대적으로 머리가 크고 어깨가 작기 때문에 머리의 위치가 달라지면서 정원창이 침골의 단각(short process of incus)과 유양동(antrum) 바닥에

가까이 위치할 수 있으므로 주의해야 한다. 전극 삽입 시 와우의 위치 또한 성인과 다르며 기저부(basal turn)의 경우 상방으로 향하고 전반적으로 내측을 향해 회전한다. 또한 해부학적 연구상 정원창의 지름은 평균 2.2 mm로 보고되나, 0.6-3.2 mm로 다양하게 보고되므로 이를 고려하여 전극의 두께에 맞게 와우개방술을 시행하는 게 좋다.

6) 전극삽입 및 와우내 전극의 고정

전극이 삽입된 후에는 전기소작을 할 수 없기 때문에 삽입 전에 출혈이 없는지 확인하고 지혈을 한다. 삽입된 후에 단극 전기소작기(monoploar electrosurgical instrument)는 사용하지 않도록 하며 지혈이 불가피한 경우 양극 소작기(bipolar instrument)는 사용 가능하다. 하지만 와우 외 전극(extracochlear electrode)으로부터 적어도 1 cm 이상 떨어진 곳에서만 사용하도록 한다. 와우개방 후 잔존 청력을 보존하기 위해 술자에 따라 스테로이드를 점적하기도 하며 Healon®을 사용하는 경우 전극 삽입 시 윤활 역할을 할 수 있다.

전극은 고실계를 향하여 부드럽게 삽입하며 무리한 힘을 가하여 삽입하면 기저막에 손상이 가거나 전극 말단부가 휘어져 삽입하기가 더 어려워지거나 나선신경절(spiral lamina)을 손상시킬 수 있다. 평균적으로 21 mm (15-27 mm)가 삽입되며 와우 개방부위는 결합조직이나 근막으로 봉쇄하여 외림프액의 누출을 막고 개방부위를 통하여 내이감염이 생기는 것을 예방한다. 이식기에 따라 와우 외 전극이 있는 경우 측두근 밑의 골막하 측두골 위에 위치하도록 하고 전극을 안면신경와(facial recess)에 고정한 후 피부 절개선을 봉합한다. 2세 이하의 소아에서는 연령이 증가함에 따라 외이노 빛 유양봉의 발육으로 삽입된 선극의 일부가 빠질 수 있으므로 연령에 따라 거리의 변화가 적은 부위(정원창과 안면신경와 간의 거리)인 안면신경와(facial recess)에 전극을 고정하는 것이 중요하다. 술자에 따라서는 수술용 접착제(surgical glue)를 이용하여 고정하기도 한다.

7) 전극의 위치 확인 및 술 중 NRT

상처를 완전히 닫기 전에 와우 내부에 삽입된 전극의 위치를 확인하기 위해 수술 중 혹은 수술 후에 방사선학적 검사를 반드시 시행하도록 한다. 또 전기자극 유발검사로 내부 장치의 작동 여부를 확인할 수 있는데, 임피던스 원격 측정법(Impedance telemetry)과 Integrity test로는 이식기와 전극의 작동 상태를 확인할 수 있고 전기유발 등골근 반사(electrically evoked stapedial reflex, ESR), 전기유발 복합활동전위(electrically evoked compound action potential, ECAP)와 전기유발 청성뇌간반응(electrically evoked auditory nrainstem response, EABR)은 청각경로 및 청신경상태를 알아보는 검사로써 역치 측정을 통해 수술 후 조율에 보조적으로 사용되기도 한다. 최근에는 완전 자동화된 EACP이 개발되어 수술 직후 단시간 내에 이식한 와우의 intergrity와 최소가청역치(threshold; T level)와 최적가청역치(comparable; C level) 측정이 가능하며 특히, 초기 맵핑 시 협조가 되지 않는 유·소아의 경우 유용하다.

8) 수술 후 처치

수술 후 감염을 예방하기 위하여 약 1주일간 항생제를 투여하고 혈종을 예방하기 위하여 압박 드레싱을 2-3일간 시행한다. 압박 드레싱 후 이식기 주변으로 혈종이나 감염유무를 유심히 살펴보고 퇴원 전 전극의 위치를 확인하기 위해 방사선학적 검사를 시행한다.

9) 와우이식의 합병증과 처치

합병증은 크게 중대한 의학적 문제를 초래하거나 재수술을 요하는 주요 합병증과 단순한 처치로 해결되거나 시간 경과에 따라 서질로 호전되는 사소한 합병증으로 나눌 수 있다. 합병증 유병률은 일반적으로 주요 합병증이 5% 내외이며 부수적 합병증이 15% 내외이다. 한국에서 100례 이상의 인공와우 이식수술을 시행한 와우이식 센터에서 발표한 합병증의 유병률은 소아에서 중요 합병증 3.3%, 사소한 합병증이 5.1%로 조사되었다. 일반적으로 생명을 위협할 만한 합병증의 가능성은 매우 낮고 합병증의 빈도 자체도 낮아서 인공와우 이식을 소아에게 시행하는 것은 안전한 수술로 평가된다.

주요 합병증은 술 후 감염, 피부판의 괴사, 와우 바깥으로의 전극 돌출, 인공와우의 제거를 필요로 하는 기계적 결함, 진주종, 영구적인 안면신경 손상, 고막천공, 뇌척수액 누출, 뇌수막염, 자석의 이탈 등이 있다. 피부판과 관련된 합병증은 7세 이하의 소아에서 증가할 수 있는데 머리 크기가 작고 연부조직이 얇기 때문에 위험성이 증가한다. 피부판 괴사의 경우 대부분 적절한 항생제와 괴사된 조직의 제거, 국소피판을 이용하여 이식기 제거 없이 회복 가능하다. 안면신경 손상의 경우 와우에 해부학적 기형이 있는 소아에서 위험성이 증가할 수 있다 기계적 결함은 2%로 보고되며 이러한 기계적 결함이 발생할 때는 재이식을 하는 것이 유일한 해결법이다. 다행히도 대부분의 재이식 결과는 좋으며 첫 번째 수술의 결과보다 나은 경우도 있다. 하지만 수술의 위험성, 비용, 불편함을 감수해야 하고 세균성 뇌수막염의 위험성이 증가할 수 있기 때문에 주의해야 한다. 인공와우는 외부 이식물이기 때문에 이물반응이 발생하거나 세균성 질환에 노출 될 경우 감염의 원천으로 작동할 수도 있다. 이러한 위험성은 와우 기형이 있는 경우, 인공와우 이식 전에 뇌수막염을 겪거나 중이염이 있는 경우, 5세 이하, 면역억제환아에서 증가한다.

와우의 크기는 태어날 때부터 어른과 동일하지만 크기가 작다면 두개골이 성장하면서 전극이 이탈할 가능성이 커진다. 측두골은 사춘기까지 성장하며 1세부터 성인까지 남아의 경우 길이가 2.6 cm, 넓이가 1.7 cm, 깊이가 0.9 cm 성장하고 여아의 경우 길이가 2.0 cm, 넓이가 1.7 cm, 깊이가 0.8 cm 성장한다. 따라서 전극이 탈출되지 않도록 전극선이 2.5 cm 이상 되도록 인공와우를 이식하는 것이 안전하다.

사소한 합병증은 수술을 하지 않고도 해결할 수 있는 것들로 어지럼증, 중이염, 일시적 안면신경마비, 이명, 피부판 감염, 피판 부종, 혈종, 미각이상, 통증 등이 있다. 이러한 합병증의 빈도는 더 높고 4-20%로 다양하게 보고된다. 어린 소아들에서는 마취 관련 합병증이 증가할 수 있고 두개골의 크기가 작은 것이 수술의 위험도를 높일 수 있다. 또한 소아의 경우 중이염의 위험성이 높은데 이는 이식부

위의 감염 가능성을 높일 수 있다. 안면신경 자극은 특히 와우 기형이 있는 환아들에서 그 위험성이 높아질 수 있으나 맵핑을 통해 자극을 조절하는 방식으로 해결할 수 있다

5. 인공와우 이식 후 조율

수술 후 약 1개월이 경과한 후에 수술부위가 완전히 치유된 것이 확인되면 언어처리기에 프로그래밍을 하는 과정이 필요하다. 대개 수술 후 4-6주가 지나면 수술상처가 치유되고 두피 피판의 부종이 줄어들어 두피의 두께가 6 mm 이하로 얇아져 초기 조율이 가능하다. 이식기의 진원을 켠 후 대화가 가능한 청력이 될 때까지 매주 1회 정도 실시하며 조율 기간은 개인에 따라 다르지만 약 1개월이 소요된다. 약 1년간은 안정되기 위해 조율 횟수가 많지만 이후에는 약 6개월 간격으로 정기적인 조율과정을 거친다. 조율은 전기 생리학적 검사 결과를 활용하는 객관적 방법과 환자의 주관적인 반응을 토대로 이루어지는 주관적 방법이 상호 보완적으로 이용되어 시행하며 말-언어평가를 함께 시행하여 조율의 적절성 및 말지각 등의 수행력 진전을 확인한다.

1) 조율(MAPping)

조율은 전극마다 역치(Threshold, T-level)와 최대 쾌청치(maximum comfortable level, C-level)를 측정하여 가청범위(dynamic range)를 설정해 주는 과정을 말하며, T-level과 C-level의 자료를 맵(MAP)이라고 한다. T-level은 작지만 지속적인 청감(hearing sensation)을 느낄 수 있는 가장 낮은 current level를 말하며, C-level은 불편할 정도의 느낌은 아니면서 크고 편안하게 느껴지는 current level을 말한다.

소아에서는 조율과정이 매우 어려운데, 협조가 잘 이루어지지 않고 선천성 난청으로 소리의 감지 및 크기에 대한 개념 자체가 부족한 소아의 경우 더욱 어렵다. 특히 2-3세 미만의 영·유아와 중복장애아동의 경우는 조율에 참여하는 협응력과 집중력이 부족하여 조율 시 자극음에 대한 자발적이고 일관성 있는 반응을 기대하기 어렵다. 이러한 경

우 수술 중 혹은 수술 후에 시행한 전기유발 복합활동전위(ECAP), 전기유발 청성뇌간반응(EABR) 등의 전기생리학적 검사 결과를 참고로 하여 조율을 한다. 반응이 나타나는 최소 자극인 EACP 역치는 수술 후 T-level과 상관관계가 높고 등골근 수축이 관찰되는 최소자극인 ESR 역치는 주로 C-level과 상관관계가 높다.

전기생리학적 검사 결과를 활용한 객관적인 방법으로 T/C-level을 설정할 수 있으나 개개인의 상태에 알맞도록 최대한 조정하여 최상의 소리를 들을 수 있게 하기에는 한계가 있다. 이를 위해 프로그래밍 전에 수술을 받은 소아와 인공와우 이식을 받은 소아들을 만나게 해주고 이들이 프로그래밍하는 과정을 관찰하게 하는 것이 도움이 된다. 그리고 아동의 주의 집중 시간과 정도를 고려하여 몇 개의 전극에서라도 정확한 T/C-level을 설정하고, 여러 조율과정을 걸쳐서 맵을 설정하는 것이 바람직하다. 초기 조율 시 자극음에 대한 반응은 각 아동마다 다르므로 부모와 함께 세심한 반응을 관찰하거나, 청각사와 언어치료사가 함께 참여하여 T/C-level 설정과 자극음에 대한 반응을 유도하거나 관찰하기도 한다.

2) 말-언어 평가

인공와우 대상 아동은 청각 언어능력을 객관적으로 평가하기 위하여 수술 전과 수술 후 3개월, 6개월 그리고 1년마다 말-언어 평가를 받게 된다. 언어 평가의 목적은 이식 수술 전후의 성취도 비교와 환아가 수행하고 있는 언어재활치료의 성과를 평가하여 치료 계획을 판단하는 자료가 된다. 또 언어처리기 조율에 따른 일상생활에서의 청각 수행도 변화를 반영하며 5세 미만 아동에게는 현재 조율의 적합 여부를 판단하는 자료가 된다. 유·소아의 경우 연령에 걸맞은 검사를 선택하여 청각 수행능력뿐 아니라 의사소통 및 언어 발달에 대한 검사를 시행하여야 아동의 상태를 종합적으로 평가할 수 있다.

언어이해력검사(receptive language test)는 정상 언어발달과 비교하여 언어의 이해능력을 알아보기 위한 검사로 그림어휘력 검사, 언어이해 인지력 검사, 문장이해능력 검사, 비공식적 검사 등이 있다. 언어표현력 검사(expressive language test)는 정상 언어발달과 비교하여 언어의 표현능력을 알아보기 위한 검사로 자발적 발화 분석, 이야기하기 분석, 언어문제 해결력 검사 등이 있다.

6. 인공와우 이식 후 재활

언어치료는 환자 개개인의 필요와 수준에 따른 일대일의 개별화된 치료/교육 프로그램으로 주 1-2회 실시한다. 치료/교육 목표 및 프로그램에 대한 계속적인 평가를 통해 환자의 현행 수준에 대한 파악과 진보를 확인하고 치료/교육 프로그램을 조정, 결정해 나가며 전반적인 언어능력을 정기적으로 평가한다.

언어치료/교육 프로그램은 먼저 말소리에 대한 탐지와 변별, 인지, 그리고 이해의 단계를 거치면서 지각능력을 향상시킨다. 이와 함께 정상 발달 수준에 따른 말(speech)과 언어(language)를 학습하여 습득하게 하고 이를 일상생활과 교육현장에서 부모나 양육자, 교사, 그리고 또래 아동과 의사소통을 하는 데 적극적으로 사용할 수 있도록 유도, 촉진한다. 이때 아동의 경우 연령이 어릴수록 부모나 양육자와 보내는 시간이 많은 점을 고려하여 치료/교육 프로그램 진행 시 부모나 양육자의 참여를 적극적으로 유도한다. 또한 가정에서 할 수 있는 다양한 활동과 방법을 제시하고 모니터링 하면서 부모나 양육자와 긴밀히 협조한다.

7. 인공와우 이식의 결과

말지각 능력의 발달은 언어, 인지 능력 그리고 말 능력 발달의 선행조건이 된다. 언어와 말의 발달은 말지각의 발달과 동시다발적으로 이루어지는데 말지각 능력이 생후 약 1년간에 걸쳐 완성되는 데 비해, 말지각과 언어, 이후 말의 산출로 이어지는 말-언어 연쇄(speech-language chain)과정은 5-6년에 걸쳐 성숙하게 된다.

청감각의 손상으로 나타나는 말-언어 및 의사소통의 문제들은 말지각의 문제에서 비롯되며 청각을 통해 환경음이나 말소리를 듣고 이해하지 못하면 의사소통을 위한 언어인지의 발달이 저하되고 말을 습득하지 못하며, 말을 어느 정도 산출할 수 있어도 청각적 피드백의 제한으로 자신의 음성과 말, 언어를 스스로 조절하고 사용하는 능력이 저하된다. 인공와우를 통해 환경음을 인식하고 말지각 능력이 향상되면서 언어발달이 이루어지고 나아가 사회생활을 할 수 있도록 도와준다.

1) 말지각 능력(Speech perception)

인공와우 기기의 발달, 수술기술의 진보와 언어치료에 대한 경험의 축적으로 인공와우 이식 후 말지각 능력은 점점 향상되었다. 일측성 인공와우 이식을 받은 환아들의 대부분이 말지각 검사에서 성인 인공와우환자와 비슷한 수준을 보였고 보청기를 사용하는 중, 고도 난청의 환아들과 동등한 수준까지 향상되었다. 또한 장기연구에서 60-80%의 인공와우 환아들이 전화기를 사용할 수 있었다고 보고 하며 인공와우를 통해 단절된 음소리를 통한 청각처리능력이 발달했다는 점에서 의미있는 발전이라고 볼 수 있다. 말지각 능력은 인공와우 사용기간이 길어지면서 지속적으로 증가되는데 4세 이전에 인공와우를 이식 받은 경우 이식 후 첫 1-2년 사이에 말지각 능력이 급속도로 향상된다.

말소리 지각 능력의 향상은 기술의 발달, 특히 음성신호 처리방식의 향상에 기인한다. 새로운 수용기/자극기의 개발, 착용형과 귀걸이용 디지털 어음처리기의 소형화, 빠른 속도의 음성신호 처리방식 등으로 인해 말지각 능력이 많이 향상되었지만 인공와우 환아의 개인별 말지각 능력은 다양하게 나타난다. 다양한 요인들이 결과에 영향을 미치기 때문에 수술 후 예후에 관여하는 인자들을 잘 고려하여 이식 여부를 판단하여야 한다.

2) 구음능력(Speech production)

난청이 심한 경우 청각적 피드백의 제한으로 자신이 내는 소리를 조절하지 못하고 다른 사람의말소리를 이해하지 못하기 때문에 보청기를 착용하여도 심도 난청 환아들의 말은 대부분 알아들을 수 없거나(unintelligible) 이해하기 매우 어려운(very low intelligibility) 수준이다. 하지만 인공와우 이

식 후 60-70%의 어음명료도를 보이며 수술 후 10년까지 추적관찰한 경우 90%까지 향상되었다고 한다. 특히 학령 전기에 인공와우 이식을 시행받은 경우 정확도가 높았으며 인공와우 사용기간이 길어짐에 따라 지속적으로 증가했다.

정상 아동의 경우 말-언어의 발달과정은 4-7년에 걸쳐 이루어지며 초기에는 인공와우 이식 환아들이 정상 아동과 동일한 방식으로 말-언어의 발달이 이루어지는지 알 수 없었다. 인공와우 환아들의 말-언어발달에 관한 연구에 따르면 자음과 모음을 습득하는 방식은 대부분 정상 아동과 비슷하게 이루어지나 발달 속도는 정상 아동에 비해 느리다고 한다. 따라서 정상 아동이 말-언어발달이 완성될 무렵 인공와우 환아들은 불완전 단계에 머물게 되며 2-5세 사이에 이식을 받더라도 향후 언어습득 능력이 향상될 가능성은 있다. 하지만 1세 이전에 인공와우 이식을 받을수록 구음능력이 더 좋았고 최근 소규모 연구에서는 6개월 이전에 인공와우 이식을 시행할 경우 6개월 이후에 시행한 경우보다 구음능력이 더 좋았다고 보고한다.

3) 언어발달(Language development)

언어발달은 어휘와 문법 지식에 대한 표준화된 평가를 바탕으로 하며 비슷한 난청 정도의 보청기를 착용한 환아보다 인공와우 환아들의 언어습득이 유의하게 빠르다고 알려져 있다. 이식기의 발달 및 음성신호 처리기술의 발전과 더불어 인공와우 이식을 받는 평균 연령이 낮아지면서 언어습득이 향상되었고 일부 환아들은 경도 또는 중등도 난청의 환아 수준까지 언어를 구사하게 되었다. 또한 매우 어린 나이에 인공와우 이식을 받은 환아들에서 정상 아동과 비슷한 수준의 언어발달 속도를 보였다. 조기 인공와우 이식이 이루어지면서 많은 환아들이 이식 후 수용·표현어휘력 및 수용적·표현적 언어가 연령에 맞게 발달을 보였다. 또한 인공와우 환아들이 정상 아동보다 더 빨리 언어를 습득하여 이식 전에 뒤처진 부분을 따라 잡아 4세와 7세 사이에는 연령에 적합한 언어발달을 보여줬다는 보고도 있다. 하지만 여전히 대다수의 환아들은 정상아동과 동일한 언어발달을 보이는 데에는 한계가 있고 각 개인별, 각 집단마다 큰 편차가 존재한다.

인공와우 이식 후 모국어를 배우는 데 어려움이 있지만 제2언어를 배우는 것도 가능하다. 2004년에 3세 이전에 인공와우 이식을 받은 12명의 소아들을 2년간 추적 관찰한 결과 모국어를 능숙하게 구사하는 것뿐만 아니라 제2언어를 배우는 데에도 괄목할 만한 발전을 보였다고 한다. 이러한 아동들은 가족 내 제2언어를 구사하는 부모가 있었고 집 밖에서도 제2언어를 구사할 기회가 많았다. 인공와우 이식의 성공적인 예후 인자를 가지고 있는 경우 제2언어를 배우는 데 상당한 경쟁력을 보였고 이후에도 인공와우 환아들 중 제2언어를 배우는 데 성공한 사례들이 많다.

4) 사회정신적 발달(Psychosocial development)

인공와우 환아들은 인공와우를 통해 청각적 수행능력이 향상되지만 사회에 적응하기 위해 필요한 실질적인 기술이 부족하여 정상 아동에 비해 외로움을 더 느끼고, 대인관계의 질적 저하 등이 발생할 수 있다. 예를 들어 상황이나 대상에 맞게 언어를 바꾸거나(어른에게 말하는 것과 아동에게 말하는 것), 표현방식이 다양하거나 논리적으로 이야기를 구성하는 것 등이 부족하여 의사소통이 중단되고, 불편한 반응의 빈도를 줄이고자 대화를 줄이게 되면서 사회 수용성이 떨어지기도 한다. 모든 환아들이 이러한 문제를 겪는 것은 아니지만 환아의 사회적, 정서적 발달에 대한 난청의 영향력은 환아 개인의 문제를 넘어서 난청에 대한 부모의 수용성 및 적응, 가족의 삶의 질, 가족의 대처능력, 학교와 지역사회의 지지 및 자원과 같은 외부요인에 영향을 받게 된다. 일부 정서적 발달이 더디고 또래와의 친밀감을 경험하지 못하는 경우가 있는데, 청소년기에 접어들면서 사회적 상호관계가 복잡해지고 상호작용하는 집단의 크기가 커지면서 더욱 많은 영향을 받는다.

하지만 부모들의 설문결과 난청 아동들이 이식 후 의사소통 기술과 사회적 관계가 호전되었다고 보고하며, 보청기를 사용하는 심도 난청의 환아들에 비해 사회적응이 더 잘된다는 보고도 있다. 인공와우 환아들의 사회적 발달은 보통 언어발달에 따르고 향상된 언어와 의사소통 기술은 자신감을 상승시켜 사회정신학적 발달을 촉진시킨다. 최근 연구에서는 인공와우 환아들이 정상 아동들과 동등한 수준의 자존감을 보였고 전체적 삶의 질에도 정상 아동과 유의한 차이가 없다고 하였다. 사회정신학적 발달에는 여러 가지 요인이 작용할 수 있는데 조기에 인공와우 이식을 시행 받거나 인공와우 사용시간이 길수록 사회적 발달이 원활하였고 남아에 비해 여아에서 좋은 결과를 보였다.

5) 학업 성취도

읽기를 위한 기본적인 언어기술은 어휘이며 음운정보처리는 아동이 단어를 받아들여서 새로운 단어를 형성하기 위해 음절을 반복하고 일반적으로 사용하는 단어들에 이름을 부여할 때 이루어 진다. 하지만 난청 아동들은 음운학적 인식의 지연으로 인해 어휘 습득의 지연이 발생하고 이로 인해 읽기에 어려움을 겪게 된다. 또한 난청으로 인한 지각 능력의 저하, 언어기술의 부족으로 교육을 이해하는 능력이 감소되어 발생할 수 있다. 인공와우 이식을 늦게 시행 받은 경우 어휘력의 발달 속도가 늦다는 보고는 있지만 대부분 이식 후 어휘력이 향상되었다. 현재 인공와우 이식을 시행 받는 경우 보청기를 착용한 환아보다 읽기 능력이 우수한 것으로 생각되며 정상 아동과 비슷한 수준까지 향상되었다는 보고도 있다. 읽기 능력은 남아에 비해 여아가 뛰어났으며 조기에 이식을 시행 받을수록 결과가 좋았다. 하지만 절반 정도의 환아에서 여전히 또래보다 읽기 능력이 뒤처진다는 보고가 있으며 연령이 증가함에 따라 인공와우 환아와 또래와의 격차가 벌어졌다는 보고가 많다.

난청 아동들은 또래에 비해 문장이 짧고, 반복되는 어법, 간단한 형태로 글을 구성하는 경향이 있으며 문법의 오류가 많이 발견되어 읽기보다 쓰기에 어려움을 더 겪는다고 생각할 수 있다. 인공와우 이식을 받은 9세 환아들을 대상으로 한 연구에서 인공와우 환아들은 상대적으로 짧고 간단한 문장을 사용하며 문법이나 맞춤법에서 다수의 오류가 발견되고 미성숙한 글쓰기 기술의 형태를 보여주었다.

인공와우 환아들의 전반적인 학업능력에 대한 연구는 드문데, 2004년에 나온 연구에 따르면 과학, 사회학, 인성의 측면에서 인공와우 이식을 받은 청년들을 대상으로 학업적 성취도를 평가하였고 인공와우를 지속적으로 사용한 경우 정상 청력의 동료들과 비슷한 수준을 보였다고 한다.

결론적으로 다른 발달 분야와 동일하게 읽고 쓰는 것과 학업성취도에 있어 다양한 편차를 보였고 조기에 이식을 받아 언어기술이 발달된 상태로 학교에 입학하면 향후 정상청력 학생들과의 간격이 좁아질 것으로 예상된다. 많은 수의 환아들이 연령에 적합한 성과를 보이며 이러한 수준의 결과가 장기적으로 모든 환아에게 지속되지 않아 불확실하지만 현재로서는 인공와우 이식으로 인해 장기적인 학업성취도에 긍정적인 결과를 보일 것으로 예측된다.

8. 인공와우 이식의 예후인자

인공와우 이식수술 후 환아의 청각수행 능력 및 언어청취 능력은 다양하게 나타난다. 인공와우이식 후 청각수행 능력에 미치는 요소는 다양하며 크게 이식기와 관련된 것과 환아와 관련된 것으로 나눌 수 있다. 이식기와 관련된 주요 예후 인자는 음성신호처리방식, 활성전극 수, 자극 빈도, 어음처리기의 역동적 범위 등이다. 환아와 관련된 주요 예후 인자는 선천성 또는 언어습득 전 난청의 아동 경우 난청 발생연령에 따른 이식연령, 내이 기형, 대화방법, 재활교육 방법 등이다.

1) 인공와우 이식 시기와 기간 및 난청기간

중추 청각신경계는 자극의 종류에 따라 신경구성(neural organization)의 변화가 일어나는 신경가소성(neural plasticity)을 보이는데 신경가소성 또는 신경회로 발달의 가능성은 초기 발달과정이 중요하며 신경학적으로 성숙하려면 결정적 시기에 청각적 자극이 필요하다고 한다. 이러한 청각적 자극이 없으면 청각신경체계는 퇴화할 수 있으며 청각상실(auditory deprivation)로 인해 중뇌와 청각피질 수준에서 신경절세포의 신경접합 수와 밀도의 감소가 일어난다. 하지만 인공와우 이식을 시행한 경우 청각적 자극이 없었던 기간만큼 청각 피질의 발달이 지연될 수 있으나 정상청력의 아동과 동일한 속도로 성숙될 수 있다고 한다. 신경가소성은 출생 후 4세 이전에 활발하게 일어나며 청각 자극이 박탈된 경우 3.5년 정도 유지될 수 있다고 하나 일부

소아에서는 7년까지 유지하며 그 이후에는 급격하게 줄어든다고 한다.

많은 연구에서 조기에 인공와우 이식을 받을수록 청각 수행 능력뿐 아니라 언어발달, 읽기능력, 사회 정신학적 발달에도 좋은 결과를 보였고 특히, 선천성 난청의 경우 인공와우 이식의 시기가 향후 예후에 강한 연관성이 있다고 보고되었다. 따라서 언어습득기와 신경가소성이 활발한 시기인 4세 이전에 이식을 시행하거나 수술 전후에 auditory-verbal 재활교육을 받는 것이 언어발달과 청각수행 능력을 향상시킬 수 있다. 또한 이식기 사용시간이 길어질수록 수행능력이 향상되는데 언어습득 후 난청 아동에서는 약 1년까지, 선천성 및 언어습득 전 아동에서는 재활교육 2년까지 청각수행 능력이 빠르게 발달하고 이후에는 서서히 발달했다.

신생아 청력선별검사가 도입되기 시작하면서 난청진단의 연령이 낮아졌고 많은 소아들이 3개월 전에 난청 유무가 진단되었다. 난청의 진단 연령이 낮아지면서 조기 인공와우 이식이 늘어났고 이후 2세 또는 그 이전에 인공와우 이식을 받을수록 결과가 좋았다는 연구들이 보고되었다. 최근에는 12개월 이전에 이식을 시행 받은 경우 연령에 맞게 말지각 능력과 언어능력이 발달했다고 한다. 현재 FDA에서는 12개월에 인공와우 이식하는 것을 승인 하였고 일부 인공와우 센터에서는 6개월에 시행하기도 한다. 해부학적 연구상 정원창(round window)으로부터 침골와(fossa incudalis)까지의 거리는 출생 후부터 일정하기 때문에 측두골 성장에 맞게 전극의 길이만 충분하다면 12개월 이전에 인공와우 이식을 시행하는 데 수술적으로 큰 어려움은 없다. 하지만 아주 어린 연령의 소아경우 청력평가의 신뢰도에 문제가 있을 수 있으므로 이러한 점을 고려해야 한다.

신생아 선별검사를 통해 난청을 조기에 발견함에도 불구하고 2007년 JCIH (Joint Committee on Infant Hearing)에서 권고한 대로 6개월 이전에 청각재활을 시행 받지 못하는 경우가 많다. 이러한 원인은 다양하게 나타나는데, 초기 진단과 치료의 중요성에 대한 이해 부족, 추적관찰체계의 문제, 신생아의 건강상태와 관련된 의료서비스의 접근성 부족 등이 원인으로 지적된다. 또한 인공와우 이식을 받

은 1/3 환아들은 신생아 난청 검사를 통과했음에도 불구하고 1년 이내에 connexin 26 유전자 돌연변이나 Usher 증후군, 또는 청신경병증이나 선천성 CMV 감염 등에 의한 진행성 청력소실로 적절한 시기에 인공와우 이식을 받지 못하는 경우도 있다. 따라서 조기에 난청을 진단하고 진단 후 적절한 시기에 보청기 또는 인공와우를 통해 청각재활을 받을 수 있도록 해야 한다.

2) 난청의 정도

인공와우 이식 환아들의 예후에 있어 청력소실의 정도는 서로 상반된 결과들을 보여주고 있다. 많은 연구에서 청력소실의 정도는 예후 예측의 강한 인자로 제시되어 왔으며 말지각 능력, 언어발달, 읽기 능력 등은 난청의 정도가 심할수록 낮은 것으로 나타났다. 또한 인공와우 이식 전에 청력이 좋았던 환아들이 청력이 나쁜 환아들에 비해 이식 후 더 빠른 언어발달을 보여주었다고 보고했다. 난청 정도와 말지각 능력, 어휘, 구음능력 등과의 연관성은 밝히지 못했지만 현재까지 나온 연구들의 대다수는 수술 전 잔청의 정도가 인공와우 이식 후 예후에 큰 영향을 주는 것으로 생각한다.

　최근에는 잔청을 보존하기 위한 이식기의 개발 및 수술 기법의 발달이 이루어졌으며 인공와우에 의한 전기적 자극과 보청기를 통한 음향자극을 통해 청취력을 향상시키려는 노력이 이루어졌다. 잔청을 통해 소음환경에서의 청취능력이 향상되고 음악감상 능력이 향상되었다는 보고가 많으며 이를 위해 'soft surgery'라는 원칙하에 이식 수술 시 와우 내 손상을 최대한 줄이기 위한 방법들이 다양하게 제시되었다. 드릴에 의한 음향 손상, 전극삽입 시 발생하는 물리적인 손상 또는 전극에 대한 이물반응으로 인한 섬유화 등의 원인에 의해 와우 내 손상이 발생하여 잔청이 소실되면 이식 후 예후가 나쁠 수 있다. 따라서 수술 시 잔청의 소실 유무가 인공와우 이식의 결과에 중요하다.

3) 인지 능력

비언어적 인지능력은 난청이 있는 미취학 아동들의 언어발달에 가장 큰 영향 인자로 여겨진다. 인지능력은 인공와우

환아들의 예후에 중요하며 비언어적 지능지수는 어휘, 언어, 읽기능력, 구음능력의 발달과 관련이 있다. 비록 언어의 효과를 보정한 후에 인지 능력이 말지각 능력과 직접적인 관련이 없는 것으로 나타났지만 간접적으로 관련이 있는 것으로 보이며 이는 언어가 인지능력에 강한 영향을 받기 때문이다. 소아들이 말지각 검사에서 사용된 언어를 이해하고 음성언어로 대답할 때 인지능력은 이러한 과정의 수단이 되며 많은 연구에서 언어와 말지각 능력 간의 강한 연관성을 보였다.

　추가적인 장애를 지닌 환아들에게 인지능력의 저하는 말지각 능력과 구음능력의 저하와 관련되어 있고 비언어적 인지능력이 추가적 장애가 없는 환아들에서도 동일하게 예측인자로 작용한다. 기억, 집중, 어문적 시연 속도(verbal rehearsal speed) 등의 인지관련 인자들이 인공와우 이식 이후의 예후를 결정하는 데 중요하며, '중추신경'에 관여하는 인지관련 인자들이 인공와우 이식결과에서 설명되지 못한 부분에 관여한다는 의견도 있다. 2-5세 사이에 인공와우 이식을 시행 후 사용기간이 10년 이상 지난 환아들에서 어문적 시연이 빠른 경우 언어발달의 결과가 좋았다는 보고가 있어 이에 대한 증거를 제시한다.

4) 의사소통 방식(Communication mode)

의사소통은 구두 의사소통(oral communication)과 말과 수화를 함께 사용하는 총체적 의사소통(total communication)으로 나눌 수 있으며 이러한 의사소통 방식은 인공와우 환아들의 예후를 예측하는 변수로써 많은 연구가 이루어져 왔다. 하지만 의사소통의 방식 자체가 의미 없다는 결과들도 있으며 의사소통의 방식에 따라 말지각 능력 및 구음능력, 언어발달, 학업 성취도를 비교했을 때 유의한 차이가 없었다는 발표가 많다. 조기에 인공와우 이식을 받은 환아들은 구두 의사소통을 많이 하게 되고 수술 전 잔청이 있거나 인지능력이 좋은 환아들의 경우 구술 교육 프로그램이 제공될 가능성이 높아 선택편의가 발생할 수 있다. 또한 각 연구에 대한 환아들의 특징이 다르기 때문에 어떤 의사소통 방식이 더 우월한지 충분한 증거는 없다.

5) 가족의 특성

가족의 특성이 인공와우 이식의 결과에 영향을 미치며 가족의 규모가 작은 경우 언어발달이 더 빠른 것으로 보고되었다. 이는 작은 규모의 가정에서 환아들의 언어발달에 더 많은 지원과 시간을 투자할 수 있기 때문으로 생각되며, 이와 유사하게 사회경제적 위치가 높은 가정에서 환아들의 구음능력과 언어발달 그리고 읽고 쓰는 능력이 더 좋았다. 부모가 환아의 교육 프로그램에 많이 참여할수록 언어발달의 향상에 좋은 영향을 미치며 이는 교육에 참여를 많이 하는 부모의 경우 장기간 추적관찰이 가능하고 가정에서의 의사소통도 증가하기 때문으로 보인다.

주 양육자의 의사소통 방식 또한 언어발달, 읽기능력, 사회정신학적 발달과 강한 연관이 있으며 양육자가 의사소통에 능할수록 읽기와 언어기술이 더 뛰어났고 행동학적 문제가 적은 것으로 나타났다. 교육수준이 상대적으로 뛰어난 가정에서도 부모의 교육적 수준이 높을수록 환아의 언어능력이 뛰어난 것으로 나타났다. 이는 사회경제적 지위에 따른 양육자의 언어 수준이 다른 것에서 기인하는 것으로 생각된다. 성별 또한 예후와 관련이 있는데 여아의 경우 구음능력, 읽기, 언어발달의 면에서 더 뛰어난 것으로 알려져 있다.

9. 일측성 인공와우 이식의 한계점

인공와우 이식으로 청력 및 언어 이해능력을 개선하는 데 큰 도움을 주었지만 청각수행 능력은 개인에 따라 다양하게 나타난다. 이식기의 개발과 신호처리 방법의 개선에도 불구하고 정상 아동과 같이 실제 생활환경(소음환경)에서 청력만으로 소리를 구별하고 이해하기에는 아직 어려움이 많다. 일측성 인공와우 환아들이 겪는 어려움은 일측성 난청 환아들과 비슷하며 소음환경에서 말을 이해하거나, 여러 명이 함께 대화할 때 말소리가 어디에서 들려오는지 알아내기가 어렵다. 특히 일측성 인공와우 환아들은 정상청력의 아동들에 비해 말지각 능력이 감소되어 있어 이야기에 집중하기 어렵고 언어지식이 풍부하지 않아 직접적인 교육

표 17-7. 양측 인공와우 이식에 대한 국제적 합의

첫 와우이식으로 이득을 보지 못한 경우
뇌막염으로 와우골화가 진행되고 있어 시기가 지나면 충분한 전극 삽입이 어려울 것으로 예상되는 경우
양이청을 원하는 경우 혹은 직업적으로 양이청이 필요한 경우
영구적인 양측성 고도난청의 소아
양측 귀 동시 와우이식 　수술 적응증이며 내과적, 외과적으로 가능할 경우
순차적인 와우이식 　반대쪽 수술은 언어전기 농의 경우 6-12개월 이내, 언어후기 성인에서는 12년 이내일 때 좋은 결과를 기대할 수 있음

없이 스스로 깨우치며 성장하는 것은 어려운 일이다.

일반적인 인공와우 이식 환아의 경우 정상 아동의 언어발달과 2표준편차 내에서 언어발달이 이루어지며 소음이 없는 환경에서는 약 80%의 문장변별력을 보인다. 그러나 우리 일상생활에서 경험하는 소음환경에서의 말소리 이해능력은 50% 정도이고 리듬적인 음악 외의 음악감상에는 제한이 많다. 이와 같은 소음환경에서의 말소리 청취력과 음악감상 능력을 향상시키기 위하여 양측 인공와우 이식, bimodal hearing(한 귀는 인공와우 이식, 다른 귀는 보청기 착용), electro-acoustic stimulation(유용한 저음역 청력은 보청기 착용, 중간 및 고음역은 인공와우 이식에 의한 전기자극), 방향성 마이크로폰 등이 시도되고 있다. 최근에는 양측 귀의 난청이 보청기를 사용할 수 없을 정도로 심한 경우에는 양측 인공와우 이식을 시행하고(표 17-7) 한쪽 귀에 잔청이 있는 경우에는 bimodal hearing을 적극적으로 권장한다.

10. 양측 인공와우 이식

최근에 나온 보고에 따르면 양측 인공와우 이식을 한 환자 중 소아의 비율은 미국에서 59%, 다른 국가에서는 78%로 나타났다. 2007년 말에는 이 수치가 70%까지 증가하였고 특히 3-10세 사이에 이식 받은 경우가 가장 많았다. 순차적

으로 인공와우 이식을 받은 경우가 70%이며 30%는 동시에 양측 인공와우 이식을 시행 받았고, 특히 3세 이전의 환아들은 절반 이상(58%)이 동시에 수술을 시행 받았다. 현재 소아들에서 양측 인공와우 이식은 전세계적인 추세이며 2010년에 나온 제조사의 자료에 따르면 2008년까지 총 4,986명의 소아가 양측 인공와우 이식을 시행 받았다.

인공와우 이식 후 결과에 영향을 미치는 인자는 다양하고 양쪽 귀의 해부학적 구조와 생리적 특성, 난청의 원인 및 청각박탈의 기간이 다르기 때문에 양쪽 귀의 인공와우 이식 결과는 다를 수 있다. 따라서 양쪽 귀가 고도-심도난청으로 이식 반대편에 잔청이 없거나 반대편 보청기를 착용하여도 언어발달에 진전이 없는 경우 양측 인공와우 이식을 통해 이득을 얻을 수 있다.

1) 양측 인공와우 이식의 이점

일반적으로 양이청의 경우 각각의 귀에 도달하는 소리의 시간차와 강도차를 통해 소리의 위치를 알 수 있으며 특히, 머리가림효과(head shadow effect)로 인해 말과 소음이 다른 방향에서 제시될 때 양이청의 효과는 커진다. 또한 양이합산의 효과로 소리의 강도가 커지며 대뇌에서 각 귀에 도달하는 말과 소음의 차이를 비교하여 소음은 줄이고 말은 두드러지게 인지하여 소음환경에서 말소리 청취력이 향상된다(양이 비차폐; binaural unmasking).

양측 인공와우 이식을 받은 환아에서 조용한 환경과 소음환경에서 말지각 능력을 평가했을 때 많은 연구에서 소음환경에서도 말지각 능력이 향상되었다고 보고하였다. 또한 일측 인공와우 이식 환아들에 비해 유의하게 소음환경에서 말지각 능력에 향상되었다. 하지만 향상 정도는 개인마다 매우 다양하게 니디났으며 두 번째 귀의 청력소실 기간이 짧은 경우 좋은 결과를 보였고 첫 번째와 두 번째 이식 기간이 길었던 경우 아무런 이득을 얻지 못했다는 연구결과도 있다.

소리의 방향성 검사에서 양측 인공와우 이식 환아의 경우 방향성 분별력이 향상되었으나 일부에서는 아무런 이득을 보여주지 못했다. 특히 머리의 중심과 가까울수록 수행능력이 떨어졌으며 연령대가 높은 경우 소리의 방향을 잘 구별하지 못했다. 양측 인공와우 환아와 bimodal hearing(한 귀는 인공와우 이식, 다른 귀는 보청기 착용) 환아를 비교했을 때, 유의한 차이를 보여주지 않았고 정상 청력의 소아만큼 소리의 방향을 정확하게 분별하기는 한계가 있었다. 하지만 일측성 인공와우 이식을 받은 환아에 비해서는 소리의 방향 분별력이 유의하게 향상되었다.

많은 연구에서 일측성 인공와우 이식에 비해 양측 인공와우 이식을 시행한 경우 소리의 방향 분별력이 향상되고 소음환경에서의 말지각 능력이 향상되었다고 보고한다. 하지만 구음능력과 학업성취에 관한 포괄적인 정보는 부족하다. 3세 이전에 인공와우 이식을 받은 환아들 중 일측성 인공와우 환아와 양측 인공와우 환아의 의사소통에 관한 연구에서 양측 인공와우 환아들이 의사소통 시 청각을 이용하여 말로 의사소통을 하려는 경향을 보인다고 하였다. 언어능력에 관한 연구에서는 다양한 결과들이 보고되는데, 표현 및 수용언어능력의 경우 일측성 인공와우 이식 환아에 비해 유의하게 점수가 높았다는 결과부터 유의한 차이가 없었다는 연구까지 다양하게 보고된다. 양측 인공와우 이식의 다른 이점으로 학령기 아동을 대상으로 시행한 연구상 청취의 편의성이나, 청각환경에 대한 인지, 사회생활 시 자신감 상승 등의 전반적인 이점이 있다고 하였다.

2) 양측 인공와우의 동시 이식과 순차적 이식

조기에 난청이 발생한 환아들을 대상으로 청성뇌간반응을 관찰한 연구에서 순차적으로 이식을 시행 받은 환아들의 경우 피질유발반응에서 양측 파장의 잠복기가 다르게 나타났으며, 특히 3세 이전에 이식 받은 경우 시간이 지나면서 파장의 잠복기가 비슷해졌다. 이러한 결과들은 신경가소성(neural plasticity)과 관련이 있을 것으로 생각되며 두 번째 이식을 조기에 시행하는 것이 실질적인 양측 청각 형성을 이루는 데 중요할 것으로 생각된다. 임상연구결과 순차적으로 이식을 받는 경우 첫 번째와 두 번째 이식 간의 기간이 짧은 환아들이 말지각 능력이나 소리 방향 변별력에서 더 뛰어난 결과를 보여주었고 적응기간도 짧았다. 또한 4세 이후에 두 번째 인공와우 이식을 받은 경우 양이청의 이득을 잘 활용하지 못했다.

또한 순차적으로 시행 받은 경우 두 번째 인공와우를 통한 청각자극을 불편하게 생각하여 결국 사용하지 않는 경우가 간혹 있으므로 주의해야 한다. 대부분의 경우 시간이 지나면서 충분히 적응하지만 일부 환아들은 사용 빈도가 줄어들면서 결국 사용을 포기하는 경우도 있다. 양측 인공와우 이식 환아들을 대상으로 두 번째 인공와우의 비사용에 대한 충분한 연구는 없으나, 일측성 인공와우 환아의 경우 높은 연령에서 이식을 받거나 인공와우를 통한 청각자극을 싫어하거나, 안면신경통, 안면신경자극, 학교 내에서 또래에 대한 스트레스, 가족 문제, 수화 사용, 의사결정 과정에서 배제되는 경우 등이 원인으로 분석된다. 일측성 인공와우 환아들의 인공와우 이식사용의 거부율은 3% 정도로 낮게 보고되지만 두 번째 인공와우를 추가적으로 이식받는 경우 이와 다를 수 있다.

11. 결론

인공와우는 고도-심도 난청 소아들에게 표준적인 치료가 되며 이로 인해 많은 환아들이 정상적으로 학교를 다니고 언어를 배우며 사회적, 학업적인 기술 등에서 향상된 결과들을 보여줬다. 일부 환아에서는 인공와우를 통해 정상청력의 또래들과 비슷한 수준의 언어발달을 보였고 학업이나 취업, 사회적 관계 등에서도 동등한 결과를 보였다. 하지만 일측 또는 양측성 인공와우 환아들의 개인별 편차가 존재하고 신경학적 성숙 및 발달과 관련된 인자, 기타 사회배경의 영향, 환경의 영향, 교육의 영향 등에 대한 부분은 확실히 밝혀지지 못한 상태이다. 향후 과제는 인공와우 이식 결과에 영향을 미치는 인자들을 파악하여 더 향상된 결과를 보일 수 있도록 밝혀내는 데 있으며, 또한 1세 이하의 소아 환자에서 조기 수술이 증가할 것이므로 영아에서도 안전하게 이식기를 사용할 수 있게 제작하는 것이 필요하다.

■■■■ 참고문헌

• 김희남: 와우이식. In: 이비인후과학: 두경부외과학. Edited by 김시연, vol. 1: 대한이비인후과학회; 2009: 845-870.

• Clark G, Cowan RSC, Dowell RC: cochlear implantation for infants and children: Singular Publishing Group; 1997.

• Niparko JK: Cochlear Implants: Principles & Practices: Lippincott Williams & Wilkins; 2009.

• Sarant J: Cochlear Implants in Children: A Review: InTech; 2012.

• 김은연, 김진숙, 문인석, 박현영, 방정화, 신유리, 윤미선, 이영미, 이준호, 이지연 et al: 말지각검사의 실제: 대한청각학회; 2015.

• 고의경, 김리석, 김형종, 박시내, 박철원, 송재진, 신시옥, 신유리, 오승하, 이상흔 et al: 청각검사지침: 대한청각학회; 2008.

• Clark GM, Blamey PJ, Busby PA, Dowell RC, Franz BK, Musgrave GN, Nienhuys TG, Pyman BC, Roberts SA, Tong YC et al: A multiple-electrode intracochlear implant for children. Archives of otolaryngology--head & neck surgery 1987, 113(8):825-828.

• Eisenberg LS, House WF: Initial experience with the cochlear implant in children. The Annals of otology, rhinology & laryngology Supplement 1982, 91(2 Pt 3):67-73.

• Blamey PJ, Sarant JZ, Paatsch LE, Barry JG, Bow CP, Wales RJ, Wright M, Psarros C, Rattigan K, Tooher R: Relationships among speech perception, production, language, hearing loss, and age in children with impaired hearing. Journal of speech, language, and hearing research : JSLHR 2001, 44(2):264-285.

• Geers A, Tobey E, Moog J, Brenner C: Long-term outcomes of cochlear implantation in the preschool years: from elementary grades to high school. International journal of audiology 2008, 47 Suppl 2:S21-30.

• Moog JS: Changing expectations for children with cochlear implants. The Annals of otology, rhinology & laryngology Supplement 2002, 189:138-142.

• Nicholas JG, Geers AE: Will they catch up? The role of age at cochlear implantation in the spoken language development of children with severe to profound hearing loss. Journal of speech, language, and hearing research : JSLHR 2007, 50(4):1048-1062.

• Desjardin JL, Ambrose SE, Martinez AS, Eisenberg LS: Relationships between speech perception abilities and spoken language skills in young children with hearing loss. International journal of audiology 2009, 48(5):248-259.

• Sarant JZ, Blamey PJ, Cowan RS, Clark GM: The effect of language knowledge on speech perception: what are we really assessing? The American journal of otology 1997, 18(6 Suppl):S135-137.

• Boothroyd A: Auditory capacity of hearing-impaired children using hearing aids and cochlear implants: issues of efficacy and assessment. Scandinavian audiology Supplementum 1997, 46:17-25.

• Svirsky MA, Teoh SW, Neuburger H: Development of language and speech perception in congenitally, profoundly deaf children as a function of age at cochlear implantation. Audiology & neuro-otology 2004, 9(4):224-233.

• Tajudeen BA, Waltzman SB, Jethanamest D, Svirsky MA: Speech perception in congenitally deaf children receiving cochlear implants in the first year of life. Otology & neurotology : official publication of the American Otological Society, American Neurotology Society [and] European Academy of Otology and Neurotology 2010, 31(8):1254-1260.

• Wie OB, Falkenberg ES, Tvete O, Tomblin B: Children with a cochlear implant: characteristics and determinants of speech recognition, speech-recognition growth rate, and speech production. International journal of audiology 2007, 46(5):232-243.

• Leigh J, Dettman S, Dowell R, Sarant J: Evidence-based approach for making cochlear implant recommendations for infants with residual hearing. Ear and hearing 2011, 32(3):313-322.

• Svirsky MA, Meyer TA: Comparison of speech perception in pediatric CLARION cochlear implant and hearing aid users. The Annals of otology, rhinology & laryngology Supplement 1999, 177:104-109.

• Zwolan TA, Zimmerman-Phillips S, Ashbaugh CJ, Hieber SJ, Kileny PR, Telian SA: Cochlear implantation of children with minimal open-set speech recognition skills. Ear and hearing 1997, 18(3):240-251.

• Holt RF, Kirk KI: Speech and language development in cognitively delayed children with cochlear implants. Ear and hearing 2005, 26(2):132-148.

• Mok M, Galvin KL, Dowell RC, McKay CM: Spatial unmasking and binaural advantage for children with normal hearing, a cochlear implant and a hearing aid, and bilateral implants. Audiology & neuro-otology 2007, 12(5):295-306.

• Peters BR, Wyss J, Manrique M: Worldwide trends in bilateral cochlear implantation. The Laryngoscope 2010, 120 Suppl 2:S17-44.

• Wie OB: Language development in children after receiving bilateral cochlear implants between 5 and 18 months. International journal of pediatric otorhinolaryngology 2010, 74(11):1258-1266.

• Ali W, O'Connell R: The effectiveness of early cochlear implantation for infants and young children with hearing loss. In: NZHTA Technical Brief. vol. 6. Christchurch, New Zealand; 2007.

• Dettman SJ, Pinder D, Briggs RJ, Dowell RC, Leigh JR: Communication development in children who receive the cochlear implant younger than 12 months: risks versus benefits. Ear and hearing 2007, 28(2 Suppl):11S-18S.

• Morton NE: Genetic epidemiology of hearing impairment. Annals of the New York Academy of Sciences 1991, 630:16-31.

• Schuknecht HF, Woellner RC: An experimental and clinical study of deafness from lesions of the cochlear nerve. The Journal of laryngology and otology 1955, 69(2):75-97.

• Statistics NCfH: Hearing levels of adults by age and sex. In. Washington DC: US Goverment Printing Officie; 1965.

• Marazita ML, Ploughman LM, Rawlings B, Remington E, Arnos KS, Nance WE: Genetic epidemiological studies of early-onset deafness in the U.S. school-age population. American journal of medical genetics 1993, 46(5):486-491.

• Schrijver I: Hereditary non-syndromic sensorineural hearing loss: transforming silence to sound. The Journal of molecular diagnostics : JMD 2004, 6(4):275-284.

• Jackler RK, Luxford WM, House WF: Congenital malformations of the inner ear: a classification based on embryogenesis. The Laryngoscope 1987, 97(3 Pt 2 Suppl 40):2-14.

• Papsin BC: Cochlear implantation in children with anomalous cochleovestibular anatomy. The Laryngoscope 2005, 115(1 Pt 2 Suppl 106):1-26.

• Zhou H, Sun X, Chen Z, Shi H, Wu Y, Zhang W, Yin S: Evaluation of cochlear implantation in children with inner ear malformation. B-Ent 2014, 10(4):265-269.

• Mylanus EA, Rotteveel LJ, Leeuw RL: Congenital malformation of the inner ear and pediatric cochlear implantation. Otology & neurotology : official publication of the American Otological Society, American Neurotology Society [and] European Academy of Otology and Neurotology 2004, 25(3):308-317.

• Pritchett C, Zwolan T, Huq F, Phillips A, Parmar H, Ibrahim M, Thorne M, Telian S: Variations in the cochlear implant experience in children with enlarged vestibular aqueduct. The Laryngoscope 2015.

• Pakdaman MN, Herrmann BS, Curtin HD, Van Beek-King J, Lee DJ: Cochlear implantation in children with anomalous cochleovestibular anatomy: a systematic review. Otolaryngology--head and neck surgery : official journal of American Academy of Otolaryngology-Head and Neck Surgery 2012, 146(2):180-190.

• Buchman CA, Copeland BJ, Yu KK, Brown CJ, Carrasco VN, Pillsbury HC, 3rd: Cochlear implantation in children with congenital inner ear malformations. The Laryngoscope 2004, 114(2):309-316.

• Emmett JR: The large vestibular aqueduct syndrome. The American journal of otology 1985, 6(5):387-415.

• Govaerts PJ, Casselman J, Daemers K, De Ceulaer G, Somers T, Offeciers FE: Audiological findings in large vestibular aqueduct syndrome. International journal of pediatric otorhinolaryngology 1999, 51(3):157-164.

• Kim LS, Jeong SW, Huh MJ, Park YD: Cochlear implantation in children with inner ear malformations. The Annals of otology, rhinology, and laryngology 2006, 115(3):205-214.

• Liu XZ, Angeli SI, Rajput K, Yan D, Hodges AV, Eshraghi A, Telischi FF, Balkany TJ: Cochlear implantation in individuals with Usher type 1 syndrome. International journal of pediatric otorhinolaryngology 2008, 72(6):841-847.

• Loundon N, Marlin S, Busquet D, Denoyelle F, Roger G, Renaud F, Garabedian EN: Usher syndrome and cochlear implantation. Otology & neurotology : official publication of the American Otological Society, American Neurotology Society [and] European Academy of Otology and Neurotology 2003, 24(2):216-221.

• Choi JW, Min B, Kim A, Koo JW, Kim CS, Park WY, Chung J, Kim V, Ryu YJ, Kim SH et al: De novo large genomic deletions involving POU3F4 in incomplete partition type III inner ear anomaly in East Asian populations and implications for genetic counseling. Otology & neurotology : official publication of the American Otological Society, American Neurotology Society [and] European Academy of Otology and Neurotology 2015, 36(1):184-190.

- Bauer PW, Wippold FJ, 2nd, Goldin J, Lusk RP: Cochlear implantation in children with CHARGE association. Archives of otolaryngology--head & neck surgery 2002, 128(9):1013-1017.

- Lanson BG, Green JE, Roland JT, Jr., Lalwani AK, Waltzman SB: Cochlear implantation in Children with CHARGE syndrome: therapeutic decisions and outcomes. The Laryngoscope 2007, 117(7):1260-1266.

- Ricci G, Trabalzini F, Faralli M, D'Ascanio L, Cristi C, Molini E: Cochlear implantation in children with "CHARGE syndrome": surgical options and outcomes. European archives of oto-rhino-laryngology : official journal of the European Federation of Oto-Rhino-Laryngological Societies 2014, 271(3):489-493.

- Morimoto AK, Wiggins RH, 3rd, Hudgins PA, Hedlund GL, Hamilton B, Mukherji SK, Telian SA, Harnsberger HR: Absent semicircular canals in CHARGE syndrome: radiologic spectrum of findings. AJNR American journal of neuroradiology 2006, 27(8):1663-1671.

- Catlin FI: Prevention of hearing impairment from infection and ototoxic drugs. Archives of otolaryngology 1985, 111(6):377-384.

- Chan KH: Sensorineural hearing loss in children. Classification and evaluation. Otolaryngologic clinics of North America 1994, 27(3):473-486.

- Ramsay ME, Miller E, Peckham CS: Outcome of confirmed symptomatic congenital cytomegalovirus infection. Archives of disease in childhood 1991, 66(9):1068-1069.

- Fowler KB, McCollister FP, Dahle AJ, Boppana S, Britt WJ, Pass RF: Progressive and fluctuating sensorineural hearing loss in children with asymptomatic congenital cytomegalovirus infection. The Journal of pediatrics 1997, 130(4):624-630.

- Pass RF, Stagno S, Myers GJ, Alford CA: Outcome of symptomatic congenital cytomegalovirus infection: results of long-term longitudinal follow-up. Pediatrics 1980, 66(5):758-762.

- Dodge PR, Davis H, Feigin RD, Holmes SJ, Kaplan SL, Jubelirer DP, Stechenberg BW, Hirsh SK: Prospective evaluation of hearing impairment as a sequela of acute bacterial meningitis. The New England journal of medicine 1984, 311(14):869-874.

- Bhatt SM, Lauretano A, Cabellos C, Halpin C, Levine RA, Xu WZ, Nadol JB, Jr., Tuomanen E: Progression of hearing loss in experimental pneumococcal meningitis: correlation with cerebrospinal fluid cytochemistry. The Journal of infectious diseases 1993, 167(3):675-683.

- Palva T, Dammert K: Human cochlear aqueduct. Acta otolaryngologica 1969:Suppl 246:241+.

- Eisenberg LS, Luxford WM, Becker TS, House WF: Electrical stimulation of the auditory system in children deafened by meningitis. Otolaryngology--head and neck surgery : official journal of American Academy of Otolaryngology-Head and Neck Surgery 1984, 92(6):700-705.

- Durisin M, Bartling S, Arnoldner C, Ende M, Prokein J, Lesinski-Schiedat A, Lanfermann H, Lenarz T, Stover T: Cochlear osteoneogenesis after meningitis in cochlear implant patients: a retrospective analysis. Otology & neurotology : official publication of the American Otological Society, American Neurotology Society [and] European Academy of Otology and Neurotology 2010, 31(7):1072-1078.

- El-Kashlan HK, Ashbaugh C, Zwolan T, Telian SA: Cochlear implantation in prelingually deaf children with ossified cochleae. Otology & neurotology : official publication of the American Otological Society, American Neurotology Society [and] European Academy of Otology and Neurotology 2003, 24(4):596-600.

- Rance G, Beer DE, Cone-Wesson B, Shepherd RK, Dowell RC, King AM, Rickards FW, Clark GM: Clinical findings for a group of infants and young children with auditory neuropathy. Ear and hearing 1999, 20(3):238-252.

- Teagle HF, Roush PA, Woodard JS, Hatch DR, Zdanski CJ, Buss E, Buchman CA: Cochlear implantation in children with auditory neuropathy spectrum disorder. Ear and hearing 2010, 31(3):325-335.

- Buss E, Labadie RF, Brown CJ, Gross AJ, Grose JH, Pillsbury HC: Outcome of cochlear implantation in pediatric auditory neuropathy. Otology & neurotology : official publication of the American Otological Society, American Neurotology Society [and] European Academy of Otology and Neurotology 2002, 23(3):328-332.

- Peterson A, Shallop J, Driscoll C, Breneman A, Babb J, Stoeckel R, Fabry L: Outcomes of cochlear implantation in children with auditory neuropathy. Journal of the American Academy of Audiology 2003, 14(4):188-201.

- Rance G, Barker EJ: Speech perception in children with auditory neuropathy/dyssynchrony managed with either hearing AIDS or cochlear implants. Otology & neurotology : official publication of the American Otological Society, American Neurotology Society [and] European Academy of Otology and Neurotology 2008, 29(2):179-182.

- Jeong SW, Kim LS, Kim BY, Bae WY, Kim JR: Cochlear implantation in children with auditory neuropathy: outcomes and rationale. Acta oto-laryngologica Supplementum 2007(558):36-43.

- Madden C, Hilbert L, Rutter M, Greinwald J, Choo D: Pediatric cochlear implantation in auditory neuropathy. Otology & neurotology : official publication of the American Otological Society, American Neurotology Society [and] European Academy of Otology and Neurotology 2002, 23(2):163-168.

- Rance G, Barker EJ, Sarant JZ, Ching TY: Receptive language and speech production in children with auditory neuropathy/dyssynchrony type hearing loss. Ear and hearing 2007, 28(5):694-702.

- Sung-Wook Jeong M, Lee-Suk Kim M, Young-Mee Lee M, Soo-Yong Ahn M, Ji-Sang Park M: Clinical Characteristics of Pediatric Auditory Neuropathy. Korean J Otorhinolaryngol-Head Neck Surg 2007, 50:759-765.

- Papsin BC, Bailey CM, Albert DM, Bellman SC: Otitis media

with effusion in paediatric cochlear implantees: the role of peri-implant grommet insertion. International journal of pediatric otorhinolaryngology 1996, 38(1):13-19.

• Sun JQ, Sun JW, Hou XY: Cochlear implantation with round window insertion in children with otitis media with effusion. ORL; journal for oto-rhino-laryngology and its related specialties 2014, 76(1):13-18.

• 이효정: 청각검사지침: 대한청각학회; 2008.

• 김은연, 김진숙, 문인석, 박현영, 방정화, 신유리, 윤미선, 이영미, 이준호, 이지연 et al: 말지각검사의 실제: 대한청각학회; 2015.

• 김종선, 장선오, 오승하: 뇌막염후 난청환아에서 와우이식의 결과. 한이인지 2002, 45:13-17.

• Hochmair ES, Teissl C, Kremser C, Hochmair-Desoyer I: Magnetic resonance imaging safety of the Combi 40/Combi 40+ cochlear implants. Advances in oto-rhino-laryngology 2000, 57:39-41.

• Crane BT, Gottschalk B, Kraut M, Aygun N, Niparko JK: Magnetic resonance imaging at 1.5 T after cochlear implantation. Otology & neurotology : official publication of the American Otological Society, American Neurotology Society [and] European Academy of Otology and Neurotology 2010, 31(8):1215-1220.

• F R, A S, R L, R G: Magnetic resonance imaging safety of Nucleus® 24 cochlear implants at 3.0 T. International Congress Series 2004, 1273(Cochlear Implants. Proceedings of the VIII International Cochlear Implant Conference):394□398.

• Basta D, Dahme A, Todt I, Ernst A: Relationship between intraoperative eCAP thresholds and postoperative psychoacoustic levels as a prognostic tool in evaluating the rehabilitation of cochlear implantees. Audiology & neuro-otology 2007, 12(2):113-118.

• Heydebrand G, Hale S, Potts L, Gotter B, Skinner M: Cognitive predictors of improvements in adults' spoken word recognition six months after cochlear implant activation. Audiology & neuro-otology 2007, 12(4):254-264.

• Horn DL, Fagan MK, Dillon CM, PisonidB, Miyamoto RT: Visual-motor integration skills of prelingually deaf children: implications for pediatric cochlear implantation. The Laryngoscope 2007, 117(11):2017-2025.

• FDA Public Health Web Notification*: Risk of Bacterial Meningitis in Children with Cochlear Implants [http://www.fda.gov/MedicalDevices/Safety/AlertsandNotices/PublicHealthNotifications/ucm064526.htm]

• Adunka O, Gstoettner W, Hambek M, Unkelbach MH, Radeloff A, Kiefer J: Preservation of basal inner ear structures in cochlear implantation. ORL; journal for oto-rhino-laryngology and its related specialties 2004, 66(6):306-312.

• Skarzynski H, Lorens A, Zgoda M, Piotrowska A, Skarzynski PH, Szkielkowska A: Atraumatic round window deep insertion of cochlear electrodes. Acta oto-laryngologica 2011, 131(7):740-749.

• Sun CH, Hsu CJ, Chen PR, Wu HP: Residual hearing preservation after cochlear implantation via round window or cochleostomy approach. The Laryngoscope 2015, 125(7):1715-1719.

• Erixon E, Hogstorp H, Wadin K, Rask-Andersen H: Variational anatomy of the human cochlea: implications for cochlear implantation. Otology & neurotology : official publication of the American Otological Society, American Neurotology Society [and] European Academy of Otology and Neurotology 2009, 30(1):14-22.

• Bhatia K, Gibbin KP, Nikolopoulos TP, O'Donoghue GM: Surgical complications and their management in a series of 300 consecutive pediatric cochlear implantations. Otology & neurotology : official publication of the American Otological Society, American Neurotology Society [and] European Academy of Otology and Neurotology 2004, 25(5):730-739.

• Loundon N, Blanchard M, Roger G, Denoyelle F, Garabedian EN: Medical and surgical complications in pediatric cochlear implantation. Archives of otolaryngology--head & neck surgery 2010, 136(1):12-15.

• Cohen NL: Medical or surgical complications related to the Nucleus Multichannel Cochlear Implant. The Annals of otology, rhinology, and laryngology 1989, 98(9):754.

• Clark GM, Cohen NL, Shepherd RK: Surgical and safety considerations of multichannel cochlear implants in children. Ear and hearing 1991, 12(4 Suppl):15S-24S.

• Eby TL, Nadol JB, Jr.: Postnatal growth of the human temporal bone. Implications for cochlear implants in children. The Annals of otology, rhinology, and laryngology 1986, 95(4 Pt 1):356-364.

• Dutt SN, Ray J, Hadjihannas E, Cooper H, Donaldson I, Proops DW: Medical and surgical complications of the second 100 adult cochlear implant patients in Birmingham. The Journal of laryngology and otology 2005, 119(10):759-764.

• Gordon KA, Papsin BC, Harrison RV: Toward a battery of behavioral and objective measures to achieve optimal cochlear implant stimulation levels in children. Ear and hearing 2004, 25(5):447-463.

• Cowan RS, Brown C, Whitford LA, Galvin KL, Sarant JZ, Barker EJ, Shaw S, King A, Skok M, Seligman PM et al: Speech perception in children using the advanced Speak speech-processing strategy. The Annals of otology, rhinology & laryngology Supplement 1995, 166:318-321.

• Cowan RS, DelDot J, Barker EJ, Sarant JZ, Pegg P, Dettman S, Galvin KL, Rance G, Hollow R, Dowell RC et al: Speech perception results for children with implants with different levels of preoperative residual hearing. The American journal of otology 1997, 18(6 Suppl):S125-126.

• Geers A, Brenner C, Davidson L: Factors associated with development of speech perception skills in children implanted by age five. Ear and hearing 2003, 24(1 Suppl):24S-35S.

• Beadle EA, McKinley DJ, Nikolopoulos TP, Brough J, O'Donoghue GM, Archbold SM: Long-term functional outcomes and academic-occupational status in implanted children after 10 to 14 years of cochlear implant use. Otology & neurotology : official publication of the American Otological Society, American Neurotology Society [and] European Academy of Otology and Neurotology 2005, 26(6):1152-1160.

• Uziel AS, Sillon M, Vieu A, Artieres F, Piron JP, Daures JP, Mondain M: Ten-year follow-up of a consecutive series of children with multichannel cochlear implants. Otology & neurotology : official publication of the American Otological Society, American Neurotology Society [and] European Academy of Otology and Neurotology 2007, 28(5):615-628.

• McConkey Robbins A, KochdB, Osberger MJ, Zimmerman-Phillips S, Kishon-Rabin L: Effect of age at cochlear implantation on auditory skill development in infants and toddlers. Archives of otolaryngology--head & neck surgery 2004, 130(5):570-574.

• Pyman B, Blamey P, Lacy P, Clark G, Dowell R: The development of speech perception in children using cochlear implants: effects of etiologic factors and delayed milestones. The American journal of otology 2000, 21(1):57-61.

• Sarant JZ, Blamey PJ, Dowell RC, Clark GM, Gibson WP: Variation in speech perception scores among children with cochlear implants. Ear and hearing 2001, 22(1):18-28.

• Staller SJ, Beiter AL, Brimacombe JA, Mecklenburg DJ, Arndt P: Pediatric performance with the Nucleus 22-channel cochlear implant system. The American journal of otology 1991, 12 Suppl:126-136.

• Gold T: Speech production in hearing-impaired children. Journal of communication disorders 1980, 13(6):397-418.

• Peng SC, Spencer LJ, Tomblin JB: Speech intelligibility of pediatric cochlear implant recipients with 7 years of device experience. Journal of speech, language, and hearing research : JSLHR 2004, 47(6):1227-1236.

• Tobey EA, Geers AE, Brenner C, Altuna D, Gabbert G: Factors associated with development of speech production skills in children implanted by age five. Ear and hearing 2003, 24(1 Suppl):36S-45S.

• Flipsen P, Jr.: Intelligibility of spontaneous conversational speech produced by children with cochlear implants: a review. International journal of pediatric otorhinolaryngology 2008, 72(5):559-564.

• Ertmer DJ, Young NM, Nathani S: Profiles of vocal development in young cochlear implant recipients. Journal of speech, language, and hearing research : JSLHR 2007, 50(2):393-407.

• Chin SB, Tsai PL, Gao S: Connected speech intelligibility of children with cochlear implants and children with normal hearing. American journal of speech-language pathology / American Speech-Language-Hearing Association 2003, 12(4):440-451.

• Serry T, Blamey P, Grogan M: Phoneme acquisition in the first 4 years of implant use. The American journal of otology 1997, 18(6 Suppl):S122-124.

• Blamey PJ, Barry JG, Jacq P: Phonetic inventory development in young cochlear implant users 6 years postoperation. Journal of speech, language, and hearing research : JSLHR 2001, 44(1):73-79.

• Lesinski-Schiedat A, Illg A, Heermann R, Bertram B, Lenarz T: Paediatric cochlear implantation in the first and in the second year of life: a comparative study. Cochlear implants international 2004, 5(4):146-159.

• James AL, Papsin BC: Cochlear implant surgery at 12 months of age or younger. The Laryngoscope 2004, 114(12):2191-2195.

• Colletti L, Mandala M, Colletti V: Cochlear implants in children younger than 6 months. Otolaryngology--head and neck surgery : official journal of American Academy of Otolaryngology-Head and Neck Surgery 2012, 147(1):139-146.

• Connor CM, Hieber S, Arts HA, Zwolan TA: Speech, vocabulary, and the education of children using cochlear implants: oral or total communication? Journal of speech, language, and hearing research : JSLHR 2000, 43(5):1185-1204.

• Miyamoto RT, Kirk KI, Svirsky MA, Sehgal ST: Communication skills in pediatric cochlear implant recipients. Acta oto-laryngologica 1999, 119(2):219-224.

• Svirsky MA, Robbins AM, Kirk KI, PisonidB, Miyamoto RT: Language development in profoundly deaf children with cochlear implants. Psychological science 2000, 11(2):153-158.

• Tomblin JB, Spencer L, Flock S, Tyler R, Gantz B: A comparison of language achievement in children with cochlear implants and children using hearing aids. Journal of speech, language, and hearing research : JSLHR 1999, 42(2):497-509.

• Spencer PE, Marschark M, Spencer LJ: Cochlear Implants: Advances, Issues, and Implications. In: The Oxford Handbook of Deaf Studies, Language, and Education. New York: Oxford University Press; 2011: 452-470.

• Connor CM, Craig HK, Raudenbush SW, Heavner K, Zwolan TA: The age at which young deaf children receive cochlear implants and their vocabulary and speech-production growth: is there an added value for early implantation? Ear and hearing 2006, 27(6):628-644.

• Duchesne L, Sutton A, Bergeron F: Language achievement in children who received cochlear implants between 1 and 2 years of age: group trends and individual patterns. Journal of deaf studies and deaf education 2009, 14(4):465-485.

• Geers AE: Factors influencing spoken language outcomes in children following early cochlear implantation. Advances in oto-rhino-laryngology 2006, 64:50-65.

• Tomblin JB, Barker BA, Spencer LJ, Zhang X, Gantz BJ: The effect of age at cochlear implant initial stimulation on expressive language growth in infants and toddlers. Journal of speech, language, and hearing research : JSLHR 2005, 48(4):853-867.

• Geers AE, Moog JS, Biedenstein J, Brenner C, Hayes H: Spoken language scores of children using cochlear implants compared to hearing age-mates at school entry. Journal of deaf studies and deaf education 2009, 14(3):371-385.

• Nicholas JG, Geers AE: Expected test scores for preschoolers with a cochlear implant who use spoken language. American journal of speech-language pathology / American Speech-Language-Hearing Association 2008, 17(2):121-138.

• Yoshinaga-Itano C, Baca RL, Sedey AL: Describing the trajectory of language development in the presence of severe-to-profound hearing loss: a closer look at children with cochlear implants versus hearing aids. Otology & neurotology : official publication of the American Otological Society, American

Neurotology Society [and] European Academy of Otology and Neurotology 2010, 31(8):1268-1274.

• Ching TY, Crowe K, Martin V, Day J, Mahler N, Youn S, Street L, Cook C, Orsini J: Language development and everyday functioning of children with hearing loss assessed at 3 years of age. International journal of speech-language pathology 2010, 12(2):124-131.

• Nikolopoulos TP, Dyar D, Archbold S, O'Donoghue GM: Development of spoken language grammar following cochlear implantation in prelingually deaf children. Archives of otolaryngology--head & neck surgery 2004, 130(5):629-633.

• Sarant JZ, Holt CM, Dowell RC, Rickards FW, Blamey PJ: Spoken language development in oral preschool children with permanent childhood deafness. Journal of deaf studies and deaf education 2009, 14(2):205-217.

• Young GA, Killen DH: Receptive and expressive language skills of children with five years of experience using a cochlear implant. The Annals of otology, rhinology, and laryngology 2002, 111(9):802-810.

• McConkey Robbins A, Green JE, Waltzman SB: Bilingual oral language proficiency in children with cochlear implants. Archives of otolaryngology--head & neck surgery 2004, 130(5):644-647.

• Waltzman SB, Robbins AM, Green JE, Cohen NL: Second oral language capabilities in children with cochlear implants. Otology & neurotology : official publication of the American Otological Society, American Neurotology Society [and] European Academy of Otology and Neurotology 2003, 24(5):757-763.

• Watson SM, Henggeler SW, Whelan JP: Family functioning and the social adaptation of hearing-impaired youths. Journal of abnormal child psychology 1990, 18(2):143-163.

• Meadow KP: Deafness and child development. In. Edited by Berkeley; 1980.

• Calderon R: Parental Involvement in Deaf Children's Education Programs as a Predictor of Child's Language, Early Reading, and Social-Emotional Development. Journal of deaf studies and deaf education 2000, 5(2):140-155.

• Montanini-Manfredi: The emotional development of deaf children. In: Psychological Perspectives on Deafness. Edited by M. Marshark MDC. Hillsdale, New Jersey: Lawrence Erlbaum Associates; 1993: 49-63.

• Most T: Speech intelligibility, loneliness, and sense of coherence among deaf and hard-of-hearing children in individual inclusion and group inclusion. Journal of deaf studies and deaf education 2007, 12(4):495-503.

• Boyd RC, Knutson JF, Dahlstrom AJ: Social interaction of pediatric cochlear implant recipients with age-matched peers. The Annals of otology, rhinology & laryngology Supplement 2000, 185:105-109.

• Dammeyer J: Psychosocial development in a Danish population of children with cochlear implants and deaf and hard-of-hearing children. Journal of deaf studies and deaf education 2010, 15(1):50-58.

• Bat-Chava Y, Deignan E: Peer relationships of children with cochlear implants. Journal of deaf studies and deaf education 2001, 6(3):186-199.

• Martin D, Bat-Chava Y, Lalwani A, Waltzman SB: Peer relationships of deaf children with cochlear implants: predictors of peer entry and peer interaction success. Journal of deaf studies and deaf education 2011, 16(1):108-120.

• Schorr EA: Early cochlear implant experience and emotional functioning during childhood: Loneliness in middle and late childhood. Volta Review 2006, 106(3):365-379.

• Percy-Smith L, Caye-Thomasen P, Gudman M, Jensen JH, Thomsen J: Self-esteem and social well-being of children with cochlear implant compared to normal-hearing children. International journal of pediatric otorhinolaryngology 2008, 72(7):1113-1120.

• Bat-Chava Y, Martin D, Kosciw JG: Longitudinal improvements in communication and socialization of deaf children with cochlear implants and hearing aids: evidence from parental reports. Journal of child psychology and psychiatry, and allied disciplines 2005, 46(12):1287-1296.

• Huttunen K, Valimaa T: Parents' views on changes in their child's communication and linguistic and socioemotional development after cochlear implantation. Journal of deaf studies and deaf education 2010, 15(4):383-404.

• Leigh IW, Maxwell-McCaw D, Bat-Chava Y, Christiansen JB: Correlates of psychosocial adjustment in deaf adolescents with and without cochlear implants: a preliminary investigation. Journal of deaf studies and deaf education 2009, 14(2):244-259.

• Percy-Smith L, Jensen JH, Caye-Thomasen P, Thomsen J, Gudman M, Lopez AG: Factors that affect the social well-being of children with cochlear implants. Cochlear implants international 2008, 9(4):199-214.

• Loy B, Warner-Czyz AD, Tong L, Tobey EA, Roland PS: The children speak: an examination of the quality of life of pediatric cochlear implant users. Otolaryngology--head and neck surgery : official journal of American Academy of Otolaryngology-Head and Neck Surgery 2010, 142(2):247-253.

• Sahli S, Belgin E: Comparison of self-esteem level of adolescents with cochlear implant and normal hearing. International journal of pediatric otorhinolaryngology 2006, 70(9):1601-1608.

• Huber M: Health-related quality of life of Austrian children and adolescents with cochlear implants. International journal of pediatric otorhinolaryngology 2005, 69(8):1089-1101.

• Warner-Czyz AD, Loy B, Roland PS, Tong L, Tobey EA: Parent versus child assessment of quality of life in children using cochlear implants. International journal of pediatric otorhinolaryngology 2009, 73(10):1423-1429.

• Nicholas JG, Geers AE: Personal, social, and family adjustment in school-aged children with a cochlear implant. Ear and hearing 2003, 24(1 Suppl):69S-81S.

• Connor CM, Zwolan TA: Examining multiple sources of influence on the reading comprehension skills of children who use cochlear implants. Journal of speech, language, and hearing research : JSLHR 2004, 47(3):509-526.

• James D, Rajput K, Brinton J, Goswami U: Phonological awareness, vocabulary, and word reading in children who use cochlear implants: does age of implantation explain individual variability in performance outcomes and growth? Journal of deaf studies and deaf education 2008, 13(1):117-137.

• Johnson C, Goswami U: Phonological awareness, vocabulary, and reading in deaf children with cochlear implants. Journal of speech, language, and hearing research : JSLHR 2010, 53(2):237-261.

• Moeller MP, Tomblin JB, Yoshinaga-Itano C, Connor CM, Jerger S: Current state of knowledge: language and literacy of children with hearing impairment. Ear and hearing 2007, 28(6):740-753.

• El-Hakim H, Levasseur J, Papsin BC, Panesar J, Mount RJ, Stevens D, Harrison RV: Assessment of vocabulary development in children after cochlear implantation. Archives of otolaryngology--head & neck surgery 2001, 127(9):1053-1059.

• Dawson PW, Blamey PJ, Dettman SJ, Barker EJ, Clark GM: A clinical report on receptive vocabulary skills in cochlear implant users. Ear and hearing 1995, 16(3):287-294.

• Archbold S, Harris M, O'Donoghue G, Nikolopoulos T, White A, Richmond HL: Reading abilities after cochlear implantation: the effect of age at implantation on outcomes at 5 and 7 years after implantation. International journal of pediatric otorhinolaryngology 2008, 72(10):1471-1478.

• Spencer LJ, Barker BA, Tomblin JB: Exploring the language and literacy outcomes of pediatric cochlear implant users. Ear and hearing 2003, 24(3):236-247.

• Spencer LJ, Oleson JJ: Early listening and speaking skills predict later reading proficiency in pediatric cochlear implant users. Ear and hearing 2008, 29(2):270-280.

• Marschark M, Rhoten C, Fabich M: Effects of cochlear implants on children's reading and academic achievement. Journal of deaf studies and deaf education 2007, 12(3):269-282.

• Moog JS, Geers AE: Epilogue: major findings, conclusions and implications for deaf education. Ear and hearing 2003, 24(1 Suppl):121S-125S.

• Geers AE, Hayes H: Reading, writing, and phonological processing skills of adolescents with 10 or more years of cochlear implant experience. Ear and hearing 2011, 32(1 Suppl):49S-59S.

• Lichtenstein E: The relationships between reading processes and English skills of deaf college students. Journal of deaf studies and deaf education 1998, 3(2):80-134.

• Kretchmer R, Kretchmer L: Language in Perspective. In: Deafness In Perspective. Edited by D.Luterman. San Diego: College-Hill Press; 1986: 131-165.

• Paul P: Literacy and Deafness: The Development of Reading, Writing, and Literate Thought. Needham Heights, MA: Allyn & Bacon; 1998.

• Dorman MF, Loizou PC, Spahr AJ, Maloff E: A comparison of the speech understanding provided by acoustic models of fixed-channel and channel-picking signal processors for cochlear implants. Journal of speech, language, and hearing research : JSLHR 2002, 45(4):783-788.

• Plant K, Holden L, Skinner M, Arcaroli J, Whitford L, Law MA, Nel E: Clinical evaluation of higher stimulation rates in the nucleus research platform 8 system. Ear and hearing 2007, 28(3):381-393.

• Zeng FG: Trends in cochlear implants. Trends in amplification 2004, 8(1):1-34.

• Kral A, Hartmann R, Tillein J, Heid S, Klinke R: Delayed maturation and sensitive periods in the auditory cortex. Audiology & neuro-otology 2001, 6(6):346-362.

• Middlebrooks JC, Bierer JA, Snyder RL: Cochlear implants: the view from the brain. Current opinion in neurobiology 2005, 15(4):488-493.

• Ponton CW, Don M, Eggermont JJ, Waring MD, Kwong B, Masuda A: Auditory system plasticity in children after long periods of complete deafness. Neuroreport 1996, 8(1):61-65.

• Gordon KA, Wong DD, Papsin BC: Cortical function in children receiving bilateral cochlear implants simultaneously or after a period of interimplant delay. Otology & neurotology : official publication of the American Otological Society, American Neurotology Society [and] European Academy of Otology and Neurotology 2010, 31(8):1293-1299.

• Sharma A, Dorman MF, Kral A: The influence of a sensitive period on central auditory development in children with unilateral and bilateral cochlear implants. Hearing research 2005, 203(1-2):134-143.

• Sharma A, Dorman MF, Spahr AJ: A sensitive period for the development of the central auditory system in children with cochlear implants: implications for age of implantation. Ear and hearing 2002, 23(6):532-539.

• Schorr EA, Roth F, Fox N: A Comparison of the Speech and Language Skills of Children With Cochlear Implants and Children With Normal Hearing. Communication Disorders Quarterly 2008, 29(4):195-210.

• Sharma A, Dorman MF: Central auditory development in children with cochlear implants: clinical implications. Advances in oto-rhino-laryngology 2006, 64:66-88.

• Dalzell L, Orlando M, MacDonald M, Berg A, Bradley M, Cacace A, Campbell D, DeCristofaro J, Gravel J, Greenberg E et al: The New York State universal newborn hearing screening demonstration project: ages of hearing loss identification, hearing aid fitting, and enrollment in early intervention. Ear and hearing 2000, 21(2):118-130.

• Harrison M, Roush J, Wallace J: Trends in age of identification and intervention in infants with hearing loss. Ear and hearing 2003, 24(1):89-95.

• Watkin P, McCann D, Law C, Mullee M, Petrou S, Stevenson J, Worsfold S, Yuen HM, Kennedy C: Language ability in children with permanent hearing impairment: the influence of early management and family participation. Pediatrics 2007, 120(3):e694-701.

• Geers AE: Speech, language, and reading skills after early cochlear implantation. Archives of otolaryngology--head & neck surgery 2004, 130(5):634-638.

• Niparko JK, Tobey EA, Thal DJ, Eisenberg LS, Wang NY, Quittner AL, Fink NE, Team CDI: Spoken language development in children following cochlear implantation. Jama 2010, 303(15):1498-1506.

• Waltzman SB, Roland JT, Jr.: Cochlear implantation in children younger than 12 months. Pediatrics 2005, 116(4):e487-493.

• Waltzman SB: Cochlear implants: current status. Expert review of medical devices 2006, 3(5):647-655.

• Young NM, Reilly BK, Burke L: Limitations of universal newborn hearing screening in early identification of pediatric cochlear implant candidates. Archives of otolaryngology--head & neck surgery 2011, 137(3):230-234.

• Boothroyd A, Geers AE, Moog JS: Practical implications of cochlear implants in children. Ear and hearing 1991, 12(4 Suppl):81S-89S.

• Holt RF, Svirsky MA: An exploratory look at pediatric cochlear implantation: is earliest always best? Ear and hearing 2008, 29(4):492-511.

• Wake M, Poulakis Z, Hughes EK, Carey-Sargeant C, Rickards FW: Hearing impairment: a population study of age at diagnosis, severity, and language outcomes at 7-8 years. Archives of disease in childhood 2005, 90(3):238-244.

• Harris M, Terlektsi E: Reading and spelling abilities of deaf adolescents with cochlear implants and hearing AIDS. Journal of deaf studies and deaf education 2011, 16(1):24-34.

• Gantz BJ, Turner CW: Combining acoustic and electrical hearing. The Laryngoscope 2003, 113(10):1726-1730.

• Gantz BJ, Turner C, Gfeller KE, Lowder MW: Preservation of hearing in cochlear implant surgery: advantages of combined electrical and acoustical speech processing. The Laryngoscope 2005, 115(5):796-802.

• Lehnhardt E: [Intracochlear placement of cochlear implant electrodes in soft surgery technique]. Hno 1993, 41(7):356-359.

• Geers AE: Predictors of reading skill development in children with early cochlear implantation. Ear and hearing 2003, 24(1 Suppl):59S-68S.

• Mayne A, Yoshinaga-Itano C, Sedey A, Carey A: Expressive vocabulary development of infants and toddlers who are deaf or hard of hearing. The Volta review 2000, 100(5):1-28.

• Sarant JZ, Hughes K, Blamey PJ: The effect of IQ on spoken language and speech perception development in children with impaired hearing. Cochlear implants international 2010, 11 Suppl 1:370-374.

• Waltzman SB, Scalchunes V, Cohen NL: Performance of multiply handicapped children using cochlear implants. The American journal of otology 2000, 21(3):329-335.

• PisonidB, Cleary M, Geers AE, Tobey EA: Individual Differences in Effectiveness of Cochlear Implants in Children Who Are Prelingually Deaf: New Process Measures of Performance. The Volta review 1999, 101(3):111-164.

• PisonidB, Cleary M: Measures of working memory span and verbal rehearsal speed in deaf children after cochlear implantation. Ear and hearing 2003, 24(1 Suppl):106S-120S.

• Archbold SM, Nikolopoulos TP, Tait M, O'Donoghue GM, Lutman ME, Gregory S: Approach to communication, speech perception and intelligibility after paediatric cochlear implantation. British journal of audiology 2000, 34(4):257-264.

• Meyer TA, Svirsky MA, Kirk KI, Miyamoto RT: Improvements in speech perception by children with profound prelingual hearing loss: effects of device, communication mode, and chronological age. Journal of speech, language, and hearing research : JSLHR 1998, 41(4):846-858.

• Miyamoto RT, Osberger MJ, Robbins AM, Myres WA, Kessler K: Prelingually deafened children's performance with the nucleus multichannel cochlear implant. The American journal of otology 1993, 14(5):437-445.

• Robbins AM, Bollard PM, Green J: Language development in children implanted with the CLARION cochlear implant. The Annals of otology, rhinology & laryngology Supplement 1999, 177:113-118.

• Geers A: Spoken language in children with cochlear implants. In: Advances in the spoken language development of deaf and hard-of-hearing children. Edited by Spencer PE, M.Marshark. New York: Oxford University Press Inc.,; 2006: 244-270.

• Dollaghan CA, Campbell TF, Paradise JL, Feldman HM, Janosky JE, Pitcairn DN, Kurs-Lasky M: Maternal education and measures of early speech and language. Journal of speech, language, and hearing research : JSLHR 1999, 42(6):1432-1443.

• Moeller MP: Early intervention and language development in children who are deaf and hard of hearing. Pediatrics 2000, 106(3):E43.

• Fallon MA, Harris M: Training parents to interact with their young children with handicaps: professional directed and parent-oriented approaches. Infant Toddler Intervention 1991, 1:297-313.

• Hoff E: The specificity of environmental influence: socioeconomic status affects early vocabulary development via maternal speech. Child development 2003, 74(5):1368-1378.

• Hoff E, Tian C: Socioeconomic status and cultural influences on language. Journal of communication disorders 2005, 38(4):271-278.

• Offeciers E, Morera C, Muller J, Huarte A, Shallop J, Cavalle L: International consensus on bilateral cochlear implants and bimodal stimulation. Acta oto-laryngologica 2005, 125(9):918-919.

• Galvin KL, Mok M, Dowell RC: Perceptual benefit and functional outcomes for children using sequential bilateral cochlear implants. Ear and hearing 2007, 28(4):470-482.

• Scherf F, van Deun L, van Wieringen A, Wouters J, Desloovere C, Dhooge I, Offeciers E, Deggouj N, De Raeve L, De Bodt M et al: Hearing benefits of second-side cochlear implantation in two groups of children. International journal of pediatric otorhinolaryngology 2007, 71(12):1855-1863.

• Litovsky RY, Johnstone PM, Godar S, Agrawal S, Parkinson A, Peters R, Lake J: Bilateral cochlear implants in children: localization acuity measured with minimum audible angle. Ear and hearing 2006, 27(1):43-59.

• Johnston JC, Durieux-Smith A, Angus D, O'Connor A, Fitzpatrick EM: Bilateral padiatric cochlear implants: A critical review. International journal of audiology 2009, 48:601-617.

• Lovett RE, Kitterick PT, Hewitt CE, Summerfield AQ: Bilateral or unilateral cochlear implantation for deaf children: an observational study. Archives of disease in childhood 2010, 95(2):107-112.

• Litovsky RY, Parkinson A, Arcaroli J, Peters R, Lake J, Johnstone P, Yu G: Bilateral cochlear implants in adults and children. Archives of otolaryngology--head & neck surgery 2004, 130(5):648-655.

• Peters BR, Litovsky R, Parkinson A, Lake J: Importance of age and postimplantation experience on speech perception measures in children with sequential bilateral cochlear implants. Otology & neurotology : official publication of the American Otological Society, American Neurotology Society [and] European Academy of Otology and Neurotology 2007, 28(5):649-657.

• Steffens T, Lesinski-Schiedat A, Strutz J, Aschendorff A, Klenzner T, Ruhl S, Voss B, Wesarg T, Laszig R, Lenarz T: The benefits of sequential bilateral cochlear implantation for hearing-impaired children. Acta oto-laryngologica 2008, 128(2):164-176.

• Kuhn-Inacker H, Shehata-Dieler W, Muller J, Helms J: Bilateral cochlear implants: a way to optimize auditory perception abilities in deaf children? International journal of pediatric otorhinolaryngology 2004, 68(10):1257-1266.

• Wolfe J, Baker S, Caraway T, Kasulis H, Mears A, Smith J, Swim L, Wood M: 1-year postactivation results for sequentially implanted bilateral cochlear implant users. Otology & neurotology : official publication of the American Otological Society, American Neurotology Society [and] European Academy of Otology and Neurotology 2007, 28(5):589-596.

• Litovsky RY, Johnstone PM, Godar SP: Benefits of bilateral cochlear implants and/or hearing aids in children. International journal of audiology 2006, 45 Suppl 1:S78-91.

• Galvin KL, Mok M, Dowell RC, Briggs RJ: Speech detection and localization results and clinical outcomes for children receiving sequential bilateral cochlear implants before four years of age. International journal of audiology 2008, 47(10):636-646.

• Grieco-Calub TM, Litovsky RY: Sound localization skills in children who use bilateral cochlear implants and in children with normal acoustic hearing. Ear and hearing 2010, 31(5):645-656.

• Sparreboom M, van Schoonhoven J, van Zanten BG, Scholten RJ, Mylanus EA, Grolman W, Maat B: The effectiveness of bilateral cochlear implants for severe-to-profound deafness in children: a systematic review. Otology & neurotology : official publication of the American Otological Society, American Neurotology Society [and] European Academy of Otology and Neurotology 2010, 31(7):1062-1071.

• Galvin KL, Hughes KC, Mok M: Can adolescents and young adults with prelingual hearing loss benefit from a second,

sequential cochlear implant? International journal of audiology 2010, 49(5):368-377.

• Tait M, Nikolopoulos TP, De Raeve L, Johnson S, Datta G, Karltorp E, Ostlund E, Johansson U, van Knegsel E, Mylanus EA et al: Bilateral versus unilateral cochlear implantation in young children. International journal of pediatric otorhinolaryngology 2010, 74(2):206-211.

• Nittrouer S, Chapman C: The effects of bilateral electric and bimodal electric--acoustic stimulation on language development. Trends in amplification 2009, 13(3):190-205.

• Sarant J, Galvin K, Holland J, Bant S, Blamey P, Wales R, Busby P, Moran M: Bilateral versus unilateral cochlear implants for children: Early language findings of a 5-year study of language, academic, psychosocial and other outcomes. In: Proceedings of 10th European Symposium on Peadiatric Cochlear Implantation,. Athens, Greece,; 2011.

• Boons T, van Wieringen A, Brokx JPL, J.H.M. F, Peeraer L, Philips BA, Vermeulen M, Wouters J: Benefit of paediatric bilateral cochlear implantation on language outcomes. In: Proceedings of 10th European Symposium on Pediatric Cochlear Implantation. Athens, Greece; 2011.

• Galvin KL, Hughes KC: Adapting to bilateral cochlear implants: early post-operative device use by children receiving sequential or simultaneous implants at or before 3.5 years. Cochlear implants international 2012, 13(2):105-112.

• Gordon KA, Valero J, van Hoesel R, Papsin BC: Abnormal timing delays in auditory brainstem responses evoked by bilateral cochlear implant use in children. Otology & neurotology : official publication of the American Otological Society, American Neurotology Society [and] European Academy of Otology and Neurotology 2008, 29(2):193-198.

• Gordon KA, Valero J, Papsin BC: Auditory brainstem activity in children with 9-30 months of bilateral cochlear implant use. Hearing research 2007, 233(1-2):97-107.

• Dowell RC, Galvin KL, Dettman SJ, Leigh JR, Hughes KC, Van Hoesel R: Bilateral cochlear implants in children. Seminars in Hearing 2011, 32(1):53-72.

• Scherf F, Van Deun L, van Wieringen A, Wouters J, Desloovere C, Dhooge I, Offeciers E, Deggouj N, De Raeve L, Wuyts FL et al: Three-year postimplantation auditory outcomes in children with sequential bilateral cochlear implantation. The Annals of otology, rhinology, and laryngology 2009, 118(5):336-344.

• Archbold SM, O'Donoghue GM: Cochlear implantation in children: current status. Paediatrics & Child Health 2009, 19(10):457-463.

• Ray J, Wright T, Fielden C, Cooper H, Donaldson I, Proops DW: Non-users and limited users of cochlear implants. Cochlear implants international 2006, 7(1):49-58.

• Galvin K, Hughes K: Adapting to bilateral cochlear implants: early postoperative device use by children receiving sequential or simultaneous implants at or before 3.5 years. Cochlear implants international 2012, 13(2):105-112.

소아 어지럼증

Pediatric Dizziness

이효정

어린이에서 어지럼은 성인보다 낮은 빈도로 보고되나 드문 증상은 아니며, 소아에서 어지럼 질환의 유병률은 5-18%로 비교적 흔한 것으로 보고된다. 영국에서 약 7,000명의 10세 아동을 대상으로 한 조사에서 어지럼 유병률은 5.7%였으며, 약 절반의 아동이 어지럼으로 인해 하던 활동을 멈추어야 한다고 하였다. 동반증상으로는 60%에서 두통, 20%에서 이명, 17%에서 난청이 동반되었다. 미국의 2016년 전국보건면접조사(National Health Inverview Survey)에 의하면 어지럼과 불균형감은 3-17세 아동 중 5.6%에서 보고되었고 약 23%에서는 중등도 이상의 증상을 호소하였다. 그러나 성인에 비하여 아동의 어지럼 질환에 대한 연구는 아직 부족한 상태이다. 아동에서 어지럼 질환의 진단이 어려운 이유는 여러가지이다. 우선 진단과정에서 가장 중요한 병력청취 단계에서 아동 스스로 증상을 표현할 수 있는 능력이 부족한 경우가 흔하고, 주의 지속기간(attention span)이 짧으며, 안진 관찰을 포함한 신경이과학적 신체검진 및 검사 시 협조가 어려울 수 있고, 정적전정장애(static vestibular deficit)에 대한 보상능력이 뛰어나 발현되는 증상 및 징후가 기능결손 정도에 비해 미약할 수 있기 때문이다.

소아 어지럼증은 성인에게서 어지럼을 유발하는 거의 모든 질환에 의해 발생할 수 있으나, 양성돌발현훈(benign paroxysmal vertigo)과 전정편두통(vestibular migraine)의 비율이 높은 것이 특징이다. 2017년 국내에서 이루어진 다기관 연구에 따르면, 소아 어지럼의 원인질환으로는 전정편두통(29.2%)과 양성돌발현훈(22.9%)이 가장 흔한 원인이고 기립성어지럼/실신(9.2%)이 그 뒤였으며, 메니에르병(8.3%), 전정신경염(5.8%), 양성돌발성두위현훈(5.1%) 등 말초성 어지럼과 심인성어지럼(6.1)이 흔한 원인으로 조사되었다. 연령에 따라서 질환의 분포가 달랐는데, 만 12세까지의 어린 아동에서는 양성돌발현훈이 가장 흔한 원인이고 전정편두통이 2위인데, 청소년기에는 전정편두통이(29.2%) 가장 흔하고 그 다음으로는 메니에르병(13.8%), 기립성어지럼/실신(13.4%), 양성돌발현훈(12.9%)이 비슷한 빈도로 보고되었다. 표 18-1에서는 2017년 발표된 메타분석에서 총 2,726례를 분석하여 나타난 소아어지럼 질환을 빈도순으로 제시하였다.

표 18-1. Davitt 등(2017)의 메타분석에서 보고된 소아 어지럼 질환의 빈도

질환	추정 비율(%)
전정편두통	23.8
양성돌발현훈	13.7
특발성	11.7
내이염/전정신경염	8.47
외상후 현훈	8.36
실신/기립성 저혈압	6.79
심인성	6.27
메니에르병	3.01
발작	2.82
양성돌발성두위현훈	2.64
삼출성중이염	2.09
양측성 전정마비	2.09
중추신경계 종양	1.21
상기도 감염	1.14

1. 평형기관의 발생과 평형기능의 발달

1) 전정기관의 발생

내이 전정기관의 발생은 태생 4주 초 후뇌(hindbrain)의 외측 외배엽(ectoderm)이 비후되며 이판(otic placode)을 형성하면서 시작된다. 이판은 점차 함몰되고 중배엽(mesoderm)에 둘러싸여 이와(otic pit)를 형성하고 태생 4주에는 함몰이 시작된 입구부가 막히면서 원시형태의 막성미로인 이낭(otic vesicle)을 형성한다. 이낭은 상부와 하부로 나뉘어 상부는 난형낭(utricle)과 세반고리관(semicircular canals), 하부는 구형낭(saccule)과 와우(cochlea)를 형성하게 된다. 이낭 상부에서 기원한 전정기관은 하부에서 기원한 와우보다 일찍 형성되는데, 난형낭과 연결된 세반고리관은 상반고리관이 가장 먼저 형성된 후에 후반고리관이 만들어지고, 측반고리관이 가장 나중에 형성된다. 구형낭은 와우관(cochlear duct)과 함께 이낭의 하부에서 형성되며 와우관과의 사이에 연합관(ductus reuniens)으로 연결된다. 태생 3주째부터 세반고리관의 능(crista)과 이석기관의 반(macula)을 이루는 외배엽으로부터 감각상피가 발생하는데, 전정기관의 유모세포는 약 7주경부터 관찰되고, 9-10주경부터는 신경접합부(synapse)가 발달되고, 11-13주에 제1형과 제2형의 유모세포로 분화가 일어난다. 태생 7주경 난형낭으로부터 시작하여 이석기관에 이석이 발생된다. 이석은 태생 7-12주에 걸쳐 칼슘조성이 증가되며, 난형낭의 이석이 구형낭의 것보다 좀더 성숙되고 크기와 모양이 더 다양하다. 막성미로 주변의 중배엽으로부터 골성미로가 발생하며, 태생 약 19주째부터 23주 사이에 상반고리관과 와우주변으로부터 시작하여 골화가 진행된다. 태생 25주경에는 전정기관의 크기와 형태가 성인과 같은 수준에 도달하나 전정도수관 등 일부 부분은 출생후에도 성장하는 것으로 알려져 있다. 전정내이의 발달이 종료될 무렵인 태생 24주경에는 전정신경절세포의 형태가 균일해지면서, 39주경까지 크기가 성장하고 출생 시에는 성숙된 형태를 보이게 된다. 전정내이와 동안신경핵의 연결은 12-24주에 일어나고, 전정신경의 수초화는 20주에 시작되며, 뇌신경 중 가장 먼저 수초화가 완료된다. 전정신경핵 복합체는 약 21주째부터 기능하는 것으로 알려져 있다.

2) 전정반사의 발달
(1) 전정안반사 및 안구운동

전정안반사는 머리의 움직임에 따라 안구의 위치를 조정하여 시야를 일정하게 유지하기 위한 것이다. 머리를 움직이는 동안에도 주시하고 있는 물체가 망막의 중심와(fovea)에 계속 위치하게 하기 위하여 세반고리관과 이석기관에서 발생되는 신호를 이용해서 외안근을 움직이게 된다. 전정안반사는 출생 시에 이미 발달되어 있으나, 그 시간상수(time constant)는 성인의 절반 수준이며 약 2개월 정도에 성인 수준으로 발달한다. 이는 출생 시 시각경로가 아직 발달되지 않았기 때문인데, 시각기능의 성숙이 전정안반사를 보정하고 속도저장기전(velocity storage mechanism)이 작동되기 위해 필수적이기 때문이다. 전정안반사의 완서성분(slow component)은 출생 시에도 대개 관찰되는데, 중추보상기전에 의해 발생하는 급속성분(fast component)은 다양

한 정도로 관찰된다. 완서성분의 속도는 6-12개월까지 점차 증가하며 이후 안정된다. 정현파 회전에 의한 전정안반사 이득은 소아에서 성인보다 크고, 지속적 각가속운동에 대한 반응은 2개월에서 11세까지 나이가 듦에 따라 시간상수는 증가하고 전정안반사의 이득은 점차 감소된다고 보고되었다.

유아(infant)에서 단속운동(saccade)은 미성숙하여 주시를 하기 위해 2회 이상의 단속운동이 필요하고, 만 2세경까지 발달이 이루어진다. 출생 1-5일까지는 전정안반사 반응이 적으며, 2개월 정도에 반응을 보이기 시작하여 2세경까지 발달된다. 즉, 6개월 이내의 유아에서는 정상적으로 전정안반사 반응이 저하되어 있을 수 있으며, 10개월 이후에도 전정안반사가 관찰되지 않으면 비정상으로 간주하여야 한다. 시운동성안진(optokinetic nystagmus)의 발달은 6개월 이전에는 명확하지 않으며, 3-6세 아동에서는 성인과 같은 수준으로 관찰된다. 시추적운동(smooth pursuit)도 출생 시에는 중심와 발달이 미성숙하여 매우 낮은 주파수에서만 가능하다.

(2) 전정척수반사(vestibulospinal reflex)와 전정경반사(vestibulocolic reflex)

몸이 움직일 때나 가만히 있을 때 환경 속에서 신체의 위치에 대한 정보는 시각, 전정감각과 체성감각을 통해 전해지며 이는 전정척수반사로 신체의 자세를 유지하는 정보가 된다. 전정척수반사가 활성화되면 척수의 전각세포(anterior horn cell)가 활성화되면서 사지와 체간에서 중력에 저항하는 근육의 반사작용을 일으킨다. 전정척수반사는 전정안반사보다 더 다양하고 복잡한 신경경로를 통해 작동되며, 전정안반사와 마찬가지로 작용근과 길항근이 짝을 이루어 작용한다(push-pull arrangement). 소아에서 전정척수반사는 약 15세경까지 지속적으로 발달하여 성인의 수준에 도달한다.

전정경반사는 몸이 움직일 때 반사적인 경부근육의 움직임을 유발하여 머리의 위치를 안정적으로 유지함으로서 시야를 안정시킨다. 전정경반사 경로는 큰 소리자극을 주었을 때 구형낭과 하전정신경을 통한 자극에 대해 반사적으로 나타나는 경부근육반응을 전정유발근전위(vestibular evoked myogenic potential, VEMP)로 측정할 수 있으며, 협조가 가능하다면 아동에서도 쉽게 검사가 가능하다.

3) 균형 및 운동기능의 발달

아동에서 자세를 유지하는 기능은 10-15세경까지 지속적으로 발달한다. 자세를 안정적으로 유지하도록 균형을 잡기 위해 성인은 체성감각을 주로 사용하나, 아동에서는 시각정보를 주로 사용하며, 특히 2세 이전의 유아에서는 시각이 균형을 잡는 데 큰 역할을 한다. 3-6세경이 되면 체성감각정보를 자세유지에 사용하기 시작하여 9-11세까지 지속적으로 발달된다. 균형을 잡기 위한 여러 감각정보들 간에 불일치가 발생하면 전정감각은 일치하지 않는 다른 감각정보들을 억제하며 기준점의 역할을 하게 된다. 성인에서는 전정감각정보와 일치하지 않는 시각정보가 있더라도 균형을 용이하게 유지할 수 있으나 12세 이전의 소아에서는 잘못된 시각정보를 잘 배제하지 못한다. 균형 유지에 필요한 세 가지 감각정보 중 소아에서는 전정감각이 가장 덜 효과적으로, 10-15세까지 전정감각을 이용한 균형기능이 계속 발달한다. 시운동계의 발달은 12세경이 되어야 성인 수준에 도달하고, 시각을 이용한 균형기능은 15세경에 성인수준에 도달한다. 그리하여 평형기능에 필요한 세 가지 감각이 각각 발달되고 감각 간의 불일치한 정보를 제대로 처리하여 성인수준의 균형기능에 도달하는 것은 15세경으로 추정된다.

2. 소아어지럼증의 진단과정

1) 병력청취

모든 어지럼 질환에 있어서 병력청취는 진단과 치료과정에 핵심적인 역할을 하게 된다. 아동이 스스로의 증상을 정확히 표현하기 어려운 경우 보호자의 기술에 의존하게 되며, 이 때 보호자의 주관적 관점이 개입하게 되면 정확한 증상 파악이 더 어려워진다. 소아환자는 진료실에서 위축되기 쉬우므로 편안한 환경을 조성하여 가능한 환아 본인이 스스로의 증상을 표현할 수 있도록 한다. 아동의 발달연령에 적당한 용어로 물어보는 것도 좋은데, 그네, 시소나 회전목마 등 움직이는 놀이기구와 비교하여 설명하게 할 수 있다. 보호자의 보고에 의존해야 할 때는 '어지럽다'는 표현이 매우 다양한 증상을 포함하므로 '어지럽다'는 표현을 사용하지 않고 증상을 기술하게 하는 것도 한 가지 방법이다. 환아가 누워만 있으려고 하는지, 걸을 때 비틀거리는지, 평소보다 활동량이 얼마나 줄었는지, 특정한 자세를 피하려고 하는지, 오심, 구토가 없는지, 창백해지거나 식은땀을 흘리는지 등 구체적인 상황을 물어보는 것도 좋다. 소아 어지럼 환자에 대한 병력청취는 성인을 대상으로 한 것과 유사하나 운동 기능의 발달이정표(developmental milestone)를 추가적으로 확인하여야 한다(표 18-2). 최근 소아 어지럼장애 척도가 한글로 번역 검증되었는데, 만 5세에서 13세 미만까지의 소아 어지럼환자의 일상생활 장애를 평가하기 위한 것으로 보호자가 작성하도록 설계되었다(표 18-3). 총 21개의 문항으로 4점척도(0:전혀 없다, 2: 가끔 그렇다, 4: 항상 그렇다)로 평가되어 총점 84점으로 이루어져 있고, 어지럼장애의 정도를 평가하고 추적관찰하는 데 사용할 수 있다.

　현훈은 실제 움직임이 없는데 움직인다고 느끼는 상태로 회전성이나 전후방향 등의 움직임을 느낄 수 있고, 자세불안(disequilibrium), 몽롱함(light-headedness), 전실신(pre-syncope) 등과 구별해야 한다. 진성 현훈이 아닌 어지럼의 경우 빈혈이나 소아당뇨 등 내과적 질환을 감별하여야 하고, 전실신의 경우 부정맥이나 기립성저혈압 등 순환기 질환을 감별하여야 한다. 말초성 질환과 중추성 질환은 증상이 중복되는 경우가 많으므로 모든 어지럼을 호소하는 아동에서 중추성 질환을 의심하고 감별하려고 노력해야 한다. 중추전정기관의 이상에 의한 어지럼의 경우 오심, 구토 등의 반응이 적고 움직임에 의해 악화되는 경우가 드물다. 운동실조(ataxia)는 키아리 기형(Chiari malformation)이나 후두개와종양(posterior fossa tumor) 등 중추신경계 질환에서 발현되는 증상으로 반드시 감별하여야 한다.

　증상의 종류와 함께 지속기간과 빈도를 파악하고, 증상을 악화시키거나 호전시키는 요인이 있는지, 이명, 난청이나 두통, 시각증상 등 동반증상, 운동발달장애, 두부외상이나 이독성약물 사용 병력, 심리적 스트레스 등을 병력에서 확인한다.

　대부분의 말초전정질환에 의한 어지럼은 움직임에 의해 악화된다. 특히 자세변화와 관련하여 증상을 보이는 질환으로는 양성 돌발성 체위변환성 현훈이 대표적인데, 돌아눕거나 고개를 들거나 숙일 때 현훈이 발생하게 된다. 기립성저혈압은 누웠다가 일어나거나 오래 서있는 자세에서 발생하고, 급격한 성장기에 있는 사춘기의 아동에게서 흔히 보이는데 이는 신체의 급격한 발달에 심혈관계가 일시적으로 적응하지 못하여 발생할 수 있다. 배에 힘을 세게 주거나 큰 소리에 의해 어지럼이 유발되는 경우는 상반고리관피열증후군에서 관찰될 수 있다.

　어지럼과 동반되어 전도성 난청을 보이는 경우 삼출성 중이염과 동반된 전정기능장애가 가장 흔하고, 이 경우 진성 현훈보다는 움직임이 서툴거나 자세가 불안정함을 호소한다. 진주종성 중이염 등 만성중이염의 합병증으로 난청과 동반된 어지럼을 호소할 수 있다. 선천성 등 어린 나이에 발생한 감각신경성 난청의 경우 전정기능 저하가 흔히 동반되는데, 와우와 전정기관은 함께 발생되며 해부학적으로 밀접하게 연결된 구조이기 때문에 와우 기능이 손상된 경우 전정기능의 손상이 동반될 가능성이 매우 높다.

　두부 외상의 병력이 있는 경우 측두골 골절에 의한 내이 손상 혹은 내림프 누공으로 감각신경성 난청 및 이명과 동반된 심한 현훈이 발생할 수 있다. 뇌진탕 후 증후군(post-concussion syndrome)에서 어지럼은 흔히 호소하는 증상이며, 이석증도 두부외상 후에 흔히 동반되는 어지럼 질환이다. 아미노글라이코사이드 계열의 항생제는 이독성이 있으며 특히 겐타마이신과 스트렙토마이신은 전정독성이 있는 것으로 잘 알려져 있다. 전정 편두통의 경우 어지럼과 두통이 동반된다. 편두통의 전조(aura) 증상으로 시각이나 청각증상이 있을 수 있는데, 이는 측두엽간질이나 후두엽간질에서 간질발작의 증상과 혼동될 수 있으므로 뇌파검사를 고려하여야 한다.

　시각 장애 자체만으로도 어지럼을 유발할 수 있는데, 어지럼을 호소하는 아동의 5-10%에서 전정기능의 이상없이

표 18-2. **운동 발달이정표(motor developmental milestone)상의 위험 신호**

운동 발달 사항	개월수
머리를 가누지 못함	4
혼자 앉지 못함	7-9
기지 못함	12
걸으려 하지 않음	18

표 18-3. **소아 어지럼장애 척도(Korean Dizziness Handicap Inventory for Patient Caregivers, KDHI-PC)**

번호	영역	질문	답변		
			전혀 없다 (0)	가끔 그렇다 (2)	항상 그렇다 (4)
1	E	자녀가 어지럼으로 피곤해합니까?			
2	F	어지럼이 자녀에게 큰 영향을 미치고 있습니까?			
3	F	자녀가 어지러워서 잘 놀지 못합니까?			
4	E	자녀가 어지럼으로 좌절감을 느끼는 것 같습니까?			
5	F	자녀가 어지럼으로 다른 사람 앞에서 창피함을 느낀 적 있습니까?			
6	F	자녀가 어지럼으로 집중력이 떨어지는 것 같습니까?			
7	E	자녀가 어지럼으로 긴장한 것 같습니까?			
8	F	다른 사람들이 자녀의 어지럼으로 인해 짜증난 적이 있습니까?			
9	E	자녀가 어지럼에 대해 걱정하고 있습니까?			
10	E	자녀가 어지럼으로 화나 있습니까?			
11	E	자녀거 어지럼으로 우울해하고 있습니까?			
12	E	자녀가 어지럼으로 행복하지 않다고 느낍니까?			
13	E	자녀가 어지럼으로 다른 아이들과 다르다고 느끼고 있습니까?			
14	F	자녀가 어지러워서, 학교에 가거나, 친구를 사귀거나, 행사에 참석하는 것과 같은 사회적 또는 교육적인 활동에 참여하는 것에 어려움이 분명합니까?			
15	F	자녀가 어지럼으로 어두울 때 돌아다니는 것을 어려워합니까?			
16	F	자녀가 어지럼으로 계단을 오르는 것을 어려워합니까?			
17	F	자녀가 어지럼으로 하나 또는 두 구획을 걷는 것을 어려워합니까?			
18	F	자녀가 어지럼으로 자전거나 킥보드 타기를 어려워합니까?			
19	F	자녀가 어지럼으로 독서 또는 학교 과제 수행에 있어서 어려움을 느낍니까?			
20	F	자녀가 어지럼으로 학교에서 집중하는 것을 어려워합니까?			
21	F	자녀가 어지럼으로 또래 아이들이 충분히 할 수 있는 활동에 어려움을 느낍니까?			

(Kim et al, 2019)

안과적 문제로 어지럼이 유발된다고 한다. 근시, 난시, 원시 등 굴절이상이나 이향운동(vergence)의 이상으로 어지럼이 발생할 수 있는데, 일과가 끝날 무렵 혹은 컴퓨터나 텔레비전 스크린을 오래 사용한 뒤 증상이 발생하는 경우가 많고 오심이 흔히 동반되나 구토하는 경우는 드물다. 현대에서 아동의 비디오게임, 컴퓨터나 휴대폰 화면을 사용하는 빈도가 늘어나면서 이로 인한 어지럼증은 증가추세에 있다. 기질적인 원인이 모두 감별된 후에도 명확한 진단을 내릴 수 없을 때에는 우울증이나 불안장애와 같은 정신의학적 질환을 의심해볼 수 있다.

2) 이학적 검진

이학적 검진은 아동의 협조가 꼭 필요하므로, 반드시 필요한 검사를 먼저 신속하게 시행한 뒤에 세부적인 검사로 진행해나간다. 가장 중요한 기본검진은 연령에 적절한 운동발달이 이루어졌는지 확인하고 한발로 서기(30개월에 잠시, 36개월에 2초, 4세에 4초, 5세에 10초 동안)가 가능한지를 점검한다. 두경부에 대한 이학적 검진으로 외상이나 선천성 이상여부를 확인한다. 외이 및 고막을 관찰하여 급성 혹은 만성중이염, 진주종성 중이염이나 중이삼출액이 있는지, 고막천공이나 출혈 등 외상의 흔적을 확인한다. 4세 미만의 아동에서 신경학적 검사는 주로 관찰에 의지하게 되며, 4세 이상에서는 성인에서 시행하는 신경학적 검진을 대부분 시행할 수 있다. Romberg 검사 등 직립반사검사는 특이적인 검사는 아니나 어린 아동에서도 쉽게 시행할 수 있고, 중추성 질환에 의한 운동실조가 있는 경우 말초성 질환에 비하여 직립이 어렵다. 안진의 관찰은 시고정을 막기 위해 암시야에서 적외선카메라로 관찰하거나 프렌젤 고글을 사용히여야 한다. 검사에 대해 설명하여 아동의 협조를 구한 뒤 자발안진을 먼저 관찰한다. 두진후안진(head-shaking nystagmus test)은 고개를 30도 정도 숙인 상태에서 좌우로 20회 정도 흔든 후 시고정이 되지 않는 상태에서 관찰되는 안진으로 존재하는 경우 양 귀의 전정기능의 불균형을 의미하며 자발안진과 두부충동검사에서 추정된 전정마비의 방향이 서로 일치하지 않는 경우 중추성 질환을 시사한다. 두진후안진은 일측의 전정마비에 의해 불균형적인 뇌간의 속도저장기전 반응으로 나타나는 것으로, 속도저장기전이 발달되지 않은 어린 영아에게는 적당하지 않은 검사이다. 두부충동검사(head impulse test)는 짧은 시간에 시행할 수 있는데, 아동이 한 점을 주시한 상태에서 고개를 한쪽으로 15도 가량 빠르게 돌리면 정상전정기능이 정상인 방향으로 돌릴 때는 주시한 상태를 유지하고 있으나 전정마비가 있는 방향으로 돌리면 전정안반사가 적절히 반응하지 못하여 주시를 지속하기 위해 단속운동(catch-up saccade)이 발생하게 된다. 두부충동검사는 최근 진단적 검사인 video head impulse test (v-HIT)로 개발되었는데, 소아에 적용하기 용이한 것으로 평가받고 있다.

3) 진단적 검사

(1) 소아 전정기능검사의 일반적 고려사항

병력과 이학적 검진 소견에 따라 적절한 전정기능검사를 선택적으로 시행하고, 고실도검사 등으로 고막과 중이강의 상태를 먼저 확인하여야 한다. 전정기능검사는 환자의 진단에 매우 유용하나 아동과 보호자의 협조가 꼭 필요하므로 가능한 아동에 적합한 검사환경을 갖추어야 한다. 검사실 인테리어나 검사에 사용하는 시각 표적물에 아동이 좋아하는 캐릭터 등을 사용하거나, 검사 과정 중 간단한 간식을 보상으로 사용하는 등 게임적 요소를 사용하면 협조를 구하는 데 도움이 된다. 아동은 암실에 오래 머물고 보호자와 격리되는 것을 무서워할 수 있으므로 검사에 보호자가 참여할 수 있게 하고, 중간에 낮은 조도의 적색등을 사용하여 보호자와 주변을 보게 하여 안심시킬 수 있다. 아동은 한 가지에 오래 주의집중하기 어렵기 때문에 검사시간이 길어지지 않게 하고 검사간 휴식기에도 편안하고 조용히 쉬게 하여 다른 시청각자극에 주의를 뺏기지 않도록 한다. 아동은 검사 중 울거나 소리를 칠 수도 있으므로 다른 성인피험자를 대상으로 한 방음이 필요한 검사는 가까운 곳에서 동시에 시행하지 않는 것이 좋다. 전극이나 카메라 등을 사용할 때는 아동의 나이에 맞도록 보정하여야 하며, 검사 도중에도 필요시 재보정한다. 각종 전정기능 검사법에서 아동의 정상치에 대한 연구 결과를 참고하여 해석하고, 필요시 검사실 고유의 정상자료를 확보하여야 한다.

필요시 청각검사와 청성유발전위를 시행하고, 혈액검사나 심전도 등은 전신질환이 의심되는 경우 시행한다. 내이도와 중추신경계에 대한 영상검사에서 양성소견이 관찰되는 경우는 드물지만, 와우전정기능의 이상이 다른 검사로서 설명될 수 없는 경우나 의심되는 질환에 대한 치료에 반응하지 않는 경우 시행할 수 있다. 뇌자기공명영상은 중추신경계에 대한 영상검사로서 적합하며 내이의 기형도 확인할 수 있다. 전산화단층촬영은 중이질환이 의심되거나 상반고리관피열증후군 등 골성구조를 확인해야 할 때 특히 유용하다.

(2) 전정안구반사의 평가

온도안진검사나 회전의자검사에 의한 반응은 2개월부터 관찰이 가능하나, 6개월 이전에는 정상적으로도 반응이 없을 수 있으며, 10개월 이후에도 반응이 없으면 비정상적인 전정안구반사라 할 수 있다.

온도안진검사는 좌우 귀를 따로 검사하여 일측 전정의 기능 소실이나 저하를 관찰할 수 있는 기초적인 검사이며, 1세의 어린 아동에서도 성공적으로 시행한 보고가 있다. 그러나 암실에서 고글을 쓰고 검사하는 환경에서 아동이 공포를 느낄 수 있고, 온수와 냉수 주입 시 불편감이 있거나 온도자극에 따른 어지럼이 심하게 발생할 수 있어 나이가 어린 아동에서는 협조를 구하기 어려운 검사이다. 공기를 이용한 온도안진검사는 아동이 물에 젖을 위험이 없고, 자극을 빨리 제거할 수 있으며, 중이환기관이나 고막천공이 있는 상태에서도 안전하게 시행할 수 있다. 양귀를 동시에 자극하는 온도안진검사(binaural stimulation)의 경우 검사 시간이 짧고, 말초전정신경반응이 대칭적일 때는 어지럼 반응이 미약하여 불편감이 적으므로 소아에서 적용을 고려할 수 있다.

회전의자검사는 온도안진검사에 비해 유발하는 어지럼의 정도가 약하고 놀이기구를 연상시킬 수 있으므로 아동에서 시행하기에 유리하다. 아동에서 회전의자검사 시 이득은 성인보다 크고 연령에 따라 감소하며, 저주파에서 위상은 성인보다 선행을 보이고, 비대칭성의 정상범위가 성인보다 넓고 일측성 전정마비 후 비대칭성이 오래 지속된다. 6개월 미만의 영아는 시고정 기능이 발달하지 않아 프렌젤 고글 등 시고정을 억제하는 기법을 사용하지 않고 진료실에서 진료용 회전의자에 앉은 부모의 무릎위에 앉힌 상태에서 의자를 회전하면서 회전 중과 회전 후 안진을 관찰할 수 있다. 안구운동을 조절하는 전정안반사회로는 1세 이전에 발달되므로 1세 이상의 유아에서는 신뢰도 있는 검사가 가능하다. 검사의 불편감과 아동의 협조가 가능한 발달연령을 고려하였을 때, 만 3세 이전에는 회전의자검사가 유리하고, 만 5세 이상에서는 두 가지 검사 모두 적용이 가능하므로 임상적 필요성과 아동 및 보호자의 협조정도에 따라 선택하여 검사한다.

최근 상용화된 video head impulse test (v-HIT)는 검사 시간이 짧고 협조를 구하기 수월하여 아동의 전정안구반사 평가에 적용하기 편리한 장점이 있으며, 상기의 두 검사와 달리 측반고리관뿐 아니라 전, 후반고리관 모두의 기능을 평가할 수 있다.

(3) 이석기능검사

전정유발근전위는 이론적으로 고개를 가눌 수 있는 연령부터 측정이 가능하나 검사를 위해 경부근육의 긴장을 유지하기 위해서는 아동의 협조가 필수적이다. 아주 어린 아동의 경우 보호자의 무릎에 보호자를 바라보고 앉게 한 후 보호자가 아동의 등 아래쪽을 지지한 상태에서 뒤쪽으로 기울게 하고, 아동에게는 검사측 반대편으로 보호자의 어깨에 있는 장난감 등을 잡게 하여 경부근육 수축을 일정시간 유지시킬 수 있다. 주관적시수직/시수평은 게임의 요소나 적절한 보상을 이용하여 협조를 구한다면 아동에서도 쉽게 수행할 수 있는 검사이다.

(4) 동적자세검사

전산화 동적자세검사는 전정기능뿐 아니라 시각과 체성감각을 종합하여 자세를 유지하는 기능을 평가하며 6세 이상의 아동에서는 시행이 가능하나 체중과 키가 검사기기의 기준에 맞도록 성장한 아동에서만 시행하여야 하고, 연령에 맞는 표준치를 적용하여 해석하여야 한다.

3. 소아 어지럼증 각론

1) 편두통 관련 어지럼질환

전체 인구에서 편두통의 유병율은 유아에서는 3%, 성인에서는 20% 정도로 흔하게 보고된다. 편두통 관련 질환인 전정편두통(vestibular migraine) 및 소아의 양성돌발현훈(benign paroxymsmal vertigo in childhood, BPVC)은 소아에서 가장 흔한 어지럼의 원인으로, 약 40% 정도의 소아 어지럼증은 편두통 및 그 연관질환과 관련된 것으로 추정된다. 영유아에서 진단되는 양성돌발사경(benign paroxysmal torticollis in infancy, BPTI) 또한 편두통 연관 질환으로, 일부 아동은 양성돌발현훈으로 진행한다.

　　2018년 발표된 국제두통질환분류 3판(International Classification of Headache Disoders, 3rd edition)에서는 편두통의 하위 분류에 1.6 편두통과 관련된 삽화증후군에 양성돌발현훈(1.6.2. Benign paroxysmal vertigo)과 양성돌발사경(1.6.3.Benign paroxysmal torticollis)을 포함시켰고 좀더 연구가 필요한 질환을 나열한 부록에 편두통과 관련된 삽화증후군(A1.6)의 하위 분류로서 전정편두통(A1.6.6)을 포함하였다. 전정편두통의 진단기준은 Barany 학회(Barany Society)와 국제두통학회(International Headache Society)가 연합하여 정한 2012년 진단기준을 바탕으로 수정을 거쳐 국제두통질환분류 3판에 포함되었다. 양성돌발현훈은 소아의 질환이나 어른에서도 진단이 가능하고, 편두통의 전구증후군으로 간주되어 이전의 편두통 병력이 진단에 필요하지 않다. 이에 비하여 전정편두통은 진단할 때 나이의 제한이 없고, 기준만 맞으면 어린이에게도 진단할 수 있다. 여러 가지 종류의 현훈발작을 가진 어린이에서는 두가지 진단을 모두 내릴 수 있다. 표 18-4에서 국제두통질환분류 3판에 따른 세 가지 편두통 관련 어지럼질환의 진단기준을 제시하였다.

(1) 양성돌발사경(benign paroxysmal torticollis)

생후 1년 이내의 영아에서 주로 발병하여 영아의 양성돌발사경이라고도 불리나 유아에서도 나타날 수 있다. 약간의 회전과 함께 머리가 한쪽으로 기우는 삽화가 반복되며, 한

표 18-4. 양성돌발사경, 양성돌발현훈과 전정편두통의 진단기준

양성돌발사경

A. 유아에서 진단기준 B와 C를 충족하는 발작이 반복
B. 머리가 어느 한쪽으로 기울며, 약간의 회전이 있을 수도 있고 없을 수도 있으며, 수 분에서 수 일 이후에 저절로 호전
C. 다음의 다섯 가지 관련 증상 또는 징후 중 최소한 한 가지
　- 창백, 과민성, 권태감, 구토, 실조
D. 발작과 발작 사이에는 신경학적 검사가 정상
E. 다른 질환으로 더 잘 설명되지 않음

양성돌발현훈

A. 진단기준 B와 C를 충족하는 최소한 5번 발생하는 발작
B. 경고증상 없이 갑자기 나타나서, 발생 당시가 가장 심하고, 의식소실을 동반하지 않고 수 분에서 수 시간 후 저절로 사라지는 현훈
C. 다음의 다섯 가지 관련 증상 또는 징후 중 최소한 한 가지
　- 안진, 실조, 구토, 창백, 두려움
D. 발작과 발작 사이에는 신경학적 검사와 청력검사 및 전정기능이 정상
E. 다른 질환으로 더 잘 설명되지 않음(특히 후두개와 종양, 경련, 전정질환들이 배제되어야 한다.)

전정편두통

A. 진단기준 C와 D를 충족하는 삽화가 최소한 다섯 번
B. 1.1 무조짐편두통(migraine without aura) 또는 1.2. 조짐편두통(migraine with aura)의 현재 또는 과거 병력
C. 중등도 또는 심도의 전정증상이 5분에서 72시간 동안 지속됨
D. 최소한 삽화의 절반에서 다음 세 가지 편두통의 특징 중 최소한 하나와 관련됨
　　1. 다음 네 가지 두통의 특성 중 최소한 두 가지
　　　a) 편측성
　　　b) 박동양상
　　　c) 중등도 또는 심도의 강도
　　　d) 일상의 신체활동에 의해 악화
　　2. 빛공포증과 소리공포증
　　3. 시각조짐
E. 다른 ICHD-3 진단이나 다른 전정기능 이상으로 더 잘 설명되지 않음

국제두통질환분류 제3판 한글판(2018)에서 발췌함

빈의 사경빈직은 일빈직으로 수일간 지속되고, 대개 3세경에 저절로 호전되지만 일부에서는 자라면서 양성돌발현훈이 발생하기도 한다. 편두통의 가족력이 빈번하게 관찰되고 가족반신마비편두통(familial hemiplegic ataxia) 및 삽화실조(episodic ataxia)와 연관된 neural calcium channel 유전자인 CACNA1A의 변이가 보고된 바 있다. 중이염과의 연관성이 보고되기도 하는데, 급성중이염이 있을 때 발작이 일어나는 경우가 많고 중이환기관삽입술 시행 시

호전되는 경우가 보고되어 중이염이 사경발작의 유발요인으로 추정되기도 하나 이에 관해서는 보다 많은 연구가 필요하다.

(2) 양성돌발현훈(benign paroxysmal vertigo)

소아의 양성돌발현훈(benign paroxysmal vertigo in childhood)은 반복적이고 짧은 회전성 현훈이 전조증상없이 발생하고 수분에서 수시간 후 자연히 호전되는 상태로 다른 원인 질환이 없어야 한다. 동반증상으로 안진, 실조, 구토, 창백, 두려움 중 한 가지 이상이 있어야 하고, 다른 신경학적 증상이나 의식소실은 없고, 난청, 이명 등 청각 증상은 거의 보이지 않는다. 소아 어지럼의 가장 흔한 원인으로 유병율은 2-2.6%로 보고된다. 여아에서 많고 호발연령은 양봉성 분포를 보여, 2-4세와 7-11세 사이에 두 번의 고점을 보인다. 양성돌발현훈의 병태생리는 명확하지 않으나, 편두통의 가족력이 43%로 보고될 정도로 흔하고 이 질환을 앓는 환아에서 성장하면서 편두통이 발병하는 경우가 잦아, 편두통의 기전을 따라 내이 혹은 전정핵의 혈류 장애로 인한 허혈로 추정된다. 즉 이 질환은 편두통을 유발하는 유전자가 소아기에 발현될 때 나타나는 것으로 생각된다. 전정기능검사에서 약 70%에서 양온교대검사 혹은 전정유발근전위에서 이상이 관찰된다고 하나, 이에 상반되는 보고도 있으며, 기본적으로 이 질환의 진단은 검사보다 병력에 크게 의존하게 된다. 다른 원인 질환을 감별해야 하는데, 특히 후두개와종양, 경련, 전정질환을 배제하여야 한다. 이 질환의 예후는 양호하여 특별한 치료없이 청소년기 이전에 사라지는 것으로 알려져 있으나 성인기에 편두통이 발생할 위험성이 13-21% 높아지는 것으로 알려져 있다. 증상이 반복될 수 있으나 지속기간이 짧고 성장에 따라 자연호전되므로 대부분의 경우 예방적 약물투여는 하지 않으나 증상의 강도가 심하여 쓰러지거나 빈도가 잦을 때 예방적 약물투여를 할 수 있다.

(3) 전정편두통(vestibular migraine)

전정편두통은 소아에서 양성돌발현훈에 이어 반복적인 현훈증의 두 번째 흔한 원인이다. 어지럼 증상과 두통이 시간적으로 항상 일치하지는 않으며, 편두통과 전정기관 이상의 병태생리가 어떻게 연관되는지는 명확하지 않다. 전정편두통은 중년에 가장 호발하되 모든 연령에서 발생하고, 보통 편두통이 먼저 발생하고 어지럼 증상이 그 이후에 속발한다. 전정편두통의 전형적인 증상은 수분에서 수일 동안 지속되는 어지럼이 두통과 동반되거나 두통이 뒤따르는 경우이며 광과민성과 소리과민성이 동반된다. 성인의 편두통성 어지럼과 마찬가지로 현훈 증상은 두통 발작의 전이나 후에 오거나 두통과 동시에 발생하기도 한다. 진단기준에서 편두통의 병력이 있으므로 편두통 진단을 함께 내

표 18-5. **소아의 양성돌발현훈과 전정편두통의 치료**

	양성돌발현훈	전정편두통
비약물적 치료	질환에 대한 설명 (일반적으로 약물치료가 필요하지 않음)	– 질환에 대한 설명 – 회피요법(특정 식품 등 유발요인, 스트레스, 수면부족) – 충분한 수분 섭취 및 정기적 운동
급성기 약물치료	Aspirin, paracetamol	두통조절: zolmitriptan 항구토제: dimenhydrinate, benzodiazepines
예방적 약물치료	Pizotifen, lomerizine	Magnesium asparatate 200-400 mg/d Flunarizine 5 mg/d Propranolol 1-2 mg/kg/d Metoprolol succinate 0.5-1 mg/kg/d Topiramate 1-2 mg/kg/d Amitriptyline 0.5-1 mg/kg/d Others: verapamil, lomerizine, clonazepam, lamotrigine, nortriptyline

리게 되며, 전정증상은 바라니 학회에서 정의한 바와 같이 자발현훈(내적 혹은 외적 현훈), 머리 위치 변화 시 발생하는 체위현훈, 시각자극에 의해 유발되는 시각유발현훈, 머리를 움직일 때 느끼는 머리동작유발현훈, 오심과 동반된 머리동작유발현훈이 포함된다. 중증도에 따라 일상생활에 방해되지만 일상생활을 할 수 있는 정도를 중등도, 일상생활을 지속할 수 없을 정도면 심도로 분류한다.

전정편두통으로 진단된 아동에서 전정기능을 평가한 연구에서 73%에서 자발안진이나 두진후안진, 진동유발안진, 온도안진검사 반응저하 등 여러 가지 전정기능검사 이상이 보고되었으나, 진단은 역시 병력에 크게 의존하게 된다. 편두통의 가족력이 있는 경우가 많으며, 절반 정도의 환자에서는 차멀미가 동반되나 그 기전은 아직 명확하지 않다.

치료는 특정한 환경요인이나 식품 등의 유발요인을 찾아 피하는 보존요법을 먼저 시행하고 편두통 발작이 있을 때 증상 조절을 위한 약물을 처방한다. 발작 시 전정증상은 비스테로이드계 진통제나 triptan 계열의 급성기 치료제로는 잘 조절되지 않는다. 편두통 예방에 사용되는 약물들을 전정발작을 예방하기 위해 사용할 수 있다. 예방적 약물치료를 시행하는 조건은 환아와 보호자의 의견에 따라 달라질 수 있는데, 일반적으로 전정 편두통 발작이 월 2회 이상 발생하거나 증상의 정도가 심하고 오래 지속되는 경우 propranolol 등을 예방요법으로 사용할 수 있다. 표 18-5에 양성돌발현훈과 전정편두통의 치료법을 정리하였다.

2) 삼출성중이염

삼출성중이염은 아동에서 매우 흔한 질환으로, 10세 이전에 80%의 아동이 1회 이상 삼출성중이염을 앓게 되고, 평균 이환기간은 6-10주정으로 알려져있다. 삼출성중이염을 가진 아동에서 어지럼을 크게 호소하는 경우는 매우 드문데, 움직임이 둔하다거나 자주 넘어지는 등의 증상을 주로 보호자의 보고를 통해 파악할 수 있다. 설문지를 이용해 조사한 결과 22-33%의 아동에서 불균형감 등의 어지럼 증상이 있었고, 회전성 현훈이 보고되는 경우도 있다. 삼출성중이염은 급성염증의 증상이 없이 중이강 안에 삼출액이 존재하는 상태로, 중이삼출액이 전정기능에 영향을 미

치는 기전으로 두 가지 가설이 제시되어왔다. 첫 번째는 삼출액 내부의 독성물질이 내이강으로 전이되어 장액성 내이염을 유발한다는 가설이고, 두 번째는 중이삼출액의 압력으로 인해 정원창과 난원창을 통해 내림프공간으로 전해지는 압력의 변화로 내림프액의 움직임이 유발된다는 가설이다. 삼출성중이염을 가진 아동에서 전기안진검사를 시행하였을 때 약 31%에서 자발안진이 관찰되고 58%에서 검사이상소견이 보고되었으며, 동적자세검사에서 대조군에 비해 증가된 sway velocity가 관찰되고, 전기안진검사와 직립검사로 검사한 한 연구에서는 33%의 아동에서 비정상적 검사결과를 보고하였다. 모든 연구에서 중이환기관삽입술 후 이상소견의 빈도가 줄어 대조군과 차이가 없어졌음을 보고하였다. 이러한 연구결과에 미루어 삼출성중이염은 평형기능에 영향을 미치며, 오래 지속될 경우 아동의 운동기능 발달에 악영향을 미칠 수 있다고 추정할 수 있으며, 아동이 잘 넘어질 수 있기 때문에 사고에 취약하게 될 수 있다. 삼출성중이염에 동반된 평형기능장애는 인지가능하나 현저하지는 않으므로, 아동이 중이염 이환기간 중 구토 등을 동반하며 거동이 어려운 정도의 심한 어지럼을 호소할 때는 급성중이염의 합병증을 먼저 감별하여야 한다.

3) 두부외상 후 어지럼

소아는 두부외상이 흔히 발생하는 연령이며 두부외상에서 어지럼은 흔히 동반되는 증상이다. 뇌진탕후증후군(post-concussion syndrome)에서 두 번째로 가장 흔한 증상이 어지럼이며, 외상으로 인한 측두골 골절 등으로 내이의 손상이 발생하거나 내이진탕(labyrinthine concussion), 외림프누공(perilymph fistula), 두부 외상 후에 흔히 동반되는 양성발작성두위현훈 등 이상 후 어지럼의 원인은 다양하다 유양동 및 내이수술 후에도 수술에 의한 손상과 관련하여 어지럼이 발생할 수 있다.

측두골 골절은 소아에서 두부 둔상 환자의 10%에서 발생하며, 측두골의 종축에 평행하게 발생하는 종골절이 70-80%를 차지한다. 측두골의 종축에 수직으로 발생하는 횡골절은 20-30%를 차지하고, 횡골절의 경우 이낭을 침범하기 쉬워 환측의 전정마비와 난청이 동반되는 경우가 많다.

수상 즉시 현훈이 발생하고 기능이 손상된 쪽으로 넘어지는 경향을 보이며 오심과 구토가 동반되며, 증상은 4-6주에 걸쳐 호전된다.

고막이나 중이강에 외상을 입은 경우 등골 탈출 등으로 인하여 외상 후 외림프누공(perilymph fistula)이 발생할 수 있고 그로 인하여 일측 전정마비와 난청이 발생할 수 있으며, 외림프누공의 임상적 특징에 따라 변동성의 난청과 체위유발안진이 관찰될 수 있다. 외림프누공이 의심되는 경우 보존적으로 치료하거나 수술적으로 누공을 폐쇄한다. 귀 질환으로 인해 유양동 삭개술을 한 뒤 드릴의 진동 충격 등에 의해 양성발작성두위현훈이 병발할 수 있으며, 이때 치료는 일반적인 양성발작성두위현훈과 같다.

인공와우이식수술 후 발생하는 어지럼은 수술에 따른 내이 손상에 의해 발생할 수 있다. 인공와우이식수술을 받는 아동의 50%에서는 감각신경성난청과 함께 이미 어느 정도의 전정기능장애가 관찰되며, 정상전정기능을 가진 경우 수술로 인해 전정기능이 저하되면서 어지럼이 발생할 수 있다. 대부분 일시적이며 조기에 자연 호전된다. 인공와우이식술 시 일반적으로 유양동 삭개술을 시행하므로 이와 연관하여 양성발작성두위현훈이 발생할 수 있다.

전정기관에 직접적인 외상이 가해지지 않더라도 두부 외상에 의한 뇌진탕(cerebral concussion) 혹은 내이진탕(labyrinthine concussion)으로 인한 어지럼이 발생할 수 있다. 이러한 어지럼의 기전은 전정신경이나 뇌간의 root entry zone의 허혈 및 손상, 혹은 내이진탕으로 인해 발생할 수 있으며, 전정기관의 미세순환장애와 동반된 미세 출혈 및 염증이 기전으로 알려져 있다. 어지럼은 외상 직후 발생하며 소아에서는 대부분 완전 회복된다고 보고된다.

4) 감각신경성 난청에 동반된 전정장애

감각신경성 난청을 가진 소아에서 말초전정기능 장애가 동반된 경우가 흔한데, 이는 같은 유전학적, 해부학적 요인 등 병태생리를 공유하기 때문이다. 감각신경성 난청을 가진 아동의 약 70%에서 전정기능장애가 동반된 것으로 추정되며 약 20-40%에서는 심한 양측 전정기능장애가 동반된 것으로 보고된다. 이러한 경우 진성현훈보다는 불균형

감이나 운동발달지연으로 나타나는 경우가 많다. 난청과 전정기능장애가 동반되면 여러 감각을 종합하여 인식하는 기능이 발달하지 못하고 상대적으로 시각에 대한 의존도가 높아지게 된다. 선천성으로 양측성 말초전정기능저하가 있거나 중추성 질환에 이환된 아동의 경우 운동발달이 저하될 수 있으므로 연령별 운동발달이정표를 확인한다. 6주에 목을 가누고 6-9개월에 앉기, 12-15개월에 걷기가 되었는지, 몇 살부터 두발자전거를 혼자 탈 수 있었는지를 묻는 것이 도움이 된다. 여러 가지 내이기형 중 중격결손(incomplete partition)이나 전정도수관확장증(enlarged vestibular aqueduct syndrome)에서는 특히 청각의 점진적인 저하와 동시에 혹은 독립적으로 전정기능의 점진적인 악화가 흔히 관찰된다. 계단식으로 진행하는 감각신경성난청 같은 양상으로 진성 현훈이 반복되면서 환측의 전정기능이 진행형으로 저하되는데 이러한 경우 메니에르씨병과 유사한 임상양상을 보이므로 주의하여야 한다. 전정도수관확장증의 경우 높은 비율(18%)에서 양성발작성두위현훈이 보고되기도 하였다. 난청과 관련된 유전질환 중 전정기능 장애를 동반하는 경우가 많은데, Usher 증후군 중 1형의 경우 감각신경성 난청, 전정기능장애와 함께 시각소실이 진행성으로 발현되므로 주의하여야 한다. 감각신경성 난청을 유발하는 선천적 혹은 후천적 감염증으로 거대세포바이러스(cytomegalovirus) 감염과 뇌수막염이 있으며, 이 경우에도 역시 전정기능장애가 흔히 동반된다.

5) 양성발작성두위현훈(Benign paroxysmal positional vertigo)

양성발작성두위현훈은 이석증이라고도 하며, 성인에서는 가장 흔한 어지럼질환이나 소아에서는 드물게 보고되며, 전체 이석증 환자 중 15세 미만 소아는 약 1% 정도를 차지한다. 그 이유로는 소아에서는 이석이 평형반에 좀더 잘 부착되어 있어 이탈될 확률이 적다는 점과 함께 아동이 정확히 증상을 표현하지 못하는 상태에서 아동의 협조 등의 문제로 체위유발안진을 관찰하는 데에도 어려움이 있어 진단이 지연되면 조기에 자연치유되는 질환의 특징으로 인해 진단되지 않는 가능성을 생각해볼 수 있다. 어린이에서 발

생하는 양성발작성두위현훈의 특징은 두부외상이나 내이
질환 등 타질환과 연관되는 빈도가 높고 성인에 비하여 가
측반고리관을 침범하는 빈도가 높다고 보고된다.

    증상은 특정한 두위에서 반복적으로 수초에서 수 분간
지속되는 회전성 현훈을 특징으로 하나, 현훈 발작 후 불균
형감이 지속될 수 있어 환아는 수시간 동안 어지럼이 지속
되었다고 보고하기도 한다. 오심, 구토, 발한 등의 자율신
경반응이 흔히 동반되며, 회전성 어지럼에 따른 불안감을
심하게 호소할 수 있다.

    진단과 치료의 과정은 성인과 동일하지만, 치료 시 이석
치환술과 함께 환자 및 보호자가 가지고 있는 불안감을 해
소시키는 것이 중요하다. 양성발작성두위현훈은 갑자기
발생하며 심한 현훈과 함께 자율신경반응에 의한 구역, 구
토, 발한, 창백 등이 흔히 동반되기 때문에 처음 겪는 환아
와 가족들은 매우 놀라게 된다. 또한 어지럼의 원인이 뇌혈
관질환이나 종양과 같은 생명에 관계된 질환일 수 있다는
생각에 불안감이 증폭되기도 한다. 따라서 특징적인 안진
으로 진단된 경우 병인과 경과를 설명하여 불안감을 가라
앉히고 그로서 치료순응도를 높을 수 있다.

    소뇌 변성이나 Arnold-Chiari 기형과 같은 경우 두위에
따른 원지성안진이 관찰될 수 있으므로 흔히 상반고리관을
침범하는 양성발작성두위현훈에서 관찰되는 하향안진과
혼동하기 쉽다. 따라서 적절한 이석치환술을 반복 시행함
에도 불구하고 두위안진이 지속되는 경우나 두위안진의 양
상이 비전형적인 경우에는 소뇌 등 중추신경계 병변을 감
별하기 위해 영상진단을 시행하여야 한다.

6) 급성 일측성 전정장애

외상을 제외하고 급성 일측성 전정장애를 일으키는 질환으
로 전정신경염과 내이염이 대표적이다. 전정신경염의 병
인은 바이러스 침투설이 가장 유력한데, 이 질환에 이환된
아동의 약 절반 정도에서 상기도감염이 선행하였다고 보고
되었다. 내이염은 바이러스나 세균감염으로 발생할 수 있
으며 환측의 급성 전정마비 증상과 함께 난청, 이명 등 청
각증상이 동반된다.

    진단과 치료과정은 성인의 경우와 다르지 않고, 예후는

성인에 비해 양호하다는 보고가 많으나, 2년간 추적관찰
한 연구에서 부유감과 불균형감(unsteadiness)은 1년 후에
도 30% 정도의 아동에서 관찰되었다는 보고가 있는데 이
는 성인과 비슷한 결과이다. 2년 추적관찰 시에는 주관적
증상은 모두 사라졌으며 급성기에 모든 환자에서 관찰되는
양온교대검사의 반고리관 마비(canal paresis)는 서서히 호
전되어 2년째에는 14%의 아동에서만 비정상적 소견이 관
찰되었다.

7) 메니에르병

메니에르병은 중년기에 호발하는 것으로 알려져 있으며,
소아에서는 0-4%의 낮은 유병율이 보고되어 있고 이 또한
전정편두통과 구분하기 힘든 질환의 특성상 정확하다고 할
수 없다. 비록 정확한 통계는 부족하나 성인과 비교하여 매
우 드물게 발생한다는 것은 명확하다. 보고된 증례들의 대
부분은 10세 이상이나 4-7세의 어린 나이에도 진단된 증례
보고가 있는데, 특히 어린 아동의 경우 메니에르 진단에 필
수적인 청각증상에 대한 호소가 명확하지 않고 청력 역치
평가가 어려울 수 있으므로 주의가 필요하다. 메니에르병
이 어린 나이에 발병하는 경우 증상이 좀더 심하고 양측성
으로 진행하는 경우의 빈도가 높다.

8) 기타 소아의 어지럼질환

(1) 멀미(motion sickness)

멀미는 시각과 전정감각 등 공간속에서 신체의 움직임에
대한 감각의 불일치에서 발생하는 증상으로 운송수단이나
놀이기구를 이용할 때 흔히 발생한다. 이는 인간의 감각기
능의 진화속도를 넘어선 기계문명의 발달에 의해 나타나는
사회적 질환이라고도 할 수 있다. 증상은 어지럼과 함께 교
감신경계의 반응에 의하여 오심, 구토, 창백, 발한, 과호흡
과 두통 등이다. 2세 미만의 아동에서는 시각적 정보를 동
적 공간지각에 사용하지 않기 때문에 멀미가 거의 발생하
지 않으나, 균형을 잡는 데 필요한 세 가지 감각이 각각 그
리고 상호작용하며 발달하는 과정에 있는 4-10세의 아동에
서는 성인에서보다 흔하게 발생하고 이후 점차 감소하게
된다. 7-12세 아동을 대상으로 한 연구에서 멀미의 유병율

은 40%를 상회하였다.

소아에서 멀미는 매우 흔하지만 10-12세가 넘어 감각기 관간의 상호작용능력이 발달되면서 자연히 감소하며, 일반적으로 대증치료를 시행한다. 차량을 이용할 때는 머리의 움직임을 최소화하고, 차창 밖을 바라보며, 고단백 식이와 맑은 공기가 도움이 된다. 예방적 약물요법으로 dimenhydrinate (1-2 mg/kg)를 차량 이용 1시간 전에 투여할 수 있고, 필요시 6시간마다 반복해서 투여한다.

(2) 전정발작(vestibular paroxysmia)

전정발작은 제8 뇌신경에 대한 미세혈관압박(microvascular compression)에 의한 것으로, 수초-수분간 지속되는 짧은 현훈이 반복되는 질환으로 이명 등 청각증상이 동반될 수 있다. 머리의 움직임이나 과호흡에 의해 유발되기도 하며, 증상이 오랫동안 반복되는 경우 감각신경성난청이나 전정기능저하가 발생할 수 있고, 청성뇌간반응에서 II파 진폭이 감소되면서 I-III파가 지연되는 등 특징적인 양상을 보인다. 고해상도 자기공명영상(MRI CISS sequence)에서 8번 뇌신경에 대한 혈관압박을 확인할 수도 있으나, 영상검사보다 항전간제에 대한 반응이 진단에 더 중요하다. 질환의 빈도는 작으나 저용량 항전간제(Oxcarbazepine, 4-8 mg/kg/d, carbamazepine, 2-6 mg/kg/d)를 사용하면 즉각적으로 반응하며 수주간 증상이 소실된 상태에서 약물을 감량하거나 중단해 볼 수 있다. 약물에 반응하지 않는 경우 수술적 치료로 미세혈관감압술을 시행한다.

4. 결어

소아에서 어지럼은 흔한 증상이나 병력청취와 검사 협조의 문제로 진단과정이 성인에 비해 어렵기 때문에 실제 어지럼질환의 빈도보다 낮게 보고될 것으로 추정된다. 소아에서 어지럼 질환의 분포는 성인과 다르며, 병력청취와 검사를 시행할 때 소아의 특성을 감안하여 시행해야 한다. 어지럼을 호소하는 소아환자를 진료할 때는 중이염의 합병증이나 양성돌발현훈 등 비교적 흔한 질환에 대한 진단에 익숙

하여야 하고, 중추신경계 질환 등 자연호전되지 않고 진행하거나 합병증을 유발하는 질환을 감별할 수 있어야 한다. 전정기능을 평가하는 검사기법들이 많은 발전을 보이고 있으나 어지럼질환의 진단에 가장 중요한 것은 병력청취와 이학적 검진이므로, 아동에게 편안한 진료환경을 제공하여 최대한의 협조를 구하도록 한다. 소아에서 발생하는 어지럼질환은 대부분 좋은 예후를 보이며, 약 40%에서는 편두통과 연관된 어지럼이다. 보호자에 대한 교육을 통해 지나친 걱정을 덜어주고, 필요한 경우 약물치료와 수술을 시행할 수도 있다.

■■■■ 참고문헌

• 대한두통학회. 국제두통질환분류 제3판 한글판 2018. 서울:대한두통학회, 14, 210-211.

• Brodsky JR, Cusick BA, Zhou G. Vestibular neuritis in children and adolescents: Clinical features and recovery. Int J Pediatri Otorhinolaryngol 2016;83:104–108.

• Brodsky J, Kaur K, Shoshany T, Lipson S, Zhou G. Benign paroxysmal migraine variants of infancy and childhood: Transitions and clinical features. Eur J Paediatr Neurol 2018;22(4):667–673.

• Choi HG, Kim G, Kim BJ, et al. How rare is benign paroxysmal positional vertigo in children? A review of 20 cases and their epidemiology. Int J Pediatr Otorhinolaryngol 2020;132;May 2020, online ahead.

• Cushing SL, Papsin BC. Special Considerations for the Pediatric Patient. Adv Otorhinolaryngol 2019;82:134–142.

• Davitt M, Delvecchio MT, Aronoff SC. The Differential Diagnosis of Vertigo in Children: A Systematic Review of 2726 Cases. Pediatri Emerg Care 2017 Oct 31.

• Headache Classification Committee of the International Headache Society (IHS). The International Classification of Headache Disorders, 3rd edition. Cephalalgia 2018;38:1–211.

• Huppert D, Grill E, Brandt T. Survey of motion sickness susceptibility in children and adolescents aged 3 months to 18 years. J Neurol 2019;266:65–73.

• Kim T-H, Cha HE, Lee J-G, et al. The Study of Standardization for a Korean Dizziness Handicap Inventory for Patient Caregivers. Korean J Otorhinolaryngol-Head Neck Surg 2019;62:442–447.

• Lagman-Bartolome AM, Lay C. Pediatric Migraine Variants: a Review of Epidemiology, Diagnosis, Treatment, and Outcome. Curr Neurol Neurosci Rep. 2015;15:34.

• Lee JD, Kim C-H, Hong SM, et al., Prevalence of vestibular and balance disorders in children and adolescents according to age: A multi-center study. Int J Pediatr Otorhinolaryngol 2017;94:36-39.

비과 및 두개안면부

Nose and Craniofacial

03

Pediatric Otorhinolaryngology

소아 수면장애

Pediatric Sleep Disturbance

박찬순, 김동규

1. 소아의 정상수면

만삭의 신생아와 영아의 경우 성인과 달리 EEG가 아직 미성숙 상태이므로 수면을 stage N (quiet sleep)과 stage R (active sleep)로 구분하며 영아의 경우 stage R로 수면이 종종 시작한다. 생후 2-3개월에 sleep spindle, slow wave activity 등이 나타나고 k-complex는 2-5개월에 발달하므로 이 시기부터 NREM 수면을 stage N1, N2, N3로 구분 가능하다. 정상 소아의 경우 성장을 하면서 전체 수면시간에서 stage R이 차지하는 비율은 영아기의 50%에서 5세경에는 약 20%로 줄어들고 이후 성인에서도 이 비율은 대체로 유지된다. NREM과 REM 간의 sleep cycle은 영아기 경우 50-60분에서 소아 후반에는 90-100분으로 길어지게 된다.

2. 소아 수면호흡장애

소아의 수면호흡장애(sleep-disordered breathing)는 코골이를 유발하는 상기도의 부분적인 폐쇄부터 상기도 저항증후군(upper airway resistance syndrome)을 포함하여 상기도의 전반적인 폐쇄가 나타나는 폐쇄성 수면무호흡증

(obstructive sleep apnea)까지 해당되는 수면 장애이다. 일반적으로 소아에서 단순 코골이의 유병률은 8%이며 폐쇄성 수면무호흡증의 유병률은 1-4%로 알려져 있다. 소아의 수면호흡장애는 성장장애, 신경인지 및 행동장애, 심혈관질환 및 드물게 사망까지 이를 수 있는 중요한 원인질환으로 이의 조기 진단 및 치료는 이차적인 합병증을 예방하거나 치료하기 위해서 매우 중요하다.

3. 폐쇄성 수면무호흡증

1) 정의

소아의 폐쇄성 수면무호흡증은 수면 중 반복적으로 부분적 또는 완전한 상기도 폐쇄가 발생하는 질환으로 이로 인한 반복적인 수면단절, 저산소혈증, 고탄산혈증이 동반되어 나타나는 질환이다. 진단은 수면다원검사상 관찰되는 저호흡 수치 및 산소포화도 저하를 측정하여 이루어지는데, 코골이가 있으나 폐쇄성 수면무호흡증의 진단기준을 만족하지 못하는 경우 일차성 코골이로 진단한다. 소아의 상기도 저항증후군은 폐쇄성 수면무호흡증과 같은 진정한 의미의 무호흡이나 저호흡이 관찰되지 않으면서 코골이와 함께

호흡 노력이 증가되면서 역설적인 호흡이 동반되어 나타나는 경우에 진단할 수 있다.

2) 원인 및 병태생리

소아의 폐쇄성 수면무호흡증은 상기도가 구조적으로 좁아지거나 역동적으로 허탈이 발생하면서 나타나는데 가장 흔한 원인은 편도 및 아데노이드이다. 이는 편도 및 아데노이드 등 림프조직의 발달이 다른 계통의 발달과 달리 12세 이전에 빠른 성장 패턴을 보여 이 시기에는 상기도 크기 대비 편도 및 아데노이드가 차지하는 비율이 상대적으로 높기 때문이라 생각된다(그림 19-1). 그러므로 유병률이 가장 높은 시키는 편도와 아데노이드가 상기도에 가장 큰 영향을 미치는 시기인 2-6세이다. 또한, 소하악증(micrognathia)이나 상악의 저형성(maxillary hypoplasia)과 같은 두개안면이상으로도 상기도가 구조적으로 좁아질 수 있으며, 후두연화증 같이 기도유지(airway patency)에 영향을 미치는 하기도 병변이 있을 경우 빠른 호흡에 의한 역동적인 상기도 허탈이 발생하여 폐쇄성 수면무호흡증이 유발될 수 있다. 뇌성마비 혹은 신경근육 장애가 있는 소아에서 나타나는 인두 근육의 근긴장 이상 및 조절 장애도 역동적인 상기도 허탈을 유발한다. 그러나 한 가지 요인에 의해서만 소아 수면호흡장애가 나타나는 것이 아니라 다양한 원인들이 서로 영향을 주고받으면서 소아 수면호흡장애 발생에 영향을 미친다(그림 19-2). 예컨대, 편도와 아데노이드 비대증이 있는 모든 소아에서 폐쇄성 수면무호흡증이 발생하는 것이 아니라 상기도의 근긴장 저하가 동반되어 상기도가 좁아지는 것을 보상하지 못하는 소아에서만 수면 중 역동적 허탈이 발생한다.

3) 임상적 특성

(1) 야간 증상

코골이는 가장 흔한 증상으로 폐쇄성 수면무호흡증 환자 중 코골이가 없는 경우는 극히 드물다. 다른 야간 증상으로는 무호흡, 헐떡거림, 빈번한 각성, 목을 과도하게 꺾은 채 잠을 자는 증상, 앉아서 혹은 엎드려 자거나 태아 자세로 자는 것같이 특이한 자세로 자는 증상, 발한, 야뇨증, 사

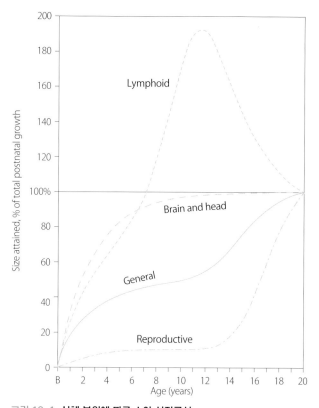

그림 19-1. **신체 부위에 따른 소아 성장곡선**
(Adapted from Growth curves of different parts and tissues of the body according to four main types, Growth at Adolescence. Oxford, Blackwell Scientific Publications, 1955)

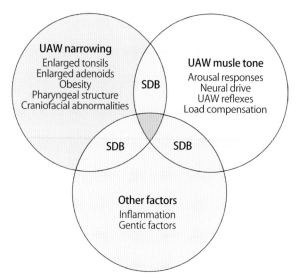

그림 19-2. **소아 수면호흡곤란증의 병태생리**(UAW: upper airway, SDB: sleep disordered breathing)

건수면 등의 증상이 있다. 수면 중 흉곽의 역설적인 움직임(paradoxical movement) 관찰할 수 있으나, 청색증은 극히 드물게 나타난다. 소아에서 폐쇄성 수면무호흡증은 주로 REM수면 단계에서 나타나기 때문에 야간 증상이 수면시간 내내 관찰되기보다는 새벽으로 갈수록 잘 나타날 수 있다.

(2) 주간 증상

편도와 아데노이드 비대증은 구강호흡, 과소비성(hyponasality), 만성 콧물, 코막힘, 그리고 연하곤란 등의 주간 증상을 유발할 수 있다. 따라서 이러한 증상이 소아에서 관찰된다면 코골이 및 무호흡과 관련된 야간 증상을 확인해야 한다. 성장의 장애는 폐쇄성 수면무호흡증을 가지고 있는 소아의 10%, 신생아의 42-56%에서 일어날 수 있다고 알려져 있으며, 이러한 환아들에서 편도아데노이드 절제술 후 성장이 호전되었다는 다수의 연구 결과가 있다. 10-25% 소아 폐쇄성 수면무호흡증 환자에서 고혈압이 동반되며, 드물게는 심실기능이상, 폐동맥 고혈압, 폐성심(cor pulmonale)이 나타날 수 있다. 그리고 대부분의 심혈관계 합병증은 편도아데노이드 절제술 후 호전된다. 주간 졸음 증상은 성인에서는 매우 흔하게 나타나지만 소아에서는 13-20% 정도로 성인보다 덜 빈번하게 발생한다. 행동 및 신경인지의 문제 중 행동 문제는 주로 주의력 저하, 과잉행동, 공격적인 행동, 과민성, 신체화 증상, 친구들과 관계의 어려움 등으로 나타나며, 신경인지 문제는 주로 기억, 회상, 집중력 및 경각심 그리고 시공간 작업에 영향을 미치는 형태로 나타난다. 게다가 몇몇 연구에서는 폐쇄성 수면무호흡증이 저조한 학업성적과 관련이 있다고 보고하였다. 그러나 많은 연구에서 편도아데노이드 절제술 후 행동 및 신경인지의 문제가 유의미하게 향상되었다고 보고되어 폐쇄성 수면무호흡증 환아의 행동 및 신경인지 문제는 가역적인 변화로 생각된다.

4) 위험인자

(1) 비만

비만은 대표적인 소아 수면호흡장애의 위험 인자로 비만 아이들의 수면호흡장애 유병률은 25-40%이다. 비만은 인

두 부근에 지방조직을 축적하여 상기도의 단면적을 줄임으로써 또한 경부 피하지방조직 축적으로 인한 상기도 압박을 통하여 수면호흡장애를 유발한다. 그러나 개개인의 증상과 수면다원검사에서 이상소견은 비만의 정도와 일치하지는 않는다. 소아 폐쇄성 수면무호흡증은 대사성 증후군과 연관된 여러 질환들에 악영향을 미치며, 이는 성인이 되었을 때 심혈관 질환의 위험인자가 된다.

(2) 다운 증후군

다운 증후군을 가진 소아는 안면골의 저형성, 커다란 혀, 좁은 비강, 짧은 구개, 근긴장 저하, 비만 등의 특징으로 인하여 폐쇄성 수면무호흡증이 발생하기가 쉽다. 그러나 다운증후군의 소아에서는 정상 소아보다 주간졸림, 행동장애, 발달지연, 폐고혈압 등이 흔하게 나타나기 때문에 오히려 폐쇄성 수면무호흡증 진단이 종종 지연되기도 한다.

(3) 두개안면 증후군

두개안면 증후군(craniofacial syndrome)을 지닌 소아에서 수면호흡장애의 유병률은 40-50%이다. 그리고 폐쇄성 수면무호흡증은 Pierre Robin syndrome, Treacher Collins syndrome, Apert syndrome, Pfeiffer syndrome, Larsen syndrome, Crouzon syndrome, Stickler syndrome, Goldenhar syndrome, DiGeorge Syndrome, Fragile X syndrome을 지닌 환아에서 주로 나타난다.

(4) 연골무형성증(achondroplasia)

연골무형성증은 FGFR3유전자의 돌연변이로 나타나는 상염색체 우성 질환으로 왜소증의 가장 흔한 형태이다. 안면골의 저형성, 후두기저부 형성이상(basiocciput dysplasia), 대공(foramen magnum) 협착으로 인한 경추신경 압박, 좁은 흉곽으로 인해 폐쇄성 수면무호흡증이 나타난다.

(5) 점액다당질 축적병(mucopolysaccharide storage disease)

점액다당질 축적병은 유전질환으로 특정 효소 결핍으로 인한 점액다당질이 호흡기를 포함한 몸의 연조직에 축적되는 질환이다. 이를 지닌 소아에서 폐쇄성 수면무호흡증은 주

로 중증으로 나타나며 때로는 폐쇄성 수면무호흡증으로 인해 사망하기도 한다.

(6) 신경근육 질환 및 뇌성마비

신경근육 질환 및 뇌성마비를 지닌 아이들은 호흡 근육의 기능 및 중추성 호흡 노력의 저하가 있어 중추성 혹은 폐쇄성 무호흡을 쉽게 유발한다. 그러나 기저질환으로 인한 증상과 구별하기가 어렵기 때문에 종종 수면호흡장애가 과소평가된다.

(7) 기타 질환

Arnold-Chiari 이상을 가진 환아들은 뇌간 압박으로 인하여 중추성 혹은 폐쇄성 무호흡이 나타날 수 있으며, 겸상적혈구병(sickle cell disease) 역시 수면호흡장애의 위험인자이다. Prader-Willi syndrome을 가진 환아는 영아부터의 심각한 근긴장 저하를 가지고 있고, 안면골 발달이상, 및 비만을 지니고 있어 수면호흡장애가 발생하기 쉽다. 성장호르몬 치료를 받은 아이들도 수면호흡장애의 고위험군에 해당되며, 의인성으로 수면호흡장애가 발생할 수도 있다.

5) 검사방법

(1) 이학적 검진

이학적 검진을 시행할 때는 키, 몸무게, 혈압은 반드시 측정하여야 하며 이와 동시에 안면골 발달 정도 및 하악후퇴증(retrognathia), 소하악증, 아데노이드형 얼굴, 구강호흡, 코골이, 과소비성의 유무를 확인해야 한다. 그리고 비강의 구조의 이상 유무 및 편도, 혀의 크기 그리고 구개의 위치와 치열의 상태 등을 검진해야 하며 이를 위해 필요시 굴곡형 혹은 작은 크기의 강직형 내시경을 이용할 수 있다. 이외에도 오목가슴 유무와 신경학적 기능 및 발달 이상에 대한 평가도 필요하다.

(2) 기타 검사방법

측경부 x-ray 사진은 아데노이드 크기를 측정하는 데 유용하게 이용될 수 있으며, CT, CBCT, MRI 등도 상기도의 연부조직 및 골격의 3차원 구조를 파악하는 목적으로 사용할 수 있다. 심전도, 심초음파, 흉부 x-ray 사진은 중증 폐쇄성 수면무호흡증을 지니거나 울혈성 심부전, 폐고혈압, 혹은 심실비대 및 기능저하를 지닌 환아에서 사용한다. 아이가 잠자는 동안의 집에서 오디오 혹은 비디오 테이프로 기록하는 것은 수면다원검사에서 폐쇄성 수면무호흡증 양성인지 음성인지 구분하는 것을 예측하는 것은 충분하지 않지만, 임상적으로 비싸지 않은 가격으로 편리하게 사용할 수 있으며, 아이의 야간 호흡곤란에 관한 부모의 묘사를 확정 짓는 방법으로 유용하다. 한편, 산소포화도 측정은 낮은 민감도를 가지고 있어 스크리닝 검사로는 유용하지 않다. 비침습적 검사 방법으로 상기도 단면적을 측정하는 음향 인두통기도(acoustic pharyngometry) 검사가 있으며, 이외에도 pulse transit time, 심전도에서 R wave 사이의 간격 측정, 손가락에서 photoplethysmographic pulse를 측정하는 검사하는 방법이 있다. 혈장, 타액, 소변의 단백질을 포함한 바이오마커는 수면호흡장애의 합병증을 예측하는 데 유용할 수 있으나 현재로서는 진단에 필요한 민감도와 특이도가 부족하다.

(3) 수면다원검사

수면다원검사를 정확히 수행하기 위해서는 소아를 다루는 것에 숙련된 검사자가 시행하는 것이 중요하다. 소아는 어른보다 더 빠른 호흡수를 가지고 있기 때문에 소아에서는 폐쇄성 무호흡 기간이 정상호흡 간격의 두 배가 될 때를 폐쇄성 무호흡이라고 정의한다. 소아의 폐쇄성 저호흡은 계속된 호흡 노력과 함께 기류가 부분적으로 중단될 때를 의미하는데 아직 소아의 저호흡에 대한 통일화된 정의는 없다. 중추성 무호흡은 호흡노력이 없고 정상호흡 간격의 2배 이상 기류의 중단이 나타나면서 다음의 3가지 중 하나 이상을 만족해야 한다. ① 20초 이상 호흡 중단, ② 각성 또는 3% 이상의 산소포화도 저하, ③ 1세 이하 영아에서 분당 심박수가 50회 미만으로 적어도 5초 이상 또는 60회 미만로 15초간 있는 경우. 혼합성 무호흡의 경우 성인과 달리 중추성 무호흡이 폐쇄성 무호흡의 앞 또는 뒤에 오는 것이 모두 가능하다. 수면다원검사 결과는 무호흡·저호흡지수(수면 중 무호흡과 저호흡의 횟수를 합하여 총 수면시간으로 나눈 값, apnea-hypopnea index, AHI) 혹은 호흡장애지수(수면 중 호흡노력각성을 포함하여 모든 호흡이벤트의 횟수를 합하여 총 수면시간으로 나눈 값, respiratory disturbance index, RDI)로 표현한다 일반적인 컨센서스로 성인과 달리 snoring, paradoxical thoracoabdominal movement 또는 flattening of the nasal airway pressure waveform이 있으면서 obstructive event (OAHI = number of obstructive and mixed apneas + hypopnea per hour of sleep)가 1 이상일 경우 폐쇄성 수면무호흡증으로 진단 가능하며 중증도 판정에서 AHI가 ≤1 경우 정상, 1<AHI ≤ 5 경우 경증, 5<AHI ≤10 경우 중등도, 10<경우 중증으로 분류한다. 대개의 경우 2≤ AHI <5이고 증상이 있을 경우 치료를 시작한다(표 19-1). 저환기의 기준은 PCO2 > 50mmHg인 수면시간이 총수면시간에서 25% 이상일 경우이다. 소아의 경우 정상적으로 중추성 무호흡이 나타나는 경우가 많으므로 obstructive AHI (OAHI)과 central apnea index (CAI)로 구분지어 표기하는 것이 도움이 된다. 그러나 수면다원검사는 부작용의 위험성과 치료에 대한 반응을 예측하는 것에 대한 도구로서는 제한점이 있을 수 있다. 미국 이비인후두경부외과의 임상 가이드 라인에 따르면 편도아데노이드 수술 전에 비만, 다운 증후군, 두개안면골 이상, 신경근육 장애, 점액다당질 축적병, 겸상적혈구병 등 폐쇄성 수면무호흡증의 위험인자를 지닌 소아에서만 선택적으로 수면다원검사를 권하고 있다. 더불어 미국수면학회에서도 소아의 수면호흡질환진단을 수면다원검사에만 전적으로 의존하기보다는 임상정보 및 수면다원검사 결과

를 통합하는 것을 권하고 있다.

6) 치료 방법
(1) 약물 및 비수술적 치료
폐쇄성 수면무호흡증에서 국소적 비강내 스테로이드, 류코트리엔 조절제 및 역류 치료제의 효과는 아직 불명확하나 경도의 수면호흡장애를 지닌 환아에서는 치료 목적으로 사용해 볼 수 있다. 지속성기도양압(continuous positive airway pressure, CPAP)와 이중형 양압호흡기(bilevel positive airway pressure, BiPAP)는 편도아데노이드 절제술 이후 폐쇄성 수면무호흡증이 지속되는 두개안면골 이상이나 신경근육 장애 및 비만 등을 지닌 환아나 편도아데노이드 절제술의 적응증에 해당되지 않는 폐쇄성 수면무호흡증 환아에서 사용된다. 보충적 산소요법은 일시적으로 사용할 수는 있으나 소아 폐쇄성 수면무호흡증의 단독치료 방식으로는 권장되지는 않는다. 체중 감소는 비만 환아에서 수면호흡장애를 호전시키고 추가적인 비만 관련 동반 질환의 발병 위험성을 낮추기 위하여 중요하다. 수축된 상악궁과 이와 동반된 좁은 비강을 가진 소아에서는 상악골 급속 확장술(rapid maxillary expansion)을 시행하는 것이 도움이 된다. 상악골 급속 확장술은 편도아데노이드 절제술 이후에도 지속적인 폐쇄성 수면무호흡증 증상이 있는 아이에서 고려할 수 있다. 하악전진 장치는 영구치열(secondary dentition)이 정위치에 자리한 환아에서 하악후방증에 대한 치료로 사용될 수 있다.

(2) 편도아데노이드 절제술
폐쇄성 수면무호흡증 환아에서 첫 번째 수술적 치료 방법은 편도아데노이드 절제술이다. 그러나 편도아데노이드 절제술이 항상 성공적으로 폐쇄성 수면무호흡증을 완전히 제거하는 것은 아니며, 이전 연구 결과를 바탕으로 7세 이상, 비만, 만성 천식 및 중증 폐쇄성 수면무호흡증은 편도아데노이드 절제술 이후에도 잔존 무호흡이 존재할 주요한 예측인자로 알려져 있다. 최근에는 수술 후 통증을 줄이기 위한 다양한 수술 방법들이 개발되었는데 대표적으로 수술 시 주변 조직의 열손상을 최소화하여 통증을 줄여

표 19-1. **소아에서 수면다원검사에서 이상소견 값**

폐쇄성 무호흡	>1/시간
무호흡·저호흡지수 　1≤무호흡·저호흡지수<5 　5≤무호흡·저호흡지수<10 　무호흡·저호흡지수≥10	>1/시간 　경증 수면무호흡 　중등증 수면무호흡 　중증 수면무호흡
호기말 이산화탄소	50 mmHg 이상이 총수면시간 10% 이상
동맥혈 산소포화도	92% 이하

주려는 목적으로 plasma wand을 이용한 Coblator 절제술 및 하모닉 스칼펠(harmonic scalpel)을 이용한 절제술이 있다. 또한 흡입식 절삭기(microdebrider) 또는 coblator를 사용하는 전동식 피막내 편도아데노이드절제술(partial intracapsular tonsillectomy and adenoidectomy, PITA) 및 coblator를 이용한 intracapsular tonsillectomy 수술도 편도 캡슐을 보존하면서 편도의 크기를 감소시키기 때문에 편도궁을 이루는 근육에 열 손상이 줄어들어 수술 후 통증이 감소한다. 그러나 PITA 수술의 경우 남아있는 편도조직에서 염증이나 조직 재성장으로 인한 수면호흡곤란 증상의 재발 가능성이 존재한다. 일반적으로 환아는 편도아데노이드 절제술 후 1-2주의 통증 및 수술 부위와 관련된 연관이통 그리고 구취를 경험한다. 메스꺼움과 구토는 마취제 및 마약성 진통제 부작용 혹은 피가 섞인 분비물을 삼킨 경우 나타날 수 있으며 일부 환아들은 목을 젖힐 시 경부 통증이 나타날 수 있으며 척추의 염증으로 인하여 목이 뻣뻣해질 수도 있다. 만약 2주 이상 경부 통증이 지속될 경우 C1-C2의 아탈구를 의심해야 한다. 수술 후 10-14일간 부드러운 식이가 권장되며, NSAID는 혈소판 기능에 영향을 준다고 알려져 있어 진통제로 NSAID보다 아세트아미노펜 사용이 추천된다. 수술 후 항생제 사용은 지연성 출혈, 통증, 진통제 사용에 유의미한 영향을 미치지 않아 미국 이비인후과 학회에서는 항생제 사용을 권장하지 않는다. 수술 후 출혈은 편도아데노이드 절제술 환자의 0.1-3%에서 발생하는 가장 흔한 심각한 합병증으로 일차 출혈은 수술 후 24시간 이내에 발생하고 수술 술기와 연관되어 나타난다고 여겨진다. 반면에 지연성 출혈은 수술 후 10일 이내(6-7일에 주로 발생)에 발생하는 출혈로 수술부위에 생긴 가피의 탈락으로 인하여 발생하는 것으로 생각되며, 체계적 문헌 고찰에 따르면 수술 술기에 따른 발생률의 차이는 없다. 수술 후 출혈은 저절로 멈출 수 있으나 유의미한 출혈이 있는 경우 입원하여 관찰하는 것이 바람직하다. 지혈에 대한 시도는 응급실에서 지혈을 시도할 수 있으나 대부분 아이들은 수술방에서 지혈이 필요하다. 편도와 내의 혈괴는 최근의 출혈이 있었음을 의미하고, 출혈이 멈췄는지 확인하기 위하여 제거하여야 한다. 반복되는 출혈은 가성동맥류를 형

성한 큰혈관의 손상을 의미할 수 있으며, 혈관조영술 및 선택적 혈전술이 진단 및 이러한 드문 합병증을 치료하기 위하여 필요로 할 수 있다. 또한 소아 폐쇄성 수면 무호흡증은 수술 후 호흡기 합병증의 위험성을 지니고 있다. 일반적으로 소아에서 수술 후 호흡기 합병증은 0-1.3%이지만 폐쇄성 수면무호흡증을 가진 환아에서는 16-27%로 알려져 있다. 호흡기 합병증의 위험인자로 3세 이하, 폐동맥 고혈압, 두개안면골 이상, 심장질환, 근육 긴장 저하, 비만, 중증 수면무호흡증 등이 있다. 이러한 고위험군 아이들은 편도아데노이드 절제술 후 입원하여 그들의 심장호흡상태에 대해 모니터링이 필요하고 마약성 진통제는 피해야만 한다. 만약 호흡기 합병증이 발생하면 산소요법, 스테로이드, 양압기 및 기관내 삽관 등으로 치료한다.

(3) 기타 다른 수술방법

이는 편도아데노이드 절제술 이외에 다른 수술은 동반 질환이 있거나 편도아데노이드 절제술이 실패한 환아들에서 고려된다. 편도아데노이드 절제술 후 폐쇄성 수면무호흡증이 남아 있는 경우 상기도의 다양한 위치에서 폐쇄가 관찰되는데, 수면다원검사는 진단을 확진하고 중증도를 평가하기 위해서 필수적이나 폐쇄 부위의 평가는 진료실에서 굴곡성 후두경을 통하여 판단되어야 한다. 하지만 깨어 있을 때 시행하는 검사는 것은 잠자는 동안 일어나는 기도의 좁아짐에 대한 정확한 평가가 어렵다. 그러므로 수면 내시경 검사는 비록 마취제로 인한 근육이완으로 가성양성반응이 일어날수 있음에도 불구하고, 수면 중 앙와위에서 나타나는 역동성 기도 허탈을 평가하기 위하여 전신마취하에 수행될 수 있다. 폐쇄가 나타나는 위치에 따라 비중격 성형술, 구개수구개인두성형술(uvulopalatopharyngoplasty), 설편도 절제술, 이설근 전진술(genioglossus advancement), 성문상부성형술(supraglottoplasty) 등을 적용할 수 있으며, 다양한 위치에서 폐쇄가 나타나는 경우 성인에서는 한 번의 수술을 수행할 수 있는 것과는 달리 소아에서는 구인두 협착의 위험성 때문에 단계별로 수술이 시행되어야 한다. 소하악증을 지닌 중증 폐쇄성 수면무호흡증 환아에서는 하악골신장술(mandibular distraction osteogenesis)

을 시행할 수 있으며, 이는 증후군이 없거나 신경학적 장애가 없는 환아에서 치료 성공률이 더 높게 나타난다. 바리아트릭(bariatric) 수술은 폐쇄성 수면무호흡증에 동반된 비만 치료의 방법으로서 청소년기 소아에게 적용할 수 있다. 기관절개술은 난치성 폐쇄성 수면무호흡증을 가진 환아에서 고려할 수 있으며, 적응증은 양압기를 사용할 수 없으며 호흡장애지수 60 이상이며 산소포화도가 70% 이하로 떨어지는 경우이다.

4. 수면곤란증

소아에서 정상적인 수면 구조를 방해하는 모든 수면장애는 소아의 발달과 정서 및 행동에 크게 영향을 줄 수 있으므로 비폐쇄성 수면장애를 정확히 감별진단하는 것이 중요하다. 비폐쇄성 수면장애 중 수면곤란증(dyssomnias)은 일차성 수면질환으로 수면의 개시 혹은 유지에 어려움이 있어 불면증이나 과다수면 증상이 나타나는 질환이다.

1) 일차성 특발성 불면증

일차성 불면증(primary insomnia)은 연령에 적합한 수면 기회를 제공받았음에도 불구하고 잠을 이루지 못하거나 잠을 자더라도 자주 깨는 상태를 말한다. 유병률은 정상 소아에서는 1-6%이지만, 주의력 결핍 과잉행동장애(ADHD)나 발달장애 환아에서는 75%까지 발생한다. 치료는 일관된 생활패턴을 유지하면서 카페인 섭취를 제한하고 연령에 맞는 수면 일정을 제공하는 등 환아가 전반적으로 수면에 좋은 습관을 유지시키는 데 중점을 두며, 약물치료의 효과는 아직까지 명확한 연구결과가 부족하다. 적절한 수면위생이 제공되었음에도 불면증이 지속되는 경우 신경인지적 합병증 동반 여부에 대한 평가가 필요하다.

2) 기면증

기면증(narcolepsy)은 주로 청소년기에서 시작되는 REM수면장애로 대표적인 4대 증상으로 심한 주간졸음증, 탈력발작(cataplexy), 수면마비(sleep paralysis), 입면환각(hypna-

gogic hallucination)이 있다. 유병률은 0.02-0.05%로 이들 중 약 50%에서 전형적인 4대증상이 나타난다. 기면증은 시상하부(hypothalamus)에서 생성하는 hypocretin (orexin)의 분비 저하가 주요원인으로 알려져 있다. 기면증이 의심되면 수면다원검사를 통해 주간졸음을 유발할 수 있는 다른 수면장애를 배제하고 6시간 이상의 충분한 야간 수면을 취한 다음날 오전 10시부터 2시간 간격으로 4-5회 시행하는 수면 잠복기 반복검사(multiple Sleep Latency Test, MSLT)를 시행하여 수면 잠복기의 평균 시간을 측정한다. REM 수면은 보통 수면 시작 후 90분경에 나타나나, 잠든 후 15분 이내에 REM 수면이 시작되면 이를 수면시작 REM 수면(sleep-onset REM sleep, SOREM)이라고 하며, MSLT에서 평균 8분 이내로 잠들고 두 번 이상 수면시작 REM 수면이 나타나거나 MSLT 검사 전일 시행한 수면다원검사에서 SOREM이 관찰될 경우 이를 기면증 진단을 위한 2회의 SOREM 기준 중 1회로 인정하여 사용할 수 있다. 기면증으로 진단한다. 일반적으로 정상 소아에서 잠이 드는 데 걸리는 시간(sleep latency)은 15분인 데 반해, 기면증 환아는 6분이다. 기면증의 치료는 올바른 수면위생을 확립함과 동시에 중추신경자극 약물을 통해 과다한 졸음을 감소시키며 각성 시 REM수면의 갑작스러운 발현을 억제하는 약물을 통해 탈력발작과 수면마비, 입면환각을 교정하는 것이 근간이다. 최근 기면병의 치료제로 주목을 받는 약물에는 sodium oxybate가 있다. Sodium oxybate는 주간졸음뿐만 아니라 탈력발작과 야간 수면장애에도 효과적인 것으로 알려져 미국의 경우 기면병의 일차적인 치료제로 대두되고 있다. 그러나 우리나라의 경우 sodium oxybate는 아직 상용화되지 않았다. 부작용이 거의 없이 각성상태를 향상시키는 가장 효과적인 약물로 알려진 modafinil이 우리나라에서는 선택할 수 있는 약물로 고려되며, 탈력발작은 삼환계 항우울제로 치료할 수 있다.

3) 일차성 특발성 과다수면증

일차성 과다수면증(primary hypersomnia)은 야간 수면의 방해나 수면/각성 리듬 이상이 없는 상태임에도 과도한 주간 졸림이 나타나는 것을 특징으로 하는 질환으로 적어도

4주 동안 지속되는 과도한 졸림을 특징으로 한다. 이런 환아들은 이유없이 지나치게 졸리며, 기면증과 달리 탈력발작 증상이 없다. 또한 종종 정상적인 수면다원검사 결과를 나타낼 수도 있으며 REM 수면의 부족으로 낮잠이 늘어난다는 점이 기면증과 감별점이 될 수 있다. 증상과 과거력에 근거하여 일차성 과다수면증이 의심되는 환아에서는 확진을 위해서 수면다원검사와 수면 잠복기 반복검사가 필요하며, 치료는 기면증 치료와 동일한 신경 흥분 약물을 사용할 수 있으나, 기면증 환아보다 치료효과가 떨어진다. 클라인-레빈 증후군(Kleine-Levin syndrome, KLS)은 매우 드물게 보고되는 비유전성 과다수면 질환으로 보통 10대의 남성에서 호발하고, 수면 도중에는 식사 및 용변을 위해서만 스스로 잠에서 깨어나는 것 이외에는 하루에 18-20시간 정도의 수면을 취하며, 강박성 다식증과 무차별 과성애를 나타내기도 한다. 증상은 수 일에서 수주까지 지속되며, 이런 삽화는 1년에 1회에서 10회까지 반복적으로 재발되는 특징을 지닌다.

4) 팔다리 운동장애

하지불안증후군(restless legs syndrome, RLS) 및 주기성 사지운동장애(periodic limb movement disorder, PLMD) 같은 팔다리 운동장애는 소아에서 진단되지 않아 치료받지 않은 상태로 흔히 방치된다. 하지불안증후군은 잠들기 전에 다리에 불편한 감각 증상이 심하게 나타나 다리를 움직이고 싶은 충동을 일으켜 수면장애를 일으키는 질환이고 주기성 사지운동장애는 수면다원검사에서 시간당 5번을 초과하는 사지의 반복적인 움직임 관찰되고 다른 질환 또는 수면 장애로 설명되지 않는 경우 진단한다. 주기성 사지운동장애 환아는 대개 수면 도중 자신의 움직임 자체를 인지하지 못하고 대신 자다가 자주 깬다는 사실만을 인지하여 수면에 장애를 호소하거나 또는 신체, 사회, 교육, 직업 등의 장애를 호소한다. 유병률은 전체 소아 인구의 약 2 %가 하지불안증후군이 있으며, 성별에 따른 차이는 관찰되지 않았으며 70%가 하지불안증후군의 가족력이 있다. 소아에서 하지불안증후군 증상이 심하면 성장통으로 오진하기 쉬우며, 주의력 결핍 과잉행동장애아동에서 정상 아동

보다 더 흔히 동반된다. L-dopa는 하지불안증후군과 주기성 사지운동장애 치료에서 최근까지 최적요법으로 인정되었던 약물로 밤의 전반부 동안 하지의 이상 감각과 움직임을 현격히 억제하여 수면 잠복기를 줄이고, 수면 효율을 향상시키며, 총 수면 시간을 연장하고, 수면 도중 각성을 줄이는 효과를 보인다.

5) 제한설정 수면장애

제한설정 수면장애(limit-setting sleep disorder)는 요람을 벗어나는 시기인 영아의 가장 흔한 수면장애로 영아의 10-30%에서 나타날 수 있다. 보통 잠들기 전에 책을 더 읽어주길 반복적으로 요청하거나 심지어 아이가 잠이 드는 순간까지 부모에게 곁에 머물러 달라고 반복적으로 요청하는 형태이며, 이는 수면 대기시간 연장 및 전체 수면시간 단축과 관련이 있다. 반면에 환아가 실제로 자고 있는 중에는 정상적인 모습을 보인다. 치료는 규칙적이고 일관성 있는 수면패턴을 유지시키는 것으로 취침 시 아이의 울음소리를 무시하고 부모의 개입 없이 아이가 스스로 잠들 수 있게 하는 소멸 방법이 가장 일반적인 방법이다.

6) 수면부족증후군

수면부족증후군(insufficient sleep syndrome)은 소아에서 특히 청소년기 주간 수면의 매우 흔한 원인으로 텔레비전을 보거나 과제수행 및 이른 등교 시간 등의 이유로 수면시간이 충분하지 않아 나타나게 된다. 불충분한 수면의 결과로 행동 변화, 만성 피로, 학교 결석, 학교 성적 저하, 과민성, 교통사고 등이 발생할 수 있다. 불행히도, 부모들이 응답한 자녀의 취침시간에 비해 실제 수면시간은 적을 수 있어 부모는 실제로 자녀의 수면의 양을 과대평가할 수 있다. 이를 염두에 두고, 부모는 자녀의 등교로 인한 기상시간 및 주말 몰아서 잠을 자는 행동이나, 부적절한 시간에 잠이 들거나 행동 변화에 주의를 기울여야 한다. 치료는 수면시간을 늘이는 행동 수정이며, 환아를 비롯한 가족이 유사한 수면 패턴을 보이는 경우 환아와 가족 모두 행동 수정을 통해 전체 가정의 수면위생을 강화해야 한다.

7) 일주기 리듬 수면장애

일주기 리듬 수면장애(circadian rhythm sleep disorder)는
수면과 각성의 일정이 일주기 리듬과 맞지 않아 나타나는
수면장애로 소아 환자에게 매우 흔하나, 환아가 청소년이
되어 등교 시에 아침에 일어나는 것에 문제가 생길 때까지
인지하지 못할 수도 있다. 일주기 리듬 수면장애 아형 중
수면위상지연증후군(delayed sleep phase syndrome)은 실
제 취침 시간이 원하는 취침 시간을 초과하여 2-3시간 지연
되는 것으로 정의한다. 수면위상지연증후군 환아들은 매
일 아침마다 신체 내의 생체시계를 재조정하기 위하여 아
주 강력한 빛 자극을 필요로 하는데 만일 충분한 빛 자극을
받지 못한다면 생체시계는 느려지게 되어 늦게 자고 늦게
일어나는 수면습관을 가지게 된다. 치료는 좋은 수면 환경
을 유지시키고 필요시 광치료 및 멜라토닌 치료를 시행할
수 있다.

5. 사건수면

사건수면(parasomnias)은 취학 전 연령에서 흔히 나타나며
수면과 연관된 상태에서 발생하는 원하지 않는 비정상적인
육체의 활동(움직임, 행동)과 경험(꿈, 감정 등) 등을 총칭한
다(표 19-2). 사건수면은 유전적 소인, 수면위생의 저하, 불
안이나 우울증과 같은 신경정신과적 문제, 부모의 사회 경
제적 상태를 포함하는 다양한 요인에 의해서 발생할 수 있
다. 일반적으로 사건수면은 NREM 관련 사건수면, REM 관
련 사건수면, 기타 사건수면으로 분류되며 NREM 사건수면

은 밤의 처음 2/3에서 심파 혹은 서파 수면 중에 발생하며
부분적인 각성 및 운동 장애가 나타난다. 대표적인 NREM
사건수면에는 수면 테러, 몽유병 및 혼란스러운 각성이 있
다. 반면에 REM 사건수면은 밤의 마지막 1/3에서 주로 나
타나며 악몽, 수면 마비 및 REM 수면 행동장애가 대표적이
다. 기타 사건수면으로 NREM이나 REM 수면장애에 포함되
지는 않는 이갈이, 수면 중 대화, 야행성 야뇨증 및 리듬 운
동장애 등이 있다. 사건수면은 사춘기에는 일반적으로 양
성이지만 사건수면은 환아와 환아 가족 모두에게 문제를
일으킬 수 있으므로 적절한 치료가 필요하다. 대부분의 사
건수면은 저절로 사라지는 양상이나 일부에서는 몇 분 이
상 지속되며 부모가 잠에서 깨우는 것에 대한 저항과 수면
중 사건에 대한 망각이 동반되는 경우도 있다. 대부분의 치
료는 환아와 환아 가족을 위한 지지요법과 환아를 위한 안
전한 수면 환경을 만드는 데 중점을 두고 있다.

1) 수면테러

수면테러(sleep terrors)는 수면을 이루고 첫 1/3이나 1/2
기간 동안에 서파 수면으로부터 갑자기 부분적인 각성이
일어나는 것이다. 수면 테러는 야경증(night terror)으로도
불려지며 악몽과 감별을 요한다. 악몽과는 달리 자율 신경
계 증상으로 산동, 발한, 빈맥 및 빈호흡 등이 나타나고 공
포스러운 행동이 나타난다. 이러한 현상은 3분에서 5분 동
안 나타나다 멈추고 다시 잠에 빠져들지만 때때로 오랫동
안 지속되는 경우도 있고 하루에도 여러 차례 발생하기도
한다. 정확한 유병률은 알려져 있지 않으나 사춘기 이전의
아동의 약 3%에서 발병한다. 진단을 위해 수면다원검사가

표 19-2. REM 사건수면과 NREM 사건수면의 종류와 특징

	REM 사건수면	NREM 사건수면
종류	악몽, 수면마비, REM수면 운동장애	수면테러, 몽유병, 혼돈상태의 각성
수면 중 발생시기	수면의 후반 1/3	수면의 전반 2/3
수면의 종류	REM수면	깊은수면 혹은 서파수면
사건의 기억	명확한 기억 있음	주로 사건을 망각함

필요한 경우는 드물며 잠재된 다른 수면 장애가 의심될 경우에 시행할 필요가 있다. 대부분 증상이 경미하고 드물게 발생하며 수개월에서 수년에 걸쳐 자발적으로 해결된다.

2) 몽유병

몽유병은 수면 시 이상행동을 하는 각성 장애를 지칭하며 변화된 의식 상태에서 서파 수면 중에 걸어 다니는 것으로 정의된다. 수면 중에 보행을 비롯하여 복잡한 신체 활동을 하며, 때때로 알아들을 수 없거나 의미 없는 말을 하기도 한다. 대개 눈을 뜨고 있지만 시선이 고정(자극에 의해 시선이 변하지 않음)되어 있다. 몽유병은 8-12세 사이에 가장 흔하며 약 17% 소아에서 발생한다. 대부분의 경우 몽유병 자체에 대한 특별한 치료는 필요하지 않으나 몽유병은 소아 안전에 심각한 위험을 의미함으로 안전한 수면 환경을 만들어 주어야 한다.

3) 혼돈상태의 각성

혼돈상태의 각성(confusional arousal)은 서파 수면으로부터 각성 시에 발생하며, 환아는 깨어있는 것처럼 보이지만 심각한 혼미 상태이기 때문에 부모를 인지할 수 없고 울거나 알아들을 수 없는 말을 할 수 있다. 이러한 양상은 최대 30분까지 지속될 수 있으며 수면이 시작된 후 2-3시간 내에 발생한다. 혼돈상태의 각성 시 발생한 일에 대해서 기억을 할 수 없지만 잠에서 완전히 깨어난 후에 공포감을 느낄 수는 있다. 자율신경 반응과 관련이 없으며 사건이 중단되면 정상적인 수면으로 돌아온다.

4) 악몽

악몽(Nightmares)은 자다가 오랫동안 각성 상태를 유발하는 무서운 꿈을 특징으로 하는 질환이다. 아동은 꿈을 다 기억하며 불안한 증상을 보인다. 수면 테러와 달리 악몽(nightmares)은 밤의 첫 부분이 아닌 이른 아침 REM 수면 중에 특징적으로 발생하는 경향이 있다. 악몽 후에 완전히 깨고 감정의 변화만 보이며 쉽게 정상적으로 돌아오지만 다시 잠드는 것은 지연된다. 환아는 일반적으로 수면 테러에 비해 악몽의 사건을 더 쉽게 기억한다. 치료는 교육 및 안심을 시키는 것이며, 적절한 수면위생을 유지하는 것이 필수적이다. 또한 내재된 불안이나 스트레스의 원인에 대한 적절한 조치가 필요하다.

5) 수면 마비

수면 마비(Sleep paralysis)는 수면 입면기(hypnogogic)나 수면 각면기(hypnopompic) 바로 후에 수의적인 움직임이 불가능한 것을 특징으로 한다. 수면 마비는 대부분 수분 동안 지속되고 멈추는데 횡격막과 외안근을 제외한 모든 근육을 침범하며 정상 REM 수면 시 보이는 알파 운동 신경이 억제된 것과 유사한 현상이 관찰된다. 청소년에게 흔하게 나타나는 수면 마비는 주간 졸음과 관련이 없으나 발자국 소리나 주변 사람의 존재를 느낄 수 있는 등 주변 환경을 인식할 수 있다. 불안 또는 일주기 리듬 수면장애와의 잠재적 연관성이 있으며 치료는 행동 및 약물치료가 있다.

6) REM 수면 운동장애

REM 수면 운동장애(REM sleep behavior disorder)는 성인 환자에서 더 흔하고 어린이에게는 매우 드물지만 선천성 뇌간 장애가 있는 어린이에게는 흔히 나타날 수 있다. REM 수면 동안에 발성을 동반한 의미 없는 행동을 특징으로 하며, REM 수면 동안에 보이는 수면 무긴장증이 없음으로 역설적으로 근긴장도가 증가하고 꿈이 표출되어서 때때로 발로 찬다든지 침대에서 뛰어내린다든지 하는 과격한 행동이 나타난다. 치료는 benzodiazepines계열 약물이 효과가 좋다.

7) 이갈이

수면 중 반복적으로 치아를 꽉 물거나(clenching) 옆으로 가는(grinding) 행위를 이갈이(Bruxism)로 정의하며 이갈이가 심한 경우 수면 중 각성을 유발할 수 있다. 수면 이갈이는 저작근, 관자놀이근, 익돌근(pterygoid)의 불수의적이고 반복적인 수축에 의해 수면 동안에 하악골의 반복적인 운동으로 나타난다. 이갈이의 유병률은 일반적으로 나이가 들어감에 따라 감소하나, 이갈이의 지속성은 아동의 분리불안증 및 잠들 때까지 부모가 곁에 있어 주는 경향과 관련이 있다.

8) 수면 중 대화(잠꼬대)

수면 중 대화(somniloquy)는 수면 중에 말을 하는 것으로 REM과 NREM 수면 모두에서 발생할 수 있다. 소아의 사건 수면 종류 중에서 유병률이 가장 높다.

9) 야행성 야뇨증

야행성 야뇨증(Nocturnal enuresis)은 수면 중 비자발적인 배뇨로, 배뇨를 조절할 수 있는 나이가 되어서도 소변을 조절하지 못하고 수면 중에 오줌을 싸는 것을 말한다. 대개 여아는 5살, 남아는 6살 이상에서 한 달에 2번 이상 밤에 오줌을 싸면 야행성 야뇨증으로 진단할 수 있다.

10) 율동운동장애

율동운동장애(Rhythmic movement disorder)는 잠들려고 할 때 혹은 자는 도중에 머리돌리기(head rolling) 또는 머리찧기(head banging)와 같은 반복적이면서 전형적인 형태로 몸의 일부를 움직이며 발생한다. 일반적으로 양성이며 어린시절에 저절로 사라지게 된다. 율동운동장애 행동이 청소년기 이후에도 지속된다면, 다른 신경정신학적 장애에 대한 평가가 필요하다.

6. 신경정신병리학적 질환

수면곤란증 또는 사건수면으로 명확하게 분류되지 않는 주의력 결핍 과잉행동장애와 같은 신경정신병리적 장애, 자폐증과 같은 발달 장애, 그리고 기분 장애(mood disorder) 등 신경정신병리학적 질환은 심각한 수면 장애를 유발할 수 있다. 게다가 주의력 결핍 과잉행동장애에 대한 일반적인 약물요법은 수면에 영향을 줄 수 있어 수면 장애가 일차 장애에서 비롯된 것인지 혹은 약물 치료의 부작용으로 인한 것인지 임상적으로 확인하기 어려운 경우가 종종 나타난다. 그러나 주의력 결핍 과잉행동장애를 지닌 환아에서 일관성 있는 수면패턴을 유지하면 전반적인 행동개선에 도움이 될 수 있다. 자폐증 환아에서 수면 장애의 원인은 명확하지 않지만 수면 시작의 지연, 야간 각성 및 이른 아침 각성 등으로 수면장애가 나타난다. 행동 요법은 자폐 환아에게 어려울지라도 수면 장애를 치료하는 가장 좋은 방법이다. 우울증 및 불안과 같은 기분 장애는 불면증, 과다졸림증 및 사건수면과 같은 수면 장애와 관련이 있으며 치료는 약물 혹은 행동 요법을 통한 환아의 우울증 또는 불안의 근본 원인을 해결하는 데 있다.

■■■■■ 참고문헌

• American Academy of Sleep Medicine, International classification of sleep disorders, 3rd ed. Darien, IL: American Academy of Sleep Medicine, 2014.

• Berry RB, Budhiraja R, Gottlieb DJ, et al. Rules for scoring respiratory events in sleep: update of the 2007 AASM Manual for the Scoring of Sleep and Associated Events. Deliberations of the Sleep Apnea Definitions Task Force of the American Academy of Sleep Medicine. J Clin Sleep Med. 2012;8:597-619.

• Britton JW, Frey LC, Hopp JL, et al. Electroencephalography (EEG): An Introductory Text and Atlas of Normal and Abnormal Findings in Adults, Children, and Infants [Internet]. Chicago: American Epilepsy Society; 2016.

• Carroll JL. Obstructive sleep-disordered breathing in children: new controversies, new directions. Clin Chest Med 2003;24:261–282.

• Friedman M, Wilson M, Lin HC, et al. Updated systematic review of tonsillectomy and adenoidectomy for treatment of pediatric obstructive sleep apnea/hypopnea syndrome. Otolaryngol Head Neck Surg 2009;140:800–808.

• Galland B, Taylor B, Elder D, et al. Normal sleep patterns in infants and children: A systematic review of observational studies. Sleep Med Rev 2012;16:213–222.

• Garetz SL. Behavior, cognition, and quality of life after adenotonsillectomy for pediatric sleep-disordered breathing: summary of the literature. Otolaryngol Head Neck Surg 2008;138:S19–S26.

• Jambhekar S, Carroll JL: Diagnosis of pediatric obstructive sleep disordered breathing: beyond the gold standard. Expert Rev Resp Med 2008;2:791–809.

• Paul Flint Bruce, Haughey Valerie, Lund, et al. Cummings Otolaryngology: Head and Neck Surgery 6th Edition. Saunders Elsevier 2015:2849-2864.

• Petit D, Touchette E, Tremblay R, et al. Dyssomnias and parasomnias in early childhood. Pediatrics 2007;119:1016–1024.

• Teo DT, Mitchell RB. Systematic review of effects of adenotonsillectomy on cardiovascular parameters in children with obstructive sleep apnea. Otolaryngol Head Neck Surg 2013;148:21–28.

• Wise MS, Nichols CD, Grigg-Damberger MM, et al. Executive summary of respiratory indications for polysomnography in children: an evidence-based review. Sleep. 2011;34:389-98AW.

Chapter 20

폐쇄성 수면무호흡증

Obstructive Sleep Apnea

김성완

1. 서론

소아의 폐쇄성 수면무호흡증(obstructive sleep apnea, OSA)은 비교적 흔한 질환으로, 3세에서 12세 나이의 소아에서 약 10-25%의 환아가 코골이 증상을 가지고 있다고 하고 이 중 10-20% 정도가 OSA를 보인다. 소아의 OSA는 장기간 지속될 경우 성장장애, 행동 및 학습장애, 신경인지기능의 이상과 악안면 구조 발달의 이상 등이 발생하며, 심한 경우 심혈관계 이상 등의 합병증이 발생한다. 소아기는 신경학적으로 매우 빨리 자라는 불안정한 시기이므로 OSA가 없는 단순 코골이 역시 행동 및 인지 기능에 장애를 유발할 수 있다. 또한 소아 OSA의 경우 병태생리뿐만 아니라 진단기준, 임상양상, 진단기준과 합병증 등이 성인과는 차이점이 있어 성인 무호흡증과 다른 별개의 질환으로 간주하여 다루는 것이 옳다.

또한 소아에서는 코골이와 수면무호흡증에 의한 합병증들은 조기에 발견하여 치료할 경우 대부분 회복되므로 코골이가 있는 모든 소아는 병력청취와 신체검사 등을 통하여 적극적으로 진단하고 치료하는 것이 중요하다. 소아의 코골이와 OSA가 잘 치료되지 않거나 시기를 놓쳐 늦게 치료되는 경우 잠시 증상의 호전을 보이다 사춘기가 지나면서 소아 시절의 영향으로 바뀌어진 얼굴 형태나 작아진 구강구조 등으로 인해 다시 OSA를 일으킬 수도 있어 소아 OSA의 치료는 그 환아의 일생에 영향을 미칠 수 있는 중요한 치료라고 하겠다.

2. 병태생리와 위험인자

수면 중에는 상기도 흡기 근육의 긴장도가 감소되며, 기도가 허탈(collapse)되는 것에 대한 확장 반사가 감소된다. 이것은 렘(rapid eye movement, REM) 수면에서 가장 잘 나타나는데 기도 폐쇄의 요인을 가지고 있는 환아에서 기도 폐쇄가 RAM 수면에서 심해지는 경향을 보인다. 소아에서 편도아데노이드 비대는 OSA의 가장 중요하고 흔한 위험 인자이다. 성인과 달리 소아에서 편도아데노이드 비대가 상기도에 영향이 더 큰 이유는 소아의 상기도의 길이가 짧기 때문이다. 상대적으로 어른에 비해 짧은 기도는 가축 부위(collapsible segment)가 짧은 것을 의미하여 쉽게 좁아지지 않 을 수 있는 반면 기도 내부가 편도아데노이드 비대로 인해 쉽게 막힐 수 있다. 하지만 아데노이드나 편도의 크기가 OSA의 발생이나 심각도(severity)와 일치하지는 않아, 아주 큰 편도와 아데노이드를 가진 소아가 무증상일 수도 있고 반면 그리 심하지 않은 편도아데노이드 비대를 보이는 소아가 중증의 OSA를 나타낼 수도 있다. 구조적인 측면에서 보면 OSA를 가진 소아의 기도 용적자체가 정상 소아보다 더 적고, 특히 편도와 아데노이드가 겹치는 부분에서 가장 좁다. 또한 근육 이완제를 사용한 연구에서는 OSA가 있는 환자의 기도가 구개후부(retropalatal)와 설후부(retroglossal)에서 정상소아에 비해 더 쉽게 좁아졌고, 기도가 가장 좁아지는 부위의 단면적(cross-sectional area)도 더 작았다. 따라서 OSA가 있는 소아는 편도아데노이드 비대뿐만 아니라 상기도의 용적 자체가 적고 더 쉽게 좁아질 수 있는 근육의 문제를 가지는 경우도 있을 수 있다. 이것이 편도아데노이드 절제술이 효과적이지 않은 환자들이 생기는 이유일 수 있을 것이다.

이 밖에도 소아에서 OSA를 일으킬 수 있는 여러 가지 고위험인자들이 있다. 고위험 인자를 가진 환자의 경우 수면 중 기도 폐쇄로 생명을 위협할 수 있어 반드시 수면다원검사를 시행해야 한다.

고위험 인자 중 비만은 비교적 흔한 소견으로 비만한 소아는 OSA의 위험성을 가지고 있다. 비만한 소아는 상기도 주변을 둘러싼 근육과 연조직 내 지방 조직이 축적되어 기도가 좁아진다. 비만한 소아가 앙와위(supine position)로 누웠을 때 복부 비만으로 횡경막이 상부로 이동하여 폐용적이 더 적어지며, 저장된 산소가 감소되므로 수면 중 기도 폐쇄와 함께 산소포화도 감소의 위험이 증가한다. 따라서 비만한 소아는 편도아데노이드 절제술 후에도 OSA가 지속될 가능성이 높다. 비만한 소아들을 편도아데노이드 절제술 후 추적 관찰한 결과에서 호흡사건이 많이 감소하고 삶의 질은 향상되었으나 수면무호흡증이 완전히 치료되지는 않는 경우가 많았다.

두개안면부 기형을 가진 소아도 OSA를 일으킬 확률이 높다. 이런 환아에서는 두개안면부의 여러 상태를 확인하여야 하고, 중추신경계의 이상이나 후두 기형 등의 동반 여부도 확인할 필요가 있다. 신경근육이상(neuromuscular disorder)으로 비교적 많이 볼 수 있는 것이 뇌성마비이다. 뇌성마비는 인두근육의 긴장도를 감소시킴으로 OSA를 일으킬 수 있다. 이밖에 모든 상기도의 긴장도를 저하시키는 신경근육질환들은 모두 OSA를 일으킬 수 있다. 염색체 이

상으로 발생하는 다운증후군(Down syndrome)을 가진 환아도 OSA 발병의 고위험군이다. 다운증후군 환아에서는 편도아데노이드 비대 이외에도 상기도의 저긴장도, 비만, 큰 혀, 얼굴 중앙부와 하악의 저성장 등과 같은 다양한 해부학적 이상들이 환아의 수면 중 기도 폐쇄에 기여한다. 이밖에 갑상선 기능저하증, 기도 내부에 발생하는 유두종이나 경부를 누르는 종양 등도 OSA를 일으킬 수 있다. 또한 전염성 단핵구증 같은 상기도의 감염성질환들도 갑자기 발생하여 급격하게 진행하는 OSA를 일으킬 수 있다.

이런 환아들에서도 편도아데노이드 절제술은 우선적으로 시도해 볼 수 있으며, 때로는 이 수술로 기관 절개술을 피할 수 있기도 한다. 하지만 편도아데노이드 절제술 후에도 OSA가 지속될 수 있어 추가적인 치료를 고려하여야 한다. 환아의 상태에 따라 추가적인 수술이 필요한 경우도 있고, 때로는 양압치료와 같은 비수술적 치료를 같이 해야 하는 경우도 있으며, 영아의 경우는 즉각적인 치료가 어려울 수 있어 기관절개술이 요구되기도 한다.

3. 증상

OSA가 있는 환아는 대개 코골이와 부모들에 의해 관찰된 수면호흡장애의 증상을 호소한다. 자면서 땀을 심하게 흘리고, 돌아다니면서 자거나(restlessness), 이상한 수면 자세를 취하기도 하며, 심한 경우 흡기 동안 흉부가 함몰되는 역행호흡(paradoxical breathing)을 나타낸다. 역행호흡은 3세 이전의 소아나 영아에서는 정상적으로도 나타나는데 흉벽이 유연하여 특히 RAM 수면 동안 늑간 근육(intercostal muscle)이 늘어지면서, 흡기 동안 발생하는 흉곽내 음압(negative intrathoracic pressure)으로 인해 나타날 수 있다. 하지만 이 나이 이후에는 이런 현상은 드물어 영아기를 벗어난 소아에서는 상기도 폐쇄의 결과로 볼 수 있다.

OSA와 관련된 주간 증상은 구강 호흡, 코막힘, 비음 등이 있다. 아침에 발생하는 두통은 흔하지는 않으며, 성인에서 흔한 증상인 과도한 주간 졸림증(excessive daytime sleepiness)은 소아에서는 잘 나타나지 않는다.

4. 합병증

1) 성장장애(Growth impairment)

성장장애는 OSA 환아에서 비교적 흔한 소견이며, 수면 중 호흡을 위한 노력이 증가하고 야간 성장호르몬 분비의 감소, 반복되는 편도염 등의 염증에 의한 원인, 식욕의 부진 등이 원인되는 기전으로 생각된다. 편도아데노이드 절제술 후 환아들의 성장 속도가 회복되고, 성장호르몬의 수치가 증가하며, 식욕이 좋아지는 소견을 보인다. 따라서 OSA는 다른 원인이 없이 성장 장애를 보이는 소아에서 생각해 보아야 할 중요한 질환이라고 생각될 수 있다. 하지만 소아의 성장장애는 여러 가지 요소가 복잡하게 작용하여 나타나는 현상이므로 OSA와의 인과관계에 대해서는 좀 더 많은 연구가 필요할 것으로 생각된다.

2) 안면 골격성장이상

소아의 폐쇄성 수면무호흡증은 비강을 통한 정상적인 호흡에 문제가 생기며 입을 통한 구강호흡을 발생시킬 수 있다. 구강호흡은 잠을 자는 도중은 물론 평상시에도 지속될 수 있으며 이러한 경우 전체적으로 얼굴이 길어지고 윗입이 튀어나오면서 턱은 작아지고 입안의 치열이 고르지 못하게 되어 얼굴형이 변형될 수 있다. 구강호흡을 하는 33명의 소아들을 대상으로 아데노이드절제술 또는 편도아데노이드 절제술을 시행한 경우, 3년과 6년의 경과관찰에서 하악과 구강구조가 정상 발달을 보였다는 연구 결과가 있어 소아의 폐쇄성 수면무호흡증의 수술적 치료를 적극적으로 고려해야 하며, 수술 전후의 lateral cephalometry를 통해 아데노이드의 재증식과 치열의 변화에 대한 관찰이 필요할 것으로 생각된다.

3) 야뇨증(Enuresis)

소아에서 야뇨증이 나타나는 경우도 많은데 수면무호흡증과 연관된 야뇨증은 각성으로 인한 수면단계의 변화에 따른 수면 중 항이뇨호르몬(antidiuretic hormone) 분비의 감소와 관련이 있을 것으로 생각된다. OSA 환아에서 편도아데노이드 절제술 후 야뇨증의 호전이 나타나기도 한다.

4) 행동 및 학습 장애(Behavior and learning disorder)

소아에서 OSA는 신경인지장애 및 행동장애를 가져올 수 있다. 소아 OSA는 학업 수행 능력의 저하, 행동 및 감정 조절 장애와 관련이 있고 과잉행동 및 공격성, 주의집중장애, 조심성 결여 등의 문제를 보인다. 수면분절과 간헐적인 저산소증이 OSA와 관련된 신경 행동학적 이상을 일으키는 원인으로 생각된다. 또한 OSA에 의해 발생하는 염증반응에 의해 2차적 신경 손상의 가능성도 생각해 볼 수 있다.

OSA 소아의 행동 및 학습 장애가 편도아데노이드 절제술 후에 호전되었다는 많은 연구가 있다. 이러한 호전은 OSA의 심각도와 관계없고, 치료 후 행동 장애, 주의력, 운동 능력, 수행 능력 등의 기능이 향상되며, 수술 직후보다는 장기간 추적 관찰을 할 때 더 많이 향상된다. 하지만 치료시기가 늦거나 잘 치료되지 않은 경우 잠시 회복하는 듯이 보이다 다시 증상이 나타나는 경우도 있어 조기진단과 적절한 치료가 중요하다고 하겠다.

5) 심폐 합병증(Cardiopulmonary complications)

중증의 OSA, 특히 비만을 동반한 소아 OSA에서는 심폐 합병증들을 일으킬 수 있으며, 대표적인 이상이 폐고혈압(pulmonary hypertension)과 폐성심(cor pulmonale)이다. 이는 폐쇄성 무호흡과 저환기로 인해 발생하는 야간 저산소증, 고이산화탄소증 그리고 산성화의 결과이다. 또한 소아 OSA는 심실의 비대와 구조적 변화를 일으킬 수 있는데, 좌심실비대는 OSA의 심각도와 연관이 있으며, 향후 성인에서 발생할 심혈관 질환의 위험 인자이다. 소아 OSA에서도 C 반응단백(C-reactive protein)이 상승하고 염증물질들이 증가하며, 고혈압이 나타나기도 한다. 성인과 다른 점은 이러한 심폐합병증이 OSA 치료로 회복된다는 점이다.

5. 진단

미국소아과학회(American Academy of Pediatrics)의 임상 가이드라인에 따르면 모든 소아는 정기적으로 코골이에 대한 검진을 받아야 하고, 만약 코를 곤다면, 더 상세한 평가가 권장된다.

1) 병력 청취

소아에서 문진과 신체 검진만으로는 OSA와 단순 코골이를 구별할 수 없다. OSA 소아의 부모 중 89%는 환아가 수면 중 숨쉬기 힘들어하는 것을 관찰한 반면, 단순 코골이를 가진 소아 부모도 58%에서 동일한 증상을 관찰하였다. 또한 문진과 신체 검진, 그리고 수면 중 녹음된 소리로는 분명히 OSA라고 생각되었던 환아 중 50%만이 수면다원검사에서 OSA로 진단되었다. 따라서 소아 OSA의 진단에 있어 임상적 평가만으로는 부정확하다. 하지만, 밤과 낮 증상에 대한 자세한 병력을 조사하는 것은 여전히 중요하다.

2) 신체검사

신체검사는 성장상태를 알기 위해 키, 몸무게를 측정하는 것으로 시작한다. 그리고 이비인후과 검진을 통해 기도의 폐쇄 부위를 확인하는 것이 반드시 필요하다. 구강 검사는 편도와 아데노이드 크기를 측정하여야 하며, 편도의 크기와 대칭성, 인두의 면적, 구개의 모양과 크기, 혀의 크기와 운동, 치아의 교열상태 등을 확인한다. 비경 검사로 하비갑개의 부종, 비중격 만곡증의 유무, 비강 종물 등도 확인해야 한다. 비강의 통기성, 아데노이드 크기, 그리고 상기도의 해부학적 구조를 평가하기 위해 굴곡성 비인두 내시경 (fiberoptic nasopharyngoscopy)을 이용하기도 한다. 두개 안면기형이 있는 경우는 두개 안면부의 구조, 턱의 크기 및 위치, 혀의 크기 및 위치를 측정해야 한다. 호흡장애가 주간에도 나타난다면, 후두와 기관 부위에 대한 보다 정밀한 검진이 필요하다.

3) 영상검사와 기타 검사

상기도에 대한 영상 검사는 두부 측면 X-ray나 cephalom-etry가 가장 흔히 사용되고 아데노이드를 확인하고 상기도 전체의 윤곽과 환아의 안면기형 등을 관찰하기에 적절하다 (그림 20-1). 그밖에 sleep fluoroscopy, CT, cine-MRI 등을 사용하기도 하나 일반적인 OSA 환아의 진료에 적용하기에는 무리가 있다. 그 밖에 흉부 X-ray나 심전도 검사 등을 통해 심장의 상태도 조사할 필요가 있다. 심폐합병증의 증상 또는 징후를 가진 소아에서는 심초음파 등도 고려하여야 한다.

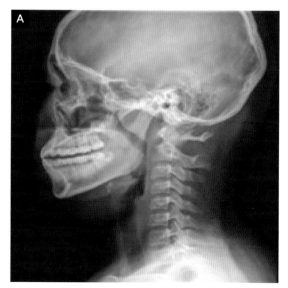 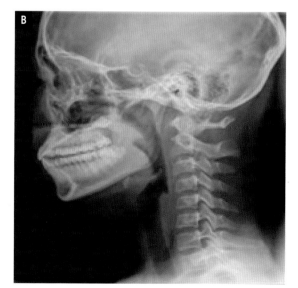

그림 20-1. **편도아데노이드 비대가 있는 환아의 수술 전(A)과 수술 후(B) 두부 측면방사선 소견**

4) 수면다원검사(Polysomnography, PSG)

수면 검사실에서 하룻밤 동안 검사자의 감시하에 하는 표준 PSG가 소아 OSA 진단의 확진 방법이다. OSA의 정확한 진단으로 필요 없는 치료를 피하고, 심각도에 따라 적절한 치료를 할 수 있게 될 수 있다. 하지만 모든 코골이 환아에서 PSG를 시행하는 것에는 논란이 있다. 코골이가 있는 소아의 약 10-20%가 OSA로 진단되기 때문에 2012년 미국 소아과학회에서는 OSA를 진단하고 술 후의 위험성을 평가하기 위해 PSG를 권장하였다. 하지만 미국 이비인후과학회의 가이드라인에서는 비만, 다운증후군, 두개안면기형, 신경근육 이상질환, 점액다당류증, 그리고 편도 크기와 OSA의 증상이 서로 잘 맞지 않는 소아나 아주 어린 나이(2세 미만)에서 수술이 필요한 경우에서만 PSG를 권유하였고, 편도아데노이드 절제술 후에도 OSA의 증상이 남아있거나, 수술의 결과가 좋지 않은 경우 또는 고위험군의 환아에서 양압기 치료를 고려할 때 시행하는 것으로 권장하고 있어 서로 다른 시각을 보여주고 있다. 국내에서도 많은 경우 PSG 없이 수술이 행해지고 있으나 수술 전에 환아의 상태를 파악하기 위해서는 PSG를 하는 것이 바람직하다고 생각된다. PSG의 결과에 따라 수술 후 합병증의 예측이 어느 정도 가능하며 중증의 OSA는 편도아데노이드 절제술 후 호흡 합병증을 일으킬 수 있는 주요 위험 요소이다.

이동식 수면검사의 경우 성인에서는 일부 진단적인 의미를 인정받고 있으나 소아에서는 아직까지 그 효용성에 대한 연구가 충분하지 않다. 또한 낮잠검사(nap study)도 사용되는 경우가 있으나 4세 이후의 소아는 낮잠을 자는 경우가 드물고, 짧은 수면 시간을 기록하며, 중요한 지표인 RAM 수면이 없을 가능성도 있어, 위 음성의 가능성이 있으므로 권장되지 않는다. 따라서 현재까지는 표준 PSG가 소아 OSA의 확진 방법이라고 할 수 있겠다.

소아 PSG에서는 호흡노력(respiratory effort), 코와 입의 기류 측정, 동맥산소포화도 측정, 심전도, 근전도, 수면 단계를 평가하기 위한 EEG, EOG, EMG를 검사하는 것이 원칙이다. 그밖에 소아에서 end-tidal CO_2는 폐쇄성 저환기를 확인하기 위해 이용된다.

소아에서 호흡사건의 기준이 되는 시간은 성인의 10초와 달리 '두 번의 호흡 주기 동안'이며 무호흡(apnea)은 호흡량이 90% 이상 감소한 경우, 저호흡(hypopnea)은 30% 이상의 기류감소가 있으면서 3% 이상의 산소포화도 저하가 있거나 각성이 나타나는 경우로 정의한다. 폐쇄성 무호흡은 호흡의 노력은 있으나 호흡을 하지 못하는 경우를 말하고, 중추성 무호흡은 호흡노력의 증거가 보이지 않으면서 나타나는 무호흡을 말하며, 혼합성 무호흡은 중추성과 폐쇄성 무호흡의 양상이 섞여서 나타나는 경우를 말한다. 또한 저산소혈증은 산소분압이 92% 이하일 때(PaO_2 <92%)로 정의하며, 폐쇄성 저환기(obstructive hypoventilation)는 폐질환이 없이 코골이 또는 역행호흡과 함께 전체 수면의 25% 이상에서 호기말 이산화탄소 분압(end-tidal $PaCO_2$)이 50 mmHg 이상일 경우 진단된다.

PSG 검사는 적어도 한 번 이상의 RAM 수면이 포함되어야 하는데, 이것은 대개 RAM 수면에서 호흡사건이 가장 심하게 나타나기 때문이다. 수면효율(sleep efficiency)과 호흡과 관련된 각성(respiratory related arousal)의 빈도도 측정되어야 한다.

5) 소아 OSA의 진단

소아 OSA의 진단 기준은 증상과 수면다원검사의 결과로 이루어지는데 첫째, 증상으로는 (1) 코골이, (2) 수면 중 힘든 호흡, 역행호흡이나 폐쇄성의 호흡, (3) 과다수면, 과잉행동, 행동문제, 또는 학습장애의 세 가지 증상 중 하나 이상이 있어야 하고, 둘째, 수면다원검사에서 수면 중 폐쇄성 무호흡, 혼합성 무호흡, 또는 저호흡이 시간당 1회 이상 되는 경우 또는 폐쇄성 저환기(전체 수면시간의 25% 이상 $PaCO_2$ >50 mmHg 이상)가 코골이, 흡기 시 측정된 비강압력측정 파형의 편평화(flattening), 역행 흉부-복부 호흡운동 중의 한 가지 증상과 동반되는 경우로 정의된다.

하지만 소아에서 임상적 결과와 PSG 지표들과의 연관성에 대한 연구는 아직도 많이 부족하고, OSA의 심각도를 분류하는 표준 가이드라인이 아직 없어 이에 대한 연구가 필요하다. 시간당 10회 이상의 폐쇄성 호흡 사건을 가질 경우 중증으로 분류하는 경우가 있는데, 이러한 소아에서 편

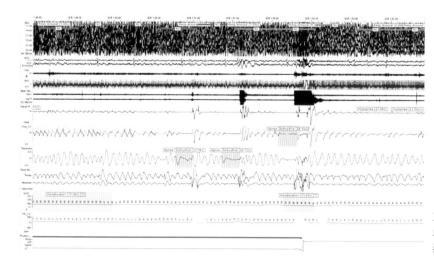

그림 20-2. 소아 수면무호흡증의 대표적인 소견
무호흡과 저호흡이 번갈아 가면서 나타나고 그에 따른 산소포화도 저하가 나타나는 것을 볼 수 있다.

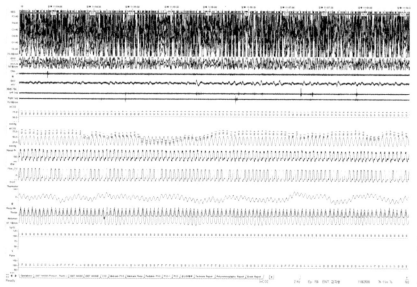

그림 20-3. 소아 수면무호흡증에서 특징적인 폐쇄성 저환기 소견
비강압력파형기류의 이상을 동반하고 코골이가 동반되면 이산화탄소 분압이 상승하는 소견이 보인다.

도아데노이드 절제술 후 위험성이 증가하기 때문이다. 소아에서의 특징적인 PSG의 소견들은 그림 20-2, 3과 같다.

6. 치료

소아 OSA의 조기 치료는 아주 중요하다. 소아 OSA는 부모의 망설임, 무관심 등으로 인해 치료가 늦어지는 경우가 많으며, 이로 인해 적절한 시기를 놓치게 되어 합병증들이 발생하면 때로는 회복되지 않는 경우도 많고 이미 일어난 변형들은 회복이 되지 않으므로 적절한 시기의 치료는 아주 중요하다. 또한 치료가 늦어져 발생하는 경제적인 손실도 많은데 OSA 소아는 그들이 치료받기 전 1년 동안 의료기관 이용이 OSA가 없는 대조군과 비교하여 226%나 더 높았다.

성인에서 우선적인 치료로 양압치료(continuous positive airway pressure)가 권유되는 것과는 달리 소아에서는 우선적인 치료가 수술적 치료이다. 이것은 소아의 기도가 짧아 비대한 편도와 아데노이드가 기도에 미치는 영향이 아주 크기 때문이며, 비수술적 치료는 일시적인 유지치료 이상의 것을 제공할 수 없기 때문이다.

1) 수술적 치료

(1) 편도아데노이드 절제술

편도아데노이드 절제술은 OSA 환아에서 가장 흔히 사용되는 수술적 치료이다. 편도아데노이드 비대가 OSA 소아에서 수면 동안 기도의 폐쇄를 일으키는 중요한 요소이므로 편도아데노이드 절제술은 OSA 소아의 대부분에서 치료 효과를 나타낸다. 또한 편도아데노이드 절제술은 의학적으로 복합적인 원인에 의한 OSA 환아에서도 초기 치료로 권장될 수 있는데 이는 일부의 환아에서는 치료 효과가 있을 가능성이 있고, 기관절개술을 막을 수 있는 경우가 많기 때문이다.

　3세 미만의 소아, PSG에서 중증인 소아, 안면기형 또는 신경근육이상이 있는 환아들은 수술과 관련된 호흡 합병증을 일으킬 위험성이 크다고 알려져 있다. PSG에 기초한 수면 장애의 심각도가 술 전 위험성 평가에 중요하나 이전에 기술한 것과 같이 술 전 PSG 자체에 대해 아직 논란이 있다. 중증 OSA 환아에서 수술을 늦춰야 하거나 심각한 심혈관계 합병증이 있는 경우 수술 전에 비수술적 치료 특히 양압치료를 고려할 수도 있다.

　편도에 대한 수술 방법으로 기존의 피막외 편도절제술 이외에 고주파를 이용한 편도 축소술(radiofrequency tonsil reduction), 피막내 편도절제술(intracapsular tonsil-lectomy), microdebrider를 이용한 피막내 편도절제술 등의 방법들도 사용되었다. 하지만 일반적인 편도아데노이드 절제술과 비교하여 이 방법들의 장기적인 효과에 대해서는 더 많은 연구가 필요할 것으로 생각된다.

　수술 후 처치는 기도의 부종을 막기 위해 스테로이드가 유용하게 사용되기도 하고, 기도 유지가 필요한 고위험군 환자에서는 비인강기도(nasopharyngeal airway)를 사용하거나 양압치료를 일시적으로 사용할 수도 있다.

　수술 후 결과에 대해서는 보고마다 이견이 많으나 경도

OSA를 가진 소아에서 편도아데노이드 절제술을 받은 대다수는 수술한 날 밤 수면검사에서 즉각적인 향상을 보이는 반면, 중증의 OSA나 해부학적 또는 신경운동 질환을 가진 소아는 종종 OSA가 남기도 한다. 수술 후 완치율은 대개 80% 내외이다. 하지만 이러한 결과는 편도아데노이드 절제술을 하는 모든 환아에서 PSG를 하지 않고 있는 상황에서 선택오차(selection bias)의 가능성이 있으며, 수술을 받는 나이, 수술을 받는 환아의 상태나 악안면의 구조 등 고려할 점이 너무 많아 일관된 대상으로 좀 더 많은 연구가 필요할 것으로 생각된다. 수술 후 환아의 삶의 질 연구들은 일관 되게 많은 향상을 보고하고 있다. 이러한 삶의 질 향상은 수술 후 장기간 경과 관찰 시에도 지속적으로 향상되었다.

(2) 기타 수술적 치료

성인에서 주로 사용되는 구개수 구개 인두성형술(uvulo-palato-pharyngoplasty, UPPP)은 소아 OSA 치료를 위해서 일반적으로 사용되지는 않는다. 하지만 UPPP는 편도아데노이드 절제술 후에도 신경근육 이상으로 폐쇄가 지속될 것 같은 고위험군 소아에서는 고려할 수 있다. 이 수술을 통하여 신경근육이상을 보이는 환아와 다운증후군 등의 환아들에서 기관절개술의 필요성을 줄일 수 있다.

　설축소술(tongue reduction)이나 설절제술(glossecto-my)은 다운증후군과 같이 거대설(macroglossia)을 가진 환아가 대상이 될 수 있고, 복합적인 두개안면기형을 가진 환아들에서는 환아의 상태에 맞게 두개 안면골부에 대한 수술로 하악전진술(mandibular advancement), 설골거상술(hyoid suspension), 견인 골성형술(distraction osteogenesis) 등이 사용될 수도 있다.

　기관절개술은 위에 기술한 여러 가지 방법으로 해결되지 않는 소아에서 기도 폐쇄부위를 우회하기 위해 사용된다. 비록 기관절개술은 대부분의 경우 상기도 폐쇄 치료에 성공적이지만, 환아의 여러 가지 상태 및 기관절개술이 주는 삶의 질의 저하 등의 나쁜 영향에 대해서도 잘 고려한 후 결정해야 한다.

　그밖에 상기도를 누르거나 막는 종물은 종물을 제거하

는 수술이 사용되며, 비폐색을 일으키는 비중격만곡증, 비부비동염, 하비갑개 비대 등에 대한 적절한 수술이 필요할 수도 있다.

2) 비수술적 치료

(1) 지속적 양압치료(continuous positive airway pressure, CPAP)

수술을 할 수 없거나 수술에 실패한 소아의 경우 비강 CPAP을 적용할 수 있다. 압력의 정도는 폐쇄성 무호흡을 없애고, 환기 및 야간 산소 포화도를 정상화시키는 정도로 수면 검사실에서 적정압력이 결정되어야 한다. 성장하는 소아에서는 요구되는 압력이 나이가 들어감에 따라 변화할 수 있으므로 계속 사용해야 하는 경우 반복적인 평가와 압력조절이 필요하다. 소아에서 CPAP의 문제점은 불편감이나 자극과 같은 일반적인 합병증뿐만 아니라 장기간 사용 시 낮은 순응도(compliance), 얼굴의 성장에 따른 마스크의 잦은 교체, 그리고 장기간 사용 시 안면 발달 부전 등이다. 하지만 반드시 착용해야 하는 소아라면 부모들의 협조와 행동치료 등의 방법을 통해 순응도를 증가시키려는 노력이 필요할 것이다. 또한 CPAP 치료를 받는 중에도 반복적인 추적검사를 통해 고이산화탄소혈증, 각성, 호흡 노력의 증가 등이 개선되었는지 확인이 필요하다.

(2) 기타 치료

소아 OSA 치료에서 구강내 치과적장치의 사용으로는 급속상악확장기(rapid maxillary expansion)가 사용된다. 이것은 입천장을 넓혀주어 구강의 용적을 증가시키는 동시에 비강도 넓힐 수 있는 장치이다. 편도아데노이드 절제술 후에도 OSA가 남아 있으면서 상악이 작고 입천장이 높은 OSA 소아에서 주로 사용할 수 있다. 또한 하악을 전진시키도록 고안된 기도확장기(mandibular advancement device)도 드물게 사용될 수 있다. 이러한 장치들은 수술적 치료에 반응하지 않는 환아들의 추가적인 치료 방법으로 고려될 수 있으나 적절한 적응증과 결과에 대한 더 많은 연구가 필요하다.

체중 조절은 OSA를 가진 비만한 소아에서 중요한 치료 중 하나이다. 체중 감소는 OSA의 호전뿐만 아니라 비만에 따른 다른 문제들을 해결하는 면에서도 중요하므로 환아와 부모를 대상으로 식이교육과 영양 상담 등을 통해 적극적인 관리가 필요하다.

비강내 스테로이드와 류코트리엔 수용체 길항제가 소아 OSA에 대해 부분적인 효과를 보이는데 알레르기비염이 동반된 경우 유용하게 사용할 수 있다. 하지만 OSA에 대한 직접적인 효과는 일시적인 호전일 뿐이고 대개는 수술적 치료가 필요하므로 수술적 치료가 어려운 환아에서 선택적으로 사용하는 것이 좋다.

▬▬▬ 참고문헌

- Nespoli L, Caprioglio A, Brunetti L, Nosetti L. Obstructive sleep apnea syndrome in childhood. Early Hum Dev 2013;Oct:89 Suppl 3:S33-7.

- Kennedy JD, Blunden S, Hirte C, Parsons DW, Martin AJ, Crowe E, et al. Reduced neurocognition in chil- dren who snore. Pediatr Pulmonol 2004;37:330-7 .

- Farber JM. Clinical practice guideline: diagnosis and manage-ment of childhood obstructive sleep apnea syndrome. Pediatrics 2002;110:1255-7.

- Arens R, McDonough JM, Corbin AM, Rubin NK, Carroll ME, Pack AI, et al. Upper airway size analysis by magnetic resonance imaging of children with obstructive sleep apnea syndrome. Am J Respir Crit Care Med 2003;167:65-70.

- Isono S, Shimada A, Utsugi M, Konno A, Nishino T. Compari-son of static mechanical properties of the passive pharynx be-tween normal children and chil- dren with sleep-disordered breathing. Am J Respir Crit Care Med 1998;157:1204-12.

- Silvestri JM, Weese-Mayer DE, Bass MT, Kenny AS, Hauptman SA, Pearsall SM. Polysomnography in obese children with a his-tory of sleep-associated breathing disorders. Pediatr Pulmonol 1993;16:124-9.

- Horner RL, Mohiaddin RH, Lowell DG, Shea SA, Buman ED, Longmore DB, et al. Sites and sizes of fat deposits around the pharynx in obese patients with obstructive sleep apnoea and weight matched con- trols. Eur Respir J 1989;2:613-22.

- Mitchell RB, Kelly J. Adenotonsillectomy for obstruc- tive sleep apnea in obese children. Otolaryngol Head Neck Surg 2004;131:104-8.

- Cot CJ. Anesthesiological considerations for children with ob-structive sleep apnea. Curr Opin Anaesthesiol 2015 Jun;28(3):327-32

- Cohen SR, Lefaivre JF, Burstein FD, Simms C, Kattos AV, Scott PH, et al. Surgical treatment of obstructive sleep apnea in neurolog-ically compromised patients. Plast Reconstr Surg 1997;99:638-46.

- Rosen GM, Muckle RP, Mahowald MW, Goding GS, Ullevig C.

Postoperative respiratory compromise in children with obstructive sleep apnea syndrome: can it be anticipated?. Pediatrics 1994;93:784-8.

• Iannuzzi A, Licenziati MR, De Michele F, Verga MC, Santoriello C, Di Buono L, Renis M, Lembo L, D' Agostino B, Cappetta D, Polverino M, Polverino F. C-reactive protein and carotid intima-media thickness in children with sleep disordered breathing. J Clin Sleep Med 2013;9:493-8.

• Gaultier C. Respiratory adaptation during sleep from the neonatal period to adolescence. In: Sleep and Its Disorders in Children: New York: Raven Press 1987;67-97.

• Cinar U, Vural C, Cakir B, Topuz E, Kavaman MI, Turgut S. Nocturnal enuresis and upper airway obstruction. Int J Pediatr Otorhinolaryngol 2001;59:115-8.

• Zhu J, Fang Y, Wang HF, Chen X, Yu DJ, Shen Y. Insulin-like growth factor-1 and insulin-like growth factor-binding protein-3 concentrations in children with obstructive sleep apnea-hypopnea syndrome. Respir Care 2015;60:593-602.

• Jabbari Moghaddam Y, Golzari SE, Saboktakin L, Seyedashrafi MH, Sabermarouf B,Gavgani HA, et al. Does adenotonsillectomy alter IGF-1 and ghrelin serum levels in children with adenotonsillar hyper-trophy and failure to thrive A prospective study. Int J Pediatr Otorhinolaryngol 2013;77:1541-4.

• Anuntaseree W, Sangsupawanich P, Mo-suwan L, Ruangnapa K, Pruphetkaew N. Prospective cohort study on change in weight status and occurrence of habitual snoring in children. Clin Otolaryngol 2014;39:164-8.

• Bonuck KA, Freeman K, Henderson J .Growth and growth biomarker changes after adenotonsillectomy: systematic review and meta-analysis. Arch Dis Child 2009;94:83-91.

• Beebe DW. Neurobehavioral morbidity associated with disordered breathing during sleep in children: a comprehensive review. Sleep 2006;29:1115-34.

• O'Brien LM, Tauman R, Gozal D. Sleep pressure correlates of cognitive and behavioral morbidity in snor- ing children. Sleep 2004;27:279-82.

• Gozal D, Crabtree VM, Sans CO, Witcher LA, Kheirandish-Gozal L. C-reactive protein, obstructive sleep apnea, and cognitive dysfunction in school-aged children. Am J Respir Crit Care Med 2007;176:188-93.

• Ali NJ, Pitson D, Stradling JR. Sleep disordered breath- ing: effects of adenotonsillectomy on behaviour and psychological functioning. Eur J Pediatr 1996;155:56-62.

• Gozal D. Sleep-disordered breathing and school per-formance in children. Pediatrics 1998;102:616-20.

• Mulvaney SA, Goodwin JL, Morgan WJ, Rosen GR, Quan SF, Kaemingk KL. Behavior problems associated with sleep disordered breathing in school-aged children-the Tucson children's assessment of sleep apnea study. J Pediatr Psychol 2006;31:322-30.

• Mitchell RB, Kelly J. Longterm changes in behavior after adenotonsillectomy for obstructive sleep apnea syndrome in children. Otolaryngol Head Neck Surg 2006;134:374-8.

• Gozal D, Pope DW Jr. Snoring during early childhood and academic performance at ages thirteen to fourteen years. Pediatrics 2001;107:1394-9.

• Amin RS, Kimball TR, Bean JA, Jeffries JL, Willing JP, Cotton RT, et al. Left ventricular hypertrophy and abnormal ventricular geometry in children and adolescents with obstructive sleep apnea. Am J Respir Crit Care Med 2002;165:1395-9.

• Kheirandish-Gozal L, Capdevila OS, Tauman R, Gozal D. Plasma Creactive protein in nonobese children with obstructive sleep apnea before and after adenotonsillectomy. J Clin Sleep Med 2006;2:301-4.

• Richards W, Ferdman RM. Prolonged morbidity due to delays in the diagnosis and treatment of obstructive sleep apnea in children. Clin Pediatr (Phila) 2000;39:103-8.

• Reuveni H, Simon T, Tal A, Elhayany A, Tarasiuk A. Health care services utilization in children with obstructive sleep apnea syndrome. Pediatrics 2002;110:68-72.

• Kang KT, Weng WC, Lee CH, Hsiao TY, Lee PL, Lee YL, Hsu WC. Detection of pediatric obstructive sleep apnea syndrome: history or anatomical findings Sleep Med. 2015;16:617-24.

• Marcus CL, Brooks LJ, Draper KA, Gozal D, Halbower AC, Jones J, et al. Diagnosis and management of childhood obstructive sleep apnea syndrome. Pediatrics 2012;130:e714-55.

• Ramji M, Biron VL, Jeffery CC, C t DW, El-Hakim H. Validation of pharyngeal findings on sleep nasopharyngoscopy in children with snoring/sleep disordered breathing. J Otolaryngol Head Neck Surg 2014 Jun 11;43:13-8.

• Slaats MA, Van Hoorenbeeck K, Van Eyck A, Vos WG, De Backer JW, Boudewyns A, De Backer W, Verhulst SL. Upper airway imaging in pediatric obstructive sleep apnea syndrome. Sleep Med Rev 2015;21:59-71.

• Marcus CL, Brooks LJ, Draper KA, Gozal D, Halbower AC, Jones J, et al. Clinical Practice Guideline diagnosis and management of childhood obstructive sleep apnea syndrome. Pediatrics 2012; 130:576-84.

• Roland PS, Rosenfeld RM, Brooks LJ, Friedman NR, Jones J, Kim TW, et al. Clinical practice guideline: polysomnography for sleep-disordered breathing prior to tonsillectomy in children. Otolaryngol Head Neck Surg 2011;145:S1 S15.

• Certal V, Camacho M, Winck JC, Capasso R, Azevedo I, Costa-Pereira A. Unattended sleep studies in pediatric OSA: a systematic review and metaanalysis. Laryngoscope. 2015;125(1):255-62.

• American Thoracic Society. Standards and indications for cardiopulmonary sleep studies in children. Am J Respir Crit Care Med 1996;153:866-78.

• 40. Berry RB, Budhiraja R, Gottlieb DJ, Gozal D, Iber C, Kapur VK, et al. Rules for scoring respiratory events in sleep: update of the 2007 AASM Manual for the Scoring of Sleep and Associated Events. Deliberations of the Sleep Apnea Definitions Task Force of the American Academy of Sleep Medicine. J Clin Sleep Med 2012;8:597-619.

• American Academy of Sleep Medicine. International classification of sleep disorders, 3rd ed. Darien, IL: American Academy of Sleep Medicine; 2014.

• Tweedie DJ, Bajaj Y, Ifeacho SN, Jonas NE, Jephson CG, Cochrane LA, et al. Peri-operative complications after adenotonsillectomy in a UK pediatric tertiary referral centre. Int J Pediatr Otorhinolaryngol 2012; 76:809-15

• Dalesio NM, McMichael DH, Benke JR, Owens S, Carson KA, Schwengel DA, et al. Are nocturnal hypoxemia and hypercapnia associated with desaturation immediately after adenotonsillectomy Paediatr Anaesth 2015;25:778-85.

• Wiet GJ, Bower C, Seibert R, Griebel M. Surgical correction of obstructive sleep apnea in the complicated pediatric patient documented by polysomnography. Int J Pediatr Otorhinolaryngol 1997;41:133-143.

• Wiatrak BJ, Myer CM 3rd, Andrews TM. Complications of adenotonsillectomy in children under 3 years of age. Am J Otolaryngol 1991;12:170-2.

• Wilson K, Lakheeram I, , Morielli A, Brouilette R, Brown K. Can assessment for obstructive sleep apnea help predict postadenotonsillectomy respiratory com- plications Anesthes ology 2002;96:313-22.

• Friedman M, LoSavio P, Ibrahim H, Ramakrishnan V. Radiofrequency tonsil reduction: safety, morbidity, and efficacy. Laryngoscope 2003;113:882-7.

• Koltai PJ, Solares CA, Mascha EJ, Xu M. Intracapsular partial tonsillectomy for tonsillar hypertrophy in children. Laryngoscope 2002;112:17-9.

• Tunkel DE, Hotchkiss KS, Carson KA, Sterni LM. Efficacy of powered intracapsular tonsillectomy and adenoidectomy. Laryngoscope 2008;118:1295-302.

• Friedman O, Chidekel A, Lawless ST, Cook SP. Postoperative bilevel positive airway pressure ventilation after tonsillectomy and adenoidectomy in children a preliminary report. Int J Pediatr Otorhinolaryngol 1999;51:177-80.

• Cornfield DN, Bhargava S. Sleep medicine: pediatric polysomnography revisited. Curr Opin Pediatr 2015 Jun;27(3):325-8.

• Brietzke SE, Gallagher D. The effectiveness of tonsillectomy and adenoidectomy in the treatment of pediatric obstructive sleep apnea/hypopnea syndrome: a meta-analysis. Otolaryngol Head Neck Surg 2006;134:979-84.

• Lee LA, Li HY, Lin YS, Fang TJ, Huang YS, Hsu JF, Wu CM, Huang CG. Severity of childhood obstructive sleep apnea and hypertension improved after ade-notonsillectomy. Otolaryngol Head Neck Surg 2015; 152:553-60.

• Lee CH, Kang KT, Weng WC, Lee PL, Hsu WC. Quality of life after adenotonsillectomy in children with obstructive sleep apnea: short-term and long-term results. Int J Pediatr Otorhinolaryngol 2015;79:210-5

• Shen L, Zheng B, Lin Z, Xu Y, Yang Z. Tailoring therapy to improve the treatment of children with obstructive sleep apnea according to grade of adeno-tonsillar hypertrophy. Int J Pediatr Otorhinolaryngol 2015;79:493-8

• Mitchell RB, Garetz S, Moore RH, Rosen CL, Marcus CL, Katz ES, et al. The use of clinical parameters to predict obstructive sleep apnea syndrome severity in children: the Childhood Adenotonsillectomy (CHAT) study randomized clinical trial. JAMA Otolaryngol Head Neck Surg. 2015;141:130-6.

• Ramirez A, Khirani S, Aloui S, Delord V, Borel JC, P pin JL, et al. Continuous positive airway pressure and noninvasive ventilation adherence in children. Sleep Med 2013;14:1290-4.

• Kureshi SA, Gallagher PR, McDonough JM, Cornaglia MA, Maggs J, Samuel J, Traylor J, Marcus CL. Pilot study of nasal expiratory positive airway pressure devices for the treatment of childhood obstructive sleep apnea syndrome. J Clin Sleep Med 2014;10:663-9.

• Downey R 3rd, Perkin RM, MacQuarrie J. Nasal con- tinuous positive airway pressure use in children with obstructive sleep apnea younger than 2 years of age. Chest 2000;117:1608-12.

• Li KK, Riley RW, Guilleminault C. An unreported risk in the use of home nasal continuous positive airway pressure and home nasal ventilation in children: mid-face hypoplasia. Chest 2000; 117:916-8.

• Marcus Cl, Rosen G, Ward SL, Halbower AC, Stemi L, Lutz J, et al. Adherence to and effectiveness of positive airway pressure therapy in children with obstructive sleep apnea. Pediatrics 2006;117:e442-51.

• Villa MP, Rizzoli A, Rabasco J, Vitelli O, Pietropaoli N, Cecili M, Marino A, Malagola C. Rapid maxillary expansion outcomes in treatment of obstructive sleep apnea in children. Sleep Med 2015;16:709-16.

• Cozza P, Gatto R, Ballanti F, Prete L. Management of obstructive sleep apnoea in children with modified Monobloc appliances. Eur J Paediatr Dent 2004;5:24-9.

• Woo KS, Chook P, Yu CW, Sung RY, Qiao M, Leung SS, et al. Effects of diet and exercise on obesity-related vascular dysfunction in children. Circulation 2004 27;109:1981-6.

• Chan CC, Au CT, Lam HS, Lee DL, Wing YK, Li AM. Intranasal corticosteroids for mild childhood obstruc- tive sleep apnea-a randomized, placebo-controlled study. Sleep Med 2015;16:358-63.

• Goldbart AD, Goldmall JL, Velillg MC, Gozal D. Leukotriene modifier therapy for mild sleep-disor-dered breathing in children. Am J Respir Crit Care Med 2005;172:364-70.

• Ehsan Z, Ishman SL. Pediatric Obstructive Sleep Apnea. Otolaryngol Clin North Am. 2016;49(6):1449-1464.

• Mattar SE, Valera FC, Faria G, Matsumoto MA, Anselmo-Lima WT. Changes in facial morphology after adenotonsillectomy in mouth-breathing children. Int J Paediatr Dent. 2011;21(5):389-396.

Chapter 21

소아 비출혈

Pediatric Epistaxis

이승훈

비출혈은 소아에서 가장 흔하게 나타나는 이비인후과 응급 상황으로 20세 이하 소아의 약 8% 정도가 1년에 3회 이상 비출혈이 발생되는 습관성 비출혈 환자로 알려져 있다. 소아 비출혈은 많은 경우에서 원인불명(idiopathic)으로 나타나게 되는데 대부분 보존적 치료방법을 통해 조절이 되나 지속적인 출혈이 있는 경우에는 비강패킹이나 출혈부위에 대한 전기적 소작법 등을 이용하여 적극적으로 치료해야한다. 그러나 성인에 비하여 상대적으로 협조가 쉽지않은 소아에서 동맥혈관이나 비강 후방부에서 다량의 출혈이 있게 되면 적절한 진단과 효과적인 치료가 어려울 수 있다.

1. 비강혈관의 구조

비강점막 내에는 혈관이 풍부하게 발달되어 있으며 분포하는 주된 공급혈관은 외경동맥(external carotid artery)과 내경동맥(internal carotid artery)에서 유래한다. 외경동맥은 안면동맥(facial artery)과 내악동맥(internal maxillary artery)을 통하여 비강내 혈관을 분지한다. 안면동맥은 상순동맥(superior labial artery)을 통하여 비중격 전방부에 주로 분포하고 내악동맥은 접구개동맥(sphenopalatine

artery)의 비강외측벽에 대한 후외측 분지(posterolateral branch or conchal branch)와 비중격에 대한 비중격 분지(septal branch) 그리고 하행구개동맥(descending palatine artery)의 분지인 대구개동맥(greater palatine artery)을 통하여 비중격과 비강외측벽에 혈액을 공급한다. 내경동맥은 안동맥(ophthalmic artery)의 분지인 전, 후 사골동맥(anterior, posterior ethmoidal artery)을 통하여 주로 비강 상부에 분포하게 된다(그림 21-1).

비중격 전방부에는 Kiesselbach plexus 또는 Little's area로 불리우는 대구개동맥, 상순동맥, 전사골동맥, 접구개동맥의 최종분지가 분포되는 곳이 있고 이 부위가 건조한 상태에서 코후빔과 같은 경미한 비점막 손상이 있게 되면 소아에서 비출혈이 자주 발생할 수 있다(그림 21-2). 비출혈이 목뒤로 넘어가는 양상이 주가 된다면 비강 후방부 출혈의 가능성을 의심해야 하며 이러한 경우에는 접구개공(sphenopalatine foramen)으로부터 접형동 전벽하단을 거쳐 비중격 후방을 지나는 접구개동맥 비중격 분지의 주행경로나 하비도 후방부에 위치한 Woodruff plexus에서 주로 발생하게 된다.

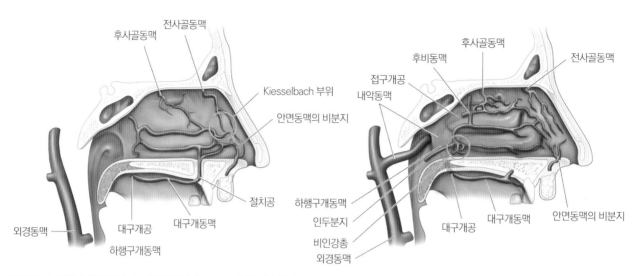

그림 21-1. **비강내 혈관 분포.** A. 비중격의 혈관분포, B. 비강측벽의 혈관분포

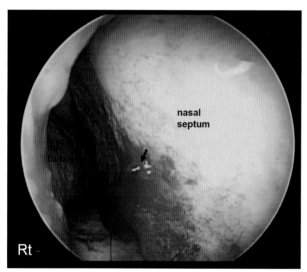

그림 21-2. **우측 비중격 전방부(Kiesselbach plexus)에서의 출혈(화살표)**

2. 원인

소아에서 비출혈은 다양한 국소적 및 전신적 원인에 의하여 발생된다. 국소적인 원인으로는 손가락으로 코안을 자주 후비게 되는 기계적 외상이 가장 흔한 것으로 알려져 있

고, 이러한 상황은 코점막이 건조한 경우에 더 자주 발생하게 된다. 코점막의 건조증은 비중격 만곡증(nasal septal deviation), 비중격 돌기(nasal septal spur) 등과 같은 비강내 공기흐름 난류(turbulent airflow)를 일으키는 해부학적인 변이나, 비염, 부비동염, 비강내 이물 등에 의한 이차적인 비점막 염증으로 인해 심해질 수 있다. 혈우병, von Willebrand disease, 백혈병, 혈소판 감소증과 같은 질환이나 혈액응고를 방해하는 약물, 혈소판 이상을 나타내는 내과적 질환 등과 같은 혈액응고장애가 있는 경우에도 비출혈이 자주 발생할 수 있기 때문에 이러한 문제에 대한 감별도 필요하다. 두부에 심한 외상이 있은 후 이차적인 동맥류가 생기는 경우에 이 부위로부터 지연성으로 과도한 비출혈이 발생할 수 있으며 이러한 경우에는 갑작스러운 많은 출혈로 인한 지사율이 매우 높기 때문에 의심이 된나면 적극적으로 진단하여 치료해야 한다. 그 밖에 비강내 혈관종, Wegener's granulomatosis, 유년성 비인강 혈관섬유종(Juvenile nasopharyngeal angiofibroma), 유전성 출혈성 모세혈관 확장증(Hereditary hemorrhage telangiectasia) 등과 같은 종양이나 질환이 있는 경우에 소아에서 잦은 비출혈이 생길 수 있다.

3. 진단

소아에서 비출혈에 대한 진단은 우선 병력청취를 통해 출혈량과 출혈양상 등을 파악하면서 간질환, 심장 질환과 같은 내과적 질환, 두부외상, 수술력, 항응고제 등과 같은 약물복용의 여부와 함께 출혈성 경향의 기왕력과 가족력 등을 알아본다. 심한 출혈이 의심된다면 과다출혈에 따른 활력신호의 변화를 파악하고 결막진찰과 같은 신체검사를 통하여 출혈에 따른 빈혈여부를 간접적으로 확인한다. 또한 동반될 수 있는 빈혈이나 출혈성 경향을 객관적으로 평가하기 위해 혈액검사를 시행한다.

부비동염이나 비염이 있는 경우에 건조한 비강내 분비물에 의해 형성된 가피가 떨어져 나가면서 출혈이 자주 발생할 수 있기 때문에 이에 대한 감별을 위하여 부비동 단순촬영과 같은 검사를 시행할 수 있다. 비강내 국소 출혈부위에 대한 확인은 성인과 마찬가지로 적절한 지혈치료를 위하여 소아에서도 매우 중요하다. 출혈이 있는 경우에는 흡인기로 흡인하면서 전비경(anterior rhinoscopy)을 통해 나안으로 출혈부위를 확인하게 되나, 협조가 가능한 소아에서는 비내시경(nasal endoscopy)을 통해 출혈부위를 파악하게 된다. 특히 Kisselbach plexus가 위치하는 비중격의

전방부에서 비출혈이 가장 자주 발생하기 때문에 전비경이나 비내시경 검사시 해당 부위를 잘 관찰해야 하며, 후방부에서 발생하는 출혈의 경우에는 비중격 후방을 지나는 접구개동맥 비중격 분지의 주행부위나 Woodruff plexus가 있는 하비도 후방부위를 주의깊게 확인해야 한다. 흔하지는 않지만 소아에서도 비부비강내 출혈성 경향을 일으키는 다양한 종물들로부터 비출혈이 발생할 수 있으며 이를 시사하는 임상증상이나 소견이 있다면 이에 대한 정확한 확인을 위하여 부비동 전산화단층촬영, 부비동 자기공명촬영 등을 시행할 수 있다. 특히 비출혈에 대한 적극적인 처치 후에도 멈추지 않고 지속적으로 발생하는 다량의 출혈에 대해서는 감별진단과 출혈부위에 대한 혈관색전을 위해서 혈관조영술을 시행할 수도 있다. 특히, 일측성 코막힘이 잦은 코피와 함께 지속되는 10대 환자에서 비내시경검사상 비강 후방부를 막고 있는 혈관이 발달한 부드러운 표면을 가지는 종물이 관찰된다면 유년성 비인강 혈관섬유종(Juvenile nasopharyngeal angiofibroma)을 감별하기 위해 부비동 전산화단층촬영과 자기공명촬영을 시행하며 해당 종물에 혈액공급을 하는 혈관을 확인하기 위하여 혈관조영술을 한다(그림 21-3).

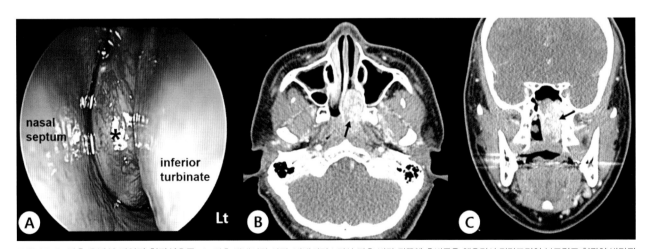

그림 21-3. **좌측 유년성 비인강 혈관섬유종.** A. 좌측 비내시경 사진, 비내시경소견상 좌측 비강 뒤쪽에 후비공을 채우면서 점막표면이 부드럽고 혈관이 발달된 종물(asterisk)이 관찰된다. B. Axial view, PNS CT (contrast enhanced), C. Coronal view, PNS CT (contrast enhanced), 비강의 후방부에 조영증강이 잘되고 좌측 접형동의 전벽일부를 파괴시키면서 비인강을 막고 있는 종물(arrow)이 관찰된다.

4. 치료

소아에서 비출혈은 건조한 비강내 상태 때문에 코안을 자주 만지거나 되어 이차적으로 발생하는 경우가 많다. 비강내 점막이 건조하여 잦은 콧피가 발생하는 것을 예방하기 위한 보존적 치료방법으로 1) 비강이 건조해지지 않도록 연고나 바세린 등을 비강전정부인 콧망울 안쪽에 자주 바른다. 2) 생리식염수 비강스프레이를 수시로 비강 내에 뿌려준다. 3) 실내가 건조한 경우에는 가습기를 이용하여 실내습도를 50-60%로 유지해준다. 4) 비부비동염이나 알레르기비염이 있어 누런 콧물, 코 주변의 가려움증이나 재채기가 자주 있다면 적절한 약물치료 등을 시행한다.

　비출혈에 대한 치료를 시작할 때 우선적으로 중요한 것은 환자의 혈압, 심박동수 등과 같은 활력증후가 불안정한지를 확인하는 것이다. 과도한 출혈이 의심되는 경우에는 수액이나 혈액을 공급할 수 있는 정맥혈관을 확보해야 하며 이러한 과정에서 출혈의 정도와 출혈성 경향, 수혈을 위한 혈액형 등을 확인하기 위해 검사실 혈액검사를 시행할 수 있다. 만일 출혈에 따른 이차적인 활력증후의 변화가 있다면 이를 안정시키기 위하여 적극적으로 내과적 치료를 시행해야 한다.

　소아에서의 비출혈은 비중격의 피부점막연결부(mucocuteneous junction) 바로 뒤에 있는 비강의 전방부에서 발생하는 경우가 많다. 그렇기 때문에 보존적 치료방법으로 상체와 고개를 앞으로 약간 기울인 상태에서 코의 하단부인 콧망울 부위를 엄지와 검지 손가락으로 잡아 눌러주면서 최소한 20분 이상 압박하여 지혈한다. 이때 환아는 입을 벌린 상태로 숨을 쉬게 하면서 목 뒤로 넘어가는 피를 삼키지 말고 입으로 뱉어내게 한다. 대부분 이러한 방법을 통해 비출혈은 멈추어지나 그렇지 않은 경우에는 비강내 국소 출혈부위를 정확히 확인하기 위해 전비경이나 비내시경을 시행하게 되며 출혈부위가 발견이 된다면 국소마취하에서 다양한 방법을 통해 지혈해 준다. 그러나 현실적으로 성인에 비하여 소아의 경우에는 비내시경하 전기소작이나 다양한 형태의 압축스펀지를 이용한 비강패킹 시행이 불가능할 정도로 협조가 안되는 경우가 많으며 이러한 경우에

는 출혈부위에 대한 지혈치료를 전신마취하에서 시행할 수도 있다.

1) 국소지혈법

비강내 출혈부위가 확인된다면 일반적으로 phenylephrine과 리도카인을 적신 거즈로 비강내를 채워주면서 10분 이상 비강점막을 충분히 수축 및 마취시키거나 리도카인과 에피네프린 혼합 마취제를 출혈부위의 주변에 주사한 후 국소지혈치료를 시행하게 된다. 이때 국소마취주사를 비강내 점막에 시행하게 되면 주사부위에서의 출혈로 인하여 지혈해야 하는 국소출혈부위와 혼동이 가능하기 때문에 주사시행 전에 출혈부위의 위치를 정확히 파악해두어야 한다. 비강내 점막의 국소부위 출혈이 소량인 경우에는 질산은 소작(silver nitrate cauterization)을 이용한 화학적소작법(chemical cauterization) 등을 이용하여 지혈을 시도할 수 있다. 출혈부위의 점막내 혈관을 직접 소작하여 출혈을 멈추게 하는 전기소작법은 양극성 또는 단극성 소작기(bipolar or unipolar diathermy)를 이용하여 시행한다. 흡인(suction)이 함께 되는 전기소작기는 출혈부위의 혈액이나 분비물 등과 전기소작 중 발생하는 연기를 동시에 제거하면서 소작이 가능하며 특히 비내시경하에서 시행된다면 전비경하에서 관찰되지 않는 비강내 출혈부를 좀 더 정확히 확인하면서 지혈이 가능하다. 시술에 따른 부작용으로 전기소작기를 이용하여 양쪽 비중격 출혈에 대한 지혈을 하는 경우에는 비중격천공이 발생할 가능성이 높기 때문에 이에 대한 주의가 필요하다. 지혈을 위한 시술을 시행한 후 해당 부위가 건조되어 딱지가 형성되고 떨어지면서 재출혈이 발생할 수 있다. 이를 방지하기 위하여 가능한 시술 후 10일 정도는 강하게 코를 풀지 않도록 하며 죄소한 2주 이상 바세린이나 항생제 연고를 손끝이나 면봉에 묻혀 수시로 콧망울 안쪽에 바르게 하고 생리식염수를 비강분무기를 이용하여 코안에 자주 뿌리도록 한다.

2) 비강패킹

비강패킹은 정확한 비강내 출혈부위가 관찰되지 않거나 전기소작법 등으로 국소지혈을 시행한 후 재출혈을 방지하기

위하여 시행될 수 있다. 바세린과 항생제 연고를 함께 바른
거즈나 polyvinyl acetate sponge (Merocel®) 등과 같은 압
축 스펀지 등을 포함한 다양한 비흡수성 물질들이 비강패
킹 시에 사용된다. 일반적으로 재출혈이 없다면 비흡수성
비강패킹은 1-2일 정도 유치시키고 제거를 하게 되는데 소
아의 경우에는 협조가 되지 않아 제거 시에도 어려움이 많
을 수 있어 일정 시간이 지나면 비강내에서 생체분해되어
사라지는 패킹을 사용할 수도 있다. 비강 패킹을 위해서 사
용할 수 있는 흡수성 물질로는 absorbable gelatin sponge
(Gelfoam®), oxidized regenerated cellulose (Surgicel®),
synthetic polyurethane foam (NasoPore®) 등이 있다. 패킹
유치 후 제거할 필요가 없는 흡수성 비강충전제 물질들은
출혈부위의 압박을 통해 지혈효과가 나타나는 것 이외에
제품에 따라서 혈소판 응집 촉진을 유도하여 출혈을 억제
하는 효과까지 있다.

　소아에서 아데노이드 수술 부위에서의 출혈이나 비강
후방부에서 발생하는 출혈의 경우 Foley 카테터 등을 비강
을 통해 넣어준 후 후비공을 막으면서 전비강에 패킹 채워
넣어주는 후비강 패킹의 시행이 어려울 수 있다. 이러한 경
우에는 비강에 대한 국소마취 후 Hockey stick shape로 디
자인한 비교적 딱딱한 압축스펀지를 비강을 통해서 비인강
까지 넣어주고 부풀어 오르게 하는 방법으로 후방패킹을
대치하여 시행할 수 있다(그림 21-4). 이 방법을 이용하면
충분한 길이와 적당한 폭의 압축스펀지가 비강내에 위치하
고 있기 때문에 출혈이 있는 비인두와 후비강에 대한 압박
을 하면서 비강내 압축스펀지가 비교적 안정적으로 유지
될 수 있고 양측 후비강 패킹 시 고정을 위해 외비공 비주
앞쪽의 두 줄 실크봉합사 봉합에 의한 비주 부위의 불편감
과 압력괴사도 피할 수 있다. 또한 비강내 위치한 Hockey
stick shape 압축스펀지의 손잡이 끝단에 위치한 매듭을 앞
으로 당겨주면서 비강내 추가적인 비강패킹을 넣어줄 수도
있고 패킹 제거시에 협조가 잘 되지 않는 소아에서도 이 매
듭을 잡고 손쉽게 제거할 수 있는 장점이 있다.

　비강 패킹은 비강내 심한 통증과 불편감, 비내유착, 부
비동염, 저산소증, 패킹 중 실신 및 장기간 유치 시 독성 쇼
크 증후군(toxic shock syndrome)과 같은 부작용이 발생할

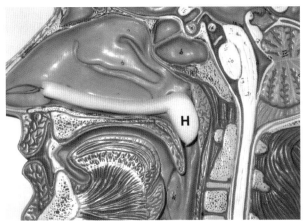

그림 21-4. **비인두나 비강후방부 출혈 시 후비강 패킹을 위해서 사용되
는 Hockey stick shape Merocel® (H)**

수 있다. 독성 쇼크 증후군을 예방하기 위하여 비강패킹을
시행한 비출혈 소아에서 예방적 항생제 사용의 유용성에
대해서는 아직까지 논란이 있으나 효과와 비용면을 고려할
때 항포도상구균 항생제 연고를 바른 패킹을 사용하는 것
은 바람직한 것으로 알려져 있다.

3) 온수세척
지속적으로 비출혈이 있는 경우에 후비공을 풍선카테터로
차단한 후 40-46℃의 온수를 비강내 주입하는 것도 지혈을
위해 이용할 수 있다. 소아에서는 협조가 힘들기 때문에 국
소마취하에서도 시행이 쉽지 않지만 전신마취하에서 부비
동 내시경수술 시 수술부위로부터 지속적인 출혈이 있을
때 온수세척(hot water irrigation)이 지혈을 하는 데 도움을
줄 수 있다. 이러한 지혈효과는 온수로 인해 유도된 점막부
종이 출혈이 있는 혈관을 압박하면서 동시에 혈전발생기전
(cascade for hemostasis)을 유도시켜서 나타난다고 한다.

4) 동맥결찰술
비강내 국소 부위의 출혈이 전기소작법이나 비강패킹을
통하여 잘 멈추어지지 않는 후방출혈의 경우에는 출혈의
원인으로 의심되는 공급혈관에 대해 동맥결찰술(arterial
ligation)을 시행할 수 있다. 경상악동접근법을 통한 내악

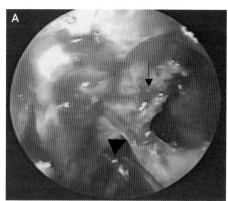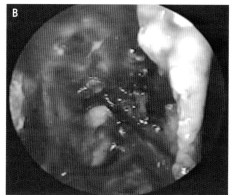

그림 21-5. **우측 내시경하 접구개동맥결찰술.** A. 접구개동맥의 비중격 분지(arrow)와 비측벽분지(arrow head)가 접구개공에서 함께 나온다. B. nasal forcep 형태의 양극성 전극소작기를 이용하여 각 혈관분지에 대한 전기조작을 시행한다.

동맥결찰술(internal maxillary artery ligation)은 Caldwell-Luc 접근법을 통하여 상악동 후벽에 위치하는 익구개와(pterygopalatine fossa)내의 내악동맥으로부터 분지하는 원위부 동맥인 접구개동맥이나 하행구개동맥을 각각 2개의 혈관클립을 이용하여 결찰하는 방법이다. 그러나 내악동맥결찰술은 익구개와내의 원위부 분지동맥들의 변형이 있거나 출혈로 인하여 결찰해야 하는 혈관을 찾지 못할 수 있고, 안면부 및 치아부위 감각저하, 구강상악동누공, 부비동염, 안신경마비, 실명 등과 같은 다양한 합병증이 가능하기 때문에 소아에서 자주 시행되지는 않는다. 내시경하 접구개동맥결찰술(endoscopic sphenopalatine artery liga-tion, ESPAL)은 비내시경을 이용하여 비강안에서 비강내 혈액공급에 가장 중요한 경로 중 하나인 접구개동맥이 접구개공(sphenopalatine foramen)으로부터 비중격과 비강 측벽으로 분지하는 원위부 분지동맥을 확인하여 혈관클립으로 결찰하거나 전기소작기를 이용하여 소작하는 방법이다(그림 21-5). 내악동맥결찰술에 비하여 상대적으로 원위부의 혈관을 결찰하고 경상악동접근과 익상악와에 대한 조작을 하지 않기 때문에 이와 관련된 합병증을 피할 수 있어 최근에는 내시경하 접구개동맥결찰술이 더 많이 시행되고 있다. 사골동맥결찰술(ethmoidal artery ligation)은 주로 안면부외상에 의한 두개저 골절이나 부비동 내시경수술 중 전사골동맥에 대한 손상으로 지속적인 출혈이 있는 경우에

시행하며 외부절개 또는 비내시경하에서 이중클립이나 전기조작기를 이용하여 지혈한다. 외경동맥결찰술(external carotid artery ligation)은 반대쪽 경동맥에 의한 측부혈행으로 인한 재출혈의 빈도가 높고 시술한 동측에 뇌혈관허혈증이나 뇌경색이 발생할 수 있기 때문에 가능한 시행하지 않는다.

5) 동맥색전술

동맥색전술(arterial embolization)은 조절되지 않는 지속적인 비출혈이 있을 때 선택적 혈관조영술을 하면서 시행할 수 있다. 특히 두경부에 대한 외상 후 지연성으로 매우 심한 비출혈이 간헐적으로 있는 환자는 외상 후 가동맥류(posttraumatic pseudoaneurysm)의 가능성이 높기 때문에 원인 혈관에 대한 진단 및 치료의 목적으로 동맥색전술을 시행한다. 유년성 비인강 혈관섬유종(Juvenile nasopha-ryngeal angiofibroma)을 제거하기 위해 비내시경 또는 외부절개 하에서 종물제거수술 시 출혈을 줄이기 위해 수술 전 혈관조영술을 하면서 혈액공급 혈관에 대한 동맥색전술을 시행할 수 있다(그림 21-6). 일반적으로 동맥색전술은 비강내 혈관에 대한 지혈을 위한 목적으로 시행시 외경동맥의 분지에 대해서는 별다른 문제가 없으나 내경동맥의 분지인 안동맥(ophthalmic artery)의 최종분지에 시행하는 것은 술 후 실명의 위험성이 있기 때문에 추천되지 않는다.

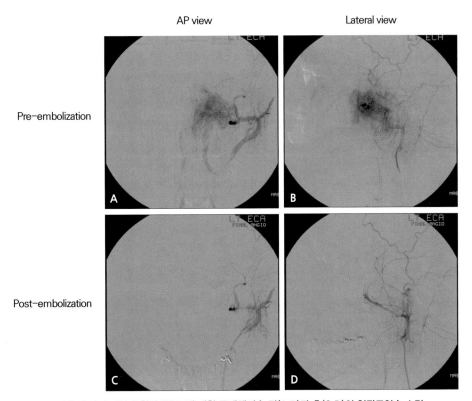

AP view   Lateral view

Pre-embolization

Post-embolization

그림 21-6. 좌측 유년성 비인강 혈관섬유종에 대한 동맥색전술 전(A,B)과 후(C,D)의 혈관조영술 소견

■■■■ **참고문헌**

• Alshaikh NA1, Eleftheriadou A. Juvenile nasopharyngeal angiofibroma staging: An overview. Ear Nose Throat J. 2015 Jun;94(6):E12-22.

• Damrose JF, Maddalozzo J. Pediatric epistaxis. Laryngoscope 2006;116:387-93.

• D'Oto AD, Cox S, Svider P, Rangarajan S, Sheyn A. Safety and efficacy of phenopalatine artery ligation in recalcitrant pediatric epistaxis. Int J Pediatr torhinolaryngol. 2019 Aug;123:128-131

• Eladl HM, Khafagy YW, Abu-Samra M. Endoscopic cauterization of the sphenopalatine artery in pediatric intractable posterior bleeding. Int J Pediatr Otorhinolaryngol 2011;75:1545-48.

• FeleK SA, Celik H, Islam A, Demirci M. Bilateral simultaneous nasal septal cauterization in children with recurrent epistaxis. Int J Pediatr Otorhinolaryngol 2009;73:1390-3.

• Fontela PS, Tampieri D, Atkinson JD, Daniel SJ, Teitelbaum J, Shemie SD. Posttraumatic pseudoaneurysm of the intracarvernous internal carotid artery presenting with massive epistaxis. Pediatr Crit Care Med 2006;7:260-2.

• Heyes D Jr, Iocono JA, Bennett JS, Jachman DC, Ballard HO. Epistaxis due to Wegener's granulomatosis in a pediatric patient. Am J Otolaryngol 2010;31:368-71.

• Katori H, Tsukuda M. Lobular capillary hemangioma of nasal cavity in child. Auris Nasus Larynx 2005;32:185-8.

• Lee HS, Roh HJ. Management of refractory posterior epistaxis by endoscopic electrocautery or ligation of the sphenopalatine artery. Korean J Otolaryngol 2005;48:882-7.

• Lee SH, Kwon YH, Lee HM, Choi JH, Lee SH, Kwon SY. Hockey Stick-shaped Merocel® Adenoid Packing on Adenoid Bleeding. Korean J Otolaryngol 2004;47:1142-5.

• Mei-Zahav M, Letarte M, Faughnan ME, Abdalla SA, Cymerman U, MacLusky IB. Sympomatic children with hereditary hemorrhagic telagiectasia: a pediatric center experience. Arch Pediatr Adolesc Med 2006;160:596-601.

• Patel Neel, Maddalozzo J, Billings KR. An update on management of pediatric epistaxis. Int J Pediatr Otorhinolarynol 2014;78:1400-04.

• Sandoval C, Dong S, Visintainer P, Ozakaynak MF, Jayabose S. Clinical and laboratory features of 178 children with recurrent epistaxis. J Pediatr Hematol Oncol 2002;24:47-9.

Chapter 22

구순열과 구개열

Cleft Lip and Palate

최지윤

구순, 구개열은 두경부에 발생하는 가장 흔한 선천성 기형으로 그 정도는 매우 다양하다. 구개수열(bifid uvula), 소구순열, 외측입술의 천공, 점막하구개열과 같이 가벼운 형태로 나타나는가 하면 양측 완전구순구개열 또는 외측 얼굴갈림증처럼 심각한 형태로 나타날 수도 있다. 환자들은 저작, 연하, 발성에 어려움을 경험하고 안면부의 성장과 외모에도 변형을 가져온다. 구순, 구개열 및 이에 따른 비변형, 안면변형, 교합을 평가하고 치료하는 것은 쉬운 일이 아니다. 따라서 완벽한 치료를 위해서는 이비인후과, 소아과, 유전학자, 구강외과전문의, 소아치과전문의, 교정전문의, 언어치료사, 청각사 등이 함께 팀을 구성하여 접근하여야 하며, 치과적, 정신사회적, 언어적, 청각적, 미용적인 개선을 목적으로 한다.

구순, 구개열은 백인에 있어서 1,000명당 1명꼴로 발생한다. 구순열 환자 중 4명 중 3명은 구개열을 동반한다. 미국의 통계를 보면 구순열만 있는 경우, 구순열과 구개열이 동시에 있는 경우, 구개열만 있는 경우가 각각 30%, 50%, 20%를 차지한다.

구순, 구개열이 단독으로 발생하기도 하지만 다른 증후군과 동반되어 나타나는 경우가 많은데 대표적으로 Stickler syndrome, velocadiofacial syndrome, Treacher-Collins syndrome, Crouzon syndrome, Waardenburg syndrome 등이 있다.

구순, 구개열 환자에게 있어서 가장 큰 문제는 기도 확보와 수유다. 이 두 문제가 간혹 구분이 어려운 경우가 있는데 기도 폐쇄가 심각한 수유장애를 일으키기도 하기 때문이다. 기도 폐쇄를 가져오는 대표적인 질환이 피에르 로빈 증후군이다. 이는 턱의 발달 장애, 혀의 돌출, 구개열을 동반한다. 전형적인 구개열이 V자 형태인 데 반해서 피에르 로빈신드롬은 U자 형태를 보인다. 기도 폐쇄의 치료를 위해서는 엎드린 자세, 기관절개술, 혀-입술 유착술, 하악전진술 등이 도움이 된다.

1. 분류

입술과 구개의 태생학적 발달의 이해는 선천성 구개열을 분류하는 데 도움이 된다. 일차적인 입술과 구개는 태생 4-8주 사이에 발달한다. 이러한 발달의 장애는 입술과 잇몸의 분리를 야기한다. 구순열은 일측과 양측, 완전과 불완전으로 구분된다. 구순열은 단독으로 존재하거나 구개열 또는 다른 선천성 기형과 함께 발생할 수 있다. 구순열은 배아형성기 동안에 중앙 비돌기(median nasal process)가 외측비돌기(lateral nasal process), 상악돌기(maxillary process)와 합쳐지지 못하여 발생한다. 이로 인해 윗입술, 구개의 앞쪽부분, 상악의 중앙부분에 부분적 또는 완전한 기형을 야기한다. 정상입술의 부분기형(minor mal- for- mation)이 구륜근(orbicularis oris muscle)의 결손에 의해 진피의 분리없이 발생할 수 있다. 이를 소구순열(microform cleft)로 분류한다. 윗입술의 보다 심각한 분리를 불완전 구순열(incomplete cleft lip)로 분류한다. 불완전 일측 구순열은 피부, 근육과 점막의 관통결손으로 위쪽으로 윗입술전체로 연장되지 않는다. 완전 일측 구순열은 결손부위가 입술의 모든 층을 포함하면서 입술전체와 코바닥까지 연장된다. 잇몸의 분리는 예외 없이 윗입술의 완전분리와 연관되어 발생한다. 윗입술의 분리 정도는 정상적인 입술의 발달에 있어서 장애의 시기와 정도에 의해 좌우된다. 만약 분열이 양측에서 발생하면 양측성 구순열이 발생하게 된다. 불완전 양측성 구순열의 경우 골격에 있어서 약간의 연속성은 보이지만 전상악(premaxilla)의 돌출은 미미하다. 완전 양측성 구순열의 경우 중앙의 전상악이 양측 상악에서 완전히 분리되어 있다. 양측성 구순열은 일측성 구순열보다 이차적인 구개열과 더욱 관련성

이 있다. 일차 구개는 윗입술, 중앙상악치조돌기(central maxillary alveolar ridge)와 동시에 형성된다. 이차구개는 상악 수평판과 구개골(palate bone) 수평판으로 구성된다. 이는 태생 8-12주 사이에 앞쪽에서 뒤쪽방향으로 결합된다(그림 22-1). 이차구개의 정상적인 결합의 중단이 다양한 정도의 결손을 야기한다. 이차구개의 결손은 구개발달 중단의 정도와 시기에 따라 다양하게 표현된다. 구개수열(bifid uvula)은 연구개결손의 가장 작은 형태이다. 이러한 기형은 흔히 볼 수 있는데 목젖이 정상적으로 합쳐지지 못할 때 발생한다. 연구개의 점막하 결손(submucous cleft of the soft palate)은 연구개근육이 갈라져 있을 때 발생한다. 이런 경우 구개점막은 정상이지만 안쪽 연구개 근육의 불완전발달이 존재하며 종종 언어치료나 수술적 치료가 필요하다. 연구개 전층에 걸쳐 완전결손이 발생할 수도 있다. 마지막으로 이차구개의 완전결손이 연구개 후방에서 절치공을 지나 발생하는 완전 이차성 구개열이 있다. 이차구개의 분리가 완전 구순열과 연관되어 나타날 수가 있는데 이를 완전 구순 구개열이라고 한다. 완전 구순 구개열은 일측 또는 양측으로 발생할 수 있다. 완전 일측 구순 구개열은 정상측에 경구개와 서골(vomer) 사이에 연결이 관찰된다. 완전 양측 구순 구개열은 양측 구개판에서 중앙의

A
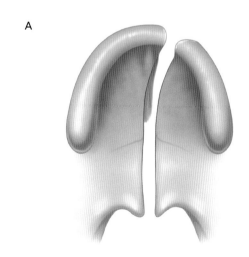

B
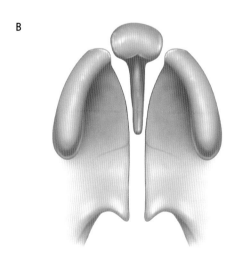

그림 22-1. A. 완전 일측성 구개열, B. 완전 양측성 구개열

서골과 전상악 사이가 분리되어 있다. 이처럼 구순, 구개열은 매우 다양한 표현형을 가진다.

2. 수술시기와 생리

구순구개열의 수술시기는 안면성장, 정신적인 영향, 마취 안전도 등 다양한 요소에 의해 결정된다. 수술시기는 아래의 표에 요약되어 있다(표 22-1). 모든 구개열 환자는 3-6개월 사이에 환기관 삽입이 이루어진다. 이를 통해 중이를 환기시키고, 전도성 난청을 예방하고 만성 중이염의 가능성을 줄여준다. 구순구개열 환자에서 구순열 교정과 환기관 삽입은 3개월째 시행된다. 구개열의 교정은 언어발달이 시작되기 전에 시행해준다. 이를 통해 구개인두부전의 가능성을 줄인다. 장기간 유지되는 환기관(T-tube)을 구개열 교정 시 동시에 시행한다. 구개열 교정 후에는 2세부터 시작되는 언어발달 정도를 주의 깊게 관찰한다. 만약 구개인 두부전이 발견되면, 비인두경(nasopharyngoscopy)과 비디오플로오로스코피(videofluoroscopy)를 이용해 구개인두부전에 대한 평가를 시행한다. 만약 구개인두 부전이 심각하면 4-6세 사이에 수술적 치료를 시행한다. 그 외 치조골이식(alveolar bone graft)은 9-11세, 비성형술은 12-18세, 악교정술(orthognathic surgery)은 안면골격의 성장이 완성된 이후에 시행한다(표 22-1). 피에르 로빈 증후군, 수유장애, 구순열이 넓은 경우 수술시기가 늦춰질 수 있다.

3. 구순열 수술

1) 일측성 구순열

일측성 구순열은 피부나 근육, 또는 점막의 결손을 보이거나 이들이 동시에 나타날 수 있다. 소구순열(microform)은 윗입술근육의 부분 또는 전체적인 결손을 말한다. 불완전 구순열은 피부, 근육, 점막의 결손을 보이면서 골격구조는 유지되는 형태이다. 완전 구순열은 모든 층에 있어서 결손을 보인다.

일측성 구순열에서 병변측 구륜근은 정상측에 비해 불완전하거나 발달저하를 보인다. 완전 구순열이 간격 사이에 근육이 없는 것처럼 불완전 구순열에서도 피부 연결 내에 기능적인 근육은 포함하고 있지 않다. 불완전 구순열 환자의 부검에서 구순열의 내측이 외측보다 근육이 덜 발달되어 있는 것으로 밝혀졌다. 또한 불완전 구순열에서 피부연결이 전체 윗입술 높이의 최소 1/3이 되지 않는 한 근육의 연결이 없는 것으로 밝혀졌다. 불완전 구순열에서 설사 근육이 있는 경우에도 근육의 방향이 비정상적이다. 입술과 코의 주된 혈관은 외경동맥의 가지인 안면동맥이다. 안면동맥은 다시 구강접합면(oral commissure)에서 위, 아래 입술동맥으로 나뉜다. 두 쌍의 위, 아래 입술동맥은 입술 중앙에서 동맥문합을 이룬다. 일측성 구순열에서 비정상적인 혈관분포는 일측성 구순열 근육의 분포에 따른다. 따라서 근육 분포에 비례해서 구순열 외측의 혈관분포가 내측에 비해 더 발달되어 있다. 상구순동맥(superior labial artery)은 구순열의 경계를 따라 주행하다가 코의 바닥에서 외측비동맥(lateral nasal artery) 또는 안각동맥

표 22-1. **구순 구개열 교정시기**

Procedure	Age
Cleft lip repair	3 m
Tip rhinoplasty	
Tympanostomy tubes	
Palatoplasty	9–18 m
T-tube placement	
Speech evaluation	3–4 yr
Velopharyngeal insufficiency workup and surgery (if necessary)	4–6 yr
Alveolar bone grafting	9–11 yr
Nasal reconstruction	12–18 yr
Orthognathic surgery (if necessary)	At completion of mandibular growth (>16 yr)

(angular artery)과 문합을 이룬다. 불완전 구순열에서는 상구순동맥의 얇은 말단혈관이 연결된 피부를 관통하여 지나간다.

2) 일측성 구순열의 교정

구순열의 치료는 해부학적, 기능적으로 입술을 정렬해 주고 흉터를 최소화하고 대칭을 이루고 결과가 장기적으로 유지되고 성장 장애를 최소화하는 데 목표를 둔다.

　수십 년에 걸쳐서 일측 구순열의 교정에 관한 수많은 교정법이 소개되었다. 초기에는 일직선 봉합법(straight line method)의 변형된 방법이 소개되었고 이의 주된 단점은 입술의 점막피부경계선을 가로질러 수직의 반흔구축을 형성하는 경향을 보인다는 것이다. 또한 일직선 봉합법은 넓은 완전 구순열의 교정이 어렵다. 20세기 중반에 일측성 구순열의 교정을 위한 변형된 Z 성형술(Z plasties), 사각피판(quadrangular flaps), 삼각피판(triangular flap) 등의 다양한 기하학적인 봉합법이 소개되었는데 이는 입술이 짧아지는 정도를 줄이고 구륜근의 재배치와 기능을 향상시키도록 디자인되었다. LeMesurier가 소개한 사각피판법과 Tennison이 소개한 삼각피판법은 일측성 구순열의 교정에 있어 입술이 수직으로 수축되는 것을 감소시키는 믿을 만한 방법이다. 기하학적 입술교정법의 일차적인 장점은 입술교정을 하는 데 있어서 재현할 수 있는

방법을 제공한다는 점이다. 입술이 긴장 없는 봉합이 가능하도록 캘리퍼를 이용한 정확한 측정이 이루어진다. 기하학적 디자인의 주된 단점은 절개선이 항상 정상측 인중을 침범하여 해부학적 소단위(subunit)의 경계를 넘어서 흉터를 만든다는 점이다. 게다가 이 봉합법은 정확한 수술 전 측정이 요구되고 수술 적용에 있어서 유연성이 부족한 단점이 있다. 1957년에 Millard는 기존에 기술된 여러 가지 수술법을 병합하여 회전-전진 피판술(rotation-advancement flap technique)을 개발하였다. 이 수술법은 정상 입술조직의 제거를 최소화하고 수술의 유연성을 최대화하였다. 이 수술법은 일측성 구순열의 교정에 있어서 현재 가장 많이 사용되는 방법이다. 회전-전진 피판술의 장, 단점은 아래와 같다(그림 22-2).

3) 수술 방법: 회전-전진 피판술

(1) 측정 및 절개선의 디자인

테가돈을 이용하여 눈을 가리고 가는 마킹펜과 줄자, 캘리퍼를 이용해 디자인을 시행한다. 중요 포인트에 타투를 시행하고 에피네프린이 포함된 리도카인을 이용하여 약간의 부분마취를 시행한다. 큐피드 바우의 낮은 곳을 표시한 후 정상측의 높은 곳을 표시한다. 캘리퍼를 이용하여 병변측 큐피드 바우의 높은 곳을 표시한다. 입술꼬리와 비기저부를 표시한다. 병변측의 입술꼬리와 비기저부에서 큐피

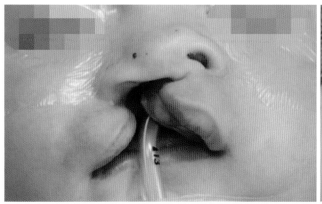
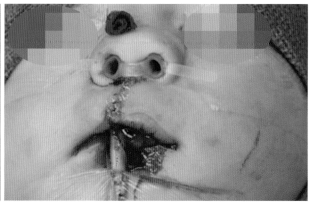

그림 22-2. **일측성 완전 구순열 환아의 수술 전후 모습**

드 바우의 높은 곳에 해 당하는 점을 표시한다. 입술길이와 입술높이가 동일한 점이 가장 이상적이지만 대부분 일치하지 않으며 이런 경우 입술의 높이에 무게를 둔다. 부분마취를 시행하기 전에 정확한 측정 및 표시가 이루어져야 한다. 피판을 이상적으로 디자인하고 미용적 개선을 최대화하기 위해 몇 가지 측정이 이루어진다. 측정의 주된 목적은 회전 피판의 길이(3 to 5+x)가 전진 피판의 길이(8 to 9)와 동일해야 한다(그림 22-3, 4). 기준점과 미리 표시한 절개선은 주요 피판 A(전진)와 B(회전), 작은 피판 c(피부), m(내측 점막) 그리고 l(외측 점막)을 형성한다(그림 22-5).

대문자는 전층 피판을 소문자는 단층 피판(피부, 점막)을 의미한다. 표시와 절개를 마친 후에는 섬세한 박리와 구륜근의 재결합을 시행한다. 이러한 근육의 봉합이 입술의 기능을 최대화하고 상처 위의 긴장을 최소화시킨다. Millard 전진 회전 피판술은 비강 바닥의 봉합 및 동시에 시행하는 일차 코성형술에 도움이 된다. 비록 이러한 측정이 종종 주관적으로 이루어지기는 하지만 26 gauge 철사를 이용하여 객관적으로 측정이 가능하다. 이 철사를 먼저 회전 피판의 길이에 맞게 구부린 후 전진 피판에 맞게 편다. 만약 이 길이가 같지 않다면 두 피판의 길이가 같아지도록

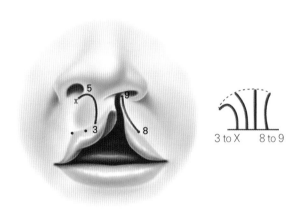

그림 22-3. **회전-전진 절개.** 3에서 X까지의 거리가 8에서 9까지 거리와 동일하다.

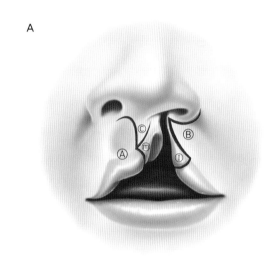

A

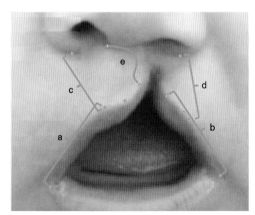

그림 22-4. 정상측(a)과 병변측(b)의 입술의 길이와 정상측(c)과 병변측(d) 입술의 높이가 일치하는 점이 가장 이상적이나 일치하는 경우는 매우 드물다. 입술의 높이가 길이보다 중요하다. e: 회전-전진 절개선의 위치

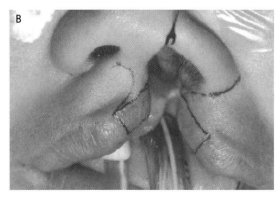

그림 22-5. **Millard 회전-전진 피판술 디자인**
A: 회전-전진 피판술 디자인, B: 회전-전진 피판술 디자인

피부표시의 변형이 요구된다.

(2) 절개 및 피판 거상

회전 및 전진 피판의 피부절개는 15번 메스로 점막 절개는 11번 메스로 시행한다. 이 피판을 점막하층을 따라 거상한다. 주요 입술 피판들은 전층 피판으로 골막위층을 따라 거상된다. 작은 피부 피판은 코기둥 바닥에서 회전절개의 부산물로 상피하층을 따라 거상되어진다. D 피판은 콧망울 피판(alar flap)으로 전진피판 절개선의 perialar 위치에서 형성된다.

피부 및 점막 피판의 명칭은 표 22-2와 같다. A, B, D 피판은 전층 피판이고 c, m, l 피판은 피부하 또는 점막하 피판이다. 피부 피판 c 제거되거나 코바닥을 형성하는 데 이용된다. 점막 피판 l, m은 제거되거나 구강내 고랑을 형성하는 데 사용될 수 있다. 전진 피판의 거상 후에 external alotomy가 시행된 후 internal alotomy를 시행하여 piriform aperture로부터 alar flap을 완전히 분리한다. 다음 구륜근으로부터 피부와 점막을 분리한다. 마지막으로 perialar와 코기둥 바닥 절개로부터 코끝 박리를 시행한다. 모든 박리가 이루어진 이후에는 각각의 입술 피판을 점막 피부 경계선(vermilion border)에 위치시킨 후 봉합이 쉽게 되는지 판단한다. 만약 너무 많은 긴장이 존재한다면 박리를 좀 더 시행하여 긴장을 감소시킨다.

4) 코기저부(Alar base)의 이동

콧날개 피판이 분리된 이후에 코바닥의 재배치를 시행한

다. 구순열측의 코바닥은 정상측에 비해 약간 커야 콧구멍의 좁아짐을 예방할 수가 있다. 코바닥의 봉합은 4-0 크로믹을 사용하여 시행한다.

(1) 근육 봉합

구륜근을 분리하고 정확하게 재건하는 것은 긴장을 완화시키고 입술의 기능을 향상시키는 데 중요하다. 신중한 근육의 봉합이 입술에 적절한 부피를 주어 흉터에 의한 함몰을 예방할 수 있다. 근육은 4-0 PDS를 사용하여 봉합한다.

(2) 피부 봉합

코바닥의 위치가 확립되고 구륜근의 재건이 완성된 이후에 입술의 점막과 피부의 봉합이 이루어진다. 입 안쪽 점막 절개선은 5-0 크로믹을 사용하여 봉합한다. 윗입술의 정확한 부피와 윤곽을 맞추기 위해 점막을 잘 다듬어야 한다. 피부는 6-0 나일론과 6-0 크로믹을 이용하여 봉합한다. 6-0 나일론을 이용한 Key suture를 코바닥과 점막과 피부 경계부위에 시행한다.

5) 코끝 성형술

코끝의 박리는 콧등의 피부를 하외측연골의 직상방에서 분리하고 전정피부(vestibular skin)는 연골의 아래쪽과 분리되지 않도록 하여 콧구멍의 좁아짐을 방지한다. 콧등의 피부가 하외측연골에서 분리가 이루어지면 코끝 성형술을 시행한다. 일측성 구순열에서 코성 형술의 목적은 코끝의 대칭성, 윤곽, 수직상승을 향상시키는 데에 있다. 코성장의 장애를 최소화하기 위해 하외측연골은 제거되거나 절개 되어서는 안 된다. 연골의 재배치는 볼스터봉합(bolster suture)를 통해서 이루어진다. 이를 통해 병변측 하외측연골의 변위(malposition)를 개선한다. 적절히 시행된다면 일차적인 변형을 줄이고 성장의 중간에 이루어지는 중간 비성형술의 필요성을 줄인다.

6) 양측성 구순열의 교정

양측성 구순열에서 두 개의 외측 입술 분절의 모양과 위치는 일측성 구순열의 병변측 입술 분절과 비슷하다. 그러나

표 22-2. 회전-전진 피판술의 주요 피판들

A: Rotation flap
B: Advancement flap
C: Columellar base soft tissue, NCS
D: Alar rim-CS
M: Medial mucosal flap
I: Lateral mucosal flap

양측성 구순열 중앙의 prolabium과 전상악은 일측성 구순열과 많이 다르다. 일측성 구순열과 마찬가지로 양측 입술 부위의 구륜근이 코바닥을 향하여 위쪽으로 삽입되고, 중앙의 prolabium은 근육을 포함하고 있지 않다. 또한 전상악의 전방 상승 및 회전이 다양하게 발생한다. 일부 술자는 전상악 부위의 후방 재배치를 위해 일측씩 단계적으로 교정하는 방법이나 구순접합술(lip adhesion technique)을 상용한다. 다른 술자는 단계적 교정법이 비대칭을 야기한다고 말한다. 구순접합술은 구순열의 경계를 부착시켜 완전 구순열을 불완전 구순열로 변환시키는 방법이다. 최종 교정술을 시행하기 전에 Presurgical Nasoalveolar Molding을 사용하여 돌출된 상악을 후퇴시키고 넓은 간극을 줄여주어 수술 시 긴장을 줄여주는 방법도 많이 사용된다.

(1) 측정 및 디자인

먼저 전구순피판(prolabial flap)의 점막-피부 경계 부위에 중앙선을 표시한다. 중앙선의 양측에 인중의 두께를 각각 2-2.5 mm가 되도록 캘리퍼를 이용하여 표시한다(전체 인중두께: 4-5 mm). 인중의 두께는 성장과 함께 넓어진다. 수직선을 콧기둥의 바닥까지 상, 내측방향으로 연장시킨다. 외측 점막-피부 경계선을 따라 표시를 하여 prolabial forked flaps을 디자인한다. 다음으로 외측구순피판을 전구순피판의 수직높이에 맞추어 디자인한다. 점막-피부 경계선의 표시는 입술점막이 상내측에서 얇아지기 시작하는 점에서 시작한다. 점막피판의 표시와 디자인은 일측성 구순열의 교정과 유사하다. 양측 입술아래절개는 상악에서 볼-점막 복합체가 분리되어 점막피판이 늘어날 수 있도록 디자인된다(그림 22-6, 7).

(2) 절개 및 점막 거상

전구순피판이 절개되고 거상되었다면 inferiorly based pro-labial mucosa는 전구순피판의 아래쪽에 봉합하여 입술치조고랑을 형성한다. 포크피판(Forked flap)은 피하층을 따라 절개되고 박리된 이후에 외측으로 회전하여 필요한 경우에 코바닥에 삽입된다. 다음으로 외측 입술 부위의 점막피판

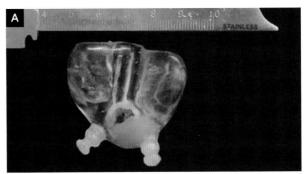
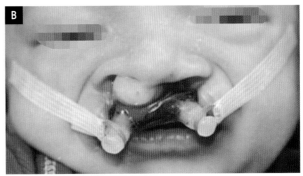

그림 22-6. **수술 전 교정장치를 착용 전·후 모습**
A. 착용 전 모습. B. 착용 후 모습

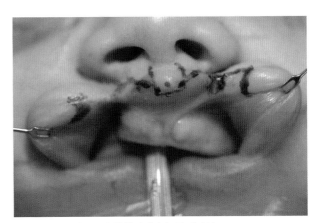

그림 22-7. **양측성 구순열 환자의 수술 중 디자인**

이 비기저부고랑을 따라 보전적인 후방절개와 함께 거상된다. 외측의 구순하 절개선이 구강 안으로 연장되어 상악에서 볼-입술 복합체의 분리를 시행한다. 마지막으로 외측 입술 전진피부피판을 재배치된 구륜근에서 조심스럽게 박리한다. 변형된 하비익연골을 짧아진 내측다리(medial crus)

를 포함하여 피부연부조직으로부터 분리한다.

(3) 코바닥 봉합 및 코바닥 넓이

전상악 피판의 하부와 전상악 상부 사이에 5-0 바이크릴을 사용해 외측구순점막피판의 봉합을 시행한다. 포크 피판은 외측으로 회전시켜 비강저를 봉합하는 데 사용하거나 제거한다. 비강측벽 점막의 박리가 콧구멍 크기의 대칭을 맞추는 데 도움이 된다. 코바닥의 넓이는 4-0 PDS를 이용하여 조절한다.

(4) 구륜근의 봉합

구륜근은 전상악 위쪽에서 근육수축에 따른 코기저부의 아래쪽 이동을 예방하면서 동시에 하나로 근육띠로 연결되도록 재배치되어야 한다. 주요봉합은 4-0 PDS를 이용하여 수직높이와 입술 두께의 대칭을 맞추어 점막과 피부 경계선에 시행한다.

(5) 피부봉합

점막과 근육의 봉합이 마무리되면 전구순피판의 점막-피부 경계선과 외측피판의 점막-피부 경계선을 맞 추어 Cupid's bow가 형성되도록 6-0 나일론을 이용하여 봉합을 시행한다. 종종 외측구순피판의 점막-피부 경계선의 후방 절개가 도움이 된다. 수직 및 수평 입술길이의 대칭과 3차원적인 입술부피를 함께 고려한다. 점막 Z 성형술이 입술부피를 분산시켜 'whistle deformity'를 예방하는 데 이용된다.

(6) 코끝성형술

코끝 피부 거상을 하외측연골이 재배치되도록 입술 봉합 전에 시행한다. 입술봉합 후 하외측연골을 내측 상부 쪽으로 이동시켜 4-0 나일론으로 2-4개의 볼스 터봉합을 시행한다. 짧아진 코기둥을 늘려주기 위해 V-Y 전진 피판 또는 포크 피판과 같은 다양한 술식을 시행한다(표 22-3).

4. 구개성형술

구개성형술의 목적은 정상적인 언어발달과 구강비강누관을 통하여 비강 역류를 중단시키는 데 있다. 이러한 목적을 달성하기 위해서는 1) 상처부위 긴장을 최소화하기 위한 적절한 피판의 이동, 2) 피판의 생존력을 높이고 혈관손상을 줄이기 위해 섬세한 피부 조작, 3) 누관형성을 최소화하기 위해 구강 및 비강점막 두층 봉합을 시행, 4) 구개 기능의 최대화를 위한 구개인 두근육띠의 재형성이 필요하다. 구개피판 가장자리의 혈액순환을 최대화하기 위해 피판을 박리하고 당길 때 외상을 최소화해야 한다. 단극소작기(monopolar cautery)의 사용을 피하고 점막피판에 조직겸자(tis- sue forceps)의 사용을 피한다. 비록 구개열의 종류에 따라 피판 디자인이 달라지지만, 일반적인 수술기법은 구개열의 종류에 상관없이 동일하다.

1) Von Langenbeck's 구개성형술

19세기 초에 경구개를 봉합하기 위한 이경(bipedicled) 점

표 22-3. 양측성 구순열 교정의 주요 술식

Characteristic	Surgical approach
Premaxilla may be "locked out"	Lip adhesion or lip repair
Prolabium contains no muscle	Lateral muscle sutured at midline (Concentric orbicularis oris ring)
Orbicularis oris muscle inserts superiorly	Reoriented muscle under prolabium
Lateral lip has more volume than prolabium	Mucosal flaps add volume
Wide, maloriented nasal tip, short columella	Tip rhinoplasty

막-골막 피판 거상법이 Dief enbach, Warre과 von Lan-genbeck에 의해 각각 보고되었다. 내측절개는 구개경계를 따라서 외측절개는 치조능에 접하여 시행한다. 골막하층을 따라 박리하여 피판의 분리 및 전진을 시행하여 도개교(drawbridge)형태로 경구개의 봉합을 시행한다. 이 방법은 구개성형술에서 몇 가지 중요한 원칙을 제시한다. 가장 중요한 점은 이층 봉합이다. 이층 봉합은 단층 봉합과 비교하였을 때 누공 형성을 줄인다. 또 다른 중요한 점은 적절한 피판의 가동성이 상처부위에 긴장을 줄여준다는 것이다.

비록 이 수술법이 많은 구개열 환자에서 좋은 결과를 가져오기는 하지만 가장 큰 단점은 구개 피판의 혈관다발을 볼 수 없다는 것이다. 대구개혈관(greater palatine vascular pedicle)은 위쪽 두 번째 대구치의 1 cm 내측에 위치한다. 이 혈관다발의 박리는 피판의 가동성을 극대화시켜 넓은 구개열의 경우에도 긴장도를 줄일 수 있다. 이러한 이유로 대부분의 술자는 내측과 외측의 피판을 연결시켜 이경 피판을 후방기반(posterior based) 단경 피판(unipedicled flaps)으로 바꾼다. 이러한 삼층 피판(불완전 구개열)과 이층 피판(완전 구개열) 수술법은 혈관의 시각화를 향상시켜 피판의 가동성을 증가시키고 상처의 긴장도를 줄여준다(그림 22-8).

(1) 삼층 피판 구개성형술(three-flap palatoplasty)

삼층 피판 구개성형술은 이차구개의 구개열(연구개 전체와 질개공 후방의 경구개) 교정에 사용된다. 구개열의 내측 절개선은 이경 피판술에 사용된 방법과 동일하다. 외측 절개는 치아의 크라운에 근접하여 만들어지고 상악 융기를 따라 시행한다. 내측의 구개열 경계와 외측 절개선 사이에 사선절개를 시행하여 서로 연결한다. 외측은 견치 부위에서 연결된다. 이러한 앞 쪽의 사선 절개가 피판을 후방에 기반을 둔 단경 피판의 형태로 변환시킨다.

양측 외측의 구개 피판을 점막-골막하층을 따라 대구개혈관을 포함하여 박리한다. 후방에 기반을 둔 점막-골막 피판을 완전히 박리 후 경구개의 후방경계에서 사선으로 잘못 배치된 연구개근육의 박리를 시행한다. 박리를 마친 후 구개인두근육띠의 방향을 사선에서 수평으로 재배치시킨다. 비강점막을 비강저로부터 내측에서 외측으로 박리 후 내측으로 이동시켜 비강층 봉합을 먼저 시행한다. 다음으로 연구개 근육층의 봉합이 이루어진다. 연구개근육의 봉합이 전체 봉합을 강화시키고 중앙절개선의 긴장을 감소시킨다. 마지막으로 경구개를 덮고 있는 구강층 봉합을 시행한다. 구강층은 단순봉합과 수직매트리스 봉합법을 교대로 시행하여 봉합한다. 적어도 한 개 이상의 'tacking' 봉합을 시행해 구개층과 비강층을 접합시켜야 사강과 혈종 형성이 예방된다(그림 22-9).

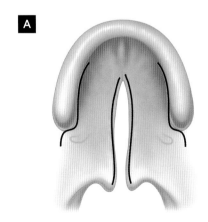
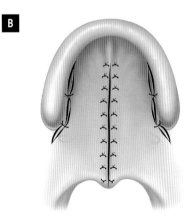

그림 22-8. Von Langenbeck's 구개성형술 도식

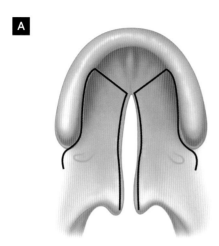

그림 22-9. **삼층피판 구개성형술의 도식**

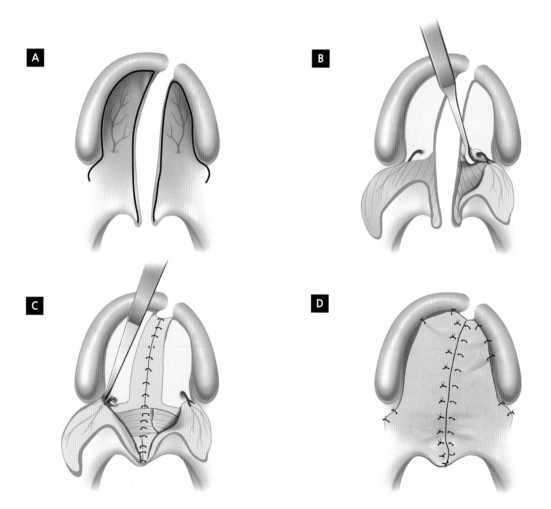

그림 22-10. **이층피판 구개성형술 도식**

(2) 이층 피판 구개성형술(two-flap palatoplasty)

이층 피판술은 완전 구개열(일차 및 이차 구개 전체를 포함)의 교정에 사용된다. 이층 피판술의 변형이 일측과 양측 구개열 모두에 사용될 수 있다. 완전 일측 구개열에서 내측 경계 절개선을 치조 구개열의 가장 앞쪽까지 시행한다. 내측 절개선이 양측의 휘어진 외측 절개선과 합쳐져서 두 개의 후방에 기반을 둔 구개 피판을 형성한다.

비외상적인 방법으로 피판의 골막아래 박리를 시하고 신경-혈관 다발을 확인한다. 혈관다발의 뒤쪽을 박리하여 구개 피판의 가동성을 증가시킨다. 구개 피판의 끝을 포셉으로 잡아 내측으로 당겨서 적절한 피판의 가동성이 이루어졌는지 판단한다. 이러한 'pinch'법이 긴장이 없는 봉합을 가능하게 한다. 피판의 거상이 이루어진 후에 구개는 다시 비강층부터 시작하여 층층이 봉합을 시행한다. 연구개 근육은 구개의 긴장을 줄여가면서 단속봉합을 시행한다. 구강측 구개점막의 봉합이 접합봉합 후에 시행된다. 완전 구개열에서 앞쪽 치조 구개열을 제외하고 전체 구개의 봉합을 시행한다(그림 22-10).

2) Furlow's 구개성형술

Double-reversing Z-plasty 또는 Furlow's 구개성형술이 1978년에 Leonard Furlow에 의해 처음 기술되었다. 이 방법은 주로 점막하구개열과 연구개 구개열의 교정에 사용되는데, 구강과 비강점막에 서로 반대되는 Z 성형술을 시행하여 봉합한다. 이 방법은 구개의 길이를 증가시키고 연구개의 근육띠를 재배치하도록 고안되었다.

Double-reversing Z-plasty의 중앙 다리는 연구 개구개열의 경계부에서 만들어진다. 만약 이 방법이 연구개의 점막하 구개열에서 시행된다면 연구개의 정 중앙에 전층절개를 시행하여 연구개 구개열의 형태로 만든다.

구강의 일측에서 절개선이 구개열의 경계로부터 비스듬하게 hamulus를 향하여 외측으로 연장된다. 동측에서 박리를 연구개의 근육을 포함하여 시행한다. 이 후방에 기반을 둔 구개 점막 피판은 구강점막과 연구개 근육을 모두 포함한다. 반대측에서는 절개선이 구강점막의 목젖에서 시작하여 동측의 hamulus까지 시행한다. 이 삼각형의 구강

점막 피판은 연구개 근육을 포함하지 않는다. 비강측에서는 정반대의 절개선이 두 개의 삼각형 형태의 비강 피판을 형성한다.

연구개근육의 해부학적 지식이 박리, 거상, 구강 및 비강 피판의 치환에 중요하다. 구개범거근(levator veli palatine)은 비강 점막에 달라붙어 있어서 비강점막에서 박리가 어렵다. 따라서 오른손잡이 술자는 환자의 왼쪽에 위치한 피판에서 비강점막을 연구개근육에서 박리하고 환자의 오른쪽에 위치한 피판에서 구강점막을 박리하면 보다 쉽다. 왼손잡이 술자는 이와 반대이다. 연구개 근육띠를 Z 성형술 피판들의 봉합 시에 수평방향으로 재배치하는 것이 매우 중요하다. 이러한 이유로 연구개근육은 피판내에서 후방에 기반을 둔 형태를 취하게 된다.

구강과 비강 피판의 박리가 끝난 후 4개의 피판의 치환

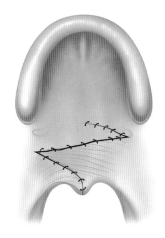

그림 22-11. **Furlow's 구개성형술에서 구강내 점막을 봉합한 후 모습**

표 22-5. **주로 사용되는 구개성형술 술식들**

Cleft type	Technique
Complete unilateral	Two-flap
Complete bilateral	Two-flap (with vomerian flaps)
Complete secondary palate	Three-flap
Soft palate	Double-reversing Z-plasty
Submucous	Double-reversing Z-plasty

이 이루어진다. 비강 피판이 먼저 치환되고 봉합되어 진다. 다음으로 연구개근육을 재배치하고 4-0 바이크릴을 이용해 봉합을 시행한다. 마지막으로 구강 피판의 봉합이 이루어진다. 수술 후 누공은 구강과 비강의 봉합선이 위로 가로놓이지 않고 교차되기 때문에 예방된다. 이 수술법은 연구개의 길이를 늘이고 구개 인두근육띠를 재건할 수 있는 방법이다.

종합해보면 완전 일측 또는 양측 구개열은 이층피판법을 불완전 구개열은 삼층피판법을 점막하 또는 연구개 구개열은 Furlow's 법을 사용한다(그림 22-11, 표 22-5).

■■■■■ 참고문헌

• Enlow DH. Facial growth. 3rd ed. Philadelphia: WB Saunders, 1990:316-334.

• McCarthy JG. Plastic surgery: cleft lip and palate and craniofacial anomalies. Vol 4. Philadelphia: WB Saunders 1990:2515-2552.

• Gaare JD, Langman J. Fusion of nasal swellings in the mouse embryo: surface coat and initial contact. Am J Anat 1977;150:461.

• Gorlin RJ, Pindborg JJ, Cohen MM. Syndromes of the head and neck. New York: McGraw-Hill 1976.

• Sykes JM, Senders CW. Pathologic anatomy of cleft lip, palate, and nasal deformities. In: Meyers AD (ed). Biological basis of facial plastic surgery. New York: Thieme Medical Publishers 1993:57.

• Stark RB. Pathogenesis of harelip and cleft palate. Plast Reconstr Surg 1954;13:20.

• Sykes JM, Senders CW. Cleft palate. In: Practical pediatric otolaryngology. Philadelphia: Lippincott Raven Publishers 1999;809.

• Millard DR Jr. Cleft craft, the evolution of its surgery, the unilateral deformity. Vol 1. Boston: Little, Brown and Co., 1976:19-40.

• Barkitt AN, Lightoller GHS. The facial musculature of the Australian aboriginal. J Anat 1928;62:33-57.

• Latham RA, Deaton TG. The structural basis of the philtrum and the contour of the vermilion border: a study of the musculature of the upper lip. J Anat 1976;121:151.

• Fara M, Chlumska A, Hrivnakova J. Musculis orbicularis oris in incomplete hare-lip. Acta Chir Plast (Prague) 1965;7:125-132.

• Tennison CS. The repair of unilateral cleft lip by the stencil method. Plast Reconstr Surg 1952;9:115.

• Skoog T. A design for the repair of unilateral cleft lips. Am J Surg 1958;95:233.

• Randall P. A triangular flap operation for the primary repair of unilateral clefts of the lip. Plast Reconstr Surg 1959;331:95.

• LeMesurier AB. A method of cutting and suturing the lip in the treatment of complete unilateral clefts. Plast Reconstr Surg 1949;4:1.

• Millard DR Jr. A primary camouflage of the unilateral harelook. Transactions of the First International Congress of Plastic Surgery, Stockholm, Sweden, 1957.

• Ness JA, Sykes JM. Basics of Millard rotation: advancement technique for repair of the unilateral cleft lip deformity. Fac Plastic Surg 1993;9:167.

• Mullen TF. The developmental anatomy and surgical significance of the orbicularis oris. West J Surg 1932;40:134 141.

• Lee FC. Orbicularis oris muscle in double harelip. Arch Surg 1946;53:409.

• Seibert RW. Lip adhesion. Fac Plast Surg 1993;9:188.

• Millard DR. Adaptation of rotation advancement principle in bilateral cleft lip. Trans Int Soc Plast Surg 1960;2:50.

• Schultz LW. Bilateral cleft lips. Plast Reconstr Surg 1946;1:338.

• Dieffenbach JF. Beitrage zur Gaumennath. Lit Ann Heilk 1928;10:322.

• Warren JC. On an operation for the cure of natural fissures of the soft palate. Am J Med Sci 1828;3:1.

• Warren JM. Operations for fissures of the soft and hard palate (palatoplastie). N Engl Q J Med Surg 1843;1:538.

• von Langenbeck B. Operation der angebornen totalen Spaltung des harten Gaumens nach einer neuer Methode. Dtsch Klin 1861;3:321.

• Wardill WEM. Techniques of operation for cleft palate. Br J Surg 1937;25:117.

• Kilner TP. Cleft lip and palate repair technique. St. Thomas Hosp Rep 1397;2:127.

• Kriens O. Fundamental anatomic findings for an intravelar veloplasty. Cleft Palate J 1989;26:46.

• Furlow LT Jr. Double reversing Z-Plasty for cleft palate. In: Millard DR Jr (ed). Cleft craft, alveolar and palatal deformities. Vol 3. Boston: Little, Brown and Co., 1980:519.

• Furlow LT Jr. Cleft palate repair by double opposing Z-plasty. Plast Reconstr Surg 1986;78:724.

Chapter 23

비강의 선천성 질환

Congenital Malformation of the Nose

김수환, 김도현

코와 비인두, 부비강의 선천적 기형은 드물기는 하지만 매우 다양하다. 보통은 출생 시에 발견되지만, 일부는 이후에 발견되는 경우도 있다. 가장 심각한 것은 두개내 교통 혹은 중추신경계의 기형이다. 선천성기형은 보통 비폐색의 동반 여부에 따라 두 가지 범주로 나뉘게 된다. 왜냐하면 대부분의 신생아가 생후 4개월까지는 비호흡만으로 호흡을 하기 때문에 비폐색을 동반한 병변은 호흡곤란으로 신생아 초반에 증상을 나타나기 때문이다.

코와 인접 구조물의 선천성 기형은 그 과정이 배아형성기 초반에 일어나기 때문에 잘 알려지지 않았다. 태생 4주경에 태아의 얼굴에 몇몇 융기가 나타나게 된다. 정상적인 코의 발달은 등쪽 신경 주름(dorsal neural folds)의 신경능선 세포들(neural crest cells)의 이주로부터 시작된다. 세포들은 가쪽에서는 눈 주변의 가장자리, 횡측으로는 전두비융기(frontonasal process)로부터 이주해 온다. 태생 9주경에는 신경능선 세포들이 상피 아래로 이주해 자리잡고는 빠른 증식과 분화를 거쳐 중간엽조직의 기질이 된다. 이 조직은 근육, 연골, 골형성을 하여 최종적으로 안면이 된다. 전체적인 비안면 구조는 임신 12주에 완성된다. 이러한 배아형성기의 이상이 다양한 기형들을 촉발시킨다.

흔한 기형으로는 후비공 폐쇄, 비 유피종, 교종, 뇌류와 같은 선천성 정중선 종양(midline nasal mass), 전방 비이상구 협착증(anterior pyriform aperture stenosis)이 있고, 그 외 드문 기형들도 존재한다.

1. 후비공 폐쇄

후비공 폐쇄는 10,000명당 한명의 빈도로 발생한다. 약 50%가 일측성이고, 나머지 50%가 양측성이다. 과거에는 90%가 골성폐쇄이고 10%가 막성폐쇄로 알려졌으나, 내시경과 컴퓨터 단층촬영을 이용한 최근 연구에서는 29%가 순수한 골성폐쇄이고 71%는 골-막 혼합형태의 폐쇄로, 순수한 막성폐쇄는 없다고 보고하였다(그림 23-1).

양측성 후비공 폐쇄는 출생 시에 기도 폐쇄의 양상을 종종 보인다. 이환된 환아는 청색증을 동반한 호흡곤란을 보이며 울음과 함께 완화된다(paradoxical cyanosis). 초기 치료는 구인강 튜브로 구강기도를 확보하거나, 젖꼭지의 구경을 넓히고 끈으로 고정시킬수 있는 McGovern nipple을 이용한다. 진단은 단계적으로 이루어지는데 먼저 콧구멍 아래에 미러를 놓았을 때 호기 시 안개가 끼지 않는 것을 확인한다. 다음으로는 8-프렌치 직경의 부드러운 카테터를

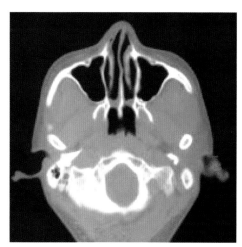

그림 23-1. **컴퓨터 단층촬영에서 나타난 양측 후비공 폐쇄**

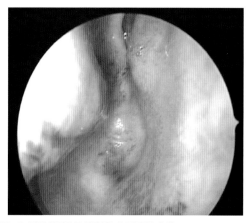

그림 23-2. **비내시경으로 관찰한 후비공의 폐쇄**

삽입하였을 때 비전정으로부터 3.5 cm 이상 통과되지 않는 것을 확인한 후, 최종적으로 굴곡후두경으로 폐쇄부위를 확인한다(그림 23-2). 컴퓨터단층촬영을 할 때에는 시행 전 비강 내 분비물을 흡인하여야 폐쇄판의 두께를 정확하게 평가할 수 있으며, 가쪽날개판(lateral pterygoid plate)과 내측으로 서골을 포함하여 촬영해야 정확한 치료 계획을 세울 수 있다.

후비공 폐쇄를 가진 아이들은 70%까지 연관 기형과 CHARGE 증후군을 동반할 수 있어 주의를 기울여야 한다 (표 23-1). 130명의 후비공 폐쇄 환아를 대상으로 조사한 결

표 23-1. CHARGE 증후군

C (Coloboma of the eye)	눈의 결손 (75-90%)
H (Heart anomaly)	심장 기형 (50-85%)
A (Atresia of the choanae)	후비공 폐쇄 (35-65%)
R (Retardation of growth and/or development)	성장 및 발달의 지연
G (Genital anomalies)	생식기 기형 (50-70%)
E (Ear anomalies and/or deafness)	귀의 기형 및 전농 (>90%)

과 CHARGE 증후군이 30% 정도 진단되었다.

맥락망막결손이 CHARGE 증후군환자의 75-90%에서 동반되며, 외이와 외이도의 기형은 95-100%까지 동반된다. 중이의 경우에는 만성 장액성 중이염, 이소골고정, 중이 구조물의 결손이 간헐적으로 동반되기도 한다. 내이의 기형은 Mondini 이형성을 포함하여 90%까지 나타나며, 전농이 60-90%로 나타난다. 중추신경계의 기형은 55-85% 환자에서 보이며 가장 흔한 것이 비정상적인 후구(olfactory bulb)와 그에 따른 후각소실이다. 150명의 CHARGE 증후군환자를 대상으로 한 또 다른 연구에서 7번 뇌신경은 43%, 9,10번 뇌신경은 31%가 이환되었다. 시상하부뇌하수체 기능장애는 성장지연과 생식기관 형성저하증을 발생시키게 된다. 비뇨생식기의 기형은 50-70%, 선천성 심질환은 50-85%, 정신지체(IQ<70)는 70% 이상 동반된 것으로 조사되었다.

안과, 심장내과, 신경과, 신장내과와의 적절한 협진이 이루어져야 하며, CHARGE 증후군을 가진 후비공 폐쇄 환자는 종종 훨씬 다루기 어려운 익돌판의 내측화를 동반하기도 한다. 게다가 인두 조화운동불능이 30% 환자에게 동반되어 흡인의 위험도가 매우 높아진다. 이러한 환자들에게는 추후에 기관절개술까지 해주는 것을 권한다.

일측성 후비공 폐쇄의 경우에는 종종 2-5세경에 일측성 비루와 지속적인 비폐색의 양상을 보인다. 드물게 일측성 후비공 폐쇄이나 비중격 만곡과 같은 반대측 비강폐색 원인으로 인하여 조기에 증상을 보이는 경우도 있다.

후비공 폐쇄에 대해서는 그동안 많은 치료법들이 소개

되어 왔다. 초창기의 문헌에서는 경비강법으로 거의 시야가 확보되지 않은 상태에서 서골 후방이나 가측익돌판에 천자나 소파술을 시행하여 교정하였다. 이후에는 경구개법이 고안되었고 이 방법은 특히 양측성 후비공 폐쇄에 많이 쓰이게 되었다. 하지만 경구개법은 상부 치조궁의 발육장애를 초래하여 교합이상이 발생하게 된다.

비내시경의 발달과 더불어 경비강법이 경구개법보다 더 선호되고 있다. 내시경을 이용해 더 어린아이들의 수술이 가능해지고 출혈과 합병증을 줄였다. 많은 후비공 폐쇄 환자들이 막성 성분을 가지고 있기 때문에 만약 필요하다면 풍선카테터 부비동 수술을 이용하여 막성 부위에 풍선을 위치하고 팽창 시켜 골 제거 이전에 최대한의 점막 보존을 가능하게 할 수 있다. 작은드릴이나 지속흡인세척 기구와 같은 전동기기를 사용하면 정확하게 조직과 골을 제거하여 수술 결과를 더 좋게 할 수 있다. 120도 원시경(telescope)을 구강내로 넣어서 가족이나 상방의 진행을 확인할 수도 있다. Back-biting forcep은 때때로 상당히 두꺼울 수 있는 서골의 후방을 제거하는 데 이용될 수 있다.

수술의 목표는 점막 손상과 흉터 형성, 재협착을 최소한으로 줄이면서 적당한 비인강 구멍을 만드는 것이다. 두꺼운 폐쇄판을 가진 양측성 환자의 경우에는 스텐트를 고려해 보아야 하지만, 일측성이거나 양측성이지만 판이 얇은 경우에는 스텐트를 사용할 필요는 없다. 또한 위식도역류가 의심되면 적절히 치료되어야 한다.

가장 큰 문제는 새로 만든 비인강의 재협착이다. 재협착은 양측 후비공폐쇄 환아나 CHARGE 증후군을 가진 환자에게서 더 빈번하게 나타난다. 재발하는 경우에는 후두기관 재건에 흔히 사용되는 접근방법과 유사한 방법이 사용될 수 있다. 심한 양측성 폐쇄이거나 재수술을 시행한 경우에는 이차 확인수술을 해야 한다. 수술은 스텐트를 삽입하지 않은 경우에는 수술 후 3주, 스텐트를 삽입한 경우에는 제거한 시점으로부터 3주가 지났을 때 시행한다. 이차 확인수술을 시행하는 동안 성문이나 기관 복구 수술을 한 것처럼 모든 육아조직과 육아종을 제거할 수 있다. 협착된 부위는 풍선카테터를 이용하여 점막손상을 최소화하면서 넓힐 수 있다. 몇몇 보고에서는 조직을 자극할 수 있

고, 치유과정에 손상을 가할 것으로 우려하여 스텐트 제거 후 맹검 팽창을 시행하지 말라고 권고하였다. 추가적으로 mitomycin-C를 이용하여 섬유모세포 증식보다 상피발달을 촉진시키게 조절할 수 있다. Mitomycin-C는 재수술 후에 국소적으로 투여한다.

2. 선천성 비이상구협착증

내측비융기의 조기융합과 과성장은 비이상구 전방의 협착을 초래할 수 있다(그림 23-3). 이 기형은1989년 Brown에 의해 명명되었지만, 이전에도 비강의 골성 입구의 협착으로 인한 비강 폐쇄를 수술적 교정하는 것에 대해 논의한 보고들은 있었다. 임상적인 양상은 양측 선천성 후비공 폐쇄와 비슷하다. 선천성비이상구 협착증 환아는 비강 기도의 폐쇄로 인하여 호흡곤란과 호흡부전까지 진행하게 된다. 좀 더 경한 경우에는 수유곤란과 주기적인 청색증이 발생하며, 울면 완화되는 양상을 보인다. 비강을 검진해보면 비전정이 극도로 좁아져 있는 것을 확인할 수 있으나 이를 활동적인 신생아에게서 판단하는 것은 쉽지 않다. 후비공폐쇄와 유사하게 6-프렌치 비 카테터를 통과시키는 것이 어려우며, 표준 사이즈의 굴곡형 비인두 내시경(3.5 mm)을 비강전방으로 통과시키는 것이 불가능하다. 선천성 비이상구 협착증이 의심되는 경우 얇은 절편의 컴퓨터 단층촬영으로 이상구 부분을 세심하게 보는 것이 가장 좋은 진단방법이다. Belden 등은 컴퓨터 단층촬영에서 11 mm 이하의 폭인 경우에 선천성 비이상구 협착증을 의심해 볼 수 있다고 하였으며, Lee 등은 3차원 컴퓨터 단층촬영을 이용하여 수술 전에 더정확한 상악(maxilla) 평가를 할 수 있다고 하였다. 선천성 비이상구 협착증은 단독 기형 형태로 나타나거나 다른 기형들과 동반되어 나타날 수 있다.

다수의 환아들이 내측비융기의 조기융합으로 인해 상악 중절치의 융합이 일어나서 두 개의 중절치 대신 정중앙에 하나의 거대 상악 중절치(central megain-cisor)가 존재하게 된다(그림 23-4). 이러한 환자들은 뇌하수체-부신축의 기형을 동반하기도 한다. 1992년에 Arlis 등은 선천성 비이

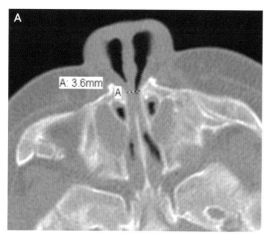

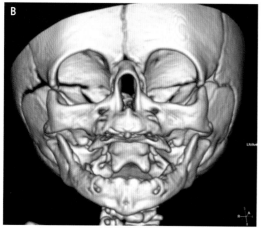

그림 23-3. A. 컴퓨터 단층촬영에서 비강의 전하방을 촬영한 영상. 상악골의 양측 비돌기가 내측으로 편위 되어있고 이상구의 협착이 관찰된다 (0.57 cm), B. 3D 컴퓨터 단층촬영에서 비이상구의 협착이 관찰된다.

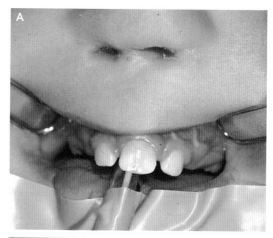

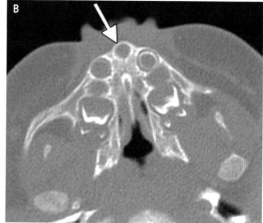

그림 23-4. A. 선천성 비이상구 협착증 환아에서 관찰된 거대 상악 중절치, B. 컴퓨터 단층촬영에서 화살표로 표시한 부위에 거대 상악 중절치가 관찰된다.

상구 협착증이 완전전뇌증(holosprosencephaly)의 축소형 같은 성장영역의 결함에 해당한다고 주장하였다. 컴퓨터 단층촬영상 선천성 비이상구 협착증과 정중 거대 상악 중절치 혹은 치아 분출(eruption of teeth)을 가진 환아는 완전전뇌증의 축소형을 가지고 있을 것이라 추정할 수 있다. 이런 환자들에게서는 염색체 분석을 통해 부모와 다른 친척들을 분석하고, 컴퓨터 단층촬영과 자기공명영상으로 중추신경계 기형을 찾고, 시상하부-뇌하수체-부신축을 평가하는 것이 필요하다. Van Den Abbeele는 선천성 비이상구 협착증 환자의 60%가 컴퓨터 단층촬영상 정중 거대 상악 중절치가 관찰된다고 보고를 하였다. 이러한 환아들은 자기공명영상에서 뇌하수체의 형태학적 이상을 보인다.

선천성 비이상구 협착증을 치료 및 관리하기 위해 보존적인 치료로 McGovern nipple 사용뿐만 아니라, 위관급식(gavage feeding)을 시행하여 아이가 비강폐쇄에 적응하는 시간을 벌어주는 방법도 있다. 만약 이러한 방법들이 실패한다면 비이상구를 수술로 확장시키는 방법을 사용한다. 수술은 전형적으로 구순하 접근법을 이용하여 비점막을 보존하며, 좁아진 비이상구를 드릴을 사용하여 최대한 넓히고 주변 연조직과의 협착을 방지하기 위하여 비강내 스텐트를 1주일 정도 유치한다.

3. 선천성 정중선 종양

선천성 정중선 종양은 20,000-40,000명당 1명가량 발생하는 드문 기형이다. 비 유피동낭(dermal sinus cysts), 교종, 뇌류가 선천성 정중선 종양 중 가장 흔한 질환이다. 비유피종은 가장 흔한 질환으로 유피동관이 코의 심부 구조에 있는 맹관으로 끝나게 된다. 앞에서 언급하였듯이 이러한 병변들은 배아형성기의 초기에 발생하므로 병인이 잘 알려지지 않았다. Grunwald는 전비공간(prenasal space) 이론으로 발생과정을 설명하였다(그림 23-5). 발달 초기에 경막의 일부가 전비공간에 게실 형태로 놓이게 되고, 전두천문이 전두골과 비골을 분리시킨다. 배아가 성장함에 따라 게실은 퇴화화고 볏돌기(crista galli) 전방에 맹공이 생기게 된다. 전방 신경공(neuropore)의 잘못된 폐쇄는 전두천문, 맹공, 사상판 또는 접형골이나 사골의 결함을 초래하게 된다. 비유피동낭은 이론적으로경막 게실의 퇴화 오류의 결과이다. 만약 경막 요소가 남아서 비전두 표피에 붙어있다면, 비유피동낭의 바깥쪽 구멍으로 코의 외피에 작은 오목한 패임이 나타날 수 있다. 만약 뇌조직이 두개골의 융합 이후에 두개외로 격리된 부분이 있다면 이것은 비교종이 된다. 만약 뼈의 결손부분 사이로 경막이 이탈하여 뇌 조직이 두개외로 빠져나오면 뇌류가 발생한다(그림 20-6).

선천성 정중선 종양은 신생아에서는 무증상 양상을 보일 수 있다. 비 유피동낭과 같은 병변의 경우에는 감지하기 힘들 정도로 작아서 어린 영아에서는 보기 힘들다. 전형적으로 작은 모발이 진피의 입구로 돌출되어 나와 있고, 치즈 같은 물질이 관으로부터 나오면 의심한다. 수술을 계획하기 전에 두개내 연결의 가능성에 대해 검사해 보아야 하는데, 비전두와 두개내 부위의 컴퓨터 단층촬영과 자기공명영상 모두를 시행한다(그림 23-7). 컴퓨터 단층촬영은 갈린(bifid) 볏돌기나 확장된 맹공 같은 상세한 뼈 구조를 알아보는 데 필요하고, 자기공명영상은 두개내 연결을 확인하는 데 필수적이다. 비 유피종의 두개내 연결은 4-45%에서 보고되고 있다.

비교종은 1952년에 처음 기술되었으며, 그 이후로부터 150례 넘게 보고되어 왔다. 비교종은 두개내종괴(30%), 두개외종괴(60%) 혼합형(10%)의 양상을 보인다. 비교종의 약 20%가 얇은 섬유성 줄기를 통해 두개내 연결을 가진다고 추정되고 있다. 비강내 교종은 비인두에서 기원하기도 하며, 전형적으로 비강내 폴립 형태의 종괴로 나타나게 되고 종종 비강 가측에 부착된 형태를 보인다. 비강외 교종은 이학적 검사에서 전형적으로 단단하고 압착되지 않는 양상을 보이며, 종종 콧등 위쪽으로 발생하고 소아의 성장에 따라 서서히 커지는 양상을 보인다. 비강외 교종은 주로 별아

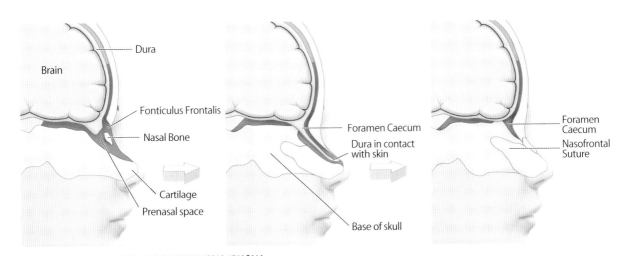

그림 23-5. Grunwald에 의해 묘사된 비전두부위의 배아형성

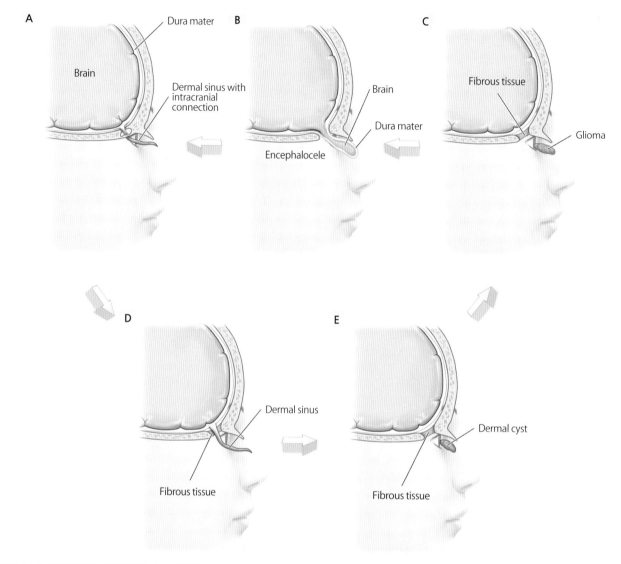

그림 23-6. **전비공간과 전비공간 파괴를 포함한 여러가지 폭넓은 잠재적인 질병들**

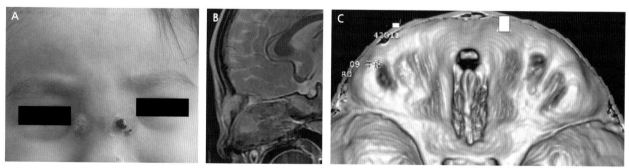

그림 23-7. **비유피동낭 환아.** A. 외관 사진, B. T2 강조 자기공명영상. 피부 병변이 피하조직을 통해 맹공을 지나 경막까지 이어져 있다. C. 3D 컴퓨터 단층촬영에서 확장된 맹공. 갈린 볏돌기가 관찰된다.

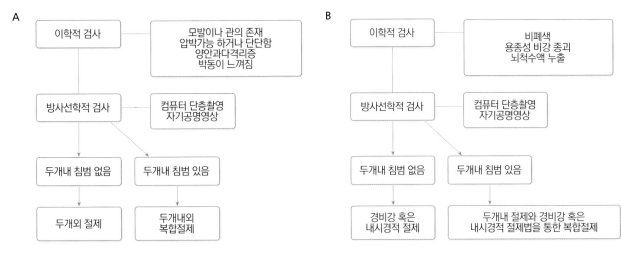

그림 23-8. A: 비강 외 종괴 관리, B: 비강 내 종괴 관리

교세포(astrocyte)와 교증(gliosis)으로 구성된 이형성 뇌조직으로 악성변화 가능성은 알려지지 않았다. 경정맥압박 시에 뇌류가 확장되는 Furstenberg test는 음성이어야 하고, 울음이나 압박으로 종괴가 커지지 않아야 한다. 영아의 모든 비강 종괴는 두개내 연결 가능성 때문에 수술적 제거나 조직검사 이전에 철저하게 이미지 검사를 시행하여야 한다.

뇌류는 4,000명당 1명꼴로 발생하며, 60%는 전두뇌류로 전두 부위의 비외부 종괴로 나타나고, 40%는 기저뇌류로 비강 안이나 비인두의 기저부위에 발생한다. 임상적으로 부드럽고 압착 가능하며 자발적으로 박동하는 종괴의 양상을 보인다. 종괴는 푸른빛을 띠고 울음이나 발살바조작, 체위 변경으로 크기가 변하는 특징을 가지고 있으며 Furstenberg test는 종종 양성이 나온다. 뇌류는 포함 조직에 따라 세분되어 수막(meninges)을 포함하면 수막류, 수막과 신경조직을 포함하면 수막뇌류, 수막, 신경조직, 뇌실조직을 포함하면 수막뇌낭류(meningoencephalocystocele)라 불린다. 비외 뇌류는 전두천문을 지나서 비전두각 부위에서 보일 수도 있다. 비내뇌류는 사상판을 지나서 비강 내에서 내측으로 생겨난다. 이 병변들의 대부분은 무증상 종괴로 나타나지만, 일부에서는 비강 폐쇄, 비출혈, 뇌

척수액비루의 양상을 보이기도 한다. 뇌막염이나 뇌종양이 발생할 우려가 있기 때문에 검사를 시행한 후 조기에 수술적으로 제거를 하여야 한다.

선천성 정중선 종양의 치료는 두개내 확장 여부에 따라 달라진다(그림 23-8). 병변에 대하여 영상의학과, 신경외과와 긴밀하게 협진이 이루어져야 한다. 대부분의 비유피종은 낭과 피부까지 이어진 관을 제거하면 된다. 수술 전 영상 검사에서 두개내 종괴가 없고 갈린 볏돌기나 확장된 맹공이 나타난 비 유피종의경우, 치료에 대해서는 두 개의 학설이 있다. 일부에서는 두개 기저부에 있는 유피줄기(stalk) 생검을 지지하는 반면, 일부는 전두 개두술을 통해 경막으로 이어지는 줄기를 추적하는 방법을 지지한다. 유사하게 대부분의 비유피종의 경우 두개외 접근법으로 수술할 때 발생할 뇌척수액 누출을 두개내 접근을 통해서 봉합할 대비를 충분히 하고서 수술하여야 한다. 비외 교종은 측비절개술(lateral rhinotomy)이나 개방 코성형술, 정중 비절개 등을 종종 필요로 한다. 반면 비내 교종은 영상 유도 내시경을 통하여 접근할 수 있다. 뇌류는 개두술을 통해 경막의 결손 부위를 봉합하고, 개두 절개법을 시행하거나 추후에 영상 유도 내시경을 통하여 경막외 조직을 제거하는 내외 복합 접근법을 종종 필요로 한다.

4. 선천성 기형종

기형종은 배아에서 기원한 드문 종자세포(germ cell) 종양이다. 기형종은 내배엽, 중배엽, 외배엽의 세종자층을 모두 포함하는 종괴이다. 이 종괴 내에는 모발, 피부, 뼈, 호흡기 조직, 위장 내층, 연골, 두개 요소가 모두 포함되어있다. 두경부의 선천성 기형종은 전체 신생아 기형종의 5%를 차지하며, 대부분의 신생아 기형종은 엉치꼬리부위에 위치해 있다. 두경부 기형종은 경부에서 가장 흔하며 다음으로는 비인두부위가 흔하다고 알려져 있다. 반면 몇몇 저자들의 경우에는 두경부 기형종이 거의 반수가 코와 인두 부위에서 발견된다고 보고하였다. 전형적으로 이러한 병변들은 비인두 부위의 무경성 혹은 유경성 종괴로 나타나며, 구인두나 구강으로까지 확장되는 경우도 있다.

비인두 종괴의 경우 영아에서 호흡곤란을 흔하게 유발하고 경부기형종의 경우에도 종괴가 기도를 압박하는 경우 호흡곤란이 유발되기도 한다. 만약 산전진단에서 초음파로 폐쇄성 두경부 종괴가 진단된다면 출산 전에 기도확보 계획과 모성-태아 순환을 유지시키는 방법을 고려해야 한다. 두경부 기형종은 세심한 진단, 기도 확보, 수술적 절개, 적절한 추적 관찰이 요구되는 질환이다.

기도삽관이나 기관절개술을 통하여 안전한 기도가 확보된 다음에, 수술 계획을 세우고 두개내 확장 여부를 판단하기 위하여 컴퓨터 단층촬영과 자기공명영상을 수술 전에 시행하는 것이 필요하다. 수술적 제거는 가장 좋은 치료 방법이며 예후도 매우 좋다. 종괴는 종종 막에 싸여 있거나 주변 조직에 침윤이 없는 가성막에 싸여 있어 주변 조직으로부터 원활하게 박리가 가능하며 종양의 재발은 드물다. 몇몇의 비인두병변에 있어서는 구강을 통한 내시경적 제거가 가능하다.

선천성 기형종이 대부분 양성이지만 주기적인 추적검사가 이루어져야 한다. 수술 후 2년까지는 정기적으로 컴퓨터 단층촬영이나 자기공명영상을 고려해야 한다. 큰 종양의 환자를 추적할 경우에는 alpha-fetal protein (AFP)을 이용한 추적을 언급한 보고들도 있다. AFP는 종괴의 크기와 병리학적 등급과 상관관계가 있으므로 수술 후 종괴의 재발을 확인하기 위해 몇 개월 동안 AFP를 측정하는 것이 추천된다.

5. 전두비이형성증

배아 발생기에 내측비융기의 융합실패가 일어나면정중안면열이 발생한다. 전두비이형성증(frontonasal dysplasia)과 정중열증후군(median cleft symdrome)은 매우 드물며 대다수는 산발적으로 발생하며 유전적인 요인은 드물다고 알려져 있다. 전두비이형성증은 표 23-2에 열거된 특징 중 두 개 이상을 가진 경우로 정의한다.

이환된 환자는 두 개의 군으로 나눌 수 있다. 한 군은 윗입술, 경구개 그리고 종종 코의 열을 동반한 군으로 뇌량(corpus callosum)의 형성부전, 시신경의 이형성, 기저 뇌류, 다른 중추신경의 기형을 동반하기도 한다. 다른 군은 코와 이마의 열을 동반한 군으로 입술과 경구개를 포함하기도 하는 군이다. 이 군은 전방비이상구 협착, 심한 경우에는 비이상구의 무형성증이 동반된다. 게다가 전두사골과 안구내 뇌류, 소안구체, 무안구증, 두개내 지방종, 드물게 뇌량의 무형성과 같은 기형을 동반하기도 한다. 대부분의 정중열이 양안과다격리증과 연관되어있다. 만약 완전전뇌증(holoprosencephaly)과 같은 두개내 정중결손을 동반한다면 양안과다격리보다 양안과소격리증이 발생할 것이다.

병리학적으로 전두비이형성증은 이질적인 질환으로 국

표 23-2. **전두비이형성증의 특징**

진성 양안과다격리증
비근의 폭이 넓어짐
정중안면열이 코나 윗입술 혹은 입천장에 이환됨
일측 혹은 양측 비익열(nasal alar clefting)
코끝의 불완전한 형성
전방 잠재 두개이열증
V자 모양의 전두 모발선

지적인 발달 결함의 결과라고 생각되며, 하나의 발달 영역 결함이거나 서열(sequence) 기형의 결과로 보인다.

전두비이형성증과 정중열은 대부분 상기도 폐쇄와는 연관이 없지만, 심한 비만곡이나 큰 비사골뇌류가 발생한 경우 비강통로를 막아서 호흡곤란이 동반될 수 있다. 이러한 기도폐쇄는 선천적인 기형의 정확한 성질이나 범위가 확립되기 전까지는 초기치료로 구인강튜브나 McGovern nipple를 사용하여 구강기도를 확보한다. 몇몇의 경우에는 반복되는 청색증과 산소 불포화도로 인한 신경학적 반응 억제를 예방하기 위해 기관절개술을 할 필요가 있다. 정중열과 전두비이형성증의 복구는 복잡해서 성형재건외과, 이비인후과, 신경외과, 구강외과, 안과, 소아과, 신경정신과, 사회 복지사, 유전학자 등으로 이루어진 두개안면팀이 필요하다.

6. 편위된 비중격

신생아기에 비중격의 편위는 가끔 발생한다. 대다수의 원인은 장기간 자궁내 체위로 인한 압박이다. 신생아기의 비중격 편위는 변형(deformation)의 일종이지 진정한 비중격의 전위(dislocation)는 아니다. 대부분 생후 몇 개월 안에 자연적으로 교정된다. 신생아 중에서 분만외상으로 인한 비중격 편위는 1% 정도로 추정된다. 겸자의 사용빈도가 줄어드는 등 분만 기법이 발달하면서, 외상으로 인한 편위는 점점 감소하고 있다. 드물지만 심한 외비변형으로 인한 기도 폐쇄가 있을 경우에는 폐쇄정복술을 시도해 볼 수 있다. 이 술기는 생후 며칠 안에 양쪽 콧구멍에 국소마취제를 투여 후 시행한다.

만약 영아가 편위된 비중격에 점막 부종까지 동반되어 비강 폐쇄로 인한 수유 및 수면에 장애가 발생할 경우 점막 수축제와 스테로이드 점적 투여를 시행할 수 있다. 영아가 상기도 감염 발생 시 상기도 폐쇄가 특히 문제가 되며, 이러한 경우에는 생리식염수 점적과 함께 가습을 해주는 것이 도움이 된다. 코의 성장발달과 함께 기도 폐쇄의 위험한 고비는 넘어가게 된다.

7. 드문 코기형들

1) 코결손증(Arhinia)

코나 비강의 완전 결손은 드문 기형으로, 지금까지 40례 미만으로 보고되었다. 이환된 환아는 비호흡의 압박으로 인해 호흡 곤란 증세가 나타나며 몇몇은 기관절개술이 필요하게 된다. 5명의 환아를 대상으로 코결여증에 대한 분자 유전학적 연구를 시행하였지만 유전자를 찾는 데에는 실패하였다. 재건에는 기도를 개방하는 것과 함께 외비 비골격을 만드는 것이 포함되며, 수술은 상악에 드릴로 기도를 만드는 것부터, 피부 이식을 통해 비강 내층을 만드는 것까지 단계적으로 이루어져야 한다. 외비 비골격은 조직 신장기, 골, 연골, 국소 피판을 사용해서 만들 수 있다.

2) 외측긴코(Proboscis lateralis)

드문 기형으로 1-3 cm 정도의 관모양의 잔유 비구조로 보통 내안각 근처 코의 외측에서 나온다. 직경은 1 cm 정도이며 호흡 및 편평 상피로 피복되어 있다. 외측 긴코의 발생률은 100,000명당 1명보다 적다. Boo-Chai가 4개의 군으로 분류하였는데, 1군은 정상코에 동반된 외측 긴코(9%), 2군은 일측 코 결손을 동반한 외측 긴코(23%), 3군은 일측 코 결손과 일측 안구 혹은 부속기의 결손을 동반한 외측 긴코(47%), 4군은 3군 기형에 구순열이나 구개열을 동반(21%) 하는 것으로 분류하였다.

비강기도의 개방 여부에 따라 호흡곤란 증상이 나타나게 된다. 수술 전 검사로는 동반된 골과 연조직의 기형 및 중추신경계 기형과의 연계성을 배제하기 위하여 컴퓨터 단층촬영과 자기공명영상을 시행하여야 한다. 남아있는 코의 상태에 따라서 외측 긴코를 잘라내거나 외비 골격을 재건하는 데 사용하기도 한다.

3) 중코(Polyrrhinia)

드문 기형으로 가성양안과다격리증과 후비공 폐쇄와 연관된다. 수술적 재건은 양측 코의 내측 부분을 제거하고 가측 절반들을 문합하면서, 후비공 폐쇄도 함께 재건하는 방법으로 이루어져 있다.

■■■■■■ 참고문헌

• Li XZ, Cai XL, Zhang L, Han XF, Wei X. Bilateral congenital choanal atresia and osteoma of ethmoid sinus with supernumerary nostril: a case report and review of the literature. J Med Case Rep 2011;5:583.

• Ginat DT, Robson CD. Diagnostic imaging features of congenital nose and nasal cavity lesions. Clin Neuroradiol 2015;25:3-11.

• Sesenna E, Leporati M, Brevi B, Oretti G, Ferri A. Congenital nasal pyriform aperture stenosis: diagno-sis and management. Ital J Pediatr 2012;38:28.

• Bharti G, Groves L, Sanger C, Argenta LC. Congenital pyriform aperture stenosis. J Craniofac Surg 2011;22:992-4.

• Moses MA, Green BC, Cugno S, Hayward RD, Jeelani NU, Britto JA, et al. The management of midline frontonasal dermoids: a review of 55 cases at a ter-tiary referral center and a protocol for treatment. Plast Reconstr Surg 2015;135:187-96.

• Pirsig W. Surgery of choanal atresia in infants and children: historical notes and updated review. Int J Pediatr Otorhinolaryngol 1986;11:153-70.

• Uchida Y, Udagawa A, Suzuki H, Mitsukawa N, Numata O, Ito C. The "stepped caudal exposure"tech-nique for excision of nasal dermoids with intracranial extension. J Craniofac Surg 2014;25:648-51.

소아 안면골절

Pediatric Facial Fracture

정유삼

1. 발달

소아는 성인과 다르게 골격이 계속 성장한다. 그러므로 골절이 생긴 후 교정이 되더라도 현재의 모습이 성장이 끝나고 난 후 변할 수 있다. 또한 소아는 성인과 달리 뼈의 탄성이 더 많아 골절이 잘 발생하지 않고 생긴다고 하더라도 약목골절(greenstick fracture)이 되는 경우가 많다. 대부분의 안면골은 연골뼈성장(endochondral ossification)을 하는 두개저의 일부와 측두하악관절을 제외하고 막뼈성장(membranous ossification)을 한다. 또한 골격을 둘러싸고 있는 근육들의 작용이 안면골의 성장에 영향을 미친다. 따라서 안면 손상 후 연조직의 수축과 상처가 성장 장애를 일으킬 수 있다. 소아에서는 성인에 비해 상대적으로 두개부가 안면부보다 커서 출생 시에 두개 대 안면 비율이 약 8:1에 달한다(그림 24-1). 그러므로 나이가 어릴수록 안면 손상보다 두개 손상이 더 흔하다. 뇌는 만 5세에 성인의 85%까지 크기가 성장하고 안구는 90%까지 성장하지만 안면은 십대 후반까지 성장한다. 신생아에서 사골동은 존재하나 나머지 부비동은 더 느리게 발생한다. 상악동은 1세 이전에 발생하나 5세 이후에 커지고 전두동은 가장 느려서 2세에 발생하기 시작하여 사춘기에 빨리 자라 성인이

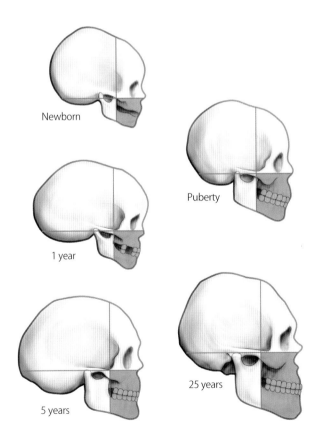

그림 24-1. **소아와 성인에서 안면골의 비율**
소아에서는 안면골이 차지하는 비중이 두개골에 비해서 상대적으로 작지만 성인이 되면서 안면골이 차지하는 비율이 커지게 된다.

될 때까지 자란다. 상하악의 미맹출치아가 골격을 단단하게 받쳐주고 있고 소아에서 더 두드러진 뺨의 지방조직이 안면부 충격을 분산시킨다. 2세 이하에서는 두개안면부의 골격 중 두개 부분이 많아서 주로 전두-안와 손상이 많으나 나이가 들면서 안면 골격이 아래와 외부로 돌출되면서 성인과 비슷해지고 10대 이후에는 성인과 매우 비슷하다.

2. 역학

외국의 경우 전체 소아 외상환자의 4.6%에서 안면골절이 나타난다고 하였고 안면골절환자의 14.7%가 소아라고 한다. 5세 이하는 전체 안면골절환자의 0.9-1.2%를 차지하고 6-14세가 4-6%를 차지한다. 우리나라의 통계를 보면 남녀비율은 3-5.7:1로 남아에서 흔하게 발생하고 13-15세가 36.3%로 가장 흔하며 가장 흔한 원인으로 교통사고나 폭행이 차지하였다. 비골골절은 56-69%로 가장 흔한 형태였고 안와골절이 17-20%로 두 번째를 차지하였다. 외국의 통계도 비슷한 양상으로 남녀비율은 2:1 정도로 남아에서 더 흔하게 발생하고 10대가 가장 흔하고 교통사고로 인한 경우가 가장 많았으나 골절부위는 비골골절이 가장 흔하지만 입원하지 않고 외래에서 치료하는 경우가 많아서 정확한 통계를 알기 어렵다. 전체 안면골절의 45-60%에서 비골골절이 보고된다. 하악골절이 5-50%이고 상악골절이 28.6%를 차지하였으나 11세까지는 안와골절이 가장 흔하고 이후에는 하악골절이 가장 많이 발생하였다.

3. 진단

1) 응급처치

외상환자의 첫 진찰로 가장 중요한 것은 기도확보이다. 기도는 혀, 혈액, 토사물, 이물 등에 의해 폐쇄될 수 있다. 소아의 기도는 성인보다 작아서 청소년에서는 성인과 비슷한 7-8 mm 정도의 기관 삽관이 가능할 수 있으나 신생아의 경우 2.5 mm 정도만이 가능할 수도 있다. 소아는 구강과 인

두의 연조직이 상대적으로 크고 탄력이 없으며 후두가 더 위에 위치하고 있고 후두개는 더 좁고 기관이 더 짧다. 그러므로 소아에서는 기관삽관이나 환기가 쉽지 않다. 외상 환자에서 양측 하악골절, 심각한 구강 출혈, 후두 반사소실, Glasgow Coma Scale이 8점 이하, 경련, 동맥혈 가스 분석이상, 심각한 부종, 심한 안면골절환자의 장시간 이송 시에는 기관 삽관을 고려하는 것이 권유된다. 천명이나 쉰목소리, 피하 기종, 염발음(crepitus) 등의 증상은 후두나 기관 손상을 시사하는 소견이다. 기관삽관이 어려운 경우 기관절개술이나 윤상갑상막절개도 유용할 수 있다. 주사바늘을 이용한 윤상갑상막절개는 최대 환기시간이 어른은 15-20분, 소아는 40분 정도이고 이후에는 환자가 저산소증에 빠질 수 있다. 16게이지 주사바늘 3-4개 정도가 사용된다. 후두기관 손상 시 굴곡성 기관지경을 이용한 기도삽관이 가장 유용하나 기도확보가 안 된다면 응급 기관절개술이 필요하다.

초기 수액치료는 lactated Rnigers 액이나 생리식염수가 유용하다. 소아는 혈관 수축 및 심근 수축력 증강 등의 보상기전으로 인해 혈압이 유지되다가 심각한 상태에 이르러서야 증상이 나타나는 경우가 많다.

2) 동반손상

동반 손상으로는 신경이나 뇌손상이 가장 흔하다. 안와상부골절에서는 두개골절과 뇌손상을 의심해야 하고 안와하부골절은 안구 함몰, 안구 처짐, 복시, 외상성시신경 손상 등이 발생할 수 있다. 관골 골절은 안면 비대칭이나 안구함몰, 안와하 신경 분포 부위의 감각 저하 등이 동반될 수 있고 비골골절은 비중격골절이나 비중격혈종과 동반될 수 있다.

두개저 골절이나 두개 골절이 있으면 뇌손상이 동반되는 경우가 가장 많고 안면부 골절도 뇌손상이 동반될 가능성이 있으므로 조기에 뇌손상에 대한 진찰이 필요하다. 소아의 경우 안면보다는 두개의 비율이 높아서 두개내 손상이 동반되는 경우가 많다. 5세 이하 안면골절 환자의 57%에서 두개내 손상이 함께 발견된다고 한다. 성인은 경추손상이 10%에서 동반되나 소아는 훨씬 적어서 0.9-2.3%에서

동반된다고 한다. 안와 손상이 있는 경우 안구 손상은 성인과 비슷한 정도로 나타나나 소아에서 안와 골절이 성인보다 더 흔하다. 안와 골절이 있는 환자의 50%에서 안구 손상이 함께 일어난다.

뇌척수액 비루는 안면골절이나 두개저 골절이 있는 환자에서 발생한다. 뇌척수액비루는 수상 후 첫 며칠간 발견되지 않을 수 있다. 의심이 되는 경우 비루를 받아서 포도당의 농도를 측정하여 증가되어 있다면 추가적인 검사나 조치가 필요하다.

3) 병력 청취 및 신체 검진

소아를 통해서 정확한 병력을 듣기 어려운 경우 부모나 수상 시 함께 있었던 사람에게 병력을 듣는 것이 중요하다. 동공 반사와 동공의 크기 측정을 포함하여 가능하다면 시력과 복시, 외안근 기능검사가 필요하다. 소아에서는 약목골절이 흔하게 발생하므로 안와저골절 시 외안근이 골절부위에 끼어 기능이상이 생기는 경우가 흔하다. 외안근 기능이상 시에는 안구의 움직임에 따라 통증이 발생하고 오심, 구토, 서맥 등 두개 손상과 비슷한 증상을 보일 수 있다. 안구 함몰이나 안구의 처짐도 확인하여야 한다. 안와 주위를 촉진하여 골절부위를 확인할 수 있고 결막하 출혈이 있는 경우 안와골절을 의심하여야 한다. 안면 감각 저하도 안와하 신경이나 하악신경 손상과 동반된 골절을 시사할 수 있다. 안면근 운동도 평가하여야 하는데 안면 마비가 있는 경우 안면신경 마비와 함께 측두골 골절이나 두개저 골절에 대한 평가가 필요하다. 소아는 상대적으로 안면부에 지방조직이 많이 분포하고 있어서 관골궁을 포함한 관골골절에 대한 평가가 어려울 수 있다. 코는 대칭성과 함께 비배부의 함몰에 대해서 평가하여야 하는데 붓기로 인해서 잘 보이지 않을 수 있고 촉진으로 골절 의심 부위를 만져보는 것이 도움이 된다. 수상 이전의 사진 또한 변형이나 외모 변화 여부를 판단하는 데 도움이 될 수 있다. 비경검사나 내시경검사로 비중격혈종이나 비중격 골절을 확인하는 것도 중요하다. 수상 후 시간이 지나면 비중격혈종은 농양, 연골괴사 등의 합병증을 일으킬 수 있고 비중격 골절은 상처가 치유된 후에는 원래부터 있던 것인지 수상으로 인한 것인지 판별하기 어려울 수 있다. 구강에 대한 진찰은 치아손상, 교합이상, 개구장애에 대한 평가가 함께 이루어져야 한다.

4) 방사선 사진 촬영

소아에서는 부비동이 성장하기 전이고 미맹출치아, 약목골절 등으로 인해 단순 촬영으로 골절을 진단하기 어렵다. 파노라마 방사선 사진은 하악골절을 평가하는 데 효과적이다. 그러나 골절평가에 가장 유용한 방법은 CT이다. CT 촬영 시에는 관상면(coronal plane)과 축상면(axial plane), 시상면(sagittal plane)으로 평가하는 것이 효과적이고 3D 재건을 통해서 전체적인 윤곽을 확인할 수도 있다. 소아에서는 과다한 방사선 노출이 유해할 수 있으므로 저선량 CT를 활용하기도 한다. 그러나 저선량 CT로는 미미한 약목골절을 확인하기는 어려울 수 있다. 위치변화가 없는 골절은 대부분 보존적 치료를 하므로 저선량 CT는 수술을 필요로 하는 위치변화를 동반한 골절을 진단하는 데 유용하다.

4. 치료

1) 비골골절

소아의 코는 어른과 다르게 연골이 부드럽고 잘 휘어지며 충격이 상악주위로 퍼져 쉽게 부종을 유발한다. 비중격은 더 단단하여 쉽게 골절된다. 연골막이 연골과 분리되면 비중격혈종이 발생할 수 있다. 소아는 비골의 성장이 완성되어 있지 않아 뚜렷하게 융기되어 있지 않으므로 비골골절이 잘 일어나지 않고 발생하더라도 약목골절의 형태로 발생하는 경우가 많다. 정중앙으로 충격이 가해진 경우 비골의 봉합선을 따라 분리되는 오픈북(open book) 형태의 골절이 일어날 수 있다. 중앙부위가 함몰되고 외측으로 퍼지며 비골이 상악의 전두돌기 위로 겹쳐지는 형태로 이동된다. 비골골절은 단독으로 일어나는 경우가 많으나 비사골골절이나 안와골절의 가능성에 대해서도 간과하여서는 안된다. 소아의 비골골절은 남아에서 여아에 비해 3배 정도 많고 6세 이하에서는 보호자의 존재로 남녀의 빈도가 큰 차이가 없다. 총 비골골절 중 소아는 11-17%를 차지하고 소아의 안면골 골절 중 비골골절이 차지하는 비율은 45%로 가장 흔하다.

비골골절은 비중격혈종이나 비중격골절과 흔하게 동반되기 때문에 비강검진이 필요하고 비중격혈종이 발견되는 경우 비중격연골괴사와 안장코를 방지하기 위해서 빠른 수술적 처치가 필요하다. 수술 시기는 성인에 비하여 빨리 하는 것이 좋은데 가능하면 부종이 사라진 후 바로 시행하는 것이 좋다. 비중격혈종은 비폐색 증상과 함께 발생하므로 비폐색이 있다면 세심한 관찰이 필요하다. 비강검사를 하면 한쪽 또는 양쪽의 비중격 점막이 튀어나와 있고 국소 혈관수축제를 도포하여도 줄어들지 않는다. 비중격 혈종은 한쪽 비중격에 절개선을 넣고 혈종을 제거한다. 혈종을 제거한 후 동반된 비중격 골절은 편위를 바로 잡고 필요시 부분적으로 절제한다. 비중격 부목이나 패킹은 혈종이 다시 발생하는 것을 막기 위해서 2-3일간 유지한다. 예방적 항생제를 사용하여야 한다.

비골골절은 단순촬영으로 진단하는 것은 믿을 만하지 않으므로 CT촬영이 유용하다. 단순 촬영의 민감도는 76.1-87.5% 정도이다.

코는 만 17세 정도까지 성장하므로 수상 후나 수술 후에 성장과정에서 변형이 발생할 수 있다. 소아비골골절은 수상 후 4일 내에 치료하는 것이 추천된다. 수상초기에는 붓기로 인해서 잘 진단이 안 되는 경우도 많다. 안면에 붓기가 줄어드는 수상 후 3-4일 이내에 재내원하여 재검진을 하는 것도 추천된다. 외모변형이나 새로 발생한 비폐색이 동반되는 비골골절이나 비중격골절의 경우 수술을 시행한다. 비골골절은 비강안에 기구를 넣고 도수정복을 할 수 있다. 약목골절은 원하는 성노로 성복뇌지 않을 수 있으므로 때로는 설골술이 필요할 수도 있다. 비배부의 편위가 심하거나 수상 후 2주 이상 시간이 지난 경우 개방 정복(open reduction)이 필요할 수 있다. 소아는 성장하므로 성장점의 손상을 피하는 보존적인 방법으로 비골을 본래의 위치로 복원시키도록 하고 비골이나 골격의 절제는 최소화해야 한다.

그러나 결과가 항상 만족스러운 것은 아니다. 소아기에 비골골절에 대한 수술을 받은 경우 수술직후 잘 교정이 되었더라도 성인이 된 후 비배부의 혹(hump)이나 안장코, 사비 등의 이상소견 발생이 많았다. 그러므로 이러한 가능성에 대해서 충분한 설명이 되어야 한다. 보고자에 따라 다르지만 만족도는 30-87%까지 보고되고 있다.

비중격골절은 가능한 한 보존적으로 치료하는 것이 좋다. 비폐색이 심한 경우 비중격 연골을 보존하면서 편위가 심한 한정된 부위만 수술할 수 있다. 만약 비폐색이 심하지 않다면 성장이 어느 정도 이루어진 이후로 치료를 미룰 수 있다.

2) 비안와사골골절(Naso-orbital-ethmoid fracture)

소아는 비안와사골골절이 그리 흔하지 않다. 비안와사골골절은 비전두봉합, 비골, 내안와연, 하안와연의 골절이다.

비안와사골골절이 일어나면 안장코와 함께 내안각인대의 위치가 변하여 눈사이가 멀어지는 안각격리증(telecanthus)이 발생한다. 내안각인대의 손상여부는 내안각부위의 피부를 외측으로 당겨보아 팽팽하게 위치를 유지하고 있는지 관찰함으로써 알 수 있다. 정확한 진단은 마취하여 코안으로 기구를 넣고 내안각부위의 골절편을 들어 올려 외부에서 촉진으로 느껴지는지 확인하는 것이 필요하다.

비안와사골골절은 개방정복술이 필요한 경우가 많다. 개방정복술은 수상으로 인해 생겨난 상처부위를 통해서 접근하거나 관상절개를 통해서 접근할 수 있다. 수술의 목적은 비배부의 높이를 복원하고 내안각손상을 복원하는 데 있으나 골절편이 너무 작으면 나사를 이용하여 고정하기 어려울 수 있다. 그런 경우 내안각이나 내안각이 붙어있는 골절편을 와이어로 연결하거나 비배부를 골이식으로 높일 수 있다. 와이어나 고정은 4-6주 정도 유지하여야 한다. 눈 사이의 성상은 8세까지 완성된다. 골설 시에 안삭격리증이 일어나므로 교정을 할 때에는 약간 과교정을 하는 것이 추천된다. 비루관에 스텐트를 삽입하는 것은 그리 필요하지 않은 경우가 많다.

3) 안와골절

사골동은 빠르게 성장하여 7세까지 눈 사이 간격이 성인의 70% 정도에 이른다. 또한 상악동은 7세에 동공선을 넘을 정도로 자라고 전두동도 상안와연에 위치하기 시작한다. 7세 이전에는 두개부분이 안면보다 커져 있어서 외상 시에 두개손상이 더 흔하다.

소아에서는 안와골절이 흔한 편이고 5세 이후에는 안와 상부 골절보다 안와저 골절이 더 흔하다. 안와골절은 약목 골절의 형태로 일어나기 쉽고 약목골절인 경우 외안근이 골절부위에 끼어 외안근 운동장애가 발생하기 쉽다.

안와주위부종, 멍, 결막하 출혈 등은 안와 손상을 시사하는 소견이다. 시력을 측정하는 것이 가장 중요하고 안구의 위치, 안구 함몰이나 돌출, 안구의 처짐 등을 확인하고 안압을 측정하며 안구운동을 검사하고 안구사이의 거리를 측정하고 내안각인대의 손상 여부를 확인한다. 또한 안와연을 촉진하여 골절부위가 없는지 확인한다.

시력소실과 동공반사 소실은 안신경손상을 시사하는 소견이다. 안신경 손상이 동반된 경우 적극적인 스테로이드 치료가 필요하고 약물치료에 반응이 없거나 골절편이 안신경관을 누르고 있는 경우 안신경감압술이 필요할 수 있다.

안와저 골절은 상악동의 함기화와 연관이 있고 5세 이하에서는 잘 일어나지 않는다. 안와저 골절은 복시, 안면부의 감각 저하, 안와주위 부종 및 멍이 나타날 수 있다. 안와저 골절은 크기가 안와저의 50% 이상이거나 안구함몰이 2 mm 이상인 경우, 외안근이 끼어 있어 복시가 나타나거나 안구견인검사에서 양성인 경우 수술이 필요하다. 안구견인검사(forced duction test)가 도움이 되나 정확한 진단을 위해서는 CT촬영이 필요하다. 외안근이 끼어 있으면서 안심장 반사로 서맥이 동반된 경우에는 응급수술을 하여야 한다. 소아에서는 수일 이내에 외안근이 섬유화되거나 짧아지기 때문에 48시간 이내에 빠른 치료가 필요하다. 안와부종이나 외안근 좌상, 뇌신경 손상 등으로 인해 외안근이 끼어 있는 것과 같은 증상이 나타날 수 있고 그러한 경우는 수술적 치료를 하지 않으므로 구별되어야 한다.

안와저 골절은 결막내로 접근하는 방법이 다른 접근법에 비해서 안검외반의 합병증이 적어 선호된다. 안와저를 재건하는 물질로는 두개골의 바깥층과 안층을 갈라서 이용하는 방법과 티타늄이나 porous polyethylene과 같은 합성물질을 이용하는 방법이 있고 요즈음에는 작은 골절은 흡수성의 젤라틴 필름을 이용하기도 한다.

안와 지붕 골절은 두개의 비율이 높고 전두동의 함기화가 적은 어린아이들에게 다른 두개 손상과 함께 일어나는 경우가 많다. 7세 이후에는 안와저 골절이 더 많아지게 된다. 안검하수나 안구처짐이 발생할 수 있으나 수상 직후에는 잘 나타나지 않을 수도 있다. 안와내로 뇌수막류가 후기 합병증으로 발생할 수 있으므로 장기 추적관찰이 필요하다.

안와 내벽 손상은 안구함몰이 호전되지 않는 경우 수술하게 되는데 비내시경으로 접근하여 정복 후 실리콘 판을 수주 유치하여 치료하거나 경소구 접근(transcaruncular approach)으로 정복하는 방법이 있다.

4) 전두동 골절

소아에서 전두동 골절은 70%에서 후벽골절이 발생하고 18%는 뇌척수액 비루가 발생한다. 전두동골절 치료의 목적은 이마의 모양을 유지하고 뇌척수액 비루를 치료하는 것이다. 위치가 변화하지 않은 전두동 전벽 골절은 치료가 필요하지 않으나 전벽 골절로 외모이상 시에는 수술적 정복이 필요하다. 후벽골절은 대부분 전벽골절과 함께 발생하고 외부접근법에 의한 재건이 필요하다.

5) 상악골절

소아는 부비동이 상대적으로 작고 미맹출 치아가 있어서 전형적인 상악골절이 흔하지 않다. 치료는 안면 윤곽을 복원하고 교합을 바로 잡는 데 목적이 있다. 골절이 있더라도 위치 변화가 없는 경우가 많고 이러한 경우 보존적으로 치료한다. 소아에서는 골생성이나 상처에 대한 반응이 빠르므로 늦게 치료하기 어려울 수 있다. 위치변화가 심한 경우 10일 이내에 정복이 이루어지도록 해야 한다. 정복시 나사고정이 미맹출치아에 손상을 줄 수 있으므로 가능한 한 치아로부터 떨어진 자리에 고정하도록 하여야 한다. 심하게 조각나있는 골절의 경우 골이식을 고려할 수 있다. 성장에 장애를 주지 않기 위해서 티타늄은 3-4개월째에 제거하거나 흡수성 플레이트를 이용하기도 한다.

6) 하악골절

소아에서 하악골절은 가장 흔한 안면 골절 중 하나이나 미맹출치아, 안면 성장장애, 측두하악관절이상 등으로 치료가 쉽지 않다. 많은 경우 부드러운 음식 섭취 등 보존적 치료만으로 충분하다.

하악관절돌기 골절이 가장 흔하지만 골절위치는 나이에 따라 다르다. 5세 이전에는 하악관절두 골절이 더 많고 이후에는 하악관절경 골절이 더 많다. 관절결합(symphaseal) 골절은 두 번째로 흔하나 사춘기 이후에는 성인과 비슷하게 하악체부나 하악경 골절이 발생한다. 어린 소아의 경우 교합에 이상이 없는 하악골절은 부드러운 음식 섭취만으로 치료한다. 골절편의 위치변화가 있다면 폐쇄정복을 시도하고 필요하다면 7-10일 정도 악간고정을 할 수 있으나 기간이 길어지면 관절강직증이 생길 수 있으므로 주의하여야 한다. 폐쇄정복은 6세 미만에서 추천되고 10대에게는 성인과 비슷하게 개방정복과 내부고정을 하는 것이 추천된다. 폐쇄정복이 성공적이면 아치바나 와이어, 아크릴 판 등을 이용하여 고정한다. 이러한 고정은 약 3주 후 제거한다. 개방정복과 내부고정은 미맹출 치아에 손상을 줄 수 있어서 어린 소아에서는 피하는 것이 좋고 시행한다고 하더라도 하악의 하연에 monocortical screw로 한 개의 미니 플레이트 고정이면 충분한 경우가 많다. 하악의 상연 고정은 아치바 등으로 하여 회전을 방지할 수 있다. 소아에서 정중선을 넘는 영구적인 견고한 고정은 성장장애에 대한 우려로 피하는 것이 좋다. 관절돌기는 성장점 중에 하나이므로 골절시 추후 성장 장애로 인해 교합이상이나 외모변화가 발생할 수 있다. 그러므로 장기 추적관찰이 필요하다.

7) 관골골절

관골골절은 상악동 함기화가 잘 진행되지 않은 5세 이전에는 흔하지 않다. 성인과 비교하여 소아의 관골골절은 안와 외벽과 안와저 골절을 동반하는 경우가 많아 복시나 안구함몰 등의 안와 골절 증상을 확인해보아야 한다.

관골골절 치료의 목적은 성인과 비슷하여 안면 비대칭이나 안와 이상의 교정이 주목적이다. 위치변화가 없으면 보존적인 치료만 하여도 되나 분쇄골절은 고정이 필요하

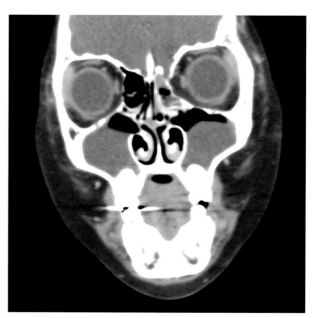

그림 24-2. **9세 여아로 교통사고 후 안와내벽골절 및 전두동 후벽골절**
안와내벽골절은 안구함몰, 외안근 운동이상등의 증세가 없어서 보존적치료를 하였고 전두동 후벽골절이후 발생한 뇌척수액 비루 및 뇌수막류에 대해서 내시경수술로 복원하였다.

다. 약목골절의 경우 Gille's 접근법이나 피부를 통한 bone hook이 정복에 사용되고 내부 고정을 할 필요는 없다. 정복후에 골절편이 불안정한 경우 개방정복과 내부고정이 필요하다. 개방정복을 하는 경우 구강내 잇몸구순구절개나 눈썹절개, 경결막 절개 등이 쓰이고 정복이 되면 관골상악봉합을 고정하거나 추가하여 전두관골봉합과 하안와연을 고정하기도 한다. 관골궁 골절은 눈썹절개나 외안각 절개를 통하여 거상한다.

5. 흡수성 재료를 이용한 고정

소아에서 티타늄을 이용한 고정은 성장장애를 일으킬 우려가 많아지고 있다. 소아에서 빠른 골유합과 근육에 의한 추가변형이 성인보다 적으므로 흡수성 재료가 대두되고 있으나 강도가 약하고 부피가 많이 나가며 나사가 들어갈 부분에 미리 천공을 하여야 하고 굴곡이 필요한 부위에 조절하

여 구부리기 어렵고 염증반응이 생기는 등의 단점이 존재
한다. 그러나 점차 소아에서 흡수성 재료를 이용한 고정에
대한 경험이 많아지고 있다. 소아에서 안면골절은 폐쇄정
복술만 하거나 고정을 하더라도 최소화하는 것이 좋으므로
많은 술자들이 흡수성 재료를 사용하기는 하지만 아직 뚜
렷한 적응증이나 장점이 있다고 결론 내리기는 어려운 상
황이다.

6. 결론

소아의 안면은 성인과 다르게 계속 성장하므로 현재 골절
의 복원이 성장 후에도 계속 유지되지 않을 수 있고 해부학
적 특성상 두개의 비율이 커서 두개 손상이 안면 손상보다
흔하다. 안면 손상 시에는 시력, 안구운동, 안구 위치, 교합,
안면 비대칭 등에 유의하여야 하며 성인보다 골유합이 빠
르므로 조기에 치료가 필요할 수 있고 성장 후에도 합병증
이 발생할 수 있으므로 장기 추적관찰이 필요하다.

■■■■■ **참고문헌**

• 홍준표, 정유삼, 김영균.옮김 얼굴성형해부학. E-public p33 그림
4.3 Surgical Anatomy of the Face. Larrabee, Meielski, Henderson.
지음

• Alcalá-Galiano A, Arribas-García IJ, Martín-Pérez MA, Ro-
mance A, Montalvo-Moreno JJ, Juncos JM. Pediatric facial frac-
tures: children are not just small adults. Radiographics. 2008;28:
441-61.

• Boyette JR. Facial Fractures in Children. Otolaryngol Clin N
Am 2014; 47: 747–61.

• Braun TL, Xue AS, Maricevich RS. Differences in the manage-
ment of pediatric facial trauma. Semin Plast Surg 2017; 31(2):
118-122.

• Kim SH, Lee SH, Cho PD. Analysis of 809 Facial Bone Frac-
tures in a Pediatric and Adolescent Population. Arch Plast Surg.
2012; 39: 606-11.

• Krakovitz PR, Koltai PJ. Pediatric Facial Fractures. In Flint
PW, Haughey BH, Lung VJ, Niparko JK, Richardson MA, Robbins
KT, Thomas JR. eds. Cummings otolayrngology head & neck sur-
gery5th ed. Mosby Elsevier; 2697-717.

• Lee Y, Oh S, Cho S, Kim H, Kang T, Choi S, et al. Practical
approach to the diagnosis of pediatric nasal bone fractures. J
Trauma Injury 2014: 27:95-100

• Maqusi S, Morris DE, Patel PK, Dolezal RF, Cohen MN. Com-
plications of pediatric facial fractures. J Craniofac Surg.
2012;23:1023-7.

• Morris C, Kushner GM, Tiwana PS. Facial skeletal trauma in
the growing patient. Oral Maxillofac Surg Clin North Am. 2012;
24:351-64.

• Oh JK, Kim IG. A Clinical Analysis and Appropriate Manage-
ment of Pediatric Facial Bone Fractures: 6 Years Survey. J Korean
Cleft Palate-Craniofac Assoc. 2001; 2:125-33.

• Park CH, Kim DY, Chun JH, Jung KN, Hong SJ, Kim HC et al.
The clinical and radiological evaluation of results about closed
reduction for children with nasal bone fractures. Korean J Oto-
laryngol-Head Neck Surg. 2005::34-39.

• Ryan ML, Thorson CM, Otero CA, Ogilvie MP, Cheung MC,
Saigal GM, et al. Pediatric facial trauma: a review of guidelines
for assessment, evaluation, and management in the emergency
department. J Craniofac Surg. 2011;22:1183-9.

• Zimmermann CE, Troulis MJ, Kaban LB. Pediatric facial frac-
tures: recent advances in prevention, diagnosis and management.
Int J Oral Maxillofac Surg. 2006;35:2-13.

Chapter 25

소아 비부비동염

Pediatric Rhinosinusitis

조석현

1. 소아 비부비동염 가이드라인

소아 비부비동염은 매우 흔한 질환임에도 불구하고 오랫 동안 정의, 진단과 치료에 대한 가이드라인이 부재하였다. 1993년 최초로 Princeton에서 International Conference on Sinus Disease가 개최되어 소아 가이드라인을 만들기 시작했다. 1996년 Brussels에서 개최된 Consensus Meeting에서 소아 비부비동염의 특징과 치료방침이 논의되었 고, 1998년 소아 비부비동염에 대한 용어, 정의, 분류, 진단 기준과 치료에 대한 가이드라인이 출판되었다.

2001년 미국 소아과학회(American Academy of Pediatrics, AAP)에서 소아 비부비동염에 대한 가이드라인을 보고하였고, 여기에서 바이러스성과 세균성 비부비동염 및 비부비동염의 다양한 아형에 대한 임상적 특성에 대하여 다루었으며, 2013년 최신 개정판에서는 중간에 악화되는 임상형(worsening course)을 항생제 처방 적응증에 새로이 추가하였다.

2005년 유럽에서 이비인후과 의사를 중심으로 EPOS (European position paper on rhinosinusitis)가 결성이 되 어 가이드라인을 보고한 이후 2007년, 2012년과 2020년 계속 개정판을 소개하여 현재 이비인후과에서 가장 많이

인용하는 가이드라인으로 자리를 잡았다.

2012년 미국 감염병학회(Infectious Diseases Society of America, IDSA)에서 성인과 소아 급성 세균성 비부비동염 가이드라인을 보고하였다. 여기에서 항생제 저항성에 대한 위험군을 정리하였고, 항생제를 교체하기 전 3-5일간의 반응을 관찰해야 하며, 미국 항생제 저항성에 대한 정보를 바탕으로 항생제 선택에 대한 근거를 제시하였다.

2014년 미국 이비인후과학회(American Academy of Otolarygology-Head and Neck Surgery, AAO)가 주축이 되어 소아 만성 비부비동염에 대한 Clinical Consensus Statement가 발표되었고, 정의, 진단기준, 약물치료 및 수술적 치료에 대한 방침을 제시하였다. 또한 2016년 발표된 International Consensus Statement에서 소아 급성과 만성 비부동염에 대한 증거중심 진료지침을 다루었다.

그럼에도 불구하고 비부비동염은 성인과 비교하여 소아 에서는 연구가 매우 부족하여 대부분 증거수준이 낮다. 본 장에서는 주로 위에서 열거한 국제적 가이드라인과 합의를 중심으로 정리하였고, 이로써 소아 비부비동염에 대한 임 상과 연구에 도움이 되고자 하였다.

2. 소아 비부비동염의 정의와 분류

소아 비부비동염은 비강과 부비동에 발생한 염증성 질환으로 정의된다. 소아 비부비동염은 12주 이내에 완치가 가능한 경우를 '급성 비부비동염(acute rhinosinusitis, ARS)'으로, 12주 이상 지속하는 경우를 '만성 비부비동염(chronic rhinosinusitis, CRS)'으로 구분한다. 년 4회 이상 급성 비부비동염이 재발하는 경우 재발성 급성 비부비동염(recurrent ARS)로 정의한다. 이 외에 약물과 수술 등 적절한 치료에도 불구하고 증상이 지속하는 경우를 '난치성 비부비동염(difficult-to-treat rhinosinusitis)'으로 분류할 수 있다.

소아 급성 비부비동염은 코막힘/화농성 비루/기침 중에서 2가지 이상의 증상이 갑자기 발생하여 12주 이내에 완치되는 경우로 정의된다. 재발되는 경우에는 그 사이에 증상이 없는 기간이 반드시 있어야 한다. EPOS 2020에서는 급성 비부비동염을 기간과 증상에 따라 1) 급성 바이러스성 비부비동염(common cold/acute viral rhinosinusitis), 2) 급성 바이러스 후 비부비동염(acute post-viral rhinosinusitis)과 3) 급성 세균성 비부비동염(acute bacterial rhinosinusitis, ABRS)으로 분류한다. Post-viral ARS는 5일 후 증상 악화가 있거나 증상이 10일 이상 지속하는 경우로 정의된다. ABRS는 38℃ 이상의 발열, 이중 악화, 일측성, 심한 통증 및 ESR/CRP 상승 중에서 3가지 이상 만족하는 경우로 정의된다.

소아 만성 비부비동염은 코막힘/비루/안면통/기침 중에서 2개 이상의 증상이 있어야 하고, 이때 코막힘과 비루(전비루와 후비루) 중 한 개의 증상을 반드시 포함하여야 하며, 이러한 증상들이 12주 이상 지속하는 경우로 정의된다. 성인과 마찬가지로 소아에서도 숭비노에 비용송의 농반 여부에 따라 1) 비용종을 동반한 만성 비부비동염(chronic rhinosinusitis with nasal polyps)과 2) 비용종을 동반하지 않는 만성 비부비동염(chronic rhinosinusitis without nasal polyps)으로 구분한다. 이 외에 전신적으로 3A (아스피린과민성, 천식, 알레르기)가 동반되었는지에 따라 더욱 세분할 수 있다.

3. 소아 비부비동염의 유병률

급성 비부비동염(상기도감염)은 일반 인구의 6-15% 정도로 매우 흔하고, 학동기 연령의 소아에서는 연 7-10회 정도까지 발생할 수 있다. 급성 비부비동염 후 18%에서 post-viral ARS로 갈 수 있고, 약 0.5-2%에서 이차 세균감염으로 인해 ABRS가 유발된다.

소아 만성 비부비동염의 유병률은 약 2.1-4% 정도로 알려졌고, 10-15세 사이에 가장 호발한다(EPOS 2020). 2011년 Kim 등은 인구주택총조사(population and housing census)에서 한국인 12-18세 소아의 약 6%에서 만성 비부비동염이 있음을 보고하였고, 2013년 Sidell 등은 미국 학동기 연령의 약 4%에서 매년 발생한다고 보고하였다. 또한 아토피나 천식의 가족력이 있는 1세 미만의 소아가 보육원에 다니는 경우 만성 비부비동염의 위험도가 2.2배 증가한다.

4. 부비동의 발달

전두동은 출생 시 전사골동과 구분되지 않으며, 1세 전에는 잘 관찰되지 않는다. 4세 이후에 전두동이 성장하기 시작하여 6세경 20-30%에서 방사선학적으로 관찰된다. 부비동은 사춘기까지 꾸준하여 성장하여 12세에는 85%에서 CT에서 함기화된 전두동을 관찰할 수 있다. 전두동의 부피는 10세에 2 ml 정도 되었다가 19세에 성인 부피인 3.46 ml에 이른다.

사골동과 상악동은 출생 시 이미 어느 정도 성장해 있으며, 따라서 소아 비부비동염의 수된 병소가 된다. 사골동은 출생 시 90%에서 관찰되고, 7세까지 빠르게 성장하여 15-16세에 성장이 끝나며, 약 4.51 ml의 부피를 가진다. 상악동 역시 출생 시 대부분 관찰이 가능하며, 부피는 2세에 2 ml, 9세에 10 ml, 15세에 14. 8 ml로 성장한다. 12세 이후에 2차 치아가 나기 시작하면서 상악동은 하방으로 성장하여 치조골의 함기화에 관여하고, 결국 상악동의 바닥이 비강의 바닥보다 4-5 mm 아래에 위치하게 된다.

접형동은 출생이 거의 관찰되지 않고, 점차 후방으로 성장하여 7세에 sella turcica에 도달하며, 8세에 85%에서 함기화된 접형동을 관찰할 수 있다. 접형동은 6-10세 사이에 빠르게 성장하여 15세에 성인크기로 자라서 약 3.47 ml의 부피에 이른다.

위와 같이 대부분의 부비동은 6세 전후로 빠른 성장을 보인다. 6-8세 이후 급성 비부비동염의 유병률이 의미 있게 감소한다는 사실을 비추어 볼 때, 부비동의 성장이 염증발생의 억제에 어느 정도 관여하는 것으로 생각할 수 있다.

5. 소아 급성 비부비동염의 자연경과

소아에서 급성 비부비동염은 80% 이상에서 바이러스 감염으로 시작하고, 발열이 성인보다 흔하게 나타난다. 발열은 첫 1-2일 내에 보이다가 사라지면서 점차적으로 호흡기 증상이 심해진다. 호흡기 증상은 3-6일에 최대로 심해졌다가 점차 호전되기 시작하고 대개 10일 이내에 완치된다. Rhinovisus 감염의 25%에서는 14일 이상 지속할 수 있지만, 이런 경우에도 10일 이전에 뚜렷한 증상개선이 있다. 콧물의 양상은 초기에는 수양성이었다가 점차적으로 점성이 증가하고 색깔을 띠는 경우가 많다. 호전되면서 콧물은 화농성→점액성→수양성으로 변했다가 사라지게 된다. 대개 이러한 자연경과(natural history)를 벗어나는 경우 급성 세균성 비부비동염으로 간주할 수 있다.

급성 세균성 비부비동염에서 치료하지 않았을 때의 자연경과는 잘 알려져 있지 않다. 그러나 소아 급성 세균성 비부비동염에서 위약을 투여한 경우 14일 완치율이 32%인 반면, amoxicillin-clavulanate를 투여한 경우엔 64%로 크게 증가한 것을 보아 자연관해율은 낮거나 지연될 것으로 생각된다.

표 25-1. **소아 급성과 만성 비부비동염의 원인과 악화인자**

위험인자	소아 급성 비부비동염	소아 만성 비부비동염
감기	소아는 면역미성숙으로 인하여 감기에 잘 이환되고, 소아 ARS의 원인으로 작용함	감기는 소아 CRS의 급성악화에 원인으로 작용함
환경	계절(겨울)에 따라 소아 ARS의 발생이 증가함. 실내 곰팡이, 간접흡연, 보육원, 공기오염이나 자극물질에 대한 노출 등이 원인으로 작용함	간접 흡연, 공기오염물질(미세먼지 포함) 등이 CRSsNP의 원인으로 작용할 수 있고, 간접흡연에 노출 시 CRS 중증도, 임상점수와 재수술 비율에 악영향을 미침
알레르기비염	알레르기를 동반한 경우 rhinovirus의 수용체인 ICAM-1의 증가, 반복된 세균감염에 의한 TLR9의 증가, 섬모운동이상, 지속적 알레르기 염증 등의 기전으로 소아 ARS의 원인인자로 작용할 것이라는 가설이 있으나 논란이 많음	알레르기비염과 소아 CRS의 상관성에 대해 논란이 있음
천식	천식을 동반한 경우 인플루엔자 감염 후 급성 세균성 비부비동염의 위험도를 높임	부비동염이 천식의 재발에 관여하고, 부비동염에 대한 약물 혹은 수술적 치료가 난치성 천식을 조절하는 데 도움이 된다 등의 보고가 있으나, 소아에서는 증거수준이 낮음
위식도역류	보고가 거의 없음	위식도역류에서 소아 CRS가 증가한다는 보고가 있지만 아직 증거수준이 낮고, 일상적인 항역류치료는 권유되지 않음
면역저하	보고가 거의 없음	재발성 혹은 잘 낫지 않는 만성 부비동염에서 IgG (IgG1, IgG2, IgG3), IgM, IgA 결핍증을 보이는 agammaglobulinemia나 common variable immunodeficiency 등이 원인으로 작용할 수 있음
섬모이상	섬모 혹은 섬모세포의 감소나 기능이상은 급성 비부비동염의 원인으로 작용할 수 있음	일차성 섬모부전증이나 Katagener 증후군이 동반된 경우 섬모운동장애로 인하여 만성 비부비동염의 원인으로 작용할 수 있음
낭성섬유증	보고가 거의 없음	7번 염색체의 CFTR 유전자에 발생한 돌연변이로 발생하며, 소아에서 양측성 CRSwNP의 주요 원인으로 작용함

6. 소아 비부비동염의 발병과 연관된 원인 및 전신질환

표 25-1에 열거된 감기, 환경적 요인, 알레르기비염, 천식, 위식도 역류, 면역저하, 섬모이상, 낭성섬유증 등은 소아 비부비동염의 감별진단에 반드시 포함되어야 한다. 그러나 이러한 질환들이 소아 비부비동염에 원인인자로 작용하는지에 대해 논란이 있고, 아직까지 연구가 많지 않아서 판단하기 어렵다. 또한 소아 비부비동염은 잦은 상기도감염, 아데노이드비대증, 알레르기비염 등과 증상이 유사하여 오진에 주의하여야 한다.

7. 소아 비부비동염의 원인 균주

정상 부비동은 세균이 자라지 않는 무균상태를 유지해야 하지만, 세균 저장소인 비강과 비인강에 접해 있어 언제든지 세균의 침입이 발생할 가능성이 있다. 세균이 저농도일 때는 정상적인 점막수송으로 배출될 수 있어 부비동염으로 이환되지 않는다. 비부비동염에서는 대개 고농도의 균(10^4 CFU/ml 이상)이 검출된다.

1981년 Wald 등은 Water 촬영에서 상악동 혼탁을 보인 소아에서 상악동 천자를 통해 배양검사를 시행한 결과 *S. pneumonia*, *H. influenza*, 그리고 *M. catarrhalis*가 주된 원인균으로 보고하였다. 그 이후 일련의 연구에서도 위 세 가지 원인균주가 주된 원인균으로 보고하였고, 그 외에 *S. aureus*, *S. pyogenes* 및 혐기균이 추가로 확인되었다. 따라서 amoxicillin 혹은 amoxicillin/clavulanate가 1차 항생제로 추천되며, 경한 급성 비부비동염의 약 80%에서 반응을 보인다. *S. aureus*를 급성 비부비동염의 원인균의 하나로 볼 수 있는지에 대하여는 논란이 있다. 그 이유는 *S. aureus*가 상악동천자에서는 발견되지 않고 중비도배양에서만 보고가 되어 오염에 의한 결과로 보는 견해가 있기 때문이다. 그러나 *S. aureus*는 안와 및 두개합병증에서는 주된 원인균으로 작용할 수 있다.

폐렴구균백신의 도입 후 1988년과 2007년 사이에 급성 중이염의 유병률이 급속하게 감소한 것과는 달리 급성 비부비동염의 유병률은 뚜렷한 감소를 보이지 못하였다. 그러나 폐렴구균백신의 도입은 급성 비부비동염에서 균주의 변화를 초래하였고, 그 영향으로 인하여 *S. pneumonia*는 감소하였고, *H. influenza*, *S. pyrogenes* 및 *S. aureus*는 증가하였으며, *M. catarrhalis*는 변화가 없었다. 또한 점차적으로 *S. pneumonia*와 *H. influenza*에서 amoxicillin에 대한 저항성이 증가하고 있는 추세이다.

소아 만성 비부비동염에서 세균의 역할은 1) 균농도가 적고, 2) 결과가 일정하게 보고되지 않으며, 3) 대부분 전신마취하에서 수술을 할 때 균검사를 시행하고, 4) 균검사 전에 항생제를 복용한 경우가 많다는 등의 이유로 결론을 내리기 어렵다. 1991년 Muntz 등이 105명의 소아 만성 부비동염 환자에서 내시경수술 도중 사골포에서 균검사를 시행하였는데, alpha hemolytic *streptococci*, *S. aureus*, *S. pneumonia*, *H. influenze*, *M. catarrhalis* 등의 순서로 검출되었다. 1981년 Brook 등은 37명의 만성 비부비동염 환자에서 수술 도중 균배양검사를 시행한 결과 대부분의 경우 혐기균을 관찰하였고, anaerobic gram-negative cocci, *bacteroides*, *fusobacteria* 등의 순서로 보고하였다. 따라서 소아 만성 비부비동염에서는 급성 비부비동염과는 달리 명확한 세균감염의 정보가 아직 부족한 상태로 생각되며, 급성에 비하여 혐기균과 *S. aureus*가 좀 더 관여한다고 볼 수 있다.

인체에서 대부분(99%)의 세균은 생물막(biofilm)으로 존재하며, 이 생물막은 세균의 저장소 역할을 하고, 세균의 전파 및 항생제 저항성에도 관여한다. 성인 만성 비부비동염에서 생물막의 역할이 점차적으로 밝혀지고 있으나, 소아 만성 비부비동염에서 생물막에 대한 연구는 아직 부족한 상태이다.

최근 세균총(microbiome)에 대한 개념이 도입되면서 급만성 비부비동염 환자에서 배양된 세균들이 실제로 원인 균주로 보기는 힘들다는 새로운 의견이 제시되었다. 총 세균의 정보를 알 수 있는 메타게놈분석(metagenomics)을 해보면 위 균주들은 정상인과 환자군에서 모두 나타나고, 다만 세균들의 다양성(diversity)의 변화가 보이고, 미생물군의 평형상태가 깨지는 dysbiosis 개념으로 이해를 하고 있다. 따라서 급만성 비부비동염에서 광범위항생제를 장기적으로 사용하게 되면 이왕에 발생한 dysbiosis가 불가역적으로 진행되어 완치되기 어려울 수 있다.

세균의 저항성이 증가한다는 이유로 광범위항생제의 처방이 증가하게 되고, 이것은 도리어 세균저항성의 증가로 이어져 악순환의 고리를 만들 수 있다. 그리고 세균저항성은 고정된 것이 아니라 시간에 따라 다이나믹하게 변하기 때문에 이전 RCT연구에서 효능이 입증된 항생제라 할지라도 환자에 따라서 달라질 수 있다.

8. 비부비동염에서 성인과 소아의 차이점

소아 비부비동염은 성인 비부비동염의 축소판이 아니며, 해부학적, 조직학적, 면역학적으로 다르다는 것을 이해해야 하고, 환경과 동반질환에 있어서 소아의 특수성이 있음을 알아야 한다.

소아는 성인에 비하여 면역이 아직 미성숙되어 있다. Neutrophil과 complement는 조기에 성숙이 되는 반면, monocyte, dendritic cell과 memory B cell의 성숙에는 오랜 시간이 소요된다. 결과적으로 소아는 잦은 감기에 이환되어 항생제 오용의 위험에 처할 수 있다. 출생 후 신체의 각 장기에 bacterial colonization이 안정적으로 되어야 면역이 잘 발달할 수 있는데, 지나친 위생관리와 항생제 과다처방은 이러한 과정에 지장을 초래할 수 있다. 또한 외부에서 들어오는 흡입성 항원에 대한 감작이 매우 빠르게 진행하면서 소아에서 점차 알레르기비염이 발생하는데, 감기/부비동염과 혼동되어 잘못된 치료로 이어질 수 있다.

아데노이드는 빠르게 성장하여 3-4세에 정점에 도달한 후 점차 크기가 감소한다. 소아에서 급성 비부비동염은 아데노이드염(adenoiditis)과 동반하는 경우가 많고, 또한 증상이 유사하여 감별하기 쉽지 않다. 아데노이드는 세균의 저장소(bacterial reservoir)로 작용하고, 생물막(biofilm)을 형성하여 비부비동염을 심하게 혹은 자주 재발하게 하는 원인으로 작용한다. 따라서 아데노이드 수술은 12세

이하 소아 만성 비부비동염에서 중요한 치료방법의 하나이다.

소아에서는 비부비동염의 증상이 뚜렷하지 않거나 비특이적인 경우가 많다. 유아는 짜증이나 피로가 쉽게 오고 섭식장애로 나타날 수 있고, 어린 소아는 구토, 기침, 코골이나 수면장애를 보일 수 있으며, 나이가 든 소아는 피로감, 학교생활 부적응, 주의집중장애 등으로 나타날 수 있다. 소아에서는 후각장애를 잘 호소하지 않기 때문에 만성 비부동염의 진단기준에서 후각은 고려하지 않고, 대신 기침이 포함되어 있다. 또한 소아에서는 질병의 시작과 끝을 알기 어려워 급성 재발성 비부비동염과 만성 비부비동염의 감별이 어렵다. 임상증상에서 소아 비부비동염에서는 화농성 비루와 기침이 흔하고, 성인 비부비동염에서는 두통과 후각감퇴가 더 흔하다. 소아에서는 어릴수록 내시경 검사를 시행하기 어려운 경우가 많아 보호자 진술에 의한 병력과 증상만으로 진단을 내려야 하는 상황에 자주 마주하게 된다.

소아에서는 전두동과 접형동의 발달이 늦어 비부비동염에 거의 이환되지 않으며, 수술적 치료가 필요할 경우에도 이 부위에 대한 수술은 거의 필요치 않다. 소아 만성 비부비동염의 조직에서는 성인과 비교하여 림프구와 중성구가 흔하며, 상피손상, 기저막 비후와 호산구 침윤은 상대적으로 적게 관찰된다. 또한 소아 만성 비부비동염에서는 조직 내 염증세포침윤이 심한 데 비하여 성인에서는 점막의 부종과 분비선의 비대를 동반한 용종성 변화가 주로 관찰되어 서로 다른 면역학적 기전이 있을 것으로 생각된다.

9. 소아 부비동염의 진단

성인과 마찬가지로 소아에서 급성과 만성 비부비동염의 구분은 유병기간에 의한다. 12주 이내인 경우 급성 비부비동염, 12주 이상 지속하는 경우를 만성 비부비동염으로 진단한다. 소아 급성 비부비동염을 진단하기 위하여는 증상기준을 만족해야 하고, 비강과 구강검사 등 신체진찰이 도움이 된다. 소아 만성 비부비동염을 진단하기 위하여는 증상

기준을 만족해야 하고, 내시경 검사 혹은 CT검사에서 이상소견이 있어야 한다. 소아 비부비동염에서 CT촬영은 주로 합병증이 의심되는 경우와 수술적응증을 보기 위함이며, 충분한 기간 동안 약물치료를 한 후 촬영하는 것이 원칙이다. 단순 X-ray는 부비동의 상태를 잘 반영하지 못하며, 일반적으로 세균검사는 추천되지 않는다.

1) 증상과 병력청취

소아 급성 비부비동염은 코막힘/화농성 비루/기침 중에서 2가지 이상의 증상이 갑자기 발생하여 12주 이내에 완치되는 경우로 정의된다. 그러나 소아에서 급성 비부비동염의 진단이 쉽지 않은데, 그 이유는 소아에서는 상기도감염과 알레르기비염이 매우 흔한 질환이면서 비부비동염과 비슷한 증상을 보이기 때문이다. 또한 소아에서는 증상이 모호한 경우가 많고, 소아로부터 직접적인 병력을 청취하는 것이 어렵기 때문에 보호자의 관찰에 의한 간접적인 병력을 얻어야 하는 제한이 있다. 코막힘이 가장 흔한 증상이며, 이로 인하여 구호흡을 하게 되고 수면장애를 초래할 수 있다. 소아 비부비동염에서 전비루보다는 후비루(postnasal drip)가 흔하며, 이는 잦은 기침과 목청소(throat clearing)로 나타날 수 있다. 화농성 비루는 구취를 유발하며, 이것

이 병원을 찾게 되는 주소로 작용하기도 한다.

EPOS 2020에서는 증상과 기간을 기준으로 대개 10일 이내인 경우를 바이러스성(viral), 5일 이후에 증상이 심해지거나 10일 이상 지속하는 경우 바이러스 후(post-viral)로 진단하며, 2차 감염을 시사하는 증상인 (1) 화농성 비루, (2) 국소통증, (3) 발열(38℃ 이상), (4) ESR/CRP 상승, (5) 이중악화(double sickening) 중에서 3가지 이상을 만족하는 경우 세균성(bacterial)으로 진단한다.

AAP 2013에서 급성 세균성 비부비동염(ABRS)은 급성 바이러스성 비부비동염에서 세균의 2차 감염으로 발생하는 것으로 설명하고, (1) 처음부터 증상이 매우 심한 경우(severe onset, 3일 이상 지속하는 39℃ 이상의 발열과 화농성 비루), (2) 처음에 호전되다가 콧물, 기침, 발열이 갑자기 심해지거나 새로 생기는 경우(worsening course), 그리고 (3) 콧물과 기침이 10일 이상 지속하는 경우(persistent illness)가 여기에 해당한다. 즉, 일반적인 자연경과에서 벗어나는 위 3가지 임상경로를 취하는 경우 급성 세균성 비부비동염으로 진단한다(그림 25-1).

소아 만성 비부비동염은 코막힘/비루/안면통/기침 중에서 2가지 이상의 증상이 호전되지 않고 12주 이상 지속하는 경우로 정의된다. 성인과 마찬가지로 비용종 동반 유

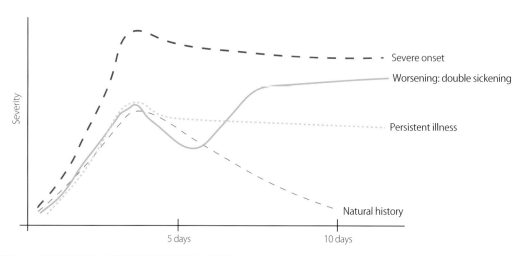

그림 25-1. **소아 급성 세균성 비부비동염의 특징적 임상경과**

무에 '비용종을 동반한 만성 비부비동염(chronic rhinosinusitis with nasal polyps)'으로, 그렇지 않은 경우 '비용종을 동반하지 않는 만성 비부비동염(chronic rhinosinusitis without nasal polyps)'으로 구분한다.

소아에서는 정확한 병력청취가 쉽지 않기 때문에 재발성 급성 비부비동염과 만성 비부비동염을 구분하여 어려운 경우가 많으며, 또한 감기로 인한 만성 비부비동염의 급성 악화(acute exacerbation)로 내원하는 경우가 많다.

2) 신체검사

소아 급성 비부비동염의 진단에 비강검사와 구강검사가 도움이 되고, 소아 만성 비부비동염을 진단하기 위하여는 내시경검사가 필수적이다. 그러나 소아에서는 신체검사에 잘 협조하지 않는 경우가 많아 어려움이 있기 때문에 보호자의 협조하에 잘 달래가면서 시행하는 것이 좋다. 우선 전비경검사(anterior rhinoscopy)를 통해 하비갑개와 중비도의 점막상태를 살피고, 화농성 분비물이나 비용종이 있는지 관찰하며, 국소용 점막수축제를 사용하면 좋은 시야를 확보할 수 있다. 비내시경검사(nasal endoscopy)는 중비도, 아데노이드, 인후두의 상태를 아는 데 많은 도움이 되기 때문에 순응하는 경우에는 적극적으로 시행할 필요가 있다. 구강검사를 통해 화농성 후비루, 후인두벽 점막의 변화 및 편도비대 등을 관찰할 수 있다. 소아에서 비강의 관찰은 나이가 어릴수록 전비경보다는 이경(otoscope)이 편리하고, 강직형(rigid) 내시경보다는 굴곡형(flexible) 내시경이 사용하기 좋다.

소아에는 성인과 달리 비용종(nasal polyp)이 있는 경우가 흔하지 않기 때문에 이럴 경우 낭성섬유증이나 알레르기 진균성 비부비동염을 감별해야 한다. 소아에서는 비용종보다는 상악동후비공비용(antrochoanal polyp)인 경우가 더욱 흔하며 대개 일측성이다.

3) 방사선검사

소아 비부비동염의 진단은 증상과 신체검사로 이루어지기 때문에 일반적으로 방사선학적 검사는 필요하지 않다. 소아 급만성 비부비동염에서 X-ray는 진단적 가치가 낮고

(low specificity), 부비동의 병변을 정확하게 반영하지 못하며, 또한 CT소견과 비교하였을 때 낮은 연관성을 보이기 때문에 일반적으로 추천되지 않는다. 시행하는 경우엔 첫 내원 시에 촬영하고, 치료 경과에 따른 재검을 하기도 한다. X-ray는 아데노이드비대증과의 감별을 하기 위해서는 많은 도움이 된다. 이렇게 X-ray가 가지는 한계에도 불구하고, 소아에서 병력청취와 신체진찰이 어렵다는 제한점으로 인하여 대개 임상에서 7일 이상 지속하는 화농성 비루가 있으면서 Water촬영에서 비정상적 음영이 관찰되는 경우 급성 비부비동염으로 진단하는 경우가 많다. 그러나 단순방사선촬영과 CT는 바이러스성과 세균성 비부비동염의 감별에 도움이 되지 못한다.

소아 급성 비부비동염에서 일반적으로 CT촬영은 필요치 않은데, 그 이유는 감기환자의 80% 이상에서 CT에 이상 소견이 관찰되기 때문이다. 그러나 소아 비부비동염에서 부비동영상에 대한 정보가 필요할 경우에는 CT가 가장 추천되며, 적응증으로는 적절한 치료에도 불구하고 10일 이상 지속하는 경우와 합병증(안와와 두뇌)을 동반하는 경우이다. CT를 촬영하는 가장 중요한 목적은 병변의 위치와 범위를 확인하고자 하는 데 있다. 안와 및 뇌합병증이 의심되는 경우에는 MRI 촬영이 필요하다. 합병증이 의심되는 경우에는 반드시 조영제 증강을 해야 한다.

소아 만성 비부비동염에서도 CT촬영은 일반적으로 시행하지 않으며, 적응증으로는 최대 약물치료(maximal medical therapy)에도 불구하고 낫지 않은 경우, 해부학적 이상으로 동반한 경우와 수술적 치료가 고려되는 경우이다. 소아 만성 비부비동염에서 CT촬영은 최소 3-4주 이상 충분한 기간 동안 항생제를 포함한 약물치료를 시행한 후에 시행할 것을 추천하는데, 그 이유는 비가역적인 점막변화의 정도를 가늠하고, 수술적 적응증을 보기 위함이다. 소아에서는 만성 비부비동염이 없더라도 다른 이유로 CT촬영을 했을 때 빈번하게 부비동 이상이 관찰되고, 감기로도 부비동 음영이 증가할 수 있기 때문에 만성 부비동염을 진단하기 위해서는 5점 이상(cutoff)의 Lund-Mackay 점수를 보일 때 진단적 가치가 있다. 따라서 소아 만성 비부비동염에서 경도의 점막변화(minimal mucosal change)는 수술

적 적응증이 되지 못한다.

소아에서 알레르기 진균성 비부비동염(allergic fungal rhinosinusitis)은 주위로 확장하는 양상의 비용종을 동반하며, CT 혹은 MRI에서 특징적인 소견을 보인다. CT에서는 진득한 알레르기 뮤신(allergic mucin)과 석회화로 인하여 'starry sky' 소견이 관찰된다. MRI에서는 T1에서 저강도 신호(low signal)와 T2에서 중심신호소실(central signal void) 및 주변점막의 고강도 신호(high signal)를 보인다. 낭성섬유증 환자의 CT에서는 부비동의 전체적인 혼탁소견(pan-opacification)과 비강의 외벽이 중심으로 밀려있는 소견이 관찰된다.

4) 세균검사

소아 급성과 만성 비부비동염에서 세균검사는 일상적으로 시행하지는 않으며, 세균에 대한 정보없이 경험적으로 광범위 항생제를 처방한다. 일반적으로 콧물의 색깔이나 점도는 바이러스성과 세균성 감염을 구분하는 지표로 사용되지 못하고, 감기에서 지속되는 화농성 비루는 항생제 사용으로 이득이 없다.

소아 급성 비부비동염에서 세균검사의 적응증은 약물치료 후 48-72시간 내에 증상호전이 없는 경우, 면역이 저하된 경우, 합병증을 동반한 경우, 그리고 증상이 매우 심한 경우이다. 이때 상악동천자(maxillary sinus tap)가 가장 정확하고 좋은 방법으로 알려져 있지만, 침습적이며 소아에서는 시행하기 힘들기 때문에 내시경 유도하에 중비도 배양(middle meatal culture)을 할 수 있다. 하지만 성인과 달리 아직까지 소아 급성 부비동염에서의 이 방법의 유용성에 대한 증거가 부족하다. 비인강배양(nasopharyngeal culture)은 검사의 부정확성으로 추천되지 않는다. 상악동 천자는 사골동, 전두동과 접형동의 세균을 반영하지 못하며, 중비도배양은 접형동의 세균의 반영하지 못한다. 이와 같이 소아 급성 비부비동염에서 세균정보가 부족하기 때문에 지역사회의 항생제 내성률은 대개 급성중이염(acute otitis media)에서 보고된 결과를 따르게 된다.

소아 만성 비부비동염에서 세균검사는 약물치료에 호전이 없을 때 항생제 선택에 도움을 얻기 위해 시행한다. 소아 만성 비부비동염에서 세균검사는 대부분 전신마취하에 중비도와 상악동 천자를 비교한 결과를 보고하고 있는데, 일반적으로 성인과 비교하여 중비도 세균검사의 정확성이 떨어진다고 한다. 따라서 소아에서 전신마취 수술을 시행하는 경우에는 상악동 천자를 통해 세균검사를 시행하고, 동시에 상악동 세척을 해 주는 것이 도움이 된다.

5) 그 외의 검사

알레르기비염 혹은 천식의 동반이 의심되는 경우에는 이를 진단하기 위한 검사, 즉 피부단자검사(skin prick test), 혈액검사(Unicap, MAST), 폐기능검사(pulmonary function test) 등을 시행한다. 또한 재발성 혹은 난치성 비부비동염의 경우 면역기능의 이상과 세균감염에 대한 검사가 필요하다. 위식도역류가 의심되는 경우에는 24시간 pH 모니터링 검사를 할 수 있다. 낭성섬유증이 의심되는 경우에는 sweat chloride test를 시행하고, 섬모운동이상이 의심되는 경우에는 사카린 검사, 호기 산화질소(nitric oxide) 측정 및 점막조직검사(전자현미경)를 시행할 수 있다.

10. 소아 비부비동염에서 바이러스감염과 세균감염의 감별

소아 비부비동염에서 바이러스감염과 세균감염을 명확하게 구별하는 것은 어렵다. 세균감염에 대해 가장 정확한 방법은 상악동천자인데, 일반적으로 시행하기 어려워 대부분의 가이드라인에서 추천하지 않고 있으며, 대신 중비도 천자를 할 수 있지만 소아에서는 아직 증거가 부족하다. 콧물의 성상, 단순방사선촬영, CT 촬영 또한 감별점이 되지 못한다.

따라서 대부분의 가이드라인에서는 증상기준으로 심한 증상형/중간악화형/지속형을 세균감염을 나타내는 지표로 사용하는데, 이것은 rhinovisus 감염 후의 자연경과를 벗어나는 이상 경로로서 이해하고 있다. 비부비동염의 기간, 심한 정도 및 임상경과를 기준으로 한 현재의 급성 세균성 비부비동염에 대한 진단은 대부분의 가이드라인에서 공히 추천하고 있다. 이에 대한 증거로서 소아 지속형과 심한 증상형에서 시행한 상악동천자의 77%에서 고농동의 세균이 검출되었음이 보고되었다. 또한 위와 같은 3가지 증상기준에 합당한 소아 급성 비부비동염에서 항생제를 사용한 경우 위약에 비하여 치료효과가 뛰어남이 보고되었다.

11. 소아 비부비동염의 치료

1) 치료원칙

소아 급성 비부비동염은 대부분 바이러스성 질환이며 자연관해가 가능한 질환이다. 급성 비부비동염의 자연관해율은 균주에 따라 다른데, *S pneumonia*는 15%, *H. influenza*

는 50%, 그리고 *M. catarrhais*는 50-70% 정도로 알려져 있다. 항생제를 사용하면 빠르게 호전되고 완치율이 증가하는 반면, 약제부작용과 세균저항성을 주의해야 한다. 따라서 원칙적으로 급성 세균성 비부비동염(ABRS)을 잘 감별하여 항생제를 사용하는 것이 중요하지만, 현실적으로 바이러스감염과 세균감염을 명확하게 감별하는 것이 쉽지 않다. 소아 급성 비부비동염에서 치료 알고리듬은 그림 25-2와 같이 정리해 볼 수 있다.

소아 만성 비부비동염에서도 약물치료가 일차적인 치료법이다. 약물에 반응하지 않는 경우 아데노이드절제술과 내시경수술 등을 단계별로 시행할 수 있다. 소아 만성 비부비동염에서 치료 알고리듬은 그림 25-3과 같이 정리해 볼 수 있다.

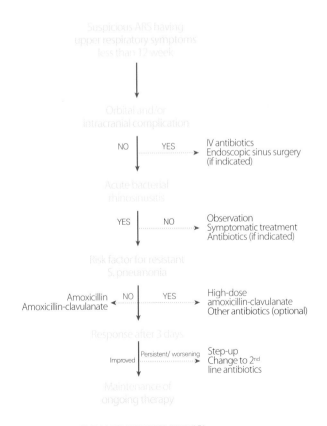

그림 25-2. 소아 급성 비부비동염의 치료계획

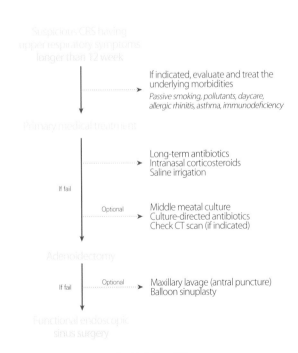

그림 25-3. 소아 만성 비부비동염의 치료계획

2) 약물치료

(1) 항생제

항생제는 급성 비부비동염의 치료에 가장 많이 처방되는 약제이고, 급성 세균성 비부비동염(ABRS)이 의심되는 경우 항생제가 도움이 된다. AAP 2013에서는 초기 심한 형(severe onset)과 중간 악화형(worsening course)인 경우 항생제를 처방하고, 10일 이상 지속형(persistent)인 경우 항생제를 처방하거나 3일간 관찰을 권유한다. EPOS 2020에서는 viral ARS와 post-viral ARS에서 항생제를 추천하지 않는다. ABRS에서 항생제는 증상개선에 효과가 있으나 그 정도가 제한적일 수 있다고 하여 향후 추가연구가 필요하다. 소아에서 시행된 3건의 무작위대조군연구(randomized controlled trials, 376명)를 메타분석한 2008년 보고에 의하면 10일 이상 증상이 있는 급성 비부비동염에서 위약에 비교하여 항생제를 처방한 경우 7-15일 이내에 완치률이 의미 있게 증가하였고, 증상호전의 속도를 빠르게 하였다고 하였다. 2009년에 보고된 무작위대조군연구에서도 급성 세균성 비부비동염이 의심되는 환아에서 위약에 비하여 amoxicillin (90 mg/kg)-potsssium clavulanate (6.4 mg/kg)을 2주간 처방한 경우 완치율이 의미있게 증가하였다고 하였다. 2008년에 보고된 무작위대조군연구에서 급성 비부비동염을 가진 소아에서 cephalosporin (8-12 mg/kg)과 amoxicillin/clavulnate (80-90 mg/kg amoxicillin)를 무작위로 2주간 처방했을 때, 두 약제 간에 치료효과의 차이는 없었다고 하였다. 대부분의 연구에서 위약에 비하여 항생제를 처방하였을 때 설사를 포함한 부작용이 증가하였고, 약제저항성이 증가할 수 있다고 보고하였다.

합병증을 동반하지 않은 급성 비부비동염에서는 대증적 치료로 충분하고, 2세 이상의 소아인 경우와 증상이 심하지 않은 경우에는 관찰하는 것도 좋은 전략이다. 그러나 세균감염이 의심되는 경우에는 증상 호전의 속도를 빠르게 하고, 완치율을 높일 수 있어 항생제 처방의 근거가 된다. 특히 합병증을 동반한 경우나 천식과 같은 전신질환을 동반한 경우에는 항생제 처방이 필요하다. 소아 급성 비부비동염에서 항생제를 처방할 경우 항생제 사용으로 인한 이득과 저항성의 증가라는 위험을 잘 고려해서 결정해야 하며, 이에 대하여 보호자에서 충분히 설명해야 한다. 소아 급성 세균성 비부비동염에서 항생제 사용으로 인한 이득으로는 ① 빠른 완치, ② 부비동의 무균화, ③ 만성 비부비동염으로 이행되는 것의 차단 등이 있다. 그러나 항생제의 사용으로 화농성 합병증의 발생을 줄일 수 없으므로 이런 목적으로 항생제를 처방하는 것은 추천되지 않는다.

급성 비부비동염에서 항생제의 선택은 원인균주와 균주의 저항성에 대한 지식을 요하는데, 아직 이에 대한 정보가 부족하고 임상적으로 세균배양검사를 잘 시행하지 않기 때문에 쉽지 않은 문제이다. 소아 비부비동염에서 추천되는 1차 항생제는 amoxicillin 혹은 amoxicillin/calvulanate이다. 아래와 같이 5가지의 저항성 *S. pneumonia*에 대한 위험인자가 알려져 있어 항생제 선택에 도움을 주고 있다. 즉, ① 저항균이 10% 이상인 만연지역에 거주, ② 2세 미만, ③ 증상이 심한 경우(39°C 이상의 고열, 화농성 합병증), ④ 보육원에 다니는 경우, ⑤ 최근 4주 이내에 항생제 처방을 받은 경우이다. 이러한 위험인자가 없는 경우에는 통상적인 용량의 amoxicillin (45 mg/kg, 하루 2회)이 추천되고, 위험인자가 있는 경우에는 고용량의 amoxicillin/clavulanate (80-90 mg/kg/6.4 mg/kg, 하루 2회)가 추천된다. Calvulate는 β-lactamase를 생성하는 *H. influenza*와 *M. catarrhalis*를 억제하는 데 효과가 있는 반면, 설사 등 부작용의 원인으로 작용할 수 있다. 최근 amoxicillin 저항성이 증가하고 있는 추세이며, 한 보고에 의하면 *H. influenza*의 50%, *M. catarrhalis*의 90% 이상에서 β-lactamase 저항성을 보인다고 하였다. 한 지역의 저항성 폐렴구균의 분포는 시간에 따라 그리고 PCV13 백신의 보급률에 따라서 달라질 수 있다. 참고로 기존에 사용하던 PCV7 이후 저항성을 보이는 폐렴구균 14와 19A혈정형이 승가하는 결과를 초래하였고, 2010년 이후에 보급된 PCV13은 이러한 아형을 모두 포함하기 때문에 저항성 폐렴구균을 크게 억제할 수 있다.

1차 항생제에 알레르기가 있는 경우에는 2-3세대 cephalosporin, trimethoprim/sulfamethoxazole, azithromycin, clarithromycin 등을 선택할 수 있는데, 위 약제 모두 폐렴구균 저항성이 있는 경우가 많아 최근에는 추천되지 않는다. 소아에서는 3세대 cephalosporin (cefixime, cef-podoxime)과 clindamycin의 병용투여가 추천된다.

소아 급성 세균성 비부비동염에서 항생제를 사용하는 기간에 대하여는 아직 잘 알려져 있지 않다. 그러나 10-14일간 처방하는 경우가 많으며, 증상이 완전히 호전된 후 7일간 더 유지하는 것이 추천된다. 약물투여 후 3일에 증상에 변화가 없는지(failure to improve) 혹은 증상악화가 생기는지(worsening) 등을 잘 관찰해야 한다. 그 이유는 항생제 치료에 따른 부비동의 세균박멸에 대한 연구에서 96%에서 3일 이내에 세균이 사멸됨을 보고하였고, 이것이 증상개선과 좋은 연관성을 보이기 때문에 3일 후 판정이 중요하다. 치료 실패의 원인으로 세균의 저항성 외에 부적절한 약용량, 해부학적 문제, 알레르기 등 다른 원인에 대하여도 살펴보아야 한다.

진단 후 초기 치료전략은 환자마다 다를 수 있고, 3일 후 재검을 해서 그 판정결과에 따라 치료방침을 변경할 수 있다. 초기에 관찰을 했는데 3일째 증상이 악화된 경우에는 amoxicillin 혹은 amoxicillin/clavulanate를 투여하고, 증상 호전이 없는 경우에는 좀 더 지켜보거나 앞의 약제를 투여할 수 있다. 초기에 통상적인 용량의 amoxicillin을 투여했는데 3일째 증상이 악화된 경우에는 고용량의 amoxicillin/clavulanate를 투여하고, 증상호전이 없는 경우에는 좀 더 지켜보거나 앞의 약제를 처방할 수 있다. 초기에 고용량의 amoxicillin/calvulanate를 투여했는데 3일째 증상이 악화된 경우에는 clindamycin과 cefixime 병용투여, linezolid와 cefixime 병용투여, 혹은 levofloxacin 중에서 선택할 수 있고, 증상호전이 없는 경우에는 동일 약제를 쓰면서 좀 더 지켜보거나 앞의 약제를 처방할 수 있다. 참고로 levofloxacin과 같은 fluoroquinolone 계열의 약제는 건초염(tendonitis)과 같은 심한 합병증으로 소아에서 FDA 승인을 받지 못하였다.

일반적으로 2차 약제를 선택해야 하는 경우에는 좀 더 광범위한 약제 혹은 다른 계열의 약제가 추천된다. 세균의 저항성과 항생제와의 관계는 여러 가지 딜레마를 유발할 수 있다. 즉, ① 세균의 저항성으로 광범위한 항생제를 처방하게 되는데 이것이 오히려 세균의 저항성을 더욱 조장

할 수 있고, ② 대부분의 항생제 처방이 정확한 세균정보 없이 경험적으로 이루어지고 있어 결과적으로 부적절한 항생제의 선택이 될 수 있으며, ③ 세균의 항생제에 대한 감수성은 시간에 따라 변할 수 있는 다이나믹한 것이어서 이전 연구결과가 현재에도 반드시 올바르다고 볼 수 없는 경우가 있다는 점 등을 들 수 있다.

소아 만성 비부비동염에서 항생제의 효능은 확실하지 않다(EPOS 2020). 그 이유로 만성 비부비동염의 병인이 아직 확실하게 밝혀져 있지 못하고, 다양한 병인론이 제시되며, 또한 만성 비부비동염일수록 단순한 감염(infection)보다는 만성적인 염증(inflammation)이 관여하는 것으로 생각된다. 그럼에도 불구하고 소아 만성 비부비동염에서 항생제를 처방하는 경우가 많고, 아직까지는 약물치료의 근간을 이루고 있다. 2005년 Sobol 등이 미국 소아 이비인후과 의사를 대상으로 시행한 설문조사에 의하면 소아 만성 비부비동염에서 항생제는 95%, 분무용 스테로이드는 90%, 생리식염수 스프레이는 68%에서 처방하고 있음을 보고하였다.

International consensus 2016에서 소아 만성 비부비동염에 대한 항생제로 amoxicillin/clavulanate, 2세대 cephalosporin (cefuroxime)과 3세대 cephalosporin (cefdinir, cefixime)을 추천하였다. Penicillin 알레르기가 있는 경우 cephalosporin을 쓸 수 있고, 여기에도 알레르기기가 있는 경우에는 macrolide나 clindamycin을 쓸 수 있다고 하였다. 항생제 사용기간은 3-12주간으로 급성에 비하여 장기간 투여하며, 단기간 투여는 부족한 치료로 이어질 수 있다. 경구용 항생제로 잘 조절이 되지 않는 경우 정맥용 항생제를 고려해 볼 수 있지만, 아직까지 그 효능에 대한 증거가 부족하다. 잘 낫지 않는 만성 비부비동염에서 장기간-저용량 macrolide를 써 볼 수 있으나, 역시 소아에서는 아직 증거가 부족하다. 그 외에 분무용 국소 항생제 혹은 항진균제는 소아에서 증명되지 않았고, 추천되지 않는다.

(2) 분무용 스테로이드

1997년 Barlan 등은 amoxicillin/clavulanate를 처방받는 소아 급성 비부비동염 환자에서 위약과 budesonide를 무작위

처방하였을 때, 위약군에 비하여 분무용 스테로이드를 처방한 군에서 의미있게 기침과 비루가 감소하였다고 보고하였다. 그러나 AAP 2013에서 급성 비부비동염에서 분무용 스테로이드는 효과가 없다고 하였고, EPOS 2020에서도 소아 감기와 post-viral ARS에서 추천하지 않는다.

2005년 Meltzer 등이 시행한 무작위대조군연구에 의하면 12세 이상의 급성 비부비동염 환자에서 위약과 amoxicillin을 투여한 군과 비교하여 monentasone 200 mg 하루 2회 분무를 시행한 경우 더 뛰어난 증상개선 효과가 있었다고 보고하였다. 따라서 12세 이상의 소아에서 고용량 분무용 스테로이드 단독사용이 효과가 있을 가능성이 있지만 더 어린 연령에 대한 연구는 전무하고, 소아 급성 비부비동염에서 분무용 스테로이드의 단독사용의 효과에 대한 추가 연구가 필요하다.

소아 만성 비부비동염에서 분무용 스테로이드에 대한 무작위대조군연구가 별로 없으나, 성인 만성 비부비동염에서 효과가 입증되었고, 소아 알레르기비염에서 효과가 인정되고 있어 소아 만성 비부비동염에서도 추천된다. 소아 만성 비부비동염의 병인이 감염보다는 염증으로 이해되고 있어 분무용 스테로이드의 처방은 지지를 받고 있다. 특히 알레르기비염을 동반한 만성 비부비동염에서 분무용 스테로이드 사용은 필수적이다.

(3) 경구용 스테로이드

소아 만성 비부비동염에서 항생제와 함께 경구용 스테로이드를 사용한 경우 증상개선에 도움이 된다는 보고가 있고, 필요한 경우 단기간 사용해야 하며, 전신 부작용에 주의해야 한다.

(4) 생리식염수 세척

AAP 2013과 Cochrane 2014는 소아 급성 비부비동염에서 생리식염수 세척(saline irrigation)은 증거가 없다고 했으나, EPOS 2020에서는 소아 감기의 증상개선에 효과가 있다고 하여 향후 추가연구가 필요하다.

소아 만성 비부비동염에서 생리식염수 세척에 대한 연구가 많지 않으나, 최근 발표된 Clinical consensus 2014,

International consensus 2016과 EPOS 2020에서 모두 소아에서 매우 안전하므로 생리식염수 세척의 사용을 추천하였다. 따라서 소아 만성 비부비동염의 주된 약물치료는 생리식염수 세척과 분무용 스테로이드의 사용이다.

(5) 부가적 치료

소아 급성 비부비동염에서 시행한 많은 연구에서 국소 및 전신용 점막수축제, 항히스타민제와 거담제 등은 치료효과를 입증하지 못하였다. 항히스타민제는 알레르기비염이 동반된 경우에는 처방할 수 있으나, 알레르기비염을 동반하지 않은 비부비동염에서 처방하였을 때 점액의 점도가 증가하게 되어 추천되지 않는다.

Antihistamine-decongestant-analgesic 복합제는 나이 든 소아에서 감기에 효과가 있으나 어린 소아에서는 효과가 없다(EPOS 2020). Bacterial lysates (OM-85-BV)는 post-viral ARS에서 유병기간을 줄이는데 효과가 있다(EPOS 2020).

소아 만성 비부비동염에서 점막수축제, 항히스타민제와 항류코트리엔제는 아직까지 뚜렷한 증거가 없어 추천되지 않는다. 또한 생리식염수에 항생제(gentamycin)를 섞어서 사용하는 것도 추가적인 이득이 없다.

3) 수술적 치료

소아 급성 비부비동염은 대부분 자연적 호전을 보이거나 약물치료에 잘 반응을 하기 때문에 합병증을 동반한 경우를 제외하고는 수술적응증이 거의 없다. 소아 만성 비부비동염 또한 대부분 약물치료를 시행하지만 아래의 경우 선택적으로 수술적 치료를 시행할 수 있다.

(1) 아데노이드절제술(adenoidectomy)

약물치료에도 불구하고 낫지 않는 만성 비부비동염의 경우 수술적 치료를 고려해 볼 수 있다. 소아 만성 비부비동염에서 시행할 수 있는 1차적인 수술치료는 아데노이드절제술이고, 치료성공률은 50% 이상이다. Clinical consensus 2014에서 소아 만성 비부비동염에 대한 아데노이드절제술은 12세 이하에서 추천하고 있고, 13세 이상은 효과가 없다고 하였다. 또한 편도수술은 소아 만성 비부비동염에 영향을 미치지 못한다.

아데노이드절제술의 기전으로는 세균의 배지(reservoir)와 생물막(bilfilm)으로 작용을 하는 아데노이드를 제거하는 데 있다. 따라서 아데노이드절제술의 만성 비부비동염에 대한 치료효과는 아데노이드 크기와는 무관하며, 작은 크기의 아데노이드의 경우라도 절제술 시행 후 증상개선의 효과를 볼 수 있다. 이에 대한 근거로서 2006년 Zuliani 등은 만성 비부비동염을 동반하지 않은 경우에는 1.9%, 만성 비부비동염을 동반한 경우에는 94.9%에서 아데노이드의 생물막을 존재를 보고하였다. 그러나 아직까지 아데노이드의 생물막이 소아 비부비동염의 직접적인 원인으로 작용하는지에 대한 연구는 없는 상태이다. 또한 아데노이드 비대증과 만성 비부비동염의 유사한 증상으로 인하여 소아 만성 비부비동염에서 아데노이드절제술의 효과판정에 어려움이 있을 수 있다.

(2) 풍선카테터수술(balloon sinuplasty)

풍선카테터수술은 2006년 FDA 승인된 최신의 수술법이지만, 아직까지 소아 만성 비부비동염에서 증거가 부족하고, 소아에서 만성 비부비동염에서 추천하지 않는다(EPOS 2020). 풍선카테터수술을 시행할 때 상악동세척을 동시에 하기 때문에 풍선카테터수술의 효과를 정확하게 입증하기 어려운 점이 있다. 그리고 풍선카테터수술을 하면서 아데노이드수술을 같이 하는 경우, 술 후 정맥용 항생제를 사용하는 경우 등 다양한 임상경로가 있어 풍선카테터수술의 단독효과 및 부가적 효과를 판단하기 어렵다. 내시경수술과 비교하여 풍선카테터수술이 가지는 잇점으로는 점막보존에 더 유리하고, 술 후 가피형성과 염증의 발생이 적다는 것이다.

(3) 기능적 내시경수술(functional endoscoipic sinus sugery)

소아 만성 비부비동염에서 기능적 내시경수술의 성공률은 88% 정도로 보고되었고, 수술에 따른 합병증은 거의 없다. 소아 만성 비부비동염에서 내시경 수술은 반드시 아데노이드절제술 후 효과가 없을 때 고려해야 한다. 소아에서 수술은 반드시 비침습적으로 진행하고, 점막을 가능한 보존해야 한다. 특히 중비갑개를 덮고 있는 점막을 잘 보존해야 추후 유착이 발생하지 않는다. 내시경 수술은 주로 상악동(maxillary antorstomy)과 전사골동(anterior ethmoidectomy)이 침범되기 때문에 이 부분에 대한 제한적인 수술이 추천되고 있으며, 전두동, 후사골동과 접형동에 이르는 광범위 수술은 필요치 않은 경우가 많다. 특히 소아에서 전두동의 잘 발달하지 않는 경우가 많기 때문에 주의를 요한다. 과거에 1차 수술 후 청소와 재발여부를 보기 위하여 전신마취하에 2차 관찰시술(second look procedure)이 제기되기도 하였으나, 재발율을 낮추는 데 도움이 되지 않아 더 이상 추천되지 않는다. 내시경 수술 후 점막은 대개 8주 내에 정상으로 회복되며, 상악동 점막병변이 심한 경우에는 4개월까지 지연될 수 있다. 내시경수술은 소아에서 안면성장에 장애를 초래하지 않기 때문에 적응증에 해당하는 경우 안전하게 시행할 수 있다.

12. 맺음말

소아는 부비동의 크기가 작고 아직 미발달되어 있어서 감기 등으로 인한 점막부종에 의해 쉽게 폐쇄되어 비부비동염에 이환된다. 잦은 감기와 비부비동염으로 과도한 항생제를 복용하게 될 위험성이 있다. 출생 후 세균이 각 장기에 자리를 잘 잡아야 신체면역이 성숙되는데, 과도한 청결과 항생제 사용은 이 과정을 방해할 수 있고, Th2 반응의 원인으로 작용할 수 있다. 소아는 위생가설(hygiene hypothesis)이 결정적으로 적용되는 중요한 시기이며, 외부에서 들어오는 항원에 대한 감작(sensitization)이 급격하게 증가하는 시기이기도 하다. 소아는 성인과 달리 아데노이드가 발달하여 만성 비부비동염에 영향을 미친다. 또한 약물순응도와 환경 위험인자의 조절에 부모의 역할이 중요하다.

감기는 급성 비부비동염의 주요 원인인자, 만성 비부비동염의 악화인자로 작용하기 때문에 예방과 관리가 중요하다. 소아 비부비동염은 감기/알레르기비염/아데노이드비대증 등과 유사한 증상을 보여 감별하기가 쉽지 않다. 내시경검사와 같은 신체진찰이 용이하지 않은 경우가 많아서 진단은 주로 병력과 신체진찰로 이루어진다. 치료에 잘 반응하지 않는 경우 세균검사, 면역검사, 방사선검사 등을 적절하게 활용하여 원인을 찾는 것이 중요하다. 항생제에 대한 효과는 세균이 관여한다는 증거가 명확한 경우 즉, 급성 세균성 비부비동염과 만성 비부비동염의 급성악화에 효과가 좋고, 가능한 amoxicillin 계열의 narrow-spectrum 항생제를 사용하는 것이 소아의 microbiome의 회복에 유리하다. 반대로 cephalosporin과 같은 broad-spectrum 항생제를 장기간 투여하면 dysbiosis가 악화될 수 있다. 소아 만성 비부비동염에서 수술에 대한 효과는 좋고, 안면성장장애와 같은 부작용은 거의 없어 적응증을 잘 찾아서 시행하다면 좋은 효과를 볼 수 있을 것이다.

끝으로 최근 소아 비부비동염에 대한 가이드라인과 협의가 발표되었으나, 증거수준이 낮다. 아직까지 소아 비부비동염에서 약물치료와 수술치료에 대한 전향적인 연구 그리고 무작위대조군연구가 많이 부족한 상태이다. 따라서 향후 이 분야에 대한 활발한 연구가 필요하다.

■■■■ 참고문헌

• P.A. Clement, C.D. Bluestone, F. Gordts, R.P. Lusk, F.W. Otten, H. Goossens, et al. Management of rhinosinusitis in children: consensus meeting, Brussels, Belgium, September 13, 1996, Arch. Otolaryngol. Head Neck Surg 1998;124:31–34.

• American Academy of Pediatrics, Subcommittee on Management of Sinusitis and Committee on Quality Improvement. Clinical practice guideline: management of sinusitis. Pediatrics 2001;108:798–808.

• W. Fokkens, V. Lund, C. Bachert, P. Clement, P. Helllings, M. Holmstrom, et al. EAACI position paper on rhinosinusitis and nasal polyps executive summary. Allergy 2005;60:583–601.

• W.J. Fokkens, V..J. Lund, C. Hopkins, P.W. Hellings, R. Kern, S. Reitsma, et al. European Position Paper on Rhinosinusitis and Nasal Polyps 2020. Rhinology Suppl 2020;58:1-464.

• A.W. Chow, M.S. Benninger, I. Brook, J.L. Brozek, E.J. Goldstein, L.A. Hicks, et al. Infectious Diseases Society of America. IDSA clinical practice guideline for acute bacterial rhinosinusitis in children and adults. Clin Infect. Dis 2012;54:e72–e112.

• W.J. Fokkens, V.J. Lund, J. Mullol, C. Bachert, I. Alobid, F. Baroody, et al. European position paper on rhinosinusitis and nasal polyps. Rhinology Suppl 2012;23:1–298.

• Wald ER, Applegate KE, Bordley C, Darrow DH, Glode MP, Marcy SM, et al. Clinical practice guideline for the diagnosis and management of acute bacterial sinusitis in children aged 1 to 18 years. Pediatrics 2013;132:e262-80.

• Ygberg S, Nilsson A. The developing immune system - from foetus to toddler. Acta Paediatr. 2012 Feb;101(2):120-7.

• Orlandi RR, Kingdom TT, Hwang PH, Smith TL, Alt JA, Baroody FM, et al. International Consensus Statement on Allergy and Rhinology: Rhinosinusitis. Int Forum Allergy Rhinol. 2016 Feb;6 Suppl 1:S22-209.

Chapter 26

알레르기비염과
기타 면역기능장애

Allergic Rhinitis and Immunologic Dysfunction

김정훈, 김홍중

1. 알레르기비염

1) 개요

비염은 비폐색, 비루, 후비루, 재채기, 가려움의 증상을 특징으로 하는 상기도의 만성 염증성 질환이다. 비염은 코를 비롯해 눈, 귀, 목에도 증상을 나타내며 천식, 아토피 피부염, 음식 알레르기도 동반하는 경우 가 있으며 삶의 질 역시 영향을 받는다. 비염이 있는 소아는 피로감, 수면장애, 일상 활동의 회피, 생산성 저하 등을 호소하는데 이것 모두 학교를 결석하게 되는 원인이 되기도 한다.

2) 역학

알레르기비염은 약 40% 정도의 소아와 약 10-30%의 성인에서 나타나는 가장 흔한 아토피 질환으로 면역글로불린 E(IgE) 매개 과민성에 의해 이차적으로 발생하는 염증을 지칭한다. 많은 경우에서 집먼지진드기, 동물비듬, 설치류와 같은 실내 항원과 꽃가루나 곰팡이 포자 같은 실외 항원에 의해 유발된다. 미국에서 알레르기비염 환자수는 약 6천만 명 이상으로 보고되고 있으며 유병률은 증가하고 있다. 국내에서 23개 3차 병원 이비인후과 외래를 방문한 71,120명의 환자를 대상으로 한 조사에서 통년성 알레르기비염

의 유병률은 3.93%였다. 국내에서 진행된 또 다른 연구에서 초등학생과 중학생의 알레르기비염의 유병률은 각각 28.8%와 29.1%로 보고되었다.

알레르기 감작은 어린 연령에서 발생할 수 있고, 소아기 전반에 걸쳐 유병률은 증가하며 80%의 경우에서 20세 이전에 증상이 발현된다. 최근의 연구에 따르면 피부반응검사를 통해 확인된 알레르기 감작에 대한 비율은 2세 이전에서 26%이고, 10-12세 때 최고치를 보여 81%에 이른다. 저연령의 소아에서는 집먼지진드기, 알레르기비염의 위험인자 고양이, 개에 가장 많이 감작되고, 고연령의 소아에서는 나무와 집먼지진드기에 가장 많이 감작된다. 임상 증상

표 26-1. **알레르기비염의 위험인자**

아토피의 가족력
6세 이전에 혈청 IgE >100 IU/ml
알레르기에 대한 피부반응검사 양성
사회경제적 상위 계층
실내 동물과 집먼지진드기에 노출
모계 과다 흡연력

과 IgE 특이 항체가 있는 환자의 90% 이상에서는 알레르기 항원에 노출되면 바로 반응이 나타난다. 증상이 없는 환아는 시간이 지나면서 증상이 나타나게 된다. 알레르기비염에 대한 위험인자는 표 26-1에 나열되어 있다.

3) 병태생리

(1) 특이 IgE 생산

알레르기 항원에 임계치 이상으로 노출된 후 항원 제시세포(antigen presenting cell)는 형질세포(plasma cell)와 비만세포, 그리고 호산구 동원을 담당하는 IL-3, IL-4, IL-5, IL-13과 같은 2형 T 사이토카인을 분비하는 T 세포에 항원을 제시한다. 형질세포는 특이 IgE를 생성하며, 이 특이 IgE는 비만세포의 Fc 수용체와 결합한다(감작). IL-4는 IgE 생산과 2형 도움 T 세포의 발달에 중요한 자극원이며 IL-13과 IL-14 는 1형 도움 T 세포의 반응을 억제한다.

(2) 조기 반응

알레르기 항원에 노출된 후에는 조기 또는 즉각적인 반응(노출수분 이내 진행)과 후기 반응(4시간에서 6시간 후 발생)이 나타난다. 조기 반응은 비만세포 표면에 결합되어 있는 IgE와 알레르기 항원이 교차결합하면서 나타난다. 이로 인하여 비만세포가 활성화되고 전달물질의 탈과립화가 진행되어 수양성 비루, 가려움, 코막힘, 재채기 등의 증상이 나타나며 이러한 알레르기 조기 반응에 관여하는 세포는 비만세포와 호염구이다.

활성화된 비만세포는 히스타민, tryptase, chymase, 헤파린, 황산콘드로이틴 등 미리 생성된 전달 물질을 분비한다. 이 전달물질들은 혈관 확장, 평활근의 수축을 유발하고, 혈관 유출(vascular leak), 조직 손상을 유발하고, 섬액의 분비를 증가시킨다. 감각신경은 활성화되어 가려움, 코막힘의 증상을 유발하고 재채기와 같은 반사 작용에도 관여한다. 비만세포는 프로스타글란딘 D2, 류코트리엔, 혈소판 활성인자와 같은 새로 형성된 전달물질도 분비한다. 이들은 혈관 확장, 혈관 투과성 증가, 기관지수축, 점액 분비 증진, 염증성 세포의 화학 쏠림(chemotaxis)을 촉진한다. 알레르기비염을 치료하는 데 사용되는 약물은 대부분 초

기 반응 단계에서 나타나는 전달물질을 목표로 한다. 사이토카인과 화학유인인자(chemotactic factor)들이 분비되고 추가적인 염증 세포를 동원되면서 전염증성(proinflammatory) 전달물질이 더 분비되기도 한다. 이렇게 동원된 세포들은 후기 증상 발현을 담당하게 된다.

(3) 후기 반응

염증성 전달물질과 사이토카인은 백혈구의 동원을 촉진하는 내피세포부착표지자(endothelial cell adhesion marker)를 상향 조절한다. Eotaxin, IL-5와 RANTES (Regulated on Activation, Normal T Cell Expressed and Secreted)를 포함하는 화학유인물질(chemoattractant)은 호산구, 호염구, 중성구, 2형 도움 T 세포, 대식세포에 의하여 조직 침윤을 유도한다. 호산구는 알레르기 환자의 점막에서 기저치보다 증가 되어 있으며 주기저단백질(major basic protein), 호산구양이온단백(eosinophil cationic protein), 호산구 유래신경독(eosinophil-derived neurotoxin), 호산구 과산화효소(eosinophil peroxidase)와 같은 이미 형성된 전달물질은 저장하고 PGD2와 LTC4와 같은 지질 전달물질을 생성한다. 이러한 물질들은 상피세포의 손상을 가져와 만성 비염의 임상적, 조직학적 특징을 유발할 수 있다. 2형 도움 T 세포는 IL-3, IL-4, IL-5 및 IgE 생산과 생존을 증가시키고 호산구, 호염구, 비만세포의 동원을 증가시키는 사이토카인의 분비를 통해서 알레르기 반응을 촉진한다.

점막의 손상과 염증성 세포의 축적을 통하여 증상을 유발하는데 필요한 알레르기 항원의 양이 감소하게 되는데 이러한 현상을 초회감작(priming)이라고 한다. 만성 알레르기 염증은 담배 연기, 강한 향이나 냄새, 대기오염과 같은 비특이적 사극에노 소식이 반응하세 한다. 알레르기 염증은 감염의 원인이 되는 세균과 같은 입자들의 점액섬모청소율(mucociliary clearance)을 감소시킨다.

4) 분류

비염은 계절성과 통년성으로 분류되며 전체적으로 약 20%는 계절성, 40%정도는 통년성, 그리고 나머지 40%는 혼합성으로 나타난다.

(1) 계절성 알레르기 항원

꽃가루는 벌레나 바람을 통하여 수술의 유전정보를 암술로 전달하는 물질로 한국, 미국을 비롯한 대부분의 지역에서는 봄에는 수목꽃가루가 유행하며, 늦은 봄에서 초여름에는 목초꽃가루가 유행하고, 늦여름에서 가을에는 잡초꽃가루가 분포한다. 열대 지방에서는 이러한 기간이 길어진다.

자작나무, 참나무, 누릅나무, 단풍나무는 흔한 수목꽃가루로 하나의 자작나무 꽃송이는 6만 개의 꽃가루를 만들 수 있다. 잡초꽃가루 중에서 돼지풀, 명아주, 질경이 등이 흔하며, 돼지풀 꽃가루은 오전에 분비되어 정오에 최고치를 이룬다. 목초꽃가루는 봄철에 가장 흔한 알레르기 원인이 된다.

곰팡이 포자는 계절성과 통년성 알레르기 증상을 모두 일으킬 수 있는 원인으로 야외에서 한여름에 가장 최고 높은 농도를 보이다가 첫서리가 내릴 때까지 감소하다가 겨울까지 이어진다. 버섯류에서 보이는 정생홀씨(acrospore)나 담자홀씨(basidiospore) 등은 습기가 많은 환경에 존재하며 하루 중 새벽녘에 최고치를 보이고 alternaria, cladosporium과 epicoccum 등은 건조한 환경에 존재하며 낮은 습도를 보이는 오후에 최고로 존재한다. Alternaria는 건조하고 따뜻한 환경에서 많이 존재하며 토양, 씨, 식물에서 주로 관찰된다. Cladosporium은 온대지방에서 가장 많이 존재하며 주로 죽은 식물과 같은 야외에서 관찰된다. aspergillus는 종종 집먼지진드기에서 발견되며 퇴비 더미와 죽은 식물에서도 발견된다. Penicillium은 토양이나 음식, 곡물에서 발견되며 벽지 등에서 자랄 수 있다. 이들 모두는 알레르기비염, 천식, 과민성 폐렴을 유발할 수 있다.

꽃가루와 곰팡이 포자의 농도 측정은 하루 종일 수집하여 다음날 결과를 확인하며 미국 내에서는 그 결과를 TV나 인터넷을 통해 알 수 있다. 야외의 꽃가루나 곰팡이 포자의 농도를 조절할 수는 없지만 실내 알레르기 항원은 조절 가능하다. 알레르기 항원에 대한 회피 방법은 표 26-2에 정리되어 있다.

(2) 통년성 알레르기 항원

통년성 알레르기 항원은 주로 집에서 관찰되며 연 중 지속적으로 노출되게 된다. 집먼지진드기와 동물의 비듬, 바퀴벌레, 쥐가 대표적인 알레르기 항원이다.

① 집먼지진드기

집먼지진드기는 0.33 mm 이내의 크기를 가지는 미세한 절지류이며 먼지 속에서 발견되며, 매트리스나 베개, 박제동물, 침구류와 같은 직물에서 주로 발견되며 매트리스에서 가장 높은 농도로 발견된다. 집먼지 진드기는 6-8주 가량 사람의 인설이나 곰팡이를 먹으며 생존할 수 있고, 가장 흔한 종은 유럽형 집먼지진드기(dermatophagoides pteronyssinus)와 미국형 집먼지진드기(dermatophagoides farinae)가 있다.

진드기의 배설물은 주요한 알레르기 항원을 포함한다. 집먼지진드기의 성장에는 온도와 습도가 중요한 영향을 미친다. 진드기는 습한 환경에서는 물을 흡수하고 습도가 50% 이하에서는 탈수가 된다. 여러 연구에서 어린 나이에 집먼지진드기에 노출되면 천식이 발생할 가능성이 높다고 보고하였다.

대부분의 전문가들은 집먼지진드기 회피를 위한 여러 시도가 매우 유용하다고 하고 있으며 이러한 알레르기 항원에 대한 교육과 회피방법은 표 26-2에 나열되어 있다. 다른 방법 없이 집먼지진드기만 차단하는 것에 대해서는 논란이 있다. 다른 회피 방법 없이 집먼지진드기 차단 커버를 단독으로 사용하였을 때 천식 환자에서 임상적인 효과가 없었다고 보고되었다.

② 동물

안타깝게도 아토피 환자에게서 동물알레르기는 흔하게 나타난다. 고양이와 개는 국내에서 가장 많은 애완동물이며 이들의 주요 알레르기 항원은 연구가 잘 진행되었다. 고양이 알레르기 항원인 Fel d 1은 주로 고양이 피부와 모낭에서 발견되며 피지선이나 침샘에서 만들어진다. 모든 고양이 종은 Fel d 1을 생산하며 수컷에서 더 많은 양을 생산하는데 이 알레르기 항원은 분해되는 데 수개월이 걸릴 수 있다.

표 26-2. 알레르기 항원 교육 및 회피 방법

집먼지진드기

교육

- 집먼지진드기는 현미경으로 보이는 크기입니다.
- 집먼지진드기의 먹이는 피부 인설이나 곰팡이입니다.
- 매트리스나 베개, 박제동물, 침구류와 같은 직물 형태에 존재합니다.
- 매트리스에서 가장 많이 분포하고 있습니다.
- 습도가 50% 이상인 환경에서 성장이 증가합니다.

회피

1단계
- 10마이크론보다 작은 홈을 가지는 베개 커버와 침구 커버를 사용하세요.
- 주 단위로 침구류를 온수로 세탁하고 침대 주변에 장난감이나 박제동물을 멀리하세요.
- 습도를 50% 이하로 유지하세요.
- HEPA 필터가 장착된 청소기를 사용하세요.
- 진드기 제거제는 다소 효과가 있습니다.

2단계
- 직물 가구, 카페트, 러그 등을 사용하지 마세요.

3단계
- 지하 같은 눅눅한 곳에서 고층으로 이사하세요.

동물 알레르기 항원

교육

- 고양이와 개의 알레르기 항원은 피부, 털, 침에 존재합니다.
- 알레르기 항원은 쉽게 공기 중으로 흩어져 가구나 옷에 부착합니다.
- 고양이 알레르기 항원은 없어지는 데 최대 4개월이 걸릴 수 있습니다.

회피

집에서 애완동물을 없앤 후 관리
- 직물 가구, 벽, 카페트를 깔끔히 청소하세요.
- 직물 가구나 카페트를 제거하는 것이 더 좋습니다.

애완동물이 있는 상태에서 관리
- 애완동물을 침실에서 멀리 하세요.
- 직물 가구, 벽, 카페트를 자주 청소하세요.
- 직물 가구나 카페트를 제거하는 것이 더 좋습니다.
- 6마이크론보다 작은 홈을 가지는 베개 커버와 침구 커버를 사용하세요.
- 애완동물을 깨끗이 관리하세요. 일주일에 2번 씻겨주는 것이 도움이 됩니다.
- HEPA 공기 필터를 사용하세요.

설치류(바퀴벌레와 쥐)

교육

- 바퀴벌레 알레르기 항원은 침, 배설물, 분비물, 잔해에서 발견됩니다.
- 쥐 알레르기 항원은 소변, 털, 비듬에서 발견됩니다.
- 알레르기 항원은 주로 주방에서 높은 농도로 존재합니다.

회피

- 기름이나 음식 쓰레기가 있는 숨겨진 곳이 있나 확인하세요.
- 음식물은 밀폐되는 용기에 보관하세요.
- 잡동사니들을 정리하세요.
- 미끼나 살충제를 이용하여 완전히 제거하세요. 해충 제거 전문가의 도움을 청하는 편이 좋습니다.
- 집안의 홈이나 균열을 막아 다시 나타나지 않도록 예방하세요.

꽃가루, 곰팡이

교육

- 수목꽃가루나 목초꽃가루는 주로 봄에 유행합니다.
- 잡초꽃가루는 주로 가을에 유행합니다.
- 야외의 곰팡이 포자는 6월에 최고치를 보이고 첫 서리가 내린 이후에 감소합니다.
- 곰팡이 포자는 토양, 씨, 풀이나 낙엽 같은 식물성 물질에 존재합니다.
- 실내의 곰팡이는 습한 환경에 주로 나타납니다.

꽃가루 회피

- 창문은 닫는 편이 좋습니다.
- 머리나 몸에 있는 알레르기 항원을 제거하기 위해 샤워하세요.
- HEPA 공기 필터를 사용하세요.

곰팡이 회피

- 곰팡이가 피어있는 것들을 찾아서 버리세요.
- 곰팡이가 자라기 쉬운 습한 곳을 청소하세요.
- 집에 물이 새는 곳을 수리하세요.
- 습도를 50% 이하로 유지하세요.

비슷하게 개의 주요 알레르기 항원은 Can f 1으로 개의 털, 비듬, 침에서 발견된다. 개나 고양이 알레르기 항원의 작은 입자들은 공기 중으로 쉽게 비산하여 옷이나 가구에 부착한다. 이 항원들은 애완동물들이 없는 학교나 대중교통과 같은 공공장소에서도 발견되기도 한다.

③ 설치류(바퀴벌레, 쥐)

바퀴벌레 종류 중에서 독일 바퀴벌레(가주성 바퀴벌레)와 미국 바퀴벌레(외주성 바퀴벌레)가 알레르기를 유발하는 가장 흔한 종류이다. 알레르기 항원은 바퀴벌레 침, 배설물, 분비물 등에서 발견된다. 바퀴벌레 알레르기 항원은 도시 내 가정에서 문제가 되며 천식 발생에 중요한 원인이 된다. 다른 알레르기 항원과 마찬가지로 바퀴벌레에 노출이 증가될수록 감작을 불러온다는 연구 결과가 있다.

과거 10년 동안 수많은 연구에서 감작된 환아가 쥐 알레르기 항원에 노출되면 천식 발생 가능성이 증가하고 증상 악화를 유발한다고 보고하고 있다. 바퀴벌레와 함께 쥐는 공중보건에 주요 문제점 중 하나이며 쥐 알레르기 항원은 도시 내에서는 물론 교외 가정에서도 많이 존재한다. 주요 쥐 알레르기 항원인 Mus m 1은 쥐의 소변, 모낭, 비듬에서 발견되며 다른 동물 알레르기 항원과 같이 입자들이 퍼져서 쥐가 없는 환경에서도 발견될 수 있다.

바퀴벌레나 쥐의 분포는 높은 인구밀도, 정리 안 된 집안 환경 등을 통하여 점점 더 넓은 범위로 확대되고 있으며 설치류 알레르기 항원을 조절하는 데에는 다각적인 접근이 필요하다(표 26-2).

5) 감별 진단

전형적인 알레르기비염에서는 결막염과 함께 코가 가려운 증상이 있다고 하지만 알레르기비염은 비알레르기 원인과 감별하기 쉽지 않다. 알레르기 검사에서 음성이 나왔다면 비알레르기나 비 IgE 의존 비염을 고려해야 한다.

감염성 비염은 바이러스나 세균, 곰팡이 감염에 의하여 발생하며 급성 또는 만성의 형태로 나타나며 수양성 비루, 점막의 발적 등을 주증상으로 하는 급성 바이러스성 비염이 가장 흔하고 대개 7일에서 10일 안에 호전된다. 이차 세

균성 부비동염이 합병증이 될 수 있다. 부비동염의 증상은 점액농성 분비물, 두통, 부비동 압통, 후비루, 기침 등을 포함한다.

혈관운동성 비염 혹은 특발성 비염은 알레르기나 감염성 원인은 아니다. 증상은 향수나 담배연기, 향초와 같은 강한 향을 맡았을 때 발생하는 이차적인 불편감이 대부분이며 콧물과 코막힘이 주된 증상을 보이고, 재채기나 가려움은 상대적으로 덜하다.

호산구증다증을 동반한 비알레르기성 비염(nonallergic rhinitis with eosinophilia, NARES)은 소아에서는 상대적으로 드문 질환이다. 호산구의 수가 증가되어 있고, 재채기, 수양성 비루, 후각의 감소와 같은 통년성 증상을 동반한다. NARES는 비용종과 아스피린 과민성으로 전구증상이 될 수 있다. 이러한 환자들은 피부반응검사상 음성이고 혈청 내 특이 IgE 항체 역시 음성이다.

약물성 비염은 아스피린, 비스테로이드성 항염증제, 베타 차단제, 에스트로겐, 알파 수용체길항제, 안지오텐신 전환효소 억제제와 같은 약물을 사용하였을 때 발생할 수 있다. 특히 국소적 비강 내 충혈제거제를 과다 사용하게 되면 사용 중단 이후 무반응성 반동 현상을 나타내는 약물성 비염(rhinitis medicamentosa)이 발생한다.

차가운 공기에 노출되었거나 매운 음식을 먹었을 때 미주신경과 관련된 기전으로 비염이 발생할 수 있다. IgE 매개 음식 알레르기는 피부, 위장관계, 폐와 같은 다른 기관의 침범없이 비염 단독으로 발생하는 경우는 드물며, 임신이나 생리, 갑상선저하증과 같은 호르몬요인들도 비점막의 비대를 유발할 수 있다. 작업 환경에서의 자극 물질이나 알레르기 비말에 의한 직업성 비염도 있다.

해부학적인 이상은 알레르기비염처럼 보이는 경우도 있다. 비용종은 비충혈 및 무후각증의 감별진단으로 고려되어야 하고 비중격만곡증, 비갑개 비대, 아데노이드 비대나 종양은 만성 비충혈을 초래하고, 구개열이나 섬모운동 장애와 같은 구조적 이상은 반복적인 비염과 부비동염을 유발하기도 한다. 지속적인 맑은 콧물은 수술이나 외상에 의하여 발생한 뇌척수액 유출에 의한 경우도 있다.

6) 진단

임상적인 병력 청취는 알레르기 질환의 가장 효과적인 진단 방법이다. 증상의 심한 정도, 기간, 원인으로 생각되는 것들과, 약물 복용 이력 등 증상에 대한 세부적 기술은 알레르기 여부를 확인하는 데 도움이 된다. 실내 알레르기 항원에 노출이 되었는지 여부에 대한 포괄적인 환경 병력을 확인하는 것이 중요하다. 알레르기비염의 증상은 코막힘, 콧물, 재채기, 후비루, 헛기침, 가려움, 후각 소실 등이 있지만 점막의 가려움과 반복되는 재채기가 가장 특징적인 증상이다.

신체 검사상 알레르기비염이 있는 환아는 코가 가려워 마치 경례하듯 계속해서 문지르는 행동(allergic salute)으로 콧등에 가로 주름이 생기거나, 눈 밑 정맥의 울혈로 인해 눈 밑의 색조가 어두워지는 증상(allergic shiner)이나 아랫 눈꺼풀에 주름(Dennie- Morgan line)이 생기기도 한다. 만성 염증으로 인해 비점막이 창백해지고 투명한 분비물이 많아진다. 그러나 이러한 신체적 특징은 알레르기에 특이적인 소견은 아니며 다른 원인의 비염에서도 나타날 수 있다.

(1) 검사

알레르기검사의 목표는 IgE 관련 과민성을 확인하는 것과 원인이 되는 흡인 알레르기 항원을 찾는 것이다. 그 자체만으로 의사의 임상적 소견과 합리적인 생각을 대체할 만한 검사는 없다. 모든 검사는 임상적인 증상의 맥락에서 처방되고 해석되어야 한다.

알레르기검사는 다음과 같은 이유로 시행된다. 첫째로 검사는 비염, 결막염 또는 천식의 알레르기적 원인을 감별하기 위해 사용된다. 예를 들면 한 가정에서 애완동물에 의해 지속적인 증상이 나타난다면 검사를 통해 알레르기 유무를 확인할 수 있다. 둘째로 검사를 통해 환경 요법이나 약물 치료의 지침을 세우는 데 도움을 줄 수 있다. 이것은 특정 꽃가루에 대한 알레르기가 있다면 약물이나 회피요법을 특정 꽃가루가 유행하는 시기에만 진행하면 된다. 셋째로 알레르기 검사는 면역치료를 위한 알레르기 항원을 선택하는 데 도움을 준다.

알레르기 항원에 대한 특이 IgE에 대한 2가지 검사가 있는데 첫째로 체내에서 시행되는 피부반응검사와 체외에서 시행되는 혈액검사가 있다. 피부반응검사는 알레르기 추출물을 환자의 피하에 투여하게 되면 피부 비만세포가 자극되어 투여한 위치에 팽진 발적 반응이 나타나는 것을 이용한다. 이 검사는 장소에 구애받지 않고, 적은 비용이 들고, 15-20분 뒤에 결과를 확인할 수 있는 장점이 있다. 그리고 피부반응검사는 가장 감수성이 높은 검사이므로 IgE 매개 알레르기 질환을 진단하는데 1차 선별검사로 여겨지고 있다. 피내검사는 피부반응검사가 음성으로 나왔지만 알레르기가 강하게 의심될 때 사용할 수 있다. 피내 검사는 피 부반응검사에 비해서 감수성이 더 높긴 하지만 분별력이 떨어지는 단점이 있다.

체외에서 시행되는 특이 IgE 혈액검사는 환자의 협조가 안된다던지, 피부질환이나 피부묘기증과 같이 항히스타민제를 끊을 수 없는 경우, 마지막으로 피부 검사 시 아나필락시스 쇼크의 가능성이 높은 경우에는 혈액검사가 우선적으로 사용된다.

검사에 대한 해석을 할 때 임상적인 병력과 신체적 소견과 연관성이 필요하다. 검사결과가 양성이 나왔다고 해도 이것만으로 알레르기 질환을 진단하기에는 무리가 있으며 음성 결과가 나왔다고 해도 알레르기 질환을 제외하기 어렵기 때문에 검사 결과만으로 치료 계획을 세우는 것은 무리가 있다.

7) 치료

치료의 목표는 증상의 조절, 제거와 함께 동반된 증상들을 호전시키는 것이다. 치료는 환경 회피 요법과 약물의 사용, 면역 지료 능을 고려할 수 있다.

(1) 항히스타민제

경구 항히스타민제는 가려움, 재채기, 콧물의 증상을 줄여주며 비염 치료에 있어 초치료로서 알려져 있다. 항히스타민제는 일부 약의 경우 처방전 없이 살 수 있다. 일반적으로 1세대 항히스타민제는 진정작용이 있으며 diphenhydramine, brompheniramine, chlorpheniramine, hydroxyzine 등이 있다. 2세대 항히스타민제는 loratadine, cetirizine, fexofenadine이 있으며, 3세대 항히스타민제는 desloratadine과 levocetrizine이 있다. 항히스타민제는 반작용제(inverse agonist)로서 작동하며, 작용은 한 시간 내에 이루어진다.

1세대 항히스타민제의 주된 부작용은 진정작용으로 학교, 일, 운전 등에 지장을 초래한다. 또한 항콜린성 효과도 뛰어나 구강 건조감, 변비, 배뇨장애 등을 유발할 수 있다. 2세대 항히스타민제는 작용 기간이 1세대에 비하여 길어지고, 진정작용이나 항콜린성 효과가 감소했다. 항히스타민제는 증상이 있을 때 복용하지만 지속적으로 복용했을 때 더욱 효과가 있다.

비강 내 항히스타민 분무액은 azelastine과 olopata-dine이 있는데 이들은 15분 이내의 빠른 작용시간 안에 코막힘을 개선할 수 있다. 부작용으로는 진정작용과 쓴 맛이 있다. 여러 연구에서 비강 내 스테로이드 분무액과 항히스타민 분무액을 같이 사용하면 개별적으로 사용했을 때보다 효과가 더 크다고 보고하고 있다.

(2) 비강 내 스테로이드

비강 내 스테로이드 분무액은 계절성 및 통년성 알레르기비염을 치료하는데 가장 효과적인 치료로 알려져 있다. 알레르기비염이나 비알레르기성 비염에서 초 치료이며 코막힘, 재채기, 가려움, 콧물, 후비루의 증상을 줄여준다. 비강 내 스테로이드 분무액은 다양한 제제가 있다. 1세대 제제로는 beclomethasone과 flunisolide가 있고, 2세대 3세대 제제로는 budesonide, fluticasone propionate, mometasone furoate, triamcinolone acetonide, fluticasone furoate 등이 있다. 세대가 증가할수록 낮은 생체이용률을 보여 전신적 작용은 감소한다. 국소적 불편감, 일시적인 작열감이나 코피가 가장 흔한 부작용이다. 비중격 천공의 사례도 보고된 바 있지만 빈도는 매우 낮다. 비강 내 스프레이는 비중격 쪽이 아닌 바깥쪽, 즉 귀를 향하여 사용한다. 여러 연구에서 국소적으로 스테로이드 사용 시 전신에 미치는 영향이 크지 않다고 보고하고 있다. 그러나 아직 연구 결과가 부족하여 명확한 결론을 내릴 수 없다.

(3) 류코트리엔 조절제

Montelukast는 류코트리엔 조절제 중에서 계절성 및 통년성 알레르기비염의 치료로 유일하게 인정되고 있으며 2세 이상의 소아에서도 사용가능하다. 근거 중심의 한 연구에서는 montelukast가 loratadine과 비슷한 효과를 보이고 비내 스테로이드 제제보다는 효과가 약한 것으로 보고되었다. 코막힘을 호소하는 환자에서 류코트리엔 조절제 단독으로 사용하거나 항히스타민제나 비내 스테로이드와 같이 사용하면 증상 조절에 도움이 될 수 있다. 또한 천식의 치료에도 사용할 수 있고, 천식과 알레르기비염이 동반되었을 때도 사용할 수 있다.

(4) 충혈제거제

충혈제거제는 코막힘 증상을 개선시키나 콧물, 가려움, 재채기 증상에는 효과가 없으며 국소적으로 사용할 수 있고, 전신적으로 사용할 수도 있다. 주요 경구 충혈제거제는 pseudoephedrine이나 phenylephrine이며 불면증, 과다활동, 과민성, 두근거림, 혈압상승 등의 부작용이 있을 수 있어서 뇌혈관 질환, 심혈관 질환, 갑상선 항진증, 폐쇄각 녹내장, 방광경부 폐색 등의 질환을 가진 환자에서는 사용을 주의하여야 한다.

phenylephrine, oxymetazoline, naphazoline과 같은 국소 충혈제거제는 코막힘의 즉각적인 증상 완화에는 도움이 되지만 비강점막을 수축시키므로 지속적인 치료로 사용하기에는 적절하지 않다. 지속적인 사용을 하게 되면 사용 중단 이후 약물성 비염이 발생할 수 있다.

미국 FDA에서는 단순 기침, 감기 증상이 있을 때 6세 이상의 환아에서 사용할 것을 권고하고 있다. 이 연령대에서는 종종 감염성 비염이 발생할 수 있는데 이러한 상기도 감염에서는 항히스타민이나 충혈 제거제는 효과가 없다. 충혈제거제의 과다 사용 및 약물 독성에 이차적으로 전신에 심각한 부작용이 보고된 사례도 있다.

(5) 국소적 비만세포 안정제

비강 내 cromolyn은 효과적으로 사용할 수 있는 예방적 약물이다. 비만세포 안정제는 히스타민과 다른 염증성 전달물질의 분비를 억제하여 알레르기 반응을 방지해준다. 알레르기 항원에 노출되기 30분 전에 사용하면 도움이 되며, 사용 부위의 과민성 외 심각한 부작용은 보고되지 않아 안전하게 사용할 수 있다. 그러나 항히스타민이나 비강 내 스테로이드보다 효과는 약하고, 자주 사용해야 하는 불편함이 있다.

(6) 비강 내 항콜린성제제

Ipratropium bromide는 아세틸콜린 억제제로 알레르기 항원에 노출되기 15분 전에 예방적으로 사용할 수 있다. 국소적인 사용으로 점액선의 분비를 억제하고 혈관운동성 비염에 어느 정도 효과가 있으나, 코막힘, 가려움, 재채기에는 효과가 없다.

(7) 면역치료

알레르기 면역치료에 대한 개념은 1911년 Leonard Non에 의해서 처음 사용되었는데 목초꽃가루 추출물을 여러 달에 걸쳐 용량을 증가하며 지속적으로 투여하자 봄철에 증상 감소를 보였다. 면역치료에 대한 기본적인 원칙은 비슷하지만 추출물의 표준화, 적정 치료 농도의 확인 추출물의 상호작용에 대한 인식 등에서 많은 개선이 있었다.

알레르기 면역치료는 적절한 알레르기 항원을 점점 증량하여 투여하여 예방적인 면역반응을 유발한다. 이는 질병의 경과를 바꿀 수 있는 유일한 치료이며 사용 중단 이후에도 수년간 증상 개선 효과를 볼 수 있다. 알레르기비염, 알레르기 천식, 벌독 과민성에 대해서는 치료 방법이 잘 정립되어 있지만, 아토피 피부염, 음식 알레르기, 만성 두드러기의 치료로는 사용되지 않는다.

정확한 작용 기전은 명확하지 않지만 알레르기 2형 T 세포 반응이 비알레르기 1형 T 세포 반응으로 변화하는 것이 관여한다. IL-10이 증가하여 알레르기 항원 특이 IgE가 특이 IgG4로의 변화를 유발하며, 비만 세포, 호산구, T 세포에서 전염증성 사이토카인의 분비가 감소한다.

증상이 심한 경우나, 약물에 반응하지 않는 경우, 약에 대한 심각한 부작용, 장기간 약물 복용을 원치 않는 경우나 천식과 같은 동반질환이 있을 때 면역치료 사용을 고려해

볼 수 있다. 안전성 문제로 5세 이상의 소아에서 사용하는 것을 권고하고 있고, 조절되지 않는 천식이나 심각한 심장질환, 자가면역질환, 면역결핍, 임신 중인 환자에서는 면역치료를 시작하는 것을 주의하여야 한다.

많은 연구에서 꽃가루, 곰팡이, 집먼지진드기, 바퀴 벌레 등 여러 알레르기 항원에 대한 면역치료의 효과가 입증되었고, 새로운 알레르기 항원에 감작되는 것을 방지하고 알레르기비염에서 천식으로 발전하는 것을 억제해준다는 보고도 있다.

면역치료 시 국소적 부작용은 흔하게 발생하며, 피하면역치료의 경우 전신적 아나필락시스의 위험성 때문에 투여 이후 30분 정도 경과 관찰 이후 귀가하는 것을 권고하고 있다. 피하면역치료는 초기 치료 단계는 4개월에서 8개월간 알레르기 항원의 농도를 매주 증량하여 적정한 유지 용량에 이르도록 하고 그 이후에는 최대 4주에 한 번씩 유지용량을 투여받는 유지 치료 단계로 구성된다. 약 3년에서 5년간 치료를 시행하였을 때 단기간 치료하는 것에 비하여 더 효과가 있는 것으로 알려져 있다. 피하면역치료의 경우 잦은 병원 방문으로 인해서 정기적으로 병원에 내원할 수 있는지 여부를 파악하는 것도 중요하다.

설하 면역치료는 혀 밑에 알레르기 항원을 투여하는 방법으로 작용기전은 피하면역치료와 비슷하며, 피하면역치료에 비하여 안정성이 확립되어 있다. 그러나 피하면역치료에 비하여 적정 용량이 정립되지 않았다.

(8) 수술적 치료

알레르기비염에서 수술적 치료는 약물치료 등의 보존적 치료가 반응하지 않는 경우 수술적 치료를 시행하게 된다. 수술적 치료 방법으로는 전통적으로 많이 시행되었던 하비갑개 전절제술, 하비갑개 점막하절제술(submucosal resection)이 있고, 회전식 흡입기(powered debrider), 고주파(radiofrequency)나 레이저를 이용하는 하비갑개 성형술(turbinoplasty) 등 다양한 방법이 알려져 있다. 이러한 수술적 치료는 기본적인 개념은 비후된 하비갑개의 크기를 줄여주어 비강의 면적 증가를 통해 증상을 개선시키는 것이다.

하비갑개 전절제술은 뼈를 포함한 하비갑개를 전부 제

거하는 술식으로 빈코증후군(empty nasal syndrome), 가피(crust) 등 부작용이 심해 현재는 잘 사용되지 않으며, 점막하 절제술은 점막 손상 없이 하비갑개 뼈를 제거하여 하비갑개의 부피는 줄이면서 점막은 보존하는 술식이다. 그리고 회전식 흡입기를 이용한 하비갑개 성형술은 하비갑개에 절개를 가한 후 회전식 흡입기를 그 부위로 삽입하여 점막을 보존하며 점막하층을 제거하는 방법이다. 고주파를 이용한 하비갑개 성형술은 고주파를 발생시키는 바늘전극을 이용하여 40-100℃의 상대적인 낮은 열을 발생시켜 점막하 조직의 섬유화를 일으켜 하비갑개의 면적을 감소시키는 술식이다. 레이저를 이용한 하비갑개 성형술은 직접적으로 레이저를 하비갑개 점막 및 고유층의 선조직에 조사하여 점막손실이나 골조직의 노출 없이 하비갑개의 축소를 유발하는 술식이다.

이러한 수술적 치료가 알레르기비염을 호전시키는 기전은 다음과 같다. 알레르기비염 환자의 하비갑개 점막은 비후되어 있으며, 이는 알레르기비염 환자들은 비후된 비점막을 갖게 된다. 이는 점막 고유층(lamina propria)의 비대가 원인이 되며 이에 따라 결합조직, 점막하샘(submucosal gland), 혈관구조(vasculature)의 상대적인 비후를 유발하게 된다. 수술적 치료를 통하여 하비갑개의 실표면적이 감소하면서 알레르기 항원(allergen)에 노출되는 면적이 감소하여 증상 발현이 줄어들 수 있다. 또한 수술로 인하여 발생한 점막하층의 반흔조직(scar tissue)은 혈관구조 및 점막하샘 구조를 파괴시키고, 섬유화를 통한 재생을 지연시킨다. 이를 통하여 비강의 면적 증가로 코막힘이 개선이 되고, 알레르기 항원의 노출 감소 및 샘조직의 감소로 인하여 콧물 등의 증상이 개선된다.

8) 결론

알레르기비염은 소아와 성인에서 흔하게 발생하는 질환으로 천식이나 부비동염과 같은 동반질환에 영향을 줄 수 있다. 질병의 경과를 잘 아는 것은 진단과 치료에 있어서 중요하다. 어떤 환자들은 알레르기 항원을 회피하는 것만으로도 증상이 개선되기도 하지만 약물치료나 면역치료가 필요한 경우도 있다.

2. 면역기능장애

1) 개요

알레르기는 반복적으로 발생하거나 만성적으로 발생하는 천식, 폐렴, 중이염과 같은 상기도나 하기도 감염에 영향을 준다. 그러나 이런 경우에 원발성 면역결핍증(primary immunodeficiency disease)도 고려해야 한다. 원발성 면역결핍증의 감염, 고열, 체중감소로 인해 영아기 성장에 영향을 미친다. 그러나 경한 증상을 보이는 경우도 있는데 비특이적인 위치에 감염이 발생하거나 비전형적인 병원균으로 감염이 된 경우는 면역 결핍을 의심해봐야 한다. 원발성 면역결핍이 의심되는 징후는 표 26-3에 나열되어 있다.

2) 역학

원발성 면역결핍은 하나 이상의 유전자에서 돌연변이로 인하여 면역체계에 발달 이상이나 기능적 이상이 생기는 질환이다. 100개 이상의 면역 장애가 존재하고 새로운 형태로 발견된다. IgA 결핍은 원발성 면역 결핍의 가장 흔한 형태이며 면역 결핍은 어떤 나이에서도 발병할 수 있으며, 선천적 감마글로불린 감소증은 중년 이상의 나이까지도 생존 가능하다.

표 26-3. **면역 기능 장애가 의심되는 증상**

1년에 5번 이상의 중이염 병력
1년에 2번 이상 심한 부비동염
2달 이상 항생제 복용에도 크게 호전이 없는 경우
1년에 2번 이상 폐렴
영아기에 저체중
반복적인 피부나 장기 내 농양
구강이나 피부에 반복적인 진균 감염
항생제 정맥주사가 필요한 경우
2번 이상의 패혈증 병력
원발성 면역결핍의 가족력

3) 병태생리

건강과 질병에서 면역체계의 중요성은 오래전부터 면역 기능 장애가 의심되는 증상 인식되었다. 면역 체계는 감염원으로부터 보호하는 역할뿐 아니라 숙주 조직의 손상의 과정을 회피시킨다.

이러한 면역체계의 기본적인 원리는 병원체가 숙주 세포와 구조적으로 다른 점을 인지하는 데서 기인한다. 면역체계는 자연면역체계와 획득면역체계로 나뉜다. 획득면역체계는 자연면역체계와 항원 인식의 특이성, 항원 수용체 종류의 다양성, 복제 세포의 빠른 증식, 변화하는 환경의 적응성, 면역학적 메모리 등에서 차이를 보인다. 자연면역체계는 외부 침입자를 인식 수용체의 패턴을 통해 즉시 인식하는 반면, 획득면역 체계는 반응하는데 시간이 걸린다. 자연면역체계의 활성화가 획득면역반응을 유발한다고 볼 수 있다. 자연면역체계는 피부, 항균물질, 포식세포(phagocytic cell), 보체나 사이토카인 같은 혈액 단백질로 구성된다. 보체는 항체의 용균이나 용혈작용을 보조하는 혈청 단백질의 일부로 간에서 생성되고 혈액을 따라 순환한다. 보체는 외부 세포에 부착하여 포식작용을 촉진하고 화학쏠림인자를 분비하고, 세포벽에 구멍을 내어 용해를 유도하는 막공격복합체(membrane attack complex)를 형성한다. 대식세포와 중성구는 포식세포로서 골수에서 생성되고, 혈액을 따라 순환 다가 조직 내로 들어간다. 염증이 있는 곳의 혈관벽에 부착되어 조직으로 이동하며(화학주성) 외부 단백질을 삼키는 작용(포식작용) 또한 담당한다. 대식세포와 중성구는 림프구에 항원을 표시해주는 역할과 사이토카인을 분비하는 역할을 통해 획득면역체계에도 관여한다. Toll 유사 수용체는 획득면역체계에 관여하는 또 다른 요소로 병원균과 관련된 미생물의 고유한 분자 패턴을 인식하는 막단백질로 획득면역체계의 활성화를 유발한다.

획득면역체계는 감염 이후에 활성화되는데 기억을 통하여 강력하고 효과적인 반응을 나타내는 특이 면역 반응이다. 획득면역체계는 체액성면역과 세포성 면역으로 구성된다. 체액성면역은 세포외 미생물에 대항하여 보호작용을 하며 B 림프구에 의하여 생성되는 면역글로불린으로 구성되어 있다. B 세포는 골수에서 형성되어 간에서 성숙된다. 면역글로불린은 크게 5가지 종류가 있는데 만들어지는 순서에 따라 나열하면 IgM, IgD, IgG, IgE, IgA이다. 보체계를 활성화하고, 외부 단백질을 둘러싸며(옵소닌화, opsonization), 독소를 차단하여 보호작용을 한다. IgM은 가장 먼저 생성되는 면역글로불린으로 생후 첫주에 존재하며, 감염이 있을 때 제일 먼저 생성되는 항체이다. IgM은 혈액 내에서 오량체(pentamer)로 존재하고 옵소닌화와 응집을 통하여 병원체를 제거한다. IgG는 혈청 면역 글로불린의 80% 정도로 항체의 대부분을 차지하고 있으며 태반을 통과할 수 있다. 그래서 태아의 IgG를 측정하면 모체와 태아의 IgG를 나타내며 모체의 IgG는 6개월 내에 소멸한다. IgG는 항체에 의한 세포독성에 중요한 역할을 하며 다른 면역글로불린이 2일에서 6일의 반감기를 갖는 것에 비하여 반감기가 23일로 제일 길다. IgG의 양이 적거나 기능을 제대로 못 하게 되면 감염이 발생한다. IgA는 위장관이나 기도, 부비동과 같은 점막 표면으로 분비되며 모유, 눈물, 침, 점액 등에서 존재한다. IgD는 혈청 내에서는 낮은 농도로 존재하며 주로 B 세포 표면에서 관찰되고 IgE는 알레르기에 의한 분비물에서 발견된다.

세포성 면역은 T 세포에 의하여 매개되는데 T 세포는 골수에서 생성되어 흉선에서 성숙한다. 세포성 면역은 세포 내 미생물에 대한 방어작용을 하며 사이토카인을 통하여 B 세포나 대식세포, 다른 T 세포를 활성화시킨다. 도움 T 세포는 B 세포와 상호작용하고 항원에 맞서 면역글로불린의 생산을 유도하며 세포독성 T 세포는 감염된 세포를 인식하여 제거한다.

4) 분류

면역체계의 구성요소 중 하나에 문제가 발생하면 감염에 걸리기 쉽다(표 26-4). 전체적으로 가장 흔한 면역결핍은 체액성 면역의 문제이다. 체액성 면역 결핍은 무감마글로불린혈증(agammaglobulinemia), 공통가변성 면역결핍증(common variable immunodeficiency, CVID), 고 IgM 증후군, IgA 결핍, 특정 항체 결핍 등이 포함된다.

무감마글로불린혈증은 주로 X-연관 열성유전으로 Bruton's tyrosine kinase (BTK)에 결함이 존재한다. 그래서 X 연관 무감마글로불린혈증이나 Bruton형 무감마 글로불린 혈증으로 불린다. BTK 유전자는 B 세포의 발달과 성장에 있어 필수적인 요소로 BTK 유전자에 결함이 존재하면 B 세포 전 단계에서 성숙이 멈춰지게 된다. 실험 결과에 따르면 IgG, B 세포는 존재하지 않고 T 세포는 정상적으로 존재한다고 되어 있다. 임상적인 특징으로는 편도의 크기가 작으며, Streptococcus pneumonia, Haemophilus influenza, Staphylococcus aureus, Streptococcus pyogenes에 의한 반복적이거나 만성적인 상하기도 감염이 9개월에서 12개월 사이의 영아에서 발생한다. 치료로는 감마글로불린 대체요법과 함께 감염에 대하여 적극적인 항생제 치료를 시행하여야 한다.

CVID는 IgG와 IgA를 생성하지 못하여 두 항체의 농도가 낮은 것을 특징으로 하는 질환으로 그 유전적 원인은 아직 밝혀지지 않았다. 임상적 특징으로는 반복적인 세균성 감염이 나타나고 면역체계의 조절장애 면역 기능 장애가 의심되는 증상으로 인해 백혈병이나 림프종에 대한 위험도가 높다. 치료로는 감마글로불린 대체요법과 함께 감염에 대하여 적극적인 항생제 치료를 시행한다. 고 IgM 증후군은 T 세포에서 X-연관 결함으로 인하여 B 세포에서 면 역글로불린의 변환이 억제되는 것을 특징으로 하며 T 세포와 B 세포 모두 결함이 존재함에 따라 복합적인 면역 결핍이 일어나는 것으로 알려져 있다. 임상적인 특징은 유년 시절에 반복적인 세균감염을 특징으로 한다. 이러한 환자들은 자가면역 백혈구감소증, 혈소판 감소증, 용혈성 빈혈에 걸리기

쉽다. 검사상 B 세포 수는 정상이나 IgG는 결핍되고, IgM과 IgD는 증가하고 IgA는 감소한 소견을 보인다. 치료는 앞선 질환과 마찬가지로 감마글로불린 대체요법과 함께 감염에 대하여 적극적인 항생제 치료를 시행하여야 한다.

IgA 결핍은 IgA가 7mg/dL 이하로 감소하면서 IgG과 IgM는 정상 범위이고 세포성 면역체계는 이상 없는 경우로 정의되며 아토피와 자가면역질환과 연관이 있으나 유전성 여부는 명확하지 않다. 대부분의 환자는 특이 병적 소견은 관찰되지 않으나 일부에서는 반복적인 부비동염과 같이 점막 표면의 감염이 자주 발생한다. 치료로는 세균 감염에 대한 예방적 항생제를 사용하는 것이다.

특이 항체 결핍은 B 세포와 면역글로불린이 정상 범위에 있는 환자에서 반복적으로 부비동염, 폐렴, 중이염이 발생하는 환자에게서 나타날 수 있다. 다당체 항원에 대한 항체가 없이 피막 세균(encapsulated bacteria)에 대한 감염의 위험도가 증가하며 그 병리 기전에 대하여는 아직 밝혀지지 않았다.

5) 평가

감염의 종류, 정도, 횟수나 발병 연령, 치료 방법 및 치료 기간과 자세한 병력과 가족력을 확인하는 것은 면역 결함의 특성을 파악하는데 단서가 될 수 있다.

철저한 신체 검사를 통해 면역체계에 문제가 있는 곳을 유추할 수 있다(표 26-5). 그러나 검사 결과에서 정상이 나왔다고 해서 면역결핍을 배제할 수는 없다.

선별검사로는 전혈검사, 면역글로불린의 정량검사, 백신에 대한 항체 역가, 보체의 측정 등을 시도해볼 수 있다. 좀 더 세분화된 검사는 의심되는 질환에 맞게 시행한다(표 23-6). 전혈검사 및 분화혈구계산은 백혈구를 정량 계산하고 절대 림프구수를 파악하고 다른 세포부족을 확인하는 것이다. 말초혈액도말검사는 비장의 기능이상 지표인 Howell-Joly body를 관찰할 수 있고, 혈소판 크기가 작고 수가 감소하면 Wiskott Aldrich 증후군을 진단할 수 있다.

체액성 면역에서는 면역글로불린 정도를 정량화하여 확인할 수 있다. IgG, IgA, IgM, IgE를 나이에 따른 기준치와 비교해야 하며 IgG의 경우는 IgG의 대부분을 차지하는

표 26-4. **면역 기능 장애가 의심되는 증상**

면역 결핍	미생물
B 세포	세균, 바이러스(Enteroviral), 원생동물(Giardia)
B, T 세포 결함	바이러스, 세균, 곰팡이, 원생동물
T 세포	바이러스, 곰팡이, 원생동물
포식작용 결함	세균, 곰팡이
보체 결함	피막 세균(예: Neisseria)

표 26-5. **면역 결핍에서의 신체적 특징**
특징적인 얼굴
• DiGeorge 증후군, velocardiofacial 증후군
• 과 IgE 증후군
• 소두증 연관 면역 결핍
심장 이상
• DiGeorge 증후군
• Situs inversus in immotile cilia syndrome
피부
• Wiskott-Aldrich 증후군에서 습진, 점상출혈
• Omenn 증후군에서 홍색피부증
• Ataxia-telangiectasia 증후군에서 모세혈관확장증
• 세포 면역 결핍에서의 반복적인 효모감염

표 26-6. **면역 결핍에서 검사실 검사**
선별검사
• 전혈검사 및 감별혈구계산
• 면역글로불린 검사 : IgG, IgA, IgM, IgE
• 특정 항체에 대한 단백질 및 다당체 평가
세부 검사
• B 세포 및 T 세포 아형
• 기억 B 세포 정량
• 기억 T 세포 정량
• HIV 검사
• 백신 후 항체 역치
• 보체계 측정
• 유전자 검사
• Functional assay
• 질병 연관 단백질에 대한 Flow cytometry assay

IgG1의 농도는 5세가 되면 안정화 되고 그외 다른 IgG의 소집단은 성인이 되어야 그 정도가 안정화된다. 항체 역치는 단백질과 다당체에 대한 면역반응을 나타내는 지표로 T 세포에 의해 처리된 단백질 항체가 B 세포에 제시되면서 급격한 항체 반응이 일어난다.

전체 용혈성 보체(CH50)은 보체계 고전경로의 기능을 확인할 수 있고, AH50은 보체계 제2경로의 기능을 나타내는 것으로 이 값들이 낮다면 특정 보체에 결함이 있는지 추가적인 검사가 필요하다.

6) 치료

면역 결핍이 진단된 환자에서는 감염을 확인하고 적극적인 치료를 하는 것이 중요하며 장기적인 치료로 예방적 항생제나 감마글로불린 대체요법을 고려해야 한다. 감마글로불린은 IgG와 IgG의 소그룹 모두로 구성되었으나 IgM과 IgA의 일부 요소를 포함하고 있어서 병원체에 대한 광범위한 항체로 작용할 수 있다. 일반적으로 면역글로불린의 용량은 체중 1 kg 당 400-600 mg을 매 3주에서 4주 간격으로 투여 받아야 하고 체내 IgG 농도가 500 mg/dL 이상이 되어야 한다. 많은 연구에서 감마글로불린 대체요법을 통하여 면역결핍 환자의 질병 이환율 및 사망률이 감소한 것을 보고하고 있고 환자의 삶의 질을 높이고 상하기도 감염을 줄여주며 항생제 사용과 입원하는 비율을 감소시켜준다고 하

였다. 적절한 치료를 통하여 만성 폐질환과 같은 반복적인 감염으로 인해 나타나는 부작용을 줄일 수 있다.

무감마글로불린혈증, CVID, 고 IgM 증후군은 지속적인 면역글로불린 대체요법이 필요하며 IgA 결핍이나 다른 항체 결핍과 같은 질환은 예방적 항생제를 사용할 수 있다.

7) 결론

이비인후과 의사들은 만성적이고 반복적인 상기도 감염을 가진 환자를 진료할 때 해부학적 요인만을 관찰할 때가 많다. 비록 면역 결핍이 드문 질환이기는 하나 면역 결핍에 대하여 인식하고 진단하는 노력을 하는 것은 중요하다. 일부 환자는 예방적인 항생제만으로도 치료가 될 수 있지만 적극적인 치료가 필요한 경우도 많기 때문이다. 면역글로불린 대체요법은 감마글로불린이 감소된 환자에서 이환율과 사망률을 낮출 수 있는 중요한 치료로서 시기에 맞는 진단과 치료가 반복적인 감염의 고리를 끊고 삶의 질을 향상시킬 수 있다.

참고문헌

• Meltzer EO, Blaiss MS, Derebery MJet al. Burden of allergic rhinitis: results from the Pediatric Allergies in America survey. The Journal of allergy and clinical immunology 2009;124:S43-70.

• Arbes SJ, Jr., Gergen PJ, Elliott L, Zeldin DC. Prevalences of positive skin test responses to 10 com- mon allergens in the US population: results from the third National Health and Nutrition Examination Survey. The Journal of allergy and clinical immunol- ogy 2005;116:377-383.

• Min YG, Choi BY, Kwon SKet al. Multicenter study on the prevalence of perennial allergic rhinitis and allergy-associated disorders. Journal of Korean med- ical science 2001;16:697.

• Seong HU, Cho SD, Park SYet al. Nationwide survey on the prevalence of allergic diseases according to region and age. Pediatric Allergy and Respiratory Disease 2012;22:224-231.

• Sheehan WJ, Rangsithienchai PA, Baxi SNet al. Agespecific prevalence of outdoor and indoor aeroallergen sensitization in Boston. Clinical pediatrics 2010; 49:579-585.

• Horak F. Manifestation of allergic rhinitis in latentsensitized patients. A prospective study. Archives of oto-rhino-laryngology 1985;242:239-245.

• Baraniuk JN. Pathogenesis of allergic rhinitis. The Journal of allergy and clinical immunology 1997; 99:S763-772.

• Celedon JC, Milton DK, Ramsey CDet al. Exposure to dust mite allergen and endotoxin in early life and asthma and atopy in childhood. The Journal of allergy and clinical immunology 2007;120:144-149.

• Gotzsche PC, Johansen HK. House dust mite control measures for asthma: systematic review. Allergy 2008;63:646-659.

• Gotzsche PC, Johansen HK. House dust mite control measures for asthma. The Cochrane database of sys- tematic reviews 2008;CD001187.

• Phillips JF, Lockey RF. Exotic pet allergy. The Journal of aller- gy and clinical immunology 2009; 123:513-515.

• Wood RA, Chapman MD, Adkinson NF, Jr., Eggleston

• The effect of cat removal on allergen content in household-dust samples. The Journal of allergy and clinical immunology 1989;83:730-734.

• Custovic A, Green R, Taggart SCet al. Domestic allergens in public places. II: Dog (Can f1) and cockroach (Bla g 2) allergens in dust and mite, cat, dog and cockroach allergens in the air in public buildings. Clinical and experimental allergy: journal of the British Society for Allergy and Clinical Immunology 1996;26: 1246-1252.

• Chew GL, Perzanowski MS, Canfield SMet al. Cockroach al- lergen levels and associations with cockroach-specific IgE. The Journal of allergy and clinial immunology 2008;121:240-245.

• Phipatanakul W, Gold DR, Muilenberg M, Sredl DL, Weiss ST, Celedon JC. Predictors of indoor exposure to mouse allergen in urban and suburban homes in Boston. Allergy 2005;60:697-701.

• Phipatanakul W. Rodent allergens. Current allergy and asthma reports 2002;2:412-416.

• Moneret-Vautrin DA, Jankowski R, Bene MCet al. NARES: a model of inflammation caused by activated eosinophils Rhinolo- gy 1992;30:161-168.

• Bernstein IL, Li JT, Bernstein DIet al. Allergy diag- nostic test- ing: an updated practice parameter. Annals of allergy, asthma & immunology : official publication of the American College of Al- lergy, Asthma, & Immunology 2008;100:S1-148.

• Simons FE, Reggin JD, Roberts JR, Simons KJ. Benefit/risk ra- tio of the antihistamines (H1-receptor antagonists) terfenadine and chlorpheniramine in children. The Journal of pediatrics 1994;124:979-983.

• Ratner PH, Hampel F, Van Bavel Jet al. Combination therapy with azelastine hydrochloride nasal spray and fluticasone propi- onate nasal spray in the treat- ment of patients with seasonal al- lergic rhinitis. Annals of allergy, asthma & immunology: official publication of the American College of Allergy, Asthma, & Im- munology 2008;100:74-81.

• Scadding GK. Corticosteroids in the treatment of pediatric al- lergic rhinitis. The Journal of allergy and clinical immunology 2001;108:S59-64.

• Nayak A, Langdon RB. Montelukast in the treatment of aller- gic rhinitis: an evidence-based review. Drugs 2007;67:887-901.

• Joint Task Force on Practice P, American Academy of Allergy A, Immunologyet al. Allergen immunotherapy: a practice parameter second update. The Journal of allergy and clinical immunology 2007;120:S25-85.

• Amar SM, Harbeck RJ, Sills M, Silveira LJ, O'Brien H, Nelson HS. Response to sublingual immunotherapy with grass pollen extract: monotherapy versus combination in a multiallergen ex- tract. The Journal of allergy and clinical immunology 2009;124: 150-156 e151-155.

• Paris K, Sorensen RU. Assessment and clinical interpretation of polysaccharide antibody responses. Annals of allergy, asthma & immunology: official publication of the American College of Allergy, Asthma, & Immunology 2007;99:462-464.

• Busse PJ, Razvi S, Cunningham-Rundles C. Efficacy of intra- venous immunoglobulin in the prevention of pneumonia in pa- tients with common variable immunodeficiency. The Journal of allergy and clinical immunology 2002;109:1001-1004.

• Quartier P, Debre M, De Blic Jet al. Early and prolonged in- travenous immunoglobulin replacement therapy in childhood agammaglobulinemia: a retrospective survey of 31 patients. The Journal of pediatrics 1999;134:589-596.

Chapter 27

소아 만성 기침

Pediatric Chronic Cough

안재철

1. 소아 만성 기침의 정의 및 역학

기침은 기도자극에 대한 정상적인 생리반응이다. 기침은 기도 손상을 피할 수 있게 해주고, 기도가 막히지 않고 유지될 수 있도록 해준다. 기침은 기도 자극 없이도 의도적으로도 할 수 있고, 자극에 대한 반응으로 반사적(reflexive) 혹은 비반사적(non-reflexive)으로 나올 수 있다. 세계적으로 기침은 환자가 호소하는 가장 흔한 호흡기계 증상으로, 만성 기침을 호소하는 소아 환자들은 육체적 고통뿐만 아니라 수면문제, 학업문제, 또래 관계 문제 등으로 어려움을 겪는다. 게다가 부모들은 자녀를 병원에 데리고 다니며 업무중단에 따른 사회경제적 손실 및 질병과 치료에 대한 불안, 걱정, 스트레스 등의 정신적 문제도 겪고 있다.

만성 기침은 연령대 상관없이 이비인후과에서 흔히 호소하는 증상이다. 특히, 소아 진료 시 주 증상 혹은 동반 증상으로 자주 맞닥뜨리게 된다. 소아 만성 기침에 대한 정의는 아직까지 전 세계적으로 통일되어 있지 않다. 크게 보면 우리나라를 비롯한 미국 그리고 영국이 각기 다르게 정의하고 있다. 먼저 미국흉부의사학회(American College of Chest Physician)에서는 소아 만성 기침을 소아에서 4주 이상 지속되는 기침으로 정의하고 있고, 반면에 영국흉부학

회(British Thoracic Society)에서는 8주 이상 지속되는 기침으로 정의하고 있다. 또한 대한천식알레르기학회 지침에 따르면, 우리나라에서는 15세 미만 소아 및 청소년에서 4주 이상 지속되는 기침으로 정의하고 있다. 따라서 이렇듯 소아 만성 기침의 기준이 달라서 보고자마다 유병률이 상이할 수는 있지만, 미국에서는 해마다 3천만 명의 환자가 만성 기침 때문에 병원을 찾는다고 알려져 있고, 학령기 아동의 10.4%가 만성 기침을 호소하고 있다고 한다. 또 다른 보고를 살펴보면 학령 전기 소아에서 5-7%, 연장아에서 12-15%가 만성 기침을 호소하는 것으로 알려져 있다.

진단하고 치료하는 데 있어, 만성 기침은 좀 더 세부적으로 특이적 만성 기침(specific chronic cough)과 비특이적 만성 기침(nonspecific chronic cough)으로 나누어 접근하고 있다. 환자의 병력, 신체검진 및 검사에서 원인질환을 추측할 수 있는 특이적 기침 포인터(specific cough pointer)가 발견되는 경우 특이적 기침이라고 하고, 이러한 추정할 만한 특이적 기침 포인터가 없는 기침을 비특이적 만성 기침이라고 한다.

2. 소아 만성 기침의 원인 질환

소아 만성 기침에 대해 감별해야 할 질환은 감염성 질환, 선천기형, 반응성 기도 질환(reactive airway disease), 흡인성 질환(aspiration disorder), 면역이상, 심인성 질환(psychogenic disorder) 등 다양하다. 성인의 경우 만성 기침의 대표적인 3대 원인으로 기침이형천식(cough variant asthma), 후비루(post-nasal drip) 연관 질환, 위산 역류성 질환(acid reflux disease)이 있지만, 소아의 경우는 다양한 다른 원인들이 만성 기침을 유발할 수 있다. 특히 소아의 경우 연령별로 나타나는 원인에 다소 차이가 있다는 것도 염두에 두어야 한다(표 27-1). 호흡기 감염성 질환에 의한 만성 기침의 경우도 나이에 따라 영아기에는 바이러스 질환이 주가 되다가 학령기 이후로는 세균성 질환이 주를 이룬다.

3. 소아 만성 기침 진료 시 고려사항

만성 기침은 그 유발 요인이 상/하기도 질환과 같은 호흡기 문제인 경우가 많으나, 소화기, 순환기, 면역 문제까지 다양한 원인에 의해서도 유발될 수 있다. 특히 하나 이상의 문제가 중첩되어 발생할 수도 있기 때문에, 진단 및 치료 반응을 보며 추가적인 문제가 없는지 확인해야 한다. 만성 기침을 호소하는 소아들은 일차적 병원 치료에도 호전이 없었다고 하는 경우가 많으므로, 다양한 원인들에 대한 가능성을 열어두고 면밀한 병력청취, 신체검진 및 검사가 필요하다. 또한 과거 치료에 대한 반응도 살피고 기침에 의해 발생하는 가족문제 및 이차 보상 가능성과 같은 심리적인 문제도 고려하여 진료 및 치료에 임해야 한다.

만성 기침을 유발할 수 있는 후비루 연관 질환으로는 부비동염, 비염, 후비루 증후군(또는 상기도기침증후군, upper airway cough syndrome) 등이 있다. 이 경우는 반듯이 누운 자세에서, 아침에 일어날 때, 소량의 가래 섞인 기침을 호소하며 코막힘, 콧물, 목건조함, 목안 이물감, 반복적인 목 가다듬는 증상 등을 함께 가지고 있는 경우가 많다. 신체검진 시 안면부 압통(tenderness)이 있거나, OMU (osteomeatal unit)에서 분비물이 보이거나, 구인두 뒷벽이 조약돌점막모양(cobblestone appearance)으로 보이며 일부 점액이 관찰되기도 한다. 비염이 의심되는 경우 항히스타민, 류코트리엔 길항제(leukotriene receptor antagonist),

표 27-1. 소아 만성 기침의 연령별 감별 질환

영아기(0-1세)	학령전기(2-5세)	학령기/청소년기(6-14세)
1. 흡인 　– 연하장애, 신경발달장애 2. 선천성기형 　– 식도기관루 　– 기도 및 혈관기형 3. 반응성 기도 질환 　– 영아천식 4. 위산 역류성 질환 5. 호흡기 감염 　– 바이러스(RSV, CMV) 　– 클라미디아 　– 백일해	1. 흡인 　– 기도 이물 2. 지속세균기관지염(protracted bacterial bronchitis) 3. 반응성 기도 질환 　– 천식 4. 후비루 연관 질환 　– 비부비동염 　– 비염 5. 위산 역류성 질환 6. 기관지확장증 7. 호흡기 감염 　– 바이러스 　– 마이코플라즈마 　– 세균 8. 기도자극 　– 간접흡연	1. 반응성 기도 질환 　– 천식 2. 지속세균기관지염 3. 후비루 연관 질환 　– 비부비동염 　– 비염 4. 위산 역류성 질환 5. 심인성 6. 기관지확장증 7. 호흡기 감염 　– 결핵 　– 마이코플라즈마 8. 기도자극 　– 흡연/간접흡연 　– 공해

비강내 코르티코스테로이드(intranasal corticosteroid)를 사용하여 기침이 줄어드는지 반응을 살필 수 있고, 세균성 부비동염이 의심되는 경우 항생제를 사용하며 반응을 볼 수 있다.

기침이형천식에 의한 기침은 밤이나 아침에 발생하거나 악화되는 경향이 있고, 마른 기침의 형태이다. 감염의 징후는 없어서 항생제 치료에 반응이 없다. 기관지확장제(bronchodilator)를 사용해보면 매우 효과적으로 기침이 줄어드는 것을 확인할 수 있다. 폐기능검사(spirometry)에서 정상 소견을 보이지만 기관지 유발 검사(bronchial provocation test) 시 기관지과민반응을 확인할 수 있다. 자세한 병력청취를 통해 환아 본인, 부모 혹은 형제들의 아토피 질환력이나 알레르기 반응 검사에서 알레르기 소인을 확인할 수 있다.

간혹 상기도 바이러스성 호흡기 감염 이후 만성 기침이 지속되는 경우가 있는데, 신체검진상 특이소견은 발견되지 않고 특별한 치료 없이 대부분 자연스럽게 사라지는 경과를 보인다. 만일 8주 이상 자연 호전이 없으면 다른 질환에 대한 검사가 필요하다.

위산 역류 질환은 음식물 섭취와 연관되어 기침을 하는 경우가 많으며 신물이 올라오는 느낌, 트림, 흉부 작열감 등이 있을 수 있으나, 소아의 경우는 이러한 특이 증상이 없을 수도 있다. 위산 역류 정도를 측정하는 식도 산도 측정법이 있으나 비교적 침습적인 검사로 소아에게는 적용하기 어려워, 주로 위산 역류를 줄이거나 방지하는 약물치료로 기침이 호전되는지를 평가한다.

소아 만성 기침에 대한 진료 시 하나 이상의 질환이 중첩되어 있을 수 있다는 것을 항상 염두해두고 진단을 위한 검사 및 치료 반응을 잘 살펴야 한다.

1) 병력청취

만성 기침의 병력청취는 면밀하게 이루어져야 한다. 기침의 발병시기, 현재까지의 경과시간, 기침의 소리 및 양상, 가래동반 유무, 동반 증상, 유발인자, 호흡기 질환이나 알레르기 질환에 대한 가족력, 흡연이나 간접흡연의 가능성 등을 확인해야 한다. 식이, 수면, 활동과 관련하여 기침이 악화되는지 진정되는지도 확인해야 하고, 조산에 대한 출생력과 발달지연이 있는지 유전질환이 있는지도 확인해야 한다. 또한 소아의 경우 세균성 기관지염이 흔히 반복될 수 있어, 이에 대한 치료를 적절하게 받았는지 치료에 대한 순응도가 나쁘지는 않았는지 확인하여야 한다.

병력청취에서 나온 다음과 같은 특이적 기침 포인터는 진단의 범위를 좁혀가는 중요한 단서가 된다(표 27-2). 만일 가래가 동반된 기침이라면 감염성 호흡기 질환이나 기관지확장증을 생각해 볼 수 있겠고, 천명이나 호흡곤란이 동반되었다면 천식을 생각해 볼 수 있다. 또는 숨 막히는 증상이 있고 난 후부터 발생한 기침이라면 기도이물에 의한 흡입성 기침을 생각해 볼 수 있고, 신생아 때부터 발생한 기침이라면 선천성 기형을 의심해 볼 수 있다.

2) 신체검진

신체검진 시에서도 자세한 관찰로 기침 원인에 대하여 많은 힌트를 얻을 수 있다. 안면부 시진(inspection)을 통해 유전질환의 모습이 보이는지 아토피 질환의 징후가 있는지를 알 수 있고 손발가락 곤봉증(digital clubbing)이 있는지도 관찰할 수 있다. 흉부 시진 및 청진도 만성 기침의 감별에 필요하지만 소아이비인후과의 진료 범위를 벗어나므로 본문에서는 다루지 않도록 한다. 그리고 소아이비인후과에서 진료 시 원인 감별에 도움이 되는 내시경 검사 및 소견에 대해서는 이후 단락에서 다루도록 하겠다.

3) 폐기능검사(Spirometry)

폐기능검사는 비침습적인 검사로 환아가 검사에 협조만 된다면 하기도 문제를 감별해 낼 수 있는 좋은 방법이다. 폐기능검사 상 폐쇄성 패턴(obstructive pattern)을 보이고 아토피 징후나 이전 아토피 질환에 대한 병력이 있다면 기관지 확장제에 대한 반응을 살펴 천식 치료로 만성 기침을 해결할 수 있다.

4) 흉부 단순 방사선 사진

흉부방사선사진도 소아 만성 기침의 진료에서 확인해 보아야 할 검사이다. 흉부방사선 사진상 만성 폐질환이 의심되는 소견이 있다고 하면 만성흡인, 반복적 폐렴, 기도이물을

표 27-2. **특이적 기침 포인터(specific cough pointer)**

특이적 기침 포인터	가능한 원인 질환들
병력	
• 농성 가래 동반	세균성 기관지염, 기관지확장증, 폐농양, 폐동공(pulmonary cavitation)
• 천명	천식, 기관지확장증, 호산구성 질환
• 호흡곤란	천식, 중증 폐질환

• 특이한 기침소리
  -컹컹대는 기침(barking cough)
  -거위울음소리 기침(honking or goose-like cough)
  -발작적 기침(paroxysmal cough)
  -단속성 기침(staccato cough)
	기관연화증(tracheomalacia), 습관성 기침, 그루프(croup)
	기관연화증, 기침-틱장애, 심인성 기침
	백일해(pertusis or parapertusis)
	영아 클라미디아 감염

• 반복되는 폐렴	면역저하, 기관지확장증, 원발성섬모운동이상
• 신생아 시기부터 발생	선천성 기형(기도 기형, 혈관 기형), 면역이상, 원발성섬모운동이상
• 숨막히는 증상 이후 기침 시작	만성 기도 이물
• 기침에 대한 주의를 주면 심해지고 주의가 분산되거나 잘 때는 기침 사라짐	심인성 기침 혹은 습관성 기침

• 동반 질환
  -신경 발달 이상
  -수유 곤란
  -성장장애
  -자가면역질환
  -ACE 억제제 사용
	흡인성 기침
	후두 및 기관 이상, 흡인성 기침
	중증 폐질환, 낭성섬유증, 면역저하, 결핵
	간질성 폐질환
	ACE 억제제 부작용

신체검진	
• 곤봉증(digital clubbing)	기관지확장증, 간질성 폐질환
• 흉벽(chest wall) 이상	폐질환, 신경근 질환
• 천명음(wheezing)	천식, 기관지확장증
흉부 단순 방사선 사진상 이상 소견	폐질환
폐기능검사(spirometry) 이상 소견	폐쇄성(obstructive) 혹은 제한성(restrictive) 폐질환

생각해 볼 수 있다. 하지만 이러한 이상이 있다고 할지라도 흉부방사선사진은 정상 소견을 보이는 경우가 많으므로, 이상소견이 없다고 할지라도 하기도 질병을 배제할 수 없다는 사실을 알고 있어야 한다.

5) 말초혈액검사

말초혈액검사는 만성 기침 환아에게 반드시 시행해야 하는 것은 아니지만, 알레르기 질환이 의심되는 경우 말초혈액검사에서 호산구 수치와 총 면역글로불린E 수치(total immunoglobulin E)는 알레르기 관련 질환과 호산구성 질환의 진단에 유용하다. 또한 면역글로불린에 대한 검사로 면역결핍 혹은 및 고감마글로불린혈증(hypergammaglobu-linemia), 저감마글로불린혈증(hypogammaglobulinemia) 등의 면역이상에 의한 반복성 감염도 찾아낼 수 있다.

6) 호기산화질소측정(fractional exhaled nitric oxide, FeNO)

산화질소는 포유류의 날숨(exhaled breath)에서 발견되는 반응성이 높은 물질로 혈관이완(vasodilater), 기관지이완(bronchodilater), 신경전달물질(neurotransmitter), 염증매개물질(inflammatory mediator)로 작용한다. 호기산화질소는 기도상피(airway epithelium)에서 기원하는 것으로 알려져 있는데, 기도염증반응이 증가되어 있는 것을 나타내는 간접적 지표로 간주된다. 특히 천식과 같은 호산구성

염증질환에서 생체지표(biomarker)로 사용된다. 하지만 측정 성공률은 나이가 어려질수록 낮아진다. 10세 아동에서는 100% 측정이 성공하지만 4세 아동에서는 40%에서만 제대로 측정이 가능하다는 단점이 있다.

최근에는 비침습적인 호기산화질소측정이 천식 및 원발성 섬모 이상운동증(primary ciliary dyskinesia)을 찾아내는 데 사용되기 시작하였다. 이는 원발성 섬모 이상운동증 환자의 비강 호흡에서 산화질소의 농도가 비정상적으로 낮게 측정된다는 점을 이용한 것으로 아직 그 원인은 확실하게 밝혀져 있지는 않다. 표준적인 진단 검사로 시행해 온 하비갑개 점막 채취는 침습적인 방법으로 소아에서는 적용이 어려웠으나, 비강 호기산화질소 측정법은 비침습적인 검사로 소아에게도 적용이 용이할 것으로 연구되고 있다.

7) 내시경 검진

소아 만성 기침에 대한 상기도 내시경 검진은 코부터 기관(trachea)까지이다. 부위별로 나누어 보면 비강(nasal cavity), 구강(oral cavity), 비인두(nasopharynx), 구인두(oropharynx) 및 후두(larynx)까지 내시경을 통한 검진이 가능하다. 후두에 대한 신체검진은 소아에게 시행할 경우 주로 굴곡형 후두내시경(fiberoptic laryngoscope)을 사용한다. 각 질환에 대한 내시경적 특이 소견들은 이비인후과적 원인질환에서 서술하기로 한다.

4. 비특이적 만성 기침

소아에서 병력청취 및 신체검진을 통해 특이적 기침 포인터를 찾기 어려운 비특이적 만성 기침의 경우는 경험적 치료를 시행하며 치료에 대한 반응을 살피도록 한다. 이러한 경험적 치료로 권고되고 있는 약재는 경구 항히스타민(histamine-1 receptor antagonist)과 흡입형 코르티코스테로이드(inhaled corticosteroid)이다.

항히스타민제의 효과는 연구 대상의 연령에 따라 서로 다른 결과를 보이고 있다. 36개월 미만 영아를 대상으로 한 위약 대조 연구 결과 기침 증상 효과가 의미가 없게 나왔

다. 하지만 15세 이하 소아를 대상으로 한 연구에서는 4주 투여 시 기침의 횟수와 강도가 의미 있게 줄었다고 보고되었다. 미국과 영국 가이드라인에 따르면 상기도기침증후군, 비염, 부비동염에 효과적으로 알려져 있고, 목을 자주 가다듬는 형식의 만성 기침에 권고되고 있다.

흡입형 코르티코스테로이드는 10세 이하 소아에서 위약 대비 기침 빈도를 줄이는 것으로 보고되었다. 하지만 아직 소아 만성 기침에 대한 연구 결과가 부족한 상황이다. 이 흡입제는 마른 기침으로 천식이 의심되는 경우 검사가 불가능한 아이들에게 권유되는 약물이다. 항히스타민제와는 달리 상기도기침증후군에서는 효과가 없는 경우가 많다.

류코트리엔 길항제의 경우 천식 및 알레르기비염에 사용되는 약제로 일부 연구에선 소아 만성 기침의 증상 개선의 보고가 있었으나 위약 대조 연구가 아닌 반응률 만을 본 연구로 확실한 근거는 부족하다. 다만 천식과 관련된 기침의 경우는 사용해 볼 수 있는 정도이다.

성인의 경우 만성 기침의 주요 원인 중 하나가 위산역류질환이고 흉부작열감(heartburn), 위산역류(acid regurgitation), 인두이물감(globus), 만성 기침 등의 해당되는 특징적인 증상을 호소하지만, 소아에서는 위산역류질환이 드물고 비특이적인 증상을 보이는 경우가 많아 위산분비억제제를 사용하는 데 신중해야 한다. 영아의 경우 반복적 구토(recurrent regurgitation)나 목을 뒤트는 자세(dystonic neck posturing)를 보이거나, 14세 이하 소아의 경우 흉부작열감이나 상복부통증(epigastric pain)과 같은 임상 증상이 보일 경우 위산분비억제제를 4-8주간 사용하는 것이 추천 된다.

5. 만성 기침의 이비인후과 원인 질환

만성 기침의 원인이 되는 비강 질환으로는 후비루 연관 질환이 있는데, 비염과 부비동염이 이에 해당된다. 비염은 4대 증상인 코막힘, 콧물, 재채기, 코가려움이 계절성으로 혹은 연중 발생하고, 비강 내시경을 통해 하비갑개 점막이 창백하고 비후되어 있고 수양성 비루 소견도 확인할 수 있

다. 만일 알레르기비염이 의심될 경우 흡입항원에 대한 알레르기 검사를 진행해 볼 수 있다. 경구 항히스타민과 비강내 코르티코스테로이드를 사용하여 증상을 조절해 볼 수 있다. 알레르기비염의 경우 증상이 지속적(persistant)인 경우 면역치료(immunotherapy)도 생각해 볼 수 있다.

소아의 경우 비염에 의한 기침도 있을 수 있으나, 비염 그 자체보다는 비염과 관련성이 많은 부비동염으로 인한 기침의 더 흔하다. 소아에서 부비동염은 코막힘, 누런콧물, 후비루, 안면부 통증, 기침 등의 증상이 발생하고 비강내시경 상 화농성 비루 혹은 비강 용종이 보이거나 부비동의 음영증가의 CT 소견이 보이면 진단할 수 있다. 급성부비동염은 증상 기간이 4주 이내인 경우지만, 절절한 치료에 실패하여 반복적인 부비동염이 발생하는 경우 만성 기침의 증상으로 나타날 수 있다. 만성부비동염은 12주 이상 증상이 지속되는 경우로 대부분 만성 기침을 호소한다. 부비동염은 하기도에서 만성 기침의 흔한 원인이 천식의 악화요인으로 작용할 수 있으므로 부비동염 진단 시에는 천식에 대한 과거력 및 현증을 평가를 하는 것이 적절하다. 비용종을 동반한 소아 만성부비동염의 경우 낭성섬유증(cystic fibrosis)에 대한 평가도 이루어져야 한다. 특별한 기저질환이 없는 아이라면 4-6주간 항생제 치료를 해볼 수 있으나 반응이 없으면 비강 내시경 소견과 CT 소견을 기반으로 풍선카테터부비동 수술이나 고식적 내시경 부비동 수술을 고려해 볼 수 있다.

비인두에서는 아데노이드가 만성 기침과의 연관성이 많다. 소아의 경우 아데노이드염은 재발성 혹은 만성 부비동염 발생에 영향을 줄 수 있다. 특히 6세 미만의 소아의 경우, 아데노이드는 부비동염의 중요한 기여요인으로 작용한다. 따라서 6세 미민의 소아에서 재발성 혹은 만성 부비동염에 대한 치료를 위해서아데노이드 절제술이 우선 고려될 수 있다. 하지만 부비동염이 없더라도 아데노이드 비대는 그 자체만으로 만성 기침을 유발하는 경우가 있으므로 비인두 내시경을 통한 확인이 필요하다.

원발성섬모운동이상증은 섬모의 디네인팔(dynein arm)에 문제가 발생하여 섬모가 제기능을 하지 못하는 상염색체열성 질환이다. 이 질환을 가진 소아의 경우 반복적으로

기침, 부비동염, 중이염, 폐렴 등이 발생한다. 이러한 반복적인 병력을 바탕으로 하바갑개 점막을 일부 채취하여 전자현미경으로 비강점막섬모 조직을 확인하여 진단할 수 있다. 최근에는 비강 호흡을 통해 호기산화질소를 측정하는 비침습적인 측정법이 개발되었다.

구인두에서는 소아만성 기침의 원인은 흔하지 않으나 구개편도의 비대는 소아만성 기침의 원인이 되기도 한다. 구개편도, 설편도 비대는 인두 후벽이나 후두개를 자극하여 기침반사를 일으킬 수 있기 때문이다. 또한 구개편도비대는 흔히 소아 수면무호흡증의 원인이 되는데, 비록 수면무호흡증을 동반하지 않았다고 할지라고 구개편도비대로 인한 만성 기침이 발생하는 경우가 있음을 알고 있어야 한다.

소아만성 기침은 후두인두역류(laryngopharyngeal reflux) 혹은 위식도역류(gastriesophageal reflux)로 인해 발생하는 경우가 종종 있다. 역류액이 식도원위부에 있는 미주신경말단을 직접적으로 자극하여 기침이 발생할 수 있고, 만성적인 후두자극 또는 흡인으로도 발생할 수 있다. 후두인두역류가 있는 경우 굴곡형 후두내시경을 통해 피열골(arytenoid) 혹은 성문(glottis) 부위의 부종 혹은 발적 소견을 확인할 수 있고 후두실폐쇄(laryngeal ventricular obliteration)도 있을 수 있다. 하지만 이들 내시경 소견은 역류질환에 비특이적인 소견이므로 내시경 소견을 관찰할 수 없다고 할지라도 후두인두역류를 배제할 수 없음을 주의해야 한다. 아직 소아환자에서 후두인두역류와 후두내시경 소견 간에는 연관성은 논쟁 중이다. 위식도역류질환도 소아에서는 증상이 비특이적이다. 복통, 역류, 구토, 식욕감퇴 등의 증상이 나타날 수 있으며 8세 이상 소아나 청소년기의 소아가 되어서야 비로소 전형적인 작열감이나 역류증상을 호소하는 경우가 많다.

성인과는 달리 소아에서는 만성 기침의 원인으로 만성흡인(chronic aspiration)도 생각해 보아야 한다. 만성흡인이 있는 소아에서는 후두내시경 상 후두감각이 저하로 발생하는 후두에 분비물이 저류가 확인될 수 있다. 만성흡인은 선천적인 후두열(laryngeal cleft)로 인해 발생할 수가 있는데, 이 경우 음식섭취 시 만성 기침이 증상이 나타날 수 있다. 후두열의 가장 흔한 형태는 피열간근(inter-arytenoid muscle)이 불완전하게 형성되는 제1형열(type 1 cleft)로 후두내시경상으로는 확인이 어렵고, 수술실에서 전신마취 후 촉진(palpation)을 통해 확인해 볼 수 있다. 선천성 기형 중 기관식도누공은 신생아기부터 지속적으로 수유 시 청색증, 호흡곤란, 기침을 발생시킬 수 있다. 이 경우 기관 후벽 점막에서 누공을 찾을 수 있는데 만성흡인이 발생하여 만성 기침을 유발한다. 드물게 발생하는 선천성 질환 중 윤상인두근이완불능증(cricopharyngeal achalasia)은 신생아 시기부터 수유문제가 발생되며 흡인으로 인한 기침을 계속 유발할 수 있다. 아놀드-키아리 기형(Arnold-Chiari malformation)의 경우도 뇌간(brainstem)압박으로 후두감각저하, 성대마비, 연하곤란 등이 동반될 수 있고 이로 인한 흡인으로 만성 기침이 발생될 수 있다.

성문하부와 기관의 병변은 외래에서 내시경을 통한 확인은 어렵고 수술실에서나 확인해 볼 수 있다. 반복적인 크룹(croup)은 성분하협착증(subglottic stenosis)이나 기관-기관지연화증(tracheobronchomalasia)의 증상으로 나타날 수 있다. 무명동맥압박(innominate artery comperssion), 후식도쇄골하동맥(retro-esophageal subclavian artery), 폐동맥슬링(pulmonary artery sling), 이중대동맥궁(double aortic arch)과 같은 대혈관의 기형도 만성 기침을 유발할 수 있는데 이 경우 무호흡 발작(apnea spell), 반복적 폐렴, 연하곤란이 동반된다.

성인과는 달리 소아의 경우에는 기도 이물질 흡인이 지속되어 기침이 계속되는 것인지도 확인해 보아야 한다. 만성기도이물(chronic airway foreign body)은 3세 이전의 소아에서 가래 없는 만성 기침의 증상을 나타날 수 있다. 만성기도이물은 흡인하는 모습을 본 사람이 없으면 쉽게 알아내기 어려워서, 기도이물에 대한 만성 기침을 천식과 같은 반응성 기도 질환으로 잘못 진단하여 10대가 되어 발견되는 경우도 보고되었다.

매우 드문 경우로는 귀에 들어간 작은 이물질이나 머리카락 등의 고막(tympanum) 자극으로 인해 미주신경(vagus nerve) 이개분지(auricular branch)를 통해 아놀드신경반사(Arnold nerve reflex)를 일으켜 반복적인 기침을 유발할 수 있다.

6. 특별한 원인이 불분명한 만성 기침

특별한 원인 질환이 찾기 어려운 소아 만성 기침으로 심인성 기침(psychogenic cough)과 습관성 기침(habit cough)이 있다. 심인성 기침은 최근 신체기침증후군(somatic cough syndrome)으로도 불리고 있고, 습관성 기침은 기침 틱(tic cough)으로 여겨지고 있다. 이들 진단을 위해서는 기질적 원인 질환에 대한 징후 및 검사 소견 및 경험적 약물 치료에 반응을 보는 것을 먼저 진행해야 한다. 이들 기침의 특징은 마른 기침이고, 유난히 소리가 크고, 개 짖는 것 같은 기침소리(barking)나 거위 소리 같은 기침소리(honking)가 나고, 수면 시 기침 증상은 사라지게 된다. 하지만 이러한 기침의 특징들은 다른 기침에서도 나타날 수 있다. 개 짖는 것 같은 기침소리는 기관연하증에서 나타날 수 있고, 수면이 기침이 억제되는 것은 확실한 기전은 밝혀져 있지 않지만 대부분의 기침이 수면 시 억제될 수 있다. 따라서 기침의 양상만 보고 심인성 기침이나 습관성 기침을 단정 짓기는 어렵다. 따라서 환자의 병력, 증상, 징후, 검사소견 및 치료에 반응을 모두 확인해 보며 설명되기 어려운 기침이 있다면 신체기침증후군이나 기침 틱에 대한 정신건강의학과 자문을 구해볼 수 있다.

▬▬▬ 참고문헌

• Keller JA, McGovern AE, Mazzone SBJC. Translating cough mechanisms into better cough suppressants. 2017:152(4):833-41.

• Marchant JM, Newcombe PA, Juniper EF, Sheffield JK, Stathis SL, Chang ABJC. What is the burden of chronic cough for families? 2008:134(2):303-9.

• Chang AB, Oppenheimer JJ, Weinberger M, Grant CC, Rubin BK, Irwin RS, et al. Etiologies of chronic cough in pediatric cohorts: CHEST Guideline and Expert Panel Report. 2017:152(3):607-17.

• Shields MD, Doherty GMJPrr. Chronic cough in children. 2013:14(2):100-6.

• 대한천식알레르기학회. 만성 기침 진료지침. 2018.

• Dweik RA, Boggs PB, Erzurum SC, Irvin CG, Leigh MW, Lundberg JO, et al. An official ATS clinical practice guideline: interpretation of exhaled nitric oxide levels (FENO) for clinical applications. 2011:184(5):602-15.

• Pijnenburg MWJFip. The role of FeNO in predicting asthma.

2019;7.

• Boon M, Meyts I, Proesmans M, Vermeulen FL, Jorissen M, De Boeck KJEjoci. Diagnostic accuracy of nitric oxide measurements to detect primary ciliary dyskinesia. 2014;44(5):477-85.

• Shapiro AJ, Josephson M, Rosenfeld M, Yilmaz O, Davis SD, Polineni D, et al. Accuracy of nasal nitric oxide measurement as a diagnostic test for primary ciliary dyskinesia. A systematic review and meta-analysis. 2017;14(7):1184-96.

• Van Asperen P, McKay K, Mellis C, Loh R, Harth S, Thong Y, et al. A multicentre randomized placebo-controlled double-blind study on the efficacy of Ketotifen in infants with chronic cough or wheeze. 1992;28(6):442-6.

• Ciprandi G, Tosca M, Ricca V, Passalacqua G, RICCTO A, Bagnasco M, et al. Cetirizine treatment of rhinitis in children with pollen allergy: evidence of its antiallergic activity. 1997;27(10):1160-6.

• Davies M, Fuller P, Picciotto A, McKenzie SJAodic. Persistent nocturnal cough: randomised controlled trial of high dose inhaled corticosteroid. 1999;81(1):38-44.

• Kopřiva F, Sobolová L, Szotkowská J, Zápalka MJJoA. Treatment of chronic cough in children with montelukast, a leukotriene receptor antagonist. 2004;41(7):715-20.

• Chang AB, Oppenheimer JJ, Kahrilas PJ, Kantar A, Rubin BK, Weinberger M, et al. Chronic cough and gastroesophageal reflux in children: Chest guideline and expert panel report. 2019;156(1):131-40.

• Naime S, Batra SK, Fiorillo C, Collins ME, Gatti M, Krakovsky GM, et al. Aerodigestive Approach to Chronic Cough in Children. 2018;4(4):467-79.

• Haydour Q, Alahdab F, Farah M, Barrionuevo P, Vertigan AE, Newcombe PA, et al. Management and diagnosis of psychogenic cough, habit cough, and tic cough: a systematic review. 2014;146(2):355-72.

• Vertigan AE, Murad MH, Pringsheim T, Feinstein A, Chang AB, Newcombe PA, et al. Somatic cough syndrome (previously referred to as psychogenic cough) and tic cough (previously referred to as habit cough) in adults and children. 2015;148(1):24-31.

Chapter 28

구개범인두기능장애

Velopharyngeal Dysfunction

김진환, 최규영

구개인두(velopharynx)는 입술, 혀, 인두, 후두, 턱과 함께 언어 발성에 관여하는 조음기관으로, 이들의 협조를 통하여 다양한 어음(speech sound)을 만들어 낸다. 구개인두의 위치는 어음에 따라 달라지게 되는데, 예를 들어 '이'나 '우' 소리를 낼 때는 '아' 소리를 낼 때보다 더 높은 위치에서 구개인두가 수축하게 된다. 구개인두구(velopharyngeal port)는 주로 모음을 낼 때 닫히게 되며, 발성중 비음(nasal sound)이나 구음(oral sound)의 구성에 따라 열렸다 닫혔다 한다. 발성 속도에 따라 구개인두의 움직임의 속도도 변하게 된다.

구개인두기능장애(velopharyngeal dysfunction)는 구개인두밸브(velopharyngeal valve)가 제대로 기능을 못하여 구음을 낼 때 적절히 닫히지 않는 경우를 말한다. 구개인두괄약근(velopharyngeal sphincter)의 구조적 혹은 생리적 기능장애가 있는 경우에 발생하며, 이는 구음이 코로 공명되어 언어가 비정상적으로 들리는 과비음(hypernasality), 비난류(nasal turbulence), 비누출(nasal emission) 등을 유발한다. 비정상적인 언어의 공명은 결국 환아에게 언어의 질 저하는 물론 언어생성능력과 언어명료도를 떨어뜨릴 수 있다. 또한 환아와 그 가족의 삶의 질이 크게 저하될 수 있으며, 의사소통뿐만 아니라 감정적인 부분까지도 영향을 받을 수 있다.

1. 해부학

구개인두구는 연구개(soft palate)가 후상방으로 이동하면서 막히게 된다. 이때, 인두외측벽이 내측으로, 혹은 인두후벽이 전방으로 이동하기도 한다. 구개인두구를 막히도록 작용하는 근육으로는 구개긴장근(tensor veli palatini), 구개올림근(levator veli palatini), 구개수근(musculus uvulae), 구개설근(palatoglossus muscle), 구개인두근(palatopharyngeus muscle), 상인두수축근(superior pharyngeal constrictor muscle)이 있다(그림 28-1). 구개올림근은 연구개의 대부분을 차지하는 중요한 근육으로, 구개인두의 상승 및 후방이동에 관여한다. 구개설근과 구개인두근은 구개올림근과 반대작용을 하여 연구개를 하방이동 시킨다. 구개인두근은 연구개를 양외측으로 늘려 그 너비를 증가시키는 역할을 하고, 상인두수축근으로 이어져 인두외측벽의 움직임에도 관여할 수 있다. 구개수근은 구개인두의 배면(dorsal side)을 두껍게 하여 용적을 증가시키는 데 일조한다. 인두외측벽의 움직임은 주로 상인두수축근에 의하며 사람마다, 언어마다 조금씩 다르다. 팟사반트융선(Passavant's ridge)은 발성 시 혹은 연하 시에 간혹 관찰되는 인두후벽의 돌출로, 인두외측벽의 움직임에 영향을 준다. 이

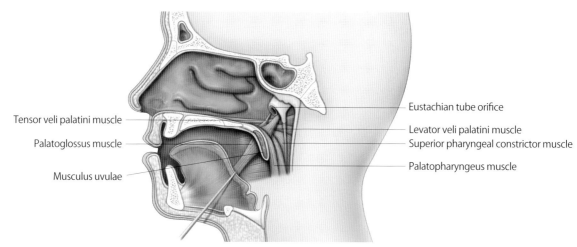

Tensor veli palatini muscle
Palatoglossus muscle
Musculus uvulae

Eustachian tube orifice
Levator veli palatini muscle
Superior pharyngeal constrictor muscle
Palatopharyngeus muscle

그림 28-1. **해부학.** 구개인두구에 관련된 근육들

는 상인두수축근과 구개인두근으로 이루어지며, 이는 융선이 관찰되는 사람의 약 1/3에서 인두의 비부와 구부의 사이를 막는 데 일조하는 것으로 알려져 있다.

2. 분류

구개범인두기능장애(velopharyngeal dysfunction)는 구개인두밸브에 영향의 미치는 모든 질환을 포함하는 일반적인 용어이다. 이는 원인에 따라 세 가지로 분류될 수 있으며 이는 각각 구조적 이상, 신경학적 이상, 기능적 이상인 부전(insufficiency), 불능(incompetence), 조음장애(mislearning)이다. 구개인두부전(velopharyngeal insufficiency)은 구개인두가 해부학적 혹은 구조적으로 짧아 인두후벽까지 완전히 닫히지 않는 경우이나(그림 28-2). 이는 구개인 두기능장애의 가장 흔한 유형으로 짧은 구개 혹은 구개의 결함에 의해 유발되며, 구개열(cleft palate)이 있거나 구개수술을 받은 환아에서 주로 나타난다. 구개인두불능(velopharyngeal incompetence)은 신경의 마비(paresis, paralysis)에 의하여 구개인두의 운동 조절에 장애가 생겨 폐쇄가 되지 않는 경우를 말한다(그림 28-3). 여기에는 뇌기저부 수술 혹은 종양, 뇌간의 뇌경색, 외상 등에 의한 중추

신경계의 장애 등이 포함된다. 위의 두 유형은 모두 의학적인 질병에 속하며, 수술 혹은 장치를 이용한 의료진의 치료가 필요하다. 마지막 유형인 구개인두조음장애(velopharyngeal mislearning)는 구조적인 문제나 신경운동의 문제가 원인이 아닌 경우로 인두의 기능적인 장애이다. 이는 구개인두기능장애을 보상하기 위해 잘못 학습된(mislearned) 환아의 조음장애로, 구음을 낼 때 구개인두 밸브가 열려 공기와 음성이 비강으로 배출되어 음소특이(phoneme-specific) 과비음 혹은 비누출을 유발한다. 이는 언어의 발성 장애이기 때문에 치료는 언어치료가 된다.

3. 원인

구개인두의 움직임에 관여하는 다양한 근육과 이들의 조화가 구개인두구를 조절하기 때문에, 이들 중 하나의 구조물이나 기능의 이상은 구개인두기능장애을 유발하게 된다. 다양한 원인에 의해 구개인두기능장애가 유발될 수 있으며, 실제 대부분의 환아는 구개인두기능장애을 유발하는 해부학적 혹은 신경학적 결함을 보인다.

　구개인두기능장애이란 용어는 비정상적인 기능 자체만을 나타내며 그 원인을 나타내지는 않는다. 하지만, 그 원

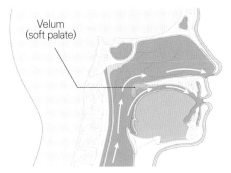

그림 28-2 **구개인두부전.** 구개의 길이가 짧아 구개인두구가 완전히 막히지 않는다.

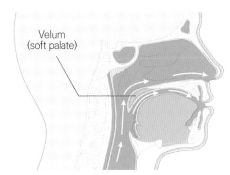

그림 28-3 **구개인두불능.** 구개가 잘 움직이지 않아 구개인두구가 완전히 막히지 않는다.

인과 유발요인을 환자 개별적으로 정확히 파악해야 적절한 치료 계획을 수립할 수 있다. 구개인두 기능장애은 주로 음성의 음질에 영향을 주기 때문에, 많은 경우에서 발성 장애(dysphonia)로 여겨져 정확한 진단이 늦어질 수 있다. 특히, 구개열이 없는 경우에 구개인두기능장애으로의 진단이 늦어지는 경우가 많으며 이는 적절한 치료의 지연으로 연결된다. 실제로 Campbell 등의 조사에서는 발성장애로 내원한 427명의 환아 중 16%가 성대(후두)의 문제가 아닌 구개인두 기능장애에 의한 것으로 나타났다.

구개인두기능장애의 가장 흔한 원인은 구개열이다. 현성 구개열이 아닌 점막하구개열(submucosal cleft palate)에서도 구개인두기능장애가 나타날 수 있다. 하지만, 구개열이 없는 경우에도 다른 다양한 원인에 의해 구개인두기능장애가 나타날 수 있으므로, 다른 해부학적 혹은 기능적 이상이 있는지 확인해야 한다. 이에는 구개가 선천적으로 짧은 경우, 인두가 상대적으로 깊게 위치한 경우, 아데노이드가 고르지 못하거나 위축이 있는 경우, 아데노이드절제술을 받은 후, 편도의 비대가 있거나 편도절제술을 받은 경우, 상악전 진수술(maxillary advancement)을 받은 경우, 구강이나 인두의 종양, 여러 두개안면기형증후군에서 나타나는 구개이형성(velar dysplasia) 등이 있다. 편도의 비대는 간혹 구개의 폐쇄를 방해하여 구개인두기능장애를 일으킬 수 있으며, 편도절제술 후에 외측인두벽에 반흔이 생기면 또한 기능장애가 생길 수 있다. 아데노이드절제술이

구개인두기능장애를 야기하는 기전은 큰 아데노이드가 구개인두기능장애에서 짧은 구개를 보상하는 작용을 하는데, 아데노이드절제술을 하면 이 보상작용이 상쇄되기 때문이다. 아데노이드절제술 후에 발생하는 구개인두기능장애의 빈도는 약 1,500건당 1건으로 보고되고 있다. 이들은 모두 해부학적인 문제이기 때문에 구개인두기능장애의 분류에서 부전(insufficiency)의 원인이 된다고 할 수 있다.

반면에 구개인두의 움직임이 제한되거나 소실되는 불능(incompetence)을 일으키는 신경학적 질환으로는 뇌성마비(cerebral palsy), 신경근질환(neuromuscular disease), 신경섬유종증(neurofibromatosis), 뇌신경종양, 뇌혈관질환, 외상성 뇌손상 및 기타 뇌손상 등이 있다. 신경근질환에는 근긴장성이영양증(myotonic dystrophy), 중증근무력증(myasthenia gravis), 근이영양증(muscular dystrophy) 등이 포함된다. 이러한 신경학적 질환들은 근긴장저하(hypotonia), 구음장애(dysarthria), 실행증(apraxia)을 유발하여 언어능력에 영향을 미친다. 이 외에도 제9뇌신경이나 제10뇌신경장애, 근피로(stress incompetence) 등에 의해서도 발생할 수 있다.

조음장애(mislearning)를 일으키는 원인에는 환아의 부적절한 조음에 의해 발생하는 발화음장애(speech sound disorder), 환아가 구개인두기능장애을 보상하기 위해 구음을 인두에서 만들어내는 보상조음(compensatory speech production), 그리고 청각 소실이나 청각장애 등이 있다.

4. 증상

구개인두기능장애가 있는 환아의 전형적인 증상으로는 과비음, 과공명음(increased resonance), 비누출, 비역류(nasal regurgitation) 등이 있다. 즉, 구개인두구가 제대로 닫히지 않아 구음을 내야 할때 비음이 새어 나오는게 가장 큰 문제일 것이다. 영어에서 /e/와 같은 모음을 발성할 때 구개인두가 완전히 닫히지 못하면 비강과 구강이 하나로 공명되어 비음과 구음이 혼합되는 과비음을 내게 된다. /k/, /t/와 같은 자음을 발음하는 경우에는 입안의 공기가 코로 누출되는 비누출이 발생하여 음이 약해지게 된다. 이러한 언어 장애를 보상하기 위해 환아는 혀, 성대, 인두, 코 등의 비정상적인 움직임을 통하여 발성을 조절하려는 보상성 조음장애(maladaptive misarticulation, mislearing)를 나타내기도 하며, 구개인두를 폐쇄하기 위한 시도의 결과로 얼굴이나 코를 찡그리거나, 과비음과 비누출을 감소시키기 위한 시도로 거친 목소리를 내거나 혹은 후두 결절이 생길 수도 있다.

5. 진단

구개인두기능장애의 진단에는 정립된 표준 검사 방법이 아직 없는 실정이다. 언어평가(speech analysis), 비음도검사(nasometry), 압력-유량 측정법(pressure-flow measurement), 두개측면방사선촬영술(lateral cephalometry), 비디오조영검사(videofluoroscopy), 내시경검사(nasopharyngoscopy) 등이 진단을 위해 많이 사용되며, 이 외에도 역동적자기공명 영상(dynamic MRI), 컴퓨터단층촬영, 초음파 등이 사용된다. 환자 개인 혹은 병원의 상황에 따라 적절한 검사들을 시행하여 이를 종합적으로 판단하게 되는데, 저자는 기본적인 검사로 언어치료사에 의한 언어평가와 이비인후과 전문의에 의한 내시경검사를 통상적으로 시행하고 있다. 구개인두기능장애 없이 과비음만 있는 경우, 비대한 아데노이드 조직 등에서 나타나는 저비음(hyponasal resonance), 보상성 조음장애와 같은 기능적 문제, 음소에

따른 특수한 비누출(phonemespecific nasal emission) 등과의 감별 진단이 필요하다.

구개인두기능장애의 평가를 위해서는 이를 유발하는 원인을 환아 개인별로 정확히 파악하고 진단하는 것이 중요하다. 구개인두 기능의 정도와 특성을 파악, 특히 구개인두 밸브의 기능을 평가하고 언어 생성에 미치는 영향을 파악한다. 이를 통해 환아의 치료 방침, 즉 언어치료, 보조장치 치료, 수술적 치료 등을 결정하게 된다.

1) 언어평가

발성장애 혹은 언어장애로 내원한 환아의 병력 청취는 환아와 많은 시간을 보내고 있는 보호자를 통해 시행할 수 있다. 그 다음에 실제로 환아의 언어능력을 평가한다. 놀이를 통해 혹은 직접적인 질문을 통해 환자가 자연스럽게 말을 시작할 수 있도록 한다. 이를 통해 언어능력, 조음, 비강공명 등을 어느 정도 평가할 수 있다. 일단 구개인두기능장애가 의심되면 추가로 외래에서 간단한 검사를 통해 선별해 낼 수 있는데, 이는 코를 막고 다양한 음성이나 음절을 내어보게 하거나 코 밑에 반사경을 대어 안개가 서리는지 등을 확인 하는 것이다.

저비음은 /m/, /n/, /ng/ 등을 발성할 때 나타날 수 있다. 이들 비자음(nasal consonant)은 비강 기류가 적어지면 소리가 변하여 /m/은 /b/로, /n/은 /d/로, /ng/는 /g/로 들릴 수 있다. 코를 막을 때와 막지 않을 때에 음질이 같다면 비강이나 비인두의 폐쇄가 있다는 뜻이다. 비강이 막혀 있다면 코를 막아도 /m/ 소리는 변하지 않으며 코에서 진동이 느껴지지 않는다. 반면에 정상인 경우 비자음을 낼때 코 밑의 반사경에 안개가 서릴 것이다. 저비음은 감기로 인한 비강 충혈이나 아데노이드 비대증, 비갑개 충혈 등에서 나타날 수 있다. 이를 진단하기 위해서는 /m/, /n/, /ng/ 등을 발성시키면서 확인할 수 있으며, 이때 구개의 움직임은 이완과 폐쇄 상태 사이에서 적절히 움직인다.

과비음은 비음보다는 구음을 내게하여 확인할 수 있다. /p/, /b/, /t/, /d/ 등의 구음을 포함한 음소를 내게 하였을 때, 입안의 공기가 코 안쪽으로 누출이 있다면 과비음을 확인할 수 있다. 이때, 코를 막으면 더욱더 공명이 변하는 것

을 확인할 수 있다. 또한, 코 밑의 반사경에 안개가 서리는 것을 확인하는 것으로도 공기의 비강 누출을 확인할 수 있다. 비음이 아닌 구음을 냈을 때 안개가 서리는 것은 비정상이기 때문이다. 환자에게 주어진 과제(발성시킨 음성이나 음절)의 난이도에 따라 구개인두기능장애의 정도도 가늠할 수 있다.

조음장애 또는 '음소특이' 구개인두기능장애는 다른 언어는 정상적이나 특이 음소를 발성할 때 공명이 증가하면서 비정상적으로 생성되는 경우를 의미한다. 이는 특히 /s/, /sh/, /z/ 등에 대한 경우가 많은데, 다른 구음의 비강 누출은 없기 때문에 구개인두는 정상이라 할 수 있고, 이는 결국 적절한 발음 연습으로 치료될 수 있다.

임상적 검사에서 구개인두기능장애가 의심되면 추가적 검사의 적응증이 된다. 간접적인 검사로는 비음도검사와 압력-유량 측정법 등을 시행할 수 있으며, 영상학적 검사로는 두개측면방사선촬영술, 비디오조영검사, 내시경검사 등이 있다. 추가적으로 환아의 언어공명과 조음에 대한 정확한 언어평가도 시행되어야 할 것이다.

2) 비음도검사

이는 표준화된 객관적인 검사법으로 비강과 구강의 어음강도의 비율을 측정하는 기구이다. 비음도검사 측정기(nasometer)를 얼굴에 착용한 후에 정해진 구절이나 문장을 읽으면 환아의 언어공명 형태가 해당 기준치와 비교되어 나온다. 이는 구개인두기능장애 정도의 초기 사정뿐만 아니라, 치료 과정 중 호전의 정도를 파악하는 데도 사용될 수 있다.

3) 압력-유량 측정법

압력-유량 측정을 통하여 발성 중 환아의 구개인 두기능을 평가할 수 있다. 비강마스크를 통해 비강의 기류를 측정하고, 구강의 탐침(probe)을 통해 구강 압력을 측정하게 된다. 구개인두기능장애가 없는 정상 환아는 비음이 아닌 음소를 낼 때에는 비강에서 기류가 측정되지 않을 것이다. 이 검사의 장점은 공기가 누출되는 때를 확인할 수 있다는 것과, 비인두의 단면적을 계산해 낼 수 있다는 점 등이다.

4) 영상학적 검사

위의 검사들이 간접적인 검사인 반면 영상학적 검사는 직접적으로 구개를 눈으로 확인할 수 있는 방법이다. 구개인두기능장애에 관한 영상학적 검사가 권고되는 경우는 언어치료에 호전이 없을 때, 언어평가에서 심각한 과비음이 관찰될 때, 진단이 잘 되지 않을 때, 수술적 치료를 고려할 때 등이다. 과거에는 주로 두개측면방사선촬영술이 사용되었으나 이는 단지 시상 단면만 보여줄 수 있기 때문에 구개인두의 동적인 움직임에 관한 정보를 제공하지 못하는 단점이 있다. 자기공명영상은 최근 두개측면방사선촬영술 대신에 많이 사용되고 있는데, 방사능 노출이 없고 협조가 잘 안 되는 환아에게 편하게 시행할 수 있다는 장점이 있다. 다각도에서 연조직의 단면을 관찰할 수 있으나, 비싸고 환아의 발성에 따른 변화를 볼 수는 없다는 단점이 있다. 구개인두의 기능에 관한 최근의 영상학적 검사에는 비디오조영검사와 내시경검사가 있다. 특히 내시경검사는 대개의 클리닉에서 최근 비디오조영검사를 대체하고 있으며, 3세 이상의 어린이는 대부분 이 검사에 협조가 가능하다.

비디오조영검사는 많은 기관에서 언어기능의 평가에 표준 진단법으로 사용되어 왔다. 영상의학과 전문의와 함께 변형된 바륨연하검사를 시행하며, 비강을 통해 소량의 바륨을 투여 후 구개인두에 도달하도록 하여 이 부분이 가시화되도록 한다. 조영술이 진행되는 동안 환아는 주어진 구절이나 문장을 읽도록 한다. 구개인두괄약근의 움직임은 하나의 평면으로 이루어지는 것이 아니기 때문에, 최소 2-3번의 검사가 필요하다. 측면 영상에서 구개의 길이, 두께, 전후 움직임, 상방 움직임, 후인두벽의 전방 움직임, 팟사반트융선 등을 확인할 수 있다. 전후면 영상으로는 인두의 측방 움직임을 관찰할 수 있다. 축상면 영상을 통해서는 구개인두를 내려다보며 측면, 후면, 구개의 움직임을 관찰할 수 있다. 특히 이 검사를 통해 각 구조물의 움직임을 확인하여 인두피판술에서의 피판의 폭을 결정하는 데 도움을 줄 수 있다.

비디오조영검사의 한계점으로는 방사선 노출이 가장 크며, 방사선 노출에 의해 획득할 수 있는 언어 표본에 제한이 있다는 점이다. 또한 환아의 협조가 필요하며, 결과 해석을 위해서는 많은 경험이 필요하고, 언어치료사와 더불어 영상의학과 전문의도 필요하다는 점 등이 있다. 검사를 통해 구개인두의 폐쇄 형태, 팟사반트융선의 높이와 폐쇄에 관여하는 정도 등을 확인할 수 있지만, 작은 누공이나 간헐적인 폐쇄 형태는 확인할 수 없으며 수술 후의 변화도 관찰하기 어렵다. 이러한 점 때문에 최근에는 일차 진단법이 내시경검사로 넘어가고 있는 추세이다.

언어내시경검사(speech endoscopy)는 최근 가장 유용한 진단법으로 알려져 있으며, 많은 이비인후과 전문의들이 구개인두기능장애의 진단에 이를 사용하고 있다. 이는 최소 침습적인 검사법으로 이상적으로는 의사와 언어치료사 모두 참관하에 검사를 하게 되지만, 비디오 녹화하여 검토하는 것도 가능하다(video nasopharyngeal endoscopy). 비강의 국소마취 후에 연성비인두경(flexible nasopharyngoscope)을 구개인두까지 넣어 구개인두구를 직접 관찰하여 구개인두의 폐쇄 형태, 공백의 정도, 구개인두 움직임의 메커니즘을 직접 눈으로 확인할 수 있다. 이를 통해 해당 환아의 치료 방침을 결정할 수 있으며, 특히 수술적 치료 시에는 공백의 형태 파악을 통하여 이를 정확히 막는 데 도움이 될 수 있다.

좋은 영상을 얻기 위해서는 내시경의 위치가 비인 두의 상부에 위치하여야 시차를 줄이고 어안왜곡(fish-eye distortion)을 방지할 수 있다. 이를 위해서는 내시경이 하비도를 통과하는 것이 아니라 중비도를 통과하는 것이 유리하다. 내시경을 녹화하면서 환아에 게 주어진 단어, 구절, 문장 등을 말하게 한다. '아'보다는 '이' 소리가 연구개의 상승작용에 더 유리하다. 영상뿐만 아니라 음성도 녹음하는 것이 좋다. 내시경을 통해 비중격, 이관 입구(eustachian tube orifice), 아네노이드, 구개수근의 구조 등의 정적 해부구조물도 확인할 수 있으며, 점막하구개열이 있는 경우 구개수근의 부재도 확인할 수 있다. 환아가 발성을 하는 동안 조사자는 구개와 인두 측면의 움직임을 관찰하고 팟사반트융선을 확인한다. 구개인두구가 완전히 닫히지 않거나 구개인두에 점액 기포(bub ling)가 관찰될 때는 불완전한 폐쇄를 의미한다. 아데노이드가 폐쇄에 가담하는지 여부, 아데노이드 혹은 후면의 불규칙한 움직임, 편도의 간섭 등도 관

찰될 수 있다. 방사선 노출이 없으므로 비디오조영검사에서와 같이 검사 시간의 제한은 없으며, 선명하고 명확한 구조의 확인 및 기능적 평가가 가능하다.

6. 치료

구개인두기능장애의 치료에는 언어치료, 발음보조 장치, 수술적 치료, 그리고 복합적 치료가 있다. 치료 방침을 결정하기 위해서는 위의 검사들을 통하여 환아 개인의 구개인두기능장애를 유발하는 원인을 정확히 파악하여 한다. 이비인후과 전문의, 언어치료사, 치과 의사, 보철전문가 등을 포함한 초학문적 팀 접근(transdisciplinary team approach)이 환아에게 특화된 개별 치료 전략을 수립하고 제공하는 데 필요하다.

1) 언어치료

구개인두기능장애에 대한 언어치료의 대상과 시기는 경험 있는 이비인후과 전문의와 언어치료사에 의해 정해진다. 증상이 경미한 경우에는 언어치료만으로도 증상이 호전되어 수술할 필요가 없게 될 수도 있으므로 수술 전에 언어치료를 시도해 볼 수 있다. 언어치료는 해부학적 결함을 교정하지는 못하므로, 다음과 같은 상황에서 처방되어야 한다. 적절한 자극으로 증상이 호전되는 경도의 구개인두기능장애, 비지속적인 구개인두기능장애, 환아가 피곤한 경우에만 증상이 발생하는 경우, 부적절한 조음이 동반된 경우, 구강운동의 부전과 연관된 경우, 수술적 치료 후에도 보상성 조 음장애가 소실되지 않는 경우 등이다. 일단 언어치료가 결정된 성우에는 치료의 시작 시기와 치료 방법이 결정되어야 하는데 이에는 나이, 원인, 중등도, 인지능력, 청력, 음성 목록, 표현 어휘, 그리고 환아와 그 가족의 치료 순응도 등이 고려된다.

구개인두기능장애의 환아에서 발생하게 되는 보상 성 조음장애는 비교적 흔한 증상으로, 수술이 잘 되어 구개인두기능장애가 소실되더라도 이 조음장애는 지속되어 환아의 언어명료도가 떨어질 수 있다. 언어명료도는 대개 공명

자체보다 이러한 조음에 의해 영향을 받기 때문이다. 조음장애가 지속되어 습관화되면 고치기가 어렵기 때문에, 수술적 치료 후에도 조음의 오류가 지속되는 환아에게는 언어치료가 필요하다. 예를 들어, 구개열과 같은 구조적 결함에 대하여 수술적 치료를 받고 나서 6-8주 후에도 구강정지자음(stop oral consonants)이 관찰되지 않는다면 조기 언어치료를 시행한다. 구개인두부전의 수술적 치료 후에 과비음이 지속되는 환자들의 수술 후 언어치료의 목표는 사회적으로 용인될 수 있는 정도로 언어 능력이 호전되는 것이다. 치료 전략은 대개 턱관절 개방 증가, 음조의 변화 혹은 음질의 기식음(breathiness) 변화 등을 통하여 호흡을 조절하고 발성 크기를 증가시켜 문장의 길이를 늘리는 방법 등이다. 일반적으로 수술 후에 언어치료를 받은 경우가 그렇지 않은 경우에 비하여 예후가 좋은 것으로 알려져 있다.

2) 발음보조장치

발음보조장치는 과거 많이 사용되어 왔으며 그 효과가 입증된 치료 방법이다. 가장 많이 쓰이는 구개거상장치(palatal lift)는 입천장을 상향, 그리고 후방 이동시키면서 구개인두의 폐쇄를 도와준다(그림 28-4). 후방인두의 수축을 유도한다고도 알려져 있으며, 장치가 짧지 않은 이상 대부분의 구개인두기능장애는 소실된다. 특히 연구개의 길이가

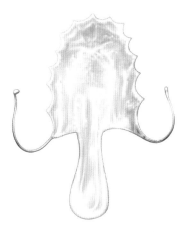

그림 28-4. **구개거상장치.** 장치는 치아에 고정되며 후방으로 연장된 보철에 의해 연구개의 거상을 돕는다.

적절하나 구개의 운동저하, 근육의 협조불능, 혹은 마비가 있는 경우에 사용될 수 있다. 효과는 경도의 과비음이 있는 환아에서 좋다. 수술의 적응증이 아닌 내과적 질환, 수술의 실패, 수술 거부, 수술받지 않은 성인, 수술 후 발생한 구개인두기능장애 등에서도 사용할 수 있다.

구개인두폐쇄장치(obturator, speech bulb prosthesis)는 둥근 모양의 아크릴 전구(bulb)가 구개인두에 위치하게 한 후, 구개인두가 움직이면서 전구를 수축시키면서 인두의 폐쇄를 유발하는 기구이다. 구개거상장치에 비해 연구개 후방으로까지 장치가 더 연장된 형태로, 인두의 측벽 운동과 구개수의 움직임이 호전되면 서서히 기구를 떼는 연습을 한다.

보조장치를 이용한 치료는 몇 가지 제한점이 있다. 일단 장치를 제작, 조립, 수리할 수 있는 숙련된 보철 전문가가 필요하다. 장치가 상악 치아에 걸쳐야 하므로 환아의 상악 치아가 적절하게 발달되어 있어야 하고, 유치가 소실된 후에는 장치가 원래 위치에 잘 안 맞을 수 있으며, 상악이 빠르게 성장하는 경우에는 장치의 유지가 불가능할 수도 있다. 환아는 치아 관리에 협조적이어야 하며, 장치는 항상 이물제거, 청소, 수리 등의 관리가 필요하다. 이러한 불편함 때문에 수술적 치료를 고려하게 되는 경우가 많으나, 치아가 발달한 소아나 성인에게는 유용하게 사용될 수 있다.

3) 수술적 치료

구개인두기능의 구조적 문제가 있거나 언어치료만으로 효과가 없는 경우에는 수술적 치료가 고려된다. 구개인두기능장애의 수술적 치료에는 연구개내근성형술(intravelar veloplasty), Furlow 이중 Z-성형술(Furlow double-opposing Z-plasty), 괄약인두성형술(sphincter pharyngoplasty), 상기저인두피판성형술(superiorly based pharyngeal flap operation), 인두후방이식술(posterior wall augmentation) 등이 있으며 대부분이 높은 성공률을 보인다. 이 중 가장 많이 사용되는 수술법은 괄약인두성형술과 상기저 인두피판성형술이다. 괄약인두성형술은 인두의 측벽 을 이용하여 측벽과 후벽을 막는 방법이고, 인두피판 성형술은 후벽을 사용하여 구개인두의 중앙부분을 막는 방법이다. 연구

개내근성형술과 Furlow 이중 Z-성형술은 거근륜(levator sling)의 방향을 변화시켜 기능의 호전을 꾀하는 방법이다. 인두후방이식술은 팟사반트융선 부위에 부피를 더하여 구개인두를 좁게 한다. 이 외에도 최근 소개되고 있는 술식으로는 변형상기저인두피판성형술(modified superiorly based pharyngeal flap operation), 경구강로봇수술(transoral robotic surgery), 비중격 피판(nasoseptal flap), 비동맥근점막피부피판(nasal artery musculomucosal cutaneous flap), 협근점막피판(buccinator myomucosal flaps) 등이 있다. 모든 수술적 치료는 기도 폐색이나 수면무호흡을 유발할 수 있으므로 술자는 이를 항상 주의하여야 한다.

(1) 거근륜의 재배치

구개열에서와 같이 구개올림근이 가로방향이 아닌 세로방향으로 배치되어 있는 경우에는 거근의 방향 변화를 통하여 연구개의 움직임을 향상시킬 수 있다. 이를 위한 전통적 수술 방법이 바로 연구개내근성형술로서, 이는 거근을 경구개 후방 부착 부위, 구강점막, 비강점막으로부터 절제한 후에 이를 가로방향으로 재배열 해주는 방법이다. 수술 효과가 항상 만족스러운 것은 아니지만, 특히 거근륜의 재배치를 시행하지 않은 구개성형술 후에 구개인두부전이 지속되는 경우 재수술로 이 술식을 추가하여 효과를 볼 수 있다.

기관내 삽관을 통한 전신마취 후에 입에 개구기(mouth gag)를 넣어 수술 중에 삽관한 튜브가 빠지지 않도록 한 후, 대구개신경혈관총과 연구개에 국소마취를 시행하여 수술 중 출혈을 최소화한다. 경구개피판을 신경혈관총까지 거상하되 혈관 공급이 손상받지 않도록 주의해야 하며, 외측 절개는 익돌구(hamulus)까지 진행하면 봉합을 위한 충분한 양의 구강점막을 확보할 수 있다. 거근이 경구개의 후방 경계부에 부착되어 기능을 할 수 없으므로 이를 절개하는데, 이때 얇은 비강점막을 손상하지 않도록 한다. 근육이 비강 및 구강점막과 박리되면 익돌구까지 진행하고 뇌기저부까지 근육을 확인한다. 익돌구를 절골하여 근육의 움직임을 증가시킬 수도 있다. 구개는 세 층으로 봉합하는데 비강점막은 흡수성 봉합사를 사용하여 전방에서 후방으로 봉합해 나가며, 목젖을 배치한 후에 근육을 정위치시킨 후 중

앙을 통과하는 매트리스 봉합을 한다. 마지막으로 구강점막을 봉합한다.

(2) 이중 Z-구개성형술

이중 Z-구개성형술은 처음 Furlow에 의해 소개되었다. 이는 거근을 재위치시키는 동시에 구개를 두껍고 길게 만드는 방법이다. Z-성형술은 반흔을 연장하는 데 많이 사용되는 수술법으로 이 수술은 구개인두부전뿐만 아니라 다른 일차 봉합, 구개열의 교정, 혹은 거근이 세로방향으로 배치되어 있는 모든 질환에서 시행될 수 있다. 피판의 재배치는 또한 후방 구개의 부피를 증가시켜줌으로써 인두후벽과의 접촉에도 도움을 준다.

수술은 전신마취하에 시행되며, 개구기도 사용된다. 국소마취 후에 4개의 피판을 도안하는데 2개의 근점막피판은 후방기저피판이며, 2개의 점막피판은 전방에 기저를 둔다. 구개가 온전한 경우 정중앙에서 좌우로 나누어 먼저 좌측 구개에 경구개 바로 후방에서부터 시작하는 절개를 가한다. 근육층까지 절개를 연장하고 비강점막의 점막하층까지 가하는데, 비강점막에 손상을 가하지 않도록 주의한다. 절개는 구개의 후방 가장자리까지 연장한다. 다음으로 우측 구개의 구강점막을 거상한다. 이때 기저는 전방에 두는데 절개는 구개의 후방 가장자리 바로 앞에서 시작한다. 점막의 거상 후에는 우측 근점막피판을 만들게 되는데, 우측 경구개의 후방에서부터 근육과 비강점막을 내측에서 외측 방향으로 절개한다. 나중에 봉합을 위해 약간의 조직을 남겨두면 편하다. 그 후에 좌측의 비강점막 피판을 만든다. 절개는 연구개의 후방 가장자리 부위에서 좌측 근점막피판 밑에서부터 비인두관쪽으로 연장하면 경구개에 전방 기저를 둔 피판이 만들어진다. 이렇게 만들어진 4개의 피판을 재배치하여 봉합한다. 먼저 비강점막을 배치하고 다음에 구강봉합선을 따라 배치한다. 좌측 비강점막피판은 정중앙을 가로질러 우측 경구개 모서리에 봉합을 하는데 비강쪽에 매듭이 오도록 한다. 우측 근점막피판을 좌측으로 회전시켜 좌측 구개로 이동시키면 근육 섬유가 정중앙을 가로지르게 된다. 회전된 피판은 정중앙의 절개가 연구개의 후방 가장자리에서 봉합될 수 있도록 배치하며, 경구개의

절개선은 비강점막피판의 모서리에서 봉합한다. 우측 구개의 구강점막피판은 정중앙을 가로질러 좌측으로 회전시키며 후방 경구개의 절개선에 봉합한다. 좌측의 근점막피판도 우측으로 회전시킨다. 기존의 내측의 모서리는 연구개의 후방 가장자리에 봉합되며, 근피판이 서로 겹쳐지며 연구개를 두껍게 만들게 된다. 외측 절개선은 구강의 가장자리에서 봉합된다(22장 참조).

(3) 인두피판술

인두피판술은 구개열 수술 후에 남아있는 구개인두부전의 치료를 위해 일차적으로 사용되고 있는 수술 방법으로, 치료 성공률이 매우 높다. 이 피판은 인두 후벽의 조직을 구개인두의 중앙에 위치시키고 그 양측에 구(port)를 생성하는 방법으로 정중앙이 막히게 되기 때문에, 특히 측면 움직임이 양호하나 연구개와 인두후벽의 움직임이 좋지 않은 환자에서 효과가 좋다. 측면의 움직임은 완전한 폐쇄를 위해 필수적이지만, 수술 후에 측면의 움직임이 호전된다는 보고도 있다. 측구에 적절한 크기의 카테터 삽입을 통하여 수술 후 기도 문제는 해결할 수 있다. 기저를 하방에 두는 방법과 상부에 두는 방법 모두 사용될 수 있지만, 상부 기저피판술이 더 흔히 사용된다.

수술 방법은 먼저 기관내 삽관을 이용한 전신마취 후에 Dingman 개구기를 걸고 구개와 인두후벽에 국소마취를 한다. 피판의 도안은 내시경검사나 비디오조영검사의 결과에 따르는데, 적절한 길이와 두께가 성공의 열쇠가 된다. 인두후벽에서 점막과 상인두근을 함께 들어올려 피판을 만들기 위해, 먼저 양 외측 절개를 척추앞근막(prevertebral fascia)에 가하고 피판을 든다(그림 28-5). 하방에 먼저 절개를 가하면 피판이 수축될 수 있으므로 하방 절개는 나중에 한다. 수직 절개선은 인두 외측벽과 후벽이 만나는 부위의 내측에 두고 경구개 높이까지 올린다. 너무 하방으로 하인두까지 절개가 연장되면 수술 후 반흔과 연하곤란이 발생하므로 주의한다. 적절한 길이가 필요하지만, 그렇다고 피판이 너무 길 필요는 없다. 피판의 폭은 인두측벽의 운동 정도에 따라 결정하는데, 폭이 너무 좁으면 수술 후에도 과비음이 남게 되고, 너무 넓으면 측구가 막히게 되므로 저비

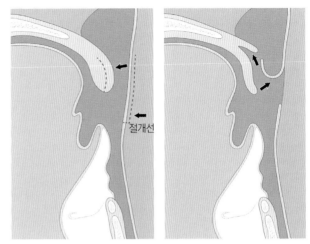

그림 28-5. **상기저인두피판술.** 인두후벽에서 피판을 들어 연구개에 봉합한다.

음과 호흡곤란이 생길 수 있다. 적절한 측구의 크기는 14F 카테터 굵기 정도이다.

이렇게 생성된 피판을 연구개에 봉합하게 되며, 구개를 반으로 분리하거나 포켓을 만들어 비강점막에 피판의 원표면이 오도록 봉합한다. 1 cm 정도 겹치게 하여 구강점막 쪽에 매듭이 오도록 봉합한다. 인두후벽의 결손부는 봉합하거나 이차치유가 되도록 방치할 수 있다. 과도한 봉합은 인두를 좁게하여 기도 폐쇄나 수면 무호흡을 유발할 수 있으므로 주의한다.

(4) 인두성형술

괄약인두성형술은 근점막피판으로 비인두괄약근(nasopharyngeal sphincter)을 재건해 주는 술식으로, 인두후벽과 연구개 사이를 좁히고 양 측면도 좁히는 방법이다. 양측 인두외측벽의 상부에 기저를 둔 근점막피판을 든 후 이를 후방 비인두벽에 만든 수평 개선에 끼워 넣는데 그 위치는 가장 폐쇄가 잘되는 부위가 되도록 한다. 이는 구개인두의 후방과 측방을 밀폐시키는 효과를 보이고, 또한 구개의 이동에 의해 폐쇄가 이루어지므로 구개인두를 정적으로 뿐만 아니라 동적으로도 좁힐 수 있는 술식이다. 폐쇄의 긴장도는 피판이 겹치는 두께, 길이, 정도가 결정하고 이를 조절

하여 긴장도를 변화시킬 수 있다. 수술 후에는 구개의 움직임도 호전되어 폐쇄를 돕는다고 알려져 있으며, 수술 후 기도 폐색이 적은 장점이 있다.

이 술식에서 구개쪽에 절개는 들어가지 않기 때문에 국소마취는 인두측벽과 후방의 비인두벽에만 시행한다. 구개는 구개수견인기나 고무카테터를 사용하여 앞으로 견인한다. 수술 전의 내시경검사 혹은 비디오조영검사를 통하여 결정한 폐쇄의 정도와 수술의 위치에 따라, 양측 근점막피판의 두께와 비인두 절개 부위를 결정한다. 상황에 따라서는 한쪽에서만 측방피판을 만들 수도 있으며, 이러한 조절 가능한 특성이 이 수술의 장점이 된다. 후방의 비인두 절개선은 구개의 최대 이동가능 높이에 맞추어 넣어(그림 28-6), 이 부위에 연결되는 피판이 발성 시에 적절한 폐쇄를 유도하도록 한다. 절개는 심부근막(deep fascia) 전까지만 넣는데, 피판은 상부기저 근점막피판으로 구개인두근을 포함하거나 아니면 상인두수축근으로부터 직접 만들 수 있다. 피판은 구개인두내로 회전시켜 수평절개선에 봉합한다. 좌측 피판의 후면을 수평절개선 상방에 봉합하면 우측 피판의 전면을 수평절개선의 하방에 봉합하고, 양측의 나머지 자유변은 서로 봉합한다. 이외에도 피판의 배치는 다양한 변이가 가능하다. 이때 피판의 겹쳐지는 면적에 따라 인두구의 긴장, 폐쇄 정도가 결정된다. 수술 전에 어느 정도 구개의 움직임이 관찰된다면, 겹쳐지는 부위를 좁게 할 수 있다. 반면에 움직임이 적다면, 겹치는 부위를 최대화하여 설계해야 할 것이다.

(5) 인두후방이식술

구개인두기능장애의 환아 중 후방 중앙에 다소 작은 결함이 있는 경우 인두후방이식술이 시도될 수 있다. 이는 제1경추골 직상방의 인두후벽에 이식물을 삽입하여 구개인두구를 좁혀주는 방법으로 히알루론산(hyaluronic acid), 지방, 연골, 실리콘, Teflon, Proplast 등이 재료로 사용될 수 있으나 모두 장기 성공률은 제한적이다. 최근 한 동물실험에서 무세포진피 기질(acellular dermal matrix)을 점막하에 삽입한 후 관찰했을 때, 한 달만 지나도 이식물이 얼마 남지 않는 것이 확인된 바 있다.

후방인두피판을 말아서 후방인두 증대를 시행하는 술법도 제안된 바 있다. 상방기저인두피판을 사용하게 되는데, 양측에 측방 절개를 넣고 심부근막면을 따라 피판을 들어 근육 자체를 말아서 접고 피판의 유리면을 기저부의 심부근막면에 봉합한다. 구개인두 후방에 부피가 형성되어 효과를 나타내게 되지만, 이 수술 또한 그 장기적인 효과가

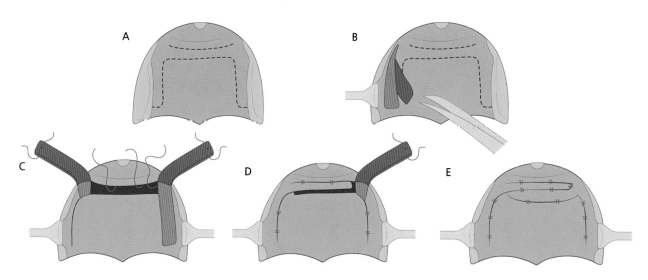

그림 28-6. **괄약인두성형술.** 양측 인두외측벽에서 수직피판을 들어 인두후벽에 봉합한다.

나타나지 않았다는 논문도 발표되었다.

(6) 수술방법의 선택

수술방법의 선택은 수술 전의 내시경검사나 비디오 조영검사 등을 통해 확인한 환자의 구개인두 결함의 크기와 모양에 따라 선택하게 된다. 인두측벽의 움직임이 없는 경우나 외측에 결함이 생기는 경우에는 괄약인두성형술을 시행한다. 결함이 작은 경우, 접촉이 있는 경우, 점막하구개열이 있는 경우에는 이중 Z-구개성형술이 좋다. 중등도의 결함이 생기는 경우에는 괄약인두성형술과 이중 Z-구개성형술을 복합적으로 시행할 수도 있다. 결함의 크기가 큰 경우나 구개의 움직임이 작은 경우에 인두측벽을 내방으로 움직이는 정도가 양호하면 인두피판술이 유리하다.

상부기저피판술과 하부기저피판술의 효과의 차이는 유의하지 않다는 연구 결과가 있었으며, 괄약인두 성형술과 인두피판술을 비교한 전향적 무작위 다기관 연구에서는 둘의 효과가 유의하게 다르지 않았다. 어떤 술자는 거근의 방향에 의해 술식이 결정된다고 하였는데, 거근의 배치가 가로방향이 아닌 경우 이 중 Z- 구개성형술을 시행하고, 가로방향인 경우거나 수술 후에 효과가 없었을 경우에는 괄약인두성형술을 시행한다 하였다.

수술 후에는 항상 기도 폐쇄에 대하여 유념해야 하며, 특히 수술 직후에는 집중 관찰이 필요하다. 만성 폐쇄는 수면무호흡의 형태로 나타나게 되며, 이 경우 양압기를 사용하여 부종을 줄이고 반흔의 성숙을 유도할 수 있다. 환아가 성장하면서 인두 넓이가 자연스레 증가하므로 증상이 저절로 호전되는 경우도 있다.

대부분의 연구 결과에서 모든 수술방법이 적잖은 효과를 보이고 있다. 하지만 수술 후 치료의 효과를 판단하기 위한 표준화된 언어평가 도구가 아직까지 알려진 것이 없는 실정이다. 그러므로 술자는 한 가지 수술법을 선택하고 그것을 집중 연마하는 것이 유리하다고 할 수 있다. 중요한 것은 구개인두기능장애가 수술적 치료로 호전되더라도, 조음장애 등을 교정하기 위하여 언어치료가 추가적으로 필요할 수 있다는 것이다.

7. 결론

구개인두기능장애의 진단, 검사, 치료에는 하나의 정해진 방법이 있는 것이 아니므로 다양한 방법 중 하나를 선택할 수 있다. 중요한 것은, 발생 원인이 개인마다 다르기 때문에 환아 개인별로 구개인두기능장애의 원인을 정확히 파악하고 적절히 분류해야 올바른 치료를 할 수 있다는 것이다. 효율적인 치료를 위해서는 다양한 학문의 원칙을 고려하여 이비인후과 전문의, 언어치료사, 치과의사, 보철전문가 등을 포함한 초학문적 팀 접근이 유리하다. 특히 술자는 언어치료의 필요성, 수술적 치료의 시점 등을 결정하기 위하여 구개인두기능장애의 발생 메커니즘, 음운 및 조음에 미치는 영향, 다양한 수술적 치료 및 보조장치를 이용한 치료법, 환아의 예후 등에 대해 모두 숙지하여야 할 것이다.

▄▄▄ 참고문헌

• 이재서. 악안면의 선천성 질환. 이비인후과학-두경부외과 학 개정판. 일조각 2009:1258-61.

• Harlan M, Marshall ES, Cara S, et al. Velopharyngeal Dysfunction. Cummings Otolaryngology - Head and Neck Surgery. 6th edition Philadelphia: Saunders; 2014:2933-43.

• Dzioba A, Skarakis-Doyle E, Doyle PC, Campbell W, Dykstra AD. A comprehensive description of functioning and disability in children with velopharyngeal insufficiency. J Commun Disord 2013;46:388-400.

• Timbang MR, Gharb BB, Rampazzo A, Papay F, Zins J, Doumit G. A systematic review comparing Furlow double-opposing Z-plasty and straight-line intravelar veloplasty methods of cleft palate repair. Plast Reconstr Surg 2014;134:1014-22.

• Bettens K, Wuyts FL, Van Lierde KM. Instrumental assessment of velopharyngeal function and resonance: A review. J Commun Disord 2014;52:170-83

• Kummer AW, Marshall JL, Wilson MM. Non-cleft causes of velopharyngeal dysfunction: implications for treatment. Int J Pediatr Otorhinolaryngol 2015; 79:286-95.

• Zhang J, Li Y, Cao X, Xian J, Tan J, Dong J, Ye J. The combination of anatomy and physiology in predicting the outcomes of velopharyngeal surgery. Laryngoscope 2014;124:1718-23

• Crockett DJ, Goudy SL. Update on surgery for velopharyngeal dysfunction. Curr Opin Otolaryngol Head Neck Surg 2014;22: 267-75.

경부

Neck

04

Pediatric Otorhinolaryngology

Chapter 29

선천성 경부 종물의 감별진단

Differential Diagnosis of Congenital Neck Mass

우정수

경부는 태생기 동안 기관의 발생이 활발하게 일어나는 부위로 상당수의 선천성 기형이 발현되는 부위이다. 소아의 선천성 경부 종물은 양성 임파선염 다음으로 흔하며 근육, 피부, 혈관, 림프관, 그리고 새열 기관의 발생학적 이상으로 이루어진다. 발생학적으로 태생기 5주까지 4개의 보이는 새궁(branchial arch)과 2개의 잔류 새궁이 존재하면서 궁, 낭, 그리고 홈(groove)들로 이루어진 새열기관(branchial cleft apparatus)들이 두경부의 각 기관들로 발생되는데 이 발생과정이 이루어지지 않거나 잘 못 이루어지거나 중복되어 발생하는 기형들이 경부 종물로 발현된다.

1. 출생 전 경부 종물

산전 초음파 검사의 광범위한 사용과 발달로 출산 전 진단되는 태아 경부 종물의 수가 증가하고 있다. 구인두 종물, 경부 종물, 기형종, 그리고 림프기형 등이 양수결핍, 편평한 횡격막, 그리고 종물 등이 관련된 증상들과 함께 고해상도 초음파검사에서 확인된다. 비록 증상들이 실제 증후군으로 불릴 정도는 아니지만 선천성 상부기도폐쇄증후군(Congenital HighAirway Obstruction Syndrome)의 머리

글자를 딴 CHAOS라는 용어가 사용되기도 한다. 이런 증상을 가진 영아의 생존이 출생 시 응급기도관리의 수준에 좌우되기도 한다. 림프기형보다 기형종의 경우는 기도폐쇄의 가능성이 높아 특별한 주의가 요구된다. 태아 자기공명영상 검사도 진단에 도움을 준다.

2. 출생 시 경부 종물

경부 종물을 가진 소아 환자를 볼 수 있는 일은 이비인후과 의사나 일차진료 의료인에게는 드물지 않은 일이다. 성인의 경부 종물은 확인되기 전까지는 악성 종양을 고려해야 하는 것과는 달리 소아 경부 종물의 대부분은 양성이다. 그럼에도 불구하고 진단적, 치료적 어려움을 겪는 경우도 흔하다. 따라서 철저한 병력 청취와 신체 검사가 정확한 진단에 필요하고 체계적이고 집중적인 접근을 통해서만 적절한 감별 진단과 치료가 가능해진다. 적절한 방사선학적, 진단검사의학적 검사가 진단과 치료에 도움을 줄 수 있다. 외과적 절제를 요하는 대부분의 소아 경부 종물은 선천성인 경우가 많다. 선천성 종물과 양성 종물의 수술적 치료를 위해서는 세심한 진단과정이 요구된다. 특별히 처음 발생한

선천성 종물이 염증과 동반된 경우는 진단 및 치료에 더욱 주의가 필요하다. 소아 경부 종물의 감별에는 종물의 해부학적 위치, 원인, 또는 조직학적 검사소견이 중요하다. 비록 소아 경부 종물의 대부분이 병적 과정의 결과로 발현되지만 갑상선, 설골, 갑상연골, 경동맥구, 두번 째 경추의 횡돌기, 그리고 경상돌기와 같은 경부의 정상적인 구조물들이 경부 종물로 오인될 수 있음을 알고 있어야 한다.

3. 병력 조사

발생나이, 기간, 진행여부, 전신증상(발열, 야간 땀흘림, 피로, 체중감소), 종물과 관련한 증상(피부변화, 통증), 최근 상기도 감염, 인후통, 이통, 치통, 벌레물림, 최근 해외여행, 환자와의 접촉, 예방접종 상황, 동 물과의 접촉을 확인하고 특히 신생아의 경부 종물은 산모의 감염병력이 중요하여 선천성 매독, 후천성면역 결핍바이러스 감염으로 인한 임파선 침범 여부를 확인한다. 귀의 기형, 청력소실, 그리고 신장 기형으로 이루어진 상염색체 우성 질환인 Branchial-oto-renal syndrome과 같은 경부 종물과 연관된 유전성 증후군의 경우 가족력의 확인이 중요하다. 신생아기 혹은 영아기에 발현되는 종물은 새열낭종, 갑상설관낭종, 또는 림프기형과 같은 선천성 종물임을 의미하며 소아의 후반기 발생된 경부 종물은 임파선염이거나 악성질환의 가능성이 있다. 초기 유아기에 발생한 종물은 선천성일 가능성이 크지만 아동기 후반에 기존의 선천성 종물이 감염된 후에 발현되는 경우도 있다. 걸음마 단계의 유아나 아동기에 발생하는 경부 종물의 대부분은 임파선 비대가 많고, 수 개월 또는 수 년 동안 큰 변화가 없는 소이 경부 종물은 선천성이거나 염증성 병변일 가능성이 높다. 크기가 커졌다 작아졌다를 반복하는 종물은 선천성이나 염증성 병변일 가능성이 높다. 한두 달 동안 크기가 급격히 커지는 병변은 악성의 가능성이 높지만 발열을 동반한 급격한 크기 증가는 농양과 같은 급성 염증 과정일 수 있다. 즉, 림프기형이나 새열낭종과 같은 선천성 종물들이 급성 감염이나 출혈 과정을 통하여 급격한 크기 증가를 보일 수 있다.

4. 신체 검사

경부 종물을 가진 환아의 진단 시 신체 검사가 반드시 필요한데 종물의 성질, 악성 종물의 가능성 등에 관한 유용한 정보를 얻을 수 있다. 종물이 고형인지, 낭성인지, 종물 위 피부 상태, 누공의 유무, 압통, 온도, 색깔, 신축성, 가동성, 그리고 해부학적 위치를 확인한다(표 29-1). 태생기 발생학적 구조물들의 퇴화 과정이 실패하고 중복되어 발생하는 것이 누공(fistula), 공동(sinus), 그리고 낭종의 형태를 보이는데 누공의 개구부는 인두와 피부에 위치하고 공동은 불완전한 누공의 결과로 생성되며 낭종은 인두나 피부에 누공이 없고 막힌 구조이다. 영아에서 경부 종물이 흉쇄유돌근과 구별이 힘들고 머리를 종물쪽으로 그리고 턱을 반대쪽으로 기울일 때는 경부 섬유종증을 즉시 의심해야 하며

표 29-1. **위치에 따른 선천성 경부 종물의 감별**

종물 위치	선천성 종물
전이개와 이하선	림프기형 혈관기형 혈관종 제1새열기형
후이개	제1새열기형
상측경부	제1, 2새열기형
전경부 중앙	갑상설관낭종 진피낭종 이소성 갑상선 임파선
흉쇄유돌근의 전연	제1-3새열기형 혈관종 후두낭 림프기형 흉쇄유돌근 섬유종증
후삼각	림프기형 혈관기형
기관옆	갑상설관낭종
쇄골상부	림프기형 혈관기형 혈관종
흉골상부	진피낭종 흉낭(thymic cyst) 지방종

종물을 덮는 피부에 부종이나 발적이 있으면 염증이 있음을 의미한다. 흉쇄유돌근의 앞쪽 경계에 누공이 존재한다면 새열누공이나 새열강을 의미한다. 전경부의 중앙에 낭성 종물은 갑상설관낭종을, 흉쇄유돌근 앞쪽 경계에 위치하는 낭종은 새열낭종, 그리고 경부의 후삼각에 위치하는 낭성 종물은 림프기형의 가능성이 많다. 이들 선천성 기형들은 증상의 발현 없이 잠재해 있거나 증상이 뚜렷하지 않아서 신체검사를 통해서는 발견되지 않을 수 있으며 이런 경우 치료는 필요하지 않다.

5. 영상의학적 검사

영상의학적 검사는 경부 종물의 감별 범위를 좁히고 주위 구조물과의 관계와 종물의 범위를 확인할 수 있으며 수술적 접근법을 계획하는 데 유용하다. 흔히 사용되는 영상검사로는 단순방사선영상, 초음파, 전산화단층촬영, 자기공명영상이 있고 양전자방사단층촬영(PET)과 핵의학적 스캔, 혈관조영술 검사도 사용된다. 단순방사선영상은 특정 경부 종물에 대한 유용한 진단적 정보를 제공하는 데 정확하지 않으므로 많은 경우에서 더 발전된 영상검사법들에 의해 대체되어 왔다. 초음파 검사는 경부 종물에 대한 검사에서 아주 유용한 정보를 제공하며 방사선 노출이 없고, 특별한 전처치가 필요없어 적용이 용이하여 소아 환자에서 더욱 유용하다. 대부분의 진료 현장에서 처음으로 사용되는 영상진단기로써 고형과 낭성 병변의 구분이 우수하고 종물이 단일 병변인지 다발성 병변인지 뿐 아니라 주변 구조물과의 해부학적 관계도 확인이 가능하여 갑상선, 침샘, 그리고 선천성 병변의 진단에 사용된다. 세침흡인검사에 길잡이 역할을 하는 보조 검사로도 사용된다. 고해상도나 도플러 기능을 가진 초음파는 그 진단능력이 더 우수하다. 그 외의 장점으로 장비 이동이 가능하고 비침습적이며 비용이 저렴한 점 등이 있다. 반면 판독이 쉽지 않고 검사기술이 필요하며 심부의 관찰이 불가능하고 수술적 접근 계획의 수립에 충분한 해부학적 정보를 제공하지 못한다는 단점이 있다. 전산화단층촬영검사는 조직 내의 염증반응과 농양의 구별이 우수하고 수술적 접근 계획의 수립에 유용하다. 낭성과 고형 종물의 구분, 종물의 정확한 크기와 위치, 주위의 중요 해부학적 구조물들과의 위치관계에 대한 비교적 정확한 정보를 제공하며 특히 골마모와 변형을 확인할 수 있는 가장 우수한 검사법이다. 조영제를 사용하여 종물내 혈관분포 정도도 잘 보여줌으로써 감별 진단에 도움을 준다. 비록 적은 용량의 방사선에 노출이 있지만 촬영 속도가 자기공명영상보다 빨라서 소아 환자의 촬영에도 일반적으로 진정이 필요하지 않다. 자기공명영상은 연부 조직에 대한 해부학적 정보를 가장 충분하게 제공해줄 수 있는 검사법으로 광범위한 수술적 절제가 필요한 경우에 특히 유용하다. 해부학적인 표현이 더욱 섬세하며 다양한 단면의 영상제공이 가능하고 종물 내부 조직과 혈관분포의 확인이 더욱 용이하며 방사선 노출이 거의 없다. 혈관성 병변과 연조직 종물들의 영상진단에 유용하여 대부분의 경우 생검을 하지 않고도 확진이 가능하다. 그러나 가격이 비싸고 촬영소요시간이 길어서 환아의 진정이나 마취가 필요할 수 있다. 광범위한 혈관성 병변, 특히 수술 전 색전술이 필요한 경우나 혈관의 손상이 의심되는 경우에 동맥혈관조영술을 사용할 수 있다. 핵의학적 스캔검사는 경부 종물이 이소성 갑상선으로 의심되는 경우 외에 소아 경부 종물의 진단에 사용되는 경우는 드물다.

6. 조직진단

소아 경부 종물에 세침흡인세포검사의 사용은 세포 병리학자들의 제한된 경험, 진단적 가치에 대한 합의가 이루어지지 않은 점, 마취가 필요하다는 점 등으로 아직 논란이 있다. 실제 임상에서 이 검사를 통하여 얻은 정보가 종물의 절제여부를 결정하거나 절제 범위에 대한 결정에 도움을 주지 못할 것이라면 시행하지 않는 것이 좋다. 그러나 세침흡인세포검사를 시행해야만 하는 경우에는 부모에게 진단적 결과를 얻을 수 없을 가능성, 재검사의 가능성과 절개 또는 절제 생검이 필요할 수 있음과 확진은 절제 후 조직검사를 통해 이루어짐을 충분히 설명해야 한다.

7. 치료

이들 기형은 경도의 감염, 누출, 그리고 농양형성이 가능하고 크기가 커지거나 악성 종양이 의심되거나 외형변화를 초래할 수 있으며 정상적인 기능의 장해를 초래하는 경우들은 수술적 절제가 필요할 수 있다. 감염된 낭종이나 공동의 경우는 우선 경정맥 항생제 치료가 필요하고 심한 경우는 초음파나 전산화단층촬영 유도하의 천자흡입이 필요할 수 있다. 상기의 치료로도 실패하는 경우와 심한 감염으로 인한 농양의 형성은 절개 배농술이 필요할 수 있으나 이는 조직의 경계를 불분명하게 하고 선천성 종물의 벽을 손상시킴으로써 반흔조직과 불명확한 병변의 경계를 초래하여 근치적 수술 시 완전절제를 힘들게 할 가능성이 있으므로 가급적 피하고 최후의 수단으로 사용되어야 한다. 수술적인 절제는 조기 수술이 필요한 경우가 아니라면 3-4년은 연기할 수 있다.

8. 새열기형

태생기 아가미 조직의 일부가 퇴화되지 않고 남아 있다가 낭종, 공동 또는 누관의 형태로 발현되는 기형으로 낭종은 공동이나 누관의 경로를 따라 어느 곳에서도 발생할 수 있으며 누공이 없는 경우이고 공동은 흉쇄유돌근의 전연을 따라 위치하며 하나의 외공을 가지며 누관은 외공과 내공이 모두 있는 경우이다. 새열기형은 4가지가 알려져 있고 갑상설관낭종과 마찬가지로 낭종은 소아이나 성인이 된 후에도 나타나지 않을 수 있으나 공동과 누관은 대부분 출생 시에 존재하세 된다. 낭종은 종종 급성 감염이나 농양을 형성하면서 발현되므로 재발성 화농성 갑상선염이나 경부 농양을 보이는 환아는 반드시 갑상설관낭종이나 새열기형을 의심하여야 한다.

1) 제1새열기형
제1새열기형은 무형성, 폐쇄, 협착, 그리고 중복발생의 4가지 형태로 발현될 수 있다. 쉽게 눈에 띌 수 있는 이개 피부

폴립과는 달리 제1새궁의 중복발생만이 경부 종물로 발현된다. 첫 번째 새열의 홈이 중복 발생되어 정상 외이도가 함께 존재한다. 흔하지 않으며 종종 다른 단순 질환들과 혼동되기도 한다. 그러므로 귓볼 근처에 위치하는 어떤 종물도 제1새열기형일 수 있으며 임파선, 피지낭종, 진피낭종, 림프혈관기형, 그리고 이하선 종양 및 다른 종양 등과 감별이 필요하다. 만일 제1새열기형이 의심되면 반드시 병변의 심부가 안면신경 주분지의 내측이나 외측에 위치하거나 주분 지 이후의 분자들 사이에 위치할 수 있음을 명심해야 한다. 제1새열기형이 귓볼 근처 대신 더 아래쪽에 흉쇄유돌근의 전연을 따라 위치하는 경우도 있어서 제2새열기형과의 혼동이 가능하다. 제1새열기형은 Work가 기술한 바와 같이 두 가지 유형이 있는데 1형 제1새열기형은 외배엽 조직으로만 되어있어 병변의 벽이 피부 부속기 없이 편평상피로만 이루어져 있다. 이개(concha) 연골에 인접하여 발생하여 후방이나 하방에 위치하며 외이도에 작은 누공이 있는 경우가 흔하고 외이도의 방향과 평행하게 발생한 중복 발생된 외이도로 생각되고 있다. 이하선의 하부 근처에 누관이 존재하고 흔히 입구가 있는 공동의 형태를 보이며 후이개나 이주(tragus)의 전방에 국한된 종창을 보이며 내측 누관 의 끝은 외이도와 연결되거나 외이도에 평행하게 주행하여 중이에 개구되기도 하지만 실제 개구부를 찾는 경우는 드물다. 2형 제1새열기형은 하악골각의 아래에 낭이나 공동의 형태를 보이며 외이도의 기형이나 귓바퀴의 흔적으로 발생된다. 1형에 비해 드물고 외배엽 기원의 피부와 피부 부속기들, 그리고 중배엽 기원의 조직을 모두 포함하고 있어서 연골의 확인도 가능하다. 1형과 2형 모두가 심부 조직이 이하선의 내부를 통과하여 안면신경과 인접하여 위치하는데 특히 2형에서 더욱 빈번하며 이하선의 뒷부분과 안면신경의 아래를 지나면서 안면신경을 외측과 아래쪽으로 전위시킨다. 외이도의 연골-골 이행부에 종결된다. 이전의 불완전한 절제로 인하여 재발한 병변을 볼 수 있는 경우도 드물지 않으며 이 경우 반흔조직으로 인하여 안면신경의 확인과 보존이 어렵고 수술이 더욱 힘들다. 술 전 검사로서 CT, MRI 검사가 세침흡인세포검사보다 유용한데, 영상검사 소견상 고형성 병변이라면 임파선이나

종양을, 다발성 병변은 림프관 기형을, 고형 부분을 포함한 낭종성 병변은 진피 낭종을, 액체가 든 낭성병변은 단순 낭종의 가능성이 높다. 근치적 치료는 수술이며 만일 제1새열기형의 심부를 낭종부위와 함께 절제하지 못한다면 재발의 가능성이 높아진다. 이 심부가 안면신경에 인접하여 위치하므로 먼저 안면신경을 찾아서 보존하지 않으면 신경손상의 위험이 있으므로 반드시 안면신경을 찾아서 보존한 후에 제 1새열기형의 안전한 절제를 시행한다. 술 중 안면신경 감시나 신경 검사가 도움이 된다.

2) 제2새열기형

새열기형 중 가장 흔한 형태로 경부에 위치한 공동의 폐쇄가 실패하여 남아있어서 상피로 둘러싸인 공간을 형성하며 중간 높이의 경부에 흉쇄유돌근의 전연에 위치한다. 병변이 독립된 낭종이라면 측경부의 상부, 흉쇄유돌근의 앞쪽, 내측에 주로 위치하고 경동맥이 내외경동맥으로 나뉘는 높이나 부인두강 내에까지 존재할 수 있다. 흔히 상기도 감염 후에 낭종의 크기가 증가하면서 발현된다. 만일 감염이 되면 먼저 경정맥 항생제 치료가 필요하고 절개배농은 권장되지 않는다. 흡인세포검사로 상피세포가 존재함으로 진단할 수 있다. 병변이 파열되면 균배양 검사와 함께 항생제 치료가 필요하다. 제1새열기형과 마찬가지로 심부조직을 가지고 있는 경우가 있고 안전한 완전절제를 위해서는 해부학적 경로의 이해가 필수적이다. 심부조직이 존재하는 경우 내, 외경동맥의 사이와 설인신경과 설하신 경의 상부를 지나 편도와에서 종결되는 경로를 취하여 이론적으로 제2새열낭종은 이 경로의 어느 위치에서도 발생할 수 있으나 경부의 전삼각부, 특히 설골보다 아래가 가장 흔하다. 따라서 수술 시에 편도와까지 수술이 진행될 수 있음을 기억하고 준비해야 한다. 만일 심부 조직이 제거되지 않고 남게되면 재발의 가능성이 높아진다. 피부의 누공을 통하여 누낭용 감자를 삽입하거나 메틸렌 블루액을 주입하면 수술적 접근 방향과 심부조직의 절제에 도움이 되나 감자의 삽입이나 메틸렌 블루액의 주입 시 누관이 파열되어 주변조직에 손상이나 착색이 되어 수술이 어려워지지 않도록 주의가 필요하다. 대부분의 경우 편도선 절제 없이 편도와 외

측까지 박리하여 관을 결찰하지만 내공이 편도와에 뚜렷이 존재하는 경우는 병변측 편도선을 함께 절제하고 점막 결손부 봉합을 해야 할 수도 있다.

3) 제3새열기형

제3새열기형은 아주 드물고 종종 다른 질환으로 오진되어 재발이 비교적 흔하다. 흉쇄유돌근 전연에 위치하고 경부의 중간 높이나 하부에 낭성 종물이나 농양으로의 발현이 가장 흔한 증상이다. 90% 이상이 좌측에서 발생되며 종종 경부 연조직이나 갑상선의 재발성 농양이나 낭종으로 오진될 수 있다. 병변의 심부조직이 존재하고 갑상선 근처에서 하인두의 이상와까지 연장되어 있을 수 있음을 이해하고 있어야 진단이 가능하다. 인두 내시경으로 하인두의 이상와에 존재하는 공동의 개구부를 확인하는 방법과 전산화단층촬영 영상에서 이상와의 첨부에 공기음영이 관찰되거나 경부의 낭성 구조물이 갑상선의 상엽을 관통하거나 인접하여 하인두의 이상와로 이어져 있는 것이 관찰되면 진단할 수 있다. 변형된 바륨 조영술을 통하여 이상와에서 조영제의 누출을 확인하면 진단할 수 있다. 단순 절개 배농술은 병변의 재발로 이어지게 되므로 제3새열 기형을 적절하게 절제하기 위해서는 누관의 해부학적인 경로를 알아야 한다. 내, 외경동맥의 뒤쪽과 미주 신경의 앞쪽으로, 9번과 10번 뇌신경의 사이를 통과하여 이상와에서 종결된다. 수술 전에 이상와의 개구부로 가느다란 탐색자(probe)를 삽입하여 경부를 통한 절제 시 누관내에 만져지는 탐색자를 통하여 누관의 절제를 용이하게 할 수 있다. 병변이 갑상선을 침범한 경우는 갑상선엽 절제술이 필요할 수 있다. 덜 침습적인 치료법으로 이상와 개구부의 전기소작술이나 레이저로 폐쇄를 유도함으로써 성공적인 치료를 보고한 예가 있다.

4) 제4새열기형

제4새열기형도 이상와에 내공의 개구부가 존재하며 이론적으로 외공도 제2, 3새열기형과 동일하게 흉쇄유돌근의 전연에 위치할 수 있으나 누관의 경로는 제3새열기형과 다르다. 그러므로 실제로 수술적 절제를 하지 않고서는 제3새열기형과 제4새열기형을 구분할 수 없는 경우가 있다.

90% 이상이 좌측에 발생하며 진단은 제3새열기형의 경우와 동일하다. 누관의 경로는 이상와의 하첨부에서 기관과 식도 사이를 따라 하강하여 갑상선의 뒤쪽을 지나 흉부로 들어간다. 좌측에 발생한 경우는 대동맥궁을, 우측에 발생한 경우는 쇄골하동맥을 돌아서 상승하여 총경동맥의 뒤를 통해 설하신경을 넘고 흉쇄유돌근의 전연으로 종결된다.

9. 전이개 낭종과 공동

태생학적으로 첫 번째와 두 번째 새궁에서 기원하고 서로 융합되어 귓바퀴를 형성하는 동안 두 새궁 사이의 상피가 퇴화되지 않음으로써 발생하는 것으로 귀 바퀴의 앞쪽으로 누공이 보인다. 길이가 짧은 누관이나 공동이 누공의 안쪽에 있으며 귓바퀴의 연골에 부착함으로 종결된다. 대부분은 무증상으로 남아있으나 점액성 분비물이 나오거나 감염이 되기도 한다. 치료는 감염이 있는 경우 항생제 치료가 필요하며 흡인천자나 절개배농이 필요할 수 있으나 수술 시 절제면의 확인이 어려울 수 있어 가급적 피하는 것이 좋다. 전이개 공동의 감염 후 염증이 소실될 때까지는 약 6주의 기간이 필요하다. 외과적 절제는 작은 누관 감자를 전이개의 누공에 삽입하여 거의 대부분의 경우, 공동의 방향이 귓바퀴의 앞쪽 연골을 향하는 것을 확인한 후에 시작한다. 누공은 주위에 타원형의 절개선을 통하여 병변과 함께 절제하여야 한다. 누관과 공동을 귓바퀴 연골까지 박리하여 연골에 부착된 부분의 연골막을 연골로부터 박리하여 벗겨낸다. 이때 모든 반흔 조직이나 육아조직을 병변과 함께 제거하여야 한다. 절제 중 안면신경 손상에 대한 염려는 필요없다. 반흔 조직, 염증 조직이나 육아 조직 등으로 인하여 수술 후에 병변 조직의 일부가 남게 되어 재발한 경우도 드물지 않은데 병변이 귓바퀴의 연골막에 붙는 부위의 조직이 완전히 제거되지 않아서 재발한 경우가 가장 흔하다. 재발한 병변을 수술하는 경우 염증반응이나 농양으로 인해 연골막의 절제가 쉽지 않으므로 침범된 연골 전부를 제거하는 것이 좋다. 피부 봉합은 부분협부 전진피판을 거상하면 충분하다.

10. 갑상설관낭종

태생기 갑상선은 혀의 전 2/3와 후 1/3 사이에 존재하는 설공(foramen cecum)에서 발생하여 설골을 관통하며 하강한다. 설골 중앙부의 앞이나 뒤를 돌아서 아래쪽 경부의 성인 갑상선 위치에 도달하게 된다. 이러한 태생기 갑상선의 이동경로를 갑상설관이라고 하는데 이 갑상설관은 설골 중앙부의 발달에 밀접한 관련이 있으며 대부분 소실된다. 그러나 갑상선의 추체엽(pyramidal lobe)과 설공 사이 어느 곳에든지 남아있다가 낭종을 형성한 것이 갑상설관 낭종이다. 청소년기나 성인이 되어 발견되기 전까지 크기가 작거나 잠재성일 수 있고 신체검사 시에 발견될 수 있다. 소아의 경부 종물 중에 임파선염 다음으로 가장 흔하며 중앙 경부에 설골 높이나 그 아래에 위치하는 경우가 가장 흔하다(그림 29-1). 서서히 크기가 커지는 종물의 형태이나 경부의 중앙을 벗어나서 위치할 수 있고 다른 선천성 낭종과 마찬가지로 상기도 감염과 함께 갑자기 커지는 종물의 형태로 발견되기도 한다. 신체검사에서 혀를 내밈과 동시에 갑상설관이 설골에 부착되어 있음으로 인하여 종물이 위로 움직이는 소견을 보이는 것이 다른 종물과 다른 특징이다. 갑상선 기능은 대부분 정상이나 기능 저하증이 의심되는 환아는 갑상선 기능검사와 소아 내분비 전문의

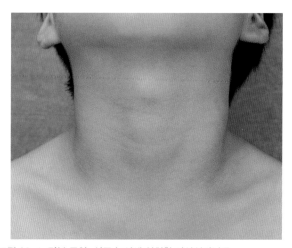

그림 29-1. **경부 중앙, 설골 높이에 위치한 갑상설관낭종**

의 진료가 필요하다. 감별진단으로는 진피낭종, 임파선 등이 있고 초음파 검사나 전산화 단층촬영을 통하여 진단할 수 있다(그림 29-2). 고형의 영상소견을 보이는 경우는 임파선이며 낭성의 영상소견은 갑상설관낭종이나 진피낭종이다. 액체가 들어있는 종물 중앙부 저음영의 영상 소견을 보이는 경우는 갑상설관낭종이 흔하다. 술 전 정상 위치에 존재하는 갑상선의 확인은 낭종이 환아의 유일한 갑상선 조직이거나 이소성 갑상선이 아님을 확인할 수 있는 중요한 소견이다. 영상검사를 통해 정상 위치의 갑상선이 확인되지 않는 경우는 핵의학 스캔을 시행하여 갑상설관낭종이 유일한 갑상선 조직인지를 확인하여야 한다. 치료는 확진과 재발방지를 위하여 대부분의 경우 외과적 절제가 필요하다. 갑상설관낭종의 표준적 수술법은 1920년 Walter Sistrunk에 의하여 기술되었으며 갑상선의 발생학적 이동경로와 갑설관낭종의 병인에 대한 이해를 통하여 이루어졌다. Sistrunk 수술법은 낭종과 연결된 심부조직과 이에 인접한 설골의 중앙부위, 그리고 설공까지 이어지는 설근부 조직까지 함께 절제하는 것으로 낭종만 절제한 경우에 비하여 재발률이 감소하였다. 수술 후 재발은 여전히 가능하며 특히 오진, 감염, 절개배농으로 인한 반흔조직의 형성과 조직층의 변형, 측경부나 설근부에 발생하는 경우에 흔하다. 갑상설관낭종의 심부 조직이 설공으로 이어지는 설근부 근육이 충분히 제거되지 않은 경우에도 재발이 가능하므로 병변이 통과하는 설골 부분과 함께 설근부로 이어지는 모든 조직을 절제해 내는 것이 재발을 줄이는 방법이다. 재발한 경우의 수술은 소위 중심경부청소술에 준하는 범위의 절제가 필요하며 Sistrunk 수술법을 포함하는 피부, 근막, 침범된 피대근, 이설근 등의 주변 근육을 모두 절제하여야 한다. 우연히 상기도 폐쇄를 유발할 수 있는 설부 갑상설관낭종도 만날 수 있다. 병변의 감염이 없는 한 항생제 치료는 필요하지 않 으나 감염이 된 경우에는 항생제 선택 전에 균감수성 검사를 반드시 시행한다. 만일 수술 도중 낭종이 파열 되거나 인두가 열리게 되면 술 후 항생제 치료를 하고, 열린 인두 점막은 봉합하고 경비관을 통한 식이를 시행한다. 특히 재발한 경우의 수술 시에 인두가 열리는 경우가 발생하기 쉽다. 소아의 경우 봉합된 인두는 성인의 경

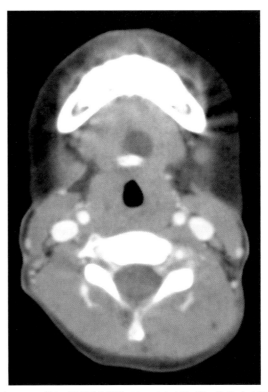

그림 29-2. **경부 전산화단층촬영.** 설골 전방에 인접한 저음영의 갑상설관낭종

우에 비하여 치유 속도가 빨라서 술 후 3-5일이 경과되면 경구 식이를 시작하기 전에 조영제를 통한 연하검사를 시행하여 인두 누공이 발생하지 않음을 확인할 수 있다. 조직학적으로 낭종과 관의 벽이 편평 상피나 위중층 섬모편평상피로 이루어져 있고 종종 점액선(mucous gland)이나 이소성 갑상선이 벽에서 발견되기도 한다. 갑상설관낭종의 내부에 악성 종양이 포함되어 있는 경우는 약 1% 미만이며 대부분 수술 후 조직검사 결과를 통해 발견되고 유두암이 가장 흔하다. 갑상설관낭종에서 기원한 암은 병변이 낭성 임파선 전이가 아니면서 정상적인 갑상선의 임상 소견이 확인되면 진단이 가능하다. 갑상설관낭종과 함께 갑상선암이 동반되어 있는 지의 여부는 갑상선 스캔검사를 통해 확인한다.

11. 이소성 갑상선과 설갑상선

태생기 구조물의 이동이 이루어지지 않거나 불완전 또는 과하게 이동을 한 경우는 설갑상선, 이소성 갑상선 등과 같이 구조물이 비정상적인 위치에서 발견된다. 이소성 갑상선은 갑상선의 발생학적 이동경로를 따라서 어디에나 발생이 가능하다. 그 중 설근부가 90%로 가장 흔하고 설근 내부, 이하부, 전경부 등에 위치할 수 있다(그림 29-3). 드물게 기관, 종격동 등에도 위치할 수 있고 두개 이상의 이소성 갑상선도 가능하다. 이소성 갑상선의 경우는 기능저하증의 경우가 많으므로 갑상선 기능검사가 반드시 필요하다. 이소성 갑상선이 설근부에 위치한 경우를 설갑상선이라고 하며 발생 빈도는 0.001% 정도이고 남녀비는 1:4로 여성에 흔하다. 70-100%가 이소성 갑상선이 유일한 갑상선 조직이고 14-33%의 설갑상선이 기능저하를 보인다. 설갑 상선의 조직은 대부분 정상 조직소견을 보인다. 이소성 갑상선이나 설갑상선이 증상이 있는 경우에는 치료가 필요한데, 경한 증상을 보이는 경우는 기능억제 치료가 효과적일 수

있으나 연하곤란, 발성장애, 기도폐쇄나 출혈의 증상을 보이는 경우에는 수술적 치료가 필요하고 경구강 접근법, 경설골 인두절개 접근, 측인 두절개 접근법, 드물게 정중 구순하악절개 접근법 등을 통한 절제를 시행한다. 절제된 이소성 갑상선 조직의 자가이식은 갑상선암의 가능성 때문에 권고되지 않는다.

12. 진피낭종

진피낭종이나 상피낭종은 외배엽 조직으로부터 발생되고 초기 태생기에 상피내 구조물들의 위치이동을 의미한다. 안면 중앙부, 전경부, 눈과 전이개의 T자형 분포를 보이는 곳에 위치한다(그림 29-4). 전경부에 원형의 종물이 발견되면 갑상설관낭종, 진피낭종, 임파선 등을 감별해야 하며 신체검사상 혀를 내밀어도 종물이 상방향으로의 움직임이 없고 종물을 덮고 있는 피부를 늘렸을 때 종물의 색이 창백하게 변하면 진피낭종의 가능성이 높다. 초음파를 통해서는 갑상설관낭종과의 감별이 어려우며 경부 전산화단층촬영상 내부가 더 조밀한 낭성 소견을 보이면 갑상설관낭종보다는 진피낭종의 가능성이 높고 고형의 내부소견은 임파선의 가능성이 높다. 조직학적으로 표피로 싸여 있고 낭벽에 털, 모낭, 땀샘, 피지샘 등의 표피 부속물 등이 발견된다. 진피낭종은 갑상설관낭종과는 분명 다른 질환이나 설골에 붙

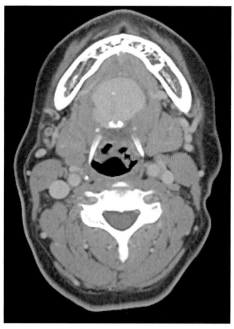

그림 29-3. **경부 전산화단층촬영.** 설근부에 위치한 이소성 갑상선

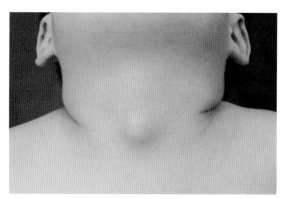

그림 29-4. **경부 중앙, 하부에 위치한 진피낭종**

어있는 경우가 가능하므로 모든 중앙경부 종물의 수술 시 조직검사 결과에 상관없이 Sistrunk 수술을 시행하는 것이 재발을 방지할 수 있다. 진피낭종은 콧등이나 콧속에도 발생할 수 있으므로 이곳에 보이는 낭성종물의 감별진단에 신경교종, 뇌낭류와 함께 진피낭종이 포함되어야 한다. 이 위치의 종물은 두개 내부와 교통이 가능하므로 전산화단층촬영이나 자기공명영상촬영 없이 조직생검이나 절제는 뇌척수액루나 뇌수막염의 합병증의 위험성이 있으므로 삼가야 한다. 진피낭종이나 두개내 침범이 없는 뇌교종은 단순절제나 개방형 비성형술 접근을 통하여 절제하며 비골 절골이나 외비 변형의 가능성이 있어 이차적인 외비 성형술이 필요할 수 있음을 보호자와 논의하여야 한다. 만일 두개내로의 연결이 확인되면 신경외과의나 확장형 비내시경 접근을 통하여 수술한다.

13. 혈관기형

1) 림프기형

림프기형은 혈관기형의 한 유형으로 림프관 발생의 결함으로 비정상적인 림프계가 형성되는 질환이다. 소아기 이후에도 임상적인 발현이 없을 수 있으나 출생 시 확인된다. 크기에 따라서 2 cm 이상을 대낭포형, 이하를 소낭포형, 두 가지가 함께 있는 것을 혼합형으로 분류하기도 한다. 임상양상은 크기, 위치, 유형에 따라 나타나는데 대낭포형은 해부학적으로 잘 구분되고 설골보다 아래에 위치하며 주변 조직내로의 침윤이 덜 하다. 경부의 후삼각에 위치할수록 자연소실의 가능성이 높고 감염, 외상, 또는 출혈 등으로 크기가 갑자기 증가할 수 있다. 임상양상으로 기능 장애, 기도 폐쇄, 섭식이나 연하장애 그리고 미용상의 문제를 유발할 수 있다. 소낭포형은 설골 상부에 더 흔하게 위치하며 종물이 뚜렷이 구분되지 않거나 주변 조직, 피부, 점막, 그리고 골 침범을 흔히 보인다. 점막의 표면에 작은 낭포들이 산재하여 통증, 출혈, 그리고 발음, 연하장애를 일으킬 수 있다. 구강저, 혀, 후두, 이하선에도 드물게 발생할 수 있다. 후두를 침범하는 경우에는 음성변화와 기도폐쇄가 가능하

며 골을 침범하는 경우에는 과성장을 초래하여 하악골의 비대칭, 부정교합, 그리고 치과적인 문제를 유발한다. 자기공명영상검사의 T2 영상에서 밝게 보인다. 조영제를 사용한 전산화단층촬영이나 자기공명영상으로 병변의 낭성과 다발성, 그리고 무혈관성을 확인할 수 있다(그림 29-5). 림프기형은 혈관종과 달리 생후 몇 년 이내에 소실되지 않는다. 경부에 위치하는 크기가 큰 림프기형은 출생 시 심각한 기도폐쇄를 유발할 수 있다. 출생 시에 보이지 않다가 소아기나 성인이 된 후에 염증이나 출혈에 의하여 갑자기 크기가 증가하는 종물을 보이는 경우가 있다. 치료의 목표는 기능을 보전하고 미용적인 측면을 향상시키는 것으로 기능적인 이상을 보이지 않는 영아의 경우는 아이가 충분히 성장할 때까지 결정적인 치료를 보류하며 관찰함으로써 자연소실의 기대를 할 수 있다. 그러나 기능적 장애와 생명을 위협하는 상황에서는 조기 치료가 필요하다. 치료계획을 세우고 가족에게 예후에 관한 정보를 제공하기 위한 병기의 설정도 도움을 줄 수 있다. 수술적 치료가 완치를 기대할 수 있는 방법이지만 흡인이나 경화요법도 성공적인 결과를 보일 수 있다. 광범위한 병변을 수술할 경우는 주위의 중요한 구조물의 손상 위험 때문에 여러 차례에 걸친 절제가 필

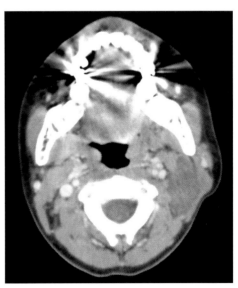

그림 29-5. **경부 전산화단층촬영.** 좌측 흉쇄유돌근 내측에 위치한 림프기형

요할 수 있다. 편측성이고 설골보다 아래에 위치하는 대낭포형이 경화요법이나 수술적 치료에 잘 반응한다. 경화요법에 사용되는 약제들로 OK-432, 블레오마이신, 독시싸이클린, 초산, 알코올, 고장성 생리식염수 등이 있다. 반면 양측성, 광범위한 병변은 다단계 치료가 필요할 수 있고 특히 설골 상부에 위치한 병변일수록 완치가 어려울 수 있다. 소낭포형은 특히 치료가 더 어려운데 상당한 이완율을 감수하기 전에는 완전 절제가 불가능하고 경화요법에도 잘 반응하지 않는다. 점막의 낭포들은 Nd:YAG 레이저나 초음파 절제로 제거할 수 있다.

2) 정맥기형

혈관기형 중 하나로 출생 시에 나타나며 환아의 성장과 함께 병변의 크기도 커진다. 짙은 청색이나 자주색을 띠며 부드럽고 압축이 잘 되는 종물로 소실되지 않는 영아혈관종과 흔히 혼동하기 쉽다. 임상양상으로 혈전으로 인한 통증, 연조직이나 골의 과성장, 크기가 큰 경우, 국소 혈관내 응고장애를 보일 수 있다. 경화 요법이나 수술적 치료가 효과적이며 술 전 경화요법이 수술적 박리에 도움을 주며 출혈을 줄일 수 있는 방법이다.

3) 동정맥기형

후기 아동기나 청소년기에 발현되며 협부나 이개에 흔히 발생한다. 시간이 갈수록 크기도 점점 커져서 정상 조직의 파괴, 괴사, 출혈, 그리고 궤양의 형성이 가능하다. 혈관기형은 자연소실되는 성질이 없기 때문에 수술적 치료가 우선이다. 색전술, 수술적 절제와 재건술로 치료할 수 있으나 재발이 흔하다.

14. 혈관성 종양

1) 유아혈관종

혈관내피세포들의 증식으로 인한 양성 혈관성 종양으로 쌍둥이, 미숙아, 여아, 저체중아에 더 흔하다. 출생 시 작고 흐린 혈관성 착색이 존재할 수 있고 생후 수주 내지 수개월에 빠르게 자라다가 6개월에서 1년 사이에 자라는 속도가 둔화된다. 1년 이후에는 서서히 작아지기 시작한다. 조직학적으로 큰 덩어리의 혈관내 피세포들이 GLUT1 염색에 양성을 보인다. 대부분의 유아혈관종은 치료가 필요 없고 생명에 위협을 주거나 기능장애를 초래하거나 미용적인 문제를 초래할 경우에만 치료를 고려한다. 생후 첫 수개월 내에 발생하여 환아의 성장과 함께 빠르게 크기가 증가하다가 정체를 보이며 3-5세 사이에 병변의 감소를 보인다. 그러나 상당수에서 자연적인 병변의 감소를 보이지 않고 미용학적 변형을 초래하기도 한다. 하부 안면부의 삼차신경의 제3분지 영역이나 턱부분에 위치하는 유아혈관종의 약 60%에서 기도를 침범함이 보고되어 출생 후 1년 미만의 유아혈관종을 가진 환아가 호흡 시 천명의 소견을 보이는 경우에는 성문하 혈관종의 동반 가능성을 생각하여 기도의 확인이 반드시 필요하다. 5개 이상의 피부병변이 있는 환아는 간 침범의 빈도가 높고 빠른 혈류속도를 보이는 유아혈관종 환아는 고출력 심부전과 함께 혈류역학적 불안정의 잠재성이 있다. 치료는 병변내 스테로이드 주입, 전신적인 스테로이드, 최근에 베타 차단제인 프로프라놀롤이 효과가 있는 것으로 알려져 있다. 혈관종의 빠르게 크기가 커지는 성질이 고용량의 스테로이드 치료에 자라는 속도가 둔화되거나 크기가 작아지는 결과와 연관이 있다. 치료에 저항을 보이는 경우는 vincristine을 사용할 수 있고 심각한 미용적, 기능적 변형이 있는 경우, 약물치료에 실패한 경우나 추적관찰의 적응증에 해당되지 않는 경우는 수술적 치료와 레이저 치료를 한다.

2) 선천성 혈관종

선천성 혈관종은 출생 시 이미 충분한 크기와 형태를 갖춘 혈관종으로 일부에서 급격한 호전을 보이는 유형과 그렇지 않은 유형이 있다. 유아혈관종과는 GLUT1에 염색되지 않은 점으로 구분되며 자연소실을 보이는 유형의 경우 급격한 소실과 함께 주변 조직이나 근육 괴사를 초래한다.

3) 혈관내피종과 조밀혈관종(Tufted angioma)

혈관내피종은 조기 유아기에 볼 수 있는 공격적인 혈관 종양으로 혈소판감소증, 미소혈관증, 용혈성빈혈 그리고 소모성 응고장애를 보이는 KasabachMerritt 현상(KMP)을 초래할 수 있는 점이 유아혈관종과의 구별점이다.

15. 기형종, 과오종, 분리종

기형종(teratoma)은 발생 부위를 이루는 정상조직들이 아닌 태생기의 3가지 배엽조직들 모두로 이루어져 있다. 20%에서 산모의 양수과다와 연관이 있고 포함하고 있는 세포들의 분화도에 따라 성숙 또는 미성숙형이 존재하며 종종 미분화성 조직이 포함되기도 하여 조직검사상 악성 종양의 소견을 보일 수 있다. 유사한 형태를 보이는 천미부(sacrococcygeal)의 기형종과는 달리 경부의 악성 기형종은 드물다. 출생 시에 종물을 볼 수 있고 출산 전 초음파 검사로 태내에서 진단되기도 한다. 단순방사선촬영 영상에서 약 50%가 연조직 음영의 종물을 보이며 복합적 에코음영을 보이는 초음파 검사 소견이나 경계가 좋은 종물이 부분적인 낭포와 함께 작은 석회화 반점을 보이는 진산화단층촬영 소견을 통하여 진단할 수 있다. 기도 폐쇄나 식도 압박 증상을 보일 수 있으며 가능하면 수술적 절제가 좋은 치료법이다. 과오종(hamartoma)은 발생위치에 인접한 조직(구강저에 이소성 설조직)으로 이루어진 종양을 말하며 분리종(choristoma)은 발생 위치에 존재하지 않는 조직으로 구성된 종양(구강저에 위조직)을 말하며 구성 세포의 분화를 보여 성숙된 기관의 형태를 확인할 수 있고 정상 조직의 압박이나 변형의 임상 양상을 보인다.

16. 흉쇄유돌근 섬유종증

결절성근막염 또는 선천성근사경(muscular torticollis)이라고도 불리운다. 신생아의 흉쇄유돌근 내에 발생한 섬유성 병변으로서 단단하고 무통성의 종물이 흉쇄유돌근하 1/3에 위치하며 대부분 출생 시나 출생 후 1-4주 이내에 발현된다. 턱 끝이 침범된 반대쪽을 향하고 있고 머리는 침범된 쪽

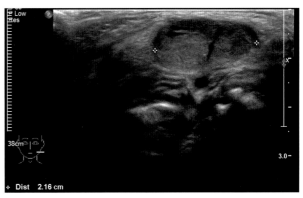

그림 29-6. **경부 초음파.** 흉쇄유돌근 내 고형 종물의 형태를 보인 섬유종증

으로 기울어져 있게 된다. 출생 후 1달째에 크기가 가장 크며 이후 서서히 크기가 감소하여 대부분 소실된다. 양측성의 경우도 보고되었고 원인은 명확하지 않으나 브리치분만이나 겸자분만 등의 힘든 분만과정과의 연관성이 보고되었다. 이론적으로 출생 시 흉쇄유돌근 내부에 혈종이 발생하여 섬유화된 것으로 받아들여지고 있으나 제왕절개분만 후에도 발생이 보고되었고 출생 전에 발생한 섬유화가 오히려 정상적인 분만을 어렵게 한다는 주장도 있다. 치료하지 않는 경우 사두증(두개골기형)이나 안면비대칭을 보이게 됨을 보고하였으나 조기 수술적 치료는 권장되지 않는다. 주로 적극적인 물리치료와 운동이 6개월 후에 성공적인 결과를 보인다고 알려져 있으며 실패한 경우나 자연 소실되지 않는 경우에는 흉쇄유돌근의 외과적 분리가 필요하므로 충분한 기간 동안 추적관찰이 필요하다. 초음파 검사를 통해 종물이 고형이고 흉쇄유돌근 내에 국한되어 있음을 확인하는 것이 중요하며 이를 확인한 경우에는 악성 종양을 감별하기 위한 조직검사는 가급적 보류한다(그림 29-6).

17. 흉낭

주로 아래쪽 경부에 발생하지만 하인두의 이상와에서 흉부에 이르는 어느 곳에서도 발생이 가능하다. 기침과 드물게 호흡곤란 등의 호흡기 증상을 보일 수 있으며 흉부 단순방

사선촬영에서 전종격동을 채우는 부드러운 음영의 종물을 확인할 수 있다. 조직학적으로 흉낭뿐 아니라 흉선의 과증식, 흉선종, 드물게 임파육종 등이 진단될 수 있다.

18. 후두낭

소아의 경부 종물로 발현되는 후두낭은 드물며 후두 소낭 (laryngeal saccule)이 비정상적으로 커진 결과로 내부에 공기가 차있다. 호흡상피로 벽이 구성되어 있고 점액도 분비된다. 입구가 막히는 경우에는 점액이 차있는 낭종이나 염증이 발생한다. 처음에는 가성대와 갑상연골의 사이를 통해 후상방으로 커진 내후 두낭으로 되었다가 갑상연골을 넘어서 갑상설골막의 상후두신경이 후두 내로 들어가는 곳을 통해 후두를 벗어나는 경우를 외후두낭이라고 한다. 외후두낭 단독으로 발현되거나 내후두낭과 연결되어 발현되기도 한다. 소아의 경우는 소낭으로의 발현이 더 흔하다. 목소리의 변화나 호흡장애의 증상을 보이며 후두내시경, 전산화단층촬영이나 자기공명영상촬영으로 확인할 수 있다. 내후두낭은 내시경을 이용하여 제거하거나 조대술을 시행하고 외후두낭이나 혼합형은 경부접근법을 통해 절제한다.

19. 몰입성 하마종

단순 하마종은 설하선이나 다른 주타액선의관이 막힘으로 발생하는 일종의 저류낭 또는 점액종이고 몰입성 하마종 (plunging ranula)은 설하선의 구강내 점액종이 구강저를 통해 커져서 전경부에 발현된 것을 말한다. 부드럽고 무통성의 서서히 크기가 커지는 악하부 종물로 발현되며 벽을 구성하는 상피세포가 존재하지 않는 가성 낭종(pseudo-cyst)이다. 대신 섬유아세포, 혈관, 염증세포들로 구성된 섬유결체조직으로 벽이 이루어져 있고 내용물을 흡입하면 다량의 아밀라제를 함유한 전해질, 단백질, 효소, 당분 등이 설하선에서 분비되는 타액 성분과 유사하다. 전산화단층

촬영영상이나 자기공명영상을 통해 설하선이 위치한 곳으로부터 악하부나 부인두강까지의 범위를 가진 단일 낭종을 확인함으로써 진단할 수 있다. 조대술, 설하선 단순 절제, 경부 접근법을 통한 낭종의 절제 등 다양한 치료법들이 다양한 성공율로 보고되었으나 가장 이상적인 치료법은 구강을 통해 설하선과 낭종을 제거하면서 설하신경, 설신경, 악하선관, 그리고 설하동맥 등의 주요 구조물을 모두 보존하는 것이다.

기타 선천성 경부 종물과 감별해야 할 질환으로 첫 번째 경부 부속늑골(accessory first cervical ribs)이 무증상의 흉쇄유돌근 내부에 매우 단단하고 가동성이 없는 종물로 촉지되며 경부 단순방사선영상으로 확인할 수 있다. 신경초종, 신경섬유종과 같은 신경성 종양도 감별 진단으로 고려해야 하는데 서서히 자라며 비교적 단단한 측경부의 종물로 발현된다. 단일 또는 다발성 경부 종물로 발현되는 신경섬유종증은 신경초종과 달리 침습적이고 신경손상 없이 절제가 어렵다.

■■■■■ **참고문헌**

• Grimmer JF. Congenital masses in the neck. In:Wetmore RF, Muntz HR, McGill TJ. Pediatric Otolaryngology. Principles and practice pathways. 2nd ed. Leipzig: Thieme Medical Publisher 2012; 857-68.

• Wiatrak BJ. Clinical evaluation of the neck. In:Wetmore RF, Muntz HR, McGill TJ. Pediatric Otolaryngology. Principles and practice pathways. 2nd ed. Leipzig: Thieme Medical Publisher 2012; 841-56.

• Alper CM, Robinson JG. Head and neck masses in children. In:Flint PW, Haughey BH, Lund VJ, Robbins KT, Thomas JR, Lesperance MM, editors. Otolaryngology-Head and Neck Surgery. 6th ed. St Luise: Mosby Year Book 2015;1589-1606.

• Yellon RF. Congenital cysts and sinuses of the head and neck. In:Flint PW, Haughey BH, Lund VJ, Robbins KT, Thomas JR, Lesperance MM, editors. Otolaryngology-Head and Neck Surgery. 6th ed. St Luise: Mosby Year Book 2015;1607-16.

경부의 감염성 및 염증성 질환

Infectious and Inflammatory Disorders of the Neck

김연수, 김철호

1. 감염성 염증질환

1) 세균성감염질환

(1) 세균성 경부 림프절염

소아의 경부 감염성 염증질환 중 가장 흔한 것은 세균성 경부림프절염이다. 경부림프절염이 크고 오래 지속되거나 또는 크기가 점점 커지면 편도염, 인두염, 급성중이염, 치아감염 또는 다른 부위의 세균감염이나 종양을 원인으로 생각해야 하고, 비교적 크기가 작고 일과성인 경우는 상기도 바이러스 감염을 생각해야 한다. 그러나 원인감염부위가 명확하지 않은 경우도 많다. 세균감염으로는 A군 사슬알균(group A streptococcus)이 주된 원인균이지만, 포도알균(staphylococcus)과 폐렴사슬알균(Streptococcus pneumoniae), 결핵균(Mycobacterium tuberculosis)도 원인이 되고 드물지만 혐기세균에 의해서도 림프절염이 발생한다.

전형적인 화농 림프절염의 증상은 주위 조직이 붓고 압통과 피부 발적을 동반한 림프절 비대가 심하며 상기도 감염에 의한 전신증상과 동반될 수도 있다. 대체로 편측성이며 일차적으로 악하부, 경부상부와 후삼각부에 국한되어 나타난다.

치료로는 화농성이 의심되면 우선 1-2주간 amoxicillin, clavulanate 또는 1세대 cephalosporin 항생제를 투여하고 호전되지 않으면 천자법에 의한 세균 배양 및 감수성 검사를 하고 이 결과에 따라 항생제를 선택한다. 일반적으로 항생제 치료를 해주면 빠른 속도로 크기가 감소하나 결핵균 또는 비정형 미코박테리아(atypical mycobacteria)와 진균(fungus)에 의한 경우는 치료를 해도 크기가 서서히 감소한다. 만일 화농하여 파동이 생기면 절개하여 배농시킨다.

(2) 봉와직염(cellulitis)

봉와직염은 피부와 연조직에 외상, 수술, 피부병에 의해 발생하는 급성감염질환이며 원인균으로는 고름사슬알균(streptococcus pyogenes)과 황색포도알균(staphylococcus aureus)이지만 최근 MRSA (Methicillin Resistant Staphylococcus Aureus)가 증가하고 있다. 과거에는 생후 3개월부터 3-5세 소아에서 b형 헤모필루스 인플루엔자(Haemophilus influenza type b)가 얼굴 연조직염의 중요한 원인이었으나, 백신의 도입된 이후로 그 발생이 현저히 감소하였다. 증상은 일반적으로 부종, 동통, 발적, 농양형성 등 병변 부위에 국한되는 경우가 많으나 발열, 권태감 등의 전신증상이 동반될 수도 있다. 임상 경계는 불확실한 경향을 보이는데, 그 이유는 염증이 진피를 포함한 피하조직을 침범하는 피부의 깊숙한 곳에서 생기기 때문이다. 염증부위의 흡인 피부 생검, 혈액배양을 하면 원인병원체를 약 25%에서 밝혀낼 수 있다.

증상이 경미하면 경구 항생제로 치료할 수 있지만 중증인 경우는 항생제의 정맥투여가 요구되며 농양이 형성되었다면 배농을 해야 한다. 신생아에서는 패혈증에 대한 모든 검사를 실시해야 하며, 영아나 5세 미만 소아에서는 고름사슬알균, 황색포도알균과 함께 b형 헤모필루스균과 폐렴사슬알균을 제거할 수 있는 항균제를 사용한다. 혈액배양은 반드시 실시하며 12개월 미만의 영아, 전신독성이 존재하거나 신체검사의 적절한 수행이 불가능한 경우는 뇌척수액 검사를 반드시 실시해야 한다. 일반적으로 적절한 항생제 투여로 합병증 없이 치료되지만 방치하면 피부괴사, 경부심부감염, 세균혈증, 골수염, 화농관절염, 심내막염, 괴사근막염 등이 발생할 수 있다.

(3) 바르토넬라질환(Bartonellosis), 묘소병(catscratch disease), 세균성 혈관종증(Bacillary Angiomatosis)

묘소병은 인간과 동물의 공통세균감염증으로 바르토넬라 한셀라(Bartonella henselae)균에 감염된 고양이에게 물리거나 긁히는 등 접촉에 의해 전염된다. 20세 이전 연령에 호발하며 지역적 차이는 없다. 소아에서 3주 이상 지속되는 아급성 림프절염의 가장 흔한 원인으로 증상은 고양이와 접촉한지 3-10일 후 피부에 반점, 수포 등이 나타나고 그 후 며칠 내에 인근 림프절의 종대가 발생한다. 사람간에 전파되는 경우는 없다. 림프절 종대는 두경부, 상지, 액와에 가장 흔히 발생하고 간혹 진행하여 화농하기도 하며, 대개 2-6주 후 감소한다. 그 외 발열, 권태감, 피로, 식욕부진, 구토, 두통 등의 증상이 동반될 수도 있다. 드물게 뇌병증, 망막염, 간염, 결절홍반, 폐렴 등 여러장기를 침범할 수 있다.

세균성 혈관종증 또한 묘소병과 같이 바르토넬라 한셀라균에 감염 후 발생하는 질환이며, 특히 면역이 저하된 환자에서 발생하고 피부, 피하조직, 간과 비장에 호발한다. 경부 림프절에 감염될 경우 양성종양으로 보이는 혈관증식

이 관찰된다.

균배양으로 확진할 수 있으나 균 배양이 어려워 실제 임상에 적용하기는 어려우며 바르토넬라균에 대한 항체를 측정하기 위하여 간접형광항체법(Immuno-Fluorescence Antibody Test, IFA), 효소면역법(Enzyme-Linked Immuno-Sorbent Assay, ELISA), 중합효소 연쇄반응(Polymerase Chain Reaction, PCR)을 이용하기도 한다. 림프절이나 피부 및 결막조직을 얻을 수 있으면 Warthin-Starry 또는 Brown-Hopp 조직 그람염색으로 균체를 확인할 수도 있다.

면역력이 정상인 경우에는 자연치유가 가능한 질환이므로 대개 진통제, 해열제 등 증상완화 목적의 치료만으로 충분하지만 경우에 따라 Rifampicin 등의 항생제 투여가 필요할 수도 있다. 화농림프절은 세침흡인을 해줄 수 있다.

(4) 단독(erysipelas)

단독은 비교적 드문 급성 A군 사슬알균 감염으로 피부의 박테리아 감염질환으로 피부외상이 주된 원인이 된다. 초기에 작은 홍반으로 시작하여 발적, 동통, 부종 등이 발생하며 주위의 결체조직을 침범하지만 병변이 융기되고 경계가 명확한 것이 봉와직염과의 차이이다. 림프관을 침범한 경우 병변 피부에 줄무늬 모양이 나타난다. 고열과 같은 전신감염의 증상 및 징후가 존재한다. 대부분 항생제 투여만으로 치료가 가능하지만 진행된 경우 농양, 괴사, 세균혈증 등이 발생할 수 있다.

(5) 레미에르 증후군(Lemierre's Syndrome)

레미에르 증후군은 급성 구인두감염이나 유양돌기염 등 두경부 감염이 발생한 후 혐기성 패혈증과 내경정맥의 혈전이 생기며 폐 및 기타 부위에도 패혈성 색전증을 일으키는 질환이다. 보고된 환자의 70%는 16세에서 25세 사이의 건강한 젊은 성인이며 사망률은 4-18%로 보고되고 있다. 주원인균은 Fusobacterium necrophorum이며, 특징적인 증상은 발열을 동반하는 편측 경부 통증 및 부종이다. CT 혹은 MRI 촬영을 통하여 경정맥의 혈전을 확인할 수 있다. 경정맥 항생제 정주를 사용하여 치료하지만 항응고제 사용

은 아직 논란의 여지가 있다. 만약 반복되는 패혈색전증이 발생한다면 수술적으로 경정맥 결찰을 시행하여 치료하여야 한다.

(6) 페스트(plague)

페스트는 Yersinia pestis에 의해 발생하는 질환으로 급성 열성 인수공통 감염증이다. 매우 드물고 항생제로 치료가 가능하지만 알려진 질환 중에 가장 독성이 강하고 치명적이며, 동물의 세균이 벼룩을 통하여 사람에게 전파된다. 오한 발열 근육통과 함께 2-6일의 잠복기를 거쳐 통증을 동반하는 다발성 림프절염이 발생한다. 농포, 구진, 궤양이 동반되는 림프절염이 서혜부 및 경부에 발생하며, 혈액 도말 검사와 배양 및 림프절 흡인 천자를 통하여 균배양을 통하여 진단한다. 치료를 안 할 경우 치사율이 50%가 넘기 때문에 진단 후 즉시 streptomycin, tetracycline (유소아는 금기), chloramphenicol 등을 통하여 치료하며 회농성 림프절염은 배농을 통하여 치료한다.

(7) 야토병(Tularemia)

야토병은 그람음성균인 Francisella tularensis에 감염된 진드기 등의 벌레에 물리거나 균에 오염된 음식이나 물을 마실 때 발생한다. 감염 시 발열 및 두통을 동반하며, 균이 감염된 경로에 따라 다른 증상을 보인다. 균을 흡인 시 폐렴, 오염된 식품이나 물을 섭취 후 경부 림프절염이 발생하고 오염된 물질을 만지거나 벌레에 물리면 접촉부위의 림프절염이 발생한다. 진단은 임상증상과 함께 혈액, 가래 등의 검체에서 균을 분리하거나 표준 실험관 응집법 등으로 항체가가 증가할 때, 또한 검체에서 야토균 유전체나 항원이 검출될 때 진단할 수 있다. 치료는 streptomycin, tetracycline (유소아 금기), aminoglycosides, chloramphenicol 등의 약물을 통하여 이루어진다.

(8) 브루셀라증(Brucellosis)

브루셀라증은 Brucella 균에 감염된 동물로부터 사람이 감염되어 발생하는 인수공통감염증으로, 동물을 다루거나 살균되지 않은 유제품 및 가축을 섭취함으로써 발생할 수 있다. 발열, 발한, 피로감을 동반한 림프절염이 주 증상이며, 혈청에서 브루셀라 역가가 증가되어 있거나, 혈액 세균 배양을 통하여 진단한다. 브루셀라균은 세포내에 존재하고 전신증상을 일으킬 수 있기 때문에 보통 두 가지 이상의 항생제를 6주 이상 사용하여 치료한다.

(9) 방선균증(actinomycosis)

방선균증은 아급성 혹은 만성 화농 및 육아조직성 염증으로 원인균은 구강, 소화관, 여성 생식기에 존재하는 정상균무리인 방선균(Actinomycetes)이며 사상체(filament)의 형태를 한 그람양성 혐기성 세균이다. 방선균은 진균처럼 분지하지만, 핵막이 없으며 아포가 없고 출아도 없다. 구강위생 불량, 충치, 침습적 치과치료 등이 유발인자이며 두경부 영역이 전체의 50-70%로 가장 많고 흉부, 복부, 여성 생식기 등에 발생할 수 있다.

경부에서는 처음에 하악골 근처의 경부나 안면부에 동통 없이 천천히 자라는 파동성이 있는 청색종물이 보이고, 피부발적이 있을 수 있으며 그 후 경부동통, 종창, 홍반, 부종, 화농이 나타나며, 황색과립을 지닌 장액 화농성 분비물을 분비하는 피부누공이 형성되고 림프계로의 침범은 드물며 골수염이나 심부농양을 유발할 수 있다.

진단은 일반적으로 혐기성 세균배양 검사에서 방선균을 동정하면 확인할 수 있으나 진단이 어렵고 병리조직학적 소견이 중요하다. 항생제 치료가 원칙이나 다른 화농성 염증처럼 수술적 치료가 필요할 수 있다. 사용되는 항생제는 penicillin, erythromycin, cephalosporin, tetracyclin, clindamycin, streptomycin 등이며 penicillin에 가장 좋은 반응을 보이며 장기간 사용해야 한다. 2-6주간 정맥주사하고 3-12개월간 경구 항생제로 지속시킨다. 배농과 감염된 부위의 절제가 필요하다.

2) 바이러스성 감염질환

대부분 바이러스성 상기도 감염으로 인한 반응성 림프절 종대 양상으로 나타난다. 림프절 종대는 대개 양측성이고 크기가 작고 부드러우며 운동성이 있으며 압통이 거의 없고 림프절 종대 부위의 피부 발적이 없다. 치료는 대부분 증상에 따른 대증요법만으로 충분하나 경우에 따라 이차적 세균성 감염 등의 합병증 방지 목적으로 항생제를 투여하기도 한다.

(1) 전염성 단핵구증(infectious mononucleosis)

전염성 단핵구증은 이중가닥나선(Double -stranded) DNA 바이러스인 헤르페스 바이러스의 일종인 EBV (Epstein–Barr virus)에 의해서 유발되는 양성 림프증식성질환이다. 최초의 종양 발생 바이러스로 알려진 EBV의 감염과 관계되는 질환에는 전염성 단핵구증과 버킷림프종(Burkitt's lymphoma) 외에 비인두암, 위림프상피종 및 림프증식성 질환 등이 있다.

개발도상국에서는 생후 3세가 되면 거의 모든 소아가 항체를 지니고 있어, 전형적인 전염성단핵구증 환자를 볼 수 없다. 선진국에서는 연령이 증가하면서 서서히 항체 보유율이 증가하여 성인에 이르러서 거의 모두가 항체 양성이 된다. 한국에서는 5세까지 이미 대부분의 소아가 항체를 가지고 있어 전형적인 전염 단핵구증 환아는 드물다. 소아기의 초회 감염은 대부분 증상이 없거나 가볍게 경과한다. 그 후 평생을 통하여 건강한 상태에서도 바이러스의 증식이 간헐적으로 일어나고, 인체의 세포 체액 면역상태와의 균형에 따라 감염이 진행될 수 있다.

주로 사춘기나 청년기에 흔하고 어린이들에서는 흔하지 않으며 5세 이하에서는 증상이 없거나 전형적인 증세를 나타내지 않는 수가 많다. 감염은 체액을 통해 이루어지는데, 특히 키스 등을 통해 타액으로 전파되어 일어난다. EBV는 잠복감염상태의 정상 소아와 성인에서 간헐적으로 활성화되어 지속적으로 배출된다.

증상은 림프절 종대와 함께 발열, 인두염, 편도선염, 간비장 비대, 피부발진 등이며 본 증상이 나타나기 1-2주 전부터 피로, 권태감, 근육통 등의 전구증상이 나타나는 경우도 있다. 림프절 종대는 주로 양측성이며 경부에 가장 흔하나 전신적으로도 나타날 수 있으며 대개 1-2주간 지속된다. 발열은 39℃ 이하이며 대부분 1-2주 후 없어지나 간혹 4-5주까지 지속될 수도 있다. 편도는 부종, 발적과 회색 혹은 녹색의 삼출물이 있어 육안적으로 연쇄구균 편도선염

때와 비슷한 소견을 보인다. 50-60%에서 비장비대가 나타나며, 드물게는 비장이 파열되어 출혈, 쇼크 및 사망까지 이르게 된다.

피부발진은 약 3-15%에서 나타나며 구진홍반성(popular erythematous)으로 상지와 몸통에 24-48시간 지속되다가 소멸된다. 그 외 약 1/3에서 경구개와 연구개의 경계부에 점출혈(petechiae) 소견이 나타나며 약 5%에서 황달이 보인다. 혈액검사에서 백혈구증가증이 있으며 50% 이상의 림프구증가증 혹은 10% 이상의 비정형 림프구증가증 소견을 보일 수 있다. 간기능 검사상 90%에서 발병 2주에서 5주까지 혈청 트랜스 아미나아제와 알칼리성 인산분해효소의 증가와 40%에서 혈청 빌리루빈의 증가소견이 함께 나타난다. 진단에 가장 특이적인 검사인 이종친화항체검사(Paul-Bunnel heterophil antibody test)는 발병 첫 주에 40-60%, 3-4주째에 80-90%가 양성반응을 보이기 때문에 초기에 음성반응을 보인 환자에게는 반복해서 검사한다. 4세 이하의 소아에서는 항체가가 낮아서 검사가 양성으로 나타나지 않는 수도 많다. 임상적으로 EBV 감염이 의심되나 전형적 비정형 림프절 비대 소견이 없거나 이종항체반응이 음성일 경우에는 EBV에 대한 특이항체검사를 실시하여 진단할 수 있다.

치료로 증상에 따라 진통제, 해열제를 투여하고 편도선 비대로 인한 기도폐쇄 소견이 있는 경우 스테로이드제제를 사용한다. 스테로이드를 투여할 경우 acyclovir를 병용 투여하면 단독 투여한 경우보다 효과적일 수 있다. 이차 감염을 막기 위해 항생제를 사용할 수는 있으나 ampicillin은 피부 발적 반응을 일으킬 수 있으므로 피한다.

수주 내에 자연치유가 되는 양성 질환이긴 하지만 드물게 비장파열로 사망할 수 있으므로 주의가 필요하다.

(2) 거대세포 바이러스감염(cytomegalovirus, CMV)

헤르페스 바이러스 중 하나인 거대세포바이러스(CMV) 감염은 대부분 증상이 없으나 발병했을 때는 경미한 경우부터 치명적인 경우까지 임상양상이 다양하다. CMV 감염 빈도는 연령이 증가할수록 증가하고, 개발도상국에서 더 높고, 선진국에서는 낮은 사회경제 계층에서 더 높다. 청장년

이 되면 거의 모두가 CMV 항체를 보유하고 있는데, 이들 감염의 대부분은 불현성이며, 우리나라는 분만 후 1년 이내에 약 85%에서 초감염이 생긴다. 대부분은 증상이 없고 영유아와 청년기에 호발하며 상기도 감염 동반과 비장종대가 드물다는 것 외에는 감염성 단핵구증과 증상이 유사하다. 대부분 자연치유된다.

(3) 면역결핍바이러스 감염(human immunodeficiency virus, HIV)

출생 시에는 증상이 없으며 초기에는 림프절 병증, 간비장비대, 성장장애, 만성 설사, 폐렴, 구강칸디다증이 오래 지속되며 소아에서는 만성 이하선종창이 자주 나타난다. HIV 감염은 경부 전반에 걸친 다발성 림프절 종대를 보이며 체중감소와 발열 등 전신증상이 지속되고 치료에 잘 반응하지 않는다.

3) 결핵성감염질환

(1) 결핵성 경부 림프절염(tuberculous cervical lymphadenitis)

결핵은 전 세계 인구의 약 1/3 이상이 결핵균에 감염되어 있으며, 세계보건기구에서 예측하는 소아 환자수는 매년 130만 명 정도로 약 45만 명이 사망하는 것으로 보고되고 있다. 소아가 결핵에 감염되는 경로는 대부분 가족 중 결핵 질환을 가지고 있는 성인으로부터 시작되며, 그 밖에 학교, 유치원, 탁아소 등에서도 전염될 수 있다. 아주 드물게 태반이나 양수에 있는 결핵균에 의하여 태아가 선천성 또는 자궁내 감염을 받을 수 있다. 결핵성 림프절염은 소아에서 결핵 중 약 50%로 가장 흔하며 초기 감염 후 6-9개월 이내에 초기 병소에서부터 확산되어 편도, 전경부, 턱밑, 쇄골상, 서혜부, 활차상박(epitrochlear), 겨드랑이 림프절에 발생한다. 대개 단단하지만 무통성의 종물로 다발성, 편측성이며 진행하면 압통, 피부발적, 동공 등이 보일 수 있다. 후경부에 빈발하며 하부 림프절 침범이 많다. 치료하지 않으면 자연적으로 회복되기도 하나 대부분 괴사나 건락화된다. 치료에 반응을 잘 하나 몇 개월 또는 몇 년이 지나도 림프절이 정상크기로 돌아오지 않는다.

진단은 궁극적으로 결핵균을 증명하는 것이므로 배양 검사로 균 동정을 함으로써 확진이 가능하다. 그러나 배양검사는 양성률이 낮으며, 4-8주 정도의 많은 시간이 소요되므로 실제적인 임상적 유용성이 떨어진다. 항산균 도말검사는 양성률이 30-60% 정도로, 배양검사보다 높으나 비전형적 미코박테리아와 감별하기가 어렵다. 세침흡인세포검사는 간편하고 신속한 검사방법으로 조직검사 및 세침흡인 잔류물을 이용한 중합효소연쇄반응검사를 병용하면 진단율이 더 높아진다. 개방생검은 진단율이 가장 높지만 침습적인 방법이므로 일반적으로 다른방법으로 진단하기 어려운 경우에 시행한다. 개방생검시 절개생검을 하면 누공이 생겨 장기간 치료가 필요한 경우도 있으므로 가능한 한 절제생검(excisional biopsy)을 하는 것이 좋다. CT에서 림프절 가장자리가 조영 증강되는 것이 특징적인 소견으로 진단에 도움이 된다.

치료로 대부분 1년 이상의 항결핵요법이 필요하다. 농양이나 동공이 발생하면 소파술로 괴사조직을 제거하거나 수술적 절제가 필요하며, 항결핵제에 내성을 보이는 경우도 수술이 필요할 수 있다.

(2) 비정형 결핵성 경부 림프절염(atypical tuberculous lymphadenitis)

경부에서 발생하는 대부분의 비정형 미코박테리아 혹은 비결핵 미코박테리아(nontuberculous mycobacteria, NTM)의 원인균은 Mycobacterium avium-intracellulare, M. scrofulaceum, M. bovis, M. kansasii 등이다. 5세 이하의 여아에서 호발하며 주로 발치가 시작될 무렵의 소아의 구강내 점막손상을 통하여 흙이나 물을 섭취하며 감염이 되거나 눈을 통하여 감염된다. 전신증상 없이 편측성, 아급성 림프절이 서서히 커지는데 특히 악하선과 이개전방, 후경부의 림프절 침범이 흔하며 진행하면 결핵성 림프절염처럼 농양이 형성되고 동공이 발생한다. 눈에 감염되면 각막궤양이 생긴다. 결핵성 림프절염과는 다르게 사람간 전파가 이루어지지 않는다고 알려져 있다. 또한 결핵성 림프절염과 다르게 일반적으로 폐병변은 동반되지 않는다. 진단은 병리조직검사로는 불가능하며 배양검사와 중합효소 연쇄반응검사로 가능하지만 진단율이 높지 않다. 항결핵제에 반응할 수 있지만 수술적 제거가 주 치료방법이고 완전한 절제 시 항결핵제는 필요하지 않다.

4) 기생충감염

(1) 톡소포자충증(Toxoplasmosis)

톡소포자충증은 Toxoplasma gondii라는 기생충에 의한 감염성 질환이다. 종숙주는 고양이과의 동물이며, 고양이의 소화기계에서 발생하며 사람은 중간숙주로 고양이의 배설물을 접촉하거나 오염된 음식을 통하여 감염된다. 임산부 감염 시 수직 전파될 가능성이 50% 이상으로 태아의 선천성 톡소플라즈마증을 야기할 수도 있다. 대부분의 정상 면역체계의 환자들은 아무런 증상을 못 느끼거나 가벼운 감기증상을 느끼지만, 면역체계가 약화된 사람들은 뇌와 연관된 심한 증상들이 나타난다. 90%의 유증상 환자의 경우 무통의 경부 림프절염이 관찰되며, 혈액 항체 검사나 림프절 조직에서 기생충을 확인하여 진단할 수 있다. 선천성 질환은 양수검사를 통해 진단할 수 있다. 치료는 항말라리아제나 항생제를 이용하여 이루어진다.

2. 비감염성 염증성 질환

1) 가와사키병(Kawasaki disease)

1967년 가와사키에 의해 처음 기술된 원인불명의 전신성 혈관염 질환으로 급성 피부점막림프절 증후군 또는 급성 소아 결절동맥주위염으로도 불린다. 지금은 유전적 소인이 있는 소아에서 비교적 흔한 병원체의 감염에 의하여 유발되는 면역학적 반응이 가와사키병을 일으킨다고 추정한다. 주로 5세 이하의 소아에서 호발하며 7개월-1세의 연령에서 가장 높은 발생빈도를 보이고 동양에 많으며 여름과 겨울에 많고 여아보다 남아에게 많다. 이 질환은 최근 들어 소아 연령에서 가장 흔한 후천 심질환으로 부각되었다. 치료하지 않으면 동맥류를 포함한 관상동맥 합병증이 약 20%에서 발생하며, 이는 심근 경색증 또는 급사의 원인이 되기도 한다.

진단은 임상적 증상으로 이루어지는데, 5일 이상 지속

되는 38.5℃ 이상의 고열이 있고 피부발진, 결막충혈, 경부 림프절 종대, 구순 및 구강의 염증, 사지 말단의 부종과 홍반 등 5가지 증상 중 4가지 이상을 만족할 때 진단된다. 발열은 대개 39℃ 이상으로 해열제, 항생제에 별로 반응하지 않으나 감마글로불린을 투여하면 1-2일이 지나서 정상화된다. 비화농 경부림프절염은 약 64%에서 발현되고 직경 1.5 cm 이상이며 구순과 구강병변은 구강이나 인두점막의 발적, 구순의 홍반이나 균열, 딸기혀 등으로 나타난다. 양측 안구결막의 충혈을 동반한 피부발진은 반구진 홍반발진 형태이며 수포는 나타나지 않는다. 사지말단의 부종과 홍반은 주로 손바닥과 발바닥에 나타나며 그 외 관절통, 흉통, 복통, 설사 등의 증상이 동반될 수도 있다. 가와사키병은 이러한 급성기를 1-2주 동안 겪은 후 아급성기에 접어들면 열을 비롯한 급성기의 증상들은 거의 사라진다. 이 시기에는 특징적으로 손 발가락 끝, 항문 주위의 막양 낙설을 보이고 혈소판 수가 증가한다. 발병 1-2주 후 관상동맥까지 침범하여 관상동맥류, 심근염 등이 유발되는데 치료하지 않으면 발병률이 약 20%에 달하고 치사율이 2%까지 보고되어 있다.

치료의 목적은 증상 호전과 관상동맥질환의 예방이다. 주 치료는 감마글로불린의 정맥주사와 아스피린을 병행하며 발병 10일 이내에 글로불린을 주사하면 관상동맥질환의 발생률을 현저히 감소시킬 수 있다. 면역글로불린은 고용량(2 g/kg)을 10-12시간에 걸쳐 서서히 정맥 내 주사한다. 진단기준에 지나치게 엄격하게 집착할 경우 치료시기를 놓치게 되어 관상동맥 병변의 발생률이 증가할 수 있으므로 가와사키병이 의심되면 빨리 소아 심장전문의에게 의뢰하는 것이 중요하다. 면역글로불린-저항성 가와사키병 환아는 면역글로불린(2 g/kg)을 재투여하거나 고용량의 메틸프레드니솔론을 정맥내 투여한다.

감별질환은 홍역, 성홍열, 약진, Steven-Johnson 증후군, 독성쇼크증후군(Toxic shock syndrome) 등이며 항스트렙토리신-O (antistreptolysin-O) 역가 및 인두점막 배양 검사를 하면 진단에 도움이 된다.

2) 기쿠치병(Kikuchi's diseas)

1972년 일본의 기쿠치와 후지모토에 의해 처음 기술되었으며 조직병리 소견에 따라 조직구성 괴사성 림프절염(histiocytic necrotizing lymphadenitis), 아급성 괴사성 림프절염(subacute necrotizing lymphadenitis)으로 불리기도 한다. 병인은 확실하지 않으나 다양한 세균감염 혹은 항원자극에 의한 과민반응이나 자가변역질환으로 생각되고 있다. 성인 젊은 여성 및 여아에 호발하며 동양인에서 많이 발견된다.

　증상으로는 림프절 종대, 감기와 유사한 전신증상으로 림프절 종대는 주로 경부에 국한되고 단발성에 압통이 없는 특징이 있으나, 드물게 전신적으로 나타나기도 한다. 약 50%에서 열, 권태감, 피로감, 설사, 체중감소, 인후통, 두통, 콧물 등의 전신증상이 동반된다. 그 외에 피부발진, 간비대, 비장비대, 뇌막염 증상등이 드물게 나타난다. 진단은 림프절의 조직병리학적 검사를 통해서 확진이 가능하며 대부분 자연히 회복되므로 치료로 증상에 따른 보조적인 요법을 시행한다.

3) 로지도프만병(Sinus Histiocytosis, Rosai- Dorfman disease, RDD)

로지도프만병은 림프동 조직구증식증(sinus histiocytosis with massive lymphadenopathy, SHML)으로 알려진 원인 불명의 비교적 드문 질환이며 1969년 Rosai와 Dorfman에 의해 처음 기술되었다. 환자의 82%가 20세 이하에서 발생하며 남아에서 많다. 환자의 대부분이 무통 다발의 대칭성 경부 림프절 종대가 있어 내원하며 그 외에 발열, 백혈구 증가증, 적혈구 침강속도 증가, 다클론성 고감마글로불린 혈증을 나타낼 수 있으나 질환에 특이하지는 않다. 림프절 외 침범은 25-40%에서 보이며 그 중 75%가 두경부 영역을 침범한다. 두경부 영역의 주요 침범부위는 비강과 부비동, 비인두, 후두, 기관이며 안와나 이하선을 침범하기도 한다. 진단은 조직검사를 통하여 이루어지며 호지킨병, 전이성암종, 악성 흑색종, 림프종등의 질환과 감별이 필요하다. 대증적인 치료 후에 대부분은 자연 회복된다.

4) 유육종증(Sarcoidosis)

유육종증은 만성 육아종성 질환으로 폐와 종격동을 포함한 림프절에 주로 침범하는 것이 특징인 원인 불명의 전신성질환이다. 주 증상은 발열, 체중감소, 호흡곤란, 흉통, 경부 종물, 이하선 종물, 안면마비 등이다. 경부림프절 비대의 경우 양측성에 무통성이며 조직검사를 통하여 진단한다. 2/3의 환자들은 자연완화가 오나, 10-30%의 환자에서는 만성적으로 지속 혹은 악화가 된다. 치료는 스테로이드 주입을 통하여 이루어진다.

5) PFAPA 증후군(Periodic Fever, Aphthous Stomatitis, Pharyngitis, Adenitis Syndrome)

PFAPA 증후군은 소아 주기적 발열의 가장 흔한 원인으로 발열이 반복적, 주기적으로 발생하면서 아프타 구내염과 인두염, 경부 림프절염이 동반되는 질환군이다. 주로 5세 미만의 연령에서 임상 증상들이 처음 나타나기 시작하는 PFAPA 증후군은, 3-5일 동안 지속되는 고열이 2-8주 간격으로 주기적으로 반복되는 특징을 지닌다. 발열이 있는 기간 동안에는 경부 림프절 비대나 아프타 구내염, 인두염이 동반되나, 발열기 사이에는 무증상기를 보이며 환자들은 정상적으로 성장하고 발달한다. PFAPA 증후군은 자가면역 과정으로 발생하는 것으로 생각되어지나 아직 그 기전에 대해 명확하게 밝혀진 바가 없다. PFAPA 증후군은 특별한 치료 없이도 발병 6개월 이내에 약 20-50%에서 자연적으로 호전될 수가 있다. 저용량 스테로이드는 PFAPA 증후군 환자에서의 일차치료로 가장 많이 투약되며, 스테로이드 투약이 어려울 경우 편도절제술이 효과가 있다고 보고되었다.

3. 심경부감염

심경부감염은 경부 근막 강에 발생하는 염증성 질환으로 감염은 주로 항생제 개발 이전이나 구강위생이 좋지 않은 때에 흔히 발생되었으나 최근 항생제의 발달과 함께 감소되는 양상을 보이고 있다. 그러나 아직도 다양한 원인으로 인해 경부 심부에 화농성 병변을 일으키며, 조기에 진단과 치료가 이루어지지 않으면 인접기관을 침범하여 심각한 합병증을 유발할 수 있다. 특히 소아 심경부감염 환자의 경우 성인에 비해 증상을 잘 표현하지 못하며 검사에 협조적이지 않을 뿐만 아니라 구인두의 크기가 작아 관찰이 어려워, 진단에 어려움이 있으며, 이로 인해 치료가 지연되거나 감염의 진행으로 인한 심각한 합병증이 유발될 수 있다. 심경부감염을 동반한 소아의 평균 연령은 대개 4세 정도로 보고된다.

연령 분포를 놓고 비교해보면, 환아의 나이가 증가할수록 심경부감염의 발병률이 감소하는데, 이것은 영유아들의 면역체계가 아직 미성숙하기 때문이다.

증상으로는 경부 통증, 발열, 경부 종창, 연하 곤란, 그리고 식욕 부진 등을 호소할 수 있다. 4세 이하에서는 보챔(agitation), 기침, 침흘림(drooling), 기면, 호흡곤란, 흉부함몰, 비루, 천명 등이 흔한데, 바이러스의 상기도 감염 때와 증상이 비슷하기 때문에 정확한 진단을 어렵게 만든다. 증상에서 특이한 점은 성인에 비하여 소아환자들이 통계학적으로 유의하게 연하곤란을 덜 호소한다는 것이다. 발열은 많은 보고에서 소아 심경부감염의 흔한 증상으로 보고되었다.

편도주위공간을 제외한 경우 흔한 발생 부위는 인두후공간과 인두주위강, 전후삼각부위, 악하강이었으며 이것은 소아의 익상층(alar fascia)의 염증 파급 방지 능력이 약하기 때문에 두 공간으로의 농양 전파가 흔하기 때문이다. 심경부감염은 결핵처럼 원발성으로 발생할 수 있으며, 편도선염이나 타액선, 림프조직, 선천성 기형 조직, 치아 등의 감염에 의해 이차적으로 발생할 수 있다.

소아에서는 화농성 림프절염(suppurative lymphadenitis)에 의해 심경부 농양이 발생할 수 있으며, 본 연구에서는 이미 농양이 형성된 후에 내원하여 림프절염의 선행 여부를 확인할 수 없었다. 원인균은 많은 연구에서 황색포도구균을 가장 흔한 동정균으로 보고한다.

심경부감염의 합병증은 종격동염, 패혈증, 기도폐쇄, 경정맥 혈전증, 경동맥 파열, 농양의 자연파열로 인한 흡인성 폐렴 등이 있지만, 소아에서는 이러한 합병증이 성인에 비하여 드물다. 그 이유는 성인의 감염은 대개 근막공간 안에 발생하기 때문에 수직적으로 잘 파급되지만, 소아에서는 림프절의 피막 안에 발생하여 진행이 느리고 패혈증도 드물어 치료에 잘 반응한다. 따라서 소아환자들의 예후는 상대적으로 양호할 것으로 사료된다. 인두후공간과 인두주위강의 농양에서 내과적 치료가 가능하고, 직경 2 cm 미만되는 농양뿐만 아니라 2 cm 이상 3 cm 미만되는 농양도 내과적 치료에 효과적이었다고 보고되고 있어 농양의 크기가 3 cm 이상될 때 수술적 치료를 권유한다.

■■■■ 참고문헌

• 손진호, 염증성경부질환, 이비인후과학, 일조각, 2009; p 1774-1780.

• 양윤수, 이화욱, 이상헌, 홍기환, 소아에서의 경부심부감염에 대한 임상적 고찰, Korean J Otolaryngol, 2004;47:1282-8.

• 왕수건, 경부 종괴의 진단과 치료, J Korean Med Assoc 2007; 50(7): 613-625.

• 홍창의, 감염병, 소아과학 제 10 판 2012 ; p350-499.

• Anna Meyer. Pediatric Infectious Disease, Cummings Otolaryngology, 6th ed. 2015; 197; 3045-3054.

• Mark D. Rizzi, Ralph F. Wetmore and William P. Potsic, Differential Diagnosis of Neck Masses, Cummings Pediatric Otolaryngology 2015; 19; 245-254.

• Rosenberg TL, Nolder AR. Pediatric cervical lymphadenopathy. Otolaryngologic clinics of North America 2014; 47:721-731.

• Sauer MW, Sharma S, Hirsh DA, Simon HK, Agha BS, Sturm JJ. Acute neck infections in children: who is likely to undergo surgical drainage? The American journal of emergency medicine 2013; 31:906-909.

• Leung AK, Davies HD. Cervical lymphadenitis: etiology, diagnosis, and management. Current infectious disease reports 2009; 11:183-189.

Chapter 31

두경부의 혈관 병변

Vascular Anomalies of the Head and Neck

최정석

1. 혈관이상(Vascular anomalies)

혈관이상은 소아 두경부 영역에서 가장 흔하게 볼 수 있으며, 전체 혈관이상의 60% 정도가 두경부 영역에 발생한다. 두경부 영역에서의 혈관이상은 주로 소아기에 발견이 되며 약 5-10% 정도의 유병률을 가진다. 종종 신생아 때 모반(birthmark)의 형태로 발견이 되기도 하고, 유년기에 피부의 병변이나 만져지는 종양으로 발견이 되기도 한다. 혈관의 이상에 관한 진단은 병변의 개수, 병변으로 인한 증상, 병변의 안정성, 증식 및 퇴행 여부, 주변과의 유착 여부 등에 관한 자세한 병력과 신체검사가 무엇보다 중요하다(표 31-1). 혈관이상은 혈관종양(vascular tumor)과 혈관기형(vascular malformation)으로 나눌 수 있으며 1996년 International Society for the Study of Vascular Anomalies (ISSVA)에서 이에 대한 분류가 확립된 후 지속적으로 쓰이고 있으나 현재까지 질병의 분류체계가 명확하지는 않다(표 31-2). 혈관종양은 크기, 혈류의 속도, 위치에 따라 영상학적으로 분류될 수 있다. 혈관 기형은 동맥, 정맥, 림프 조직의 모든 혈관 종류에서 생길 수 있으며, 대부분 배아의 시기에 혈관생성 과정의 문제로 인하여 발생되며 일부 혈관 기형은 유전자 이상에서 올 수도 있다. 혈관종양의 대부분은 양성이며 경우에 따라서는 악성일 수 있다. 혈관종양 중에서 유아 혈관종(Infantile hemangioma)은 출생 직후에는 종양이 없다가 출생 후 수 주가 지나면서 종양이 생기고, 이후 유아기에 혈관내피(endothelium)의 급격한 증가가 진행된 후 아동기에 천천히 사라지는 특이한 임상양상을 보인다. 이에 반하여 혈관 기형은 출생 시 임상적으로는 명확하지 않더라도 혈관의 구조적 이상을 지니고 있으며, 정상적인 혈관의 성장과 혈관내피의 순환과정을 보이며, 몸의 성장과 함께 증식하는데, 혈관종과 다른 점은 병변이 저절로 퇴화하지 않는다는 점이다. 혈관기형 역시 영상학

표 31-1. **소아 혈관이상에서의 병력 및 신체 검사 항목**

병력	신체 검사
• 병변이 시작된 시기(나이) • 증식 또는 퇴행 여부 • 통증, 가려움, 출혈, 기능 장애 여부 • 가족력 • 출생 시 과거력(미숙아 등)	• 단독 또는 여러 개의 병변 • 크기 • 위치 • 변동(Fluctuation) • 압통 • 감염의 양상 • 심장, 호흡기, 중추 및 말초 신경계, 귀, 코, 목의 구조 및 복부 장기의 동반 침범 유무 확인

표 31-2. ISSVA classification for vascular anomalies

혈관이상(Vascular anomalies)	
혈관종양(Vascular tumors)	혈관기형(Vascular malformations)
Benign • Infantile hemangioma • Congenital hemangioma 　Rapidly involuting (RICH) 　Non-involuting (NICH) 　Partially involuting (PICH) • Tufted angioma • Spindle-cell hemangioma • Epithelioid hemangioma • Pyogenic granuloma **Locally aggressive or borderline** • Kaposiform hemangioendothelioma • Retiform hemangioendothelioma • Papillary intralymphatic angioendothelioma (PILA), Dabska tumor • Composite hemangioendothelioma • Pseudomyogenic hemangioendothelioma • Polymorphous hemangioendothelioma • Hemangioendothelioma not otherwise specified • Kaposi sarcoma **Malignant** • Angiosarcoma • Epithelioid hemangioendothelioma	**Simple** • Capillary malformations (CM) • Lymphatic malformations (LM) • Venous malformations (VM) • Arteriovenous malformations (AVM) • Arteriovenous fistula (AVF) **Combined** • CVM (CM+VM), CLM (CM+LM) • LVM (LM+VM), CLVM (CM+LM+VM) • CAVM (CM+AVM) • CLAVM (CM+LM+AVM)

위 표는 알려진 모든 혈관이상 질환을 포함하지 않으며, 일부의 혈관질환에 대한 분류는 아직도 불명확하다.

표 31-3. **혈관 종양 및 혈관 기형의 특징**

혈관종양(Vascular tumors)	혈관기형(Vascular malformations)
• 생후 1년 이내 진단 • 생후 1년 이내 빠르게 성장 후 천천히 퇴행 • 증가된 내피세포의 회전율을 보임 • 표지자: VEGF, bFGF • 뼈의 침범이 드묾 • 여아 : 남아 = 3-5 : 1	• 태어날 때 가지고 있으나 수 년이 지난 이후에 발견되기도 함 • 일생에 걸쳐 점점 커지며, 퇴행하지 않음 • 정상 내피세포의 회전율 • 표지자: 거의 없음 • 뼈의 침범이 흔함(35%) • 여아 : 남아 = 1-2 : 1

VEGF: Vascular Endothelial Growth Factor, bFGF: basic Fibroblast Growth Factor

적으로 크기, 혈류의 속도, 위치에 따라 분류되며, 주변 조직 및 뼈의 과잉성장과의 관련성 등은 림프 조직의 기형을 평가하고 분류하는 데 유용하다. 혈관이상의 정확한 진단을 위해서는 임상 증상 외에도 영상학적 검사나 조직학적 검사가 필요한 경우가 많다(표 31-3).

2. 혈관종양(Vascular tumor)

1) 유아 혈관종(Infantile hemangioma)

유아 혈관종은 영아기에 생기는 가장 흔한 종양 중의 하나로 두경부 영역에서 약 60% 정도가 발생한다. 유아 혈관종은 10-12% 정도의 백인 영아에서 생기며, 여아에게서 3배 더 자주 발생한다. 1,000 g 미만의 미성숙아, 다태임신(multiple gestation), 모체 내에서 융모막 채취시술(chorionic villus sampling)을 받은 경우 유아 혈관종의 발생빈도가 더 높은 것으로 알려져 있다. 혈관종의 60%는 두경부 쪽에 발생하며, 80%는 독립된 단 하나의 병변을 가지고 있다. 6개 이상의 피부 병변을 가진 환아는 내부 장기에도 혈관종이 있을 가능성이 증가하며, 이는 간종대, 소화관 출혈, 심각한 갑상선 기능저하증, 빈혈, 울혈성 심장질환과 같은 치명적인 질환을 동반할 수 있다. 유아 혈관종은 해부학적인 깊이에 따라 표층(superficial), 심층(deep), 혼합형(combined)으로 나눌 수 있다. 표층은 색깔이 붉으며, 부드럽고 융기된 병변의 형태를 보이며, 심층의 병변은 다양한 형태의 모양과 경도(consistency)를 보이며, 병변은 푸른 빛을 띤다. 대부분은 임상증상과 신체검사로 혈관 기형과의 구별이 가능한데, 혈관종은 촉진 시 단단하고 탄력이 있으며, 손으로 눌러도 압박이 잘 되지 않는 특징이 있다.

유아 혈관종은 출생 후 수 주 이내에 발생하며, 이후 빠르게 증식한다. 유아 혈관종은 현저한 병변의 성장을 보이는 증식기(proliferation)와 병변이 점점 줄어드는 퇴행기(involution)로 나누어지는데, 증식 및 퇴행의 속도, 기간, 정도는 환자마다 다양하다. 유아 혈관종은 생후 수 주 이내에서 증식을 시작하여 4-10개월 동안 지속되는 것이 일반적이나 심층의 병변은 2년까지도 증식이 지속될 수 있다. 증식기가 지나면 병변이 안정화되는 퇴행기가 오는데 시기는 생후 12-18개월 정도이며, 5-6년까지 지속되기도 한다. 이 시기가 되면 병변의 색깔이 회색이나 엷은 자주빛으로 희미해진다. 유아 혈관종의 퇴행은 환자의 50%에서 5세까지 일어나며, 환자의 90%에서 9세까지 일어난다. 퇴행된 병변의 미용적인 측면은 매우 다양하며, 예측하기가 어렵지만 많은 환아들에서 퇴행 후의 피부는 정상으로 돌아온다. 그러나 환아의 20-40%에서는 피부의 늘어짐, 피부색의 변화, 혈관의 늘어짐, 섬유화된 병변, 반흔 등이 남게 된다.

유아 혈관종의 20%에서는 다수의 병변을 가지고 있으며, 병변이 다섯 군데가 넘는 경우는 내부 장기에서의 혈관종(internal hemangiomatosis)을 의심할 수 있다. 내부 장기에서의 혈관종이 가장 많이 발견되는 곳은 간(liver)이며,

이는 심부전을 유발할 가능성이 있으므로, 피부에 다수의 혈관종을 가진 환자는 꼭 복부의 초음파를 시행해야 한다.

유아 혈관종이 증식할 때의 병리학적 소견은 잦은 체세포 분열(mitosis)을 하는 혈관내피세포(endothelial cell), 모세혈관세포(pericyte)가 관찰되고, 비만 세포(mast cell)와 섬유아세포(fibroblast)가 증식해 있으며, 여러 층으로 기저막(basement membrane)이 관찰된다. 이후 6년 정도가 지나면 혈관종이 퇴행하게 되고 이때의 병리학적 소견은 혈관내피세포의 고사(apoptosis)가 증가하며, 혈관의 구성망이 점진적으로 섬유화되며 지방으로 대체가 된다. 이때 납작하고 정상의 모습을 보이는 혈관내피세포가 관찰된다. 유아 혈관종의 병태생리에 관한 기전을 명확히 설명할 수 있는 이론은 현재까지 존재하지 않는다. 많은 연구에서 증식기의 혈관종은 섬유아세포 성장인자(basic fibroblast growth factor, BFGF)가 증가하며 이는 퇴행기의 혈관종과 감별하는 표지가 될 수 있다고 하였다. 유아 혈관종은 태반의 혈관내피세포와 연관성이 있다고 알려져 있으며, GLUT1 (glucose transporter enzyme), merosin, Lewis Y antigen, Rcr-RIIb과 같은 혈관내피세포에서 표현되는 인자들을 가지고 있다. 증식기의 혈관종에서는 이외에도 type IV collagenase, 혈관내피 성장인자(vascular endothelial growth factor, VEGF), urokinase, proliferating cell nuclear antigen 등이 높은 농도로 관찰된다. 퇴행기의 혈관종에서는 tissue inhibitor metalloproteinases, angiostatin, endostatin, platelet factor 4, mast-cells, interleukin-12, 인터페론 알파(interferon-α), glucocorticoids, thalidomide and thrombospondin metalloproteinase inhibitors 등이 증가한다고 알려져 있다. 소변에서의 섬유아세포 성장인자 농도는 혈관종과 혈관 기형을 감별하는 표지로 쓰이기도 하는데, 증식기의 혈관종은 혈장 및 소변에서 섬유아세포 성장인자 농도가 높다. 정맥의 혈관 기형에서는 정맥을 형성하는 데 있어 혈관내피세포의 근육의 정보전달에 중요한 역할을 하는 tyrosine kinase (Tie2) receptor의 유전자 돌연변이가 관찰된다. 가족력을 지닌 영아기의 혈관종은 5번 염색체와 연관이 있으며, 동정맥기형(arteriovenous malformation, AVM)의 경우 RASA1 유

전자와의 관련성이 알려져 있다. 이러한 정보들은 혈관 이상의 병리기전을 이해하고 새로운 치료를 모색하는 데 중요한 단서가 된다. GLUT1도 유아 혈관종에서 강하게 발현이 되며, 정상적인 혈관이나 혈관기형에서는 발현이 되지 않을 뿐 아니라, 혈관종의 증식 및 퇴행기 모두에서 발현이 되기 때문에 다른 혈관종양이나 혈관기형과 감별할 수 있는 좋은 표지자가 될 수 있다.

2) 선천성 혈관종(Congenital hemangioma)

선천성 혈관종은 유아 혈관종의 흔하지 않은 변종으로 임상적인 양상, 병변의 모양, 병태생리가 유아 혈관종과는 매우 다르다. 선천성 혈관종은 태어나기 전 모태 내에서 진단이 되기도 한다. 선천성 혈관종이 유아 혈관종과 다른 점은 태어날 때부터 병변이 존재하며, 그 이후에는 병변이 더 이상 자라지 않는다는 점이다. 선천성 혈관종은 빠르게 퇴행하는 선천성 혈관종(rapidly involuting congenital hemangioma, RICH)과 퇴행하지 않는 선천성 혈관종(noninvoluting congenital hemangioma, NICH)으로 나뉜다. 빠르게 퇴행하는 선천성 혈관종은 12-14개월이 되면 퇴행한다(그림 31-1). 선천성 혈관종은 대부분 하나의 병변으로만 나타나며, 유아 혈관종과 동반되는 경우는 거의 없다. 선천성 혈관종은 혈류의 흐름이 빨라 동정맥 기형으로 오인될 수 있다. 선천성 혈관종은 GLUT1이 음성이며, 유아에서 발생되는 혈관종의 3% 이내를 차지한다.

3) 두경부 영역의 다양한 혈관종들

(1) PHACES 증후군(PHACES syndrome)

발생 시 같은 분절에서 생기는 혈관종을 분절 병변(segmental lesion)이라 한다. 이러한 병변은 국소적인 병변보다 덜 흔하지만 생명에 치명적이거나 기능적 장애를 초래할 가능성이 높으며 구조적인 이상과도 연관성이 있다. 이마나 관자놀이, 뺨, 눈가의 주변에 분절 병변이 있게 되면 phaces(posterior fossa intracranial abnormalities, hemangiomas, arterial abnormalities, cardiac defects and coarctation of the aorta, eye abnormalities, and sternal clefting and sometimes with other ventral clefting abnormalities)라 불

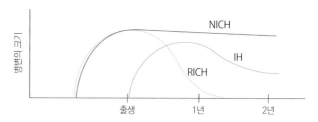

그림 31-1. 혈관종의 성장 및 퇴행 양상
IH: Infantile Hemangioma, RICH: Rapidly involuting congenital hemangioma, NICH: Noninvoluting congenital hemangioma

리는 이상들이 동반되는 경우가 많다. 이러한 연관성은 여아에게서 더 흔하게 나타난다. 환자의 50% 이상에서 발작, 뇌졸중, 발달장애, 편두통 등과 같은 신경학적 합병증이 동반된다. 분절 혈관종은 판상 모양의 병변을 지니며, 18개월까지 병변이 늘어나며, 유아 혈관종과 달리 완전히 없어지지 않는다. 또한 분절 혈관종은 궤양 및 흉터가 생길 가능성이 높다. PHACES 증후군의 가능성이 높다고 판단이 되면 안과적 검진 및 신경학적 검진과 심전도, 두경부 및 흉곽까지의 영상학적 검사가 시행되어야 한다.

(2) 구렛나루(beard) 주변에 분포하는 혈관종

뺨이나 턱, 귀의 앞쪽에 분포하는 구렛나루 주변의 혈관종을 지닌 환아의 65%는 기도에도 병변이 있다고 알려져 있다. 기도에 생긴 혈관종은 성문상부나 성문하부에 국한되어 있으며, 기도 병변이 의심되면 즉각적인 치료를 고려하여야 한다. 국소적인 병변은 레이저나 스테로이드의 국소 주입, 수술적 제거 및 약물치료에 의한 방법으로 이루어진다. 혈관종이 매우 큰 경우나 일차적인 치료에 반응하지 않는 경우에는 기관절제술을 시행할 수 있다. 구렛나루 주변의 혈관종은 이하선을 침범하기도 한다. 이하선을 침범한 혈관종은 주변의 부인두강(parapharyngeal space)을 침범하여 빠르게 자라 상측 인두공간을 눌러 기도를 누르기도 하며, 중이염을 유발하거나 이관을 막기도 한다.

(3) 눈 주변의 혈관종

눈 주변에 생긴 혈관종은 눈꺼풀이나 안구 뒤쪽의 공간

(retrobulbar space)에 생기며, 이러한 병변은 안구를 눌러 난시(astigmatism)나 약시(amblyopia)를 유발하기도 한다. 이를 막기 위해 눈 주변에 혈관종이 생긴 환아들에서는 조기의 안과적 검진과 치료가 필요하다. 치료는 약물치료나 수술적 치료를 시행한다. 치료를 받지 않은 1세가 넘은 환아는 결핍약시(deprivation amblyopia)의 발생가능성이 75% 이상이라고 알려져 있다.

(4) 코, 입술, 귀 주변의 혈관종

코 주변에 생긴 혈관종은 얼굴에 생기는 혈관종의 약 16%에서 발생한다. 코끝에 생긴 혈관종은 코의 해부학적 구조를 변화시키며, 연골의 변형과 비강 면적의 변화를 유발하기도 한다. 여기서 발생한 혈관종은 병변의 깊이와 위치, 퇴행의 속도, 주위 조직의 기능적인 측면과 미용적인 측면을 다각도로 고려하여 치료의 방침을 정해야 한다. 치료로 경과 관찰, 국소 스테로이드 주입, 전신적인 약물 요법, 레이저를 이용한 시술 등을 고려해 볼 수 있으며, 수술적인 치료도 가능하다. 심각한 피부의 변화나 코의 성장 장애, 병변으로 인한 심리적인 위축이 있을 경우에는 학동기 전에 수술을 고려해 볼 수 있다.

귀에 생긴 병변은 해부학적 구조의 변형은 물론 궤양이나 귓바퀴의 이상을 유발할 수 있다. 외이도에 병변이 생긴 경우에는 일시적인 전도성 난청을 초래하기도 한다. 입술 주변에 생긴 혈관종은 느리게 퇴행을 하며 때때로 남은 피부의 변화를 초래한다. 입술의 병변은 음식을 먹는 데 방해가 되거나 이차감염, 심각한 반흔 등을 남긴다.

(5) 성문하 혈관종(subglottic hemangioma)

성문하 혈관종은 영아의 기도에 가장 흔하게 생기는 종물로 성문하의 해부학적 위치상 종물이 커질 경우 기도의 폐쇄로 환아는 위험에 직면할 수 있기 때문에 빠르고 효과적인 시술이 요구된다. 성문하 혈관종의 경우 40-70% 치사율이 보고되고 있다. 증상으로는 천명음이 발생하며 경부 단순 촬영 시 성문하부의 부종을 확인할 수 있다. 진단은 보통 내시경을 통한 직접적인 관찰을 통해 이루어진다. 환자의 일부에서는 울혈성 심질환이나 Kasabach-Merritt syn-drome 등이 발생할 수 있다. 혈관종이 자연적으로 줄어들면 경과관찰을 하는 것이 초기의 치료이며, 치료의 가장 중요한 목적은 병변의 크기를 줄여서 기도의 폐쇄 및 합병증을 예방하는 것이다.

4) 혈관종양과 관련된 특별한 질환들

(1) KASABACH-MERRITT PHENOMENON

Kasabach-Merritt phenomenon은 드물지만 터프티드 맥관종(tufted angioma)과 카포시양 혈관내피종(kaposiform hemangioendothelioma)과 같은 혈관종양과 함께 매우 치명적일 수 있는 질환으로 유아 혈관종과는 다른 질환이다. Kasabach-Merritt phenomenon은 혈소판이 종양에 의해 잡히게 되면 혈소판의 파괴가 일어나며, 다른 연관된 혈액 응고장애가 생길 수도 있다. 종양이 자라면 혈소판이 종양에 의해 파괴되는 증상은 더욱 심해진다. 현재까지 알려진 단일의 치료법은 없으나 전신스테로이드를 사용할 수 있으며, 효과적이지 않을 경우 항암 치료제인 vincristine을 사용하기도 한다. 이 약물에도 반응이 없을 경우에는 인터페론(interferon), Cytoxan, amicar와 같은 약물이 사용된다. 약물치료에 반응이 없는 종양에서는 색전요법, 수술적 제거가 필요하다. 경우에 따라 혈소판, 적혈구의 수혈이 필요할 수 있다. 이러한 혈관종양은 감소하는 데 수년이 걸릴 수 있으며, 종양의 감소 시 혈소판의 증가가 먼저 일어나게 된다. 방사선학적 검사로는 도플러를 이용한 혈류 검사나 초음파 검사, CT, MRI, 혈관조영술 등이 필요하며, 혈관종은 MRI에서 빠른 혈류속도에 의한 무신호로 관찰되는 특징이 있다.

(2) 터프티드 맥관종(tufted angioma)과 카포시양 혈관내피종(kaposiform hemangioendothelioma)

유아혈관종이 아닌 나머지의 혈관 종양은 대부분 양성이며, 두경부 영역에서는 잘 발생하지 않는다. 그 중에서도 가장 흔한 혈관 종양은 터프티드 맥관종과 카포시양 혈관내피종이다. 카포시양 혈관내피종은 두경부 영역의 어디에서도 생길 수 있으며, 혈관내피세포뿐만 아니라 림프의 구성 요소도 함께 가지고 있는 종양이다. 임상적으로 카포시양 혈관내피종은 조직의 깊은 곳에서 파생되는 자색의 피부 병변이 관찰되며 영상학적으로는 미만성 침습성 혈관들의 양상을 보인다. 영상학적 검사와 조직학적 검사를 통해 카포시양 혈관내피종을 진단할 수 있다. 터프티드 맥관종은 더 국소적이며 경우에 따라서는 피부의 병변이 없을 수도 있다. 두 질환의 치료는 적절한 진단, 합병증의 예방, 종양의 관리에 초점을 둔다. 진단을 위해서는 조직 검사와 함께 면역조직화학 염색이 필요하다. 일부의 국한된 종양의 경우 치료를 위해 수술적 치료를 할 수 있으며, 통증이나 기능 장애, 심각한 기형을 보이는 큰 병변인 경우에는 혈관의 생성을 억제하는 약물항암요법을 시행할 수 있다. 이러한 종양의 자연경과는 때때로 확실하지 않으므로 치료는 환자의 특성을 고려하여 치료한다.

(3) 뼈의 재흡수(bone reabsorption)

뼈의 재흡수는 일부의 카포시양 혈관내피종과 림프기형으로 인해 생길 수 있으며 국소적인 골감소증을 유발한다. Gorham syndrome은 뼈가 소실되는 질환으로 뼈를 둘러싸고 있는 림프조직에서 보일 수 있는 증상이다. 뼈의 재흡수의 기전은 불확실하지만 뼈의 소실을 막기 위한 뚜렷한 치료는 없다.

5) 혈관 종양의 흔한 합병증

대부분의 혈관종양은 혈관종이기 때문에 병변이 빠르게 증식하면 합병증으로 병변에 의한 주변의 기능 장애와 피부의 궤양이 생길 수 있다. 가령 기도에 생긴 혈관종의 경우 기도의 내경을 좁게 하여 숨을 쉬기가 힘들며, 들숨과 날숨 시 천명음이 생길 수 있다. 눈 주위에 생긴 병변의 경우 시각 장애가 생길 수 있으며 때로는 결핍 약시(deprivation amblyopia)를 일으킬 수 있다. 6개월 미만의 환아의 경우 병변의 압박으로 인한 눈의 변형이나 안구주위의 변형은 난시 약시(astigmatic amblyopia)를 유발한다.

입술이나 경부의 주름과 같이 반복적으로 피부의 자극을 받을 수 있는 곳에 생긴 증식기의 혈관종은 궤양이나 반흔이 생기기 쉽다. 궤양이 생기는 이유는 불확실하며, 통증 및 출혈과 함께 갈색의 가피가 생기며 궤양이 시작된다. 이차 감염을 예방하고 조직의 손상을 줄이기 위한 상처 치료가 중요하다. 입술에 생긴 궤양은 통증으로 인해 식사를 하기 힘들 뿐 아니라 입술의 변형을 초래한다. 부인두강이나 두피에 생긴 매우 큰 혈관종은 이 병변의 증가된 혈류로 인하여 심부전과 연관될 수 있다. 병변으로 인한 환자와 환자 보호자의 심리적인 문제 역시 치료의 계획을 세우는 데 중요하다.

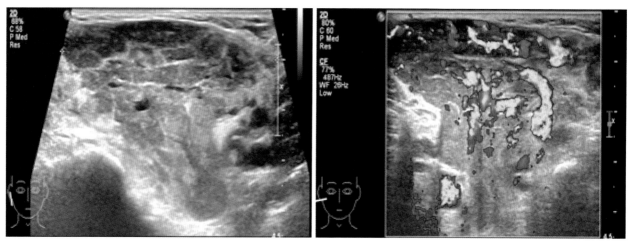

그림 31-2. **6개월된 여자 환아의 경부 초음파 소견.** 5 cm 가량의 혹으로 여러 개의 격막을 보이는 종물이 관찰되며, 도플러를 통한 검사상 종양의 대부분이 혈관으로 구성되어 있음이 확인되며, 조직검사상 혈관종으로 진단되었다.

6) 유아 혈관종의 진단

유아 혈관 종양의 진단은 환자의 임상증상과 병력, 신체 검사에 의해 이루어진다. 복잡한 여러 병변을 가진 환아에서는 진단을 위한 수술적 중재가 필요할 수 있다. 추가적인 검사로 컬러 도플러를 이용한 초음파를 시행할 수 있다. 도플러는 비슷한 임상양상을 보이는 혈관기형과 혈관종을 감별하는 데 유용한 도구이다. 초음파에서 혈관종은 저에코에 경계가 좋으며, 내부는 여러 개의 작은 낭들과 함께 다양한 음영을 보인다(그림 31-2). 대부분의 증식기에 있는 유아혈관종은 도플러에서 특징적인 빠른 흐름의 혈류가 관찰되는데 전형적으로 빠른 upstroke와 느린 down slope가 관찰된다. 자기공명영상과 컴퓨터 단층촬영 역시 병변의 크기와 양상을 파악하고 다른 질환과 감별하는 데 유용하다(그림 31-3). 증식기의 유아 혈관종은 경계가 좋으며 균질한 내부 음영을 보이며 강한 조영증강을 보인다(표 31-4). 퇴행기의 유아 혈관종은 불균일한 내부의 음영과 함께 소엽

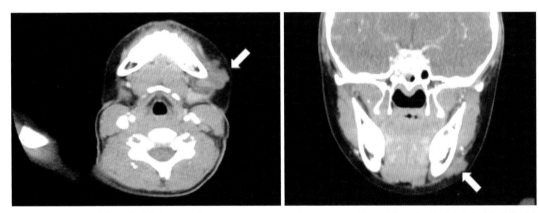

그림 31-3. **턱밑의 부종으로 내원한 6세 여아의 CT 소견.** 여러 분지의 엽성 모양을 보이며 불균질한 조영을 보이는 형태의 혹이 좌측 하악 아래에 존재한다. 조직검사상 혈관종으로 진단되었다.

표 31-4. **혈관이상의 초음파 및 자기공명영상 소견**

	초음파 소견	자기공명영상 소견			
		T1	T2	조영증강	Gradient
혈관종	Hyperechoic or hypoechoic Color Doppler: hypervascular	Iso-to-intermediate signal Flow voids	Increased signal Flow voids	Uniform intense enhancement	High-flow vessels
정맥기형	Solid echogenic mass with phleboliths Multispacial and compressible Color Doppler: Low flow or monophasic or no flow	Heterogeneous intermediate signal No flow voids	High signal Phleboliths	Diffuse inhomogeneous enhancement	No high-flow vessels
림프기형	Variable multicystic, multispacial masses, with or without fluid and debris levels Color Doppler: No flow pattern	Low to intermediate signal	High signal	No / Rim enhancement	No high-flow vessels
동정맥기형	Clusters of vessels with no intervening well-defined Mass Color Doppler: High flow (arterial flow)	Flow voids	Increased flow voids	Diffuse enhancement	High-flow vessels

(lobule)의 구조와 함께 병변의 중심부과 변연부에서 혈류가 나가는 큰 정맥들을 관찰할 수 있다. 혈관조영술도 드물게 진단을 위하여 사용될 수 있는데 병변의 크기나 유입혈관(feeding vessel)을 아는 데 유용하며, 다른 질환들과의 감별에 유용하다. 조직학적 생검은 진단이 불확실하거나 악성의 가능성을 배제하지 못할 때 그 적응증이 된다.

7) 유아 혈관종의 치료

(1) 개요

유아 혈관종은 크기, 병변의 위치, 병변 주변조직의 기능에 따라 증상이 없기도 하고 환자의 삶을 위협할 수도 있기 때문에 이러한 종양의 특성을 고려하여 다각적인 시각으로 치료하여야 한다. 대부분의 혈관종은 시간이 지나면서 퇴화하므로 경과관찰 외의 다른 치료가 필요하지 않다. 그러나, 모든 혈관종이 합병증 없이 사라지는 것은 아니다. 혈관종이 있는 피부병변에서는 종양이 사라진 후 피부의 위축 및 창백, 모세혈관의 팽창 소견이 흔하게 관찰된다. 흔한 혈관종의 합병증으로 혈관종이 커지는 시기에 궤양이 생길 수 있다. 혈관종양의 해부학적인 위치에 의해서도 합병증도 생길 수 있는데 예를 들면, 이하선에 생긴 혈관종은 안면 신경을 누를 수 있고, 성문하에 생긴 혈관종은 호흡의 장애를 유발할 수 있으며, 안구 주위에 생긴 혈관종은 주변 구조를 압박하여 시력 장애를 유발할 수 있다.

최근에는 두경부 영역에 생긴 유아 혈관종에 대한 사회적인 인식과 치료의 방침이 변화하고 있다. 이전에는 병변이 자연스럽게 퇴행하기를 기다리고 남은 병변에 대해서만 치료를 하는 것이 보편적이었으나 근래에는 비교적 이른 시기에 치료를 하는 방향으로 적극적인 치료를 권유한다. 안면의 중앙부에 생긴 혈관종의 경우 합병증이 생기기 쉽고 퇴행을 하지 않을 가능성이 있다. 병변에 대한 다양한 관점을 고려한 치료의 계획 및 가족과의 카운슬링은 매우 중요하다. 안면에 생긴 혈관종은 때때로 주변조직을 자극하여 골과 연부조직의 과성장을 초래하기도 한다. 이러한 경우에는 수술적인 치료와 재건의 치료를 해야 하는데 일반적인 안면 종양의 제거 후 조직을 재건하는 방법과는 다를 수 있다. 보통 큰 혈관종이 작은 혈관종에 비해 치료

의 모니터링과 계획이 더 복잡할 수 있으며 수년간 여러 단계에 걸친 다양한 치료가 필요할 수 있다. 약물 치료, 레이저치료, 수술적 치료 등을 시행할 수 있으며 병변의 위치는 치료를 계획하는 데 매우 중요한 요소이다.

(2) 약물 치료

증식하는 유아 혈관종을 위한 과거의 약물 치료는 혈관의 생성을 억제하는 데 목적을 두었고, 전신적인 스테로이드의 사용이 주류를 이루었다. 스테로이드 사용의 주된 적응증은 혈관종의 합병증 또는 병변이 큰 혈관종의 합병증 예방을 위해 사용되었다. 스테로이드는 프레드니소론(Prednisolone) 1-5 mg/kg을 구강으로 투여를 시작하여 4-6주간 천천히 tapering한다. 이론적으로 이러한 약물치료법은 약물의 전신적인 부작용을 최소화한다고 알려져 있다. 약물의 효과는 늘 모니터링되어야 하며, 치료 시 생백신은 피하는 것이 좋으며 혈압도 늘 확인해야 한다. 두경부의 국소적인 유아 혈관종의 경우에는 스테로이드를 직접 병변에 주입하기도 한다. 트리암시노론(triamcinolone) 40 mg을 병변에 국소주입하며 4-6주간 수 차례 주입을 반복한다. 이러한 치료는 눈 주위에 시술할 경우 실명의 가능성, 시술의 차이, 불확실한 효과 때문에 이견이 있기도 하다. 눈 주위에 생긴 혈관종의 경우 전신마취하에 망막을 직접 보면서 자주 시행되며 치료가 매우 효과적이어서 병변을 줄이고 혈관종에 의한 시각 장애를 줄일 수 있다. 그러나, 적은 용량의 스테로이드를 사용한다 하더라도 부신기능에 영향을 줄 수 있음을 명심해야 한다.

혈관생성을 억제하는 인터페론이나 vincristine과 같은 다른 약물도 혈관종의 치료에 사용되고 있다. 인터페론 알파는 3 million units을 경피에 주입하는 방법으로 보통 Kasabach-Merritt syndrome 등에 사용된다. 부작용으로 발열, 호중구감소증(neutropenia), 경직성 마비(spastic diplegia)와 같은 신경학적 합병증이 발생할 수 있다. 인터페론은 광범위한 혈관종의 치료에 효과적이나 1세 미만의 환아에게서 중추 신경계에 영향을 주어 마비와 같은 신경학적 합병증이 자주 나타나기 때문에 자주 사용되지 않는다. Vincristine 역시 광범위한 범위를 지닌 혈관종의 치료

에 사용되나 어린 환아에 신경학적인 합병증를 초래할 수 있다.

프로프라놀롤(propranolol)이 혈관종과 병변 주위의 피부에 효과적이라는 보고가 있은 이후에 혈관종의 대한 약물치료의 방법이 변화하고 있다. 현재는 이 약물이 장애를 유발하는 혈관종의 치료에 가장 먼저 사용되는 약물이다. 비특이성 베타 차단제(non-selective β-blocker)인 프로프라놀롤은 스테로이드의 사용 없이도 짧은 시간에 혈관종의 퇴행을 유도한다. 프로프라놀롤은 즉시 혈관축소를 유도하여 혈관종의 색깔을 어둡게 하고 병변을 부드럽게 만든다. 감소된 혈관내피 성장인자, 혈관종의 성장과 관련된 RAF-mitogen-activated protein kinase pathway의 억제를 통한 섬유아세포 성장인자의 감소, 모세혈관 내피세포의 고사(apoptosis) 등이 기전으로 제시되고 있다. 이 약물은 입원하지 않고 외래에서 적절한 교육과 모니터링으로 안전하게 사용 될 수 있다. 입원해서 치료하는 경우는 기도의 병변이나 어린 환아, PHACES 증후군과 관련된 비정상적인 뇌혈관을 가진 환자에 한하며, 보통 2 mg/kg/day를 하루 3회 나누어 복용한다. 이 약물의 안정성은 매우 뛰어나지만 오래 금식을 한 경우에는 저혈당이 생길 수 있다. 가장 흔한 부작용으로는 서맥(bradycardia)과 저혈압, high-output cardiac compromise 등이며, 심부전의 증상이 가려지거나 심장의 기능을 억제할 수 있다. 영아에게 저혈당 지속 시 장기간의 신경학적 합병증을 초래할 수 있으므로 유의해야 한다. 본 약물은 심장의 기능에도 영향을 미칠 수 있기 때문에 약물 투여 이전에 심장에 관한 충분한 검사를 시행하여야 한다. 이 약물의 성공적인 치료는 병변에서 감소된 혈관의 밀도와 관계가 있으며, 정확한 기전을 알기 위해서는 아직 추가적인 연구가 필요하다.

(3) 레이저 치료

레이저를 이용한 치료는 피부에 상처를 주지 않으며 표피를 보존하는 동시에 피부의 병변을 줄이거나 없애는 데는 효과적이나 혈관종의 부피를 줄이지는 않는다. 6개월 미만의 환아에게 시술 시 증식기의 병변에 피부 상피조직의 분열, 궤양, 반흔을 남길 수 있으므로 유의한다.

(4) 수술적 치료

증식기의 유아 혈관종은 시력장애나 호흡장애, 약물에의 무반응과 같은 증상을 보일 수 있어 이러한 경우 수술적 치료가 필요할 수 있다. 증식기 이후 부분적으로 퇴행된 유아 혈관종의 경우 피부의 섬유화를 만들기도 하는데 이러한 병변에 수술적 치료가 효과적일 수 있다. 얼굴에 생긴 유아 혈관종의 경우 심각한 미용적인 문제를 일으킬 수 있기 때문에 더욱 수술적 치료가 필요하다. 피부에 큰 병변이 함께 있는 혈관종의 경우 레이저를 이용한 치료와 함께 단계적인 수술적 치료가 필요하다. 수술적인 제거와 재건은 유아 혈관종의 증식기가 지난 후 하는 것이 좋으나, 시각장애를 유발하거나 상기도 폐쇄증상을 일으키는 경우, 혈관종으로 인한 정신적인 스트레스를 받는 환아에서는 조기에 수술적 치료를 시행한다(표 31-5).

(5) 색전술(embolization)

색전술은 고식적인 방법으로 사용되는 시술로 약물에 반응하지 않는 혈관종이나 심장 질환 등으로 약물을 사용하기 어려운 환자에게 적용될 수 있다.

(6) 기도에 생긴 혈관종의 치료

기도를 침범한 유아 혈관종은 상기도, 하기도 어디에도 생길 수 있으며, 피부에 생긴 병변과 조직학적 특성이 동일하다. 표면의 점막에만 국한된 경우의 병변은 아무런 증상을 일으키지 않으나 인두와 접해있는 부인두강에 생긴 커다란 병변의 경우는 자는 동안 기도주위를 압박할 수 있다. 후두에 생긴 혈관종은 상기도 감염과 함께 병변의 증식기에 영

표 31-5. 혈관종 수술적 치료의 상태적 적응증

- 퇴행하지 않는 선천성 혈관종(Noninvoluting congenital hemangioma)
- 큰 반흔을 남길 가능성이 있는 궤양을 지닌 혈관종
- 약물에 반응이 없으며 심각한 기능적 장애나 증상을 남길 여지가 있는 혈관종
- 병변이 매우 커서 완전히 퇴행하지 않을 가능성이 높은 혈관종
- 심각한 심리적 사회적 문제가 미용적 문제가 동반되는 환아

아에게 자주 나타난다. 소아는 성문하(subglottis) 부위가 가장 좁기 때문에 이 지역에 생긴 병변은 가장 호흡기적 문제를 유발한다. 천명이 들리는 소아에서 피부에도 혈관종이 있다면 기도에 생긴 혈관종의 가능성을 늘 고려하여야 한다. 얼굴의 아래쪽에 분절 병변을 지닌 혈관종을 가진 환아나 PHACES 증후군이 있는 환아라면 적어도 50%에서 기도에 병변을 가지고 있다. 이러한 환아는 입원하여 후두경을 통해 진단하며 컴퓨터 단층촬영을 통해 병변의 정도를 확인할 수 있다.

국소적인 유아 혈관종은 대부분 기도의 한 부분에 위치하고 있으며 성대주변의 분절 병변을 지닌 혈관종은 기도 주위의 연부조직을 침범하기도 한다. 기도를 침범한 유아 혈관종의 치료 시 기관절개술을 하지 않고 치료하는 것에 목적을 둔다. 고용량의 스테로이드 사용은 호흡기 상태를 완화시키며 진단에도 도움을 주는데, 천명의 빠른 회복은 기도에 혈관종이 있음을 의미한다. 환아가 심각한 호흡의 장애가 생기면 커프가 없는 튜브로 기도삽관을 함으로써 혈관종에 대한 치료와 함께 기관절개술을 피할 수 있다.

기도에 생긴 혈관종을 치료하기 위한 다양한 수술적 중재술이 시도되고 있다. 성문하의 한쪽 부위만을 침범한 국소적인 유아 혈관종은 스테로이드 주입, 레이저 시술, 수술적 치료 등으로 쉽게 치료될 수 있다. 병변이 매우 큰 혈관종은 치료가 어려우며 기관절개술을 할 가능성이 높다. 혈관종은 스테로이드의 치료에 대부분 일시적으로 잘 반응한다. 레이저 절제술 시 여러 병변이 존재하는 후두의 병변은 한 번에 한쪽의 병변만 제거해야 하며 기도의 반흔과 협착의 가능성이 높아 여러 번 치료를 해야 할 수도 있다.

광범위하게 기도를 침범한 유아 혈관종은 먼저 수술을 통하여 제거하기도 한다. 기도를 침범한 모든 혈관종에서 스테로이드의 복용은 혈관종의 증식이 멈출 때까지는 간헐적이든 장기간이든 필요한 경우가 많다.

다른 치료방법으로 국소 스테로이드를 병변에 주입 후 기관삽관을 하여 수일간 유지하면 스테로이드 효과와 기관 튜브의 병변에 대한 압력으로 시너지 치료효과를 기대할 수 있다. 반복되는 내시경과 스테로이드의 국소 주입, 오랜 시간의 기관삽관 등은 오히려 환아의 치사율을 높이는 원인이 될 수 있다. 최근에는 프로프라놀롤과 스테로이드를 동시에 투여하기도 한다. 경우에 따라서는 기관절개술이 필요할 수 있으며, 레이저를 이용하여 절제하기도 한다.

(7) 이하선 혈관종(Parotid hemangioma)의 치료

이하선의 혈관종은 다른 부위의 혈관종보다 느리게 자라고 약물치료에 덜 반응한다고 알려져 있다. 이하선에 생긴 혈관종은 우선적으로 수 개월간 경과 관찰한다. 혈관종이 갑작스럽게 커지면 전신 스테로이드를 사용하거나 동시에 병변에 스테로이드 주입을 함께 사용할 수 있다. 스테로이드에 반응이 없을 경우 인터페론 알파의 사용을 고려해 볼 수 있다. 약물 치료에 반응하지 않는 혈관종의 치료는 수술적 절제술로 제거할 수 있다. 소아의 경우 이하선에 안면 신경의 주행에 유의하여 수술하는 것이 관건이며 안면신경의 손상을 줄이기 위해 신경의 모니터링을 하는 것이 권장된다.

3. 혈관기형(Vascular malformation)

혈관기형은 혈관이상의 약 40%를 차지하고 있으며, 혈류의 흐름에 따라 느린 혈류(low-flow)와 빠른 혈류(high-flow)를 가진 병변으로 나뉜다. 혈관의 타입에 따라 병변을 나눌 수도 있는데 빠른 혈류의 병변은 동정맥 기형(arteriovenous malformation), 느린 혈류의 병변은 모세혈관 기형(capillary malformation), 정맥 기형(venous malformation), 림프 기형(lymphatic malformation)으로 분류된다. 그러나 때로는 정맥-림프 기형(veno-lymphatic malformation)처럼 두 가지 타입이 혼재하여 나타나기도 한다. 혈관 기형은 다양한 직경을 갖는 혈관으로 이루어지며, 동정맥 기형을 제외하고는 혈류의 흐름이 느리기 때문에 혈관종과 쉽게 감별이 된다.

1) 동정맥기형(Ateriovenous malformations, AVMs)

동정맥 기형은 빠른 혈류를 지닌 혈관기형으로 국소적인 박동성의 종양 또는 증가된 혈류로 인한 미만성 병변으로 두경부 영역 어디에서나 나타날 수 있으며 주로 뺨이나 귀에 잘 생긴다. 일부의 동정맥기형은 피부의 모세혈관기형과 함께 나타나기도 하는데, 이는 유전자 이상과 관계가 있을 가능성이 높다. 동정맥 기형은 느린 혈류를 가진 다른 병변과 달리 아동기나 청년기에 주로 나타나며, 두경부 영역에서는 발생하는 비율은 비교적 적다.

동정맥 기형은 출생 직후부터 청년기에 이르기까지 다양한 시기에 생길 수 있으며, 수 년간 안정적으로 유지되다가 사춘기나 임신 등의 호르몬 변화로 커지게 된다. 때로는 외상이나 감염으로 인해 커질 수도 있으며, 환아는 병변의 통증을 호소하는 경우가 많다. 동정맥 기형이 발생원인은 동맥과 정맥으로 있는 모세혈관의 비정상적인 communication에 의한 혈관이상으로 알려져 있다. 영상학적 검사상, 혈관조영술(angiography) 시 조기에 정맥에 조영증강이 되는 소견을 확인할 수 있다. 이와 대조적으로 동정맥루(arteriovenous fistula)는 외상에 의해 후천적으로 발생되며 동맥과 정맥 간의 비정상적인 communication을 하는 단독의 병변을 지칭한다. 동정맥기형의 진단은 자기공명영상과 컴퓨터 단층촬영 혈관조영술을 필요로 한다. 때때로 중재적 시술을 통한 혈관조영술이 필요할 수도 있지만 대개는 이러한 시술은 수술 이전에 시행하는 색전술을 하면서 같이 시행된다.

동정맥 기형의 자연 경과는 불분명하지만 휴지기(dormancy), 확장기(expansion), 파멸기(destruction) 및 심부전기(heart failure)의 네 단계로 나누며 이러한 단계가 치료의 성적과 관계가 있다. 휴지기의 병변은 다른 혈관이상으로 오해되기 쉽다. 동정맥기형은 촉진 시 진동과 청진 시의 잡음을 확인할 수 있으며, 골생성의 임상 특징을 지니고 있다. 도플러를 이용한 초음파는 동정맥의 연결부위(shunt)를 확인하는 데 도움이 된다. 증상이 없는 동정맥 기형은 특별한 치료가 필요하지 않다. 그러나 궤양이나 출혈 등의 합병증이 발생하면 수술적 치료를 시행한다. 수술적인 불완전 제거는 병변이 광범위하게 재발하는 경우가 많으므로 수술 전 혈관색전술 시행 후 완전하게 병변을 제거하는 것이 좋은 치료이나 두경부 영역에서는 병변 주위에 다양한 혈관이 발달하여 있어 혈관색전술이 쉽지만은 않다. 동정맥 기형의 치료는 대개 수술 전 색전술과 수술적 절제로 이

루어진다. 골과 관련된 병변의 경우 색전술만으로 치료하기도 한다. 그러나 병변이 주변조직을 침범하였을 경우 수술적 치료가 필요한 경우가 많으며 이런 경우 재발이 흔하며 치료의 방법도 신중히 결정되어야 한다.

2) 모세혈관기형(Capillary malformation)

모세혈관 기형은 보통 태어날 때부터 존재하며, 청년기에 들면서 짙은 자주색으로 병변이 천천히 변하게 된다. 비정상적인 모세혈관이나 세정맥의 혈관들이 확장되고, 주로 피부나 점막의 표피에 늘어난 모세혈관이 관찰된다. 피부가 늘어난 모세혈관 기형을 검붉은 모반(port wine stains)이라 한다. 이러한 모세혈관의 기형은 얼굴의 윗부분 및 가운데 부분에서 자주 관찰된다. 이러한 병변이 얼굴 윗부분과 눈썹주위와 같은 삼차신경의 주위에 있게 되면 Sturge-Weber syndrome이나 두개 내의 혈관이상, 맥락막 이상(choroidal anomalies)과 같은 뇌의 혈관기형의 가능성이 증가할 수 있다. 또한 이 질환은 눈, 피부, 뇌막을 침범한 모세혈관 기형과 연관이 있을 수 있다. 따라서 얼굴 윗부분에 생긴 혈관기형은 머리 부위의 자기공명영상과 안과적 검진을 항상 같이 하여야 한다. 모세혈관 기형은 국소적인 조직의 비대(hypertrophy)와 과오종성 소결절 형성(hamartomatous nodule formation)으로 인하여 점진적으로 어두워지며 두꺼워진다. 병변에 대한 표면의 치료는 보통 레이저를 이용하여 치료한다.

3) 정맥 기형(Venous malformation)

정맥 기형은 피부나 피하 조직에 흔하고 영아기에 커지며 이후 지속적으로 자란다. 정맥 기형은 대개 태어날 때부터 가지고 있으며 시간이 지나면서 느리게 자라고, 사춘기나 외상이 생기면 때때로 염증을 일으키거나 통증을 수반하기도 한다. 정맥 기형 역시 감염이나 외상, 호르몬 변화에 의해 병변이 확장되고 늘어난다. 정맥 기형은 주위 골격의 비후나 변형이 올 수 있으며, 석회화된 조직이나 정맥의 결석이 생길 수 있다. 정맥의 기형은 낮은 혈류의 흐름과 함께 복잡한 비정상적인 혈관들로 이루어져 있다. 조직학적으로는 이러한 병변의 대다수가 혈관 및 림프관을 이루는 요

소로 구성되어 있으며, 혈관이 늘어나 있고 정상적인 혈관 내피세포에 의해 경계가 정해진다. 이러한 병변의 일부는 receptor tyrosine kinase Tie2의 기능장애와 연관이 있다고 알려져 있다. 다른 분자생물학적인 기전이 이러한 병변과 관련하여 잘못된 혈관생성과 관련이 있을 수도 있다.

정맥의 기형은 림프 기형과 관련되어 있을 수 있으며 이러한 병변은 아동기에 점차 커지게 되며 외상이나 사춘기 또는 임신 후 빠르게 커지는 경향이 있다. 임상적으로는 단순한 피부의 단일 병변에서 주변 조직을 침범하는 형태에 이르기까지 다양하게 존재한다. 대부분은 입술과 협부에 많이 발생하며, 두경부 영역에서 가장 흔하게 발생된다. 경정맥(jugular vein)을 누르거나 Valsalva's maneuver를 하면 침범된 피부나 점막 아래로 병변이 푸른 빛으로 나타난다. 때때로 안구부위나 뇌, 뇌의 기저부로 병변이 확장되기도 한다. 신체 검사상 부드러운 비박동성 병변으로 많이 관찰되며 혈류 속도가 느려 정맥의 혈전을 유발할 수 있기 때문에 이로 인한 통증이 생길 수 있다. 진단은 영상학적 소견과 함께 임상적으로 하며, 느린 혈류를 보여주며, T2 강조영상 자기공명영상에서 밝은 신호를 보이며 컴퓨터 단층촬영에서는 석회화된 정맥돌(phleboliths)이 자주 관찰되며 때때로 이는 손으로 만져지기도 한다.

정맥 기형의 치료는 매우 복잡할 수 있는데 대부분의 병변은 경과관찰이 우선시된다. 치료는 증상에 대한 치료를 시행하며 일부에서 병변을 제거하기도 한다. 병변의 확장으로 생긴 통증은 주변에 신경을 자극하여 생기는 것으로 추정되며 병변 내의 소모성 혈액응고장애(consumptive coagulopathy)와 관련이 있다고 생각된다. 이러한 응고장애는 증가된 D-dimer와 낮은 fibrinogen으로 확인할 수 있다. 창현소판제와 항염증성 약물은 증상 경감에 도움이 된다. 극단적인 경우에 저용량의 헤파린(heparin) 사용이 필요할 수 있다. 정맥기형의 제거는 가능하다면 수술적 치료를 하는 것이 권유된다. 수술 전 임상적으로 드러나지 않은 응고장애가 있는지 확인하여야 하며 경화요법과 수술적 치료를 함께 하는 것이 출혈을 줄이고 이환율을 줄이는 데 유용하다. 경화 요법 시 Ethibloc, Atoxisclerol, OK-432 등이 재료로 사용되며 이는 국소적인 염증반응을 유도하여 치료

의 초기에는 오히려 병변의 크기를 크게 만들기도 하므로 구강의 병변을 치료할 때에는 기관삽관을 고려하기도 한다. 수술적 절제술은 국소적인 작은 병변일 때만 시행한다. 수술 중 출혈이 심한 경우 다양한 지혈수단을 이용하여야 하며, 경화요법에 반응이 좋은 병변은 지속적인 경화제의 주입이나 레이저를 이용한 치료를 시행한다.

4) 림프기형(Lymphatic malformation, lymphangioma)
(1) 개요

림프기형은 소아 두경부에 가장 흔한 혈관기형으로 림프기형의 75%는 두경부 영역에서 발생된다. 림프기형은 림프계와 단절된 병변으로 그 형태와 조직의 성장이 하나의 독립적인 병변으로 정의되며, 조직학적으로 림프기형은 비정상적으로 늘어난 림프채널이 존재한다. 경부의 림프기형은 정상적인 림프관이 정맥으로 유출되지 않은 상태로 멈추어 생긴다고 추정되며, 림프기형은 태어날 때 이미 존재하며 염증이나 외상, 호르몬의 변화에 따라 수 년에 걸쳐 점진적으로 커지게 된다. 대부분의 림프기형은 2세 이하에서 발견되며, 남녀 발생 빈도의 차이는 없다. 태아의 초음파 검사 시 림프기형이 선천성 기형의 약 30%를 차지하고 있어 가장 흔한 선천성 기형으로 알려져 있다. 림프 기형은 염색체 이상과는 상관이 없으며, 모든 림프기형의 60%는 자궁에서 초음파상 관찰할 수 있다. 림프기형은 신체 검사 시 경계가 불명확한 부드러운 종물로 나타나며 주로 경부의 후삼각 지역에서 잘 발생한다. 드문 경우 종격동이나 구강, 인두, 기도 등을 침범하기도 한다.

림프기형의 진단은 주로 임상적으로 행해지며 영상학적 검사로 초음파, 자기공명영상과 컴퓨터 단층촬영 등을 시행하며, 인두나 상기도 침범 시에는 내시경을 시행할 수 있다. 영상진단을 통해 1 cm 미만의 여러 개의 작은 낭늘을 지닌 소피낭 형태(microcystic form)와 1 cm 이상의 하나 또는 여러 개의 낭을 가진 대피낭 형태(macrocystic form), 혼합형(mixed)으로 림프기형을 나누기도 한다. 림프기형을 조직학적으로 분류해보면, 얇은 벽을 지닌 모세혈관의 림프관으로 구성된 단순형(simple or capillary), 섬유화된 조직에 늘어진 림프관으로 구성된 동굴형(cavernous), 다양한 크

기의 낭으로 구성된 낭형(cystic)으로 나눌 수 있다. 림프기형은 또한 위치에 따라 나눌 수 있다. 악설골근(mylohyoid muscle) 아래 및 경부의 앞, 뒤 삼각부(anterior and posterior triangles of the neck)를 제1지역(type 1 lesion)이라 정의하며, 이러한 경우 림프기형은 주위와의 경계가 명확한 낭종의 형태를 취하며 좋은 예후를 지닌 것으로 알려져 있다. 악설골근 위의 혀, 뺨, 이하선, 입술 등을 제2지역(type 2 lesion)이라 정의하며, 이 곳의 림프기형은 주변조직과의 경계가 불명확하고 근육이나 지방층과의 구별이 어려워 아전절제술(subtotal exicision)이나 경화요법이 사용되며, 레이저를 통한 시술이 도움이 될 수 있다. 이러한 림프기형은 조직학적으로 작은 림프관들이 주위조직으로 침습하는 형태를 취한다. 이하선에 생긴 림프기형은 매우 빠르게 발달하여 안면신경과 구조적으로 얽힐 수 있으며, 이하선의 발달을 방해할 수 있다. 이하선 림프기형도 감염이나 출혈에 의해 병변의 갑작스러운 증식이 있을 수 있으므로 조기 수술을 권장하기도 하나, 자연적 퇴행이 올 수 있고, 환아가 자라면서 수술적 절제가 쉬워질 가능성도 있기 때문에 우선적으로 경과를 관찰하는 것이 치료의 한 방법일 수 있다.

림프기형은 병변의 반복적인 절개 배농술이나 주사기를 통한 흡인 등은 피하는 것이 좋다. 제1지역의 림프기형의 경우 한 번의 수술적 치료로 완전 절제가 가능한 경우가 많으나 먼저 보존적 치료로 경화요법을 시행하기도 한다. 경화요법은 림프기형이 서로 연결이 되지 않는 많은 낭으로 구성된 경우 치료에 한계가 있기 때문에 림프기형 주위의 섬유화가 진행되어 수술적 치료가 쉽지 않은 경우 고려하는 것이 바람직하다.

(2) 림프기형의 진단

림프기형의 진단과 평가는 자기공명영상과 컴퓨터 단층촬영을 통해 진행한다. T1 강조영상의 자기공명영상에서 림프기형은 조영증강이 되지 않는 근육과 같은 신호를 내며 T2 강조영상에서는 유입이나 배출되는 혈관이 없이 조영증강이 되지 않는 고신호의 강도를 보인다(표 31-3, 그림 31-4). 컴퓨터 단층촬영에서 림프기형은 조영증강이 되지 않는 액체 밀도의 병변을 보인다. 이러한 영상학적 검사는 병변을 대피낭, 소피낭, 혼합형 형태로 나누는 데 매우 유용하다. 자궁에서의 초음파는 기형의 발견뿐 아니라 태어날 때 기도에 문제가 생길 수 있는지를 결정하는 데 유용하다. 만약 추가적인 정보가 필요하다면 자기공명영상을 찍기도 한다. 이를 통해 분만 시 태아의 기도를 확보하려는 노력 및 모체-태아와의 혈류 순환에 계획을 세우기도 한다.

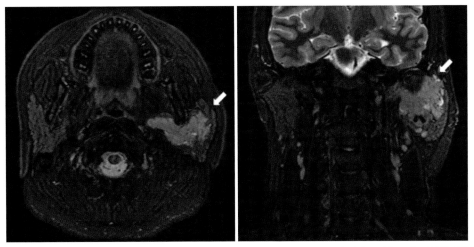

그림 31-4. **좌측뺨의 부종을 주소로 내원한 16세 남아.** 시행한 MRI 검사상 좌측 이하선에 5 cm 크기의 엽성 모양을 보이는 종물이 관찰된다. 림프기형으로 진단된다.

(3) 임상적 평가 및 양상

림프기형의 양상 및 치료에 대한 임상적 이해는 영상학적 진단과 두경부 병기결정체계에 기반을 둔다. 목의 뒷부분에 생긴 격막이 없는 설골(hyoid) 아랫부분의 대피낭 형태의 병변은 특별한 치료를 하지 않아도 저절로 사라질 수 있다. 일반적으로 경부의 지역과 상관없이 대피낭 형태의 병변은 경화치료나 수술적 치료로 치료할 수 있다. 이와 대조적으로 양측 설골 위쪽에 존재하는 소피낭 또는 혼합형의 림프기형은 어떠한 치료에도 반응이 적으며 많은 합병증을 수반한다. 이러한 병변은 자주 구강 및 인두 조직을 침범하여 때로는 반복적인 혀의 부종, 지속적인 혀의 비대, 점막 출혈, 말하기 어려움, 기도 압박과 같은 증상을 일으키기도 한다. 일반적으로 외측 안각선(lateral canthal line)의 바깥에 존재하는 림프기형은 대피낭 형태가 많다. 반면에 가운데 얼굴중앙에 존재하는 병변은 혼합형인 경우가 많으며, 얼굴중앙의 병변은 흔하지 않으며 대부분 소피낭 형태이다. 설골 위의 병변이 더 크고 더 확장될수록 예측하기 힘든 임상양상을 보이며 상기도 및 상부 소화기에 기능적 문제를 일으킬 가능성이 많다.

(4) 연관된 합병증

림프기형은 치료의 합병증으로 독특한 문제를 일으키기도 한다. 선행된 감염이나 외상으로 인하여 병변의 부종이 반복되기도 하며 특별히 구강점막을 침범한 설골상부의 소피낭, 혼합형 병변에서 림프조직과 연관된 점막의 염증은 기도나 소화기관의 기능을 악화시킬 수 있기 때문에 적절한 광범위 항생제와 경우에 따라 전신 스테로이드로 치료한다. 이는 혀를 침범한 병변의 악화를 예방하거나 급성기의 치료에 효과적으로 쓰인다.

어떤 인자가 림프기형의 염증을 촉발하는지 알려지진 않았지만 일부의 환자에서는 면역계의 부작용과 관련이 있다는 보고가 있다. 매우 큰 양측의 소피낭 형태의 림프기형을 가진 환자는 의미 있는 T cells과 관련된 림프구감소증이 있다. 림프구감소증은 림프기형 내에서 림프구의 제거와는 관련성이 없는 것으로 알려져 있다. 구강점막을 침범한 커다란 양측의 병변이나 소피낭 형태의 병변을 지닌 림프구감소증이 있는 환자는 림프구감소증이 없는 환자보다 더 적극적인 치료가 필요하다. 림프기형은 안면 골격을 자주 침범하고 이를 왜곡한다. 이는 주로 양측설골상부에 큰 병변을 가진 환자의 하악골에서 자주 발견된다. 골의 과성장에 관한 정확한 이유는 아직 잘 알려지지 않았다. 조기의 수술적 치료가 골을 침범하는 발생률을 변화하지는 않는다. 하악골이 커지게 되면 환아는 하악골 축소수술을 하게 될 수 있다. 드문 경우 두개골이나 두개골 기저부에 발생한 아주 큰 림프기형은 골의 재흡수와 관련이 있으며, 병변이 더 커지게 되면 매우 치명적일 수도 있다.

5) 림프 기형의 치료
(1) 개요

림프 기형의 치료는 가능할 경우 수술적 절제를 시행한다. 그러나, 중요한 장기에 침범한 림프 기형의 수술적 치료는 매우 어려우며, 때때로 불완전하게 제거될 가능성이 있다. 이러한 이유로 병변이 커지기 전에 수술하는 것도 좋은 방법일 수 있다. 다른 치료로 수술을 대체할 만한 경화요법이 있는데, 이는 재발한 병변이나 병변이 주변조직을 침범하여 수술이 어려울 때 시행할 수 있다. 경화요법에 사용되는 물질은 Fibrovein (sodium-tetradecyl-solphate)과 Atossisclerol (polydocanol) 등이 있다. 이러한 물질에 요오드를 첨가하면 주입하는 동안 주입액을 눈에 띄기 쉽게 만들어 정맥기형이나 피부표면의 림프기형 치료에 선호되며, 이는 약물이 주변조직으로 퍼지는 것을 직접 눈으로 확인할 수 있으므로, 이로 인한 주변조직의 괴사나 이차적인 궤양을 막는데 효과적일 수 있다. OK-432 약물은 림프기형에 주입하면 감염 시와 같이 내막을 파괴하여 반흔성 수축을 일으키기 때문에 수술이 불가능한 대피낭 형태의 혈관기형에 더 효과적이다. 경화색전요법(sclero-embolisation)은 반액체(semi-liquid) 물질, 방사선이 투과하지 못하는 (radio-opaque) ethibloc과 같은 약물을 이용하여 경화제의 효과와 함께 다양한 성분의 혼합물을 형성한다. 혈액과 혼합이 되면, 더 오랜 시간 동안 효과를 나타내며 초음파를 보면서 원하는 위치에 약물을 주입할 수 있다. 경화색전요법 후에는 염증이나 주변 혈관의 자극을 줄이기 위하여 시술 후 항생제나 소염제 등을 처방한다. Bleomycin은 경화 효과가 우수하지만 폐섬유증의 부작용이 있으므로 유의한다. ethanol은 주입이 되면 즉시 혈관의 응고를 유발한다. 요오드를 첨가하면 주입하는 동안 주입물이 더 눈에 띄기 쉽게 만들어 주입하기가 용이하다. 이러한 물질의 사용 시 정상 혈관을 통해 흐르지 않도록 유의하여야 하며, 정상 혈관을 통해 흐를 경우 심장의 근육에 독성을 유발할 수 있음을 명심하여야 한다. 또한 이러한 약물이 혈관 주변의 신경을 손상시킬 수 있으므로 사용 시 유의하여야 한다. 레이저는 혀나 구강의 병변 치료에 주로 쓰인다.

(2) 경화 요법

단일 대피낭 형태의 경부 뒷부분에 생긴 병변과 같이 양호한 예후를 보이는 림프기형은 우선 경과관찰할 수 있다. 만약 경과관찰기간 동안 감염이 일어나지 않는다면 병변은 지발적으로 퇴행할 수 있다. 추가적인 시술에 관한 고려는 기도 문제, 연하장애, 발성장애, 감염 등이 있을 때 고려된다. 대피낭 형태의 병변은 경화요법이 효과적이며, 초음파 가이드 하에 병변의 공간에 바늘을 넣어 경화제를 연속적으로 주입한다. OK-432 (Picibanil)은 경화요법에 사용되는 흔한 약제 중의 하나로 낮은 독성과 반흔의 위험이 적다. 많은 보고에서 수 차례의 시술로 대피낭 형태의 병변에 좋은 치료성적을 보이고 있다. doxycycline, bleomycin, ethanol, and sodium tetradecyl sulfate 등을 이용한 대피낭 형태의 병변에 관한 치료도 비슷한 치료성적을 보이고 있으나 bleomycin의 폐섬유화, ethanol의 영구적인 신경손상이 드물게 생길 수 있으며 패혈증, 쇼크, 뇌졸중, 경련 등도 보고되고 있다. 피부의 수포 및 손상, 발열, 주사 부위의 발적 및 통증과 같은 문제는 매우 흔한 부작용이다.

(3) 수술적 치료

림프기형에 대한 가장 전통적인 방법은 수술적 절제이다. 단일 대피낭 형태의 경부 뒷부분에 생긴 병변과 이하선 및 악하선의 국소적인 대피낭 형태의 병변은 수술적 성공률이 높다. 그러나 병변이 크고 설골 상부의 혼합형 병변은 수술 후의 합병증 가능성이 높다. 합병증은 뇌신경의 손상, 혈관

손상, 기관절개술을 필요로 하는 혀의 부종, 출혈 및 감염 등이 있다. 수술의 목적은 가능한 한 중요한 주변의 조직을 보호하고 병변을 완전히 절제하는 것이다. 병변을 일부 제거하는 것은 수술 후 지속적인 문제를 야기할 가능성이 있지만 주변의 주요 조직을 보호하는 면에서는 시행될 수 있다. 림프기형은 신경이나 혈관 및 근육을 침범하며 특히 얼굴에 생긴 큰 기형의 경우 안면 신경을 누르거나 신경의 주행경로를 예측하지 못하는 곳에 둘 수 있으므로 수술 시 신경감시장치를 사용하는 것을 권유한다. 점막을 침범한 양측의 설골상부 병변은 수술 전 가능한 기다리는 것이 좋으며 단계적으로 한쪽의 병변씩 제거하는 것이 혀의 비대와 같은 영구적인 합병증을 줄이는 데 도움이 된다. 혀가 점점 비대해지는 경우, 수술적인 방법으로 부피를 줄여주는 시술을 고려해 볼 수 있다. 수술 후에는 지속적인 림프액이 발생될 수 있으므로 수술부위에 배액관을 유지하는 것이 중요하다.

(4) 치료의 선택

림프 기형의 치료에 대한 다양한 치료법이 시도되고 있다. 경부 뒷부분에 위치한 단독 병변의 경우 자연적으로 퇴행될 때까지 기다려보는 방법이 많이 시행되고 있다. 대부분의 혈관기형은 대피낭 형태인 경우 경화요법이나 수술적 치료를 시행하고 있다. 항생제뿐만 아니라 전신스테로이드 약물의 사용도 급성염증이나 감염을 조절하기 위해 사용 될 수 있다. 수술적 치료 이전에 가급적 최대한 수술의 시기를 유예하고 설골상부의 커다란 병변은 합병증을 줄이기 위해 단계적으로 수술을 한다. 하악이나 안면의 과잉발육에 대한 표준화된 치료법은 없다.

4. 요약

혈관기형에 대한 우리의 이해는 분자생물학적, 유전적 분석과 진단, 치료 결과 등에 걸쳐 다양한 각도에서 이루어지고 있다. 이에 대한 질환을 이해하고 치료함에 있어서 다학제적 평가가 늘 이루어져야 하며 환아의 치료는 개개인에

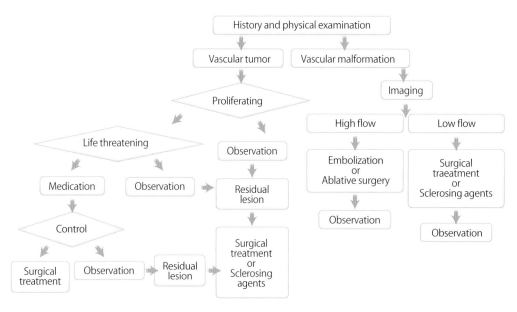

그림 31-5. **혈관이상 관리 및 치료에 관한 알고리즘**

맞추어 최적화하는 것이 최근 중요한 이슈가 되고 있다. 추후의 진단과 치료는 임상적 경과를 더욱 잘 예견하고 합병증을 최대한 막을 수 있는 방향으로 나아가야 할 것으로 생각된다(그림 31-5).

▩▩▩▩ 참고문헌

• Acevedo JL, Shah RK, Brietzke SE: Nonsurgical therapies for lymphangiomas: a systematic review. Otolaryngol Head Neck Surg 2008:138(4):418-424.

• Adams MT, Saltzman B, Perkins JA: Head and neck lymphatic malformation treatment: a systematic review. Otolaryngol Head Neck Surg 2012; 147(4):627-639.

• Balakrishnan K, Majesky M, Perkins JA: Head and neck lymphatic tumors and bony abnormalities: a clinical and molecular review. Lymphat Res Biol 2011:9(4):205-212.

• Jonathan A. Vascular Anomalies of the Head and Neck. In: Marci M., Paul W. et al. Pediatric Otolaryngology. 3rd ed. Philadelphia: Saunders; 2015. p. 255-271.

• Lee JW, Chung HY. Vascular anomalies of the head and neck: current overview. Arch Craniofac Surg. 2018:19:243-247.

• Mahady K, Thust S, Berkeley R, Stuart S, Barnacle A, Robertson F, Mankad K. Vascular anomalies of the head and neck in children. Quant Imaging Med Surg. 2015:5:886-97.

• Moneghini L, Sangiorgio V, Tosi D, Colletti G, Melchiorre F, Baraldini V, Graziani D, Alfano RM, Vercellio G, Bulfamante G. Head and neck vascular anomalies. A multidisciplinary approach and diagnostic criteria. Pathologica. 2017:109:47-59.

• Nair SC. Vascular Anomalies of the Head and Neck Region. J Maxillofac Oral Surg. 2018:17:1-12.

• Perkins JA, Manning SC, Tempero RM, et al Lymphatic malformations: review of current treatment. Otolaryngol Head Neck Surg 2010:142(6):795-803.

• Richter GT, Friedman AB. Hemangiomas and vascular malformations: current theory and management. Int J Pediatr 2012:645-678.

• Tucci FM, De Vincentiis GC, Sitzia E, Giuzio L, Trozzi M, Bottero S. Head and neck vascular anomalies in children. Int J Pediatr Otorhinolaryngol 2009:73:71-76.

Chapter 32

소아 두경부 악성 종양

Pediatric Head and Neck Malignancies

정영호

소아암은 어린이와 청소년에서 외상으로 인한 사망 다음으로 두 번째 사망 원인으로 자리 잡고 있다. 두경부에 생기는 소아암은 5-12% 정도로 보고되나, 최종적으로 25% 정도에서는 두경부 영역으로 암이 침습하는 것으로 보고 된다. 성인암은 상피성 종양(epithelial tumor)이 많은 부분을 차지하는 점과 달리 소아암에서 있어서는 간엽종양(mesenchymal tumor)과 림프내망계 종양(endothelial tumor)이 많은 부분을 차지한다. 소아에서 발생하는 두경부 악성

표 32-1. **소아두경부암과 연관된 소아 증후군**

Syndrome	Tumor Types
Down syndrome	Leukemia
Neurofibromatosis type1	Leukemia, gliomas, rhabdomyosarcoma, pheochromocytoma, astrocytoma
Neurofibromatosis type2	Astrocytoma, melanoma, meningioma
Li-Fraumeni syndrome	Osteosarcoma, rhabdomyosarcoma, leukemia, lymphoma, breast
Gorlin syndrome	Basal cell carcinoma, medulloblastoma
Multiple endocrine neoplasia type 1	Parathyroid, pancreas, gastrinomas, insulinomas, carcinoid tumor
Multiple endocrine neoplasia type 2a	Nedullary thyroid carcinoma, pheochromocytoma, parathyroid adenomas
Multiple endocrine neoplasia type 2b	Medullary thyroid carcinoma, pheochromocytoma, mucosal neuromas, and ganglioneuromas
Peutz-Jeghers syndrome	Stomach, small intestine, colon, pancreas, uterine, breast
Beckwith-Wiedemann syndrome	Rhabdomyosarcoma, neuroblastoma, Wilms tumor, hepatoblastoma
Werner syndrome	Thyroid, leukemia, melanoma, osteosarcoma
Ataxia telangiectasia	Lymphoma, leukemia
Wiskott-Aldrich syndrome	Lymphoma (non-Hodgkin)

종양 중 가장 흔한 질환은 림프종(lymphoma)으로 전체 소아 두경부 악성종양의 반 이상을 차지한다. 림프종 다음으로는 망막아세포종(retinoblastoma), 횡문근육종(rhabdo-myosarcoma), 신경아세포종(neu roblastoma), 갑상선암(thyroid cancer), 흑색종(melanoma) 순으로 호발한다. 갑상선에서는 유두암(papillary carcinoma)이, 타액선에서는 점액표피양암(mucoepidermoid carcinoma)이 호발한다. 유전적 증후군과 관련하여 특정 소아암이 많이 발생하는 것으로 보고되는데 그 내용은 표 32-1에 정리하였다.

1. 림프종

림프종은 전체 소아암 중 백혈병, 뇌종양 다음으로 호발하며 소아 두경부암 중에서는 가장 호발하는 종양이다. 림프종은 한 해에 새롭게 진단되는 15세 이하 소아암 환자 중 10%를 차지하고 20세 이하에서는 15%를 차지한다. 5세 미만에서는 3%에 지나지 않지만 15-19세에서는 24%에 이른다고 보고되었다. 소아 림프종은 병리학적, 임상적 특징에 따라 호지킨림프종(Hodgkin lymphoma)과 비호지킨림프종(Non-Hodgkin lymphoma)으로 구분된다. 서양의 소아 악성 림프종의 40%가 호지킨림프종인데 반하여 우리나라는 90%가 비호지킨림프종이다. 이전에 많이 사용하던 Ann Arbor 병기체계는 소아의 호지킨림프종에 대해서는 약간의 변형을 가한 Lugano분류로 대체 사용하기를 권하고, 소아의 비호지킨림프종에는 맞지 않는 것으로 밝혀져 최근 30년 동안에 널리 사용된 St. Jude 병기체계를 사용하는 것을 권장한다.

2. 호지킨림프종

호지킨림프종은 림프세망내피계를 침범하는 악성 종양으로 청소년기 또는 젊은 성인의 경부에 발현이 흔하나 15세 미만의 소아에서는 10% 미만의 발생률을 보인다. 남아에서 여아에 비해 약 2배 더 흔하며 80% 이상의 환자에서 무

증상의 경부림프절병증 소견을 보이며 특히 쇄골상와림프절이 흔하게 침범된다. 기타 발열, 야간 발한, 체중 감소, 식욕부진, 소양감을 호소할 수 있다. 호지킨림프종은 림프절외 침범이 드물고 경부, 종격동, 대동맥 주위와 같은 몸의 중심부 림프절 그룹들 중에서 하나의 그룹에서 나타난다. 주변 부위로 연결성 전파 양성을 나타내며, 중배엽 기원의 림프절이나 Waldeyer고리로의 침범은 드물다. 병리학적 분류는 종양세포와 반응세포의 비율, 변형된 종양세포의 성상, 종양세포의 이형성, 섬유화 등에 따라 전형적 호지킨림프종(Classical Hodgkin lymphoma, CHL)과 예후가 아주 좋은 결절성 림프구 풍부성 호지킨림프종(Nodular lymphocyte predominant Hodgkin lymphoma, NLPHL)으로 나뉜다. 이 중 전형적 호지킨림프종은 전체 호지킨림프종의 90-95%를 차지하며 이는 다시 결절성 경화형 호지킨림프종(nodular sclerosis classical Hodgkin lymphoma, NSCHL), 혼합 세포형(mixed cellularity classical Hodg-kin lymphoma, MCCHL), 림프구 풍부형 호지킨림프종(lymphocyte-rich classical Hodgkin's lymphoma, LRCHL), 림프구 감소형(lymphocyte depleted classical Hodgkin lymphoma, LDCHL)의 아분류로 분류된다(표 32-2).

병기는 Ann Arbor병기에 변형을 가한 Lugano 분류를 주로 사용하며 표 32-3과 같다.

진단은 조직학적 검사로 확진되며 면역조직화학염색을 통해 림프구의 계통별 증식을 구분하여 진단하게 된다. 치료로는 항암화학요법, 방사선치료 또는 이 두 가지의 복합요법이 있으며 초치료에 90% 이상의 치료율을 보인다. 장기적인 치료결과는 병기에 따라 다르다.

표 32-2. **호지킨 림프종의 WHO 분류법(2018)**

- Nodular lymphocyte-predominant Hodgkin lymphoma (NLPHL)
- Classic Hodgkin lymphoma (CHL)

  Nodular sclerosis subtype (NS)
  Mixed cellularity subtype (MC)
  Lymphocyte-rich subtype (LR)
  Lymphocyte-depleted subtype (LD)

표 32-3. **소아 호지킨림프종의 Lugano 분류**

Stage		Stage description
Limited stage	I	하나의 림프계 영역을 침범(림프절, Waldeyer 링, 흉선, 비장)
	IE	림프절 침범 없이 하나의 림프계외 영역을 침범(호지킨림프종에서는 드묾)
	II	횡경막의 같은 쪽에 두 개 이상의 림프절 영역을 침범
	IIE	하나의 림프계 영역을 침범하고 인접한 림프계외 영역을 침범
	II bulky	Stage II에 해당하면서 크기가 큰 경우(10 cm 이상 또는 흉부지름의 1/3 이상)
Advanced stage	III	횡경막 양쪽의 림프절 영역을 침범; 횡경막 위쪽과 비장을 침범
	IV	하나 이상의 림프계외 영역을 미만성 또는 파종성 침범; Stage II면서 동떨어진 림프계외 영역을 침범; Stage III이면서 림프계외 영역을 침범; 골수, 간, 폐 등을 침범

3. 비호지킨림프종

비호지킨림프종은 림프세망내피계를 원발부위로 발생하는 악성 종양으로 다양한 고형 종괴를 포함하며 2-12세 사이의 소아에게서 호발하며 한 해에 새롭게 발생되는 전체 림프종 중 60%를 차지한다고 보고되어 있다. 원인으로는 선천성 혹은 후천성 면역결핍증과 Epstein-Barr virus (EBV)와 관련이 있으며 호지킨림프종과는 달리 발병 시 두경부 영역을 포함하여 다수의 장기 및 림프절 영역에 침범되어 있는 고병기 질환이 흔하다. 증상은 대개 무증상 림프절병증의 경우가 흔하나 말초 림프절 침범이 흔하며 소아의 경우 두경부 영역을 포함한 다수의 부위 림프절외 침범이 빠르게 진행되는 경우가 많고 특히, 전이 시 비연속적인 침범 소견을 보이고 중배엽 기원의 림프절과 Waldeyer고리로의 침범이 흔하다. 비호지킨림프종은 조기 진단이 힘들며 간혹 편도아데노이드를 침범하였다 하여도 초기에는 비특이적인 편도아데노이드의 염증성 질환과 구분하기 힘들다. 따라서 편도아데노이드 수술 시 떼어낸 검체에 대한 조직검사가 필요하다. 발병 시 약 2/3 이상의 소아에서 혈행성 혹은 국소적 전이 병변이 진행되어 나타나며 호흡장애 증상이나 상대정맥증후군(superior vena cava syndrome)과 관련되어 발현되는 경우에는 신속한 병변의 평가와 처치가 필요하다. 무력감, 체중 감소, 발열과 같은 전신 증상은 진행된 병기에 더 흔하게 동반된다.

중추신경계 침범 시 뇌신경마비, 의식 변화의 증상과 뇌척수액검사 이상소견이 동반될 수 있으며 골수 침범 시 범혈구감소증을 보일 수 있다. 특수염색을 통한 조직학적 검사상 관찰되는 림프구의 형태학적 소견 및 형질전환 정도에 따라 림프종의 진단 및 분류가 가능하다. Burkitt 림프종(Burkitt lymphoma)이 소아 비호지킨림프종 중 가장 흔하고 다음으로는 미만성 거대B세포림프종(Diffuse large B-cell lymphoma)과 T세포 림프아구성 림프종(T-lymphoblastic lymphoma)이 흔한 것으로 알려져 있다.

조직학적 분류와 병기에 따라 치료결과를 예측할 수 있으며 St. Jude 병기체계를 사용하며 표 32-4와 같다. 임상적으로는 중추신경계 침범, 혈행 전이, 백혈병으로의 전환 소견이 좋지 않은 예후와 연관되어 있다. 발병 시부터 전신으로 파급된 고병기 질환이 흔하여 초치료로 항암화학요법이 주치료가 되며 복합제제를 이용한 항암화학요법이 생존율을 증가시키는 것으로 보고되어 있다. 수술적 치료는 기도압박으로 인한 호흡곤란증상이 있을 때에 한하여 제한적으로 시행되고 있다. 최근 다양한 치료제의 개발로 인하여 생존율이 향상되었음에도 불구하고 초치료 후 약 30%의 환자에서 재발이 보고된 바 있어 예후가 좋지 않음을 시사한다고 볼 수 있어 골수이식까지도 치료범위에 고려해야 한다.

표 32-4. St. Jude 비호지킨림프종 병기체계

Stage I	종격동 또는 복강을 제외한 단일 림프절외 종괴 또는 단일 림프절 영역에 나타난 경우
Stage II	국소림프절 침범을 동반한 단일 림프절외 종괴 횡격막 같은 쪽의 두 곳 이상 림프절 영역을 침범한 경우 두 개의 림프절외 종괴를 보이며 횡격막 동측의 국소림프절을 침범하였거나 침범하지 않은 경우 위장관(주로, 회맹장에서 기원)에서 원발한 종괴로 주변 장간막 림프절만 침범하였거나 침범하지 않은 경우
Stage III	횡격막 양쪽에 각각 존재하는 두 개의 림프절외 종괴 횡격막 양쪽에 두 개 이상의 림프절 영역을 침범한 경우 종격동, 흉막, 흉선에서 기원한 흉강내 모든 원발 종괴 모든 복강 내 광범위한 원발 종괴 동반 종괴의 부위에 관계없이 모든 척수 주위 또는 경막외 종괴
Stage IV	상기 병변에 동반하여 처음부터 중추신경계 그리고/또는 골수 침범한 경우

4. 이식후림프증식성질환

치료 목적으로 장기 또는 골수를 이식받은 치료력이 있는 사람의 경우 정상인에 비해 5배 정도 암에 걸릴 확률이 높다고 보고된 바 있다. 이식술의 수여자에게 가장 흔한 악성종양은 이식후림프증식성질환(Post-transplant lymphoproliferative disease, PTLD)으로 초기에는 일반적인 편도 아데노이드 질환 및 급성림프절염과 감별이 힘든 국소 또는 미만성 림프증식병변을 보이거나 간염, 뇌수막염, 단핵구증과 유사한 증상을 보이다 갑자기 급속히 진행하여 패혈증성 쇼크와 같은 임상경과를 보이게 되므로 치명적인 경우도 흔한 것으로 알려져 있다. 또한, 종격동과 기관주위 림프절을 침범 시 심각한 호흡곤란을 유발하는 경우도 있다. 위험인자로는 이식술을 시행한 나이가 어린 경우, 항암화학요법 약물, 방사선 치료, 면역억제제, 항대사제제와 같은 삼재석인 발암원에 노출된 기간이 긴 경우, Epstein-Barr virus (EBV) 음성인 경우를 들 수 있으며 소아에서 골수 이식 후 이환율은 약 45%, 고형장기 이식 후 이환율은 약 80%에 달하는 것으로 보고되어 있다. 장기 이식의 경우 한 환자에게 폐이식과 심장이식을 모두 시행한 예와 같이 여러 장기를 이식 받은 경우보다 이환율이 높고 단일장기 중에는 신장이식의 경우가 가장 이환율이 적다. WHO에서 분류한 아형은 early PTLD, Classical Hodgkin lymphoma (CHL)-type PTLD, monomorphic lesion PTLD, polymorphic lesion PTLD가 있다. 이 중 early PTLD가 가장 좋은 예후를 보이나 대개의 PTLD는 이 아형들이 동시다발적으로 산재하여 나타나는 경우가 많다. 치료로는 면역억제제와 항대사제를 줄이고 복합항암화학요법을 시행하게 되며 방사선치료 또한 고려해 볼 수 있다.

5. 횡문근육종

가장 흔한 소아 연조직 두경부암이 횡문근육종(Rhabdomyosarcoma, RMS)이며 어린이 육종에서 50-70%를 차지한다. 그 중 70%가 12세 이전에 질병을 가지고 있고 50%는 5세 이하의 환자이다. 2-5세와 15-19세 사이에 가장 높은 발병률을 보인다. 성별에 따른 발병률 차이는 없다. RMS는 안와, 비인두, 중이, 유양돌기, 부비동을 포함하여 35-40%에서 두경부 부위에서 나타난다. 두경부 RMS 중 가장 흔한 발생부위는 안와내이며 25-30%를 차지한다. 증상은 비강 폐쇄, 혈성 비루, 이루, 안구돌출 등이 있다. 진단의 지연은 비특이적인 증상과 다양한 발생 위치로 인해 특이한 일이 아니다. 직접적인 두개내 침범 또는 림프성과 혈행성 전이가 있을 수 있다. 안와 이외의 부위에서 발생한 두경부 RMS는 경부림프절 전이가 8% 정도 발생하며, 전체 두경부

RMS의 13%에서 진단 시 원격 전이가 있다.

RMS의 진단은 일반적으로 코어 바늘 검사나 절개 생검을 하여 적절한 조직을 얻고 병리학적, 분자분석이 필요하다. 조직검사 시에 골수흡인이나 CSF 세포검사를 위한 척수천자가 최초 병기 설정을 위해 필요하다. MRI는 혈관, 전 척추, 수막 등 특수 부위에서 유용한 평가를 할 수 있으며 CT는 골침윤 평가에 더 유용하다. 임상적 병기는 병의 범위와 국소 또는 림프절 절제술이 시행되는지 여부에 기반한다. 병기는 전통적으로 횡문근육종에 대해서는 종양의 크기, 침습 정도, 경부 전이 및 발생 부위를 기준으로 분류한 횡문근육종연구회Intergroup Rhabdomyosarcoma Study (IRS) 분류를 사용할 수 있으며, 치료 전 병기를 시행하고 치료 후 병기도 시행한다(표 32-5, 6).

국소적인 병변은 생존율을 개선시킬 수 있어 수술적 절제술이 권유되며 만약 적절한 절제연(예: 0.5 cm)을 확보하며 완벽한 절제를 했다면 어린이에게 높은 위험(얼굴 성장 지연, 2차 종양발생)을 유발하는 방사선 치료를 피할 수 있다. 두경부의 크고 거대한 RMS는 수술적 절제의 이환율이 과도하거나 완전한 절제가 불가능하여(비인두, 부비동, 측두골 부위) 항암요법과 방사선 치료가 병합된다. 수술과 방사선 치료를 포함하는 복합치료법은 국소 및 경부 질환을 제어하기 위한 것이고 항암치료는 원격 전이를 제어하

표 32-5. 횡문근육종의 치료 전 병기(Intergroup Rhabdomyosarcoma Study IV)

분류		기술
T1	a	원발 부위에 국한된 5 cm 이하 종양
	b	원발 부위에 국한된 5 cm 초과 종양
T2	a	주변조직으로 침윤을 보이는 5 cm 이하 종양
	b	주변조직으로 침윤을 보이는 5 cm 초과 종양
N0		림프절 전이가 없음
N1		림프절 전이가 있음
M0		원격 전이가 없음
M1		원격 전이가 있음

표 32-6. 초치료 후 병기(Intergroup Rhabdomyosarcoma Study IV)

치료 결과		질환의 범위 및 치료 결과
I	A	원발 부위에 국한된 종양으로 완전 절제가 시행됨
	B	원발 부위 이외의 부위로 침습한 종양으로 완전 절제가 시행됨
II	A	원발 부위에 국한된 종양으로 육안적으로 종양이 완전 절제되었으나 현미경적으로 국소 침습이 남아 있는 경우
	B	림프절 전이가 있으나 완전 절제가 시행됨
	C	림프절 전이가 있으나 절제 후 현미경적 국소 침습이 남아 있는 경우
III	A	육안적으로 국소 종양이 남아 있는 경우
	B	절제 후 50% 이상의 잔여 종양이 있는 경우
IV		원격 전이가 있고 수술적으로 절제가 불가능한 경우

기 위함이다. 수술적 절제는 주요 기능 손상이 일어나지 않을 때 행한다. 안와 또는 다른 완전 절제가 불가능한 RMS는 조직검사만 시행하고 방사선 치료를 시행한다. 최근에는 프로톤 방사선 치료가 중요 신경에 손상을 주지 않으면서 치료가 가능한 것으로 보고되고 있다. 경부 전이가 없다면 예방적 경부 치료는 필요하지 않다. 림프절 전이가 확인될 경우 경부절제술을 시행하고 부가적인 방사선치료를 시행한다.

　　주요 예후 인자는 전이질환의 유무다. RMS는 직접 골을 침범하고 신경초를 통해 구개저로 침투하여 경막외 종양, 수막 침범 등이 있을 수 있다. 전이성 병변이 없는 환자는 90% 이상의 생존율을 보인다. 국소 침윤을 보이고 절제 불가능하지만 전이성 병변이 없는 경우 장기간 생존율이 60-70%로 예상된다. 최근에는 진행된 질환의 생존율이 개선되었다. 두경부 RMS환자의 80% 이상이 수술과 vincristine, dactinomycin, 그리고 cyclophosphamide와 방사선치료의 병합으로 완치되었다. RMS가 안구위치에 발생 시 가장 좋은 예후를 갖고 수막 주변부의 병변은 가장 나쁜 예후를 갖는다. 두경부 RMS의 복합치료 접근법은 환자의 삶의 질에서 치아 안면 이상을 초래할 수 있다.

6. 연조직 육종

RMS 이외의 육종은 어린 시절 드물다. 육종은 미국의 모든 종양의 1% 미만을 차지하며 이러한 육종의 5-15%가 머리와 목에서 발생한다. 그러나 약 세 명 중 한 명은 두경부에서 발생한다. 이러한 종양은 유전적 증후군이나 이전 방사선조사 과거력이 있는 경우가 있지만 명확한 원인이 없는 경우가 더 많다. 병리학적인 분류는 궁극적인 치료 및 예후에 중요하다. 골육종, 횡문근육종, 악성섬유조직구종, 혈관육종이 가장 흔한 유형의 두경부에 발생하는 육종이지만, 약 20%의 두경부 육종은 분류되지 않는다. 다른 육종으로 간엽세포 기원의 종양으로 평활근육종, 지방육종, 섬유육종이 포함된다. 진단적 방법은 RMS와 본질적으로 동일하며, 발병률이 높지 않아 의미 있는 병기체계가 없었으나

2017년 American Joint Committee on Cancer (AJCC) 암병기 8판에서는 두경부 연조직 육종과 골육종을 구분하여 병기를 새롭게 만들었다. 병기법은 표 32-7에 정리하였다. 새로 제안된 병기법이므로 자료 수집이 필요하여 아직 병기에 따른 예후 그룹화는 이루어지지 않았다.

7. 신경모세포종

신경모세포종은 아이들에게서 두 번째로 가장 흔한 고형 종양이다. 신경모세포종은 6세 이하에서 가장 흔한 경부 암종이다. 이 종양은 neural crest의 원시 신경외배엽 세포에서 기원하며 교감신경 조직이 있는 어느 곳에서나 발생할 수 있다. 일차 종양은 목과 골반에서는 척추 주변부 교감신경 연쇄를 따라 발생하며 부신 수질의 부신경절, Zuckerkandl 기관, 후복막, 서혜부, 고환주위부, 난관부, 난소 부신경절 등에서 발생한다. 신경모세포종은 일반적으로 단독의 통증이 없는 종양 또는 림프절병증으로 내원한다. 가장 특이한 점은 소아에서 작은 일차성 종양, 간 침범, 피하 결절, 조혈기관 침범이 없는 불완전한 골수 침범 시 자연스러운 퇴화가 흔히 일어난다는 것이다.

　　경부 신경모세포종은 일차 종양으로 발생하지만 복부나 흉부의 일차 종양으로부터 전이된 경우가 더 흔하다. 가장 흔한 기원 위치는 부신 수질 또는 인접한 후복막이고 2-5%의 신경모세포종이 두경부에서 발생한다. 1차성 경부 종양은 어린 나이에 낮은 병기에서 발견된다. 후인두 기관 압박은 기도 폐쇄와 연하곤란, 흡인 등을 유발할 수 있다. 일측의 안검하수는 상측 교감신경절이 침범되었을 때 생긴다. 안와에 1자성 신경모세포종이 생기면 안구돌출과 안구 주변 반상 출혈 안구근육 마비들을 유발한다.

　　교감신경계가 눈색깔의 발달과 유지에 관여되므로 이색홍체가 발생할 수 있다. 또는 두경부 병변으로 cardiofacial 증후군 등의 선천성 안면 이상이 올 수 있다. 이러한 선천성 안면 이상은 울 때 명확해지고 뇌신경 7번의 말초 뿌리 부위나 핵, 운동 피질, 안면 근육 등에 질병이 침범했음을 반영하는 것이다.

표 32-7. 두경부 연조직 육종의 TNM 분류 및 병기(AJCC 8판, 2017)

Primary tumor (T)

Tx		원발 부위를 평가 할 수 없는 경우
T1		원발 종양의 크기가 2 cm 이하
T2		원발 종양의 크기가 2 cm 초과 4 cm 이하
T3		원발 종양이 4 cm 초과(>4 cm)
T4		원발 종양이 주변 구조를 침범하였을 때
	4a	원발 종양이 안구(orbit), 두개저(skull base)/경막(dura), 중심구역의 내장(central compartment viscera), 안면 골격(facial skeleton), 혹은 익상근(pterygoid muscles) 침습한 경우
	4b	원발 종양의 뇌실질(brain parenchyme) 침습, 경동맥이 종양에 의해 둘러싸임(carotid aretery encasement), 전척추근 침습(prevertebral muscle invasion), 혹은 중추신경계의 침습(central nervous system via perineural spread)이 관찰되는 경우

Regional lymph node (N)

N0		국소 림프절 전이가 없거나 평가가 되지 않은 경우
N1		국소 림프절 전이가 있는 경우

Distant Metastasis (M)

M0		원격 전이가 없는 경우
M1		원격 전이가 있는 경우

Histologic grade (G)*

Gx		분화도를 결정할 수 없는 경우
G1		종양의 분화, 유사분열 수, 그리고 종양의 괴사 정도의 총합이 2 또는 3점
G2		종양의 분화, 유사분열 수, 그리고 종양의 괴사 정도의 총합이 4 또는 5점
G3		종양의 분화, 유사분열 수, 그리고 종양의 괴사 정도의 총합이 6, 7 또는 8점

* 종양의 분화(total differentiation): (score 1: 간엽 기원 조직과 유사한 육종의 경우, score 2: 육종의 분류를 명확하게 할 수 있는 경우, score 3: 배아형(embryonal)과 미분화(undifferentiated) 육종, 활막육종(synovial sarcoma), 연조직 골육종(soft tissue osteosarcoma), Ewing sarcoma, 원시 신경외배엽성종양)
유사분열 수(mitotic count): (score 1: 0-9 mitoses per 10 high-power fields, score 2: 10-19 mitoses per 10 high-power fields, score 3: 20 ≥ mitoses per 10 high-power fields)
괴사 정도(tumor necrosis): (score 1: 괴사가 없을 때, score 2: 50% 미만의 괴사, score 3: 50% 이상의 괴사)

표 32-8. 신경모세포종 병기 International Neuroblastoma Staging System (INSS, 1990)

Stage 1	미세 잔존 질환의 여부와 상관없이 완전한 절제가 이루어진 국소화된 종양; 현미경적으로 일측의 대표 림프절이 음성인 경우(부착되어 있고 주 종양과 같이 제거된 림프절은 양성일 수 있음)
Stage 2A	불완전한 절제가 이루어진 국소화된 종양; 부착되어 있지 않은 대표 일측성 림프절이 현미경적으로 음성일 때
Stage 2B	완전한 절제와 상관없이 국소화된 종양이 일측에 부착되지 않은 림프절은 양성인 경우(비대한 반대측 림프절은 현미경적으로 음성이어야 함)
Stage 3	림프절 침윤과 상관없이 절제할 수 없는 일측의 종양이 중앙선을 넘어 침윤하며, 또는 국소화된 일측의 종양이 반대측의 지역 림프절 침윤이 있을 때, 또는 정중앙선의 종양이면서(절제불가능한) 침윤 또는 림프절 침범에 의해 양측성 침범을 할 경우
Stage 4	먼 림프절, 뼈, 골수, 간, 피부 또는 다른 기관(병기 4S에서 정의한 것을 제외한)에 전이된 원발 종양
Stage 4S	피부와 간 또는 골수에 제한된 국소화된 원발 종양(병기 1, 2A 또는 2B에서 기술된)(유아 <1세 제한)

진단과 전이 평가는 다양한 이미지 검사와, 조직 평가, 세포검사 등이 필요하다. CT, MRI로 경부를 평가하고 복부 CT와 MRI, 흉부 방사선과 뼈스캔, 골수검사로 종양의 병기를 평가한다. 병기는 신경모세포종의 임상경험, 수술적 절제가능성, 전이 패턴 등으로 결정된다. AJCC는 신경모세포종에 대한 병기를 제공하고 있지 않고 1990년부터 International Neuroblastoma Staging System (INSS) 위원회에서 제공하는 병기체계를 많이 쓴다(표 32-8).

신경모세포종의 유전적 표지자가 알려져 있으며 임상 양상과 연관되어 있다. 종양세포 DNA index, MYCN 유전자 copy number, allelic loss of 1p, unbalanced gain of 17q 등이다. MYCN 증폭은 원발 신경모세포종에서 약 25%에서 보이며 증폭이 진행된 병기와 나쁜 예후와 관련된다. 카테콜라민 대사물질과 ferritin, neuron-specific enolase, LDH, disialo-ganglioside GD2는 진단과 감시에 도움이 되나 대체로 유전자 표지자에 의해 대체되었다.

골 전이로 인한 통증, 호너 증후군, 안구 돌출, 병기, 림프절 전이 등이 예후와 관련되어 있다.

치료는 국소, 전신적인 부위 침범 정도와 관련되어 있으며 항암방사선치료와 병합 또는 단독의 수술적 절제술을 고려한다. 환자는 예후인자(진단 시 나이, INSS 병기, 종양 조직병리, 종양의 DNA, MYCN 증폭)을 고려하여 낮은, 중간, 고위험도 그룹으로 나누어진다. 1병기에서는 수술적 절제술이 치료법이며 중간, 고위험도 환자에서 화학요법이 주 치료법이 된다. 방사선 치료법은 높은 전이 확률로 인해 완치를 목적으로 사용되지는 않는다. 경부 교감 신경절이 주로 관련되어 절제가 요구되어 주변의 커진 림프절이 제거되어야 하지만 광범위 경부절제술이 시행되지는 않는다. 진단이 늦어진 진행된 병의 경우 비수술적인 방법과 자가 골수 이식이 고려된다. 국소적인 병변 또는 낮은 병기의 병은 완전한 수술적 절제를 했을 경우 훌륭한 예후를 보인다. 방사선 치료 또는 항암치료 또는 병합 치료와 이차적인 수술은 잔존암을 완치하는 방법이다. 일차 경부 신경모세포종은 양호한 결과를 보인다. 1세 이하의 아이와 국소 병변을 가지는 더 자란 아이들은 훌륭한 예후를 보인다. 항암치료제가 다양하게 사용되고 있음에도 1세 이상의 4병기 환자들(신경모세포종을 가지는 아이의 약 45%)에서 장기 관해는 어렵다.

8. 갑상선암

갑상선 악성 종양은 소아 목 악성 종양의 약 50%를 차지한다. 방사선 조사에 더 많은 주의를 함에 따라 발생률이 감소하고 있다. 소아 갑상선암은 소아 악성 종양의 약 0.5-3%를 차지한다. 대부분의 갑상선암 환자는 15-19세 사이이며 10세 이전에 보이는 것은 드문 일이지만 모든 나이에서 보일 수 있다. 여성 대 남성의 성비는 2:1이다. 갑상선암은 일반적으로 무증상, 단단하고 움직이는 정중선 경부 종양으로 나타난다.

성인과 비교하여 소아 갑상선암은 더 크고 국소 및 원격 전이가 잘 흔하고 다중 발생한다. 임상적으로 70%에서 그리고 조직학적으로 90%에서 림프절 전이가 동반된다. 악성 종양의 위험은 종양이 빠르게 커질 때, 새로 발병된 쉰 목소리, 연하통증, 각혈, 성대 마비, 주변 조직과 유착 등이 있을 때 증가한다. 발견 시 8-22%까지 폐전이가 있다. 놀랍게도 이러한 진행된 초기 발현상태에도 15-20년의 생존율이 90% 이상이다. 성인 갑상선암과 달리 90%의 소아 갑상선암은 고분화 암이다. 이전의 방사선 조사는 갑상선암의 위험을 증가시켜 노출 후 10-20년째에 그 위험이 최고조에 이른다. 기타 위험요인은 요오드 결핍, 하시모토 갑상선염, 그레이브스 병, Pendred 또는 가드너 증후군, MEN IIA 및 B와 특정 종양유전자들이다. 갑상선 결절은 아이들에게서는 흔하게 발견되지는 않지만 22-26%가 악성이다(성인은 5%). 초음파는 낭종과 고형 종양을 구별한다. 그러나 아이들에게서 낭성 결절은 악성을 배제할 수 없다. 최근에는 적응증이 된다면 초음파 유도하 세침흡인조직검사가 진정을 하거나 하지 않고 소아에서 더 흔히 시행된다. 경부 CT나 MRI가 특히 경부 림프절병이 있을 때 수술적 치료계획에 도움이 된다. 흉부 CT는 전이성 병변을 평가하는 데 도움이 되지만 요오드 조영제 사용은 방사성 요오드 치료의 개시를 늦출 수 있다.

소아에서 유두상 갑상선암이 90%를 차지하며 여포성 갑상선암과 수질성 갑상선암은 매우 희귀하고 미분화, 저분화성 갑상선암은 더 희귀하다. 수질성 갑상선암은 RET 종양유전자의 돌연변이로 우성으로 유전된다.

1) 유두상 갑상선암(Papillary thyroid carcinoma)

유두상 갑상선암은 남자보다 사춘기 소녀에서 일반적이지만, 성별 격차는 10세 미만의 어린이에서 적어진다. 유두상 갑상선 암은 종종 부모나 의사에 의해 발견되는 무증상 결절로 나타난다. 혈행 확산을 통한 것보다 림프관을 통한 전이 가능성이 높아 국소 전이성 질환이 원격 전이보다 더 일반적으로 나타난다. 폐가 원격 전이의 가장 흔한 전이 부위이며 뇌와 뼈가 다음으로 흔한 부위이다. 약 5%의 어린이에서 가족력이 있다. 유두상 갑상선암은 종종 양측성이며 다발성으로 갑상선전절제술이 적응증이다. 중심구획 경부 절제술이 큰 유두상 종양 또는 분명한 림프절병증에 대해서 시행해야 한다. 선택적인 경부 절제술은 전후방 삼각의 의심스러운 림프절 병증에 대해 이루어진다. 장기 추적 검사는 티로글로불린 수준, 신체 검사와 초음파로 감시된다. 장기간의 예후가 우수하고 생존율은 95%보다 높다. 그러나 10세 미만의 어린이는 재발과 사망률이 더 높다. 기타 위험 재발 요인은 갑상선암의 가족력, 큰 종양, 피막외 침범이다. 어린 나이의 유두상 갑상선암은 피막이 없는 종양의 미만성 샘의 침윤이 보인다. 고전적으로 조직병리학에서 수많은 psammoma body가 존재한다. BRAF 돌연변이는 성인에서 가장 흔한 유전 이상이나 아이들에게서 RET 유전자의 재배열(RET/PTC 종양유전자)이 더 흔하게 80%까지 보인다. MET 과발현이 재발율이 높은 소아 갑상선암에서 관찰되었다.

2) 여포성 갑상선암(Follicular thyroid carcinoma)

여포성 갑상선암은 무증상의 갑상성 결절로 나타난다. 요오드 결핍 시 발생위험이 증가한다. 유두상 갑상선암과 달리 여포성 갑상선암은 단발성으로 혈행성 전이가 잘되며 국소지역 전이보다 폐나 뼈로 장기 전이를 잘한다. 여포성 갑상선암은 주로 엽절제술로 치료를 하지만 원격 전이

가 있을 때는 전절제술이 적응증이 되고, 광범위한 혈관 침범이나 피막외 침범이 있을 경우 전절제수술과 술 후 방사성 요오드 치료가 시행되어야 한다. 만약 저분화 암이나 Hurthle cell 암종이라면 임상적으로 또는 방사선학적인 림프절 병증이 의심될 때 경부 절제술이 적응증이 된다. 여포성 갑상선암의 재발은 어린 나이, 남자, 큰 종양, 장기 전이가 있을 때 증가한다. 유두상 갑상선암처럼 장기 감시는 티로글로불린 수준과 이학적 검사, 초음파 검사를 포함한다. 여포성 갑상선암은 RAS의 돌연변이, PAX8-PPAR 전치와 연관되어 있다.

3) 수질성 갑상선암(Medullary thyroid carcinoma)

수질성 갑상선암은 소아 인구에서 희귀한 암종이다. 대부분의 소아 수질성 갑상선암은 상염색체 우성으로 유전되나 드물게 산발적인 발생도 보고된다. 수질성 갑상선암은 주로 양측성의 다발성의 갑상선 결절로 나타난다. 과도한 칼시토닌과 carcino-embryonic antigen (CEA)를 분비하는 부여포성 C세포의 과증식증과 연관되며 높은 칼시토닌으로 인한 홍조와 설사를 경험한다. 수질성 갑상선암에서 결절이 만져진다면 종종 경부 또는 원격(폐, 간, 뼈)으로 전이한 경우가 많다.

수질성 갑상선암에서 RET 종양유전자의 돌연변이는 세 가지의 유전성 증후군과 연관되어 있다. 다발성 내분비 종양 타입 2A (Multiple endocrine neoplasia, MEN-2A), MEN-2B, 가족성 수질성 갑상선암이다. RET 돌연변이는 exon 10과 11에서 일어나며 MEN-2A를 발생시키며 exon 16에서의 돌연변이는 MEN-2B와 연관되어 있다. 특이한 유전자 변이로 표현형과 종양 악성도를 예측할 수 있다. MEN-2A는 수질성 갑상선암과 크롬친화 세포종, 부갑상선 선종으로 인한 1차 부갑상선 기능 항진증으로 구성되어 있다. MEN-2A는 두통과 빈맥, 고혈압, 발한, 피로, 구역감, 체중감소, 관절과 골통증으로 나타난다. MEN-2B는 수질성 갑상선암과, 크롬친화 세포종, marfanoid 기질, 입술과 혀에 점막 신경종, 소화 기관의 신경절 신경종으로 나타난다. 가족성 수질성 갑상선암은 크롬친화 세포종 또는 1차 부갑상선 기능 항진증이 없는 MEN-2A의 변이형이다.

수질성 갑상선암이 의심되는 갑상선 종양의 평가는 초음파 유도하 세침흡인검사이며 RET 돌연변이에 대한 유전 검사, 신체 영상, 칼시토닌과 CEA의 혈청 수준 검사가 포함된다. RET 돌연변이의 가족력이 있는 아이는 수질성 갑상선암의 위험도가 증가하며 유전적 검사를 받아야 한다. MEN의 위험성이 있는 아이에게서 RET 돌연변이를 확인하는 것은 임상적으로 명백하게 진행되기 전에 감시를 할 수 있게 한다. 크롬친화 세포종이 있다면 metanephrine과 catecholamine검사가 시행되어야 한다.

수질성 갑상선의 치료를 위해 갑상선전절제술이 필수적이다. MEN-2A보다 공격적인 MEN-2B 환자는 중심 경부절제술이 시행되어야 한다. 외부 방사선 조사는 광범위한 국소 또는 장기 전이가 있을 때 시행되어야 한다. Vandetanib은 진행된 전이성 수질성 갑상선암에서 효과적인 항암치료제로 알려졌으나 심장 독성이 있다. 정기적인 경부 초음파 검사와 함께 칼시토닌과 CEA는 장기간의 환자 감시에 유용한 표지자이다. 유두상 갑상선암과 여포성 갑상선암과

비슷하게 5년 생존률은 96%이지만 15, 30년 생존률은 86%로 더 낮다.

4) 갑상선암의 수술

소아 갑상선암은 다발성 경향과 양측성 경향으로 대부분의 경우에서 갑상선전절제술을 권한다. 하지만 그로 인한 합병증 증가의 위험과 갑상선 일엽절제술로 인한 잔존 또는 재발암의 증가 위험 사이에서 논란이 있다. 갑상선 절제술 시에 새로운 에너지 기구 사용이나 수술 중 신경감시 시행 등이 신경 손상이나 칼슘저하증의 위험을 줄여준다. 2015년에 배포된 미국 갑상선학회의 소아 갑상선 결절 및 분화 갑상선암에 대한 권고안은 초음파 유도 세침검사상 미결정성의 베데스다 분류 III or IV에 대해서 반복된 세침검사보다는 일측 갑상선엽절제술과 협부절제 수술을 권유한다(그림 32-1). 수술 중 동결조직 검사 진단에서 유두상 갑상선암이 진단되거나 광범위 침습성 여포성 갑상선암이 진단될 경우 갑상선전절제술을 시행한다. 동결조직 검사

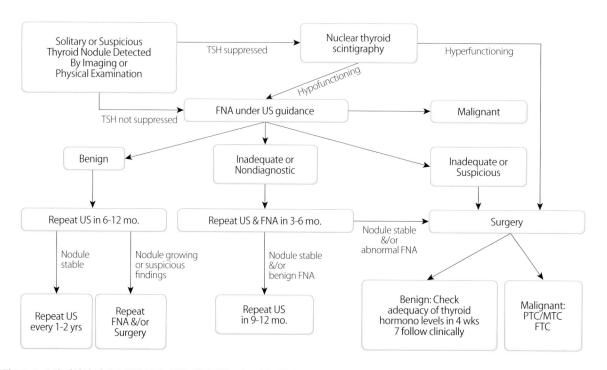

그림 32-1. **소아 갑상선 결절의 초기 평가, 치료, 경과 관찰.** 미국갑상선학회 소아 갑상선 결절 및 분화 갑상선암에 대한 권고안 2015년

에서 결론을 얻지 못할 경우 최종 조직검사 결과에 따라 완결 갑상선 절제를 시행하되 국소 침습성 여포성 갑상선암일 경우는 엽절제술만으로 충분할 수 있다.

5) 갑상선암의 술후 관리

장기간의 갑상선 호르몬 보충은 갑상선 자극 호르몬 수치를 낮추어 종양의 재발의 위험성을 낮추는 것으로 알려져 있다. 혈청 티로글로불린 수준은 갑상선 여포세포에서 만들어져 방사성 요오드 치료 이후에는 발견되지 않아야 되기 때문에 종양 재발의 감시에 사용될 수 있다. 아이들에게 방사성 요오드 치료를 하는 것은 종양의 재발률을 7배 낮추어 준다. 그러나 방사성 요오드 치료는 구강 건조증과 폐섬유화증, 생리 이상, 정자수 감소, 백혈병과 같은 이차적인 암발생의 위험을 증가시킨다. 수질성 갑상선 암세포는 요오드를 섭취하지 않으므로 방사성 요오드 치료의 역할은 없다.

9. 비인두암

성인과 달리, 소아에서 악성상피종양은 흔하지 않다. 비인두암은 어린이들에게서 드물지만 청소년 나이에서 주로 발생하는 가장 흔한 소아 상피 종양이다. 대체로 연령 분포는 청소년기와 40-60세에 두 정점으로 나타난다. WHO 시스템에 따라 WHO I (keratinizing squamous cell carcinoma), WHO II (nonkeratinizing carcinoma)과 WHO III (undifferentiated carcinoma)로 나뉜다. 알코올과 담배 노출과 연관되어 있는 1형은 아이들에게는 거의 없고, 풍토성 지역에서 EBV 감염과 관련하여 1형이 생길 수 있다. 대부분의 비인두암은 미분화성(WHO III)이며 lymphoepithelioma로 알려져 있고 일부 보고에서 90%까지 차지한다. 많은 비인두암에서 EBV nuclear antigen (EBNA1), latent membrane protein1 (LMP1), EBV-encoded RNA 1 and 2 (EBERs 1 and 2) 등의 EBV 유전자가 나타난다. 대부분의 아

표 32-9. **비인두암의 TNM 병기(AJCC 8판, 2017)**

T 병기	주 종양의 범위
T0	종양은 발견되지 않으나, EBV 양성의 경부림프절 전이가 있음
T1	비인두에 국한되어 있거나 또는 부인두 침범 없이 구인두 그리고/또는 비강까지 진행되어 있는 종양
T2	부인두 침범이 있는 종양
T3	두개저 골구조 그리고/또는 부비동을 침범하는 종양
T4	두개내 침범이 있는 종양, 뇌신경, 하인두, 안와, 이하선 또는 외측 익돌근 외측면으로 침범하는 종양
N 병기	**림프절 병변**
N0	림프절 병변이 없음
N1	일측의 림프절(들) ≤6 cm, 윤상연골 하연 위쪽
N2	양측의 림프절들 ≤6 cm, 윤상연골 하연 위쪽
N3	일측 또는 양측 림프절(들) >6 cm 그리고/또는 윤상연골 하연 아래쪽으로 침범
M 병기	**원격 전이**
M0	없음
M1	있음

From Amin MB, Edge SB, Greene FL, et al, eds: AJCC cancer staging manual, 8th edition. 2017

이들은 무증상의 경부 림프절 전이로 내원한다. 흔히 일측의 중이염과 진행성의 코막힘과 비루가 보인다. 두통과 뇌신경 마비는 두개저 관련성을 시사한다. 종양은 코막힘이 있는 감기나 비염과 비슷한 증상을 보인다. 다른 증상은 코피, 귀통증, 전도성 난청 등이다. 비인두암은 두개저를 직접 침윤하여 뇌신경 6번이 관계된다면 외측 시선과 복시를 유발할 수 있다. 다른 뇌신경은 3번과 4번, 5번과 9번부터 12번이다. 원격 전이도 발견 시 흔하므로 CT와 MRI로 구개저 침범과 경부 림프절 침범을 확인하고 흉, 복부 CT와 골스캔, 간초음파가 유용하다. 조직 진단과 횡문근육종, 비호지킨림프종, 혈관섬유종, esthesioneuroblastoma 등 감별진단을 위해 조직검사가 필요하다. 진행된 병을 가진 경우 가능하면 골수 검사도 시행되어야 한다. 두개저 침범이 의심될 경우 뇌척수액 세포검사를 시행하여야 한다. 일반 혈액검사, 간기능 검사, 혈청 화학검사, lactate dehydrogenase (LDH) 등의 검사가 필요하며 LDH가 500 IU/mL보다 높을 경우 예후가 나쁘다. 해부학적 위치를 기본으로 하여 TNM으로 병기한다(표 32-9). 80%의 환아에서 국소적으로 진행된 병을 가지고 있으며(4병기) 때로 장기 전이가 확인된다. 미분화 비인두암은 방사선에 민감하다. 조기 병기 환자(T1 또는 T2)에서 방사선 치료는 유일한 치료 방침으로 총 65-70 Gy의 분할 조사를 시행한다. 치료 영역은 주로 주 종양 병변과 비강의 뒷부분과 두개저와 상부 경부가 포함된다. 질병이 진행된 환자에서 보조화학요법이 예후를 개선시킬 수 있다. Cisplatin, methotrexate, leucovorin, 5-fluorouracil 요법이 사용되나 최적 요법은 아직 연구 중에 있다. 광범위한 수술적 절제는 골격 미성숙, 수술 사망률, 불완전한 절제 등으로 인해 어린이들에게 적용이 불가능하다. 어린이에서 5년 생존율은 40%에 가깝다. 발전하는 치료 요법들로 인해 부작용을 최소화하는 방사선 용량이나 방사선 치료 후 지속되는 경부 병변에 대한 수술이 이루어지기도 한다. 앞으로 특히 재발하는 환자들에게 EBV를 표적으로 하는 치료가 사용될 것으로 생각된다.

■■■■ 참고문헌

• Ries L SM, Gurney J, et al, editors. Cancer Incidence and Survival among Children and Adolescents: United States SEER Program. 1975-1995. National Cancer Institute of the National Institutes of Health: Bethesda, MD 1999.

• Linet MS RL, Smith MA, et al. Cancer surveillance series: recent trends in childhood cancer incidence and mortality in the United States. J Natl Cancer Inst 1999;12:1051-8.

• Albright JT TA, Reilly JS. Pediatric head and neck malignancies: US incidence and trends over 2 decades. Arch Otolaryngol Head Neck Surg 2002; 128:655-9.

• Cunningham MJ ME, Bluestone CD. Malignant tumors of the head and neck in children: a twenty-year review. J Pediatr Otorhinolaryngol 1987;13:279-92.

• Torsiglieri AJ Jr TL, Ross AJ IIL. Pediatric neck masses: guidelines for evaluation. Int I Pediatr Otorhinolaryngol 1988;16:199-210.

• Knight PJ MAVL. When is lymph node biopsy indicated in children with enlarged peripheral nodes? Pediatr Neonatol 1982;69:391-6.

• Tracy TF, Jr., Muratore CS. Management of common head and neck masses. Semin Pediatr Surg 2007; 16:3-13.

• Linabery AM, Ross JA. Trends in childhood cancer incidence in the U.S. (1992-2004). Cancer 2008;112:416-32.

• Sandlund JT, Downing JR, Crist WM. Non-Hodgkin's lymphoma in childhood. N Engl J Med 1996;334:1238- 48.

• Miller RW, Young JL, Jr., Novakovic B. Childhood cancer. Cancer 1995;75:395-405.

• Urquhart A, Berg R. Hodgkin's and non-Hodgkin's lymphoma of the head and neck. Laryngoscope 2001;111:1565-9.

• Reiter A FA. Oncology of infancy and childhood: Saunders Elsevier; 2009.

• Morton LM, Wang SS, Devesa SS, Hartge P, Weisenburger DD, Linet MS. Lymphoma incidence patterns by WHO subtype in the United States, 1992-2001. Blood 2006;107:265-76.

• Grulich AE, Vajdic CM, Kaldor JM, Hughes AM, Kricker A, Fritschi L, et al. Birth order, atopy, and risk of non-Hodgkin lymphoma. J Natl Cancer Inst 2005;97:587-94.

• Ross JA, Severson RK, Swensen AR, Pollock BH, Gurney JG, Robison LL. Seasonal variations in the diagnosis of childhood cancer in the United States. Br J Cancer 1999;81:549-53.

• DeVita VT, Jr., Hubbard SM. Hodgkin's disease. N Engl J Med 1993;328:560-5.

• Weisberger EC, Davidson DD. Unusual presentations of lymphoma of the head and neck in childhood. Laryngoscope 1990;100:337-42.

• Dierickx D, Tousseyn T, De Wolf-Peeters C, Pirenne J, Verhoef G. Management of posttransplant lympho-proliferative disorders following solid organ transplant: an update. Leuk Lymphoma 2011;52:950-61.

• Shiramizu B WR, Hayashi R. Principles and Practice of Pediatric Oncology. Philadelphia: Lippincott Williams & Wilkins; 2010.

• Green M, Michaels MG. Epstein-Barr virus infection and post-transplant lymphoproliferative disorder. Am J Transplant 2013;13 Suppl 3:41-54; quiz

• Collins MH, Montone KT, Leahey AM, Hodinka RL, Salhany KE, Kramer DL, et al. Post-transplant lymphoproliferative disease in children. Pediatr Transplant 2001;5:250-7.

• Nelson ME, Gernon TJ, Taylor JC, McHugh JB, Thorne MC. Pathologic evaluation of routine pediatric tonsillectomy specimens: analysis of cost-effectiveness. Otolaryngol Head Neck Surg 2011;144:778-83.

• Wanebo HJ, Koness RJ, MacFarlane JK, Eilber FR, Byers RM, Elias EG, et al. Head and neck sarcoma: report of the Head and Neck Sarcoma Registry. Society of Head and Neck Surgeons Committee on Research. Head Neck 1992;14:1-7.

• Raney RB, Jr., Handler SD. Management of neoplasms of the head and neck in children. II. Malignant tumors. Head Neck Surg 1981;3:500-10.

• Newton WA, Jr., Soule EH, Hamoudi AB, Reiman HM, Shimada H, Beltangady M, et al. Histopathology of childhood sarcomas, Intergroup Rhabdomyosarcoma Studies I and II: clinicopathologic correlation. J Clin Oncol 1988;6:67-75.

• Gujar S, Gandhi D, Mukherji SK. Pediatric head and neck masses. Top Magn Reson Imaging 2004;15:95-101.

• Cunningham MJ MW, Myers EN. Cancer of the head and neck in the pediatric population. In: Myers EN SS, editor. Cancer of the head and neck. Philadelphia: WB Saunders 1996;598-624.

• Wexler L MW, Helman L. Rhabdomyosarcoma. In: Pizzo P PD, editor. Principles and Practice of Pediatric Oncology. Philadelphia: Lippincott Williams & Wilkins; 2010.

• Gillespie MB, Marshall DT, Day TA, Mitchell AO, White DR, Barredo JC. Pediatric rhabdomyosarcoma of the head and neck. Curr Treat Options Oncol 2006;7:13-22.

• Lawrence W, Jr., Hays DM, Heyn R, Tefft M, Crist W, Beltangady M, et al. Lymphatic metastases with childhood rhabdomyosarcoma. A report from the Intergroup Rhabdomyosarcoma Study. Cancer 1987; 60:910-5.

• Dickson PV, Davidoff AM. Malignant neoplasms of the head and neck. Semin Pediatr Surg 2006;15:92-8.

• Wexler LH, Helman LJ. Pediatric soft tissue sarcomas. CA Cancer J Clin 1994;44:211-47.

• Chadha NK, Forte V. Pediatric head and neck malignancies. Curr Opin Otolaryngol Head Neck Surg 2009;17:471-6.

• Crist WM, Garnsey L, Beltangady MS, Gehan E, Ruymann F, Webber B, et al. Prognosis in children with rhabdomyosarcoma: a report of the intergroup rhabdomyosarcoma studies I and II. Intergroup Rhabdomyosarcoma Committee. J Clin Oncol 1990;8:443-52.

• Pappo AS, Meza JL, Donaldson SS, Wharam MD, Wiener ES, Qualman SJ, et al. Treatment of localized nonorbital, nonparameningeal head and neck rhabdomyosarcoma: lessons learned from intergroup rhabdomyosarcoma studies III and IV. J Clin Oncol 2003;21:638-45.

• Estilo CL, Huryn JM, Kraus DH, Sklar CA, Wexler LH, Wolden SL, et al. Effects of therapy on dentofacial development in long-term survivors of head and neck rhabdomyosarcoma: the memorial Sloan-Kettering cancer center experience. J Pediatr Hematol Oncol 2003;25:215-22.

• Sturgis EM, Potter BO. Sarcomas of the head and neck region. Curr Opin Oncol 2003;15:239-52.

• Olshan A BG. Epidemiology of neuroblastoma. In: Brodeur G EA, editor. Neuroblastoma. Amsterdam: Elsevier Science; 2000.

• Hero B, Simon T, Spitz R, Ernestus K, Gnekow AK, Scheel-Walter HG, et al. Localized infant neuroblastomas often show spontaneous regression: results of the prospective trials NB95-S and NB97. J Clin Oncol 2008;26:1504-10.

• Lenarsky C, Shewmon DA, Shaw A, Feig SA. Occurrence of neuroblastoma and asymmetric crying facies: case report and review of the literature. J Pediatr 1985;107:268-70.

• Goepfert H, Dichtel WJ, Samaan NA. Thyroid cancer in children and teenagers. Arch Otolaryngol 1984; 110:72-5.

• Desjardins JG, Khan AH, Montupet P, Collin PP, Leboeuf G, Polychronakos C, et al. Management of thyroid nodules in children: a 20-year experience. J Pediatr Surg 1987;22:736-9.

• Geiger JD, Thompson NW. Thyroid tumors in children. Otolaryngol Clin North Am 1996;29:711-9.

• Mazzaferri EL, Kloos RT. Clinical review 128: Current approaches to primary therapy for papillary and follicular thyroid cancer. J Clin Endocrinol Metab 2001;86:1447-63.

• Pasieka JL, Thompson NW, McLeod MK, Burney RE, Macha M. The incidence of bilateral well-differentiated thyroid cancer found at completion thyroidectomy. World J Surg 1992;16:711-6; discussion 6-7.

• Zohar Y, Strauss M, Laurian N. Adolescent versus adult thyroid carcinoma. Laryngoscope 1986;96:555-9.

• Zohar J, Shemesh Z, Belmaker RH. Utility of neuroleptic blood levels in the treatment of acute psychosis. J Clin Psychiatry 1986;47:600-3.

• Hung W, Anderson KD, Chandra RS, Kapur SP, Patterson K, Randolph JG, et al. Solitary thyroid nodules in 71 children and adolescents. J Pediatr Surg 1992;27:1407-9.

• Hung W. Nodular thyroid disease and thyroid carcinoma. Pediatr Ann 1992;21:50-7.

• Enomoto Y, Enomoto K, Uchino S, Shibuya H, Watanabe S, Noguchi S. Clinical features, treatment, and long-term outcome of papillary thyroid cancer in children and adolescents without radiation exposure. World J Surg 2012;36:1241-6.

• Ramirez R, Hsu D, Patel A, Fenton C, Dinauer C, Tuttle RM, et al. Over-expression of hepatocyte growth factor/scatter factor (HGF/SF) and the HGF/SF receptor (cMET) are associated with a high risk of metastasis and recurrence for children and young adults with papillary thyroid carcinoma. Clin Endocrinol (Oxf)

2000;53:635-44.

• Ton GN, Banaszynski ME, Kolesar JM. Vandetanib: a novel targeted therapy for the treatment of metastatic or locally advanced medullary thyroid cancer. Am J Health Syst Pharm 2013;70:849-55.

• Hogan AR, Zhuge Y, Perez EA, Koniaris LG, Lew JI, Sola JE. Pediatric thyroid carcinoma: incidence and outcomes in 1753 patients. J Surg Res 2009;156:167-72.

• Chow SM, Yau S, Lee SH, Leung WM, Law SC. Pregnancy outcome after diagnosis of differentiated thyroid carcinoma: no deleterious effect after radioactive iodine treatment. Int J Radiat Oncol Biol Phys 2004;59:992-1000.

• Francis GL, Waguespack SG, Bauer AJ, Angelos P, Benvenga S, Cerutti JM, Dinauer CA, Hamilton J, Hay ID, Luster M, Parisi MT, Rachmiel M, Thompson GB, Yamashita S; American Thyroid Association Guidelines Task Force. Management Guidelines for Children with Thyroid Nodules and Differentiated Thyroid Cancer. Thyroid 2015;25:716-59.

구강, 인두, 타액선, 후두, 기관, 식도

Oral Cavity, Pharynx, Salivary Gland,
Larynx, Trachea, Esophagus

05

Pediatric Otorhinolaryngology

인두염과 편도질환

Pharyngitis and Adenotonsillar Disease

김성동, 이병주

인두 및 구개편도 그리고 아데노이드에서의 염증성 질환은 유소아 건강에서 중요한 부분을 차지하고 있다. 구개편도 및 아데노이드의 비대로 인한 폐쇄성 수면무호흡의 발생과 이와 연관된 합병증, 구개편도 및 아데노이드에 존재하는 세균총(microbiologic flora)과 그 역할, 구개 편도 및 아데노이드 비대와 두개안면 성장과의 관계, 편도 및 아데노이드 절제술의 발전 등의 연구 결과는 소아 이비인후과의 다양한 질환을 이해하는 데 도움을 주었다. 이 장에서는 인두염과 구개편도 및 아데노이드 질환에 대해 알아볼 것이다.

1. 해부(Anatomy)

1) Waldeyer 고리(Waldeyer's ring)
전방에 위치하는 설편도(lingual tonsil), 측면에 위치하는 구개편도(palatine tonsil), 후상방에 위치하는 인두편도(아데노이드, adenoid)를 연결하는 림프절의 고리를 Waldeyer 고리(Waldeyer's ring)이라 부른다. Waldeyer 고리의 모든 구조물은 유사한 조직학적 특징과 기능을 갖고 있다.

2) 구개편도(Palatine tonsil)
구개편도를 일반적으로 편도라고 부르고 Waldeyer 고리에서 가장 큰 림프조직으로 구인두의 양외측에 존재하며 얇은 편도 피막(capsule)으로 덮여있다. 편도피막은 혈관이나 신경이 들어 오는 경로를 구성하며, 편도로부터 쉽게 분리되지 않지만, 인두근육과 느슨한 결합조직으로 연결되어 있어 절제 시 쉽게 분리된다. 편도 표면에는 편도 음와(tonsil crypt)가 존재하고 중층편평상피세포(stratified squamous epithelium)로 형성된 관은 맹공 행태로 조직의 깊은 곳까지 연결되어 있다.

편도와(tonsillar fossa)는 전방으로 구개설근(palato-glossus muscle)이 전구개궁(anterior pillar)을, 후방으로 구개인두근(palatopharyngeus muscle)이 후구개궁(posterior pillar)을 형성하며 상인두수축근(superior pharyngeal constrictor muscle)이 편도의 외측을 구성한다. 편도와를 싸고 있는 얇은 근육 바로 외측에 설인신경(glossopharyngeal nerve)이 위치하고 있다. 편도선 절제술에 의한 부종으로 신경이 손상되면 혀 뒤 1/3의 미각 소실과 연관 이통(referred otalgia)이 일시적으로 발생할 수 있다.

편도의 동맥은 주로 하극(lower pole)에 위치하며 전방에 설배동맥의 편도분지(tonsillar branch of dorsal lingual artery), 후방에 상행구개동맥(ascending palatine artery), 그 사이에는 가장 큰 동맥인 안면동맥의 편도분지(tonsillar branch of facial artery)가 분포한다. 상극(upper pole)에는 후방으로 상행인두동맥(ascending pharyngeal artery), 전방으로 소구개동맥(lesser palatine artery)이 편도에 분포한다. 정맥은 편도주위정맥총(peritonsillar plexus)을 통해 설정맥과 인두정맥으로 연결되고 내경정맥으로 연결된다.

편도부위의 신경은 설인신경의 편도분지(tonsillar branch of glossopharyngeal nerve)와 소구개신경의 하행분지(descending branch of lesser palatine nerve)를 통해 이루어지며 이는 익구개신경절(pterygopalatine ganglion)과 연결된다. 편도염에 동반되는 연관이통은 설인신경의 고실분지(tympanic branch of glossopharyngeal nerve)와 관련이 있다. 편도의 림프는 유입림프관 없이 유출림프관만 있으며 상부심경림프절(upper deep cervical lymph node)을 통하며 특히 하악각 후방의 경정맥이복근림프절(jugulo-diagastric lymph nodes)을 통한다.

3) 인두편도(아데노이드, Adenoid)

인두편도(pharyngeal tonsil)는 흔히 아데노이드로 불리며 Waldeyer 고리를 형성하는 림프조직의 중앙에 위치하며, 전방은 비중격을 향하고 바닥은 비인두의 뒤쪽 벽과 지붕을 형성하고 있다. 표면이 위중층섬모원주상피(pseudostratified ciliated columnar epithelium)로 덮혀 있으며, 태생 7개월에 완전히 발달하여 15세까지 점차 커져 심한 경우 기도 폐쇄 등의 문제를 야기할 수 있다. 15세 이후에는 점차 크기가 감소하여 기도 폐쇄는 호전된다.

동맥은 상행인두동맥(ascending pharyngeal artery), 상행구개동맥(ascending palatine artery), 내상악동맥의 인두분지(pharyngeal branch of internal maxillary artery), 익돌관동맥(artery of pterygoid canal), 안면동맥의 편도가지 중 일부가 분포한다. 정맥은 익돌근정맥총(pterygoid plexus)과 인두정맥총을 거쳐 내경정맥과 안면정맥으로 연결된다. 신경분포는 인두신경총 (pharyngeal plexus)으로부터, 수출림프배액은 인두후림프절(retropharyngeal lymph node)과 인두상악공간림프절(pharyngomaxillary space lymph node)에 의해 이루어진다.

2. 편도와 아데노이드의 면역학

말초혈액에 있는 림프구의 70%가 T세포이다. 그러나 편도와 아데노이드의 림프구는 50-65%가 B세포, 40%가 T세포, 3%가 성숙 형질세포로 말초혈액의 림프구와 구성이 차이가 있다. 편도와 아데노이드는 분비 면역(secretory immunity)과 분비 면역글로불린(secretory immunoglobulin) 형성을 조절하는 기능을 한다. 편도와 아데노이드는 공기매개항원에 노출되어 있어 상부호흡소화관의 면역학적 보호를 조절하기 좋은 위치에 있으며, 특히 편도는 외부에 접한 외부 물질을 직접적으로 림프구로 이동시키는 데 관여한다.

편도의 방어기전은 고농도 항원에 노출되는 경우 항원 특이적 B세포의 증식이 배중심(germinal center)에서 발생한다. 낮은 항원 농도는 림프구가 형질세포로 분화에 영향을 주지만, 높은 항원 농도는 B세포의 증식에 영향을 준다. 아데노이드에서 비인두 점막으로 분비되는 면역글로불린은 IgG, IgA, IgM, IgD 등이다. 편도는 이러한 면역 글로불린을 분비하지만 B세포 형성에도 관여한다.

편도는 4-10세에서 면역학적으로 가장 활발하게 역할을 하지만, 사춘기 이후 퇴화가 시작되고 B세포가 감소하여 상대적으로 T세포가 증가한다. 면역 글로불린의 분비는 영향이 있지만, B세포의 활성은 80세까지 유지되기도 한다. 염증은 점막에서 외부 항원 전달에 영향을 주어 B세포 활성 감소, 항체 형성 감소, 여포외구역(extrafollicular area)에서 배중심과 B세포의 밀도가 감소한다. 이러한 염증에 대한 면역학적 변화는 원인에 따라 다소 차이가 있는데, 아데노이드 비대증에 비해 만성 편도선염에서는 B세포의 기능이 어느 정도 유지된다. 편도아데노이드 수술 전 환자에서도 편도아데노이드에서 어느 정도의 면역학적 기능은 있는 것으로 보고되고 있으며, 편도아데노이드 절제술이 국소 면역력에 미치는 영향에 대한 상반된 여러 보고 있다.

3. 편도와 아데노이드의 미생물학

상부기도에서 정상 세균총(normal flora)의 형성은 6-8개월쯤에 Actinomyces, Fusobacterium, Nocardia가 형성되고, 이후 구강 세균총의 일종으로 Bacteroides, Leptotrichia, Propionibacterium, Candida가 형성된다. 바이러스성 질환이 발생하면 인두세균총에는 gram-negative enteric organisms과 staphylococcus aureus (S. aureus)가 증가하는 양상을 보인다. 질병이 없는 동안 인두내에는 gram-negative enteric organisms이 12-18%, S. aureus가 5-14%로 알려져 있으나, 바이러스성 상부 기도 감염 시에는 gram-negative organisms과 S. aureus가 각각 60%, 43%까지 증가되는 것으로 보고되었다.

1) Waldeyer 고리의 감염(Infections of Waldeyer's ring)

Waldeyer 고리의 감염의 호기성 세균, 협기성 세균, 바이러스, 효모, 기생충 등 다양한 원인에 의한 혼합 감염인 경우가 많다. 이러한 원인균을 서로 상승작용을 하여 약제에 내성을 보이기도 한다. 다양한 혼합 감염은 점막 표면의 균과 조직내로 침범한 균의 차이에 의해 임상적으로 치료에 혼란을 초래하기도 한다.

2) 바이러스

소아 상기도 감염의 가장 흔한 원인은 감기이다. Rhinovirus, influenzavirus, parainfluenza virus, adenovirus, coxsackievirus, echovirus, reovirus, respiratory syncytial virus를 포함하는 많은 바이러스는 인두염을 일으킨다. 바이러스성 인두염은 일반적으로 경미한 인후통, 연하곤란 등의 증상을 보이며 인두점막의 홍반과 열을 동반한다. 편도는 비대해질 수 있으나 삼출물은 없다. 치료는 대증요법으로 증상에 따라 시행한다. 항생제는 이차적인 세균감염의 경우 도움이 된다.

중요한 바이러스 감염은 Epstein-Barr Virus (EBV)로 이것은 감염단핵구증 증후군(mononucleosis syndrome)을 일으키고 고열, 권태감, 분비물이 많은 거대 편도(large swollen dirty-gray tonsil), 인후통, 연하곤란, 연하통 등의 증상을 보인다. 간혹 간 손상으로 인해 간비비대(hepatosplenomegaly)를 보이며 감염의 주 경로는 구강 접촉이다.

EBV의 진단은 혈액검사에서 10% 이상의 비정상적인 림프구를 가지는 50% 정도 증가되는 림프구증가증(leukocytosis)을 보이는 것이 특징이다. 혈청학적으로는 heterophil antibody titer 검사가 있다. 감염이 있는 60%의 환자에서 질병 발생 후 2주 안에 양성 결과를 보이고, 90%는 발생 한 달 안에 양성 결과를 보이므로 초기에 heterophil antibody titer가 음성이라도 감염이 있을 수 있다. EBV-specific serologic assays는 급성 또는 회복기의 EBV 감염을 확진하기 위한 방법이다.

치료는 증상에 대해 치료하면 된다. 회복은 수주가 걸리고 항생제는 이차성 세균감염이 있을 경우 사용한다. 단, ampicillin은 발진을 유발할 수 있으므로 피해야 한다. 편도가 심하게 비대해질 경우 상부 기도 폐쇄를 일으킬 수 있으므로 즉각적인 기도삽관과 함께 단기 고용량 스테로이드 치료를 시행하여야 하며 이러한 방법으로 호전되지 않으면 편도절제술이나 기관절개술이 필요하다.

3) 캔디다(Candida)

Candidiasis는 항생제를 사용 중인 환자나 면역 억제 환자에서 심각한 인두염을 초래할 수 있으며, 구인두 점막에 백색반(whitish plaque)으로 관찰되며 제거하기 위해 긁어내면 작은 출혈을 야기하는 것을 통해 쉽게 알아낼 수 있다. Nystatin이나 fluconazole으로 치료한다.

4) 나이세리아(Neisseria)

Neisseria gonorrhoeae에 의한 급성 인두염은 동성애 남성에서 주로 관찰된다. 증상은 무증상에서 삼출성 인두염(exudative pharyngitis)까지 다양하게 보일 수 있지만, 대부분의 경우 결국 삼출성 인두염을 보인다. Penicillin과 tetracycline이 가장 효과적인 치료제이다.

5) 뱅상 앙기나(Vincent's Angina)

Vincent's Angina는 Spirochaeta denticulata와 Treponema vincentii의 감염에 의해 이차적으로 발생한다. 환자

는 고열, 두통, 인후통, 경부림프절비대를 보이고, 편도에 막을 형성하며 이를 제거할 경우 주위 조직에 궤양으로 진행하여 7-10일 이내에 치유되는 특징을 보인다. Penicillin으로 치료하고 구강 청결은 국소치료에 도움이 된다.

6) 디프테리아(Corynebacterium diphtheria)

Corynebacterium diphtheria 감염에 의한 것으로 현재 예방접종 이후에는 발생률이 매우 감소하였다. 이 균은 초기 삼출성 인두편도염을 일으킨 뒤 구개, 후두로 전파되며 외독소(exotoxin)를 생산하여 전신증상을 유발할 수 있다. 삼출성, 괴사성, 회색 인두막을 보이는 후두염증은 기도 폐쇄를 일으킬 수 있고, 이러한 막을 제거하면 출혈이 발생한다. 또한 Guillain-Barre 증후군이나 소아마비와 유사한 신경학적증상과 심근염을 유발시킬 수 있다. 디프테리아증은 응급 상황으로 초기 진단이 중요하고 항독소를 발병 48시간 안에 주입하여야 한다. 기도 폐쇄가 있을 경우 기관절개술을 시행하고, 고농도 penicillin으로 치료한다.

7) 연쇄구균 편도선염(Streptococcal tonsillitis)

Group A Streptococcus는 급성 인두염의 가장 흔한 원인 균이다. 급성연쇄구균 편도선염(acute streptococcal tonsillitis)은 5-6세에 발병률이 최고를 보인다. 구강 건조감, 고열, 권태, 연하통, 이통, 두통, 허리통증, 경부 림프절 종대 등의 증상을 보이며, 이학적 검사를 통해 구강건조, 편도의 홍반성 비대, 편도 분비물(white spots on tonsil) 등을 볼 수 있다.

진단은 주로 임상적으로 이루어지며 확진은 인후부에 대한 세균배양이나, 배양 검사에 대개 18-48시간이 소요되는 단점이 있다. 임상적으로 진단되면 다른 사람으로 선염 가능성이 있는 기간을 줄이기 위해 배양결과가 나오기 전에 치료를 시작하는 것이 좋다. 좀 더 빠른 검사로 latex agglutination나 enzyme-linked immunosorbent assay (ELISA), rapid strep test를 이용할 수 있다. 급성연쇄구균 편도선염을 진단하는 가장 정확하고 간단한 검사법은 rapid strep test이다. 균 배양검사는 rapid strep test에서 음성이지만 급성연쇄구균 편도선염이 의심되는 시행할 수 있다.

첫 치료는 주로 penicillin을 사용하지만, 치료에 반응하지 않으면 β-lactamase 생산하는 균을 의심해 볼 수 있으며 이때는 amoxicillin/clavulanic acid를 사용하거나 clindamycin, erythromycin, metronidazole을 함께 사용한다. 항생제 사용 후 인후통 등의 증상 호전된다. 항생제 사용은 빠른 증상 호전, 편도염에 의한 화농성 국소 합병증 발생 빈도 감소, 급성 류마티스 발열의 가능성을 줄인다. 항생제를 10일간 치료하는 것이 7일 치료한 경우보다 재발율이 감소하였다는 보고가 있어, 10일간 항생제 처방하는 것이 좋다.

8) 편도 결석(Tonsillar concretions/Tonsilloliths)

편도결석은 편도염의 병력과는 연관성이 없으며, 편도와 내에 분비물과 균의 증식에 의해 발생한다. 편도에서 심한 구취가 나면서 인후통 증상이 있는 것이 특징으로 악취가 심한 작은 흰색의 치즈조각 같은 물질이 편도에서 관찰된다. 단순한 결석이 있는 경우 편도 결석을 제거하기 위해 깨끗한 물을 강하게 세척하거나 또는 화학적으로 소작시키기 위해 국소적 질산은을 사용하기도 한다. 통증, 구취, 이물감 및 이통 등과 같은 지속적인 증상이 있는 경우에는 편도절제술을 고려하여야 한다.

4. 편도염의 합병증

편도염의 합병증은 비화농성 합병증과 화농성 합병증으로 구분할 수 있다(표 33-1).

1) 비화농성 합병증(Nonsuppurative complications)

(1) 성홍열(scarlet fever)

성홍열은 급성연쇄구균 편도선염(acute streptococcal tonsillitis) 후 이차적으로 발생하는 것으로 연쇄구균의 내독소(endotoxin)에 의한 것이다. 증상으로는 홍반성 발진(erythematous rash), 인후통을 동반한 심한 림프절염, 구토, 두통, 발열, 홍반성 편도와 아데노이드, 빈맥, 편도와 주위 인후두 점막을 덮고 있는 황색 삼출물(yellowish exu-

표 33-1. 편도염의 합병증

비화농성 합병증	화농성 합병증
1. 선홍열	1. 편도주위농양
2. 류마티스 발열	2. 부인두강농양
3. 연쇄상구균 감염 후 사구체신염	3. 후인두강농양

date over tonsil, pharynx, and nasopharynx) 등이 있다. 편도를 덮고 있는 막은 디프테이아증과 비슷하지만, 디프테이아증에 비해 쉽게 제거되는 특징이 있다. 발진과 증식된 혀유두(glossal papillae)를 동반하는 딸기혀(strawberry tongue)는 좋은 진단적 소견이다. 성홍열은 배양검사와 Dick test의 양성반응으로 진단하는데, Dick test는 희석된 streptococcus 독소를 피내 주사하는 것이다. 치료는 페니실린의 정맥 내 투여이다.

(2) 류마티스 열(rheumatic fever)

류마티스 열은 흔히 A군 β-용혈성 연쇄구균(group A β-hemolytic Streptococcus, GABHS) 감염 후 자가면역반응에 의해 발생하며 발생율이 0.3%로 빈도는 매우 낮다. 증상은 감염 1-3주 후에 나타나며 주로 심장(carditis), 관절(polyarthritis), 중추신경(Sydenham chorea), 피부(truncal rash) 등에 이환된다. 예방적 penicillin 치료는 재발에 중요하며 반응하지 않은 경우에는 편도절제술을 고려해야 한다.

(3) 연쇄구균 감염 후 사구체신염(poststreptococcal glomerulonephritis)

연쇄구균 감염 후 사구체신염은 인두와 피부감염 후 이차적으로 나타날 수 있으며 GABHS 감염의 1% 미만이다. 신장에 영향을 주는 균(nephrogenic strain)이며, nephrogenic strain 감염 후 24%에서 사구체신염(glomerulonephritis)이 발생한다. 급성 신증후군(acute nephritic syndrome)은 연쇄구균 감염 1-2주 후에 발생하며 혈뇨, 부종, 무력감 등의 증상이 나타날 수 있다. Penicillin 치료는 사구체신염의 발생률을 감소시키지는 않으며 또한 사구체신염의 자연경과에도 영향을 주지 못한다. 편도절제술은 감염

의 근원(source)을 제거하기 위해 시행한다.

2) 화농성 합병증(Suppurative complications)

(1) 편도주위농양(peritonsillar abscess)

편도주위농양은 재발성 편도염 환자나 적절하게 치료받지 않은 만성 편도염 환자에서 잘 일어난다. 농양이 생기는 공간은 전방의 전구개궁, 후방의 후구개궁, 내측의 편도피막, 외측의 상인두수축근이 이루는 경계이며 주로 편도의 상극(superior pole of tonsil)에 잘 생기지만 하극(inferior pole)에서도 발생할 수 있다. 보통 일측성으로 발생하며, 통증은 매우 심하며 병변측에 연관 이통을 동반하기도 한다. 심한 연하통으로 삼키기 어려워 침 흘림(drooling)이 발생할 수 있으며, 농양과 염증에 의한 익상근(pterygoid muscle)의 자극에 의해 개구장애가 발생한다. 구개와 전구개궁의 일측성 부종은 편도를 내측 하방으로 이동시키며, 목젖을 반대방향으로 편위시킨다. 편도주위농양은 봉와직염(cellulitis)과 감별이 필요하며 병변의 범위를 확인하기 위해 조영 증강 컴퓨터전산화단층촬영(contrast computed tomography, CT)을 시행하여 평가하여야 한다.

바늘흡인은 농양 부위를 확인하고 배양을 하는 데 이용된다. 농양이 바늘흡인에서 발견된다면 칼을 이용하여 농양부위의 점막층을 절개하여 열고, 겸자를 이용하여 가능한 많은 농양을 제거한다. 재발성의 편도선염의 과거력이 있는 경우에는 재발의 가능성을 줄이고 빨리 증상이 호전시키기 위해 Quinsy 편도선 절제술(Quinsy tonsillectomy)을 시행할 수 있다. 이러한 Quinsy 편도선 절제술은 국소마취하에 농의 절개 배농이나 바늘 흡인이 어렵고 편도선염이 반복될 가능성이 많은 소아에서 시행할 수 있다. 전신마취 시 농의 흡인(aspiration)에 주의하여야 한다.

일반적으로 절개 배농 후 4-12주에 편도절제술을 시행한다. 그러나 일부에서는 농양을 완전히 배액하고 또한 향후에 편도절제술을 받기 위해 재입원의 필요성을 없애기 위해 즉각적인 Quinsy 편도선 절제술을 시행하기 한다.

(2) 부인두강 농양(parapharyngeal space abscess)

편도염이나 편도주위농양의 감염이 상인두수축근을 지나

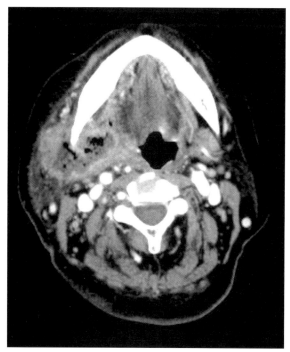

그림 33-1. **부인강 감염**

부인두강(parapharyngal space)에 농양을 발생시킬 수 있다. 부인두강은 위로는 측두골의 추체부가 기저부를 이루고 아래로는 설골이 역삼각형을 이루는 공간으로 상인두수축근과 심경부근막 사이에 농양이 형성되면, 편도를 외측에서 내측 중앙으로 편위 시킨다. 인접한 익상근의 염증은 개구장애를, 척추주위근육(paraspinal muscle)의 염증은 경부 경직(neck stiffness) 증상을 유발한다. 두꺼운 흉쇄유돌근(sternocleidomastoid muscle)은 촉진에 의해 농양이 외부에서 관찰되는 것을 힘들게 한다.

부인두강 감염 환자들은 발열, 인후통, 개구장애, 경부 부종, 백혈구증가증이 나타나며, 감염이 진행되면 경동맥초에서 종격동으로 농양이 파급될 수도 있다. 구강 소견으로 후구개궁의 후방 측인두벽의 부종과 편도의 전내방 편위가 관찰된다. 그래서 간혹 편도주위농양과 구별이 힘든 경우가 있어 조영제 CT 검사가 유용할 수 있다(그림 33-1). IX, X, XII 뇌신경의 신경학적 손상이 관찰되기도 한다.

초기에 부인두강의 감염은 적극적인 항생제 투여, 수액

공급, 주의 깊은 관찰을 통해 치료하며 항생제에 반응이 없는 경우 농양의 양상과 위치에 따라 수술적 방법이 필요한 경우가 있는데 구강내 접근 또는 경부 접근법이 있다. 구강내 접근은 외부적 접근법보다 접근이 용이하고 회복이 빠르며 피부상처가 생기지 않는 장점이 있으나 농양이 대혈관에 인접한 경우에는 위험성이 높으므로 외부적 접근법으로 배농을 하는 것이 좋다. 인두주위 공간 농양에 대한 외부적 접근은 하악연 아래쪽으로 2 cm 부위에 횡절개(transverse incision)를 시행한 후 악하선과 흉쇄유돌근 사이를 박리하여 배농한다.

(3) 후인두강 감염(retropharyngeal space infections)

후인두강은 척추전근막(prevertebral fascia), 후인두벽근막 및 식도 사이의 공간으로 상부경계는 두개기저부(cranial base), 하부쪽은 기관 분기부(tracheal bifurcation) 높이의 종격동이다. 볼인두근막(buccal pharyngeal fascia)은 정중앙에서 척추전근막에 붙어 있어 후인두강 감염은 일측성으로 발생한다. 측경부 X-선 검사(lateral neck radiograph), CT, 초음파검사는 후인두강에서 발생한 농양과 봉와직염(cellulitis)을 감별하는 데 도움이 된다(그림 33-2, 3). 후인두강 감염은 2세에서 5세 사이의 소아에서 흔히 발생하며 증상은 보채고 (irritability), 발열, 연하곤란, 시끄러운 호흡음 (noisy breathing), 경부 강직, 경부 림프절 종대 등이다. 국소 소견상 일측성 후인두 부종이 관찰된다.

진단 후에는 호기성 및 혐기성 균에 대한 항생제 치료가 필요하며 배농이 필요할 수 있다. 경구강접근법 (transoral approach)은 후인두농양의 절개 배농 시 추천되나, 농양이 설골의 아래쪽으로 확장된 경우에는 외부 접근법을 사용한다. 기도 삽관 시 농양이 터져 흡인될 수 있기 때문에 주의하여 후인두강 농양의 반대편으로 기도 삽관을 시행한다. 환자 머리를 아래로 하는 Trendelenburg 자세를 취하도록 하고, 기관 삽관 아래쪽에 패킹을 시행한다. 배농된 농에 대해서는 gram 염색, 배양 검사, 항생제 감수성 검사를 시행한다. 인두 후벽의 중앙에서 내측 2/3 지점과 외측 1/3 지점의 경계 부위에 작은 수직 절개를 시행한 후 겸자로 배농한다. 배액관은 수술 후 흡인 가능성 때문에 사용하지 않

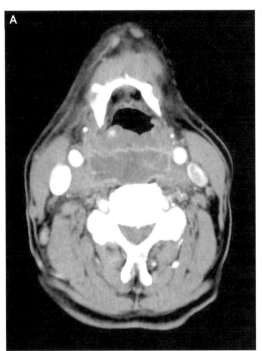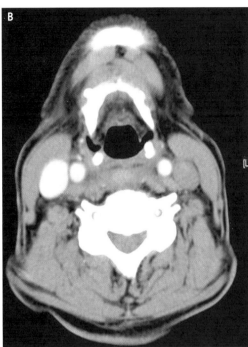

그림 33-2. **후인두강 감염의 CT 소견.** A. 치료 전, B. 치료 후

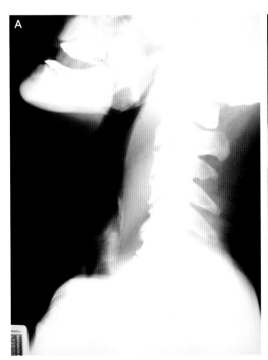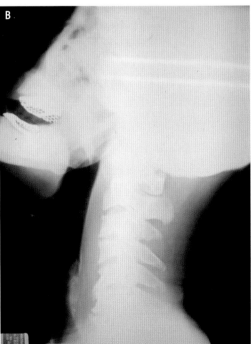

그림 33-3. **후인두강 감염의 측경부 X-선 사진.** A. 치료 전, B. 치료 후

는다. 만일 농양이 외측으로 퍼져 부인두강을 침범할 경우 외부 접근법을 시행한다.

5. 만성 편도 및 아데노이드 비대
(Chronic adenotonsillar hypertrophy)

1) 원인(Etiology)

소아에서 만성 편도 및 아데노이드 비대는 수술적 제거가 필요한 흔한 적응증이다. 편도와 아데노이드는 출생 시 매우 작지만 이후 수 년에 거쳐 매우 커지게 되며 이는 면역학적 활성 증가 때문이다. 일반적으로 편도는 5세경 비대가 심해지다가 12세 전후로 퇴화 과정을 거치며 아데노이드는 2-3세경 크기가 커지나 7세 전후로 퇴화한다. 편도와 아데노이드 조직의 정상 세균총과 면역학적 반응 사이에는 평형이 존재하는데, 반복되는 급성 바이러스성 또는 세균성 감염과 병원균의 군집형성(colonization)으로 이러한 평형이 깨어지면 림프조직의 비대를 야기한다. 세균 감염 이외에 간접흡연(second-hand smoking)이 편도, 아데노이드 비대의 다른 원인이라는 주장도 있다.

2) 상기도 폐쇄(Upper airway obstruction)

폐쇄성 수면무호흡은 소아에서 편도절제술을 시행하는 가장 흔한 원인으로 많은 경우에서 편도, 아데노이드 비대와 연관성이 있다. 편도, 아데노이드 비대는 기도의 폐쇄를 유발하여 코골이, 수면 중 무호흡, 산소 포화도의 감소(oxygen desaturation)를 일으킨다. 이러한 산소 포화도의 감소와 수면무호흡증은 심혈관계에 이상을 초래할 수 있다.

　폐쇄성 수면무호흡 증후군의 증상으로 과거에는 폐 고혈압(pulmonary hypertension), 폐성심(cor pulmonale), 성장 지연 등이 있었으나 최근에는 이러한 증상보다는 소아의 수면과 연관되는 큰 호흡음, 발한(diaphoresis), 수면 중 무호흡, 구강호흡, 불안수면, 야뇨증, 야경증(night terrors), 몽유병 등의 증상을 호소한다. 또한 낮 시간에는 주간 졸음증(daytime sleepiness), 아침 두통, 구강 건조감, 악취, 연하곤란, 행동문제, 과소비성증(hyponasal speech) 등

의 증상들을 보일 수 있다. 행동문제에는 과다활동, 수업 중 부주의(inattentiveness), 학습 수행 문제, 반항적 또는 공격적 행동 등이 있으며, 이러한 행동 문제는 소아 정신의학의 흔한 진단인 주의력결핍 과잉행동 장애(ADHD)의 증상이다. 또한 폐쇄성 수면무호흡증은 성장 호르몬에 영향을 주어 성장과 발달 저하가 나타날 수 있다.

(1) 주의력결핍 과잉행동장애(attention deficit Hyperactivity disorder, ADHD)

ADHD의 증상인 과다행동, 부주의, 학습수행 장애 등은 소아의 수면장애와 상당한 연관성이 있다. ADHD의 원인은 아직 잘 모르지만, 비정상적인 수면이 원인 중의 하나로 생각되고 있다. ADHD는 과다각성(hypervigilance)보다는 오히려 과소각성(hypovigilance)에 의해 야기되는 질환이기 때문에 각성제가 효과적으로 작용하는 것으로 알려져 있다. 따라서 폐쇄성 수면 무호흡 증후군에 의해 이차적으로 발생하는 수면장애를 가진 소아는 ADHD 증상이 보다 심해질 수 있다. 편도 및 아데노이드 절제술 후 ADHD의 증상이 감소하였다는 보고가 있어, 수면 중 폐쇄성 질환이 호전되면 ADHD의 증상이 호전될 수 있다.

(2) 신경인지적 발달(neurocognitive development)

수면은 소아의 발달과 성장에 중요한 역할을 할 뿐 아니라 뇌의 성숙에도 중요한 역할을 담당한다. 학업성적이 저조한 경우 수면 중 무호흡질환이 있는 경우가 많았다는 보고가 있고, 수술을 시행하여 수면 중 무호흡을 호전시킨 경우 학업성적이 상승한 것을 보고하기도 한다. 그러나 아직 수면 중 무호흡 질환이 신경인지적 발달에 관여하는 정확한 기전에 대해서는 명확하지 않다. 중추신경계는 신생아 때부터 청소년기까지 계속하여 발달하는데, 수면 중 무호흡이 청소년기까지 발달이 완전히 끝나지 않은 전전두피질(prefrontal cortex) 부위에 영향을 줄 것으로 생각된다.

(3) 야뇨증(enuresis)

야뇨증은 소아의 심한 기도폐쇄의 하나의 증상일 수 있다. 편도, 아데노이드 비대에 의해 발생한 야뇨증은 수술 후 호

전되며 REM (rapid eye movement) 수면 장애와 연관된 항이뇨호르몬(Antidiuretic hormone)의 분비의 야간 조절 장애로 야뇨증이 발생한다고 생각된다.

(4) 성장 문제(growth problems)

만성 편도 및 아데노이드 비대에 의해 기도폐쇄가 있는 소아는 성장부전을 보인다. 편도, 아데노이드 비대로 인해 발생하는 수면장애는 성장부전과 관련이 있다는 연구가 보고되었는데 이는 폐쇄성 수면무호흡이 있는 소아의 REM 수면 동안 성장호르몬의 분비 감소에 의한 것으로 생각된다.

(5) 심폐합병증(cardiopulmonary complications)

심각한 폐쇄성 수면 무호흡증에서는 폐성심, 폐혈관 고혈압, 폐포저환기 등의 증상을 보일 수 있다. 만성적인 상기도 폐쇄는 만성적인 폐포환기(alveolar ventilation) 장애를 유발하여 저산소증 및 과탄산증(hypercapnia)을 동반한 호흡성 산증(respiratory acidosis), 폐동맥혈관 수축, 우심실 확장 등을 일으켜 점진적으로 심부전이 발생하게 된다. 편도 및 아데노이드 절제술로 상부기도폐쇄가 완화되면 이러한 증상은 호전된다.

(6) 두개안면 성장(craniofacial growth)

편도, 아데노이드 비대 및 상부기도 폐쇄에 이차적으로 발생하는 만성구강호흡은 소아의 두개안면 성장에도 영향을 준다. 구강호흡은 하악골과 혀를 후하방으로 변위시키며, 두경부의 잠재적인 자세변화를 일으켜 이차적으로 치아교합과 턱의 성장에 영향을 준다. 또한 만성적인 비폐쇄는 악안면의 성장(maxillofacial growth)에 영향을 준다. 아데노이드 비대에 의한 만성적인 비폐쇄는 아데노이드 안면(adenoid face)이라는 구강 호흡, 하악후퇴증(retrognathia mandible), 긴 얼굴형태, 상악 발육부전, 높은 구개궁(high arch palate), 짧은 위 입술(short upper lip), 윗 치아 돌출(prominent incisors) 등의 소견이 관찰된다. 이러한 변화는 편도 및 아데노이드 수술 후 호전되는 경향이 있다.

6. 편도와 아데노이드 진단적 평가

편도, 아데노이드 질환에 대한 평가를 위해서는 두경부 영역에 대한 세심한 관찰이 중요하다. 편도, 아데노이드 비대로 야기된 비폐쇄으로 인한 두개안면 성장장애의 여러 증상, 다른 비폐쇄 원인에 대한 평가, 과소비성(hyponasality)에 대해 평가하여야 한다. 구강에 대한 국소 검사를 통해 편도에 의한 기도 폐쇄 정도는 0(기도 폐쇄가 없는 경우), 1+(25% 이하로 기도 폐쇄), 2+(25-50%의 기도 폐쇄), 3+(50-75% 기도 폐쇄), 4+(75%로 기도 폐쇄)으로 구분할 수 있다. 아데노이드 절제술 후 구개인두부전(velopharyngeal insufficiency)의 발생 가능성이 많은 점막하 구개열(submucosal cleft palate)에 대해서도 평가하여야 한다. 또한, 알레르기비염, 삼출성중이염도 함께 평가하여 수술 전후 관리를 받는 것이 필요하다.

아데노이드를 평가하는 방법에는 크게 측경부 x-ray를 촬영하거나 비인강 내시경을 통해 확인해 볼 수 있다. 아데노이드 비대증을 기술하는 데는 여러 방법이 있으나 비인강 내시경을 이용한 방법으로는 Parikh 등이 제안한 4단계 분류가 흔히 사용된다. 1단계는 아데노이드 조직이 인접한 구조물과 접촉이 없는 상태를 말하며 2단계는 이관 융기(torus tubarius)에 접하는 경우, 3단계는 서골(vomer)에 접할 때이며 4단계는 연구개(soft palate)에 닿은 상태로 정의한다. 또 다른 방법은 측경부 x-ray를 이용하는 것으로써 Fujioka 방법이 있다. Fujioka 방법은 아데노이드-비인두비(adenoid-nasopharynx, A/N ratio)를 측정하는데 x-ray 상 아데노이드 음영의 가장 바깥쪽 볼록한 지점과 spenobasiocciput 사이의 길이와 speno-basiocciput와 경구개 후방 끝 사이의 길이의 비를 의미한다(그림 33-4). 그러나 소아의 경우 비강이 좁아 내시경으로 비인두 부위까지 접근이 어렵고 x-ray도 아데노이드의 입체적인 구조를 정확히 반영하지는 못하기 때문에 흔히 수술 중 정확한 평가가 이루어진다고 할 수 있다.

소아에서 수면다원검사는 중요하지만, 고비용으로 인해 이학적 검사를 통해 편도 및 아데노이드 비대가 확인된 환자에서는 시행하지 않는다. 수면다원검사가 필요한 경우는

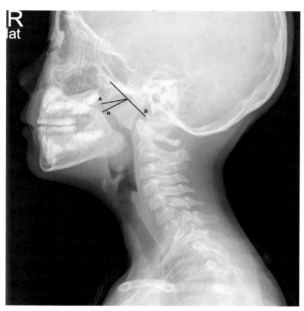

그림 33-4. 6세 남아의 측경부 X-ray 사진과 아데노이드-비인두 비 (adenoid-nasopharynx, A/N ratio) 측정을 위한 Fujioka 방법.

N: speno-basiocciput 와 경구개 후방 끝 사이의 길이, A: 아데노이드 음영의 가장 바깥쪽 볼록한 지점과 speno-basiocciput 사이의 길이, B: speno-basiocciput line

이다. 스테로이드 분무제는 beclomethasone, flunisolide, mometasone, fluticasone 등으로 사이토카인(cytokine)의 생산과 세포의 증식을 감소시키는 작용을 한다. 국소적으로 작용해 전신 부작용이 상대적으로 적으며 3-6개월 이상 사용하였을 때, 아데노이드 크기가 유의하게 감소, 비폐쇄의 호전, 그리고 수술 이후의 재발율도 줄인다는 결과들이 보고되고 있다. 류코트리엔 수용체는 수면무호흡증이 있는 환아의 아데노이드 조직에서 과발현(over-expression)되어 있는 것으로 알려져 있으며 류코트리엔 자체의 농도도 증상이 없는 소아에 비해 높다. 류코트리엔 수용체 길항제는 이러한 수용체에 작용하여 아데노이드 크기를 유의하게 감소시키며 비강 내 스테로이드 분무제와 병합 요법으로 치료하였을 때 비폐쇄 증상 호전 및 객관적인 아데노이드 크기 감소에 더 효과적이었다는 보고가 있다. 또한 인후두 역류증, 천식, 알레르기비염 병력이 있으면 재발로 인한 재수술 가능성이 높다는 연구 결과도 있으므로 아데노이드 비대증에 함께 동반된 질환이 있는 경우 치료를 병행하여야 한다.

① 편도, 아데노이드 비대의 소견이 없으면서 수면무호흡이나 수면장애를 보이는 환자, ② 수술위험성이 높은 동반 질환으로 인해 수술의 위험도 및 이득을 평가하기 위한 경우, ③ 신경학적인 다른 질환을 동반한 경우 중추성 무호흡과 폐쇄성 무호흡을 구분하는 경우에 시행할 수 있다.

7. 아데노이드 비대에 대한 약물치료

소아에 있어 전신마취 및 수술 합병증의 위험성이 높거나 수술적 치료를 할 수 없는 경우도 있기 때문에 수술의 대체 또는 수술 후 재발의 예방 목적으로 약물 치료를 고려할 수 있다. 약물 치료의 주된 목적은 염증의 감소에 의해 비폐쇄이 호전되는 것으로 비강 내 스테로이드 분무제 (intranasal corticosteroid spray)와 류코트리엔 수용체 길항제(leukotriene receptor antagonist)의 사용이 대표적

8. 수술 전 평가

편도 및 아데노이드 제거술을 시행하는 환자에서 수술 전 평가는 중요하며 수술 중 또는 수술 후 발생할 수 있는 부작용을 예측할 수 있다. 혈액응고의 이상여부를 발견하는 것이 중요하며 혈액학적 질환, 과도한 출혈의 병력, 또는 그 가족력을 가지고 있는 환자들은 혈액응고인자에 대한 검사와 혈액 내과 전문의의 자문이 필요하다.

심한 상기도폐쇄를 보이는 환자들은 수면다원검사, 흉부방사선검사, 심전도검사 및 심장내과의 자문을 필요로 하며 폐성심, 고탄산혈증이 있는 환자에서는 수술 후 발생하는 폐쇄성 폐부종(obstructive pulmonary edema)을 피하기 위해서 수술 후 기계환기(mechanical ventilation)와 같은 중환자실 처치가 필요할 수 있다. 다운증후군(Down's syndrome) 환자는 수술 중 경부 신전이 요구되고 이러한 자세 유지로 인해 경추 손상을 입을 수 있으므로 1번 및

2번 경추의 탈구에 대한 평가도 필요하다. 당뇨 환자는 수술 전후 혈당 관리를 엄격히 해야 하며 발작 및 천식의 과거력도 평가해야 한다.

9. 편도 및 아데노이드 절제술

아데노이드와 편도의 제거를 위해 다양한 기술들이 오늘날 사용되고 있다. 박리술 및 전기소작술, 레이저, 편도 기요틴 등 기존의 술식뿐만 아니라 Coblation, Harmonic Scalpel, 그리고 Microdebrider와 같은 새로운 기술들이 개발되고 있다. 또한 내시경을 이용한 방법이 시야 확보 및 정밀한 제거가 가능하여 아데노이드 절제술에서 이용되고 있으며, 편도염 병력이 적은 소아의 경우 술 후 통증이 적은 Microdebrider를 이용한 피타수술(powered intracapsular tonsillectomy and adenoidectomy, PITA)이 시행되고 있다.

1) 적응증(Indications)

일반적으로 편도, 아데노이드 절제술의 적응증은 (1) 만성 재발성 편도선염, (2) 코골이나 수면무호흡증을 증상을 보이는 편도, 아데노이드 비대에 의한 상기도 만성 폐쇄, (3) 종양이 의심되는 경우이다. 편도절제술과 아데노이드 절제술의 적응증은 표 33-2에 요약하였다.

(1) 상기도 폐쇄(upper airway obstruction)

편도 및 아데노이드 비대에 의한 기도폐쇄는 과도한 코골이와 짧은 무호흡을 보이는 경우가 많다. 증상의 심한 정도는 환자의 부모로부터 얻을 수 있으나 환자의 부모가 불분명한 정보를 제공하거나 국소 소견과 기도 폐쇄의 병력이 일치하지 않는 경우에는 기도폐쇄의 정도를 평가하기 위해 수술 전 수면다원검사를 시행할 수 있다.

(2) 만성 감염(chronic infections)

만성 재발성 편도, 아데노이드 염증을 가지고 있는 환자들은 편도, 아데노이드 절제술을 시행하는 것이 좋다. 적절한 내과적 치료에도 불구하고 1년에 3-4번 이상의 편도 또는 아데노이드의 감염이 있는 환자들은 편도 및 아데노이드 절제술의 적응증이 된다. 그 외 여러 적응증에 대해서는 표 33-2에 정리하였다.

PFAPA (Periodic fever, aphthous-stomatitis pharyngi-

표 33-2. **편도 및 아데노이드의 수술 적응증**

	편도절제술	아데노이드 절제술
감염	1. 재발성 급성 편도염(1년 6회 이상 또는 2년 동안 연 3회 이상) 2. 심장판막질환이나 재발성 열성 경련과 연관된 재발성 급성 편도선염 3. 구취, 인후통, 동통이 있는 경부 림프절염을 동반하고 약물치료에 반응하지 않는 만성편도염 4. 편도주위농양 5. 경부림프절농양과 관련된 편도염 6. 약물치료에 반응하지 않으며 연쇄구균보균자나 심한 기도폐쇄를 유발하는 단핵구증 7. PFAPA 증후군 또는 PANDAS 증후군	1. 화농성 아데노이드염 2. 만성삼출성중이염, 재발성급성중이염, 만성 이루 등과 동반된 아데노이드 비대
기도폐쇄	1. 과도한 코골이 및 만성구강호흡 2. 폐쇄성 수면무호흡 또는 수면장애 3. 폐성심, 성장장애, 연하곤란, 발성장애, 두개안면 성장이상, 치아교합장애 등과 동반된 편도비대	1. 심한 코골이 및 만성구강호흡과 동반된 아데노이드 비대 2. 폐쇄성 수면무호흡 또는 수면장애 3. 폐성심, 성장장애, 연하곤란, 발성장애, 두개안면 성장이상, 치아교합장애 등과 동반된 아데노이드 비대
기타	1. 종양이 의심되는 일측성 편도비대	1. 종양이 의심되는 아데노이드 비대 2. 만성부비동염과 동반된 아데노이드 비대

tis, and cervical adenopathy) 증후군은 주기적인 발열, 아프타성 구내염, 인두염과 경부 림프절 종대가 동시에 발생하는 질환이다. 진단 기준은 ① 5세 이전에 발병, ② 아프타성 구내염 또는 인두염, 그리고 백혈구 증가나 ESR 증가를 동반하는 5일 정도 지속되는 고열이 주기적으로 갑자기 반복적으로 발생, ③ 증상이 없는 무증상 기간이 있음, ④ 주기성 호중구감소증(cyclic neutropenia)은 배제, ⑤ 다른 소아 발열 질환은 배제, ⑥ 다른 자가면역질환이나 면역 억제 질환이 배제되어야 한다. 아직 원인은 미상이나 편도절제술 후 재발이 없다는 보고가 있다.

PANDAS (Pediatric Autoimmune Neuropsychiatric Disorders Associated with Streptococcal infection) 증후군은 이비인후과에서는 매우 드문 질환이다. PANDAS 증후군은 연쇄구균 감염이 행동과 운동에 관여하는 대뇌기저핵(basal ganglia)에 대한 항신경자가항체(antineuronal antibody)의 발생을 촉진하는 것으로 생각된다. PANDAS 증후군의 진단은 ① 강박장애 또는 틱 장애, ② 3세에서 사춘기 사이에 발병, ③ 만성적인 완화와 악화 반복(episodic course of symptom severity), ④ A군 베타 용혈성 연쇄구균(GABHS)과 연관성, ⑤ 신경학적 질환과 동반되는 것을 특징으로 한다. PFAPA 증후군보다는 편도절제술에 대한 연구는 미흡하지만, 편도절제술 후 증상이 호전되었다는 연구가 있다.

따라서 편도 및 아데노이드 절제술을 통해 얻을 수 있는 장점은 ① 편도염, 편도결석 및 이로 인한 구취에서 자유롭고, ② 편도 및 인두 주위 종양 등 심경부감염의 발병률이 감소하며, ③ 코골이 및 폐쇄성 수면무호흡의 증상 완화에 도움이 되고, ④ 소아의 비염, 부비동염, 중이염의 증상 및 재발율 경감에 도움이 된다.

10. 아데노이드 절제술(Adenoidectomy)

1) 적응증(Indications)
만성 아데노이드염, 아데노이드 비대로 인한 심한 코골이와 구강 호흡, 아데노이드 비대로 인한 수면 중 무호흡이나 수면 장애 등이 있는 경우 아데노이드절제술이 필요할 수 있다. 그 외에도 여러 적응증에 대해서는 표 33-2에 정리하였다. 아데노이드 비대와 연관성 만성부비동염은 첫 수술로 광범위한 부비동 수술보다는 아데노이드절제술이 좋다. 그리고 아데노이드비대와 약물에 반응하지 않은 만성비염에서도 아데노이드절제술을 하는 것이 좋다. 만성 부비동염을 동반한 아데노이드의 점막 표면에는 세균 감염의 원천이 되는 바이오필름(biofilm)이 있는 경우가 많아 수술로써 아데노이드를 제거해야 한다.

2) 아데노이드 절제술과 중이염
중이염의 원인으로 아데노이드의 역할에 대해서는 아직 논란이 있지만, 아데노이드에 대한 적절한 치료는 만성 중이염의 진단과 치료에 중요한 역할을 한다. 아데노이드 절제술은 중이염의 발생 빈도와 중이 환기관(ventilation tubes)의 삽입 가능성을 줄인다. 아데노이드 절제술은 중이염의 원천인 오염된 비인강 점막 조직을 제거하는 역할과 이관(eustachian tube)의 해부학적 폐쇄를 제거하는 기능이 있다. 아데노이드 절제술 시 이관에 대한 조작은 이관 기능의 장애를 유발하여 중이염을 야기할 수도 있어 세심하고 적절한 수술 술기가 중요하다.

11. 편도 및 아데노이드 절제술: 외과적 술기

고식적인(sharp instrumentation) 편도아데노이드 절제술이 보고된 이후 다양한 수술기구를 이용한 수술 방법이 보고되었다(그림 33-5). 최근에는 주로 전기소작기을 이용하는 방법이 많이 사용되고 있으나, 전기소작법 이외에도 Coblator, Microdebrider, Harmonic Scalpel, Laser tonsillectomy 등을 이용하는 방법이 사용되고 있다. 고식적인 수술 방법이 전기소작기을 이용한 수술에 비해 수술 후 동통이 적은 것으로 생각되나, 전기소작기를 이용한 방법은 수술 중 출혈이 적은 것으로 보고되고 있다.

Coblation은 고주파 쌍극자전류(radiofrequency bipolar electrical current) 시스템을 통해 세포 간의 결합을 끊

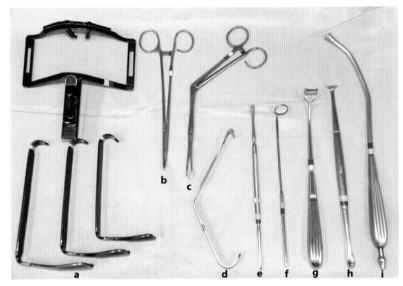

그림 33-5. **편도아데노이드 절제술 수술 기구**
a. Dingman mouth gag with tongue plates, **b.** Schnidt tonsil forceps, **c.** Tivnen Tyding tonsil seizing forceps, **d.** Love tonsillectomy retractor, **e.** Freer elevator, **f.** Laryngeal mirror, **g.** Backmann adenoid curette, **h.** Hurd tonsil dissector and pillar retractor, **j.** Yankauer tonsil suction tube

고, 60°C에서 조직을 증발시킴으로써 조직을 절개하고 수술 후 통증을 적게 한다. Coblation을 이용하여 완전한 편도절제술(complete tonsillectomy)을 할 수도 있지만, 인두수축근에 림프 조직을 일부 남기는 피막내 편도절제술(intracapsular tonsillectomy 또는 tonsillotomy)을 시행하는 경우도 많다. 이런 경우 Harmonic scalpel이나 전기소작술에 의한 방법에 비해 수술 후 동통은 적어 회복이 빠르다는 장점이 있으나 일부에서 수술 후 출혈이 많다는 보고도 있다.

Harmonic Scalpel은 조직의 열손상을 최소화하면서 조직을 절개하기 위해 55.5 KHz로 진동하는 기구를 이용하여 절단과 지혈을 동시에 시행할 수 있다. 초기에는 주로 복강경 수술에 많이 이용되었으나 최근에는 여러 외과 수술에 많이 사용된다. Harmonic scalpel을 사용하는 경우 전기소작기를 이용하는 것보다는 수술 시간은 더 많이 소요되고 비용도 많이 들지만, 수술 후 동통이 적고 수술 후 첫 3일 동안 잠을 편하게 자는 경우가 많다.

부분편도절제술(subtotal tonsillectomy)은 과거에 비해 최근에 많이 시행하는 수술 방법으로 피막내 편도절제술(intracapsular tonsillectomy 또는 tonsillotomy)이라고 부르며 피타수술(PITA)로 알려져 있다(그림 33-6). 2002년 Koltai

가 microdebrider를 통한 절제술을 처음 제안하였으며 기존의 편도절제술과 비교하였을 때 술 중 출혈량의 감소, 빠른 정상 식이 섭취, 적은 통증 등이 장점으로 특히 수면무호흡증 환아에게 효과적이다. 이 수술 방법은 앞에서 기술한 최근에 개발된 여러 가지 수술 기구의 발전으로 인해 보편화되었으며 고식적인 수술방법과의 차이점은 점막 절개를 시행하지 않고, 편도 주위 피막을 박리하지도 않는다는 것이다. 또한 편도주위 근막이나 인두 근육 조직에는 직접적인 소작을 시행하지 않으므로 수술 후 동통이나 불편감이 적다. 다양한 형태의 microdebrider을 이용한 방법은 비대한 편도 조직만을 제거하는 방법으로 수술 후 동통이 적어 진통제 사용이 적고, 또한 일상적인 생활이나 정상적인 식사를 빨리하는 경향이 있다(그림 33-7). 또한 전기소작기를 이용하여 수술하는 것에 비해 수술 후 출혈의 빈도는 높지 않고 약간 낮은 경향을 보이나 남아 있는 편도 조직에서 편도선염이 재발할 수 있기 때문에 만성 편도선염보다는 만성 편도비대에서 시행하는 것이 좋다는 주장이 있다. 이 수술법에서 중요하게 고려해야 하는 점은 남아 있는 편도 조직에서 편도선이 재성장(regrowth)하여 편도선비대로 인한 상기도폐쇄의 가능성이다. 일부 보고에서 편도선의 재성장은 3.2%로 보고하여 그 가능성은 매우 낮지만, 수술 시 재

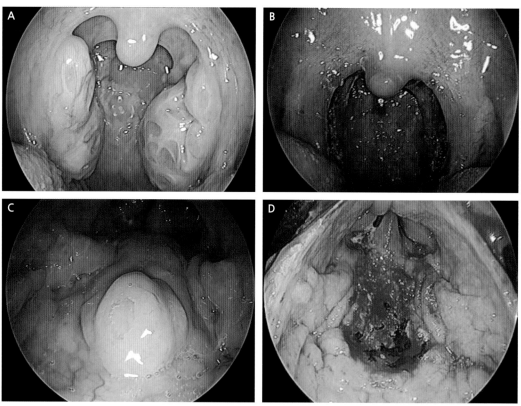

그림 33-6. 편도아데노이드에 대한 microdebrider을 이용한 수술 후 사진
A. 편도 절제술 전, B. 편도절제술 후, C. 아데노이드절제술 전, D. 아데노이드절제술 후

성장과 기도폐쇄의 가능성에 대해서는 설명하여야 할 것으로 생각된다. 그러나 남아 있는 편도조직에서 편도선염이 재발하였다는 증거는 아직 충분하지 않으며 최근 메타분석 연구에 따르면 치료 성적은 거의 동일하다는 보고가 많아 논란은 있으나 술자의 선호에 따르면 될 것으로 보인다. Micrdebrider을 이용하면 아데노이드을 보다 정확하고, 빠르며 안선하게 설제할 수 있고, 수술 중 출혈노 석으나 고식적인 방법에 비해 비용이 비싸다는 단점이 있다.

1) 수술 술기

세심한 박리 술기와 낮은 전류압(lower electrocautery wattage)을 이용한 전기소작기 편도절제술은 수술 중 출혈과 수술 후 불편감을 최소로 할 수 있다. 환자들은 수술 8시간 전부터 고형식을 금지해야 하며 경우에 따라서는 수술

전 수술 3시간 전까지는 소량의 맑은 물은 가능하다. 수술 전 불안을 호소하는 환자에게는 수술 30분 전에 midazolam hydrochloride (0.5-1 mg/kg) 투여가 필요하다. 수술 전 ampicillin (20 mg/kg; maximum dose, 1 g) 등의 항생제를 정맥투여 한다. 일부에서 수술 전 1주일간의 항생제 치료는 수술 후 위험도를 낮춘다는 보고도 있다. 폐쇄성 수면무호흡증 또는 3세 미만의 환자는 수술 중에 dexamethasone (0.5 mg/kg)을 투여하면 기도 부종이 감소하고 회복 시간을 줄인다는 보고도 있으나, 1회의 투여로는 효과가 없다는 보고도 있다. 수술 전에 편도주위에 국소마취제를 사용하는 것은 수술 중 출혈과 수술 후 동통을 줄일 수 있다.

전신마취하에서 Rose 자세를 취한 후 개구기(mouth gag)를 설치하여 구인두를 잘 노출시킨다. 고무 카테터 (nelaton catheter)를 콧구멍에 넣어 구강으로 나오게 한 후

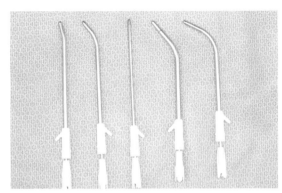

그림 33-7. **편도와 아데노이드 수술을 위한 여러가지 형태의 micro-debrider tip 모양**

Kelly clamp로 고정시켜 비인두를 잘 보이게 한다. 이때 시진과 촉진을 통해 잠복 점막하 구개열이 있는지 잘 관찰하여야 한다. 만약 잠복 점막하 구개열이 있는 경우에는 편도, 아데노이드 절제술은 꼭 필요한 경우가 아니라면 시행하지 않으며 microdebrider을 이용한 아데노이드 절제술이 유용할 수 있다.

아데노이드 절제술은 아데노이드 큐렛을 주로 사용한다. 비인두 거울을 통해 아데노이드의 크기를 재고 큐렛을 비인두의 위쪽에 위치시킨 후 척추 앞부분을 깊게 관통하지 않도록 주의하면서 아데노이드를 조심스럽게 제거한다. Microdebrider을 이용하여 아데노이드 절제술을 하는 경우 노출 방법은 동일하다. 비인두 거울을 보면서 아데노이드를 절제하며 제거하는 부위를 너무 넓게 하여 이관융기와 이관입구부가 손상되는 것을 주의하여야 한다. 원하는 모든 아데노이드 조직이 제거되면 비인두를 패킹하여 지혈시킨다.

다음으로 편도절제술을 시행하기 전 비인두를 다시 확인하여 전기소작기로 지혈한다. 수술 후 통증을 감소시키고 혀의 혈액 순환을 원활히 하기 위해 개구기의 혀 날개 부위를 풀어 주면 도움이 된다. 혈액과 분비물이 식도로 들어가면 수술 후 오심과 구토를 유발할 수 있어 식도로 넘어가는 것을 방지하기 위해 패킹을 시행한다. 또한 기관삽관 튜브 주위의 출혈에 인해 후두 내에 고여있는 혈액은 기관 삽관 제거 후 기도 폐쇄를 야기할 수 있어 주의하여야

한다. 소아에서는 편도 및 아데노이드 절제술 시 양압 호흡 시 공기가 유출되게 하기 위해 cuff가 없는 기관삽관튜브을 사용하기도 하며 이로 인해 수술 시 드물게 유출된 산소에 의해 화재가 보고되기도 하였다.

편도절제술은 전기소작기이나 고식적 수술기구를 이용하여 시행한다. Allis clamp 등으로 편도를 잡은 후 편도를 내측으로 당기면서 편도상극에 절개를 가한다. 편도 피막을 확인하고 조심스럽게 피막과 편도바닥 사이에 있는 무혈공간(avascular plane)을 따라 박리한다. 전기소작기나 고식적 기구로 조심스럽게 편도를 아래쪽까지 박리한 후 편도를 제거한다. 편도와를 패킹하고 다른 쪽의 편도도 같은 방법으로 시행한다. 후구개궁(posterior pillar)에 대한 과도한 전기소작이나 제거는 수술 후 비인두 협착이 생길 수 있으므로 주의해야 한다.

편도와에 있는 패킹을 제거한 후 발견한 출혈은 전기소작으로 지혈이 가능하나 심한 출혈의 경우에는 혈관을 결찰하여야 한다. 편도 하극에 위치한 외상악동맥과 설동맥을 적절하게 결찰하지 못하면 심각한 출혈을 유발할 수 있다. 또한 편도와에 가까이 있는 내경동맥이 손상 받을 경우 가성동맥류와 과다출혈을 일으킬 수 있다. 구인두와 비인두가 완전히 지혈되면 구강과 비강을 세척하고 하인두의 분비물과 혈전을 제거한 후 수술을 종료한다.

일반적으로 수면무호흡증을 가진 3세 미만의 환아들은 입원하여 경과관찰하고, 외래 통원수술 환자들은 2-4시간 동안 관찰한 뒤 퇴원한다. 음식물 섭취가 용이하기 전까지 정맥내 수액요법을 시행하여야 하며 lactated Ringer's solution이나 0.5% normal saline을 사용한다. 통증을 줄이기 위해 acetaminophen 단독 또는 Codeine과 병용하여 처방하기도 하며, 1주일간의 경구 항생제를 처방한다. 환자의 식이요법은 맑은 유동식(clear liquid diet)부터 시작하여 약 2주간 부드러운 음식(soft diet)을 섭취 후 점차적으로 고형식(solid diet)으로 시행한다. 수술 후 코나 구강 내에서 선홍색의 출혈이 있으면 응급실로 바로 오도록 교육하여야 한다. 술 후 통증은 1-2주 정도 발생하며 방사통으로 인한 양측 혹은 편측 이통을 호소할 수 있다. 통증이 있을 때 acetaminophen은 사용해도 되지만 ibuprofen 등 NSAID

약물은 출혈을 유발할 수 있으므로 주의한다.

2) 입원과 외래 통원 수술의 비교

비록 외래 통원을 통한 편도절제술은 안전하고 비용이 절약되는 방법이지만 수술 후 합병증 발생 위험성이 있거나 장기간의 관찰이 필요한 환자들은 미리 수술 전에 파악하여야 한다. 입원 관찰이 필요한 환자들은 (1) 수술 후 기도와 관련된 합병증의 발생 가능성이 높은 3세 미만의 소아, (2) 비정상적 출혈질환 또는 혈액응고 검사결과의 이상 병력이 있는 환자, (3) 심각한 폐쇄성 수면무호흡증이 있는 환자, (4) 다운증후군 같은 두개안면에 이상이 있는 환자, (5) 심폐질환 또는 천식 등의 전신질환이 동반한 환자들이다. 이외에도 편도주위 농양으로 수술하는 경우, 병원과 집사이의 거리가 1시간 이상으로 멀거나 집에서 안정되게 수술 후 관찰할 수 없는 경우에 입원을 고려하여야 한다.

3) 합병증

편도 및 아데노이드 수술에 따른 심각한 수술 후 합병증은 통증, 출혈, 기도폐색, 수술 후 폐의 부종, 구개인두부전, 비인두 협착, 그리고 사망이 있다. 최근 마취 및 수술 술기의 발달로 인해 합병증은 많이 감소하였지만, 16,000-35,000명 수술 중에서 1명의 비율로 마취나 출혈에 의해 사망하는 것으로 보고되고 있다. 그 외에 경돌설골인대의 석회화(eagle syndrome)와 관련된 만성적인 수술 후 통증이 간혹 발생한다. 동측 연관이통을 보이며 편도와의 촉진과 방사선검사를 통해 진단할 수 있다. 또한 빠진 치아, 스펀지, 림프 조직 등에 의한 흡인도 발생 가능하며, 의심될 경우 방사선검사를 즉시 시행해야 한다.

(1) 수술 후 출혈(postoperative hemorrhage)

수술 후 출혈은 편도아데노이드 절제술의 가장 흔한 심각한 합병증 중 하나로 수술 후 출혈의 비율은 0.5-10%이다. 세심한 수술 술기와 수술 중 지혈은 수술 후에 발생하는 출혈을 줄일 수 있다. Ketorolac tromethamine 등의 특정 진통제를 수술 전에 사용하는 경우 수술 후 출혈이 증가하는 경향이 있어 이러한 진통제는 편도 및 아데노이드 절제술

이 예정인 환자에서는 피하는 것이 좋다. 수술 후 동통이나 탈수, 만성 편도선염 등이 있는 경우 수술 후 출혈의 빈도가 높다는 보고가 있다. 또한 환자의 나이가 많을수록 편도로 분포하는 혈관이 크고 편도 피막 부근에 반흔 조직이 있어 수술 후 출혈이 증가는 경향이 있다.

편도와의 혈액 공급은 주로 외경동맥에서 유래한 동맥에서 받지만, 내경동맥, 척추동맥, 또는 반대편에서 혈액 공급을 받는 경우도 있기 때문에 심한 출혈 시 동측의 외경동맥만 결찰한다고 반드시 출혈이 멈추는 것은 아니다. 비인두 및 아데노이드는 내경동맥 및 외경동맥으로부터 혈액을 공급받는다. 수술 후 발생하는 출혈은 압박이나 전기소작술에 의해 지혈되는 경우가 많지만 드물게 비정상적인 경동맥의 손상으로 심함 출혈이 아데노이드 절제술 이후에 발생할 수 있고, 이러한 경우 총경동맥을 결찰하면 뇌 손상이 발생할 수도 있다.

출혈은 수술 중, 즉시(수술 후 24시간 이내, immediately) 출혈, 지연성(24시간 이후, delayed) 출혈이 일어날 수 있다(그림 33-8). 수술 중 출혈이 심한 경우에는 혈액 응고 질환이나 중요 혈관 손상에 의해 발생한다. 수술 중 지혈하는 방법으로는 흡입 소작, 결찰, 압박, 봉합 결찰 등의 방법이 있다. 봉합 결찰은 잘 보이지 않는 동맥에 손상을 줄 수 있어 출혈을 더 악화시키거나 지연성 출혈을 일으킬 수 있으므로 조심하여야 한다. 출혈이 심한 경우 경부를 통해 경동맥을 결찰할 수 있으나 매우 드물다. 비인두로부터 지속되는 출혈은 아데노이드 조직의 잔존과 관련이 있을 수 있어 아데노이드를 완전히 제거하는 것이 중요하다.

아데노이드의 수술 후 즉시 출혈(immediately postoperative bleeding)은 국소 충혈완화제(topical decongestant nose drops)를 먼저 사용할 수 있다. 그러나 심한 출혈이 있는 환자는 수술실로 옮겨 비인두 평가와 확실한 지혈을 시행해야 하며, 혈병(blood clot)과 남아 있는 아데노이드를 제거한 후 비인두를 소작해야 한다.

지연성 수술 후 출혈(delayed postoperative bleeding)은 일반적으로 수술 중이나 수술 직후 일어나는 출혈만큼 위험하지는 않지만 적절하게 치료하지 않으면 치명적일 수 있다. 환자나 환자 보호자에게 퇴원 후 발생할 수 있는 지

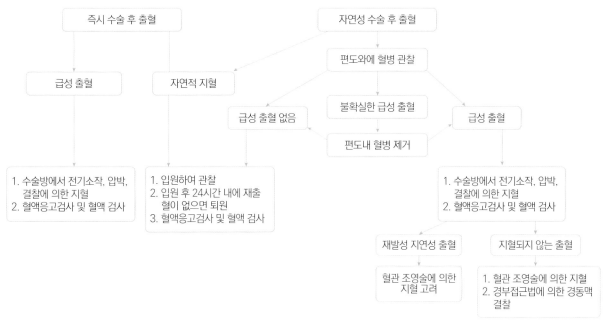

그림 33-8. **수술 후 출혈의 처치**

연성 출혈의 가능성과 코나 입으로부터 선홍색의 출혈 징후가 있으면 즉시 병원으로 내원해야 한다고 충분히 설명해야 한다. 지연성 출혈은 수술 후 5일과 7일 사이에 가장 흔하나 수술 후 14일 이후에도 발생하는 경우가 있다. 이학적 검사상 급성출혈이 확인되면 빠른 지혈을 위해 수술실에서 지혈하여야 한다. 급성 출혈이 없거나 혈병(blood clot)이 편도와에 있는 경우에는 더 이상 조작하지 않는다. 혈병은 출혈 유무를 확인하는 것을 힘들게 하고 섬유소용해(fibrinolysis)에 의해 적절한 지혈을 안 될 수 있어 출혈 여부가 불확실한 경우에는 혈병을 제거하여 출혈 여부를 관찰하여야 한다. 급성 출혈은 없지만 혈병이 편도와에 있는 지연성 출혈 환자는 최소한 하루 정도는 입원하여 주의 깊게 관찰하여야 한다. 또한 혈액 응고검사 및 적혈구용적률(hematocrit)검사를 시행하여야 한다.

(2) 기도 폐쇄와 폐부종
3세 미만의 소아들에게는 편도 및 아데노이드 절제술 후 기도폐쇄가 발생할 수 있다. 혀, 비인두, 구개 등의 부종이 발생한 경우에는 비관(nasal trumpet)을 유치시키고 스테로이드를 정맥내로 주입하여야 한다. 수술 후 인두 내 혈액은 수술 후 기도 폐쇄를 유발할 수 있고, 심하면 사망에 이를 수도 있으므로 수술을 마치기 전에 모든 혈병을 제거하여야 한다. 장기간의 상부기도폐쇄가 있었던 환자들은 수술 후 폐부종이 발생할 가능성이 있으므로 수술 직후 산소포화도 검사를 하여야 하며, 경우에 따라서는 기계환기가 필요한 경우도 있다.

(3) 구개인두부전(velopharyngeal insufficiency, VPI)
구개인두부전은 아데노이드 절제술과 관련된 합병증이다. 구개열이나 잠재성 점막하 구개열 환자들은 아데노이드 절제술의 절대적 적응증이 아니면 수술을 시행하지 않는 것이 좋으며, 수술을 시행한다면 필요한 만큼만 아데노이드 절제술을 시행하는 것이 좋다. 수술 전에 환자가 구개인두부전의 가족력 또는 과비음이나 비강 폐쇄 부전의 과거력이 있는지를 확인하는 것이 중요하며, 음성 이상이 존재한다면 수술 전 언어 치료 평가를 시행해야 한다. 수술 후 구개인두부전이 발생하는 경우는 대부분 일시적이고 시간이 경과함에 따라 호전되지만 음성 치료를 고려해야 한다. 그러나 1년 이상 음성 치료를 시행하여도 심한 구개인두부전이 있는 경우 수술을 고려할 수 있으며 수술적 재건 방법으로는 인두 피판술(pharyngeal flap), 괄약근 성형술(sphincteroplasty), 후두인두벽 확장술(posterior wall augmentation) 등의 방법이 있다.

(4) 비인강 협착증(nasopharyngeal stenosis)

비인강 협착증은 수술적 치료가 필요한 매우 어려운 합병증이다. 후구개궁(posterior pillar)을 포함하는 광범위한 점막 제거에 따르는 비인두와 측인두 점막에 광범위한 소작을 가해 발생할 수 있다. 그 외에도 급성 인두염이나 부비동염이 있을 때 수술한 경우, 비인두 측벽점막을 제거를 동반하는 아데노이드 재수술, 켈로이드 형성에 의해 발생할 수 있으며 비인강 협착증은 수술적 치료가 필요하며 피판술, 스텐트, 피부이식 등 다양한 술기가 사용된다.

(5) 경추 합병증(cervical spine complication)

편도 및 아데노이드 절제술 후 발생하는 매우 드문 합병증으로 환추축 아탈구(atlantoaxial subluxation, Grisel's syndrome)가 발생할 수 있다. 경부에 통증을 유발하며 X-선 촬영, CT, MRI으로 진단할 수 있다. Down 증후군에서 편도, 아데노이드 절제술 후에 잘 발생하므로 주의하여 수술하여야 하며 치료는 증상의 정도나 기간에 따라 다른데, 장기간의 정맥 항생제 투여와 척추 견인(cervical traction)이 필요할 수 있다.

(6) 탈수

소아에게 흔하며 인후통이 심해 입으로 물을 잘 삼키지 못할 때 발생할 수 있다. 수술 후 유동식을 삼킬 수 있기 전까지는 정맥으로 수액 공급을 해주는 것이 예방에 중요하다.

(7) 미각장애 및 혀의 감각이상 또는 마비

편도절제술을 할 때 사용하는 개구기가 혀를 압박하면서 발생할 수 있다. 편도의 하극 근처에는 설인신경의 분지가 지나가므로 지나친 전기소작 등의 지혈은 미각장애를 초래할 수 있으므로 주의해야 한다.

(8) 기타 합병증

사경, 이통, 구역감, 치아 손상 등이 발생할 수 있으며 흡인에 의한 폐렴, Horner 증후군, 시신경염, 뇌막염 등도 드물지만 발생할 수 있다.

■■■■ 참고문헌

• American Academy of Otolaryngology?Head and Neck Surgery. 1995 Clinical Indicators Compendium. Alexandria, VA: American Academy of Otolaryngology Head and Neck Surgery 1995.

• Bluestone CD. Current indications for tonsillectomy and adenoidectomy. Ann Otol Rhinol Laryngol Suppl 1992;155:58.

• Chang KW. Randomized controlled trial of coblation versus electrocautery tonsillectomy. Otolaryngol Head Neck Surg 2005;132:273-280.

• Cohen MS, Getz AE, Isaacson G, Gaughan J, Szeremeta W. Intracapular vs extracapsular tonsillectomy:a comparison of pain. Laryngoscopoe 2007;117:1855-1858.

• Coticchia J, Zuliani G, Coleman C, et al. Biofilm surface area in the pediatric nasopharynx: chronic rhinosinusitis vs obstructive sleep apnea: Arch Otolaryngol Head Neck Surg 2007;133:110-114.

• Derkay CS, Darrow DH, Welch C, et al. Post-tonsillectomy morbidity and quality of life in pediatric patients with obstructive tonsils and adenoid: Microdebrider vs electrocautery. Otolaryngol Head Neck Surg 2006;143:114-120.

• Gallagher TQ, Wilcox L, McGuire E, Derkay CS. Analyzing factors associated with major complications after adenotonsillectomy in 4776 patients: comparing three tonsillectomy techniques. Otolaryngol Head Neck Surg 2010;142:886-892.

• Garetz SL. Behavior, cognition, and quality of life after adenotonsillectomy for pediatric sleep-disordered breathing: summary of the literature. Otolaryngol-Head Neck Surg 2008;138(Suppl):S19-S26.

• Goldstein NA, Fatima M, Campbell TF, et al. Child behaviour and quality of life before and after tonsillectomy and adenoidectomy. Arch Otolaryngol Head Neck Surg 2002;128:770-775.

• Gozal D, Pope DW Jr. Snoring during early childhood and academic performance at ages thirteen to fourteen years. Pediatrics 2001;107:1394-1399.

• Heubi C, Shott SR Sr. PANDAS: pediatric autoimmune neuropsychiatric disorders associated with streptococcal infections-an uncommon, but important indication for tonsillectomy. Int J Pediatr Otorhinolaryngol 2003;67:837-840.

• Javed F, Sadri M, Uddin J, et al. A completed audit cycle on post-tonsillectomy haemorrhage rate: Coblation versus standard tonsillectomy. Acta Otolaryngol 2007;127(Mar):300-304.

• Johnson FS, Stewart MG, Wright CC. An evidencebased review of the treatment of peritonsillar abscess. Otolaryngol Head Neck Surg 2003;128:332-343.

• Kay DJ, Mehta V, Goldsmith AJ. Perioperative adenotonsillectomy management in children: current practices. Laryngoscope 2003;113;592-597.

• Koltai PJ, Chan J, Younes A. Power-assisted adenoidectomy: total and partial resection. Laryngoscope 2002;112:29.

• Koltai PJ, Solares CA, Mascha EJ, et al. Intracapsular partial tonsillectomy for tonsillar hypertrophy in children. Laryngoscope 2002;112(Suppl 100):17-19.

• Licameli G, Jeffrey J. Luz J, Jones D, Kenna M. Effect of adenotonillectomy in PFAPA syndrome. Arch Otolaryngol Head Neck Surg 2008;134:136-140.

• Littlefield PD, Hall DJ, Holtel MR. Radiofrequency excision versus monopolar electrosurgical excision for tonsillectomy. Otolaryngol Head Neck Surg 2005;133;51-54.

• Marshall GS, Edwards KM, Lawton AR. PFAPA syndrome. Pediatr Infect Dis J 1989;8:658-659.

• Noordzij JP, Affleck BD. Coblation versus unipolar electrocautery tonsillectomy: a prospective, randomized, single-blind in adult patients. Laryngoscopoe 2006;116:1303-1309.

• Paradise JL, Bluestone CD, Bachman RZ, et al. Efficacy of tonsillectomy for recurrent throat infection in severely affected children: results of parallel randomized and nonrandomized clinical trials. N Engl J Med 1984;310:674-683.

• Randall DA, Hoffer ME. Complications of tonsillectomy and adenoidectomy. Otolaryngol Head Neck Surg 1998;118:61-68.

• Shirley WP, Woolley AL, Wiatrak BJ. Pharyngitis and adenotonsillar disease. In: Cummings CW, Flint PW, Haughery BH, et al, eds. Otolaryngology: Head and Neck Surgey, 5th ed. St Louis: Mosby Year Book 2010;2782-2802.

• Telian SA. Sore throat and antibiotics. Otolaryngol Clin North Am 1986;19:103.

• Wetmore RF. Tonsil and adenoid surgery. In:Wetmore RF, Muntz HR, McGill TJ, eds. Pediatric Otolaryngology: Principles and practice pathways, 2nd ed. Thieme NewYork Stuttgart 2012:584-59.

• Brambilla I, Pusateri A, Pagella F, et al. Adenoids in Children: Advances in Immunology, Diagnosis, and Surgery. Clin Anat 2014 Apr;27(3):346-352.

• Acar M, Kankilic ES, Koksal AO, et al. Method of the diagnosis of adenoid hypertrophy for physicians: adenoid-nasopharynx ratio. J craniofac Surg 2014 Sep;25(5):e438-440.

• Lee EJ, Kim JH, Hwang HJ, at al. Change in Patient's Ages Who Took an Adenoidectomy for 30 years. J Rhinol 2017;24(1):8-13.

• Chadha NK, Zhang L, Mendoza-Sassi RA, et al. Using nasal steroids to treat nasal obstruction caused by adenoid hypertrophy: Does it work?. Otolaryngology–Head and Neck Surgery 2009;140(2):139-147.

• Chohan A, Lal A, Chohan K, et al. Systematic review and meta-analysis of randomized controlled trials on the role of mometasone in adenoid hypertrophy in children. Int J Pediatr Otorhinolaryngol 2015 Oct;79(10):1599-1608.

• Kar M, Altintoprak N, Muluk NB, et al. Antileukotrienes in adenotonsillar hypertrophy: a review of the literature. Eur Arch Otorhinolaryngol 2016;273:4111-4117.

• Johnston J, Mahadevan M, Douglas RG. Incidence and factors associated with revision adenoidectomy: A retrospective study. Int J Pediatr Otorhinolaryngol 2017 Dec;103:125-128.

• Lee HS, Yoon HY, Jin HJ, et al. The Safety and Efficacy of Powered Intracapsular Tonsillectomy in Children: A Meta-Analysis. Laryngoscope 2018 Mar;128(3):732-744.

Chapter 34

소아 침샘질환

Salivary Gland Disease in Children

은영규

소아 환자에서 침샘 질환은 적은 비중을 차지하지만 소아 이비인후과 진료에서 드물게만 보이지는 않는다. 감별해야 할 진단으로는 전신적인 염증이 동반될 수 있는 급성 또는 만성 염증, 선천성 병변, 혈관 기형, 양성 또는 악성 종양, 외상성 손상 및 많은 전신 질환이 있다(표 34-1, 2).

병력청취와 신체검사를 잘 하는 것이 침샘 질환을 진단하는 데 매우 유용하다. 소아에서 침샘의 질환을 평가하는 방법을 그림 34-1과 그림 34-2, 3에 간략하게 도안하였다. 초음파, 컴퓨터 단층 촬영(CT), 자기 공명 영상(MRI) 및 세침흡인검사(FNAB)는 침샘 질환의 성질과 범위를 보다 철저하게 평가하는 데 유용하다. 침샘 질환의 진단 및 치료에 있어 해부, 생리 및 기능에 대한 포괄적인 이해는 필수적이다.

표 34-1. 소아 침샘 질환의 감별진단

감염성	낭성	발달과정	신생물
급성 침샘염	유피낭종	침샘 무형성/이소성	양성 신생물-혈관종, 림프관 기형, 다형선종
• 바이러스성-유행성이하선염, 인간면역결핍 바이러스, 그 외	새열낭	타액관 기형	악성 신생물-점액 표피양 암종, 선방세포암, 횡문근육종
• 세균성-급성 화농성 침샘염, 신생아 침샘염	점액 일혈성낭(Mucous extravasation cyst)/저류낭	다형낭 이형성 질환(Polycystic dysgenetic disease)	
만성 침샘염			
• 폐쇄성-타석증, 타액관협착증			
• 자가면역성-청소년 재발성 이하선염, 쇼그렌 증후군, 사르코이드증			
• 감염성-비정형성 결핵균, 결핵균, Bartonella henselae, 액티노마이코시스증			

표 34-2. **발생 위치에 따른 일반적인 침샘 질환**

이하선	악하선	설하선과 소타액선
유행성이하선염	타석증	설하선과 소타액선
급성 화농성 침샘염	신생물	점액낭-하마종
청소년 재발성 이하선염	악하선외 질환-임파선염, 임파선병증, 새열기형	괴사성 타액선화생
쇼그렌 증후군		신생물
신생물		
이하선외 질환-임파선염, 임파선병증, 섬모기질종, 새열기형		

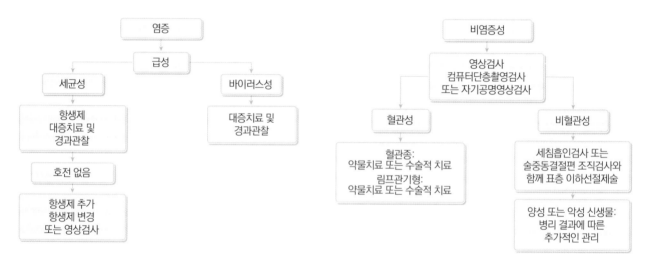

그림 34-1. **급성 염증성 침샘 질환에 대한 알고리즘**

그림 34-3. **비염증성 침샘 질환에 대한 알고리즘**

그림 34-2. **만성 염증성 침샘 질환에 대한 알고리즘**

1. 진단방법

1) 병력청취와 신체검사(History taking and physical examination)

모든 질병 과정에서와 마찬가지로, 철저한 병력청취와 신체검사는 소아에서 침샘 질환의 감별 진단 범위를 좁히기 위해 중요하다. 임상의는 질문을 통해서 염증성 질환, 선천성 질환, 신생물 중 구별할 수 있어야 한다. 병력청취 시에는 증상의 시작, 기간, 위치, 증상의 심각도에 대한 내용이 포함되어야 한다. 급성 부종이나 통증은 보통 염증성 병변으로부터 수반된다. 만성 통증 또는 부종은 염증성 병변 또는 신생물의 가능성이 있으므로 이를 감별할 필요가 있다. 무통성의 급격한 성장은 악성종양을 더욱 시사한다. 양측성 침샘질환은 보통 전신적인 상태와 관계가 있다. 다른 증상은 기전을 이해하는 데 종종 도움을 준다. 발열은 감염이 있음을 시사한다. 음식물 섭취로 인한 통증 또는 부종은 타석증이나 타액관협착 등의 폐쇄를 의심해야 한다. 약물 치료, 예방 접종 상태, 최근 외상, 최근 수술, 동물 노출 및 접촉력 역시 조사되어야 한다.

신체 검사는 홍반, 부종, 피부 침범 또는 누공의 존재와 같은 피부의 변화뿐만 아니라 땀샘의 위치, 크기, 이동성, 대칭, 압통, 경도에 대한 정보가 기술되어야 한다. 추가적으로 침샘의 양수 촉진, 타액관 입구의 시진, 타액 검사, 뇌신경에 대한 검진이 포함된다. 침샘을 마사지하며 타액관 입구에서의 타액 또는 분비물을 관찰하는 것은 타액관 협착으로 인한 질환 또는 농성 질환을 감별하는 데 유용하다. 침샘의 전반적인 비대는 염증성 질환을 시사하지만, 고립된 경결은 신생물을 의심하게 한다. 신체 검사만으로는 종물이 낭성, 고형, 침샘 내부 또는 침샘 주변의 문제인지 판단하기 어려울 수 있다. 타액선을 마사지하면서 시행하는 타액관 입구의 시진은 타액의 성질을 확인하기 위해 필수적으로 시행되어야 한다. 농성 분비물이 동반된 타액관의 홍반성 변화는 세균성 침샘질환의 징후이다. 신경마비는 악성종양의 가능성을 시사한다. 위축성 피부변화는 감염, 특히 비결핵성 박테리아 감염에서 종종 나타난다.

2) 혈액 검사(Laboratory studies)

혈액 검사는 침샘 질환의 감별진단 범위를 좁히고 적절한 치료를 결정하는 데 도움을 준다. CRP 같은 염증성 마커는 치료 효과를 판단하는 데 사용할 수 있다. 48시간 이내에 해결되지 않음은 부적절한 치료였음을 나타내거나 농양이 발생했음을 생각해야 한다. 유행성이하선염의 혈청학적 검사 및 amylase 수치는 특정 증례에서 유용할 수 있다. 세균 배양은 화농성 감염에서 항생제를 결정하기 위해 시행해야 한다. 양측 침샘질환은 종종 자가면역 검사 등을 이용해 전신 질환을 감별해야 한다. 일반적인 자가면역 검사에는 항핵 항체(ANA), 류마티스 인자, 항 호중구 세포질 항체, SS-A 및 SS-B가 포함된다. 다른 검사로는 HIV 및 투베르쿨린 피부 검사가 있다.

3) 영상검사(Imaging)

많은 영상 진단은 침샘 질환의 진단 및 치료 계획을 세우는 데 도움을 준다. 기존에는 단순촬영 및 타액선조영술(sialography)이 주요 검사였으나, 현재는 대부분 초음파(US), 컴퓨터 단층 촬영(CT) 및 자기 공명 영상(MRI)으로 대체되었다. 촬영된 영상은 임상적으로 연관되어야 하며, 영상의 역할은 병변의 국소화, 성질의 평가, 침범 범위의 결정이 있다.

초음파는 비침습적이고, 저렴하고, 방사선 노출을 피할 수 있으므로 소아에서 가장 유용한 검사이다. 표층의 이하선 및 악하선 질환에서 초음파의 정밀도는 CR 또는 MRI와 비슷하다. 초음파는 2 mm 이상의 타석 중 90% 이상을 감지할 수 있다. 초음파는 농양 및 혈관 병변을 진단하는 데 유용하며, 표층 병변의 세침흡입검사를 시행할 때 도움을 준다. 초음파는 침샘 외의 병변과 침샘 내의 병변을 구분하고, 낭성 및 고형 종물을 식별하고, 혈관성, 인접 구조물의 완전성을 평가하고 세침흡입검사에 대한 지침을 제공할 수 있다. 초음파는 염증성 병변의 평가에 일반적으로 사용할 수 있다. 초음파는 농양 또는 타석으로 인한 염증을 쉽게 구분하는 데 좋은 도구이다. 고형 종물이 확인되면 추가적인 영상 검사를 시행할 수 있다. 초음파의 단점은 검사자에 따라 영향을 받으며 심층 이하선에 대한 평가가 어렵다는 점이 있다.

CT 또는 MRI를 이용한 단면 영상화는 침샘 종양을 식별하는 데 거의 100%에 가까운 민감도를 갖는다. CT는 종종 타액선염, 타액관석 또는 협착(stenosis), 하마종(ranula) 및 농양과 같은 염증성 및 협착성 조건에서 가장 먼저 시행되는 검사이다. CT를 통해 해부학적 정보를 얻고 수술적 치료의 계획을 세울 수 있다. CT의 장점은 촬영이 빠르고 진정제가 필요 없으므로 소아에서 유리하다. 대부분의 종물은 먼저 CT 촬영을 해야 한다. MRI는 신생물 또는 인두주위공간의 종물이 의심되는 경우 가장 먼저 촬영해야 한다. MRI를 통해 연조직 부위의 정보와 종양 경계, 범위, 침투 깊이, 안면 신경의 침범 및 신경 주위 침범을 식별할 수 있다. 그러나 MRI의 단점은 비용이 많이 들고, 시간이 길며, 따라서 진정제가 필요할 수도 있다. 영상은 양성과 악성을 구분하는 데 도움을 줄 수 있지만, 확진을 위해서는 조직학적 진단이 필요하다. 타액선조영술(sialography)은 타액관으로 조영제의 역행적인 주입을 통해 태악관의 주행과 개방 여부를 시각화한다. 이전에는 만성 침샘염의 진단에 사용되었지만, 현재는 혈액검사 및 해상도가 높아진 CT, MRI, sialoendoscopy로 대체되었다.

4) 타액선내시경(Sialoendoscopy)
타액선내시경은 최근 폐쇄성 및 염증성 침샘질환의 진단 및 치료를 위한 추가적인 방법으로 도입되었다. 기구의 발전은 소아에서 타액선내시경을 사용하여 타액관 해부를 시각화할 뿐만 아니라 경구강 접근의 범위를 벗어난 돌을 제거할 수 있게 한다. 타액선내시경에 대한 적응증은 이하선 및 악하선의 만성 및 급성 염증성 또는 폐쇄성 질환, 청소년 재발성 이하선염, Sjögren 증후군, 선천성 및 후천적 타액관 협착증 및 타석증이 있다.

5) 조직검사(Biopsy)
세침흡인검사(FNA)는 성인의 침샘질환 진단 과정에서 중요하다. 소아에서의 역할은 상대적으로 덜 명확하다. 세침흡인검사는 수술 전 신생물 및 비신생물 병변을 구별할 수 있는 안전한 방법이다. 소아에서의 사용은 제한적인데, 대부분의 소아는 검체를 얻기 위해 진정이 필요하고, 흡인물

을 판독할 수 있는 잘 훈련된 소아 병리학자의 부족하기 때문이다. 그럼에도 불구하고, 10세 이상의 대부분의 소아는 세침흡인검사를 시행하기에 충분히 협조적이다. 만약 악성으로 의심되는 병변이 있는 소아에게서 세침흡인검사를 시행할 수 없으면 수술 중 동결 절편을 얻을 수도 있다. 수술 중 동결 절편은 절개 생검과는 다르게 이하선 천엽절제술 또는 악하선 절제술이 수행됨을 의미한다. 그러나, 절개 생검은 림프증식성질환 및 쇼그렌 또는 자가 면역 질환 의심자의 진단 과정에서 이하선 천엽절제술에 대한 가능한 대체 진단법이다.

6) 진단적 접근
소아 침샘질환을 평가하는 첫 번째 단계는 병변이 염증성인지 비염증성인지를 확인하는 것이다(그림 34-1~3). 침샘질환의 대부분은 염증성이거나, 악성 종양의 경우에도 저악성도인 경우가 대부분이기 때문에, 일부 의사들은 추가적인 진단적 검사 전에 항생제의 우선적인 사용을 옹호하기도 한다. 급성 염증성 병변은 항생제 치료를 먼저 시도한 후 대증적 치료 및 경과 관찰을 해야 한다. 적절한 치료 및 경과 관찰 후에 병변이 해결되지 않으면 항생제 치료를 연장하거나 초음파로 추가 검사를 하여 농양이 발생했는지 또는 다른 질환을 의심해야 하는지 결정할 수 있다. 만성 또는 재발성 염증성 침샘질환은 일측성 또는 양측성, 통증성 또는 통증이 없는 것으로 분류될 수 있다. 자가 면역 장애에 대한 혈액 검사는 양측성 이하선 질환의 검사에서 중요한 역할을 한다. 비염증성 병변은 종종 악성 종양에 대해 의심해야 한다. CT는 종종 이러한 병변을 진단하는 초기 단계이다. 환자가 협조적인 경우 FNA를 시행해야 한다. 그렇지 않은 경우, 수술 중 동결절편이 계획된 이하신 천엽절제술이 절제 범위를 결정하는 데 도움이 된다.

2. 염증성 질환

침샘의 염증성 질환은 침샘 비대의 가장 흔한 원인이다. 염증성 침샘 질환은 급성 또는 만성 과정으로 분류될 수 있다.

1) 급성 침샘염(Acute Sialadenitis)

(1) 바이러스성 침샘염(viral sialadenitis)

유행성이하선염에 수반되는 바이러스성 이하선염은 한 때 소아에서 이하 부위의 가장 흔한 원인이었지만, para-myxovirus에 대한 백신 접종으로 인해 현재는 발병률이 감소했다. 바이러스성 침샘염을 의심하는 단서는 타액선 부종이 시작되기 전 발생하는 열감 및 불쾌감이다. 양측성 비대는 세균성 침샘염보다 더 흔하다. 양손으로 촉지하였을 때 맑은 타액을 확인할 수 있으며, 타액관 입구가 홍반성 변화를 보인다. 유행성이하선염은 다른 바이러스에 의해 종종 발생하는데, 가장 흔한 병인은 엡스타인-바 바이러스(Epstein-Barr virus)이다. 또한 parainfluenza, adenovirus, enterovirus, and herpes virus가 원인이 된다. 바이러스성 침샘염이 의심되는 대부분의 환자는 병리학적 검사를 받지 않으며 대증적 치료로 대부분 치료가 가능하다.

(2) 유행성이하선염(mumps)

유행성이하선염의 발병률은 백신 접종 이후 크게 감소했다. 유행성이하선염의 증상에는 양측성 이하선 부종, 발열, 오한, 통증, 연하 및 저작의 장애가 있다. 유행성이하선염은 겨울과 봄철에 더 자주 발생하며 발생의 85%는 소아에게서 발생한다. 잠복기는 일반적으로 증상이 시작된 날로부터 14일에서 21일이다. 대부분의 이하선 부위 부종이 시작되기 전에 며칠 동안 열, 불쾌감 및 식욕 부진의 병력이 있다. 양측성 이하선 부위 부종은 증상이있는 환자의 90% 정도에 있다. 그러나 10%에서는 고립된 악하선 부종으로 나타날 수도 있다. 신체 검사 상에서는 홍반성의 Stenson's papilla에서 맑은 타액 배출과 비대되고 압통이 있는 이하선을 확인할 수 있다. 증상은 일반적으로 최대 1주일이다. 합병증은 학동기 소아에서 많이 발생하며 고환염, 수막염, 뇌염, 감각신경성 난청 및 췌장염이 있다. 유행성이하선염의 진단은 일반적으로 임상적으로 한다. 혈액 검사는 감염이 의심되는 경우 즉시 시행되어야 한다. 유행성이하선염 감염의 증거는 양성 IgM 유행성이하선염 항체(최대 4주까지 유지), 급성 및 융해성 표본 사이에서 IgG 역가의 현저한 증가, 또는 감염된 유체(타액, 소변, 뇌척수액)로부터 유행성이하선염 바이러스 또는 핵산의 검출이 있다. 예방 접종을 받은 개인의 유행성이하선염 IgM이 음성이라 하더라도 유행성이하선염을 배제할 수는 없다. 림프구 증가가 동반된 백혈구감소증과 증가된 혈청 아밀라아제 수치가 관찰되기도 한다. 이하선염의 치료는 대증적으로 한다.

(3) Epstein-Barr Virus

인간 헤르페스 바이러스 4(HHV-4)로도 알려진 엡스타인-바 바이러스(EBV)는 전염성 단핵구증의 원인이며, 사춘기 소아에서 타액선의 급성 염증의 주요 원인이다. 잠복기는 30일에서 50일 사이이다. 환자는 완전히 무증상일 수 있으며 열, 인후통 및 후경부 임파선 병증의 삼주징이 있을 수 있다. 임파선 병증은 이하선과 악화선 주위의 임파선을 포함한다. 심한 경우 비장 비대가 발생할 수 있으며 환자는 휴식을 취하고 운동을 피해야 한다. 피로는 몇 달 동안 지속될 수 있다. 전신적 스테로이드가 심각한 경우에는 필요할 수 있지만, 치료는 일반적으로 대증적으로 시행된다.

(4) Human Immunodeficiency Virus

인간 면역 결핍 바이러스 침샘 질환(HIV-SGD)은 소아 HIV 환자의 거의 50%에 존재할 수 있으며, 때때로 HIV의 초기 증상일 수 있다. 인간 면역 결핍 바이러스 침샘 질환은 구강 건조증, 타액선 비대 또는 이 둘의 조합으로 나타날 수 있다. 인간 면역 결핍 바이러스(HIV)를 가진 소아의 50% 이상이 경부 종괴를 가지고 있으며, 그중 대다수는 침샘과 관련이 있다. 타액선 비대는 소아 HIV 환자의 최대 10%에서 보고되고 있다. 타액선 비대는 항레트로바이러스 치료를 통해 감소한다. 타액선 비대는 일반적으로 서서히 진행되고 무통성의 양측성 이하선 확대로 나타난다. 여러 개의 이하선 낭종이 발견된 모든 환자는 감염이 진단되지 않았다면 꼭 인간 면역 결핍 바이러스 검사를 받아야 한다. 다른 양성 또는 악성의 가능성을 배제하기 위해 세침흡인검사를 이용한 양성 림프상피 낭(benign lymphoepithelial cyst, BLEC)의 병리 진단이 권장된다. 영상검사에서 명확한 고형 비대 또는 추적 관찰에서 낭종 또는 결절이 커지는 환자는 악성 종양을 배제하기 위한 생검을 시행해야만 한다. 대부분의 환자는 항레트로바이러스 치료를 시행할 수 있고, 악성 변이를 배제하기 위한 경과 관찰을 한다. 의학적 치료 후에도 개선되지 않는 증상이 있는 비대 환자의 경우 반복 흡인, 경화 요법 또는 이하선 전절제술이 필요할 수 있다.

2) 세균성 침샘염(Bacterial Sialadenitis)

(1) 급성 화농성 침샘염(acute suppurative sialadenitis)

바이러스 병인과 대조적으로, 급성 화농성 침샘염 환자는 보통 일측성으로 침범하며, 고열 및 통증이 있다. 화농성 침샘염의 징후는 타액관계로부터 농성 물질의 발현이다. 소아의 급성 화농성 침샘염은 종종 관련된 침샘을 확인하여 의심할 수 있다. 급성 화농성 침샘염은 일반적으로 근본적인 전신 인자의 결과로 발생한다. 가장 일반적인 시나리오는 소아에서 바이러스성 질병으로 인한 탈수로부터 유래된 침샘염의 발병이다. 급성 화농성 침샘염의 진단은 일반적으로 일측성 통증성 부종, 발열 및 타액관의 화농성 분비물에 대한 발견에 근거하여 임상적으로 이루어진다. 다른 증상으로는 과도한 피부 홍반 및 경부 임파선병증이 있다. 초음파 또는 CT는 보통 불필요하지만 농양이나 종괴가 있는 것으로 의심되거나 적절한 항생제 치료 시도에 반응이 없는 경우 사용할 수 있다. 경험적 항생제 치료를 시작하기 전에 농성 분비물에 대한 배양 검사를 시행해야 한다. 가장 흔한 병원균은 Staphylococcus aureus, Streptococcus viridans이다. 그 외에도 Haemophilus influenzae, Escherichia coli 및 혐기성 균이 있다. 치료로 적절한 수액 공급, 타액분비촉진제(예: 신 사탕, 레몬 방울 및 피클), 진통제 및 따뜻한 압박을 시행하며, 이는 타액의 흐름을 증가시키고 염증을 줄인다. 전신적 항생제는 배양 결과가 나오기 전에 먼저 경험적으로 시작한다. 경정맥 항생제는 동반 질환이 있는 소아 또는 봉와직염, 패혈증과 같은 중증 감염의 경우에 필요하다. 항생제의 선택은 감염의 심각성 및 정도, 환자의 면역 능력 및 동반 질환에 따라 달라지며, 치료에 대한 반응 및 이용 가능한 배양 결과에 따라 조정해야 한다. 선택 가능한 항생제는 amoxicillin/clavulanate (경구 투여 [PO]), ampicillin/ sulbactam (IV), nafcillin (IV),

clindamycin (PO or IV), cephalexin, cefazolin 또는 cefuroxime에 추가하여 metronidazole (IV), vancomycin 또는 linezolid (IV; methicillin- resistant Staphylococcus aureus 인 경우), metronidazole (혐기성인 경우)를 사용할 수 있다. 감염이 심경부 공간으로 파급될 수 있으므로 주의 깊게 경과 관찰을 해야 한다. 정맥 내 항생제에 대한 적응증에는 탈수, 고열, 백혈구 증가증 및 추가 동반 질환이 있다. 임상적인 반응은 적절한 항생제를 시작한 후 48시간 이내에 일어나야 한다. 만약 증상이 지속된다면 가능한 농양 형성, 관석 또는 결핵과 같은 비정형 감염에 대한 재평가가 이루어져야 한다. 급성 화농성 침샘염의 여러 합병증이 보고되었는데, 파동성의 종괴를 가진 소아 또는 48시간의 항생제 치료에 반응하지 않는 침샘의 경우 농양 형성을 의심해야 한다. 농양은 급성 이하선염에 이어서 빈번하게 발생한다. 치료는 이하선 절제술처럼 피부 절개를 시행하여, 이하선 위에 있는 근막을 노출시키기 위해 피부 피판을 들고, 안면신경과 평행하게 무딘 박리를 하여 배농한다. 다른 합병증으로는 심경부공간으로의 확산, 안면신경마비 및 괴사성 근막염이 있다.

3) 만성 침샘염(Chronic Sialadenitis)

만성 침샘염은 타액선의 지속적 또는 재발성 염증 상태를 의미한다. 소아에서 지속적 염증 상태의 잠재적 원인은 다양하다. 그러나, 소아 환자에서 중요한 점은 침의 흐름이 감소되고 침이 정체되어 반복된 감염 및 염증성 손상에 더 취약한 침샘이 된다는 것이다. 소아 환자에서 만성 침샘염의 잠재적 원인은 폐쇄성, 감염성 또는 면역 관련 질환으로 분류된다. 침샘관의 폐색은 관내 또는 관외 폐색으로 인한 것일 수 있다. 감염성 병인에는 여러 육아종성 질환이 포함된다. 면역 관련 병인에는 청소년 재발성 이하선염(JRP) 및 자가 면역 질환이 포함된다. 통증은 경미하며, 급성 화농성 침샘염과 비교하여 타액관의 농성 분비물은 적은 편이다. 높지 않은 열, 불편감 및 기타 전신 증상이 나타날 수 있다. 만성 염증은 궁극적으로 침샘의 위축 또는 신생물로 의심되는 섬유성 종괴의 형성을 초래할 수 있다. 자가 면역 질환 또는 전염성 질환에 대한 감별을 위해 혈액 검사를 시행할 수 있다. 지속적 부종이 있다면 신생물 형성 여부를 배제하기 위해 영상 검사가 필요하다. 타액선내시경은 진단 및 치료가 모두 가능하기 때문에, 병인이 알려지지 않은 지속적인 염증이 있는 소아에게 시행할 수 있다.

(1) 폐쇄성 질환(obstructive)

소아 타석증은 모든 타석증 사례의 5% 이하에서 발생한다. 타석의 90% 이상이 악하선에서 발견된다. 그 이유는 악하선 타액의 점액적 성질과 wharton's duct이 꺾여 있기 때문인 것으로 여겨진다. 평균 발생 연령은 12세이며, 10세 미만의 소아는 드물다. 대부분의 소아는 식사 중 또는 식사 후 부종과 통증을 호소한다. 환자의 80%에서 증상이 재발하며, 보통 진단 전 1년 동안 증상이 있다. 구강저에 대한 양수 검사 시 보통 환자의 3분의 2 이상에서 타액관 원위부를 따라 돌을 촉지할 수 있으며 크기는 일반적으로 1 cm 미만이다. 학동기 청소년은 근위부 타액관 또는 조직실질의 결석이 더 자주 관찰된다. 환자의 20%는 두 개 이상의 결석이 있다. 초음파 검사는 종종 검사 결과가 명확지 않은 경우 시행할 수 있으며, CT는 초음파 검사 결과에서 추가적으로 필요한 경우 시행한다. 소아의 타석은 대부분 원위부에 위치해 있으므로, 구내 접근을 통한 타액관 개방 및 타석 제거가 일반적이다. 타액관 근위부 또는 침샘내 결석은 침샘의 절제술이 필요할 수 있다.

타액관 협착증은 염증의 후 일어날 수 있고, 이로 인해 타액관 섬유증 및 협착 또는 선천성 타액관 무형성증이 발생할 수 있다. 종괴 또는 비정상적인 타액관 주행으로부터의 압박은 타액 흐름을 감소시킬 수 있다. 방사선 영상에서는 타석이 보이지 않을 수 있다. 타액선조영술로는 좁은 타액관 부분을 확인할 수 있다. 타액선내시경으로는 타액관 내강을 직접 확인할 수 있으며, 치료적인 확장이 가능하다.

(2) 자가면역

① 청소년 재발성 이하선염(juvenile recurrent parotitis, JRP)

청소년 재발성 이하선염은 소아의 바이러스성 타액선염 중에서 두 번째로 흔한 침샘 질환이다. 청소년 재발성 이하선염 환자는 비화농성, 비폐쇄성 이하선염의 양상을 보인다. 청소년 재발성 이하선염은 만성 세균성 감염, 알러지, 타액선관 이상, 면역 기능 장애 및 유전적 요인을 포함하여 여러 가지 의심되는 병인이 존재한다. 그러나 병인론에 있어서 다원적이라고 보는 게 가장 옳다. 청소년 재발성 이하선염은 반복적인 일측 부종, 통증 및 홍반의 임상 증상이 나타난다. 환자의 3분의1에서는 양측성으로 증상들이 있을 수 있다. 증상 발생의 빈도는 다양할 수 있지만, 보통은 3-4개월마다 반복된다. 환자의 70%는 진단 전 1년 이상 병이 반복되는 임상양상을 보인다. 이환 기간은 개별적으로 다양하지만 평균 3일이며 평균적으로 2일에서 7일까지이다. 흔한 증상으로는 발열, 전신 불쾌감이 있으며, 4-6세에 가장 많이 나타나며 남자에게 우세하게 발생한다. 사춘기가 되면 대부분은 병이 해결이 되며, 한 연구에서 22세까지 증상이 있는 환자는 단 4%라는 보고가 있다. 그러나 어떤 환자에 있어서는 성인이 될 때까지 병이 지속될 수 있으며, 그 시기에 보다 적극적인 치료가 필요할 수 있다. 이학적 검사상 종종 동통을 동반하여 약간 홍반을 띠는 이하선이 관찰된다. 급성 화농성 타액선염에서 타액선관에 고름이 있는 경우는 드물지만 종종 스텐슨관의 개구부의 구멍이 넓어진 상태로 안에는 노란색의 플라크가 나타나기도 한다. 초음파 소견으로는 흩어져 있는 오목한 낭성 팽창이 포함된 저음영 영역들이 보이며 이는 컴퓨터단층촬영검사에서도 확인된다. 타액선내시경 소견에는 확장 및 협착 된 부분들에서 백색의 무혈성 관 표면이 관찰된다. 치료의 목표는 병의 급성 발작을 완화하고, 병적 상태를 최소화하면서 향후 발작을 예방하는 것이다. 저절로 좋아지는 경우가 많기 때문에 보존적 치료를 해야 한다. 급성기에는 대증치료로 온열치료, 마사지, 수액공급, 항염증 약물 및 타액분비 촉진제를 사용할 수 있다. 항생제 사용은 예방적인 목적을 위해서는 효과적이라고 할 수 없지만, 검사상 이차 세균 감염이 의심되면 통상적으로 사용될 수 있다. 식염수 또는 풍선 확장술을 사용한 타액선 내시경은 사춘기가 되어 병이 해결될 때까지 재발을 줄이는 데 성공적인 중재술이다.

② 쇼그렌증후군

쇼그렌 증후군은 침샘과 눈물샘의 림프구성 침범을 특성으로 하는 자가면역 질환이며, 결국 파괴에 의해 안구건조증, 구강건조증 등의 만성 건조증 징후를 나타낸다. 쇼그렌 증후군는 소아에 있어서는 전신홍반루푸스 또는 류마티스관절염과 같은 다른 자가 면역 질환에 대한 일차적인 또는 이차적인 희귀 질환이다. 쇼그렌 증후군를 가진 소아들은 종종 만성 건조증 증상 없이 양측의 귀밑 부종이 나타난다. 소아에 있어서 양측 이하선염이 재발하는 양상이 관찰된다면 이 질병을 의심해야 한다. 성인들에 있어서는 쇼그렌 증후군의 진단 기준이 확립되었다. 그러나 많은 소아 환자들이 이 기준에 맞추어질 수 없다. 소아 환자들에 있어서 쇼그렌 증후군의 진단하기 위해서는 이하선 부종의 임상양상을 나타내면서 검사 조직 생검 결과를 통해 근거가 뒷받침 될 수 있는 다른 가능성 있는 질병들을 배제하는 과정을 우선적으로 완료해야 한다. 쇼그렌 증후군의 진단을 뒷받침하기 위한 실험실 검사 결과로는 ANA, SS-A/Ro 및 SS-B/La 항체, 류마티스 인자 양성, 고 감마 글로불린 혈증 및 상승된 급성기 반응물이 포함된다. 소타액선 또는 이하선의 조직검사를 통해서 림프구 침윤 및 파괴 소견이 진단에 필요할 수 있다. 만성 건조증 증상의 관리만으로도 충분하다. 그러나 전신 염증은 스테로이드 또는 면역 조절제로 치료할 수 있다.

③ 사르코이드증

사르코이드증은 소아에 있어서 비교적 드문 질환으로 아직까지 그 병인이 잘 알려지지 않은 다중시스템 육아종성 질환이다. 성인에 있어서 일반적으로 발현되는 증상으로 폐문 림프절비대, 폐침범, 안구, 피부병변이 있다. 진단은 임상적인 증상과, 추가적인 검사들로 이루어진다. 이하선의 조직검사 소견으로 비치즈성 육아종이 관찰되며 이로써 확진이 가능할 수 있다. 병의 전신 침범과 합병증이 발생하는 경우 스테로이드 치료가 필요한 경우가 있다.

(3) 감염성

만성 육아종성 질병들은 소아에서 경부 림프절염을 일으

키는 빈번한 이유가 된다. 샘주변부, 샘내부의 림프절의 침범은 만성 타액선 염증의 잠재적 이유가 될 수 있으나, 반면에 침샘 실질부의 직접적 감염은 보통 그 이유가 되지 못한다. 잠재적인 병소들로써 Mycobacterium tuberculosis (TB), nontuberculous mycobacterium (NTM), Actinomycosis, Bartonella henselae 등이 있다.

Atypical mycobacteria 또는 nontuberculous mycobacteria (NTM)는 환경 어디에서나 발견되는 항산성 균주이다. 이와 같은 균주에 대한 감염은 많은 선진국들에서 발생률이 증가하고 있으며, 그 심각성이 높아지고 있다. 이는 흙, 동물들과 식품들에서 보통 발견되곤 한다. 구강 또는 안구의 점막을 통해 직접 전파되는 특성을 가지고 있다. 자연스럽게 손이 입으로 가게 되는 시기인 1-3세 사이의 소아들이 보통 이 병의 영향을 받는다. 환자들에게서 무통성의 파동성 덩이가 관찰되며, 덩이 위의 피부가 자색으로 변하는 양상이 관찰된다. 이를 때로는 '차가운 농양'이라고 부르기도 한다. 진단은 종종 임상적인 모습 단독으로 이루어진다. 그러나 이전에 TB에 노출되지 않은 소아에서 정제 단백질 파생물이 5 mm 초과인 경우에 NTM 진단에서 높은 양성 예측도를 가진다. 확실하게 진단하기 위해서는 NTM 배양검사에서 양성이어야 한다. 이는 수술적 절제나 미세세침흡인 검사를 통해 얻은 검체로 시행한 검사여야 한다. NTB mycobacteria 감염에서 보존적 치료가 필요하지만, 보통 병의 진행을 막기 위하여 수술적 절제가 필요하다. 전파되지 않은 NTM 림프절염이 의심되거나 확진된 환자들에게서는 안전한 절제가 가능하다는 전제하에, 항생제치료를 제외한 수술적 제거가 권유된다. 수술적 제거는 소파술, 항생제치료, 경과관찰보다 높은 치료 성공율을 보이며, 보다 잘 회복될 뿐만 아니라, 미용적으로도 더 좋다. 수술적인 처치는 또한 진단을 위한 적절한 검체를 얻는 데에도 유리하다. 만약 이하선이 침범된 경우, 안면신경 보존 천층 이하선 절제술이 필요하다. 때로는 절제술 시행할 때 피부가 침범된 경우 함께 제거될 수 있다. 특별히 완전한 절제가 시행되지 못하는 경우에는 clarithromycin과 같은 macrolide 항생제의 사용이 유용한 것으로 나타났다. 현재 여러 의료기관들에서는 부비동의 발달을 위한 부가인 잠재적 방법으로 다양한 유형과 기간 동안 내과적 약물이 사용되고 있다.

　B henselae는 catscratch질병의 원인이 된다. 대부분의 감염에서 두경부 림프절염이 동반된다. 그러나 이하선으로의 침범이 보통 있다. 임상적 양상으로 긁힌 부위에 붉은 밤색의 동통이 동반된 구진이 관찰되며, 국소적인 림프절염, 경증의 전신증상을 동반한다. 이하선내의 림프절 부종은 신생물과 같이 관찰될 수 있다. 진단은 최근 고양이 노출력과 Bartonella henselae에 대한 항체검사로 이뤄진다. 항생제 치료는 정상 면역 환자에 있어서는 필요하지 않다고 알려져 있으며, 항생제 치료에도 불구하고 1-3개월 안에 회복된다. 전신 침범이나, 화농성 림프절염을 나타내는 환자에게는 5-10일 동안 azithromycin을 사용하는 것이 도움이 된다. 화농성 림프절염 환자에 있어서 절개 및 배농술이 개별적으로 사용되기도 한다.

　타액선 일차성 결핵은 매우 드물다. 이하선이 가장 흔하게 침범되는 침샘으로 주로 편측으로 이환된다. 진단은 천천히 자라고 단단한 결절성 덩이가 고질적인 결핵의 위치에서 생길 때 의심하게 된다. 또한 이개주변 낭, 누공이 있을 경우도 의심할 수 있다. 진단에 미세세침검사를 통한 세포검사가 수행되며, 이를 통한 PCR 검사가 많은 의료기관에서 표준으로 사용되며, 진단을 증가시키는 이유가 되었다. 많은 경우에 효과적인 치료로서 수술적 절제가 사용되며, 전신적 병합 항결핵제 약제요법이 병행된다.

3. 발달 장애(Developmental Disorder)

발달장애는 이소성 타액선, 다낭성 질환, 보조 타액선, 재생불량성 타액선, 타액선관 이상을 동반하는 드문 질환이다. 림프 기형을 포함하는 혈관 기형은 혈관 또는 림프의 형성 오류로 인해 발생한다. 보조 타액선 조직은 이하선에서 가장 흔하게 관찰되며 부검 결과에 따르면 환자의 56%에서 나타난다. 이러한 보조엽들은 종종 교근의 바로 앞에 위치하며, 스텐슨관과 단독의 보조 타액선관을 통해 연결된다.

4. 낭성질환

소타액선에 있어서 낭성병변은 매우 흔하지만, 주타액선에서는 드물다. 낭성병변이 주타액선에서 발생하는 경우에는 이하선에서 가장 흔히 발견되며 염증 또는 신생물에 의해 이차적으로 발생한다. 이하선의 비신생물성 또는 염증성 낭성병변으로는 제1 새열낭종, 표피낭종, 타액선관 낭종 등이 있다. 소타액선낭종으로는 점액의 혈관 외 유출과 점액저류낭종이 있다.

　점액의 혈관 외 유출 또는 점액종은 타액선관 외상과 점액이 주변조직으로 방출되는 것에 의한 이차적인 가낭의 일종이다. 이러한 낭종들은 소타액선의 어느 곳에서든 발생할 수 있으나, 대개는 아랫입술에서 발생한다. 이들은 통증이 없으면서, 구강 내에서 파동성 병변을 보인다. 점액의 혈관 외 유출의 깊이에 따라서 푸른색의 반투명한 병변으로 보인다. 치료로는 소타액선 주변과, 낭종에 대한 수술적 절제이다.

　하마종은 구강저에서 발생하는 점액종이며 보통 설하선에서 발생한다. 이는 구강내에 국한되어 발생하기도 하지만 때로는 악설골근을 넘어서서 경부 종창을 일으키기도 한다. 이를 경부하마종이라고 부른다. 세침흡인검사를 통한 검체에서 아밀라제를 검출함으로써 진단에 도움을 얻는다. 치료로 단순 하마종의 경우에는 편측 설하선 절제술이 권유되며, 경부하마종의 경우에는 설하선의 절제와 동시에 침범된 모든 내용물에 대한 적출이 권유된다.

　새열이상은 제2새열에 기원하는 것이 가장 흔하다. 그러나, 제1새열기형은 새열 병변의 10-20%를 차지할 뿐이다. 제1새열기형은 조직학적, 해부학적, 그리고 임상양상에 기초해서 분류된다. Work 분류는 조직학적 소견에 의해서 분류된다. 제1 Work형은 외배엽 기원의 낭종이다. 제2 Work형은 외배엽 및 중배엽 요소들을 포함하는 낭, 동, 또는 누공일 수 있다. 이하선 병변은 이차적으로 감염될 수 있는 전이개 덩이와 같이 관찰된다. 이개 병변은 이경으로 관찰 시 외이도의 바닥에 누공이 보이면서 만성이루가 관찰된다. 대부분의 환자들은 추가검사를 받기 이전 처음 진찰 시에는 이하선의 종양으로 진단되는 낭성 병변을 보인다. 50% 정도의 환자들은 대개 절개 또는 배농술과 같은 완전하지 않은 절제술을 받게 되며, 이는 결국 완전한 절제까지 평균 3-4년이 걸리게 되는 결과를 가져온다. 천층 이하선 절제술은 안면신경을 노출할 수 있게 해주어 낭종 또는 그 주행과 안면신경의 관계를 파악할 수 있게 해준다.

5. 신생물(Neoplasm)

타액선의 신생물은 소아 집단에 있어서는 상대적으로 드물다. 이는 소아 두경부 종양의 8%를 차지하며 비인두, 피부 및 갑상선 다음으로 4번째로 빈번한 두경부 신생물이다. 타액선 종양은 혈관성, 비혈관성 기원 모두일 수 있다. 혈관성 비혈관성 타액선 종양 모두에 대한 연구 결과를 보면 대략 80%의 종양이 혈관성 기원이며, 이들 중 혈관종 비율이 림프기형보다 많다.

1) 혈관 이상(Vascular Anomalies)
(1) 혈관이상
혈관이상은 혈관 종양 또는 혈관 기형으로 분류되며 일반적으로 타액선 부위와 연관이 있다. 영아 혈관종은 가장 흔한 혈관성 종양이다. 다른 혈관성 종양에는 화농성 육아종, 카포시형 혈관내피종, 그리고 얼기혈관종이 있다. 혈관 기형은 모세혈관, 동맥, 정맥, 림프, 또는 이들의 조합으로부터 유래된다. 그들은 혈관모집과 확장을 통해 아이들에게 비중있게 성장하며, 중재술 없는 결국 조직 주변의 정상적인 구조물을 침범하게 된다. 자발적으로 없어지는 것은 드물다.

　혈관종은 가장 흔한 비상피선 종양이다. 30%의 환자들은 태생 시 발견되고, 나머지는 생후 6주 이내에 발생한다. 혈관종은 뚜렷한 발달양상을 나타내는데, 생후 첫 1-2개월 동안 빠르게 증식하며, 종종 4-6개월 사이 두 번째 성장 분출이 일어난다. 혈관종은 느리지만 점진적으로 진화하기 전에 일정기간 동안 안정된 시기를 가진다. 이환된 환아들 중 50%는 5세까지 완전히 진화하며, 70%는 7세까지, 90%는 9세까지 완전히 진화한다. 혈관종의 진단은 병력, 신체

검사를 통해 주로 이루어지나, 자기공명영상검사는 덩이를 계측하고 그 경계를 파악하는 데 유용하다. 초음파는 비침습적으로 낭종을 감별하는 데 사용된다. 내과적 외과적 치료에 대한 적응증에는 빠른 성장속도, 출혈, 궤양, 감염, 진화의 실패, 심각한 이형성, 기능장애 등이 있다. 치료 옵션에는 병변 내 스테로이드 주입 또는 전신적 스테로이드, propranolol, 또는 외과적 절제가 있다.

(2) 림프기형
이전에 낭포성 혈종 또는 림프관종으로 불리웠던 림프기형은 타액선 구조에 영향을 미치는 두 번째로 흔한 혈관 이상이다. 림프기형의 50%는 보통 두경부에서 관찰된다. 이들은 일반적으로 주산기, 생후 첫해에 50-60%, 그리고 생후 2년까지 90%에서 나타난다. 림프기형은 부드럽고, 무통성이며, 눌렀을 때 압박이 되는 양성 덩이로 국소 림프 팽창을 나타낸다. 초음파, 컴퓨터단층촬영, 자기공명영상검사와 같은 영상 검사가 진단에 유용하며, 낭성 특성과 덩이의 범위를 확인할 수 있다. 격막과, 공기-액체, 액체-액체 층이 관찰된다. 가돌리늄 증강 자기공명영상 검사는 연조직의 침범 등을 우수하게 관찰할 수 있다. 경부 아래 3분의1지점을 침범하는 큰 병변들에서는 기도와 종격동에 대한 검진이 필요하다. 대세포성 질병은 경화치료 또는 외과적 절제술이 필요하다. 대세포성 질병의 외과적 절제는 종종 치료가 잘 되며, 신경 및 혈관 손상에 대한 위험도가 작은 경화치료는 혈관과 신경 구조물을 명확히 둘러싸지 않는 깊은 병변들에 대하여 좋은 대체법이 될 수 있다. 피부 궤양이 일어날 수 있는 위험이 크기에, 표면에 있는 병변에 대한 경화치료는 권유되지 않는다.

2) 상피세포성 타액선 신생물(Epithelial salivary gland neoplasm)
(1) 양성 신생물(benign neoplasm)
소아 집단에서 가장 흔한 타액선 상피세포 종양은 다형성 선종이며, 주로 사춘기에 발견된다. 이는 천천히 자라며, 잘 움직이는 고형 덩이 양상을 보인다. 다형성 선종의 진단을 위해서는 초음파 유도 미세세침흡인검사가 필요하다.

비록 덩이가 피막 안으로 한정되어 있는 것으로 보여도, 다형성 선종은 종종 현미경적 위족 확장으로 알려진 미세 돌출부를 가진다. 그러므로 제핵 적출은 적절하지 않고, 이와 관련해 40%의 재발률을 보인다. 가장 많이 침범하는 위치인 천층 이하선을 침범하는 종양에 대하여는 안면신경을 보존하면서 부분 이하선 적출술을 시행한다. 악하선의 다형성선종에 대하여는 악하선 전적출술이 필요하다.

다른 양성 종양들은 상대적으로 소아인구에서 드물며, 얼기모양 신경섬유종, 와르틴 종양(유두 낭선림프종), 배아종, 단일성 선종(기저세포, 투명세포, 글리코겐-풍부 선종), 지방종, 기형종 순으로 낮아지는 빈도를 보인다.

대부분의 환자들은 무증상의 덩이로 내원한다. 신체 검진에서, 덩이는 보통 단단하며, 가동성 있고, 동통을 호소하지 않는다. 악성을 의심해 보아야 하는 소견으로는 빠른 성장 속도, 통증, 안면마비, 촉진되는 림프절이 있다. 만약 악성 신생물이 의심이 되면, 컴퓨터단층촬영검사, 자기공명영상검사를 시행해 보아야 한다. 미세세침흡인검사를 통한 술 전 조직검사는 종종 수술계획을 짜는 데에 유용하다. 만약 미세세침흡인검사 결과를 얻어낼 수 없다면, 술중 동결절편조직검사를 시행해야 한다.

(2) 악성 신생물(malignant neoplasm)

성인과 비교했을 때 모든 타액선 신생물 중에서 악성이 차지하는 비율은 소아에 있어서 상대적으로 높은 편이다. 점액표피양 암종, 선낭암종, 세엽세포암종은 타액선에서 발생하는 악성 종양의 80-90%를 차지한다. 소아에 있어서 방사선치료는 장기적인 관점에서 방사선에 의해 유도되는 악성 종양, 치아발달의 지연 그리고 개구장애 등의 후유증을 일으킨다. 그러므로 소아에 있어서 방사선 치료는 신경외침범, 경부 림프절의 피막외 침범, 현미경적 잔여 병변과 함께 높은 등급의 악성 종양에서 선택적으로 적용되어야 한다.

점액표피양암종은 소아 타액선 악성 종양 중 가장 흔하며, 타액선 악성 종양의 절반을 차지한다. 이는 10대 청소년에 가장 많이 발견되고 소아에 있어서 방사선으로부터 유도된 종양 중 가장 흔하다. 종양은 낮은 등급, 중간등급,

높은 등급으로 분류되며 상피세포와 점액세포의 비율에 의해 정해진다. 높은 등급의 종양은 보다 상피세포성 분화를 보여 상피세포암과 닮았다. 낮은 등급의 종양은 영상검사에서 낭성 모습을 보여 고형 양상을 보이는 높은 등급의 종양과는 반대 양상이다. 외과적 절제가 치료의 방법으로 사용된다. 낮은 등급의 종양은 확대 국소 절제술로 치료되는 반면, 높은 등급의 종양은 종종 이하선 전 절제술과 함께 선택적 경부 림프절 청소술과 방사선치료가 모두 필요하다. 모든 상황에서 안면신경은 직접적 침범이 발견되는 경우를 제외하고는 보존을 시도해야 한다.

세엽세포암종은 두 번째로 흔한 악성 종양으로 점액표피양암종과 같은 연령집단에서 발생한다. 소아에 있어서 타액선 상피세포암의 12%를 차지한다. 대부분의 경우 낮은 등급이며, 전이는 거의 없다. 보통 환자는 무통성의 천천히 자라는 고형 덩이로 내원한다. 치료는 낮은 등급의 점액표피양암종과 동일하게 안면신경을 보존하며 이하선 절제술을 시행하며, 재발을 피하기 위해 조직의 끝동을 제거한다.

6. 기타질환(Miscellaneous)

타액선의 비대는 영양결핍, 신경성 무식욕증, 식욕 이상 항진증, 당뇨, 갑상선 저하증, 말단 비대증, 낭성 섬유종, 간질환 등의 전신 질환 상태에서 나타난다. 타액선 비대증을 일으키는 약제로는 아이오딘 합성물, 중금속, phenytoin, thiourea, methimazole and phenothiazine이 있다. 타액선증은 타액선 비대증의 비염증성, 비신생물화 과정의 결과이며, 전신기저질환과의 연관성이 있다. 양측성 이하선 비대증이 가장 흔하다. 이는 위에서 언급한 전신상태 또는 약제와 연관이 있다.

공기이하선염은 스텐슨관을 통해 이하선으로 공기가 흐르는 상황을 말한다. 이는 감염성 이하선염과 유사하게 급성 통증과 종창의 반복되는 증상이 나타날 수 있다. 이런 상태는 주로 관악기 전공 음악가, 유리 부는 직공, 치과청소, 마취 시 기침, 아동기 심리사회적 문제를 가진 사람들

에서 나타난다. 신체 검진에서 발적과 함께 이하선의 동통을 보이며, 열감은 없고 촉진 시 마찰음이 난다. 진단을 위해서는 컴퓨터단층촬영검사에서 이하선내 공기음영이 관찰되어야 한다. 치료는 원인인자를 제거하면서 대증적인 치료를 할 수 있다.

괴사성 침샘화생은 파괴적인 악성 종양을 표방하는 자가 제한적 질환이다. 구개 소타액선의 염증은 무통성 궤양 결절을 발생하게 한다. 대부분의 병변은 3-12주 내에 사라진다. 파괴적인 성질과 악성과 유사한 점 때문에, 대부분의 병변은 정확한 진단을 위해 조직검사를 하게 된다.

타액선의 둔상, 관통상은 급성 염증 상태, 침샘류, 혈종, 타액선관 손상을 유발하여 만성 염증으로 진행할 수 있다.

▓▓▓▓ 참고문헌

• Krolls SO, Trodahl JN, Boyers RC. Salivary gland lesions in children. A survey of 430 cases. Cancer. 972:30(2):459-69.

• Chen S, Paul BC, Myssiorek D. An algorithm approach to diagnosing bilateral parotid enlargement. Otolaryngol Head Neck Surg. 2013;148(5):732-9.

• Sodhi KS, Bartlett M, Prabhu NK. Role of high resolution ultrasound in parotid lesions in children. Int J Pediatr Otorhinolaryngol. 2011;75(11):1353-8.

• Mathew S, Ali SZ. Parotid fine-needle aspiration: a cytologic study of pediatric lesions. Diagn Cytopathol. 1997;17(1):8-13.

• McGuirt WF Jr., Whang C, Moreland W. The role of parotid biopsy in the diagnosis of pediatric Sjögren syndrome. Arch Otolaryngol Head Neck Surg. 2002;128(11):1279-81.

• Gross M, Ben-Yaacov A, Rund D, et al. Role of open incisional biopsy in parotid tumors. Acta Otolaryngol. 2004; 124(6):758-60

• Hockstein NG, Samadi DS, Gendron K, et al. Pediatric submandibular triangle masses: a fifteen-year experience.Head Neck. 2004;26(8):675-80.

• Hviid A, Rubin S, Muhlemann K. Mumps. Lancet. 2008; 371 (9616):932-44.

• Davidkin I, Jokinen S, Paananen A, et al. Etiology of mumps-like illnesses in children and adolescents vaccinated for measles, mumps and rubella. J Infect Dis. 2005;191(5):719-23.

• dos Santo Pinheiro R, Franca TT, Ribeiro CM, et al. Oral manifestations in human immunodeficiency virus infected children in highly active antiretroviral therapy era. J Oral Pathol Med. 2009;38(8):613-22.

• Dave SP, Pernas FG, Roy S. The benign lymphoepithelial cyst and a classification system for lymphocytic parotid gland enlargement in the pediatric HIV population. Laryngoscope. 2007;117(1):106-13.

• Faure F, Querin S, Dulguerov P, et al. Pediatric salivary gland obstructive swelling: sialendoscopic approach. Laryngoscope. 2007;117(8):1364-7

• Chung MK, Jeong HS, Ko MH, et al. Pediatric sialolithiasis: what is different from adult sialolithiasis? Int J Pediatr Otorhinolaryngol. 2007;71(5):787-91.

• Capaccio P, Sigismund PE, Luca N, et al. Modern management of juvenile recurrent parotitis. J Laryngol Otol. 2012;126(12):1254-60.

• Nahlieli O, Shacham R, Shlesinger M, et al. Juvenile recurrent parotitis: a new method of diagnosis and treatment. Pediatrics. 2004;114(1):9-12.

• Baszis K, Toib D, Cooper M, et al. Recurrent parotitis as a presentation of primary pediatric Sjögren syndrome. Pediatrics. 2012;129(1):e179-82.

• Singer NG, Tomanova-Soltys I, Lowe R. Sjögren's syndrome in children. Curr Rheumatol Rep. 2008;10(2):147-55.

• Ridder GJ, Boedeker CC, Technau-Ihling K, et al. Catscratch disease: Otolaryngologic manifestations and management. Otolaryngol Head Neck Surg. 2005;132(3):353-8.

• Massei F, Gori L, Macchia P, et al. The expanded spectrum of bartonellosis in children. Infect Dis Clin North Am. 2005;19(3):691-711.

• Nag VL, Singh J, Srivastava S, et al. Rapid diagnosis and successful drug therapy of primary parotid tuberculosis in the pediatric age group: a case report and brief review of the literature. Int J Infect Dis. 2009;13(3):319-21.

• Gnepp DR, Henley JD, Simpson RHW, et al. Salivary and lacrimal glands. In: Gnepp DR (ed.), Diagnostic surgical pathology of the head and neck, 2nd edn. Philadelphia, PA: Saunders; 2009.

• McCromick ME, Bawa G, Shah RK. Idiopathic recurrent pneumoparotitis. Am J Otolaryngol. 2013;34(2):180-2.

• Burke CJ, Thomas RH, Howlett D: Imaging the major salivary glands. Br J Oral Maxillofac Surg 49:261-269, 2011.

• Jager L, Menauer F, Holzknecht N, et al: Sialolithiasis: MR sialography of the submandibular duct-an alternative to conventional sialography and US? Radiology 216:665-671, 2000.

• Nahlieli O, Baruchin AM: Endoscopic technique for the diagnosis and treatment of obstructive salivary gland diseases. J Oral Maxillofac Surg 57:1394-1401; discussion 401-402, 1999.

• Bruch JM, Setlur J: Pediatric sialendoscopy. Adv Otorhinolaryngol 73:149-152, 2012.

• Davidkin I, Jokinen S, Paananen A, et al: Etiology of mumps-like illnesses in children and adolescents vaccinated for measles, mumps, and rubella. J Infect Dis 191:719-723, 2005.

• Amon W, Farrell PJ: Reactivation of Epstein-Barr virus from latency. Rev Med Virol 15:149-156, 2005.

• Maeda E, Akahane M, Kiryu S, et al: Spectrum of Epstein-Barr virus-related diseases: a pictorial review. Jpn J Radiol 27:4-19, 2009.

• Michelow P, Meyers T, Dubb M, et al: The utility of fine needle aspiration in HIV positive children. Cytopathology 19:86-93, 2008.

• Fraser L, Moore P, Kubba H: Atypical mycobacterial infection of the head and neck in children: a 5-year retrospective review. Otolaryngol Head Neck Surg 138:311-314, 2008.

• Lindeboom JA, Lindeboom R, Bruijnesteijn van Coppenraet ES, et al: Esthetic outcome of surgical excision versus antibiotic therapy for nontuberculous mycobacterial cervicofacial lymphadenitis in children. Pediatr Infect Dis J 28:1028-1030, 2009.

• Lindeboom JA: Surgical treatment for nontuberculous mycobacterial (NTM) cervicofacial lymphadenitis in children. J Oral Maxillofac Surg 70:345-348, 2012.

• Lindeboom JA, Kuijper EJ, Bruijnesteijn van Coppenraet ES, et al: Surgical excision versus antibiotic treatment for nontuberculous mycobacterial cervicofacial lymphadenitis in children: a multicenter, randomized, controlled trial. Clin Infect Dis 44: 1057-1064, 2007.

• Panesar J, Higgins K, Daya H, et al: Nontuberculous mycobacterial cervical adenitis: a ten-year retrospective review. Laryngoscope 113:149-154, 2003.

• Scott CA, Atkinson SH, Sodha A, et al: Management of lymphadenitis due to non-tuberculous mycobacterial infection in children. Pediatr Surg Int 28:461-466, 2012.

• Spyridis P, Maltezou HC, Hantzakos A, et al: Mycobacterial cervical lymphadenitis in children: clinical and laboratory factors of importance for differential diagnosis. Scand J Infect Dis 33: 362-366, 2001.

후두의 선천성 질환

Congenital Disorder of Larynx

최승호

후두의 선천성 질환은 드물게 발생하지만 천명, 기도폐색, 연하장애 및 이로 인한 성장 장애 등 심각한 결과를 초래할 수 있다. 후두 단독으로 이상이 있는 경우도 있지만 기도의 다른 부분에도 이상을 동반할 수 있으며 증후군의 일부로서 나타나기도 한다. 후두의 이상을 조기에 진단하는 것은 신생아의 생존과 성장에 절대적으로 중요하므로 천명이나 호흡곤란을 동반한 신생아는 후두 질환의 가능성을 염두에 두고 주의 깊게 진단할 필요가 있다.

1. 후두의 발생학

후두와 기관은 전장(foregut) 내배엽(상피세포층)과 중배엽(연골 및 근육)에서 기원하며 임신나이 20일경 후두기관고랑(laryngotracheal groove) 형태로 나타나기 시작한다. 후두기관고랑은 점차 깊어지면서 꼬리부터 머리 방향으로 융합이 되는데 28일경까지 융합이 이루어져 기관식도중격(tracheoesophageal septum)이 형성된다. 이 단계에서 융합이 제대로 되지 않으면 기관식도루(tracheoesophageal fistula) 또는 후두 틈새(laryngeal cleft)가 생기게 된다. 임신나이 32일에는 제6인두굽이(6th branchial arch)로부터

기원하는 피열융기(arytenoid swelling)가 후두기관고랑 상측에 나타나고 피열융기가 정중앙에서 융합하면서 발달하는 후두개의 인두아래융기(hypobranchial eminence)와 연결된다. 갑상연골은 제4인두굽이로부터, 윤상연골과 기관연골은 제6인두굽이로부터 생성된다. 후두 내강은 일단 막혔다가 10주까지 재소통(recanalization)이 되며 재소통에 이상이 있을 경우 선천성 갈퀴막(web) 또는 협착이 생기게 된다. 12주령까지 후두와 기관의 형태가 완성되며 이후 성숙의 과정을 거친다.

2. 후두의 선천성 질환의 임상 양상

선천성 기도 이상을 가진 소아는 대부분 천명 증상으로 발현된다. 천명의 양상은 병변의 위치에 따라 흡기성, 호기성 또는 이상성(biphasic)으로 나타날 수 있다. 일반적으로 후두연화증(laryngomalacia)과 같은 성문상부의 병변은 흡기성 천명, 성문 혹은 성문하부의 병변은 이상성 천명, 흉곽 내 기도의 병변은 호기성 천명으로 나타난다. 호흡 이상을 가진 환자의 병력청취와 진찰에 있어 천명의 양상을 자세히 파악하는 것은 대단히 중요하며 여기에는 천명의 음높

이(pitch), 음강도(intensity), 호흡주기와의 상관성, 간헐적인지 지속적인지, 동반되는 피부색 변화, 악화 및 호전 인자 등이 포함된다. 천명은 코골이나 폐성 쌕쌕거림(pulmonary wheezing)과는 구분되어야 하며, 환아의 호흡곤란이 안정적인지 급성으로 진행하여 생명을 위협할 수 있는 상황인지를 우선적으로 감별할 필요가 있다. 선천성 기도 이상이 청색증이나 생사의 위기를 넘긴 후에야 발견되는 경우도 종종 있다. 많은 경우에 이비인후과적 문제 이외에도 신경, 심장, 소화기 등 다른 신체 이상을 동반하므로 종합적 다학제 팀에 의해 진단 및 치료를 하는 것이 바람직하다. 때로는 호흡의 문제없이 섭식 이상만으로 나타나는 경우도 있는데, 다량으로 토하는 일이 잦거나, 만성 기침, 연하장애, 연하통, 흡인, 성장장애 등이 있을 경우 선천성 기도 이상의 가능성을 고려하여야 한다.

3. 후두의 선천성 질환의 진단

신체 진찰은 환아의 전반적 외양을 관찰하는 것으로 시작된다. 청색증, 노력성 호흡, 흉골상부 늑간, 혹은 늑골하부의 후퇴(retraction), 코벌렁임(nasal flaring), 천명의 유무 및 양상에 대해 관찰하며 두경부의 증후군적 양상이나 두개안면 이상 유무, 피부병변, 침흘림, 비정상적인 자세 등에 대해서도 관찰하여야 한다.

굴곡성 내시경은 성문상부의 낭종, 후두연화증, 성대마비와 같은 성문상부 혹은 성문의 이상을 진단하는 데 매우 유용하다. 작은 직경의 굴곡성 내시경을 이용한 후두검사는 소아에서도 비교적 안전하게 외래에서 시행할 수 있다. 그러나 환아가 호흡곤란이 심한 경우 검사 중 자극에 의해 환아가 울다가 기도 폐색이 발생할 가능성이 있으므로 주의하여야 한다. 성인과 달리 소아는 시야가 좁은 데다가 울기 때문에 충분한 시간을 가지고 양질의 영상을 얻기 어려우므로 가능하면 검사 영상을 녹화한 후 천천히 재생하면서 보는 것이 좋다. 성문하부, 기관 및 기관지는 굴곡성 후두경으로 관찰하기 어려우므로 고해상도 CT 또는 전신마취하 기관지경 검사 등을 통해 관찰하는 것이 일반적이며

국소도포마취 하 굴곡성 기관지경검사를 할 수도 있다.

연부조직 단순 경부방사선 촬영은 진단적 정확도가 높지 않지만 후두 및 기관의 편위나 후두낭종을 관찰하는 데 도움이 될 수 있으며 바륨식도조영술은 외측으로부터의 압박소견이나 기관식도루를 진단하는 데 유용하다. 비디오투시연하검사(videofluroscopic swallowing study, VFSS)는 유아에서의 적용이 다소 제한적이긴 하지만 흡인의 양상을 관찰하는 데 매우 유용한 검사법이다. Vascular ring, pulmonary artery sling, aberrant innominate artery 등 혈관 기형은 CT, CT 혈관조영술, MRI 등의 영상검사를 통하여 진단할 수 있다.

전신마취하 직접 후두경 또는 기관지경 검사는 선천성 기도 이상의 진단에 있어 가장 중요한 검사법이다. 마스크를 이용하여 마취를 유도한 후 환자의 자발호흡을 유지하면서 가능하면 자연적인 자세와 호흡상태에서 관찰하여야 후두연화증 등 동적 기도폐색이나 성대 마비를 진단할 수 있다. 굴곡성 또는 경직성 기관지경을 이용하여 성문하부, 기관 및 기관지를 관찰하되 성문하 협착, 기관기관지연화증, 기관식도루, 점막 부종 등의 소견에 특히 유의한다. Suction tip이나 겸자를 사용하여 피열 연골 사이를 촉지하면 후두 틈새 유무를 감별할 수 있다.

4. 후두의 선천성 질환 각론

1) 후두연화증

후두연화증은 유아에서 천명의 가장 흔한 원인으로 조산아보다 만삭아(term infant)에서, 여아보다 남아에서 더 흔하다고 알려져 있다. 천명은 생후 2-3주 내 주로 흡기성 천명으로 나타나며 섭식 시, 누운 자세, 울 때 악화되는 소견을 보인다. 유아가 성장함에 따라 요구되는 호흡량이 증가하므로 천명도 점차 악화되다가 일반적으로 6-18개월 사이에 서서히 호전된다. 드물게 섭식 장애, 성장 장애, 무호흡, 오목가슴(pectus excavatum) 또는 청색증을 동반할 수 있는데 이럴 경우 폐성심(cor pulmonale)이나 심부전을 예방하기 위하여 수술적 치료를 고려한다.

후두연화증은 성문상부의 신경근육계 긴장저하(neuro-muscular hypotonia)가 있는 상태에서 호흡기류에 따른 벤튜리 효과에 의해 호흡 시 성문상부가 적절히 지지되지 못하기 때문에 발생한다. 따라서 흡기성 천명을 동반한 환아에서는 자발 호흡을 하도록 하면서 굴곡성 후두경 검사를 하는 것이 매우 중요하다. 중추신경계 질환, 성문 또는 성문하 협착, 기관 및 기관지 협착 등도 후두연화증과 유사한 증상을 일으킬 수 있으며 때로는 후두연화증과 동반되기도 하므로 신경학적 이상 유무를 확인하여야 하며 경부 방사선 검사 및 기관지 내시경 등을 통하여 기도의 다른 부분에는 이상이 없는지 확인하는 것이 바람직하다. 후두연화증의 후두 소견은 상당히 다양하게 나타날 수 있는데, 피열후두개주름(aryepiglottic fold) 또는 피열부 점막(arytenoid mucosa)이 느슨하여 흡기 시 안으로 말려들어가는 유형, 피열후두개주름이 짧은 유형, 후두개의 모양 자체가 길고 좁은 유형, 흡기 시 후두개가 후방으로 접히면서 기도를 막는 유형 등이 있다(그림 35-1).

후두연화증은 대부분 환아가 성장하면서 개선되므로 증상이 경미한 경우 치료가 필요하지 않으며 증상이 심한 일부 환자에서만 수술적 처치가 필요하다. 후두연화증의 수술은 성문상부성형술(supraglottoplasty)로 통칭되는데 후두연화증의 유형에 따라 다양한 술식이 적용된다. 피열부나 피열후두개주름의 점막이 느슨하여 흡기 시 기도를 막

는 경우 해당 부위의 점막을 레이저, 후두 미세수술기구 또는 microdebrider를 이용하여 절제한다. 술식 자체는 간단하지만 성공적인 결과를 얻기 위해서는 절제 부위를 술전에 정확히 파악하는 것이 무엇보다 중요하며, 수술 시 조직을 거칠게 다루거나 피열후두개주름 절제 시 외측의 혈관을 손상시키면 술 후 부종이 발생하여 호흡곤란이 생길 수 있으므로 주의하여야 한다. 광범위하게 절제가 이루어지면 술 후 반흔형성에 의해 협착이 발생할 수 있는데 이를 우려하여 일부 저자들은 일측에 대해서만 성문상부성형술을 하도록 권장하기도 한다. 흡기 시 후두개가 기도를 덮는 문제가 있다면 후두개부분절제술(partial epiglottectomy) 또는 후두개를 설기저부에 봉합하는 후두개고정술(epi-glottopexy)을 시행할 수 있다. 후두개고정술 시에는 맞닿는 후두개의 설측면과 설기저부의 점막을 레이저 또는 미세수술기구를 사용하여 절제한 후 봉합하여야 재발을 막을 수 있다. 성문상부성형술이 성공적이지 못하고 호흡곤란이 심하다면 기관절개술이 필요하다.

2) 성대마비

성대마비는 신생아에서 천명을 일으키는 선천성 후두질환 중 후두연화증에 이어 두 번째로 흔한 질환으로 출산 중 손상, 흉부 질환 또는 수술로 인한 손상 등의 원인에 의해 발생하거나 원인미상일 수도 있다. 성대마비가 일측성일 경

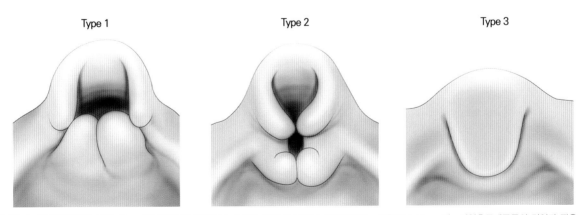

그림 35-1. **후두연화증의 유형.** Type1은 피열부의 점막이 느슨하여 흡기 시 안으로 말려들어가는 유형이고, Type 2는 피열후두개주름의 길이가 짧은 유형, Type 3는 흡기 시 후두개가 후방으로 접히면서 기도를 막는 유형이다.

우 호흡에는 이상이 없으나 울음소리가 약하거나 쉰 목소리 또는 흡인 증상으로 나타난다. 반면, 성대마비가 양측성일 경우 대개 음성에는 이상이 없으나 천명을 동반한 호흡곤란을 보이며 이때 천명의 양상은 흡기성 또는 이상성으로 비교적 음도가 높은 것이 특징이다. 이렇듯 일측성과 양측성 성대마비는 임상양상과 치료 방향이 전혀 다르므로 구분해 생각할 필요가 있다.

의인성 일측성 성대마비의 원인으로는 폐동맥개존증결찰술(patent ductus arteriosus ligation)이 대표적이며 이 수술 후 1-7.4% 환자에서 반회후두신경마비가 발생한다고 알려져 있다. 성대마비 시 진찰은 후두연화증과 마찬가지로 환아가 깨어있는 상태에서 자발 호흡을 하도록 하며 굴곡성후두경으로 검사하는 것이 좋다. 전신마취가 필요하다면 마취 심도를 낮추어 자발 호흡을 살린 상태에서 관찰하거나 기구로 성대 점막을 건드렸을 때 반사적으로 내전되는 성대 움직임을 관찰한다. 전신마취하에 검사를 하면 기구를 사용하여 피열연골을 만지며 가동성을 확인할 수 있으므로 반회후두신경마비와 윤상피열관절고정(cricoarytenoid joint fixation)을 감별할 수 있는 장점이 있다.

신생아에서 성대마비가 발견되면 Arnold-Chiari malfomation과 같은 중추신경계 이상을 감별하기 위하여 뇌 MRI 촬영이 필요하다. Arnold-Chiari malfomation은 신생아 양측성 성대마비의 가장 흔한 원인으로, 뇌간이나 소뇌가 대공(foramen magnum)을 향하여 하방 이동함으로써 뇌간이 압박을 받거나 미주신경이 당겨져서 발생한다. 성대마비 이외에도 두통, 어지러움, 청력이상, 연하장애, 하지 근육약화 등의 증상을 보인다. 뇌간의 압박이 증명되면 빨리 감압술을 시행하는 것이 기능회복에 유리하다.

의인성이 아닌 일측성 성대마비 환자의 70% 정도는 생후 6개월 이내에 자연 회복되므로 흡인이 없는 한 관찰하는 것으로 충분하며, 마비가 있더라도 적응 또는 보상이 잘 되는 편이므로 성인에 비해 수술적 치료를 요하는 경우가 적다. 심한 흡인을 동반한 섭식 장애가 있거나 음성으로 인한 불편함이 크다면 성인에서와 마찬가지로 성대주입술 또는 제1형 갑상성형술을 고려할 수 있다. 소아에서의 성대주입술은 hyaluronic acid, hydroxyapatite 등 성인에서 사용하는 재료를 동일하게 사용이 가능하지만 성인과 달리 국소마취 하에 윤상갑상막을 통과하는 경로보다는 주로 전신마취하에 직접 후두경을 통한 경로를 사용한다. 제1형 갑상성형술은 후두 성장 장애에 대한 우려를 할 수 있으나 보고에 따르면 비교적 안전하게 시행할 수 있다.

소아의 양측성 성대마비는 65% 이상에서 자연회복되는 것으로 알려져 있으며 특히 다른 장기의 기형을 동반하지 않았을 경우 회복될 가능성이 높다. 회복은 대개 24-36개월 이내에 일어나며 빨리 회복될수록 기능적으로 우수하고 2-3세 이후가 되면 회복이 되더라도 후두 근육 위축, 윤상피열관절고정, 연합운동(synkinesis) 등으로 인해 불완전할 가능성이 높다. 양측성 성대마비에 대한 수술적 치료를 언제 시행할지에 대해서는 논란이 있으나 음성을 다소 희생하면서 기도를 확보하는 비가역적 수술임을 고려할 때 사춘기 이후 환자 스스로 결정할 수 있을 때에 시행하는 것이 바람직하다. 양측성 성대마비 시에는 일반적으로 양측 성대가 내전된 상태를 유지함으로써 발성은 어느 정도 이루어지지만 흡기성 천명 및 호흡곤란이 초래되어, 음성보다는 기도확보가 치료의 주 관심사가 된다. 호흡곤란의 정도는 성문 간극의 폭뿐만 아니라 환자의 신체 크기, 동반 질환 및 신체 활동 정도에 따라 달라질 수 있다. 양측성 성대마비 환자들은 흔히 연하곤란과 흡인을 동반하고 있으며 기도를 확보하는 것에만 치중하면 수술 후 흡인이 더 심해질 수 있어 주의하여야 한다.

양측성 성대마비 치료의 목적은 적절한 기도를 확보하면서도 연하와 발성 기능의 저하를 최소화하는 것이다. 수술로는 기관절개술, 성대 횡절개술(transverse cordotomy), 피열연골절제술(arytenoidectomy), 성대 측방 고정술(laterofixation of vocal folds), 피열연골 외전술(arytenoid abduction) 등이 사용된다. 기관절개술을 하면 가장 확실히 기도를 확보할 수 있지만 경부에 절개를 하여야 하고 캐뉼라를 지속적으로 관리하여야 하는 불편함이 있어, 기관절개술보다는 내시경적으로 기도를 확보하는 방법이 선호된다. 성대 횡절개술은 현수후두경하에서 주로 레이저를 사용하여 일측 혹은 양측 성대를 횡으로 절개하는 방법이다. 피열연골의 성대돌기(vocal process) 바로 앞에서 연골이 노출되지 않도록 성대 막양부만을 절개하며 잘라진 부분이 벌어지면서 기도를 확보할 수 있다. 많은 경우에 성대에 절개를 가하는 동시에 피열연골 성대돌기를 일부 함께 제거하는데 이를 구분하여 후방 성대절제술(posterior cordectomy)이라고 부르기도 한다. 술 후 성대의 긴장도가 약간 떨어지므로 음성이 약해지는 경향이 있으나 성대 막양부 대부분이 보존되므로 대부분 일상대화에는 큰 지장이 없는 정도로 음성기능을 유지할 수 있다. 수술 부위에 육아종과 반흔이 생기면서 재협착되는 일이 드물지 않으므로 수술 후 최소한 3-4개월 정도는 추적관찰하면서 재수술의 가능성을 염두에 두어야 한다. 성대 횡절개술을 일측에만 하는 것이 좋은지 양측에 하는 것이 좋은지에 대해서는 논란이 있으며 성대 손상을 최소화하면서 충분한 기도를 확보하도록 고민할 필요가 있다. 일측성으로 시행할 경우 좌우 중 어느 쪽을 할지에 대해서도 선택을 하여야 하는데 술전 후두근전도 상 일측에 신경 회복의 가능성이 있다면 반대측에 성대 횡절개술을 하는 것이 바람직하며, 수술 중 윤상피열 관절의 움직임을 평가하여 나쁜 쪽을 절개하는 것이 원칙이다. 피열연골절제술은 양측성 성대마비 시 성문 후방 기도를 막고 있는 피열연골을 제거하여 호흡을 위한 통로를 확보하는 수술이다. 초창기에는 후두절개술(laryngofissure)을 통하거나 갑상연골 후방 또는 갑상연골에 창을 내어 피열연골에 접근하는 방법이 시도되었으나, 피부 절개를 피하고 수술로 인한 후유증을 최소화하기 위하여 내시경적으로 레이저를 사용하는 방법이 보편적으로 사용되고 있다. 후두 점막의 손상 범위가 넓으면 술 후 육아조직이 형성되므로 이를 피하기 위하여 피열연골을 덮고 있는 점막을 최대한 보존하는 것이 좋다. 성대 측방 고정술은 성대 또는 피열연골을 측방으로 견인하여 고정함으로써 성대 간극을 넓혀 기도를 확보하는 방법이다. 윤상피열 관절이 고정된 경우 효과가 제한적이므로 피열연골의 가동성을 확인하는 것이 중요하다. 후방 성대절제술을 함께 시행하기도하고 연골이나 근육을 그대로 둔 채 단순히 점막을 관통하여 봉합사를 성대 상하에 걸어 고정하기도 한다. 일반적으로 현수후두경 하에 성대의 후방 1/3 지점, 성대 위 아래에 한 개 혹은 두 개의 비흡수성 봉합사(2-0 프롤렌 또

는 나일론)를 관통하는데 endo-extralaryngeal needle carrier을 사용하면 편리하다는 보고도 있지만 spinal needle을 사용하여도 어렵지 않게 시술이 가능하다. 봉합사의 외측 끝은 갑상연골, 피대근 및 피부를 관통하여 피부 밖에 실리콘 튜브 또는 단추를 받치고 묶어 주었다가 3주 후 제거한다. 이 기간 중 실리콘 단추 부위의 피부에 염증이 생길 수 있는데 이를 피하기 위하여 피부에 작은 절개를 하여 매듭 끝을 피하 또는 피대근 심부에 두기도 한다. 피열연골 외전술은 성대의 외전기능만 소실된 경우 피열연골 근돌기(muscular process)와 갑상연골 하각을 꿰어 당김으로써 피열연골을 외전시키는 술식이다. 호흡 시에는 외전상태를 유지하지만 발성 시에는 성대 내전이 가능하므로 기능적으로 우수한 술식으로 평가되나 비교적 최근에 소수의 보고가 있을 뿐이기 때문에 널리 사용되고 있지는 않다.

3) 선천성후두협착(Congenital laryngeal stenosis)

선천성후두협착은 태생 3개월 말경 후두내강에서 정상적인 편평 상피의 흡수가 이루어 지지 않아 불충분한 재소통(recanalization)에 의해 2차적으로 발생하며, 그 정도에 따라 폐쇄(atresia), 불완전폐쇄(incomplete atresia), 협착(stenosis), 격막(web) 등의 형태로 나타난다. 선천성후두폐쇄(congenital laryngeal atresia)는 후두의 어느 부위에서나 발생할 수 있으며 임상 증상은 병변의 정도에 따라 다르다. 불완전 폐쇄는 성문이나 성문상부에 단단한 섬유질막이 형성되어 기관이 일부만 유지되는 상태로서 환아가 생존할 수 있지만, 완전 폐쇄는 출생 직후 환아가 울지 못하고 호흡을 전혀 할 수 없어 질식사 하는 경우가 대부분이므로 진단하기가 어렵다. 선천성후두격막(congenital laryngeal web)은 후두의 선천 기형의 약 5%를 차지하는데 약 75%가 성문부에 생기며 약 15%는 성문상부에, 약 10%에서 성문하부에 발생한다. 대개 성문부의 전방에 발생하므로 환자는 후방의 열린 부분을 통하여 호흡하게 되며 성문하부에 격막이 존재 시 윤상 연골 변형이나 성문하협착과 혼동되는 수가 많다. 선천성성문하협착(congenital subglottic stenosis)은 선천성 후두기관협착의 가장 흔한 형태로, 후두연화증과 성대마비에 이어 세 번째로 흔한 선천성 후

두기형이다. 선천성성문하협착은 막성(membranous type)과 연골성(cartilaginous type)으로 나눌 수 있다. 막성 협착은 성문하부의 섬유성 연부조직이 비후되어 내강을 환형으로 둘러싸며 가장 좁은 부위는 대개 성대의 2-3 mm 하부이다. 연골성 협착은 막성 협착에 비해 드물며 대개 윤상연골의 비후와 변형에 의해 발생한다. 참고로 만삭으로 태어난 신생아의 정상적인 성문하부의 직경은 4.5-5.5 mm, 미숙아의 경우 3.5 mm이며, 만삭으로 태어난 정상 신생아의 성문하부의 내강이 3.5-4 mm 이하면 성문하협착으로 정의할 수 있다. 선천성성문하협착 환아의 50%에서 기관식도누공과 같은 종격동 기형을 동반하는 것으로 알려져 있다. 성문하협착은 기관내 삽관이나 다른 원인이 없을 경우 선천성으로 진단하나 선천성 보다는 장기간의 기관내 삽관에 의한 후천성성문하협착이 더 흔하다. 선천성기관협착은 대부분 흔히 기관연화증(tracheomalacia)과 같은 기관 자체의 선천적 기형과 관련되며 심혈관 기형에 의한 외부 압박에 의해서도 나타날 수 있다.

소아후두협착의 정도를 평가하는 방법으로는 1994년 Myer와 Cotton이 제안한 분류법이 가장 널리 사용되며, 성문 하부에 국한된 환상의 협착을 협착 정도에 따라 4등급으로 분류하였다. Grade 1은 단면적의 50% 이하 협착, Grade 2는 51% 이상 70% 이하 협착, Grade 3는 70% 이상 99% 이하 협착, Grade 4는 내강이 완전히 막힌 상태로 정의된다(그림 35-2).

대부분의 중등도 이상(grade 3, 4)의 후두 협착 환자는 안정된 기도를 확보하기 위해 기관절개술이 필요하다. 기관절개술 시에는 추후 개방적 재건수술 가능성과 기관절개창으로부터의 상행 감염 및 이로 인한 협착 악화 등을 고려하여 3번째 기관연골이나 그 이하에 기관절개창을 만들어야 한다. 또한 적절한 호흡을 가능하게 하는 가장 작은 캐뉼라를 사용해야 주위에 여유공간이 있어 점막손상을 방지하고 발성이 가능하다. 선천성성문하협착의 경우 환아가 정상적으로 성장한다면 대개 2년 내에 발관이 가능할 수 있으나 만일 2년 동안 성문하 기도의 내경이 커지지 않는다면 다른 수술적 시도가 필요하다. 후두기관협착에서 일단 안정된 기도를 확보하게 되면 두 가지 기본적인 치료

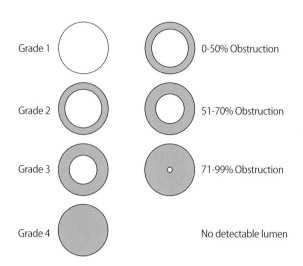

그림 35-2. **Myer–Cotton grading system**
성문하협착의 정도에 따라 분류하는 방법으로 Grade 1은 단면적의 50% 이하 협착, Grade 2는 51% 이상 70% 이하 협착, Grade 3는 70% 이상 99% 이하 협착, Grade 4는 내강이 완전히 막힌 상태로 정의된다.

법인 내시경적 치료와 개방적 수술을 고려할 수 있다. 내시경적 치료는 고식적 확장술과 레이저를 이용한 협착 부위의 절제를 포함하며, 개방적 수술은 대개 협착된 부위를 절제하고 재건해 주는 방법으로 내시경적 치료보다 이환율이 더 높다. 일반적으로 경도의 협착 환자에서는 내시경적 치료를 시행하고 중등도 이상의 심한 협착 환자에는 수술적 절제와 재건술을 시행한다.

내시경적 확장술(endoscopic dilation)은 경미한 협착에서는 유용할 수 있으나 성숙한 단단한 협착이나 연골에 의한 협착일 경우에는 권장되지 않고 윤상연골이 정상이면서 점막 하 섬유화에 의한 연부조직협착일 경우에만 시도해 볼 수 있다. 확장술은 대개 둥글고 표면이 매끄러운 확장기(dilator)를 단독으로 사용하거나 국소, 전신 스테로이드, mitomycin C 또는 후두 내 스텐트, keel을 같이 사용한다. CO_2 레이저를 이용한 협착 제거는 정상 조직에는 거의 손상을 주지 않고 병변 만을 정확히 제거할 수 있기 때문에 많이 이용되고 있다. CO_2 레이저와 확장술을 병용하면 육아조직으로 된 초기의 협착을 치료하는 데 유용하며 반복적 시술이 필요한 경우가 많다. 그러나 환상으로 반흔조직

이 있거나 반흔조직의 상하길이가 1 cm를 넘는 경우, 섬유성 반흔 조직이 후연합의 피열간 부위에 있는 경우, 연골 구조물의 지지가 소실된 경우에는 CO_2 레이저를 이용한 내시경적 수술이 금기이다.

보존적인 치료에 의해 적절히 기도확보가 되지 않거나 중등도 이상의 협착이 있으면 수술적 재건을 고려한다. 수술적 치료가 시행되기 전에 반드시 성대 마비를 감별 진단하여야 하며, 적절한 기도가 확보되었음에도 불구하고 기관절개를 유지할 필요가 있는 신경학적 손상이나 만성 폐질환이 있는지를 확인해야 한다. 수술적 치료방법으로는 전윤상연골절개, 후두 기관 재건술 및 연골 이식, 윤상 기관연골 절제 등이 사용된다.

(1) 전윤상연골절개(anterior cricoid-split)

윤상연골의 전방 절개는 갑상연골의 하방, 윤상연골과 제1, 제2기관연골을 전방의 중앙부에서 분리하고 윤상연골 부위를 확대시키는 방법이다. 윤상 연골이 작거나 윤상연골은 정상이나 점막 하 섬유화가 심한 선천성 성문하 전방 협착이 적응증으로 폐기능이 발관을 해도 지장이 없을 경우에만 시행해야 한다. 절개한 윤상연골의 좌우에 stay suture를 하여 술 후 문제가 있을 경우 견인한다. 기관 내 캐뉼라는 술 후 일주일간 유지하며 점막부종이 소실되고 창상이 치유될 즈음 제거한다.

(2) 후두 기관 재건술 및 연골 이식(laryngotracheal reconstruction with cartilage graft)

협착된 후두 및 기관에 수직 절개를 가하고 연골편을 이식하여 내경을 확대하는 술식이다. 이상적인 이식재료는 기도의 골격 구조를 유지할 만큼 내구성이 좋고, 채취와 고정이 쉬워야 하며, 동일한 수술시야에서 채취가 가능하고 기도 내면에 상피 조직이 잘 재생될 수 있어야 한다. 이식편을 이용한 재건 시 기도 내면을 가능한 크게 확장하되 성문부의 전연합부를 손상하지 않도록 해야 하며, 연골을 이식할 때는 연골막을 부착한 채로 채취하여 나일론을 이용하여 고정하되 매듭이 외측에 놓이도록 한다. 이 때 연골막은 내강을 향하도록 해야 재상피화를 돕고 감염의 위험을 낮

춰 창상 치유에 유리하다. 이식 재료로는 늑연골, 이개연골, 갑상연골, 비중격연골, 설골, 흉쇄유돌근골막 피판등이 사용될 수 있고 그 중에서도 늑연골이 흔히 사용된다. 자가 늑연골을 이용한 이식수술 시 환자의 유선 직하방 피부주름을 따라 약 2-3 cm의 수평피부절개를 가하고, 늑연골을 확인한 다음 가장 길고 곧은 늑연골부위에서 연골을 채취한다. 대개 7번 또는 8번 연골을 이용한다. 외측의 연골막은 연골과 붙여서 채취하고 내측의 연골막은 손상시키지 않는다. 연골을 이식할 부위에 맞게 모양을 만드는데 boat 모양으로 다듬고 연골 가장 자리에 flange를 만들어 연골편이 후두 내로 전위 되는 것을 막는다. 협착의 정도에 따라 전방에만 이식할 수도 있고 전방과 후방 모두에 이식하기도 한다. 후두 기관 재건을 single stage로 시행할지 two stage로 시행할지의 여부는 초기 협착 정도 및 환자의 전신상태, 시행될 재건 수술의 종류에 따라 결정된다. Single stage의 후두 기관 재건은 Grade 2 또는 경도의 Grade 3 정도인 환자에서 시행되며 수술 시 기관절개술을 하지 않고 기관삽관튜브를 유지한 채 중환자실에서 3-7일간 진정치료를 한 후 발관한다. 환자의 심폐기능이 불량하거나 신경학적 문제가 있는 경우에는 single stage 재건수술을 하지 않고 기관절개술을 하는 것이 유리하다. Two stage의 후두 기관재건은 심한 Grade 3 및 Grade 4 환자에서 적용되며 기도는 기관절개술을 통해 확보하고 수술 부위에는 스텐트를 넣고 유지한다.

(3) 스텐트(stent)

중등도 이상의 협착증에서 이식편을 이용한 후두기관 재건술을 시행 후 이식편이 이탈하지 않도록 유지하고, 그 위에 상피가 잘 재생되도록 유도하며, 반흔 형성을 방지하기 위한 목적으로 스텐트를 삽입하게 된다. 이상적인 스텐트는 내강에 잘 맞고, 주위 점막에 혈류 장애를 초래하지 않으며 호흡 및 연하 운동으로 상하로 움직이더라도 후두 및 기관 점막에 적게 손상을 주어야 한다. 또한 염증 반응이 적어 세균이 증식하지 않고 나중에 제거가 쉬워야 한다. Aboulker stent, Montgomery T-tube, Healy pediatric T-tube, Eliachar laryngotracheal stents, LT-mold stent 등 다

양한 종류가 있으며 스텐트의 삽입 기간은 1개월에서 1년 정도로 협착 정도, 켈로이드 체질 유무 등을 고려하여 결정한다. Montgomery T-tube는 스텐트 역할뿐 아니라 기관 캐뉼라로도 이용될 수 있으며, 발성이 가능하고 실리콘 재질로 조직반응이 적고 점액이나 가피가 내강에 잘 붙지 않아 장기간 스텐트 유치가 필요할 때 유리하다.

(4) 윤상 기관연골 절제(cricotracheal resection)

반흔 조직을 제거하지 않고 절개만 가하는 후두 기관 재건술과 달리 성분하협착의 주요 부분인 윤상연골을 절제하고 기관을 당겨 올려 봉합하는 술식이다. 윤상연골의 전방 1/2 정도를 절제하면서 후방의 반흔조직과 두꺼워진 연골은 드릴 등을 이용하여 제거한다. 윤상연골 절제 시 반회후두신경을 보존하는 것이 중요한데 신경을 먼저 찾은 후 갑상윤상관절 후방으로 들어가는 것을 확인할 수도 있으나 절개된 윤상갑상근을 측방으로 젖히면서 신경을 감싸도록

하면 반회후두신경을 굳이 확인하지 않아도 안전한 수술이 가능하다. 후두 쪽 절개선이 전방은 높고 후방은 낮으므로 여기에 맞추어 기관쪽 절개면 역시 비스듬하게 만든 후 기관을 전상방으로 견인하여 흡수성 봉합사를 이용하여 갑상-기관 문합을 시행한다. 가능한 봉합사의 매듭이 기관 내강 쪽으로 나오지 않고 바깥쪽으로 나가도록 하여 봉합하고 이 때 경부를 전굴 시켜 장력을 최소화한다. 후두 기관 재건술과 마찬가지로 상황에 따라 single 또는 two stage로 수술을 시행한다.

4) 후두틈새(Laryngeal cleft)

후두틈새 또는 후두기관식도틈새(laryngotracheoesophageal cleft)는 기도와 식도 사이 격벽에 결손이 있는 상태로서 양측의 후방 윤상연골판이 정중부에서 불완전 융합하여 발생한다. 그 결과 후두와 식도가 비정상적으로 통하게 되어 흡인, 섭식장애, 만성 기침, 폐렴, 천명 등의 증상이

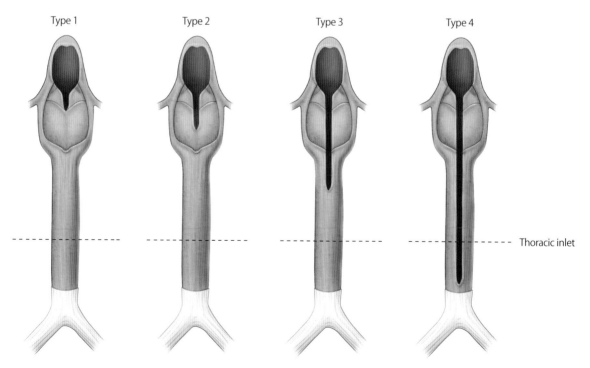

그림 35-3. **Benjamin-Inglis classification.** 후두기관식도 틈새의 정도에 따라 분류하는 방법으로 Type 1은 interarytenoid defect, Type 2는 partial cricoid defect, Type 3는 complete cricoid defect, Type 4는 thoracic inlet 이하까지 결손이 이어진 경우이다.

나타난다. 결손의 정도에 따라 나누는 여러 가지 분류법이 있지만 그 중에서도 Type 1은 interarytenoid defect, Type 2는 partial cricoid defect, Type 3는 complete cricoid defect, Type 4는 thoracic inlet까지 결손이 이어진 경우로 분류하는 Benjamin-Inglis classification이 가장 널리 사용된다(그림 35-3). 후두 틈새를 가진 환아의 대부분은 기관식도루, 식도폐쇄(esophageal atresia), 선천성심장질환, 구순열 및 구개열, 소악증(micrognathia), 설하수(glossoptosis), 후두연화증 등의 이상을 동반한다. 직접 후두경 검사에서 양측 피열부 사이의 높이가 낮고 벌어진 형태를 관찰하고 피열연골 사이 깊은 틈새를 촉지함으로써 진단이 가능하다. 흡인이 지속되었을 경우 폐가 비가역적 손상을 입을 수 있으므로 일반적으로 조기에 후두 틈새를 수술적으로 복구하는 것이 추천되나 Type 1 후두틈새는 점도를 높인 식이로 흡인을 예방하고 항역류제 투여로 치료할 수도 있다. Type 2와 Type 3 후두틈새는 내시경적으로 틈새를 복구할 수 있으나 Type 4는 후두절개술(laryngofissure) 또는 측방 인두절개술(lateral pharyngotomy) 등 개방적 접근법이 필요하다.

5) 후두혈관종(Laryngeal hemangioma)

후두혈관종은 주로 성문하부에 생기며 후벽에 붙어 있거나 내측 둘레를 따라 둘러싼 형태로 성문하 기도를 좁게 하여 증상이 나타난다. 성문하혈관종 환자의 절반 정도는 피부혈관종을 동반하므로 피부혈관종이 있고 이상성 천명을 가진 환아에서는 반드시 의심하여야 한다. 성문하혈관종은 측면 경부 단순방사선촬영에서도 관찰될 수 있으나 내시경을 통하여 확인하여야 한다. 내시경 시에는 출혈의 위험이 있으므로 조직검사를 하지 않도록 주의한다. 증상이 심하지 않은 경우 그대로 관찰할 수 있고 스테로이드나 프로프라놀롤을 투여할 수 있다. 외과적으로는 레이저 내시경 수술, 후두절개술을 통한 절제, 기관절개술 등이 사용된다.

■■■■ 참고문헌

• Bailey M, Hoeve H, Monnier P. Paediatric laryngotracheal stenosis: a consensus paper from three European centres. Eur Arch Otorhinolaryngol 2003;260(3):118-23.

• Benjamin B, Inglis A. Minor congenital laryngeal clefts: diagnosis and classification. Ann Otol Rhinol Laryngol 1989;98(6):417-20.

• Boardman SJ, Albert DM. Single-stage and multistage pediatric laryngotracheal reconstruction. Otolaryngol Clin North Am 2008;41(5):947-58.

• Cotton RT, Myer CM. Contemporary surgical management of laryngeal stenosis in children. Am J Otolaryngol 1984;5:360-8.

• Daya H, Hosni A, Bejar-Solar I, et al. Pediatric vocal fold paralysis: a long-term retrospective study. Arch Otolaryngol Head Neck Surg. 2000;126:21-5

• Ida JB, Thompson DM. Pediatric Stridor. Otolaryngol Clin North Am 2014;47(5):795-819.

• Holinger LD. Etiology of stridor in the neonate, infant and child. Ann Otol Rhinol Laryngol 1980;89:397-400.

• Rahbar R, Rouillon I, Roger G, et al. The presentation and management of laryngeal cleft: a 10-year experience. Arch Otolaryngol Head Neck Surg. 2006;132(12):1335-41.

• Roger G, Denoyelle F, Triglia JM, et al. Severe laryngomalacia: surgical indica-tions and results in 115 patients. Laryngoscope. 1995;105:1111-7.

• Scott AR, Chong PS, Randolph GW, et al. Intraoperative laryngeal electrSandu K, Monnier P. Cricotracheal resection. Otolaryngol Clin North Am 2008;41(5):981-98.

음성장애

Voice Disorders

김한수

소아의 신체는 성인이 되는 일정 순간까지 계속 성장한다. 따라서 소아 질환을 다룰 때에는 성장, 다른 의미로는 신체적 변화라는 요소를 고려해야 한다. 예를 들어, 발화기저주파수(speaking fundamental frequency)는 사춘기 이전에는 남녀 사이에 큰 차이가 없지만 사춘기 특히 변성기를 지나면서 남자 청소년에서 급격히 낮아지게 되어 이후 약 한 옥타브 정도 차이가 발생하게 된다. 즉 사춘기 이전에는 문제가 되지 않았던 고음역대의 음성이 변성기가 지난 남자 청소년에게는 음성장애로 인식될 수 있는 것이다. 다시 말해, '정상음성'은 환자의 나이(사춘기 유무), 성별에 따라 달라지기 때문에 소아의 음성장애를 진단할 때에는 이를 고려하는 것은 매우 중요하다.

소아의 음성장애가 성인과 구별되는 또 다른 특징은 환자와 증상을 호소하는 사람이 다른 경우가 많다는 것이다. 대부분의 성인 환자는 스스로 목소리의 이상을 느껴서 내원하게 되지만, 소아의 경우에는 부모, 보호자, 선생님 등이 소아의 음성장애를 인지하고 병원에 데려오는 경우가 많다. 진단과 치료에 있어서도 환자의 협조가 원할 하지 않아 후두내시경, 음성분석검사 등을 시행하기 쉽지 않으며 소아 자신이 병식이 부족하고 치료에 대한 동기가 부족하여, 음성치료 등의 효과를 기대하기 힘든 경우가 많다. 또

한 수술적 치료를 고려할 때에는 환자의 후두가 계속 성장을 한다는 점을 고려하여 수술 시기나 방법을 고려해야 한다. 이처럼 소아와 성인 사이의 차이점과 제한점을 인식하고 치료에 임해야 한다.

1. 음성장애의 평가

1) 병력청취

음성장애의 평가에 있어서 병력청취는 매우 중요하다. 소아 환자 자신이 직접 증상을 표현하기 어려운 경우가 많으므로 부모나 혹은 보호자로부터 발병시기, 진행양상, 음성특성에 대해 자세히 병력을 청취해야 한다. 그러나 우리나라의 진료 특성상 외래환자에게 많은 시간을 할애하는 것이 힘든 경우가 많기 때문에, 미리 만들어 놓은 질문지를 이용하거나, 언어재활사의 음성평가 결과를 참조하는 것도 좋은 방법이다. 음성장애가 생활에 미치는 정도를 파악하기 위하여 환자 중심의 주관적 자가보고용 설문지를 사용할 수도 있다. 현재 소아용 음성장애지수(voice handicap index, VHI)와 음성과 관련된 삶의 질(voice-related quality of life, V-RQOL) 등, 두 가지의 설문지가 개발되어

있으나 아직 한국어로 번안된 후 신뢰도와 타당도가 검증된 한국어판은 없어 사용 시 고려하여야 한다.

2) 청지각검사

음성장애 환자의 음질을 정확하게 평가하는 것은 치료의 방향을 결정하고 효과를 판단하는 데 매우 중요하다. 음질은 음향학적으로 매우 복잡하게 구성되어 있어 현재까지 나온 어떤 음향분석기기로도 그 특성을 전부 평가할 수는 없다. 따라서 음향분석기기를 이용한 객관적, 수치적 평가와 함께 검사자가 귀로 직접 듣고 평가하는 청지각검사를 함께 시행해야 한다. 청지각적 음성평가(auditory-perceptual voice analysis)는 음향분석기기로 평가할 수 없는 음질의 복잡한 특성을 장비의 사용 없이 총체적으로 평가하고 음성장애의 정도 및 의사소통에 미치는 영향까지 평가할 수 있는 장점이 있다. 반면 평가자가 어느 수준 이상의 훈련된 귀(trained ear)를 가지기 전까지는 평가가 불완전하다는 단점이 있다. 청지각적 음성평가는 아동의 목소리를 듣는 것만으로 검사가 완료되기 때문에 소아 음성장애의 진단에 매우 유용한 검사이다.

전통적으로 국내에서 가장 보편적으로 사용되어 온 청지각적 음성평가로는 GRABS척도(GRABS scale)가 있다. GRABS척도는 총 5개의 영역에서 0점(정상)에서 3점(매우 나쁨)까지의 척도로 평가한다. 5개의 영역은 다음과 같다. G (grade)는 전반적인 평가로 비정상적인 음성의 정도, R (rough)은 성대점막의 불규칙한 진동에 의한 거친 소리의 정도, B (breathy)는 불완전한 성문폐쇄에 의해 성문 사이로 새어 나오는 소리의 정도, A (asthenic)는 음성의 힘이 부족하여 표현되는 약한 소리의 정도, S (strained)는 발성 시 과도한 긴장에 의해 발생하는 쥐어짜는 소리의 정도를 표현한다. GRABS 척도는 검사자의 숙련성에 큰 영향을 받지 않고 검사자 내(intra-rator) 또는 검사자 간(inter-rator) 낮은 편차를 보이는 신뢰도가 높은 검사방법이며 별다른 검사도구 없이 소아 환자와 이야기를 나누면서 측정을 할 수 있다는 장점이 있다. 그러나 음도, 음의 크기 등에 대한 평가 항목이 없고 단순히 음질만을 평가하는 단점이 있다. 최근에는 2002년 ASHA (American Speech-Language-Hear-ing Association)에서 제정한 CAPE-V (consensus auditory perceptual evaluation of voice)가 새로운 청지각적 음성평가 방법으로 많이 사용되고 있다. CAPE-V는 검사자가 모음, 문장 및 자발화 샘플을 듣고 전반적인 중등도, 거친 소리, 바람 새는 소리, 쥐어짜는 소리, 음도, 음량의 6개의 주요항목을 100 mm 선에 표시하는 VAS (visual analog scale) 검사 척도이다. 주요항목 외에도 공명, 이중음성, vocal fry, 가성발성, 실성증, 불안정음도, 떨림, 가래 끓는 소리 등을 검사자 재량에 따라 추가적으로 평가할 수 있어 GRABS척도에 비해 좀 더 자세히 음성장애를 평가할 수 있는 장점이 있다. 그러나 아직까지는 영어문장을 번안한 한국어 버전이 없기 때문에 평가 시 '가을'이나 '산책' 문장의 일부를 발췌해서 사용해야 한다.

3) 후두내시경검사

후두내시경검사는 음성장애 진단에 있어 가장 핵심적인 검사이다. 경성후두내시경(rigid laryngoscope)은 좋은 시야를 제공하는 장점이 있으나 검사 중 환자의 혀를 잡아 당겨야 하고 구역반사를 유발하여 소아의 협조가 되지 않는 경우 검사가 쉽지 않다. 반면 연성후두내시경(flexible laryn-goscope)은 구역반사를 유발하지 않고 일상적인 대화상태

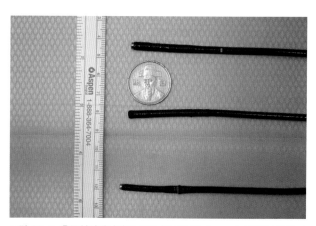

그림 36-1. **후두연성내시경의 종류.** 맨 위부터 4 mm 스트로보스코피, 4 mm 디지털후두내시경, 2.5 mm 후두내시경이다. 영아, 유아 및 학동기 이전의 소아에서는 2.5 mm 내시경을 일반적으로 사용한다. 2.5 mm 내시경은 4 mm에 비해 시야가 좁고 어두운 단점이 있다.

에서 후두를 관찰할 수 있는 장점이 있다. 또한 과거에는 경성후두내시경보다 시야가 좋지 않았으나 최근 디지털내시경(chip-in-tip technology)이 보급되면서 경성후두내시경과 시야 및 화질에서 큰 차이가 없다(그림 36-1). 그러나 소아의 경우 코에 무언가 삽입된다는 공포감과 비강 통과 시 통증으로 인해 검사 도중 몸을 움직이거나 내시경을 잡아 뺄 수 있으므로 검사 전 충분한 설명과 검사 시에는 보호자 및 보조인력의 도움을 받아 소아가 움직이지 않도록 하는 것이 필요하다.

검사 전에는 환자 및 보호자에게 검사의 방법에 대해 설명하고 내시경을 직접 소아 환자가 만져보게 함으로써 아프지 않고 무섭지 않은 검사라는 것을 알게 하면 좋다. 또한 소아의 경우 성인과는 달리 충분한 시간 동안 검사를 하기 어려우므로 검사 과정을 동영상 촬영을 하여 정상속도, 느린 속도로 반복해서 재생하여 병변을 세밀하게 관찰하는 것이 진단에 도움이 된다. 후두스트로보스코피는 성대점막 병변의 감별진단에 많은 도움을 준다. 그러나 연성 후두스트로보스코피가 구비되어 있지 않은 경우 무리하게 경성후두스트로보스코피를 시행하기보다는 연성후두내시경으로 동영상 촬영을 하여 반복적으로 보는 것이 더 도움이 되기도 한다.

70%를 차지한다. 음성을 과도하게 사용하거나 잘못 사용해서 발생한다. 구개열이 있는 경우 연구개인두부전을 보상하기 위해 성대를 무리하게 사용하여 발생하는 경우도 있으며 인후두역류증이 원인이 되기도 한다. 7-10세 사이의 남자 소아에게서 흔하며 나이가 들면서 그 수가 감소하고 사춘기 이후에는 여자에게서 더 흔한 양상을 보인다.

평소 고함이나 괴성을 지르는 습관이 있거나 태권도학원이나 야외 활동을 많이 하는 소아에서 잘 생기므로 병력 청취를 통해 이를 확인해야 한다. 진단에 후두내시경검사는 필수적이다. 일반적으로 양측으로 발생하지만 크기에 차이가 있어 마치 한쪽에만 있는 것처럼 보이기도 한다. 음성 사용 정도, 발병 기간에 따라 결절의 크기, 형태, 대칭성, 색깔 등이 다양하다. 결절의 크기와 음성장애의 정도에는 큰 상관관계가 없어 결절의 크기가 크더라도 음성장애는 심하지 않은 경우도 있다. 소아의 경우 결절의 크기가 작고 후두 내 점액과 구분이 되지 않는 경우가 많기 때문에 일반 후두내시경보다는 후두스트로보스코피가 진단에 좀 더 도움이 된다. 그러나 경성 후두스트로보스코피는 내시경의 내경이 굵기 때문에 소아에서는 검사가 수월하지 않을 수도 있다(그림 36-2).

2. 양성점막질환

성대의 양성점막질환은 소아에서 음성장애를 유발하는 가장 흔한 질환이다. 음성의 오용, 과용, 남용 등 과도한 목소리 사용으로 성대점막에 손상이 생겨 발생하는 것으로 자기 표현력이 좋고 말을 많이 하는 성격에서 발생하는 경향이 있다. 병리학적으로는 양성 질환이지만 일상대화, 학습활동에 장애를 유발하여 소아에게 심적으로 부담을 유발하고 삶의 질을 감소시킬 수 있으므로 증상이 심한 경우 적극적인 치료를 필요로 한다.

1) 성대 결절(Vocal nodules)

소아 음성장애의 가장 흔한 원인으로 전체 환자의 약 40-

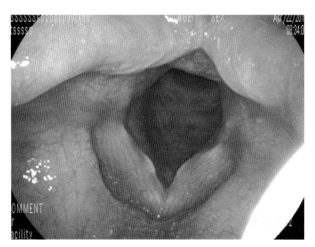

그림 36-2. **7세 남자 환자의 성대결절.** 성인의 성대결절이 점막 표면에서 내측으로 돌출된 결절의 형태가 흔하다면 소아 성대결절은 주변 점막의 종창이 동반되어 넓은 밑면을 가지는 형태로 보이는 경우가 많다(4 mm 연성후두스트로보스코피로 촬영).

치료는 크게 관찰, 약물복용, 음성치료 및 수술로 이루어진다. 소아의 성대결절은 사춘기 이후 자연히 감소되는 경우가 많다. 변성기 동안 성호르몬의 영향으로 후두는 급격한 변화를 맞게 되는데 후두의 크기가 증가하면서 성대의 길이와 두께가 증가하게 된다. 따라서 발성 시 성대에서 주로 접촉하던 부분이 바뀌게 되어 자연스럽게 결절이 감소하는 것으로 생각된다. 또한 사춘기가 지나면서 어린 시절에 사용하던 잘못된 음성습관에 대해 환자 자신이 인식을 하고 이를 교정하게 되면서 결절이 감소하게 된다. 따라서 환자의 나이와 현재의 음성장애로 인한 학교 생활 등의 불편감, 치료에 대한 환자 및 보호자의 적극성 등을 고려하여 음성위생에 대한 교육만을 시행한 후 추적 관찰하는 것 또한 좋은 치료 선택이 될 수도 있다.

음성 치료는 소아 성대결절의 첫 번째 치료법이다. 잘못된 음성사용 습관이 발생의 주원인이기 때문에 올바른 음성사용 방법과 음성위생에 관한 간접음성치료(indirect voice therapy)는 모든 소아성대결절 환자에게 시행하는 것이 좋다. 음성의 효과적인 산출에 초점을 맞춘 직접음성치료(direct voice therapy)의 효과는 치료 횟수와 연관이 있다. Mori의 연구에 의하면 7회 이상 치료를 받은 경우 70% 정도 환자에서 효과가 있으나 2회 이하인 경우 약 17%에서만 증상호전이 있었다고 한다. 따라서 환자 및 보호자가 치료에 대한 동기가 높을 경우에 직접음성치료를 권유하는 것이 좋다. 또한 후비루를 유발하는 알레르기 질환이나 부비동염, 인후두역류증이 있는 경우 적절한 약물 치료를 동반하는 것이 증상 완화에 도움이 된다.

수술적 치료는 가장 확실한 결과를 기대할 수 있지만 후두의 크기가 작아 수술 도중 오히려 성대의 손상을 증가시킬 수 있고, 수술 후 음성휴식에 대한 환자의 협조가 어렵고, 음성 습관이 고쳐지지 않는 경우 재발할 가능성이 있으며, 사춘기 이후에는 자연히 호전 되는 경우가 많으므로 꼭 필요한 경우에서만 시행하는 것이 좋다.

2) 성대 폴립(Vocal polyp)

성대결절에 비해 소아에서는 흔하지 않다. 운동회나 놀이 중 크게 소리를 지른 후 또는 감기를 앓으면서 기침증 심하게 한 후 음성장애가 발생한 경우가 많지만 소아의 경우 정확히 기억을 하지 못하는 경우가 많아 병력 청취 외에도 후두내시경 검사를 통해 진단한다. 발생부위와 양상은 성인과 유사하다. 일반적으로 한쪽 성대에 발생하나 반대편에 반응성비후(reactive hyperplasia)가 동반된 경우 양측성 병변으로 보여 성대결절로 오인되는 경우가 있다.

음성치료는 수술 전후에 모두 필요하다. 특히 환자에게 바른 음성 사용 습관에 대해 교육함으로써 재발을 방지하도록 하는 것이 중요하다. 작은 폴립의 경우 음성치료로 호전되는 경우도 있지만 음성장애가 심한 경우 수술적 치료를 시행한 후 음성치료를 시행하는 것이 좋다. 폴립은 형태에 따라 무경성 폴립(broad-based (sessile) polyp)과 유경성 폴립(pedunculated (fusiform) polyp)으로 구분되고, 출혈성 또는 비출혈성 폴립으로 구분할 수도 있다. 무경성 폴립은 수술 시 가능한 성대고유층과 성대점막을 보존하면서 수술하는 것이 중요하다. 과도한 제거로 수술 후에 반흔이 형성되지 않도록 유의한다. 또한 소아의 경우 성인과는 달리 성대인대(vocal ligament)가 뚜렷하지 않으므로 이를 고려해야 한다. 유경성 폴립은 목(neck) 부위를 절제하면 간단히 제거할 수 있다.

3) 성대낭(Vocal cyst)

성대낭은 조직학적으로 저류낭(mucous retention cyst)과 유표피낭(epidermoid cyst)으로 나뉜다. 저류낭은 점액분비선 폐쇄에 의해 점액 분비물이 저류되어 발생한다. 유표피낭은 각질중층편평상피(stratified keratinizing squamous epithelium)로 된 낭과 그 안의 케라틴으로 구성되어 있다. 유표피낭의 발생에는 두 가지의 가설이 있다. 하나는 선천적으로 상피세포가 상피층 아래에 존재하여 발생한다는 것과 다른 하나는 음성의 과대 사용이나 외상에 의해 손상된 상피 점막이 치유되기 전에 상피세포가 점막 아래로 함몰되어 후천적으로 발생한다는 설이다. 유포피낭의 경우 저류낭과는 달리 음성을 많이 사용하는 사람에게서 발생하는 경향이 있다는 점이 후자를 지지한다. 그러나 음성 사용이 많지 않은 소아에게서도 유포피낭이 발견되는 점은 선천적 발생설의 근거이기도 하다. 유포피낭은 성대구증의 발생과도 밀접한 관계가 있어 두 질환을 한 질환의 다른 양상으로 놓고 보기도 한다. 즉 낭이 자발적으로 파열된 후에 파열 부위가 크지 않은 경우 일부의 표피양 조직이 남아 있는 개방낭(open cyst)으로 관찰되고, 낭의 파열부위가 전체 성대만큼 크면 성대구 형태로 관찰된다는 것이다.

후두내시경 검사에서 저류낭은 주로 성대 유리연의 바로 아래에서 반투명한 점막이 내측으로 돌출된 형태로 보여 유경성 성대폴립으로 오인되는 경우가 종종 있다. 유포피낭은 무경성 폴립처럼 진성대 안쪽에 자리 잡은 형태로 주변 점막보다 좀 더 진한 색을 띤다(그림 36-3). 감별진단에 후두스트로보스코피가 도움이 되며 성대낭 표면의 점막 진동이 감소하거나 주변 점막보다 진동이 먼저 멈추는 것을 관찰할 수 있다. 개방낭의 경우 성대 표면에 케라틴이 빠져나와 생긴 반점 형태가 관찰되기도 한다. 음성검사에서 병변의 크기에 비해 음성장애가 심하거나 고음역에서 이중음성, 음이탈(pitch break) 등이 있으면 의심할 수 있다. 저류낭은 예상되는 것보다는 음성이 많이 나쁘지 않고, 유포피낭은 예상되는 것보다는 음성이 많이 나쁜 경향을 보인다.

음성치료를 통해 음성이 호전되는 경우도 있지만 일반적으로 수술로 병변을 제거해 주어야 한다. 저류낭은 병리학적으로 낭을 구성하는 두꺼운 피막이 없어 낭을 터트리지 않고 낭을 박리하는 것이 매우 힘들기 때문에 점막 일부를 포함하여 함께 완전하게 제거하는 것이 좋다. 제거할 정상 점막 부위가 많을 경우 낭 표면의 과도하게 튀어나온 점막만을 일부 절제한 후 낭 안의 내용물을 제거하는 조대술(marsupialization)을 시행할 수도 있다. 유표피낭은 낭보다 외측으로 점막 절개를 가한 후 낭을 박리하여 제거한다. 박리 시 성대고유층에 손상을 주지 않도록 해야 하고 가능한 정상 점막을 최대한 많이 보존해야 한다. 완전하게 낭을 제거하지 않으면 재발하는 경우도 있다. 성대 결절이나 폴립에 비해 수술 시 라인케씨 공간 및 성대인대에 손상을 유발할 가능성이 높아 수술 후 점막 유착이나 성대 경도가 증가하는 경향이 있어, 수술 후 음성 치료를 수일 이내에 적극적으로 시행하는 것이 음성 회복에 도움이 된다. 음성회복에는 일반적으로 수 개월 정도가 걸린다.

4) 성대구증(Sulcus vocalis)

성대구증은 성대 점막의 유리연을 따라서 홈 또는 구(groove) 형태의 해부학적 이상이 발생하여 음성장애를 나타내는 질환이다. 원인에 대해서는 의견이 다양한데 선천적으로 제4 및 6 새궁(branchial arch) 발생 이상으로 발생하거나 후천적으로 음성 남용이나 염증 등에 의해 손상된 성대 상피의 함몰에 의해 발생할 수 있다. 유포피낭의 일부

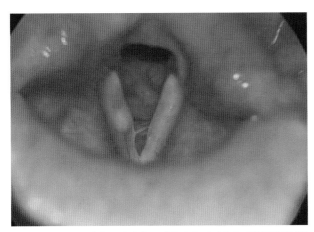

그림 36-3. **14세 여자 소아의 유표피낭.** 우측 진성대 중간에 주변 점막에 비해 진한 크림색을 띠는 유표피낭이 관찰된다.

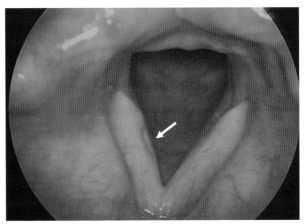

그림 36-4. **15세 여자환자의 성대구증.** 우측 진성대 후방에 홈이 관찰된다(화살표).

가 파열되고 남아서 성대구를 형성하기도 한다.

일반 후두경검사에서 성대 내연에 평행하게 깊은 홈이 보이면 진단할 수 있으나 병변의 크기가 작은 경우 관찰이 어렵다(그림 36-4). 성대 내연이 궁상으로 휘어져 있으면서 발성 시 성문이 방추형으로 열려 있고, 가성대가 과도하게 내전되는 소견이 있으면 의심할 수 있다. 후두스트로보스코피는 성대구증을 진단하는 데 매우 유용한 검사로, 낮은 음역에서는 성대점막의 진동이 전장에서 나타나고 높은 음역에서는 진동이 성대 내연에서 정지가 되는 특징적인 소견을 관찰할 수 있다. 한쪽에만 병변이 있는 경우 정상 부위에 비해 진동이 비대칭적이고 진폭이 감소한 소견을 볼 수 있다.

성대구증에 의한 음성장애를 보상하기 위해 근긴장성 발성장애와 같은 잘못된 음성사용 습관이 동반되어 있는 경우 음성 치료가 필요하다. 음성 치료로 성대구증 자체가 호전되지는 않지만 잘못된 음성사용으로 인한 이차 병변의 발생을 예방할 수 있다. 다양한 치료법이 시도되었지만 아직 만족할 만한 결과를 보여주는 치료법은 없다. 성인의 경우 성대구절제술(sulcussectomy)과 같은 수술적 치료법을 시행할 수 있으나 소아의 경우 성대의 크기가 작고 성대인대가 완전히 성숙되어 있지 않기 때문에 오히려 부가적인 손상을 유발할 수 있으므로 신중히 고려해야 한다.

RRP, AORRP)으로 나뉘는데 소아형이 일반적으로 예후가 좋지 않다. 소아형은 출산 과정 중 인간유두종바이러스 보균 산모로부터의 수직감염이 원인이며 주로 5세 이전에 증상이 나타난다. 발생양상에 따라 단발성과 다발성으로 나뉘는데 소아에서는 주로 다발성으로 발생하며 재발이 심하다. 병리조직학적으로는 양성 질환이나 음성장애 외에도 호흡곤란과 같은 심한 증상을 유발하고 치료 후에도 높은 재발을 보이기 때문에 초기 치료부터 신중히 접근해야 한다.

증상은 병변의 크기와 위치에 따라 다르다. 유아의 경우 호흡곤란, 잦은 기침, 쌕쌕거리는 호흡, 흡기 시 천명 등, 호흡기 관련 증상과 유사하므로 감별 진단에 유의하여야 한다. 좀 더 큰 소아에서는 이물감, 애성과 같은 목소리 변화를 주로 호소하나 병변의 크기가 증가하게 되면 호흡곤란과 같은 증세를 호소한다.

후두내시경 또는 후두스트로보스코피 검사에서 특징적인 파필로마 형태를 확인하면 의심할 수 있다(그림 36-5). 조직검사는 바이러스의 아형을 확인하고 악성 변화 유무를 감별하기 위해서 필수적이다. 후두유두종의 치료 목표는 기도확보, 음성회복 및 병의 완치이다. 그러나 병의 완치를 위해 병변을 완전하게 제거하다 보면 좋은 음성을 보존하기 힘든 경우가 발생한다. 또한 소아형은 재발이 흔해 사

3. 종양성병변

1) 재발성호흡기유두종증(Recurrent respiratory papillomatosis)

재발성호흡기유두종증은 소아 후두에서 발생하는 가장 흔한 양성 종양으로 인간유두종바이러스(human papillomavirus, HPV)의 감염에 의해 발생하는 질환이다. 95%에서 후두에 발생하기 때문에 후두유두종(laryngeal papilloma)이라고 흔히 불린다. 인간유두종바이러스의 여러 아형 중 HPV-6과 HPV-11이 주로 관여하며 HPV-11에 의한 감염이 좀 더 심한 증상을 보인다. 발생연령에 따라 소아형(juvenile-onset RRP, JORRP)과 성인형(adult-onset

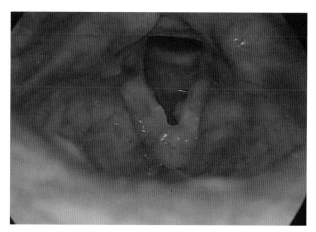

그림 36-5. **16세 남자의 재발성호흡기유두종.** 양측 진성대 및 전연합부를 침범한 파필로마 형태의 다발성 유두종이 관찰된다.

춘기 이전에 수십 번의 수술적 치료를 받아야 하는 경우도 있으므로 환자의 나이, 병의 진행 정도, 기도확보상태 등을 모두 고려하여 치료 방법을 결정하여야 한다. 한 번의 수술로 병을 완치시키고자 무리할 경우 심각한 음성 손상을 초래하여 삶의 질에 악영향을 미칠 수 있으므로 유의하여야 한다.

외과적 절제는 후두유두종 치료의 기본으로 일반적인 후두미세수술의 기본 원칙에 따라 점막 병변만 제거하고 성대인대, 갑상피열근과 같은 점막하 조직을 손상 없이 보존하는 것이 중요하다. 절제 방법에 따라 칼과 가위를 이용한 미세피판술, 겸자제거술, 레이저 절제술, 또는 데브라이더(debrider) 절제술 등이 있다. 미세피판술은 비교적 큰 단일 병변이 있을 때에 사용하고 겸자제거술은 작은 병변이 여러 개 흩어져 있을 때 사용한다. 적당한 크기의 겸자로 병변을 잡아서 제거한다. 겸자로 잡은 후 유두종이 잘 안 떨어진다고 위 아래로 흔들어 잡아당길 경우 주변 정상 점막도 껍질이 벗겨지듯이 떨어지고 오히려 너무 약하게 당기면 병변이 남을 수 있으므로 주의해야 한다. 레이저 절제술은 병변과 직접적인 접촉이 없고 지혈 효과가 크기 때문에 일반적으로 후두유두종 치료에 가장 많이 사용된다. 수술 시작 시 에피네프린을 점막하에 주사하여 점막병변과 점막하 정상 구조를 분리시키고 그 사이에 물을 위치시킴으로써 레이저에 의한 손상을 줄일 수 있다. 데브라이더는 레이저와 비슷한 정도의 지혈 효과가 있으면서도 병변 제거 속도가 더 빠르기 때문에 최근 들어 후두유두종 절제술에 많이 사용되고 있다. 후두수술 전용인 1-2 mm 크기의 데브라이더를 사용하며 회전 속도는 800-1,200 rpm 정도가 적당하다. 어떠한 치료 방법을 사용하든지 목소리 보존과 병변의 제거라는 두 가지 목적을 고려하면서 수술을 시행하여야 한다. 특히 전연합부와 후연합부는 수술 후에 협착이 발생하여 기도협착을 유발할 수 있으므로 양측 병변인 경우 심한 쪽을 먼저 제거하고 반대편 병변 및 점막은 보존한 후 나중에 다시 수술하는 방법을 사용하는 것이 좋다.

Cidofovir는 Cytomegalovirus 감염증 치료에 사용되는 항바이러스제제로 후두유두종 재발 기간을 연장해 주는 효과가 있다는 보고가 있어 최근 들어 치료에 사용하고 있다. 후두유두종이 있는 부위에 단독으로 주사하기도 하나 대부분 외과적 절제를 하고 난 후 점막하에 주사하는 것이 일반적이다. 치료효과가 있는 농도 및 용량에 대해서는 논란이 있지만 일반적으로 5 mg/ml의 농도로 사용한다. 이외 indole-3-carbinol, acyclovir, retinoic acid 등이 효과가 있다는 보고도 있다.

2. 후두혈관종(Laryngeal hemangioma)

후두혈관종은 임상양상에 따라 소아형과 성인형으로 나뉘며 소아형 또는 선천성 후두혈관종이 좀 더 흔하고 성인형은 매우 드물다. 소아형 후두혈관종은 출생 시에는 대부분 무증상이나 생후 1-2개월 이후부터 증상이 발현되는 경우가 일반적으로 성문상부 및 성문부에서 발생하는 성인형과는 달리 주로 성문하부에 발생한다. 병리학적으로 성인형은 해면상(cavernous)인 반면 소아형은 모세(capillary) 혈관종으로 여아에서 남아에 비해 2배 정도 높은 유병률을 보인다.

주 증상은 상부호흡기 병변에서 흔히 나타나는 비정상적인 울음소리, 지속적인 흡기 시 천명, 만성기침 등으로 후두개연화증, 성대마비, 성문하협착 등 소아에서 흔한 상부 호흡기 질환과 감별이 필요하다. 또한 약 50%에서 피부 병변이 동반된다. 2세를 전후하여 자연 소실되는 경우가 대부분이므로 크기가 크지 않고 기도폐쇄 증상이 심하지 않으면 추적 관찰한다. 증상이 있는 경우 CO_2 레이저를 이용하여 절제한다.

4. 기타 음성장애

1) 성대마비

소아의 성대마비는 후두개연화증 다음으로 선천성 천명을 유발하는 두 번째 흔한 질환으로 출생 시 손상, 신경계기형, 심장기형 등의 원인에 의해 발생한다. 따라서 소아에서 성대마비가 확인되면 중추신경계, 심장 및 폐의 이상 여부를 확인해야 한다.

전체 환자의 약 50%에서 양측 성대마비 소견을 보인다. 양측 성대마비의 증상은 마비된 성대의 위치에 따라 다르다. 마비된 양측 성대의 위치가 정중위에서 가까울수록 호흡곤란은 심해지고 음성의 질은 좋으며 외측 마비인 경우 반대의 증상이 나타난다. 호흡곤란 증상의 정도에 따라서 수술적 치료여부 및 방법을 결정해야 한다. 기관절개술은 가장 확실한 기도 확보 방법이다. 간혹 성대마비의 자연 회복 가능성이 있으므로 기관절개술을 유지한 채 경과관찰을 할 수 있다. 그러나 1년 후에도 자연회복이 되지 않으면 발관을 위한 다른 치료법을 고려해야 한다. 이 경우 성대절개술, 피열연골절제술, 성대측방고정술(lateral fixation of vocal folds)과 같은 수술 방법을 고려할 수 있다. 그러나 성인과는 달리 소아의 후두는 작아 기대하는 만큼 기도확보가 이루어지지 않을 수 있고 비가역적인 시술로 인해 음성의 질이 나빠질 수 있으므로 주의해야 한다. 신경재지배술(reinnervation)은 가장 이상적인 방법이나 아직 소아에서의 장기간 추적 관찰된 연구보고는 없다.

일측성대마비는 증상이 심하지 않은 경우 추적 관찰하는 것이 일차 치료이다. 이유는 소아의 경우 마비로 인한 생활의 불편 정도가 성인에 비해 심하지 않은 경우가 많고 정상성대의 보상작용으로 인해 증상이 호전될 수 있기 때문이다. 그러나 흡인이 심하거나 음성의 질이 나빠 학습활동이나 교우관계에 문제가 있다면 수술적 치료를 고려한다. 성대주입술이 가장 일반적으로 많이 시행하는 치료방법으로 소아에서는 부분 마취하에서는 협조가 잘 이루어지지 않을 수 있으므로 전신마취하에서 시행할 수 있다. 피열연골내전술, 제1형 갑상성형술과 같은 성대내전 시술은 변성기가 지나고 후두의 성장이 완전히 멈춘 후에 시행하는 것이 좋다.

2) **변성발성장애**(Mutational dysphonia, mutational falsetto)

일반적으로 사춘기 동안 2차 성징이 발현되면서 후두도 성장하게 된다. 갑상연골의 크기가 증가하면 성대의 길이는 증가하고 성대점막이 두꺼워지면서 강도도 증가하게 된다. 따라서 변성기가 지나면 남자의 경우 발화기저주파수가 1옥타브, 여자의 경우 1/3-1/4 옥타브 정도 떨어지게 된다. 변성발성장애는 기능성 음성장애의 일종으로 후두의 변화에 따른 음도 변화가 적절히 일어나지 못하고 사춘기 이후에도 이전의 높은 음역대의 음성이 계속 유지되면서 가성화된 발성이 나타나는 질환이다.

변성발성장애는 여자에서도 발생하지만 대부분 10대 중후반 이후의 남자에게 주로 발생한다. 기질적, 해부학적 원인은 드물며 대개 심리적인 문제가 동반되는 경우가 많다. 의심되는 심리적 원인으로는 변성기가 일찍 시작된 경우 목소리 변화에 대한 거부감으로 의도적으로 고음도를 유지하려다가 굳어진 경우, 신체 성장과 동반되어 부여되는 사회적 책임감을 회피하려고 하는 경우, 성인에 대한 거부감, 남성보다는 여성의 역할에 더 강한 애착을 보이는 경우 등이 보고되고 있으나 정확한 원인을 찾기는 어렵다. 간혹 생식내분비계의 문제로 호르몬 분비에 이상이 있어 후두가 제대로 성장하지 못한 경우, 심한 양이 난청으로 인해 자신의 목소리를 제대로 인식하지 못하는 경우 등 기질적인 원인으로 발생할 수도 있다.

음성특징으로는 변성기 이전 어린 남자아이 목소리와 비슷하게 음도가 비정상적으로 높으며 소리 크기는 약하다. 가성 발성을 사용하기 때문에 기식음이 동반되며 저음을 내는 데 장애를 느낀다. 후두내시경 검사에서는 발성 시 가성대의 과도한 긴장에 의한 내전이 관찰된다. 반면 진성대의 뒤쪽은 오히려 접촉이 일어나지 않아 성대 앞쪽 1/3에서만 점막 진동파동이 보이기도 한다. 후두의 위치가 높게 위치하고 있어서 갑상설골공간이 좁고 후두가 전반적으로 아래를 향하여 기울어져 있는 형태를 보인다.

치료방법으로는 후두압박술(manual laryngeal compression)과 음성치료가 일차 치료법으로 좋은 치료 효과를 보인다. 치료 이전에 병의 원인과 치료과정에 대해 충분히 설명하여 환자가 이를 이해하고 치료과정에 적극적으로 참여하게 하는 것이 중요하다. 설골 상부의 외후두근에 과도한 긴장이 있는 경우 음성치료와 함께 이 부위에 보툴리눔 독소 주입을 병행할 수도 있다. 보존적 치료에 반응하지 않는 경우 제3형 갑상연골성형술(type III thyroplasty)을 시행한다.

■■■■ 참고문헌

• 대한후두음성언어의학회.후두음성언어의학. 서울: 일조각; 2012

• Andrus JG, Shapshay SM. Contemporary management of laryngeal papilloma in adults and children. Otolaryngol Clin North Am. Feb 2006;39(1):135-58.

• Bastina RW. Benign vocal fold mucosal disorders. In: Cummings CW, Flint PW, Haughery BH, et al, eds. Otolaryngology: Head and Neck Surgery, 5th ed. St Louis: Mosby Year Book, 2010, pp859-882.

• Clark A. Rosen, C. Blake Simpson. Operative techniques in laryngology, Springer, 2008.

• Chadha NK, James AL. Antiviral agents for the treatment of recurrent respiratory papillomatosis: a systematic review of the English-language literature. Otolaryngol Head Neck Surg. Jun 2007;136(6):863-9.

• Monday LA, Cornut G, Bouchayer M, Roch JB. Epidermoid cysts of the vocal cords. Ann OtolRhinolLaryngol. 1983;92:124-7.

• Ford CN, Inagi K, Khidr A, Bless DM, Gilchrist KW. Sulcus vocalis: a rational analytical approach to diagnosis and management. Ann OtolRhinolLaryngol. 1996 ;105:189-200.

• Maia AA, Gama AC, Kümmer AM. Behavioral characteristics of dysphonic children: integrative literature review. Codas. 2014 Mar-Apr;26(2):159-63

• Mori K. Vocal fold nodules in children: preferable therapy. Int J Pediatr Otorhinolaryngol. 1999;5:49 Suppl 1:S303-6.

• Nardone HC, Recko T, Huang L, Nuss RC. JAMA Otolaryngol Head Neck Surg. 2014 Mar;140(3):233-6. A retrospective review of the progression of pediatric vocal fold nodules.

• Scott M. Rickert, Karen B. Zur. Disorders of the pediatric voice In: Greg R. Licameli, David. E. Tunkel eds. Pediatric otorhinolaryngology. Thieme, 2012, pp687-695.

• Sukgi S. Choi, George H. Zalzal. Voice Disoders In: Cummings CW, Flint PW, Haughery BH, et al, eds. Otolaryngology: Head and Neck Surgey, 5th ed. St Louis: Mosby Year Book, 2010, pp859-882.

성문 및 성문하 협착

Glottic and Subglottic Stenosis

권성근

1. 원인

일부 선천적인 이유를 제외하고 후두 및 기관의 협착은 대개 기관삽관에 의한 손상으로 발생한다. 기관 삽관 기간이 길수록, 너무 큰 사이즈의 기관삽관 튜브를 사용한 경우, 수차례 기관 삽관을 시도하면서 후두에 손상을 준 경우, 적절한 환아 진정이 이루어지지 않은 경우, 기관삽관 튜브가 과도하게 움직이는 경우, 위식도역류가 있는 경우 기도 협착이 증가하게 된다. 즉 기관 삽관 기간도 중요하지만 기관삽관 이후 기도 협착에 영향을 미치는 인자들을 면밀히 분석하고 이를 예방하는 활동도 매우 중요하다.

소아의 경우 기관 삽관을 시행하면 양측 vocal process 및 윤상연골 부위의 점막에 궤양이 생기고(그림 37-1), 염증이 동반될 경우 점막이 재생되는 과정에서 육아종, 심한 성문하 협착, 윤상피열연골 관절의 고정이 발생하게 된다.

2. 진단

1) 병력 청취

병력을 자세히 물어볼수록 호흡곤란을 유발하는 원인과 위치를 파악하는 데 도움을 주고, 협조가 어려운 소아에서 불필요한 검사를 줄일 수 있어서 최대한 자세히 시행해야 한다. 출생 당시 재태 연령, 출생 시 체중, 동반 기형에 대해 자세히 파악해야 하고, 기관 삽관을 시행한 병력과 삽관한 기간, 발관을 시도한 병력 등이 있는지 파악해야 한다.

(1) 발병 연령

출산 직후부터 시작된 호흡곤란은 후두폐쇄(laryngeal atresia) 양측성 성대마비, 선천성 성문하 협착증, 후비공 폐쇄(choanal atresia) 등을 의심해야 하고, 출생 후 몇 주후 시작된 호흡곤란은 후두연화증 혹은 성문하 혈관종을 의심해야 한다. 1-3세 경에 호발하는 질환은 크룹과 기관지염이 있다.

(2) 악화 인자

그렁거림(stridor)을 유발하는 질환들은 대개 환아가 울거나, 수유하거나 힘을 줄 때 악화한다. 코골이를 유발하는 질환들은 수면 시에 호흡곤란이 악화되며, 수유 시에 호흡곤란이 악화되면 성대마비, 기관식도루 혹은 후두열, 신경계 질환에 의한 인두후두 부조화(discoordinated pharyngolarynx) 등을 감별해야 한다.

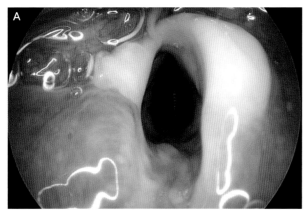
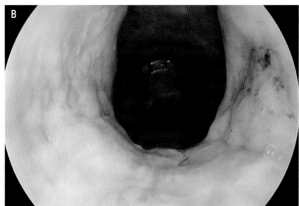
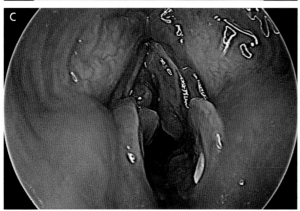

그림 37-1. **기관 삽관 이후 발생한 진성대(A) 및 성문하(B) 부위 궤양 소견과 궤양 부위에 발생하는 육아종(C)**

(3) 체위의 영향
엎드린 자세(prone position)에 병적인 호흡음이 줄어든다면 후두연화증, 소악증(micrognathia), 하악후퇴(retrognathia), 대설증(macroglossia), 무명동맥(innominate artery)

에 의한 압박, vallecular cyst 등을 의심해야 한다. 옆으로 누운 자세(lateral position)에서 호전이 되거나 악화가 된다면 일측성 성대마비, 인두 혹은 후두 외측(lateral) 부위 낭종을 의심해 볼 수 있다.

(4) 체중
출생 시 체중과 현재 체중을 파악해 지속적으로 체중이 증가하고 있는지 여부와 성장곡선에서 현재 체중이 또래 아이들 체중과 비교하여 저체중인지를 확인하여서 적극적인 수술적 치료를 시행할지 경과를 지켜볼지 정하게 된다.

2) 이학적 검진
환아의 전반적인 상태를 보고 호흡 시 청색증이 동반되거나, 흉골상부(suprasternal) 혹은 늑연골 아래(subcostal) 부분에 파임이 있는지 확인한다. 두개골, 하악에 기형이 있는지 확인이 필요하며 호흡음 자체를 관찰하는 것만으로도 많은 정보를 얻을 수 있다.

(1) 병적인 호흡음 관찰
① 그렁거림(stridor)
후두 및 흉곽외기관(extrathoracic trachea) 부위의 협착으로 흡기 시에 들리는 거친 호흡음이다.
　후두연화증, 양측성성대마비, 성문하 협착증, 후두열(laryngeal cleft), 후두갈퀴막(laryngeal web) 등이 원인이 되는 질환이다.

② 코골이(stertor)
비강, 비인두 및 구인두의 협착으로 흡기 시에 들리는 낮게 떨리는 소리로 아데노이드 및 편도 비대, 설기저부 종양, 설하수(glossoptosis)가 원인이다.

③ 쌕쌕거림(wheezing)
흉곽 내 조그마한 기도의 협착으로 호기 시에 들리는 휘파람 같은 소리로, 기관지연화증, 기관협착, 종격동 종양이나 혈관 기형에 의한 기관 압박 등이 원인이 된다.

3) 영상학적 검진

병력 청취와 이학적 검진을 마친 후에 적절한 영상학적 검
사를 시행하게 된다. 우선 시행하는 일차적인 영상학적 검
사는 단순 X-ray 촬영이다. 경부를 전후와 좌우(C-spine
AP, Lat)로 촬영하게 되며, 기도 협착 부위를 대략적으로 알
수 있게 해주고, 치료 전후의 호전 정도를 쉽게 파악할 수
있어서, 영상학적 검사 중 일차 스크리닝 검사로 이용된다
(그림 37-2).

종격동 내 혈관 및 심장 기형이 있을 경우 조영증강CT
를 시행하여 기도가 혈관이나 심장에 의해 압박되지 않는
지 확인할 수 있다(그림 37-3). CT 이미지의 3차원적 재구성
을 시행하면 기도 협착 부위와 정도를 좀 더 직관적으로 알
수 있게 되고(그림 37-4) Virtual endoscopy를 하는 형태로
도 영상을 재구성할 수 있다. 그러나 virtual endoscopy는
점막의 상태를 표시해 줄 수 없고(흉터성cicatrical vs 염증
성inflammatory) 기도 내 저류된 분비물에 의해 실제 협착
보다 훨씬 더 협착을 심하게 보여주기 때문에 소아에서의
유용성은 대단히 떨어지고, 특히 기도 직경이 작을수록 이
러한 오류가 더 발생하기 때문에 신생아의 경우 신뢰할 수
없다. MRI의 경우 장시간 진정이 필요하고 이러한 진정으
로 호흡곤란을 심화할 수 있기에 소아 기도 평가를 위해서
시행하지 않는다.

식도조영술의 경우 음식물이 흡인되는 환아에서 시행하
게 된다. 식도조영술을 이용해 기관식도루나 후두열이 있
는지 확인할 수 있고, 기관식도루가 있는 정확한 레벨을 찾
기 위해서 L-tube를 위에서 식도로 서서히 빼면서 조영제
를 조금씩 투입하면 보다 정확한 위치를 파악할 수 있게 된
다(그림 37-5).

4) 후두기관지 내시경

기도 협착을 평가하는 가장 정확한 방법이다. 후두연화증
이나 기관연화증과 같은 동적인 기도 협착을 평가하기 위
해서는, 환아를 정맥마취제를 이용해서 진정시킨 후에 근
이완제를 사용하지 않고 자발 호흡(spontaenous respira-
tion)하에 평가하는 것이 중요하다. 후두 직달경을 이용하
여 2.7 mm 혹은 4 mm 직경의 강직형 내시경을 구강을 통

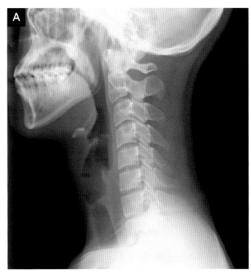

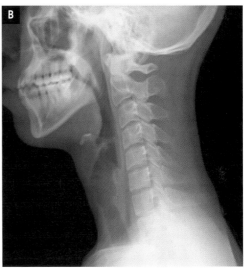

그림 37-2. **C-spine lateral view**
A. 성문하 협착 치료 전, B. 성문하 협착 치료 후 폐쇄 부위가 호전된 소견

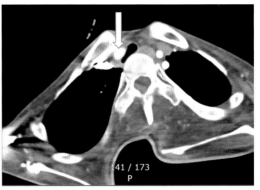

그림 37-3. **경부 CT 영상.** 무명동맥에 의해 기관이 압박 받아 납작해진다.

그림 37-4. **CT 촬영 영상을 3차원으로 재구성한 이미지.** 기관 근위부에 협착을 관찰할 수 있다.

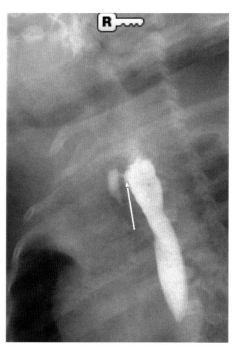

그림 37-5. **식도조영술.** 하얀 화살표 부위에서 조영제가 식도에서 기관으로 넘어가는 것이 관찰된다.

해 진입시키면서, 후두개, 성대, 성문하부위, 기관, 좌우 주기관지를 차례로 관찰하며, 기도 협착 부위와 정도, 길이를 평가하게 된다. 성문하 협착의 정도는 Cotton-Myer Grade를 이용해 표시한다(표 37-1). 이는 현수후두경(suspension laryngoscope)을 거치시키고 성대를 통해 다양한 크기의 기관삽관튜브를 삽입하고, 앰부백을 통해 공기를 기관삽관튜브를 넣어 20 mmH$_2$O 이하의 기압에서 바람이 새는 최대 직경의 기관삽관튜브를 찾는 것이다.

　내시경을 넣어 기도를 전반적으로 평가한 이후에는 현수후두경을 거치하고, 성대 주위 구조물을 촉진하거나 벌려보는 것이 필요하다. 양측 피열연골 부위를 후두미세수술 도구를 이용하여 촉진하면, 성대가 움직이지 않는 원인이 반회후두신경의 마비로 인한 것인지, 윤상피열연골관절의 섬유화 및 구축에 의한 것인지 감별할 수 있다. 선천적으로 흡인이 지속되는 소아에서는 피열연골을 좌우로 벌려서 후두열(laryngeal cleft)를 평가하는 것이 필요하고 이후 기관식도루를 배제하기 위해 기관의 후측 부위에 조그

마한 구멍은 없는지 철저히 살피고, 의심되는 부분이 있으면 가느다란 suction tip을 넣어서 기관식도루가 없는지 확인해야 한다(그림 37-6).

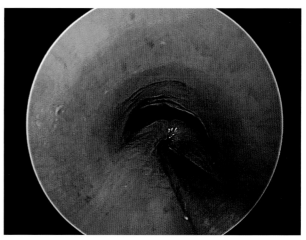

그림 37-6. **기관식도루 구멍을 통해 suction tip을 삽입한 소견**

표 37-1. 성문하 협착용 Cotton-Myer Grade system

Patient Age		Percentage of Obstruction with Actual Endotracheal Tube Size:								
		ID=2.0	ID=2.5	ID=3.0	ID=3.5	ID=4.0	ID=4.5	ID=5.0	ID=5.5	ID=6.0
		no obstruction								
Premature		40	no obstruction							
	No Detectable Lumen	58	30	no obstruction						
0-3 mo		68	48	26	no obstruction					
3-9 mo		75	59	41	22	no obstruction				
9 mo-2 yr		80	67	53	38	20	no obstruction			
2 yr		84	74	62	50	35	10	no obstruction		
4 yr		86	78	68	57	45	32	17	no obstruction	
6 yr		89	81	73	64	54	43	30	16	no obstruction
	Grade IV	Grade III			Grade II			Grade I		

3. 치료

1) 내시경적 치료

호흡곤란을 유발하는 다양한 선천적 질환 중 후두연화증, 선천성 후두격막(laryngeal web) Cohen type I, II(그림 37-7), 성문하 낭종(subglottic cyst)(그림 37-8)의 경우 내시경으로 치료가 가능하다. 이들 질환의 치료는 잘환별로 매우 다르기 때문에 '후두의 선천성 질환'을 참조하기 바란다.

성문하 협착에서 내시경적 치료는 기도 협착이 경미한 경우, 기도의 연골 골격이 정상이면서 기도 내부에 연부조직 협착만 있을 경우 시행하는 것이 좋다. 협착 정도가 심하거나 협착 부분의 길이가 길고, 연골 골격이 무너져 있을 경우 내시경적 치료는 실패할 가능성이 높다. 내시경적 확장을 하려면 우선 협착 부위 점막을 절개하여야 하는데 CO_2 레이저를 이용하거나 cold knife를 이용하여 절개할 수 있지만, cold knife를 이용해서 절개하는 것이 재협착을 줄여주는 데 더 도움을 준다는 보고들이 있다. CO_2 레

이저로 점막을 절개할 때 협착 부위 점막 전체를 절개하면 수술 이후 더욱 심한 협착을 만들기 때문에 중간 중간 레이저를 이용해 절개를 가하지 않은 점막 부분을 남겨 두어야 한다. 보통 협착 부위에 120도 간격으로 세 부위에 절개를 가하고 풍선이나 부지를 이용해서 확장을 시행한다. 풍선을 이용할 경우 부지 시에 발생하는 점막의 엇갈림 손상(shearing injury)을 줄일 수 있는 단점이 있지만 촉각되먹임(tactile feedback)이 없어서 적절한 정도로 확장되지 않거나 과도하게 확장되어 연골링에 골절을 일으킬 가능성을 항상 염두에 두어야 한다. 풍선 확장술을 시행할 때, 어느 정도 압력으로 얼마나 오랫동안 풍선을 불려줄 것인지, 얼마나 자주 풍선 확장술을 반족하는 것이 좋은지에 대해 아직 명확한 가이드라인은 없지만 풍선확장술로 기도가 넓어지는 효과가 있다면, 2-3주 간격으로 반복 시행한다.

내시경적 확장술 이후 재협착을 막기 위해 Mitomycin-C를 협착 부위에 국소적으로 적용하거나 스테로이드를 협

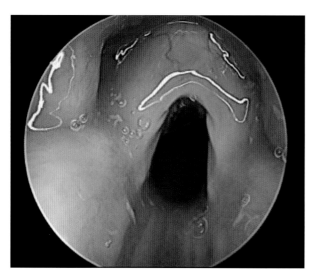

그림 37-7. **후두격막환자(Cohen Classification type I) 내시경 소견**

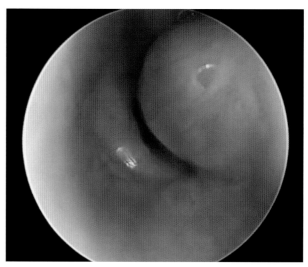

그림 37-8. **성문하 낭종 내시경 소견**

착 부위에 주사하는 방법이 있으나 그 효용성에 대해서는 논란이 많다.

2) 관혈적 수술(Open approach)

관혈적 수술법은 크게 늑연골을 이용한 후두기관재건술 (laryngotracheal reconstruction with costal cartilage graft, LTR)과 부분윤상연골기관절제술(partial cricotracheal resection, pCTR)로 나뉘고, LTR은 폐쇄부위를 전후 방에서 절개를 가해 가르고, 폐쇄 부위를 좌우로 벌린 후 늑연골을 그 사이로 넣어 폐쇄부위를 확장하는 방법이고 (그림 37-9), pCTR은 성문하 협착 부위에 있는 윤상연골과 기관(trachea)의 일부분을 절제한 후 위부분의 후두와 아래 부분의 기관를 당겨서 봉합하는 방법이다(그림 37-10). 이 러한 관혈적 수술법은 지속적으로 양압호흡기 사용이 필요 한 환아, 흡인 aspiration이 지속되는 환아, 여러 복잡 기형 이 있는 경우, 신체 여러 부위의 수술이 남아 있는 환아 등 에서는 시행하지 않고 위의 문제들이 해결된 뒤 시행한다.

후두의 점막이 위식도역류, 호산구식도염(eosinophilic esophagitis), 원인불명으로 부어 있을 때(reactive larynx) 는 시행해서는 안 되고, 적절한 약제로 점막의 부기를 뺀

이후에 수술을 진행하여야 한다. 또한 후두와 기관 부위에 균배양 검사를 시행하여, MRSA처럼 항생제 내성균이 자라 거나 녹농균(Pseudomonas) 등이 나올 경우 수술 전 5일간 해당 균을 타겟으로 하는 항생제를 미리 사용하여 수술 부 위의 감염을 막아야 한다.

관혈적 수술로 처음 시도하는 수술이 성공할 확률이 가 장 높고, 첫 관혈적 수술이 성공하지 못하면 평생 기관발관 decannulation을 하지 못하고 지내야 할 수 있기에 사전에 철저한 준비를 한 후 진행하여야 하며, 수술을 진행하는 의 사는 모든 술식을 완전히 익히고 환자의 상태에 따라 적절 한 수술법을 선택해야 한다.

(1) 후두기관재건술(laryngotracheal reconstruction with costal cartilage graft, LTR)

폐쇄 정도가 심하지 않은 성문하 협착 II, III의 환자를 대상 으로 시행하는 방법으로 폐쇄 정도에 따라서 늑연골을 전 방에만 삽입할 것인지, 후방에만 삽입할 것인지 혹은 전후 방으로 모두 삽입할 것인지 정하게 된다. 성문하 협착이 없 는 양측성 성대마비, 양측 윤상피열관절 구축(cricoaryte-noid joint fixation)으로 발생하는 후성문협착(posterior

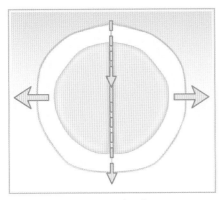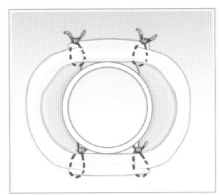

그림 37-9. **후두기관재건술(LTR)**

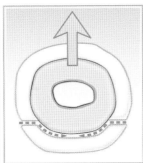

그림 37-10. **부분윤상연골기관절제술(pCTR)**

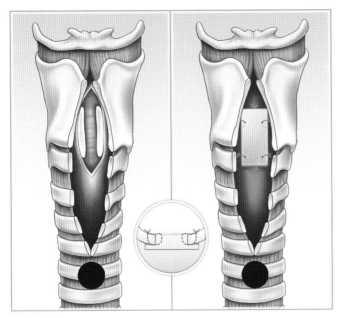

그림 37-11. **후두기관재건술**
윤상연골 후방에 수직으로 절개를 가하고 사각형 모양의 후방연골을 삽입한다.

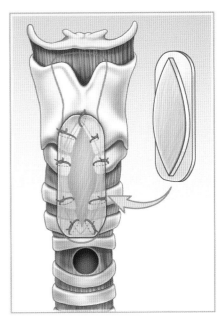

그림 37-12. **후두기관재건술**
후방연골 삽입 후 스텐트를 넣고 보트모양의 전방연골을 삽입한다.

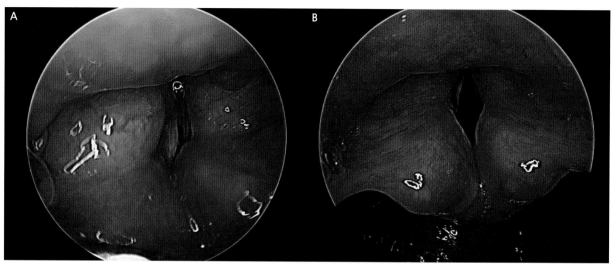

그림 37-13. **후성문협착(Poaterior Glottic stenosis)환자에서 후방연골 이식 전(A), 후(B) 내시경 소견**

glottic stenosis)의 경우에는 후방연골삽입만 시행해도 된다. LTR 수술은 성문하 협착이 심한 grade III, IV 환자에서는 성공할 확률이 많이 떨어진다.

LTR 수술 술식을 간단히 설명하면, 피부에 수평절개를 가한 후, 피대근(strap muscle)을 좌우로 가르고 정중앙으로 접근하여 기도를 확인한다. 갑상연골 하연부터 윤상연골과 두 번째 기관연골링을 정중앙에서 수직으로 절개한 후, 필요에 따라서 후윤상연골링을 수직으로 절개한다. 이때 후윤상연골링을 위아래로 완전히 절개하여야 후방 부위에 연골을 삽입할 수 있다. 늑연골을 채취한 후 후방부위에 삽입할 연골은 직사각형 모양으로 디자인하고(그림 37-11), 전방 부위에 삽입할 연골은 보트 형태로 디자인한다(그림 37-12). 이때 늑연골은 바깥쪽의 연골막을 부착한 채로 채취하고, 연골막이 기도 내강으로 향하게 이식해야 기도 점막이 빨리 자라들어오면서 창상 치유가 빨라진다. 늑연골을 고정할 때 주변으로 바람이 새지 않도록 철저히 봉합해야 하며 봉합사는 Vicryl-plus와 같이 항생제가 포함된 실을 사용하면 좋다. 연골을 이식한 후, 혈류가 좋은 갑상선이나 근육을 이식한 연골 위에 부착되도록 봉합하는 것이 필수적이다.

(2) 부분윤상연골기관절제술(pCTR)

LTR과 pCTR 방법 중 어떤 방법을 선택할지에 대해서 여전히 논란이 많다. LTR은 수술 기법이 더 쉽지만 연골 이식 부위에 점막이 재생되기까지 시간이 걸리고, 육아종이 자라면서 기도가 재협착될 가능성이 있다. pCTR은 병적으로 좁아져 있는 부분을 모두 제거하고 위-아래 부분의 정상적인 기도를 연결시켜주는 방법이므로, 수술이 끝나는 동시에 기도의 모든 부분이 점막으로 덮이게 되어 LTR의 단점을 보완하는 역할을 한다.

일반적으로 pCTR은 폐쇄 정도가 심한 성문하 협착 III, IV환자 및, 이전 관혈적 수술이 실패한 경우 시행하는 수술법이다. 문합 부위가 벌어질 경우 매우 위험하며, 반회후두신경을 손상할 위험도가 높은 술식이어서, 소아 후두 및 기관에 대한 정확한 해부학적 지식과 높은 수술적 숙련도가 요구되는 방법이다.

pCTR 술식을 간단히 설명하면 기관절개공 주위로 타원형의 피부를 수평 방향으로 길게 넣고 피부 피판을 들어올린 후, 아래로 원위부 기관을 박리하여 가동성을 높인 뒤, 위로 설골부위까지 노출시키고 갑상설골막 Thyrohyoid membrane에서 갑상연골 상연을 따라서 상후두신경이 다

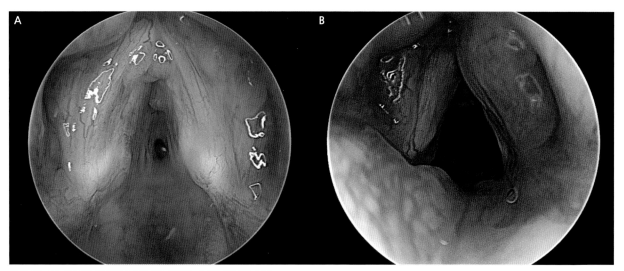

그림 37-14. **부분윤상연골기관절제술 전(A), 후(B) 내시경 소견**

치지 않도록 박리를 진행하여 갑상연골을 하방으로 견인
하기 쉽도록 만든다. 성문하 협착부위를 윤상연골 전연과
함께 제거하고, 윤상연골 뒷부분은 보존한다. 이때 윤상연
골은 대개 비후되어 있어서 드릴로 두께를 얇게 만들어 주
어야 한다. 양측 진성대 하연을 갑상연골 하연에 봉합하고,
갑상연골을 정중앙에서 절개하는(inferior thyrotomy) 방
법을 통해 성문하 부위를 보다 넓게 만들어 준다. 성대부위
까지 협착이 있을 경우, 윤상연골 후방을 정중앙에서 절개
하고 늑연골을 이식하여 성대후방을 넓혀준다(extended
cricotracheal resection). 원위부 기관을 윤상연골 후연과
갑상연골 하연에 봉합하여 주고, 이때 가장 중요한 봉합은
후외측(posterolateral) 봉합으로, 느슨해지지 않도록 각별
히 주의해야 하며, 양측 점막이 서로 잘 맞닿도록 주의하여
봉합한다.

■■■■ **참고문헌**

• Monnier P. Pediatric Airway Surgery. 1st Edition. Heidelberg: Springer:2011

• Holinger LD, Lusk RP, Green CG. Paediatric Laryngology and Oesophagology. New York: Lippincott; 1997.

• Schroeder JJW, Holinger LD. Congenital laryngeal stenosis. Otolaryngol. Clin. North Am. 2008;4:865-875

• Bailey M, Hoeve H, Monnier P. Paediatric laryngotracheal stenosis: a consensus paper from three European centres. Eur Arch Otorhinolaryngol 2003;260:118-23

• Schultz-Coulon HJ. The management of postintubation stenoses in children. HNO 2004;52:363-77

• Monnier P, Savary M, Chapuis G. Partial cricoid resection with primary tracheal anastomosis for subglottic stenosis in infants and children. Laryngoscope. 1993;103:1273-83.

• Boseley ME, Hartnick CJ. Pediatric partial cricotracheal resection: a new technique for the posterior cricoid anastomosis. Otolaryngol Head Neck Surg 2006;135:318-22

• Rutter MJ, Link DT, Liu JH, Cotton RT. Laryngotracheal reconstruction and the hidden airway lesion. Laryngoscope. 2000; 110:1871-4.

소아 인후두역류질환

Pediatric Laryngopharyngeal Reflux Disease

남인철

위식도역류질환(gastroesophageal reflux disease, GERD)은 소아에서 복잡한 질환의 하나이며, 최근 많은 주목을 받고 있다. 성인에서와 마찬가지로 식도 외 역류질환은 인후두역류질환(laryngopharyngeal reflux disease, LPRD)으로 불리며, 관련하여 아직 많은 연구가 진행되고 있다. 소아에서의 인후두역류질환은 다른 소아과적 질환에 일정한 역할을 하는 것으로 생각되며, 특히 후두연화증, 재발성 호흡기유두종증(recurrent respiratory papillomatosis), 만성기침, 애성, 식도염 등과는 밀접한 연관이 있는 것으로 알려져 있다. 또한, 호흡 및 소화기관의 병태생리에 대한 이해가 깊어질수록 역류의 역할에 대한 관심이 점차 증가하고 있다.

비록 정확한 빈도는 알려져 있지 않지만, 대략 5명 중 한 명은 인후두역류를 갖고 있는 것으로 생각되며, 최근 소아비만의 증가와 함께 인후두역류질환의 빈도도 점차 증가하고 있다. 또한, 신경학적 질환이나 기관식도누공 등의 질환이 있는 경우 빈도는 약 70%까지 높아진다. 1884년 Osler가 인후두역류와 천식과의 상관관계에 대해 언급한 이후, 다양한 질환과 인후두역류질환과의 상관관계가 밝혀지고 있으며, 1993년 Koufman 등은 인후두역류로 인한 심각한 호흡기계 합병증이 소아에서 성인에 비해 훨씬 자주 발생

한다고 하였다.

인후두역류질환은 위산 및 위내용물이 후두 및 인두로 역류되어 발생하는 질환으로 정의된다. 예전에는 위식도역류질환의 하나로 분류되기도 했지만, 증상 및 임상양상, 치료 등의 차이로 인해 현재는 별개의 질환으로 인식된다.

1. 분류

소아에서의 위식도역류는 크게 생리적, 기능적, 병적, 이차적 역류로 나뉜다. 생리적 역류는 진단적 검사에서 이상소견이 보이지 않는 환아에서 간헐적인 구토로 나타난다. 대개 다른 동반 증상은 없으며, 식후 서 있는 자세에서 발생한다. 기능적 역류는 증상은 없지만 식도 산도 측정에서만 역류가 발견되는 경우를 말한다. 병적인 역류는 증상이 있으면서 호흡기계 및 소화기계 합병증을 동반하는 경우를 말하며, 이차적 역류는 신경계통 질환이나 식도 운동성 질환 등으로 인해 발생하는 역류를 말한다.

소아에서의 인후두역류질환은 대부분 저절로 호전되는 경우가 많다. 특히 신생아의 경우 하부식도괄약근의 기능이 충분히 성숙하지 못해 식도에서 산도를 측정해 보면 대

부분의 경우에서 식후 역류 현상이 발견되기도 한다. 하지만, 특별한 치료 없이도 성장하면서 유동식에서 고형식으로 식이를 바꾸면서 좋아지는 경우가 많다. 하지만 3세 이후에도 역류가 지속되는 환아에서는 이로 인한 합병증이 발생할 확률이 높으며, 적절한 치료가 필요하다.

2. 증상

소아의 인후두역류질환은 성인과 그 증상이 다르며, 소아에서도 나이에 따라 다른 증상을 나타내는 경우가 많다(표 38-1). 영아에서는 식후 구토, 연하곤란, 식욕부진, 성장장애, 무호흡, 반복적인 기침, 후두연화증, 성문하협착, 반복적인 호흡기 문제 등으로 나타나며, 학령기 아동에서는 만성기침, 호흡곤란, 연하곤란, 음성장애, 지속적인 인후통, 구취, 이물감 등의 증상을 보인다. 이보다 나이가 많은 소아에서는 역류증상, 가슴쓰림, 오심 및 구토 등 성인의 역류질환과 비슷한 증상을 보인다(표 38-1). 성인과는 다르게 소아 인후두역류질환은 특정 소화 및 호흡기계 질환의 병태생리에 일정 부분의 역할을 하는 것으로 알려져 있다(표 38-2). 따라서 소아 인후두역류질환을 볼 때 이와 연관된 다양한 질환에 대해서도 살펴보아야 한다. 역류가 이들 질환에 영향을 미치는 기전은 1) 미세흡인으로 인한 후두 내전반사, 2) 흡인으로 인한 화학적 폐렴, 3) 미주신경/자율신경계 자극으로 인한 기관지수축 등의 세가지로 볼 수 있다.

1) 연하장애 및 흡인

영아에서 연하는 흡인을 방지하기 위해 빨고-삼키고-호흡하는 순서가 잘 유지되어야 하며, 이를 위한 다양한 기능이 고도로 조화를 이루어야 한다. 이를 위해서는 성문상부 후두 점막 및 인두 점막의 감각이 잘 유지되어야 한다. 이는 모든 연령에서 중요하지만, 연하의 기전이 정립되어가는 과정에 있는 영아에서 특히 더 중요하다. 인후두역류질환이 있는 경우 만성적인 자극으로 인해 점막 부종이 발생하고, 이로 인해 점막의 감각이 저하되면 정상적인 연하과정

이 일어나지 못하거나 흡인이 발생할 수 있다.

내시경을 통해 피열후두개주름(aryepiglottic fold)에 공기 자극을 준 후 성대 내전이 일어나는 반사가 일어나는지 확인하여 감각저하 여부를 판단할 수 있으며, 성대 내전 반사를 위해 보통 4.5 mmHg 이상의 공기 자극이 필요할 경

표 38-1. 소아 인후두역류질환의 다양한 증상들

영아	성장장애
	천명음
	지속적인 기침
	무호흡
	연하장애
	흡인
	역류
	재발성 크룹
소아	기침
	애성
	천명음
	인후통
	천식
	구토
	이물감
	흡인
	반복적인 폐렴

표 38-2. 소아 인후두역류질환에 의해 영향을 받는 질환

성문하협착
후두연화증
천식, 알레르기비염
재발성 중이염
성대결절 및 성대육아종
호산구성 식도염
재발성 호흡기유두종증

우 인후두역류질환이 있음을 의심할 수 있다. 몇몇 연구에서 이들 환아에게 인후두역류질환에 대한 약물치료 후 연하기능이 회복됨을 확인하였으며, 이를 통해 인후두역류질환의 연하장애 및 흡인과의 상관관계가 밝혀졌다. 아직까지 연하장애에서 인후두역류질환의 역할을 정확히 평가할 수 있는 방법은 정립되어 있지 않지만, 굴곡형 후두경을 통해 후두 점막의 변화를 시각적으로 관찰하고 양자펌프억제제(proton pump inhibitor, PPI)를 경험적으로 투여하여 간접적으로 평가할 수 있다.

2) 후두연화증

많은 연구를 통해 인후두역류질환과 후두연화증과의 상관관계가 있음이 알려져 있다. 한 메타 분석에 의하면 중증 후두연화증 환아의 65%가 역류질환을 가지고 있으며, 경증에 비해 중증의 후두연화증을 가진 환아가 역류질환을 갖고 있을 가능성이 10배 이상 높다고 한다. 하지만, 역류가 후두연화증을 일으키는지, 혹은 후두연화증의 결과로 역류가 발생하는지에 대해서는 아직 확실히 알려진 바가 없다. 후두연화증 환아에게 항역류 약제를 투여한 연구 결과에 따르면 약 7개월간의 약물 치료 후 70%의 환아에서 증상이 호전되었다고 한다. 하지만 시간이 지남에 따라 점차 호전되는 후두연화증의 자연경과를 감안하면 증상의 호전이 항역류약제로 인해 호전되었는지, 시간의 경과에 따른 자연적인 호전인지 판단하기에는 무리가 있다. 아직까지 후두연화증 환아에게 항역류 약물을 투여한 경우와 투여하지 않은 경우를 전향적으로 비교한 연구는 없기 때문에 후두연과증과 인후두역류질환과의 정확한 인과관계를 확인할 수는 없지만, 일반적으로 중증의 후두연화증 환아에게 항역류 약물은 도움이 되는 것으로 생각된다. 또한, 후두연화증으로 수술적 치료를 고려하는 경우에는 항역류 치료를 먼저 시행해 보는 것이 권고되기도 한다.

3) 성문하협착

성문하협착과 인후두역류질환의 인과관계에 대해서는 동물모델을 통해 잘 알려져 있다. 비록 사람에서 위산이 성문하 점막에 어떤 영향을 미치는지 정확히 알려져 있지는 않지만, 성대육아종이 역류로 인해 발생하며, 성대육아종과 성문하협착이 조직학적으로 동일한 소견을 보이는 점, 위산이 표피성장인자 수용체(epidermal growth factor receptor)를 하향 조절시켜 점막의 순환율을 감소시키고 전환성장인자(transforming growth factor)를 상향 조절시켜 섬유모세포(fibroblast)의 분화 및 결체조직의 침착을 증가시키는 점 등을 고려하면 인후두역류가 성문하협착의 병태생리에 큰 역할을 함을 알 수 있다. 실제 임상에서도 성문하협착 환자의 2/3에서 인후두역류질환이 관찰되고, 협착 환아에게 항역류 약물을 투여하면 천명음과 협착의 정도가 감소하며, 수술적 치료를 피할 수 있는 경우가 증가하므로, 성문하협착을 가진 환아에서 조기에 인후두역류질환에 대해 평가하고 치료하면 병의 진행을 예방할 수 있을 것이다.

4) 재발성 호흡기유두종

인후두역류가 호흡기유두종증의 직접적인 원인은 아니지만, 호흡상피가 펩신이나 위역류물에 만성적으로 노출되면 점막의 민감도가 증가함으로 인해 병이 더 진행된 상태로 나타나고, 수술적 치료의 빈도를 높이게 된다. 몇몇 보고에 따르면, 인후두역류질환이 있는 재발성 호흡기유두종 환자에서 항역류 약물이 병의 진행을 억제하고, 일부에서는 병의 정도를 약화시킨다고 한다. 따라서 재발성 호흡기유두종증 환아에게 항역류 약물치료는 병의 진행 및 후두격막(laryngeal web) 등의 합병증을 예방하는 보조적 치료로 사용될 수 있다.

5) 천식

천식과 인후두역류질환과의 상관관계에 대해서도 많은 관심이 있어왔으며, 천식 환아의 40-80% 정도에서 인후두역류질환이 발견된다. 하지만, 보통 천식이 있는 환아는 비염을 함께 갖고 있는 경우가 많고, 비염이 인후두역류질환 때 보이는 후두 내시경 소견과 비슷한 후두 점막의 변화를 유발하기 때문에 후두경 관찰 시 보다 엄격한 기준으로 관찰해야 하며, 인후두역류질환이 의심되는 경우 보다 적극적으로 산도 측정 등의 객관적인 검사를 시행할 필요가 있다. 또한, 천식 환자가 사용하는 베타 길항체(β agonist)가 하부

식도괄약근의 긴장도를 감소시켜 역류를 유발할 수 있다는 보고도 있지만, 연구에 따라 결과가 달라 둘 간의 상관관계에 대해서는 아직 명확하게 확립되지 않았다. 현재까지의 연구를 종합해 보면, 두 질환 간의 인과관계는 정확히 알 수 없으나, 두 질환이 함께 존재하는 경우가 많음은 확실하며, 어느 한 질환에 대한 치료가 다른 질환을 호전시킬 수 있는지에 대해서는 추가적인 연구가 필요하다.

6) 애성

성인에서는 인후두역류질환이 애성을 일으키는 대표적인 원인임이 잘 알려져 있지만, 소아에서의 역할에 대해서는 아직 명확하지 않다. 굴곡형 후두경상 인후두역류질환에서 보이는 가성결절(pseudonodules)이 성대결절로 오인되는 경우가 많기 때문에 애성을 보이는 환아에서 인후두역류질환이 실제보다 과소 진단되는 경우도 있는 것으로 생각된다. 실제, 후두경상 관찰되는 피열연골간 점막부종(interarytenoid edema)을 인후두역류질환의 소견으로 간주하고 관찰한 연구에 따르면 애성을 보인 환자의 90%에서 인후두역류질환이 있다는 보고도 있기 때문에 소아에서도 인후두역류질환이 애성을 일으키는 대표적인 질환임을 짐작할 수 있다. 이 외에도, 학령기 소아에서 음성치료로 호전되지 않는 성대결절에 대해 항역류치료를 병행할 경우 효과가 있다는 보고도 있다.

7) 기침

기침은 소아과를 찾는 환아가 가장 많이 호소하는 증상으로, 학령 전 환아의 35%가 기침을 주소로 외래를 방문한다. 소아에서 기침의 원인은 다양하지만, 감염이 배제된 경우 기침의 원인으로 인후두역류질환의 가능성을 반드시 염두에 두어야 하며, 특히 만성기침의 경우 알레르기, 천식과 함께 인후두역류질환을 반드시 의심해야 한다.

역류로 인한 후두의 자극이 기침의 직접적인 원인임은 잘 알려져 있지만, 실제 역류 현상과 기침의 발생이 시기적으로 일치하지는 않는 경우가 많다. 산도 측정을 이용한 연구 결과 90%의 기침이 역류 발생 시기와 일치하지 않는다는 연구결과도 있다. 따라서 역류 현상 자체보다는 역류로 인한 후두점막의 만성적인 자극이 기침의 주된 병태생리로 봐야 하며, 따라서 이러한 기전을 되돌리기 위한 장기적인 치료가 중요하다고 할 수 있다.

3. 진단

성인에 비해 소아에서는 증상이 모호한 경우가 많기 때문에 인후두역류질환의 진단은 쉽지 않다. 많은 이학적 소견이 인후두역류질환을 시사하지만, 이러한 소견들은 후두경 등으로 후두를 직접 관찰해야만 확인할 수 있고, 특히 어린 소아에서는 이 과정 자체가 어려운 경우가 많다. 따라서 직접 후두를 관찰할 수 없는 경우에는 이 질환에 대한 의심이 진단의 첫 단계라고 할 수 있다. 어린 환아에서 치료되지 않고 설명할 수 없는 섭식장애나 호흡기 질환이 있을 경우 인후두역류질환의 가능성에 대해 반드시 고려해야 한다.

인후두역류질환의 진단은 섭식과 상기도 증상에 대한 철저한 병력청취 및 성장에 대한 평가로 시작한다. 섭식장애에 대해서는 환아가 역류나 구토의 증상이 있는지, 증상 발생의 시기와 식사 시기와의 연관성 등을 확인해야 하며, 적절한 체중 증가가 있는지도 확인해야 한다. 이전에 성문하협착, 후두연화증, 재발성 호흡기유두종증 등의 호흡기 관련 질환을 진단받은 과거력이 있는지도 확인해야 한다. 굴곡형 후두경으로 전반적인 인두의 근무력증, 비정상적인 연하과정, 하인두의 분비물 축적 등의 소견을 확인하여 신경학적 장애의 소견이 있는지 확인하는 과정도 필요하다. 병력청취를 통해 인후두역류질환의 가능성이 의심되면 보다 객관적인 검사를 진행해야 한다. 객관적인 검사로는 바륨 식도조영술(barium esophagogram) 등의 영상학적 검사, 위식도내시경 및 식도조직생검, 산도측정 등이 있으며, 24시간 산도 측정이 병의 진단 및 중증 정도를 평가할 수 있는 가장 좋은 검사법으로 알려져 있다. 하지만 성인에서와 마찬가지로, 실제 임상에서는 검사를 먼저 진행하는 경우보다는 경험적으로 약물치료를 우선 시행해 보는 경우가 많다.

1) 영상 검사

인후두역류질환의 진단에 있어서 바륨 식도조영술은 민감도 20-60%, 특이도 60-90%로 진단적 가치는 크지 않다. 또한, 검사를 받은 환아에서 증상의 유무와 상관없이 역류가 확인되는 경우도 많기 때문에 역류의 진단에는 적절한 검사법이 아니다. 따라서 바륨 식도조영술은 진단적 목적보다는 증상이 심하고 치료에 반응하지 않는 환아에서 다른 해부학적 이상 유무를 확인하는 목적으로 주로 사용하게 된다. 그 외에, 수술적 치료 후에도 증상이 지속되는 환아에서 음식물의 폐색이나 저류의 유무를 확인하기 위해 사용되기도 한다. 연하 장애 환자에게 많이 시행하는 바륨을 이용한 비디오투시연하검사(videofluoroscopic swallowing study, VFSS)는 인후두역류질환의 평가에 일반적으로 사용되지는 않지만, 인후두역류질환과 증상이 비슷한 구인두 연하장애로 인한 흡인 등의 질환을 평가하고 감별하는데 도움을 줄 수 있다.

방사성 핵종 역류 스캔(radionucleotide reflux scanning)은 99 mTc이 부착된 콜로이드를 우유와 혼합하여 환아에서 섭취시킨 후 핵의학 영상을 얻는 검사법으로, 생리적이고 비침습적이며 어린 환아에서도 비교적 쉽게 시행할 수 있는 검사 방법이다. 또한, 위식도 역류의 위험인자인 위에서의 음식물 배출 장애 여부를 확인할 수 있고, 역류 정도를 정량적으로 측정할 수 있으며, 흡인 여부를 객관적으로 확인할 수 있을 뿐만 아니라, 흡인이 있을 경우 음식물에 의한 직접적인 흡인인지 역류에 의한 이차적인 흡인인지 감별할 수 있는 장점이 있다. 하지만 검사 방법 및 결과 판독을 표준화하기 어려운 단점 때문에 실제 임상에서 많이 사용되지는 않고 있다. 따라서 본 검사 단독으로 위식도역류질환을 진단하기에는 무리가 있으며, 산도측정 등 다른 검사법과 함께 사용하는 경우가 많으며, 표준적인 치료에 반응이 없는 환자에서 위에서의 음식 배출 지연 여부를 진단하는 경우에 주로 사용한다.

2) 위식도내시경 및 조직생검

위식도내시경은 식도점막의 상태를 직접 확인할 수 있으며, 조직생검을 병행하면 점막의 염증 여부를 확인할 수 있다. 또한 검사 과정에서 후두부위를 직접 확인하여 후두점막의 발적, 부종 등 인후두역류질환을 시사하는 소견을 함께 확인할 수도 있다. 하지만 이 검사의 음성예측도는 62-73% 정도로 높지 않은 것으로 보고되며, 실제 조직생검 결과와 산도 측정 결과가 일치하지 않는 경우가 많기 때문에 이 검사법 단독으로 진단적 가치는 크지 않다.

소아에서는 안전한 시술을 위해 전신마취 하에 위식도내시경을 시행하는 경우가 있다. 소아에서 위식도내시경 시행 시, 진정하에서 시행한 경우 합병증 발생률이 3.7% 임에 반해 전신마취 하에 시행한 경우 1.7% 정도로 낮게 보고되고 있다. 또한, 합병증이 발생하더라도 대부분 경미한 경우가 많기 때문에 소아 환자에서 위식도내시경을 시행할 경우 고려해 볼 만하다.

3) 식도계측검사(Esophageal manometry)

식도계측검사는 하식도괄약근의 이완을 직접 확인하고 식도 연동운동의 이상여부 및 음식물의 이동과 관련된 이상여부를 확인할 수 있는 검사법이다. 특히, 저항검사(impedance test)를 병행할 경우 음식물의 이동에 따른 하식도괄약근의 이완 정도를 정량적으로 평가할 수 있는 장점이 있다. 식도에서의 음식물 저류는 인두로의 역류를 일으켜 흡인의 위험성을 높일 수 있으며, 이는 소아 인후두역류질환의 임상양상과 비슷하다. 따라서 소아 인후두역류질환에서 본 검사법은 식도운동성 질환을 감별하기 위해 주로 사용된다. 이 외에도 수술적 치료 시행 전후의 비교를 위해 사용되기도 한다.

4) 산도측정

24시간 이중탐침을 이용한 산도측정이 현재까지는 가장 효과적인 진단법으로 알려져 있지만, 성인에서와 마찬가지로 낮은 재현율, 높은 위음성률이 문제가 된다. 또한, 산도측정으로 역류를 진단하기 위해서는 산도 저하 시기와 증상발현 시기와의 일치 여부를 확인해야 하는데, 소아에서는 증상 발현 시기를 정확히 확인하기 어려운 경우가 많다. 이 외에도, 소아, 특히 신생아에서는 성인에 비해 생리적 역류의 빈도가 높기 때문에 인후두역류질환을 진단할 수 있는 진단역치 값(cut-off value)에 대해서는 아직 논란이 있다. 또한 정상값을 확립해야 하지만, 산도측정법이 비교적 침습적인 방법이기 때문에, 정상 소아에서 검사를 시행하여 정상값을 확립하기에는 여러 윤리적 문제가 따른다. 몇몇 연구에 따르면 24시간에 6번, 혹은 10번 이상의 역류현상이 있을 경우 호흡기계통 질환이나 증상과 연관된다고 한다. 가장 최근에 시행된 소아 위식도역류질환에 대한 산도측정 연구 결과에 따르면, 전체 검사 시간 중 pH가 4 이하인 시간의 비율로 역류지수(reflux index)를 계산하여, 역류지수가 1세 이하에서는 10% 이상, 1세 이상에서는 5% 이상을 기준으로 위식도역류질환을 진단하였을 때 민감도는 50%, 특이도는 82%라고 하였다. 하지만 이 연구에서도 위식도역류질환의 진단을 병력청취와 이학적 검사만으로 하였기 때문에 실제 질환의 진단에 있어서 산도측정의 역할에 대해서는 정확히 판단하기 어렵다. 또한 비산성 역류(non-acidic reflux)가 있을 수 있으며, 이 경우에는 산도측정 검사로는 역류여부를 진단할 수 없게 된다. 특히 소아에서는 비산성 역류가 전체 역류의 45-89%를 차지하기 때문에 더더욱 산도측정 검사는 한계가 있다.

산도 측정법이 인후두역류질환을 진단하는 가장 좋은 방법이기는 하지만, 낮은 재현율과 정확한 진단 기준이 확립되어 있지 않기 때문에, 실제 임상에서는 인후두역류질환이 강하게 의심되는 경우 경험적 약물치료를 먼저 시행하고, 산도측정 검사는 치료의 효과를 판정하거나 증상이 모호한 환자를 대상으로 시행하는 경우가 많다.

최근에는 위식도역류질환의 진단에 무선 산도측정법이 개발되어 사용되고 있다. 이 방법은 탐침과 연결된 전선이 코를 통해 기계와 연결되지 않기 때문에 불편감을 초래하지 않아 특히 소아 환자에서 검사 순응도를 높일 수 있다. 또한 기존의 기계에 비해 더 오랜 시간 측정(최소 2일, 최장 5일)할 수 있어 검사의 정확도를 높일 수 있는 장점도 있지만, 아직 널리 사용되고 있지는 않다.

5) 시험적 약물투여
성인의 인후두역류질환에서와 마찬가지로 소아에서도 적

극적인 검사 시행 전에 양자펌프억제제를 이용한 시험적 약물투여를 시행하는 경우가 많다. 실제 소아 위식도역류질환에 대한 북미, 유럽 소아소화기학회(North American and European Society for Pediatric Gastroenterology, Hepatology, and Nutrition)가 공동 작성한 진료지침에 따르면, 위식도역류질환이 의심되는 경우 식이요법, 시험적 약물투여를 우선적으로 시행하고, 이에 반응이 없을 경우 객관적인 검사를 시행하는 것을 권장하고 있다. 이 진료지침에 따르면, 영아에서는 시험적 약물투여에 대한 충분한 연구결과가 없기 때문에 권장되지 않으며, 소아의 경우 4-8주간의 시험적 투여를 제안하고 있다.

4. 치료

소아 인후두역류질환의 치료는 성인과 마찬가지로 식생활습관의 교정, 약물치료, 수술적 치료로 나뉘며, 환아의 증상 정도에 따라 결정한다.

1) 식생활습관의 교정
성인과는 달리 소아, 특히 영아의 인후두역류질환은 식생활습관 교정과 자세 교정 만으로도 좋아지는 경우가 많다. 소아에서의 식생활습관 교정은 크게 세 가지 방향으로 한다. 첫째 음식의 성상을 바꾸고, 둘째 역류를 유발하는 음식을 제거하고, 마지막으로 식후 자세의 교정이다. 첨가물(food thickener) 등을 이용하여 음식의 점성을 높여주면 후두에서의 감각이 개선되고 전반적으로 연하기능이 호전되며 역류의 빈도가 감소한다. 적은 양의 음식을 자주 먹는 것도 도움이 되며, 수면 시 옆으로 눕히거나 상체를 높이면 증상의 개선이 도움이 된다. 위식도역류질환에서와 마찬가지로 역류를 유발하는 시큼하고 매운 음식, 초컬릿, 청량음료 등을 피하고 수면 직전에 음식 섭취를 삼가도록 한다. 이러한 식생활습관 교정은 최소 2주 이상은 시행해 보아야 효과 여부를 판정할 수 있다. 질환이 심하지 않은 경우 이러한 식생활습관의 교정만으로도 질환의 치료를 기대할 수 있다.

2) 약물치료

식생활 습관의 교정만으로 증상 호전이 충분하지 않다면 약물치료를 시도해볼 수 있다. 소아 위식도역류질환 혹은 인후두역류질환에 흔히 사용되는 약물의 종류와 용량은 표 38-3에 정리되어 있다.

(1) 제산제(antacids)

제산제는 산을 중화시키는 작용을 하며, 가슴쓰림이나 소화불량 등 산성에 의해 발생하는 증상의 치료를 위해 사용된다. 위식도역류질환에서 사용한 연구 결과에 따르면, 제산제를 투여한 환아에서 증상의 개선은 확인할 수 있었지만, 산도측정 등의 검사상 객관적인 호전을 관찰할 수는 없었다. 또한, 일반적으로는 큰 부작용이 없지만, 소아에서 알루미늄을 함유한 제산제를 장기간 투여할 경우 혈중 알루미늄 농도가 높아지는 경우가 있고, 탄산칼슘(calcium carbonate)을 고용량으로 장기간 투여할 경우 milk-alkali 증후군을 유발하는 경우가 있다. 따라서, 본 약제는 소아 인후두역류질환에서 일반적으로는 사용하지 않으며, 소아 위식도역류질환에 대한 진료지침에서는 사용을 권장하지 않고 있다.

(2) 히스타민-2 수용체 길항제(Histaine-2 receptor antagomists, H2RAs)

히스타민-2 수용체 길항제는 한때 많이 사용되었으나, 양자펌프 억제제의 개발로 현재는 2차 약제로 사용되고 있다. 보통은 양자펌프 억제제를 사용할 수 없는 경우, 양자펌프 억제제를 끊는 과정에서, 또는 양자펌프 억제제 단독으로 효과가 부족할 경우 보조적으로 사용한다. 양자펌프

표 38-3. **소아 인후두역류질환의 치료에 흔히 사용되는 약물의 종류 및 용량**

약제	소아권장용량	최대용량
히스타민-2 수용체 길항제		
Ranitidine	5-10 mg/kg/day	300 mg
Cimetidine	30-40 mg/kg/day	800 mg
Nizatidine	10-20 mg/kg/day	300 mg
Famotidine	1 mg/kg/day	40 mg
양자펌프 억제제		
Omeprazole	1-4 mg/kg/day	40 mg
Lansoprazole	2 mg/kg/day for infants	30 mg
Esomeprazole	10 mg/day (weight <20 kg) or 20 mg/day (weight >20 kg)	40 mg
Pantoprozole	1-2 mg/kg/day	40 mg
위장운동촉진제		
Metoclopramide	0.4-0.9 mg/kg/day	60 mg
Domperidone	0.8-0.9 mg/kg/day	30 mg
Baclofen	0.5 mg/kg/day	80 mg
제산제		
Mg alginate plus simethicone	2.5 ml 3x/day (weight <5 kg) or 5 ml 3x/day (weight >5 kg)	정보없음
Sodium alginate	225 mg sodium alginate and magnesium alginate 87.5 mg) in a total 0.65 g	정보없음

억제제와는 달리 이 약제는 야간의 산분비를 억제하기 위해 밤에 복용하는 것이 권장된다. 성인에서는 양자펌프 억제제와 히스타민-2 수용체 길항제의 병합요법에 대한 연구가 되어 있지만, 소아에서의 연구는 아직 이루어진 바가 없다. 추가적인 연구가 필요하겠지만, 두 약제를 단기간 병합 투여하면 증상의 급격한 호전을 기대해 볼 수 있다.

(3) 위장운동촉진제(prokinetics)

Domperidone, metoclopramide 등 위장의 운동성을 향상시키는 약제는 위에서의 음식물 배출을 촉진하고 식도 및 위장관의 연동운동을 향상시키는 효과가 있다. 이 약제들을 사용한 여러 연구에 따르면 소아에서 구토의 빈도를 줄이고, 역류와 연관된 증상의 호전을 보임이 확인되었다. 하지만 이러한 연구들 중 전향적 무작위 연구는 없고, 질환의 호전여부를 객관적으로 평가한 연구는 없기 때문에, 위식도역류질환의 진료지침에는 본 약제들의 투여를 권장하지는 않고 있다.

　　Baclofen은 근이완제로 주로 척수 손상이나 척수 질환이 있는 환자에서 근연축으로 인한 통증을 낮추는 목적으로 사용되는 약으로, 하식도 괄약근의 이완을 억제하는 효과가 있어 위식도역류질환의 증상 개선 목적으로 사용되기도 한다. 소아 위식도역류질환에서의 연구 결과 baclofen이 하식도 괄약근의 이완감소, 위산 역류의 억제, 위배출의 가속화 등의 효과를 보이는 것으로 밝혀졌지만, 실제 증상의 호전 여부는 확실하지 않았다. 또한 소아에서는 부작용의 우려가 있기 때문에 일반적으로 사용하지는 않으며, 다른 약물치료에 반응이 없어 수술을 고려할 경우 술 전에 투여해 볼 수 있다.

(4) 양자펌프 억제제

성인에서와 마찬가지로 소아 인후두역류질환에서도 1차 약제는 양자펌프 억제제이다. 여러 연구 결과에 따르면, 히스타민-2 수용체 길항제에 비해 양자펌프 억제제가 증상의 개선 및 식도염 호전에 효과적이며, 치료 종료 이후에도 증상 및 식도염 재발의 빈도가 적은 것으로 밝혀졌다.

　　이 약제는 경구 투여 후 십이지장 상부 또는 소장에서 흡수되고 혈류를 통해 위장 내 벽세포 기저세포막을 통과하여 벽세포 내로 들어간 다음 활성화되어 세포막 내에 존재하는 양자펌프와 결합하여 양자펌프를 불활성화 함으로써 산분비를 억제한다. 양자펌프 억제제와와 양자펌프의 결합은 비가역으로 일어나며 산 분비능의 회복은 새로운 양자펌프가 만들어진 후 가능하다. 약물은 식전 복용이 가장 효과적이며, 성인에서는 보통 아침 식사 30분 전에 복용하는 것을 권장한다. 신생아와 영아에서는 여러 종류의 양자펌프 억제제 중 lansoprazole과 omeprazole만이 미국 식약처의 승인을 받았으므로 처방 시 참고해야 한다.

　　소아에서 양자펌프 억제제 사용과 관련된 심각한 합병증은 보고된 바가 거의 없지만, 위액의 산성이 세균에 의한 위장관계 감염에 대한 보호역할을 하기 때문에 이론적으로 산분비 억제를 시킬 경우 감염의 가능성이 높아진다. 문헌 보고에 따르면 괴사성 장염, 폐렴, 상기도감염, 패혈증 등의 발생 가능성이 보고된 바 있다. 따라서 불필요하게 장기간의 위산 억제 치료는 피해야 하며, 증상 및 이학적 검사 상 위식도역류질환이 강하게 의심되는 환아에서만 사용해야 하며, 사용 중에도 증상의 개선 여부를 적절히 평가하여 치료가 적절한지 확인하며 지속투여 여부를 결정해야 한다. 일반적으로 4-8주간의 투여를 권장하며, 이후 증상의 호전이 없을 경우 보다 객관적인 검사를 시행하는 것이 좋다.

3) 수술적 치료

소아에서 역류에 대한 수술적 치료는 증상조절을 위한 약물치료가 지속적으로 필요한 경우, 최대 용량의 약물치료에도 불구하고 삶의 질에 중대한 영향을 미치거나 생명에 지장이 있을 정도의 합병증이 있을 경우에만 고려해야 한다. 수술적 치료가 약 복용 빈도를 감소시키고 증상을 개선시킬 수 있지만, 실패의 가능성, 수술로 인한 합병증 등의 문제가 있기 때문이다. 특히 역류가 있는 소아에서는 기침, 흡인, 반복적인 폐렴 등의 호흡기계 문제가 동반된 경우가 많기 때문에 수술 자체의 위험성 또한 높게 생각해야 한다. 수술방법으로는 하부 식도괄약근의 기능을 강화시키는 위저부주름술(fundoplication)이 표준적인 술식이며, 환자를 잘 선택하여 시행하면 약 90%의 환자에서 증상 호전을 기대할 수 있다. 본 술식은 하부 식도괄약근의 기저압력을 높이고, 연하로 유발되는 식도괄약근의 이완 정도를 감소시키며, His각(angle of His)을 강화시키며, 틈새탈장(hiatal hernia)이 동반되어 있을 경우 이를 교정함으로써 역류를 감소시킨다. 최근에는 복강경을 이용한 술식이 이환율이 낮고 입원기간이 짧으며 수술 관련 문제가 적게 발생하기 때문에 주로 사용된다.

최근에는 보다 덜 침습적인 방법으로 내시경으로 하식도 괄약근을 고주파로 절제(ablation)하는 방법도 성인 위식도역류질환에서 사용되고 있으며, 위저부주름술과 비교하여 비슷한 효과를 보이는 것으로 보고되고 있다. 소아 위식도역류질환에 대한 연구 결과도 몇몇 있지만, 전향적 무작위 연구는 아니며, 측정 지표도 제각각이고 대상 환자군도 이질적이어서 효과 여부를 정확히 판단하기는 어려우며, 특히 소아 인후두역류질환을 대상으로 한 연구는 없기 때문에 아직 임상에 적용하기에는 무리가 있어 보인다.

5. 요약

인후두역류질환의 병태생리, 진단 및 치료 등은 위식도역류질환과 비슷하지만, 그와는 다르게 정확한 진단이 어려운 경우가 많다. 하지만, 소아에서 보이는 많은 호흡기계 질환과 인후두역류질환과의 연관성은 잘 알려져 있기 때문에, 이러한 질환을 갖고 있는 소아에서는 인후두역류질환의 존재를 의심할 수 있고, 적절한 치료를 통해 이러한 질환들의 호전도 기대할 수 있다. 따라서 소아에서의 인후두역류질환은 다양한 임상양상을 나타내는 만성질환으로 생각하고 접근할 필요가 있다. 역류된 위산 및 위내용물이 상기도 호흡기관에 미치는 영향에 대해서는 더 많은 연구가 필요하지만, 그 연관성이 완전히 배제되기 전까지는 소아에서 보이는 다양한 호흡기 질환에 있어서 인후두역류질환의 역할이 과소평가되지 않아야 하며, 역류에 대한 보다 적극적인 치료가 중요하다.

참고문헌

- Bach KK, McGuirt WF, Jr., Postma GN. Pediatric laryngopharyngeal reflux. Ear Nose Throat J 2002; 81 (9 Suppl 2):27-31.

- Galluzzi F, Schindler A, Gaini RM, Garavello W. The assessment of children with suspected laryngopharyngeal reflux: An Otorhinolaringological perspective. Int J Pediatr Otorhinolaryngol 2015; 79 (10):1613-9.

- May JG, Shah P, Lemonnier L, Bhatti G, Koscica J, Coticchia JM. Systematic review of endoscopic airway findings in children with gastroesophageal reflux disease. Ann Otol Rhinol Laryngol 2011; 120 (2):116-22.

- McGuirt WF, Jr. Gastroesophageal reflux and the upper airway. Pediatr Clin North Am 2003; 50 (2):487-502.

- Rosen R, Vandenplas Y, Singendonk M, Cabana M, DiLorenzo C, Gottrand F, et al. Pediatric Gastroesophageal Reflux Clinical Practice Guidelines: Joint Recommendations of the North American Society for Pediatric Gastroenterology, Hepatology, and Nutrition and the European Society for Pediatric Gastroenterology, Hepatology, and Nutrition. J Pediatr Gastroenterol Nutr 2018; 66 (3):516-54.

- Stavroulaki P. Diagnostic and management problems of laryngopharyngeal reflux disease in children. Int J Pediatr Otorhinolaryngol 2006; 70 (4):579-90.

- Venkatesan NN, Pine HS, Underbrink M. Laryngopharyngeal reflux disease in children. Pediatr Clin North Am 2013; 60 (4):865-78.

소아 기도의 감염성 질환

Infectious Diseases of the Airway in Children

우승훈

1. 소아 기도의 감염성 질환

소아는 기도와 주위 구조물을 침범하는 다양한 감염에 노출될 수 있다. 일부는 자연스레 회복되기도 하지만 드물게 사망에 이를 정도로 위험한 경우도 생길 수 있다. 다양한 기도의 감염성 질환을 감별하기 위해서는 정확한 병력청취와 의심되는 질환에 대한 신체검진이 필요하다. 영상검사, 진단검사 및 내시경을 통한 기도의 확인이 정확한 진단을 도울 수 있다. 하지만 기도 감염성 질환의 다양한 징후와 증상에 대한 정확하게 이해하는 것이 가장 중요하다. 기도의 감염성 질환과 유사한 소견을 보이는 질환들은 급성 편도염, 전염성 단핵구증, 디프테리아, 편도주위농양, 선천성 기도이상, 성문하부 협착 및 기도이물 등 다양하게 존재한다. 따라서 소아에게서 시기별로 나타날 수 있는 기도 질환에 대해 이해하고 적절히 진단하고 치료 방침을 결정하는 것이 중요하다. 이 장은 소아에게 발생하는 기도의 감염성 질환 중 크룹(Croup or laryngotracheobronchitis), 후두개염, 세균성 기관염, 재발성 호흡기 유두종증 등에 대하여 진단과 치료에 대해 소개하고자 한다.

2. 소아 기도의 특징

소아는 급성 기도 폐쇄에 쉽게 노출된다. 이는 소아의 기도는 성인과 달리 다음과 같은 특징이 있기 때문이다. 첫째로, 소아의 후두는 성인에 비해 높은 위치에 있다. 출생 시 후두는 제2경추의 높이에 위치한다. 자라면서 후두는 점차 하강하게 되어 성인에서는 반지연골 하부, 즉 대략 제5경추 수준에 있게 된다(그림 39-1).

성인에 비해 소아의 후두는 경부의 전상부에 위치해 있어 정상 신생아의 경우 후두개와 구개가 거의 접해있게 된다. 이러한 특징으로 인해 출생 후 첫 몇 주에서 몇 개월간은 비강을 통해서만 호흡이 가능하다. 따라서 출생 후 이 기간 동안 호흡곤란을 겪는 신생아는 비강 내 선천성 이상을 고려해야만 한다. 둘째로, 소아의 후두와 기관은 성인과 비교해 크기와 모양에서 크게 차이가 있다. 신생아의 경우 후두는 전후 7 mm, 좌우 4 mm 정도의 크기이며, 기관의 지름은 조산아 3 mm 크기부터 성인 25 mm까지 다양하다. 소아의 후두는 깔대기 모양으로 성문하부가 가장 좁은 부위가 된다. 반면 성인은 성문이 기도에서 가장 좁은 부위이다(그림 39-2). 따라서 소아는 심한 상기도 감염 시 소량의 점액이나 또는 점막 부종에 의해 쉽게 호흡곤란에 노출되

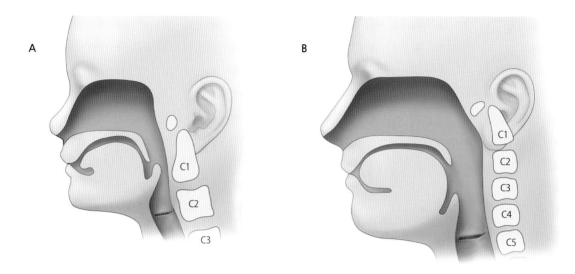

그림 39-1. **신생아 후두와 성인 후두의 위치 비교.** A. 신생아 후두 위치, B. 성인 후두 위치 신생아에서는 후두개의 끝이 연구개에 닿아 있고 제2경추체 (vertebral body) 높이에 위치해 있으나, 성인에서는 제5경추체 높이에 위치해 있다.

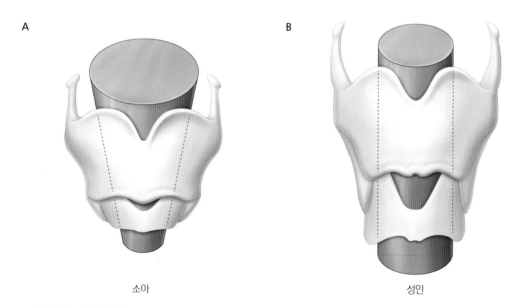

소아   성인

그림 39-2. **소아 후두와 성인 후두의 비교.** A. 소아 후두 모양, B. 성인 후두 모양. 신생아 후두는 깔대기 모양이어서 가장 좁은 부위는 성문하부이다. 반면에 성인의 후두는 성문부위가 가장 좁은 부위가 된다.

게 된다. 셋째, 소아의 후두는 모양과 경도가 다르다. 소아의 후두는 완전히 연골로 이루어져 있으며 사춘기 이후 골화가 진행되게 된다. 이러한 소아 후두의 특징과 위치는 외상 시 후두를 보호하는 역할을 하게 된다.

3. 소아 상기도 감염성 질환의 일반적 특징

소아의 후두, 기관은 감염성 질환에 쉽게 노출된다. 면역체계가 완전히 발달하지 않았고 다양한 병원균에 처음으로 노출되는 경우가 많기 때문이다. 크룹 같은 질환들은 흔히 발생하지만 이환율은 낮은 반면, 후두개염이나 재발성 호흡기 유두종증 등의 질환은 높은 이환율을 보이며 사망까지 이를 수 있는 위험이 있다.

이러한 기도 질환 중의 일부는 의학 발전으로 감소하는 추세를 보인다. 예를 들어 후두개염은 B형 헤모필루스 인플루엔자 백신을 접종하게 되면서 빈도가 감소하고 있다. 재발성 호흡기 유두종증도 인간 유두종 바이러스 백신에 의해 영향을 받을 것이다. 아마 이후에는 결핵 같은 오래전 질병들이 다시 새롭게 등장할지도 모른다.

소아에서 발생하는 후두, 기관 질환은 종종 부모를 통한 자세한 문진과 주의 깊은 신체 진찰로 진단할 수 있다. 그러나 영상 검사가 필요한 경우도 있으며 내시경을 통하여 기도에 대한 평가를 하는 것이 필요한 경우도 있다. 의심되는 질환을 확진하기 위해서 배양검사 또는 생검이 필요할 수도 있다.

4. 임상 평가

기도폐쇄증상에 대한 자세한 문진이 필수적이다. 기도 폐쇄의 정도, 증상 지속기간, 동반된 증상 및 증상과 연관될 만한 노출이 있었는지 확인해야 한다. 기도의 병변으로 인한 증상은 주로 거친 숨소리, 부가적인 호흡근육의 사용, 피부의 색깔 변화 등이다. 연관된 징후나 증상은 기침, 목소리 변화, 섭식의 어려움, 성장장애, 수면 방해 등이다. 과

표 39-1. 기도 폐쇄의 증상들

거친 숨소리/협착음(noisy breathing/stridor)
견축(retractions)
피부색 변화/청색증(color change/cyanosis)
기침(cough)
식이 문제(feeding problems)
성장 장애(failure to thrive)
수면 이상(sleeping abnormalities)

거 병력도 중요하다. 면역의 이상 여부, 모체의 건강상태와 출산 시의 문제도 관련된다. 반드시 이물 흡인의 가능성이 있는지도 부모에게 확인해야 한다.

기도 폐쇄가 의심된다면 환자를 면밀히 평가하여 증상과 징후를 인지하는 것이 중요하다(표 39-1).

소아의 생체징후, 체온, 심박수, 호흡수를 확인하고 주의 깊게 시진을 시행한다. 시진의 첫 목적은 심각성을 평가하는 것이다. 만약 기도가 불안정하다면 즉시 적절한 치료가 시행되어야 한다. 소아의 숨쉬는 모습을 관찰하거나 호흡음을 청진하여 많은 정보를 얻을 수 있다. 협착음(stridor)이나 거친 숨소리는 기도를 청진하거나 단순히 듣는 것만으로도 확인할 수 있다. 협착음이 호흡의 어느 단계(inspiratory, expiratory, or biphasic)에 발생하는지를 확인하면 기도가 폐쇄된 부위를 파악하는 데 도움이 된다. 환자의 경부, 가슴 부위를 관찰하여 부가적인 호흡근육의 사용 여부를 파악해야 한다. 폐를 청진하여 양측의 호흡음이 대칭적인지 천명음(wheezing) 여부를 확인한다. 피부를 잘 시진하는 것도 다른 질환과의 감별진단에 중요하다.

일반적으로 소아가 기도폐쇄증상을 보일 때, 진단은 문진과 신체 검진만으로도 할 수 있다. 산소포화도 검사, 경부와 가슴의 영상 진단, 혈액검사 등도 환자의 전체적인 신체 상태와 진단에 추가적인 정보를 준다. 몇몇 경우 굴곡형 후두경이 소아의 후두를 평가하는 데 도움이 된다. 그러나 후두에 급성염증이나 부종이 의심된다면 불필요한 검사는 피해야 한다. 특히 후두개염 같은 경우, 후두경 검사에 의해 부종이 악화되거나 급성 기도폐쇄가 발생할 수 있다. 감

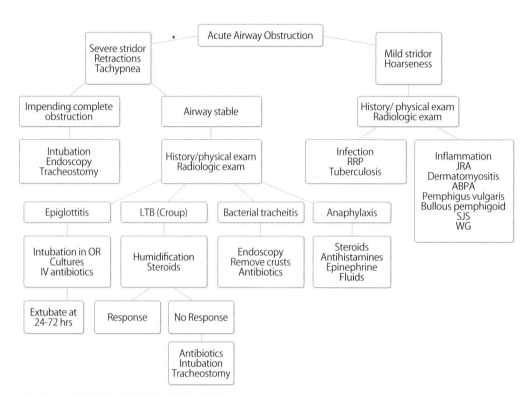

그림 39-3. **기도폐쇄의 정도에 따른 치료의 흐름도**

염이 의심되는 경우 배양검사 및 생검도 정확한 진단을 위해 필요할 수 있다. 기도폐쇄의 정도에 따라 즉각적인 치료가 요구되기도 한다. 일반적으로 심한 기도 폐쇄를 가진 환자는 입원치료 및 주의 깊은 모니터링이 필요하며 기도폐쇄의 정도가 심각하다고 판단되는 경우에는 우선적으로 기도 확보를 위한 처치가 필요할 수 있다(그림 39-3).

5. 소아 기도의 감염성 질환

1) 후두기관염(Laryngotracheobronchitis), 크룹(Croup)

후두기관염은 6개월에서 6살 사이의 소아에 상기도 폐쇄를 일으키는 가장 흔한 원인이 되는 질환이다. 임상적인 증상은 다양하게 나타난다. 일부 환자는 특징적인 짖는 기침 외에 협착음은 나타나지 않으며 가벼운 호흡 부전을 보인다. 반면 기침과 심한 기도폐쇄가 동반되는 경우도 있다.

환자들은 상기도 감염을 먼저 앓은 후, 짖는 듯한 기침, 쉰 목소리, 이상성 협착음 증상을 동반한다. 일부 크룹은 성문 전체를 침범하지만 성문하부는 침범하지 않는다. 감염은 기관, 기관지까지 진행된다. 가장 일반적인 원인은 parain-fluenza와 influenza 바이러스다. 대부분 1세에서 3세 사이의 소아에서 주로 발생한다.

후두기관염의 진단은 주로 문진과 신체 검진을 통해서 이루어진다. 경부 전후, 외측 사진이 진단을 뒷받침하기 위해 이용된다. 전후 사진에서는 특징적인 탑상 징후(steeple sign)이 성문하부의 좁아짐이 의심되는 크룹 환자에게 관찰된다. 기도가 좁아진 소견은 외측 사진에서도 확인할 수 있다(그림 39-4). 후두기관염의 진단은 주로 임상적 문진과 신체진찰에 근거하여 이루어지며 영상소견은 진단에 있어 반드시 필요한 것은 아니다.

가벼운 후두기관염을 앓는 소아는 집에서 가습과 경구 스테로이드 단독 투여로 치료하면 된다. 응급실이나 병원

표 39-2. 소아 기도의 감염성 질환들

후두기관기관지염(크룹)
후두개염
세균성 기관염
재발성 호흡기 인두종증
디프테리아
피부점막 칸디다증
기타 바이러스 질환
결핵
히스토플라스마증

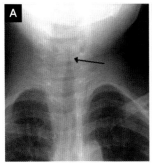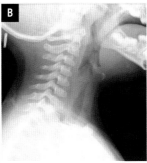

그림 39-4. 경부 전후 사진(A)과 외측 사진(B)에서 특징적인 탑상 징후와 성문 하부가 좁아진 소견이 크룹 환자에게 나타난다.

에서는 가습과 혼합 에피네프린 흡입 그리고 스테로이드를 사용하여 치료가 이루어진다. 대부분 24시간에서 48시간 내에 치료에 반응을 보이게 된다. 소아 크룹 환자에서 스테로이드의 사용은 증상을 더 빨리 완화시켜 입원기간 또는 병원에 내원하는 기간을 단축하여 결과적으로 진료기간을 줄이는 효과가 있다고 알려져 있다.

만약 세균성 기관염이 의심되는 경우가 아니라면, 후두기관염을 치료하는 데 있어 경험적 항생제 치료는 대부분 필요치 않다고 알려져 있다. 후두경, 기관지경 혹은 기관내 삽관은 심한 기도 폐쇄가 있을 경우 시행할 수 있다. 기관내 삽관은 후천적 성문하부 협착의 원인이 되므로 가능하다면 피해야 한다. 만약 기관내 삽관이 필요하다면 동반된 세균성 기관염을 감별하기 위해 성문하부에서 배양검사를 시행하는 것이 도움이 된다. 기관내 삽관 중에는 기관내 튜브 주위에 충분한 기관 공간이 유지되는지 주의를 기울여야 한다. 충분한 기관내 공간을 유지할 수 없다면 기관내관 크기를 줄이거나 기관절개술을 시행해야 한다. 실제 후두기관염을 앓는 소아환자에서 기관절개술이 필요한 경우는 드물다.

많은 소아들은 반복적으로 후두기관염을 앓기도 한다. 이러한 소아들이 병을 앓지 않는 시기에 지속적인 기도 증상을 호소하거나, 성장 장애, 운동 제한을 보인다면, 급성 감염 증상이 없는 시기에 정규적인 후두경, 기관지경 검사를 해보는 것이 필요하다. 이를 통해 해부학적 이상여부를 감별해야 하며 필요하다면 중재술을 시행해야 한다. 또한 6개월 이전의 유아에서 후두 기관염의 증상을 보인다면 주의 깊게 살펴야 한다. 이러한 환자들은 증상을 유발하는 해부학적 병변, 대부분 뚜렷한 성문하부의 혈관종이나 협착 또는 낭포를 가지고 있을 수 있다.

2) 가성크룹(Spasmodic croup)
가성크룹은 갑작스런 짖는 기침 증상을 보인다. 협착음이나 쉰 목소리는 동반될 수도, 나타나지 않을 수도 있다. 이러한 환자들은 일반적으로 전구증상을 보이는 병은 없으며 주로 한밤중에 갑자기 발생한 특징적인 기침 증상에 의해 잠을 깨기도 한다. 가성 크룹과 후두기관염을 감별은 주로 임상적인 판단에 의해서 이루어진다. 후두기관염은 바이러스 감염에 의한 병이라면 가성크룹은 주위의 온도변화, 알레르기, 위식도 역류같은 원인에 의해 발생하게 된다. 일반적으로 가성 크룹의 증상을 보이는 소아 환자는 후두기관염에 비해 가벼운 기도 폐쇄 증상을 보이며 외래로 통원 치료 및 가습 같은 대증 치료로 호전된다. 때때로 기도 증상이 발생하면서 스테로이드의 사용이 필요한 경우도 있으나, 입원 치료나 혼합 에피네프린 치료가 요구되는 경우는 드물다.

3) 후두개염(Epiglottitis)
후두개염은 성문상부의 후두를 침범한 급성 세균 감염에 의해 발생한다. 성문상부염이 더 적절한 표현일 수도 있겠다. 2세에서 7세 사이의 소아에서 주로 발생하며, 앞선 상기도 감염의 병력이 없이 빠르게 호흡 곤란 증상이 발생할 수 있다. 치료 전, 일반적으로 고열, 빈맥, 흡기성 협착음과 병적인 외관을 보인다. 종종 앉은 자세로 코를 킁킁거리는 것과 유사한 자세를 취하는 것을 볼 수 있다. 이러한 자세는 기도를 유지하기 위해 노력하는 것으로 입, 인두, 기관이 일직 선상에 놓일 수 있도록 머리는 신전 시키고 목은 굴전 시킨 자세로 'sniffing position'이라 한다. 이러한 소아들은 일반적으로 기도 손상의 위험에 처한 것을 인지하여 불안한 모습을 보인다. 또한 뜨거운 감자를 먹을 때 내는 듯한 목소리(hot potato voice)가 특징적이다.

후두개염이 의심되면 구강을 통한 검진은 연기하거나 즉각적으로 기도를 확보할 수 있는 수단이 준비되어 있는 경우에만 시행토록 한다. 외측 경부 단순영상을 촬영하는 것이 필요하며, 사진을 촬영할 때도 반드시 의료진이 동반해야 한다. 기도 폐쇄가 급성으로 악화되는 위험을 줄이기 위해 소아 환자 그리고 기도에 대한 과도한 조작은 피해야만 한다. 전형적인 영상 소견은 후두개 음영이 확장된 소견 또는 엄지손가락 모양 'thumbprinting'이 보인다(그림 39-5).

후두개염 환자를 치료하는 데 있어 팀으로 접근하는 것이 이상적이다. 응급의학과, 마취과, 이비인후과 의사가 협업하여 환자의 기도를 확보하기 위한 팀을 구성하는 것이 필요하다. 급성 기도폐쇄가 촉발되는 것을 피하기 위해 환자는 마취가 진행되는 동안 앉은 자세를 취하게 한다. 제한된 가스 교환으로 인하여 마취 시 삽관이 지연된다면 환자를 재우고 직접 후두경을 걸어 기관내 삽관을 할 수도 있

다. 기도가 확보되면 후두개에서 배양검사를 시행하고 환자가 마취되었을 때 혈액 세균 배양 검사도 시행토록 한다.

기관내 삽관 후에 소아 환자는 중환자실로 옮긴다. 일반적으로 이런 환자는 24시간에서 72시간 동안 기관내 삽관을 유지하는 것이 필요하다. 진정을 위해 사용한 약물의 종류에 따라 차이는 있지만 대부분의 소아는 인공호흡기 치료는 필요하지 않다. 발관을 고려하면 가장 적절한 때를 결정하기 위해 몇몇 조건들을 확인해야 한다. 매일 후두경으로 후두개의 상태와 기관내관 주위의 기도 공간이 충분한지 여부를 확인해야 한다. 발관 시 적어도 24시간에서 48시간 동안은 병원에서 소아 환자의 상태를 관찰해야 한다. 혈액 배양 결과에서 양성이 나오면 더 오랜 기간 동안 정맥주사로 항생제 치료가 필요하다.

B형 헤모필루스 인플루엔자(Haemophilus influenzae type B, Hib)는 소아에서 급성 후두개염을 일으키는 가장 흔한 균주이다. 다형, cocobacillary, 그람 음성 세균이며 호기성, 혐기성 환경에서 모두 성장이 가능하다. B형 계통의 세균은 항원성을 띠는 캡슐이 특징적이다. 반면 분류되지 않은 헤모필루스 인플루엔자 균주(nontypable H. influenza)는 캡슐에 싸여있지 않으면서 Hib 감염에서 특징적으로 나타나는 침습적인 양상과 반대되는 점막 감염의 주요 원인이 된다. 감염은 혈액을 통해 퍼진다고 생각되며 환자는 종종 혈액배양에서 양성을 보인다. 경험적 항생제 치료로 cef-triaxone, cefuroxime 또는 cefotaxime이 사용된다. Hib 백신이 쓰이기 시작하면서 현재는 후두개염을 일으키는 세균은 주로 분류되지 않은 헤모필루스 인플루엔자 균주나 기타 다른 균주 들이다. 대부분 연쇄상 구균이 주요 원인균으로 동정된다. 항생제 치료는 병원균에 맞추어 사용되어야 하며 사용기간은 임상적 반응을 보고 결정하게 된다.

미국에서 후두개염의 발생률은 급격히 떨어지고 있다. Hib 백신을 통해 일반적으로 소아에서 균에 대한 면역이 생긴 결과로 보인다. Hib 백신의 초기형은 1990년대 후반에 소개되었는데, 2살 이하의 소아에는 효과가 없었다. 그러나 새로 개발된 복합된 형의 백신은 2개월 유아에도 효과가 있었다. 2개월 유아에서도 효과가 보이면서 침습적인 헤모필루스 감염의 이환율은 급격히 변화했다. Hib 백

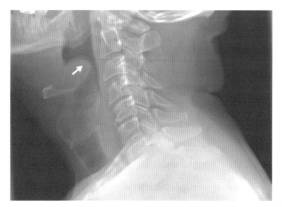

그림 39-5. **재후두개염의 영상 소견은 후두개 음영이 확장된 소견 혹은 엄지 손가락 모양이 보인다.**

신 후의 후두개염은 일반적으로 다른 세균이 원인이 되며 주로 성인에서 발생하게 되었다. 기도 폐쇄의 정도에 따라 이완된 소아는 기관내 삽관 없이 치료받을 수도 있다. 침습적인 Hib 감염이 실질적으로 감소하였지만, 의사로서 소아 후두개염 환자에서 발생할 수 있는 문제들에 대처하는 법을 아는 것이 중요하다 하겠다.

4) 세균성 기관염(Bacterial tracheitis)

세균성 기관염은 상기도 감염 병력이 있는 환자에서 1차 감염에 의해 발생하거나 또는 다른 감염의 합병증으로 일어난다. 세균성 기관염은 홍역이나 크룹과 동반된다. 배양 검사에서 동정되는 가장 일반적인 균주는 Staphylococcus aureus와 Moraxella catarrhalis이다. Group A beta-hemolytic Streptococcuss, Pseudomonas aeruginosa 그리고 H. influenza 등의 균들이 동정되기도 한다. 병력상 이런 환자들은 열, 협착음, 쇳소리 기침 등의 증상이 동반된 병적 소견을 보인다. 이러한 병적 소견을 보이면서 동반된 질환의 특징적인 소견을 나타내기도 한다. 세균성 기관염의 양상이 다양하게 나타난다는 가장 최근의 보고가 있었다. 소아 환자의 절반 이하에서 발열 증상이 있으며, 기관내 삽관은 거의 필요치 않고 사망률은 낮다고 보고되었다.

진단은 주로 성문하부와 기관의 기도를 직접 내시경으로 관찰하여 이루어진다. 위막과 점막 궤양에 동반된 화농성 부스러기를 보이는 소견이 특징적이다. 침범된 부위의 배양검사도 시행해야 한다. 그러나 종종 진단되지 않는 경우도 한다. 혈액 배양 역시 도움이 된다. 배양결과가 나오기 전에는 그람 양성 균주와 그람 음성 균주 양측 모두에 적용할 수 있는 광범위 항생제를 경험적으로 사용한다.

치료는 기도를 확보하는 것이 가장 중요하며 이를 위해 기관내 삽관 또는 드물게 기관절개술이 요구될 수도 있다. 이상적으로 기도에 대한 처치 및 관리는 수술실에서 이루어져야 한다. 기도에 대해 평가하기 위해서 후두경과 기관지경이 사용된다. 기관지경은 진단적인 용도 외에 분비물과 딱지를 기관에서 제거하는 치료적인 용도로도 사용된다. 기도의 관리에 있어 보존적 치료와 항생제 치료가 주요 치료방법이다.

5) 재발성 호흡기 유두종증(Recurrent respiratory papillomatosis)

재발성 호흡기 유두종증은 인간 유두종 바이러스(human papilloma virus, HPV)감염에 의해 유발되는 질환이다. 인간 유두종 바이러스는 Papovaviridae의 아과(subfamily)이며 외피에 싸여 있지 않는 DNA 바이러스이다. 유두종 바이러스는 피부나 점막 부위에 상피 감염을 일으킨다. 유두종 바이러스는 기원이 되는 종에 따라 분류되며 같은 종 내에 포함된 다른 바이러스는 유전적으로 유사성을 가진다. 성인에서 처음 발병하는 경우나 사춘기에 처음 발생하는 재발성 호흡기 유두종증은 거의 대부분 HPV 6번과 11번이 원인이다. 이 바이러스는 생식기에서도 발견된다. 이러한 두 가지 종류의 인두종 바이러스는 이형성 또는 유두종의 악성 변화 같은 드문 경우에도 연관된 바이러스이다. 소아의 재발성 호흡기 유두종증 대부분에서 주산기 전염이 원인으로 생각된다.

이환된 소아에서 주로 2-5세 사이에 협착음과 목소리 변화를 증상으로 나타난다. 재발성 호흡기 유두종증은 기도 내에 발생하는 가장 흔한 양성 종양으로 소아 인구에서 쉰 목소리의 두 번째로 흔한 원인이다. 임상적으로 질환과 연관된 것으로 알려진 고전적인 세 가지 요인에는 십대모체에서 질식 분만으로 처음 태어난 아이가 포함된다(표 39-3).

드문 경우지만 제왕절개를 통해 분만했어도 감염되기도 한다. 여성보다 남성이 더욱 자주 이환되며, 감염된 소아의 어머니는 종종 분만 시 활동성 성기 콘딜로마를 가지고 있었다고 보고된다.

6개월 이하의 유아에서 병이 진단될 경우 예후가 나쁘다. 이러한 사실을 지지하는 몇 가지 증거가 있다. 일반적

표 39-3. **재발성 호흡기 유두종증과 관련된 요인들**

첫 아기
10대 모체
질식 분만
남성
생식기의 콘딜로마를 가진 모체

으로 병변은 계속 증식하여 궁극적으로 몇년 후 없어진다. 바이러스 종류와 기도 폐쇄의 심각도 사이의 연관성이 있는지 여부는 논란이 있다.

재발성 호흡기 유두종증은 주로 특징적인 병변을 내시경으로 관찰할 수 있으면 진단된다. 상부 기도, 소화기 어느 부위도 침범할 수 있기 때문에 후두경, 내시경 검사, 구인두 및 비인두에 대한 주의 깊은 관찰이 요구된다(그림 39-6).

재발성 호흡기 유두종증 치료의 첫째 목적은 병변이 증식기에 있을 때 기도 폐쇄를 막는 것이다. 그리고 치료의 합병증을 최소화하는 것이다. 일반적으로 후두경하에서 미세 레이저로 막힌 병변의 용적을 줄여 주는 수술을 주기적으로 하는 것이 주요 치료가 된다. 이 치료를 받은 소아에서 나타나는 주요 합병증에는 기도 협착이 포함된다. 기도 협착을 일으키는 위험 요인에는 성문 후부를 침범하는 경우, 오랜 기간 동안 잦은 내시경 수술을 시행하는 경우가 포함된다. CO_2 레이저가 가장 흔히 사용되지만 Pulse dye 레이저 그리고 Argon 레이저도 하기도의 병변에 사용된다. 최근의 보고에서 수술자들은 microdebrider를 유두종 병변의 용적 축소를 위해 사용하기도 하였다. 그 외에 다른 치료 방법들로 photodynamic therapy, systemic interferon therapy, methotrexate 그리고 indole 치료 등이 있다. isotretinoin과 acyclovir을 포함한 몇몇 치료법은 논란

이 되고 있다. 병변 내로 항바이러스제 cidofovir를 주입하는 방법이 제안되기도 하였지만 이 약물은 돌연변이 유발 가능성이 있어 소아에 사용하는 것은 제한되었다. 이러한 여러 치료 수단들이 사용되고 있지만 일반적으로 환자들은 수 년간 반복적인 수술적 치료를 받아야만 한다.

한 가지 치료법만 사용하는 경우 치료에 불충분하여 다수의 치료적 접근이 필요한 경우도 있다. 재발성 호흡기 유두종증 환자의 치료에 있어서 가능하다면 기관절개술은 피해야만 한다. 하지만 기관절개술은 때때로 치료의 후유증의 치료를 위해 필요하기도 한다.

소아의 재발성 호흡기 유두종증의 발생과 활동성 콘딜로마를 가진 모체에서의 질식 분만 사이에 강한 상관관계가 있지만, 감염의 빈도가 낮기 때문에 활동성 콘딜로마가 있는 환자들에게 제왕절개를 권유하는 것이 필수적이지는 않다.

생식기의 암에 가장 흔히 동반되는 인간 유두종 바이러스의 항원형에 대해 백신이 개발되어 재발성 호흡기 유두종 발생에도 영향을 미칠 것으로 생각된다. 2006년에 미식품 약품 안전청은 4가의 재조합 인간 유두종 바이러스 백신(serotype 6,11,16, 18)을 승인했다. 최근까지 승인된 백신은 4가, 2가의 인간 유두종 바이러스 백신 두 종류이다. 이 백신들은 현재 11-12세의 소녀들에게 권유된다. 13세에서 26세의 나이가 많은 소녀들이나 젊은 여성 역시 성적 접

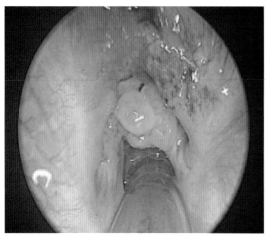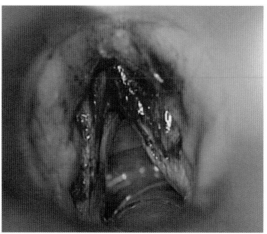

그림 39-6. **재발성 호흡기 유두종증과 치료.** 여러 차례 제거 수술을 하였으나 재발한 재발성 호흡기 유두종증의 수술 전(A) 및 수술 후(B) 후두 소견

촉이 없었던 경우 대상자가 될 수 있다. 9세에서 10세의 어린 소녀들도 또한 백신을 접종 가능하다.

남성이 백신을 접종하는 것이 이익이 있는가는 아직 명확하지 않다. 백신은 인두종 바이러스에 감염된 환자를 치료하는 의도로 사용될 수는 없다. 청소년기 재발성 호흡기 유두종증을 줄이는 데 백신이 효과가 있는지 여부는 아직 명확하지 않다.

6. 기타

감염이 후두나 기관을 침범하지 않더라도 기도상을 일으키는 다른 종류의 세균감염도 있다. 예를 들어 디프테리아는 인두 및 후두에 위막을 형성하여 결과적으로 호흡음의 이상을 일으키게 된다. 이 세균은 또한 외독소를 분비하여 다발성 뇌신경 손상을 일으킨다. 그 결과로 되돌이 후두 신경이 침범되어 협착음이 발생할 수 있다.

하인두와 성문을 침범하는 다른 종류의 점막 감염 환자도 협착음을 보일 수 있다. 점막피부 칸디다증이나 헤르페스 그리고 수두 등이 여기에 해당된다.

1) 소아 기도를 침범하는 특이한 감염들

(1) 결핵(tuberculosis)

후두 결핵은 Mycobacterium tuberculosis에 의해 유발된다. 결핵의 발생은 점차 감소하여 왔다. 그러나 최근 10년간 면역이 저하된 환자의 인구가 증가함에 따라 발생이 다시 증가하는 추세를 보이고 있다.

결핵에 감염된 소아는 점막의 궤양과 막 형성을 동반한 심한 인두염 증상을 보인다. 감염은 대부분 혈액을 통해 전파되며 복부 결핵이 동반된다. 성인과 달리 소아의 후두 결핵은 일반적으로 호흡기를 침범하지 않는다.

진단에는 후두경과 기관지경을 통해 염증 병변의 생검이 요구된다. 채취된 검체는 배양검사와 병리검사 모두 시행해야 한다. 배양검사나 항산균이 동정되거나 조직 검체에서 전통적인 조직학적 소견인 건락 변성 육아종을 보이며 결핵으로 확진할 수 있다. Mycobacterial 균주는 일반적

인 배양 방법을 사용하여 균을 확인하는 데 있어, 많은 주의가 요구되며 종종 긴 시간이 요구된다. 그러나 균의 식별을 위해 분자생물학적 방법이 소개되면서 결핵 감염의 진단도 용이해졌다. 중합효소 연쇄반응을 통해 DNA를 증폭하고, 이를 통해 균주를 확실하게 식별할 수 있게 되었다. 이 방법은 배양된 균주, 임상적인 검체 심지어 고정된 조직 검체 모두에 적용할 수 있다. 항생제 감수성 검사는 M. tuberculosis 양성인 모든 검체에 권유된다. 감수성 검사는 환자뿐 아니라 공공의 건강 증진을 위해서도 중요하다. 투베르쿨린에 양성반응은 결핵 감염의 진단을 확실히 하는 데 도움이 된다.

후두결핵의 치료는 안전은 기도를 확보하고 약물치료를 시행하는 것이다. 결핵 치료를 시행할 때 염두에 두어야 할 사항으로 ① 높은 비율의 자발적 변이, ② 만약 치료과정이 부적절할 때 재발 가능성, ③ 환자의 비순응으로 인한 약물 저항성 등이 있다. 항결핵 요법은 적어도 두 가지 약제를 6개월에서 12개월간 사용한다. Isoniazid, rifampin, ethambutol 그리고 streptomycin은 첫 약물 치료에 사용할 수 있는 약제이다. 일반적 치료에 반응하는 않는 저항성 균주에서는 세 가지 약제 병용 치료와 더 긴 치료기간이 요구된다. 치료를 마친 후, 12개월 이내에 재감염의 위험이 크다. 환자의 순응도는 최대한 높이고, 약제 저항성은 최소 화시키며 약제 독성에 의한 위험성을 줄이기 위해 치료 중의 환자는 면밀히 관찰되고 감독되어야 한다.

기도 폐쇄 증상을 야기하는 결핵 병변은 기관이나 주 기관지에서 발견된다. 이러한 병변은 일반적으로 기관 주위 또는 기관지 주위 림프절들의 감염으로 인해 큰 기도 내로 침식해오는 모습을 나타낸다. 기관지경을 사용하여 생검과 배양검사를 시행하는 것이 진단을 위해 요구되며 치료는 항결핵약제이다.

(2) 히스토플라스마증(histoplasmosis)

이상 형태의 진균(Dimorphic fungus)으로 후두 병변을 일으킨다. 평편 세포 암종과 쉽게 혼동된다. 생검과 특수 염색이 진단을 위해 요구된다. 항진균제(Amphotericin B)의 장기적인 투여가 치료이다.

■■■■■ 참고문헌

• Tucker JA, Tucker GF. Some aspects of fetal laryn- geal development. Ann Otol Rhinol Laryngol 1975;84 (1 Pt 1):49-55.

• Skolnik NS. Treatment of croup. A critical review. Am J Dis Child 1989;143(9):1045-9.

• Bjornson CL, Johnson DW. Croup. Lancet 2008;371 (9609): 329-39.

• Yates RW, Doull IJ. A risk-benefit assessment of corticosteroids in the management of croup. Drug Saf 1997;16(1):48-55.

• Klassen TP, Rowe PC. Outpatient management of croup. Curr Opin Pediatr 1996;8(5):449-52.

• Russell K WN, Saenz A, et al. Glucocorticoids for croup. Cochrane Database Syst Rev 2004;(1): CD001955.

• Johnson D. Croup. Clin Evid (Online) 2009:Pii:0321.

• Chun R, Preciado DA, Zalzal GH, Shah RK. Utility of bronchoscopy for recurrent croup. Ann Otol Rhinol Laryngol 2009;118(7):495-9.

• Cressman WR, Myer CM, 3rd. Diagnosis and man- agement of croup and epiglottitis. Pediatr Clin North Am 1994;41(2):265-76.

• Wurtele P. Acute epiglottitis: historical highlights and perspectives for future research. J Otolaryngol 1992; 21 Suppl 2:1-15.

• Acevedo JL, Lander L, Choi S, Shah RK. Airway management in pediatric epiglottitis: a national per- spective. Otolaryngol Head Neck Surg 2009;140 (4):548-51.

• Sobol SE, Zapata S. Epiglottitis and croup. Otolaryngol Clin North Am 2008;41 (3):551-66, ix.

• Madore DV. Impact of immunization on Haemophilus influenzae type b disease. Infect Agents Dis 1996;5 (1):8-20.

• Force RW, Lugo RA, Nahata MC. Haemophilus influenzae type B conjugate vaccines. Ann Pharmacother 1992;26(11):1429-40.

• Labay MV, Ramos R, Hervas JA, Reynes J, Gomez B. Membranous laryngotracheobronchitis, a complication of measles. Intensive Care Med 1985;11(6):326-7.

• Manning SC, Ridenour B, Brown OE, Squires J. Measles: an epidemic of upper airway obstruction. Otolaryngol Head Neck Surg 1991;105(3):415-8.

• Salamone FN, Bobbitt DB, Myer CM, Rutter MJ, Greinwald JH, Jr. Bacterial tracheitis reexamined: is there a less severe manifestation? Otolaryngol Head Neck Surg 2004;131(6):871-6.

• Tebruegge M, Pantazidou A, Thorburn K, Riordan A, Round J, De Munter C, et al. Bacterial tracheitis: a multi-centre perspective. Scand J Infect Dis 2009;41 (8):548-57.

• Huang YL, Peng CC, Chiu NC, Lee KS, Hung HY, Kao HA, et al. Bacterial tracheitis in pediatrics: 12 year experience at a medical center in Taiwan. Pediatr Int 2009;51(1):110-3.

• Derkay CS, Wiatrak B. Recurrent respiratory papillo- matosis: a review. Laryngoscope 2008;118(7):1236-47.

• Chipps BE, McClurg FL, Jr., Freidman EM, Adams GL. Respiratory papillomas: presentation before six months. Pediatr Pulmonol 1990;9(2):125-30.

• Gabbott M, Cossart YE, Kan A, Konopka M, Chan R, Rose BR. Human papillomavirus and host variables as predictors of clinical course in patients with juve- nile-onset recurrent respiratory papillomatosis. J Clin Microbiol 1997;35(12):3098-103.

• Rimell FL, Shoemaker DL, Pou AM, Jordan JA, Post JC, Ehrlich GD. Pediatric respiratory papillomatosis: prognostic role of viral typing and cofactors. Laryngoscope 1997;107(7):915-8.

• Perkins JA, Inglis AF, Jr., Richardson MA. Iatrogenic airway stenosis with recurrent respiratory papillo- matosis. Arch Otolaryngol Head Neck Surg 1998;124 (3):281-7.

• Schraff S, Derkay CS, Burke B, Lawson L. American Society of Pediatric Otolaryngology members'expe- rience with recurrent respiratory papillomatosis and the use of adjuvant therapy. Arch Otolaryngol Head Neck Surg 2004;130(9):1039-42.

• Healy GB, Gelber RD, Trowbridge AL, Grundfast KM, Ruben RJ, Price KN. Treatment of recurrent respira- tory papillomatosis with human leukocyte interferon. Results of a multicenter randomized clinical trial. N Engl J Med 1988;319(7):401-7.

• Kashima H, Leventhal B, Clark K, Cohen S, Dedo H, Donovan D, et al. Interferon alfa-n1 (Wellferon) in juvenile onset recurrent respiratory papillomatosis: results of a randomized study in twelve collaborative institutions. Laryngoscope 1988;98(3):334-40.

• Leventhal BG, Kashima HK, Weck PW, Mounts P, Whisnant JK, Clark KL, et al. Randomized surgical adjuvant trial of interferon alfa-n1 in recurrent papillomatosis. Arch Otolaryngol Head Neck Surg 1988;114(10):1163-9.

• Avidano MA, Singleton GT. Adjuvant drug strategies in the treatment of recurrent respiratory papillo- matosis. Otolaryngol Head Neck Surg 1995;112 (2):197-202.

• Coll DA, Rosen CA, Auborn K, Potsic WP, Bradlow HL. Treatment of recurrent respiratory papillomato- sis with indole-3-carbinol. Am J Otolaryngol 1997;18 (4):283-5.

• Snoeck R, Wellens W, Desloovere C, Van Ranst M, Naesens L, De Clercq E, et al. Treatment of severe laryngeal papillomatosis with intralesional injections of cidofovir [(S)-1-(3-hydroxy-2-phosphonyl- methoxypropyl)cytosine]. J Med Virol 1998;54(3):219- 25.

• Kosko JR, Derkay CS. Role of cesarean section in prevention of recurrent respiratory papillomatosis-- is there one? Int J Pediatr Otorhinolaryngol 1996;35 (1):31-8.

• Fisher R, Darrow DH, Tranter M, Williams JV. Human papillomavirus vaccine: recommendations, issues and controversies. Curr Opin Pediatr 2008;20 (4):441-5.

Chapter 40

기도 및 식도 이물

Foreign Bodies of the Airway and Esophagus

박준욱

해마다 4,800명의 환아가 기도 이물과 관련된 합병증으로 사망하며 소아 사망의 상당한 부분을 차지한다(미국, 2013년). 기도 이물은 모든 연령의 소아에게 발생할 수 있으나 주로 1-2세에서 발생한다. 이 연령대의 소아는 앞니가 있어 음식물을 절단할 수는 있으나 어금니가 없어 음식물을 삼킬 수 있는 상태로 충분히 갈아주지 못하고, 연하 능력이 불완전하고, 먹을 수 있는 것과 없는 것을 분별할 인지 능력이 떨어지며, 먹는 동안에 다른 행동(놀거나 뛰는 등)을 하는 경우가 많기 때문이다. 비교적 활동성이 강한 남아에서 여아에 비해 2배 정도 많이 발생한다. 우측 기관지가 각도가 크고 길이도 짧아서 우측이 호발한다고 알려져 있으나 실제 소아에서는 좌우측 빈도가 비슷하다. 누워 있을 때는 우측 상엽으로, 서 있을 때는 우측 중엽과 하엽으로 주로 들어간다. 기도 이물의 종류는 어린 아이는 견과류 등 음식물이 가장 많으나 이보다 더 큰 아이들은 볼펜 뚜껑이나 핀 등 비유기물인 경우가 더 많다. 견과류나 씨앗은 가벼워 아이가 숨을 들이쉬면 쉽게 흡인될 수 있다. 땅콩과 같은 식물성 이물이 흡입되어 오래 경과하면 괴사성 염증이 발생할 수 있다. 아이들의 치아가 충분히 나서 제대로 씹을 수 있을 때(4세경까지)까지는 땅콩과 같은 견과류나 씨앗 등을 피하는 것이 안전하다.

이물질의 모양이나 크기가 들어갈 수는 있으나 나올 수 없을 때 기도나 식도 이물이 발생한다. 식도는 다소 큰 이물질도 통과할 수 있으나 식도 연축(spasm)이 발생하면 이물질은 나오지 못하게 된다. 정상적으로 식도가 좁아 이물질이 자주 걸리는 부위는 윤상인두근(cricopharyngeus), 흉곽입구(thoracic inlet), 심연(cardiac border), 하부 위식도괄약근(lower gastroesophageal sphincter) 등이며, 기도는 성대(vocal cords), 성문하부(subglottis), 양측 기관지(bronchi) 등이다.

1. 증상 및 징후

1) 기도 이물

기도 이물은 증상이 천식, 크룹, 폐렴과 같은 다른 호흡기 질환과 유사하므로 정확한 진단이 늦어지는 경우가 많아서 약 15% 정도에서만 7일 이내에 진단받게 된다. 증상은 시간이 경과함에 따라 크게 세 단계로 나누어 볼 수 있다. 초기 단계는 흡인된 직후의 시기로 질식, 구토, 발작적 기침 등의 증상을 보인다. 시간이 흘러 이물질이 한 곳에 정착하고 신체 반사 기능이 약해지게 되면 다음 단계인 무증상 시기가 수시간에서 수주간 지속된다. 이 시기에는 병원에 방문해도 진단이 늦어질 가능성이 높다. 마지막 단계는 합병증 시기로 기도 폐색, 미란, 감염성 폐렴, 무기폐, 폐농양, 발열, 연하곤란, 종격동농양 등이 발생할 수 있다. 증상은 합병증의 종류에 따라 다양하게 나타날 수 있다.

이물질의 위치와 크기에 따라 무증상에서 급성 호흡곤란까지 다양한 증상이 나타날 수도 있다. 이물질의 위치는 주로 이물질의 특성이나 흡인될 때의 환아의 자세 등에 따라 결정된다.

(1) 후두(larynx) 이물

후두 부종이 발생하면 기도 완전 폐색을 일으킬 수도 있으므로 응급 처치가 필요한 상황이다. 환아는 발성장애(dysphonia), 무성음증(aphonia), 애성(hoarseness) 등의 후두염과 비슷한 증상들이 발현될 수 있다. 이물이 기도를 완전히 막는다면 호흡곤란, 청색증, 호흡정지 등이 발생하여 사망할 수도 있다.

(2) 기관(trachea) 이물

후두 이물 환자와 증상이 비슷하나 다음과 같은 호흡음(biphasic stridor, dry cough (tracheal type) with a sharp crack (sometimes audible) when the FB is movable, sound produced by its impact against subglottis)이 들릴 수 있다. 자세를 바꾸면 이물질이 움직여 증상이 발생하므로 아이들은 대개 부모의 팔에 앉아 있거나 기대어 누워 있다. 이물질이 기관 내에서 움직일 수가 있기 때문에 증상은 매우 다양하여 무증상, 무기폐, 폐기종, 질식 등이 나타날 수 있으며 부종이 발생하면 기도의 완전 폐색을 초래하여 사망할 수도 있다.

(3) 기관지(bronchi) 이물

기관지의 직경이 우측이 더 크고 기관과 이루는 각도가 작아 이물질이 쉽게 유입될 수 있어 우측 기관지 이물이 호발한다는 보고가 있으나, 소아에서 좌우의 차이가 없다는 보고도 있다. 환아의 약 65%가 기침, 천명, 호흡음 감소의 3대 증상을 나타내며, 환아의 약 95%가 적어도 하나의 증상은

나타낸다. 경우에 따라 식물성 이물이 불어서 기도를 막거나 이물 주위에 부종이 발생하는 경우에 기도 완전 폐색으로 인하여 폐엽 허탈(lobar collapse)이 발생할 수 있다. 시간이 지나면 이물 주위에 육아조직이 형성되어 이물이 잘 보이지 않게 되며 주변조직과 유착되어 제거도 어렵다.

2) 식도 이물

식도 이물은 대부분은 위로 넘어가므로 내시경을 이용해 제거할 필요가 없는 경우가 더욱 많지만, 발생 빈도는 기도 이물에 비해 2배 높다. 아이들은 습관적으로 이물질을 입에 넣고 삼키는 경향이 있다. 크기가 큰 이물만 식도에 걸리게 되어 있으나 식도 연축(spasm)이 발생하면 비교적 작은 이물도 걸릴 수 있다. 대부분의 환자들은 24시간 이내에 병원을 방문하며 내원 당시 구토, 연하통, 연하곤란, 침흘림 등의 증상을 나타낸다. 우유나 이유식 등의 액체나 부드러운 음식을 주로 섭취하는 유아는 상당기간 동안 특별한 증상이 나타나지 않을 수 있다는 사실을 항상 염두에 두어야 한다. 크기가 큰 이물인 경우에는 기도를 눌러서 기도 폐색증상이 나타나거나 침이 기도로 약간씩 흡인되어 기침 등의 기도 자극 증상이 나타날 수도 있다. 이물이 식도에 지속적으로 박혀 있다면 발열이나 기도 감염 증상 등이 나타날 수 있다.

2. 진단적 평가

1) 병력 청취

부모로부터 정확한 병력을 자세히 청취하는 것이 가장 중요하다. 하지만, 목격자가 없을 때 이물질이 흡인되었다면 진단하기가 쉽지 않을 수 있으며 아이들은 꾸중 듣는 것이 두려워 이물질을 삼킨 것을 말하지 않을 수도 있다. 건강하던 아이가 놀거나 음식을 먹는 중에 갑자기 급성 기도 폐색, 지속적인 기침 등의 증상이 있다면 확실한 병력이 없어도 기도 이물을 고려해야 한다.

2) 이학적 검사

천명, 발성장애, 연하통이나 연하곤란(drooling) 등의 증상

이 있는지 머리와 목을 비정상적인 자세를 취하고 있는지 확인하고 기록해야 한다. 반드시 흉부 청진을 해서 비대칭적 호흡음, 흡기와 호기의 비정상적 주기(정상 1:3), 천명, 일측성 호흡음 등이 있는지 확인해야 한다.

3) 영상학적 검사

이물질의 위치 및 특성(방사선 투과성 또는 비투과성)을 파악할 수 있으며, 내시경을 이용한 이물질 제거 수술 계획을 세우는 데 도움이 된다.

(1) 단순 X선 검사

기도 이물 환자의 가장 흔한 초기 소견은 폐기종(emphysema)이며 약 17-69%에서 나타난다. 이후에 염증반응이 나타나거나 이물질이 말단 기관지로 이동하게 되면 약 12-41%에서 무기폐(atelectasis)가 나타난다. 기도 이물의 80-96%는 방사선 투과성이므로 흉부 X-선에 위음성을 보일 수 있으므로 이물의 가능성을 쉽게 배제해서는 안 된다. 특히, 첫 24시간은 민감도와 특이도가 매우 낮아서 흉부 x-ray에서 음성이라도 약 14-37%에서 기도 이물이 발견될 수 있다.

기관지 이물에 의한 기도폐쇄에 다음과 같은 3가지 기전이 있다(그림 40-1). 흉부 X-ray 소견이나 증상도 이런 기전에 따라 나타나므로 매우 중요하다.

① Bypass valve형 기도폐쇄

기도의 일부만 폐쇄되어 흡기와 호기에 공기가 들어오고 나갈 수 있는 상태이다. 기관지에 발생하면 증상이 거의 없으나 기관처럼 하나밖에 없는 기도에 발생하면 심한 증상이 발생할 수도 있다. 흉부 x-ray에서는 특별한 소견이 없는 경우가 많다.

② Check valve형 기도폐쇄

기도의 폐쇄 정도가 더해서 흡기에는 기관지의 내경이 커지기 때문에 폐로 공기가 들어올 수는 있으나 호기때는 내경이 좁아져서 공기가 나갈 수는 없는 상태이다. 병변이 있는 부위 폐포 내에 공기가 과다하게 저류되므로 폐기종이 발생한다.

③ Stop valve형 기도폐쇄

기도가 완전히 폐쇄되어 흡기와 호기에 공기의 흐름이 완전히 차단된 상태이다. 더 이상 공기가 드나들 수 없게 되면 폐포 내에 들어 있던 공기는 혈중으로 흡수되어 무기폐가 발생한다.

식도 이물이 의심되는 경우에는 흉부, 경부, 복부 X-선

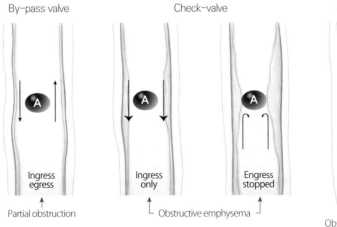
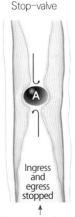

그림 40-1. **기도 폐쇄의 3가지 기전(Bypass valve형, Check valve형, Stop valve형 기도폐쇄)**

(AP와 Lateral 촬영)이 필요하다. 건전지(단추모양)는 바로 제거해야 하기 때문에 그 전형적인 형태인 Double contour 가 있는지 확인해서 동전과 감별해야 한다.

(2) 전산화 단층 촬영

다검출기 CT (MDCT, Multidetector CT)는 영상의 질이 향상되고 촬영하는 시간이 매우 짧아 소아를 진정(sedation) 없이 촬영할 수 있어 최근에는 많이 사용되고 있다(그림 40-2). 검사의 민감도는 거의 100%이며 특이도도 66.7-100% 로 보고되고 있다. 점액(mucus plug)이나 인공물(artifact)이 위양성으로 보이기도 한다.

4) 굴곡형 내시경 검사

내시경을 통해 기도나 식도를 직접 평가하면 보다 정확한 진단을 내릴 수 있다. 병력, 이학적 검사, 영상학적 검사 소견으로 진단이 불확실할 때 굴곡형 내시경 검사를 해볼 수 있다. 굴곡형 내시경 검사는 기관지 이물질을 확인하는 데 민감도와 특이도가 매우 높으나 진정마취를 해야 한다는

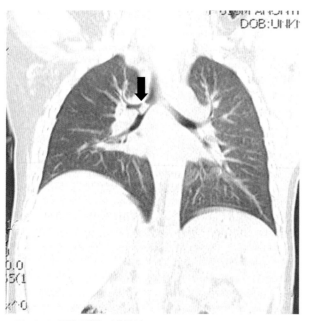

그림 40-2. **흉부전산화 단층촬영.** 흉부전산화 촬영 영상에서 우측 주기관지에 기관지 이물(땅콩)을 확인할 수 있다(화살표).

단점이 있다.

이제까지 소개된 여러 방법들을 적절히 이용하면 이물질을 보다 더 효율적이고 정확하게 진단할 수 있다.

3. 치료

이물이 후두나 기관에 위치하여 환아가 질식 상태에 있을 경우에 1세 미만인 경우 five back blow and five chest thrust 방법, 큰 아이일 경우 abdominal thrust (Heimlich maneuver) 방법 등으로 응급처치를 한다(그림 40-3). 질식 상태가 지속될 경우에 응급 윤상갑상절개술(cricothyroid-otomy)이 필요할 수도 있다. 이물이 기관 분기부(carina) 아래에 위치하고 호흡곤란 증상이 없을 때는 기관지 내시경을 이용하여 이물을 확인하고 제거하는 것이 가장 좋다. 적절하게 호흡이 가능한 환자에게 무리하게 Heimlich maneuver 등을 시도하면 이물질이 상기도로 이동하여 기도 완전 폐색이 발생할 수 있다. 손가락으로 기도 이물을 무리하게 제거하려고 하면 더 깊은 곳으로 밀어 넣을 수 있다. 기도가 확보되지 않은 상태에서 무리하게 흉부 타진을 하거나 기관지 확장제를 투여하면 기도 완전폐색이 발생할 수 있다. 대부분의 환자들은 급성기의 호흡 곤란증상은 지나간 후에 병원을 방문하므로 병력청취를 충분히 한다. 일정기간 동안 금식을 시켜야 하며 스스로 취하고 있는 자세를 그대로 두어야 한다. 가능한 자세를 바꾸지 말고 머리와 어깨의 위치를 최대한 위로 올리게 한다. 기도 이물을 제거하기 위해서는 기관지 내시경과 관련 장비들이 완전히 구비되어 있고 수술 경험이 충분한 이비인후과 전문의와 마취과 전문의가 있어야 한다. 여건이 적절치 않다면 최대한 빨리 적절한 기구와 전문가가 있는 의료기관으로 후송한다. 야간에 기도 이물 환아가 응급실에 내원하였을 때 상태가 안정적이고 기도 폐색 증상이 없는 기관지 이물이 의심된다면, 숙련된 의료진이 도착할 때까지 기다렸다가 제거를 하는 것이 안전하다. 수술 전에 보호자에게 기도 완전 폐색, 이물 제거 실패, 식도 천공, 기관 및 기관지 파열 등의 심각한 합병증에 대해 자세히 설명하고 경고해야 한다

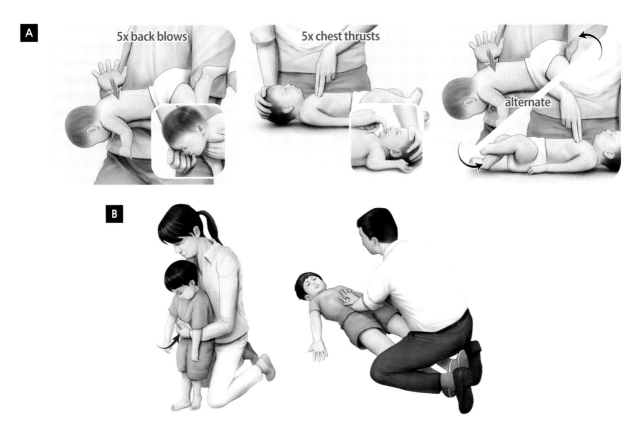

그림 40-3. **기도 이물에 의한 질식 상태에서의 응급 처치.** A. 1세 미만 영아: five back blow, five chest thrust, B. 1세 이상, 큰 아이: Heimlich maneuver

소아의 기도 이물 제거는 강직형 기관지경을 이용하는 것이 가장 안전하다. 강직형 기관지경은 환기를 충분히 할 수 있고, 좋은 시야를 확보할 수 있으며, 다양한 종류의 겸자를 이용할 수 있으므로 이물질 제거에 적합하다. 이물질이 아주 말단 기관지에 위치해 있거나 기관 삽관이 어려운 경우에는 굴곡형 기관지경을 고려할 수도 있으나 기도 확보에 불리하므로 위험에 노출될 수 있다는 점을 명심해야한다.

이물질 제거 수술의 난이도는 크게 다음의 세 가지 요인에 따라 결정된다.

1) 환자 요인
환자의 기저질환(폐쇄성 기관지염이나 천식), 기관지의 크기(주로 나이에 따라 결정됨)

2) 이물질 요인: 종류, 위치, 크기, 모양, 색깔
따라서 이물질에 대해 수술 전에 확인하고 평가해서 수술 계획을 세워야 한다. 씨앗이나 콩류가 흡인된 경우에는 특별한 주의가 필요하다. 수분을 흡수하면(가장 흔한 경우가 콩이나 옥수수) 부풀어서 기도를 폐색할 수 있으며 제거하기 힘들기 때문에 식물의 종류를 알 필요가 있다. 이런 경우에 이물을 가능한 빨리 제거하는 것이 좋다. 땅콩과 같은 다른 종류의 식물성 이물질은 육아종이나 괴사성 염증을 일으키기도 한다.

3) 진단의 시기
이물질이 기도 내에 장기간 있었다면 주변 조직에 염증과 육아종이 많을 것을 예상할 수 있다.

4. 강직형 기관지경(Rigid bronchoscopy)

1) 기구

수술자는 환자가 수술방에 들어오기 전에 수술에 사용할 기구를 미리 확인하고 선택해야 한다. 수술팀의 모든 구성원들은 수술 기구의 위치, 준비 및 사용 방법을 잘 알고 있어야 한다. 기구나 인력이 충분하지 않다면 가능한 빨리 다른 병원으로 전원시키는 것이 좋다.

(1) 후두경(laryngoscopy)

후두경은 후두 이물을 제거할 때 시야를 확보하고 기관지경 삽입을 용이하게 하는 데 사용된다. 강직형 기관지경에 사용되는 후두경은 한쪽이 열려 있거나 덮개가 있어 기관지경 삽입 후에 후두경을 제거하기 용이하게 되어 있다(그림 40-4).

(2) 강직형 기관지경(rigid bronchoscopy)

원통형의 개방형관 모양이다. 삽입하는 부위의 끝이 경사진(bevel) 모양으로 되어 있으며 측면에 측기공(side pore)이 있어 일측 기관지로 삽입되었을 때 반대측 기관지로 환기가 가능하다. 반대쪽 끝에는 조명을 연결하는 부위(illuminator), 기관지 원시경이나 겸자를 삽입하는 부위(telescope or forceps), 마취기계의 환기장치와 연결하는 환기통로(ventilator)로 구성되어 있다(그림 40-5).

기관지경은 신생아용인 2.5번(내경 3.5mm, 외경 4.2mm, 길이 20cm)부터 6번(내경 7.5mm, 외경 8.2mm, 길이 40cm)까지 크기가 다양하다(Karl-Storz GmbH & Co., Tuttlingen, Germany). 수술실에 연령에 따른 기관지경 및 식도경의 크기를 정리한 표를 붙여두고 나이에 맞는 적절한 크기를 선택해야 수술 후 후두 부종의 가능성을 줄일 수 있다(그림 40-6, 표 40-1).

(3) 기관지 원시경(bronchoscopic telescopy)

간상광학 원시경(rod optics telescope)과 광섬유조명(fiberoptic illumination)을 이용하여 기관과 기관지를 확대

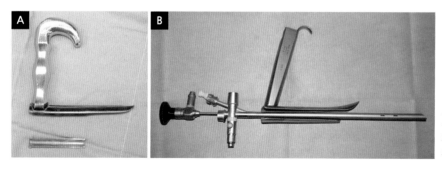

그림 40-4. **강직형 기관지경에 적합하게 고안된 후두경.** A. 덮개를 열고 닫을 수 있거나, B. 후두경의 한쪽이 열려 있어 기관지경 삽입 후 후두경을 쉽게 제거할 수 있다.

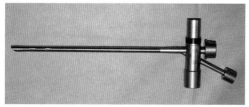

그림 40-5. **강직형 기관지경의 구조.** 삽입하는 부위의 끝이 경사진(bevel) 모양으로 되어 있고 측면에 측기공(side pore)이 있으며 반대쪽 끝에는 조명을 연결하는 부위(illuminator), 기관지 원시경이나 겸자를 삽입하는 부위(telescope or forceps), 마취기계의 환기장치와 연결하는 환기통로(ventilator)로 구성되어 있다.

그림 40-6. **나이에 따라 적합한 다양한 크기의 기관지경.** 기관지경은 신생아용인 2.5번(내경 3.5 mm, 외경 4.2 mm, 길이 20 cm)부터 6번(내경 7.5 mm, 외경 8.2 mm, 길이 40 cm)까지 크기가 다양하다.

표 40-1. **나이에 따라 적합한 기관지경, 식도경, 후두경의 종류**

연령	기관지경의 크기	mm	후두경의 크기	식도경의 크기
미숙아	2.5	3.7	8	4
출생직후(출생-3개월)	3	5.8	8	4-5
6개월(3-18개월)	3.5	5.7	9	5-6
18개월(1-3년)	3.7	6.3	10.5	6
3년(2-6년)	4	6.7	10.5-12	6-7
7년(5-10년)	5	7.8	12	7
10년(10년 이상)	6	8.2	16	8

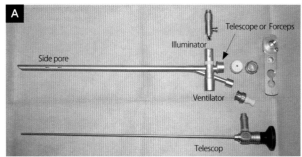

하여 관찰할 수 있도록 고안되었다(그림 40-7).

(4) 겸자(foreign body forceps)

수술 전에 이물질의 크기, 모양, 성질을 정확히 파악해야 적절한 겸자(forceps)를 선택할 수 있다. 이물질이 날카로운 부분이 있는지, 쉽게 부스러지지 않을지, 크기는 어느 정도인지, 표면적은 부드러운지 등을 미리 파악해야 한다. 보호자에게 흡인된 것과 비슷한 이물질을 가지고 오라고 해서 미리 분석하고 제거하는 과정을 연습해보면 큰 도움이 된다. 수술자는 다양한 종류의 겸자의 특성을 잘 파악하고 익숙하게 사용할 수 있어야 한다. Alligator forceps은 톱니모양의 가장자리를 가지고 있어 마찰력을 증강시켜 이물을 놓치지 않고 제거할 수 있다. 식물성 이물이나 불규칙적인 단단한 이물 등을 제거할 때 유용하다. 핀이나 바늘 등의 날카로운 이물을 제거할 때 사용되기도 한다. 땅콩과 같은 둥근 모양의 이물질은 놓치거나 부서지기 쉬우므로 Globular grasping forceps을 이용하는 것이 좋다(그림 40-8).

강직형 기관지경과 겸자가 서로 적합한 길이인지 미리 확인한다. Optical forceps가 없다면 기관지경 내로 겸자를 삽입하면 시야를 가려 이물을 볼 수 없으며 깊이를 확인하기 어렵다. 따라서, 겸자에 미리 기관지경의 원위부에 위치했을 때의 길이를 표시해 두면 안전하게 이물질을 제거할 수 있다(그림 40-9).

Optical forceps가 있으면 훨씬 시야확보가 좋아 이물질

그림 40-7. **기관지 원시경(bronchoscopic telescopy)**
A. 강직형 기관지경의 구조와 기관지 원시경, B. 기관지 원시경을 강직형 기관지경에 삽입한 후 모습 기관지 원시경을 강직형 기관지경에 삽입하여 기관과 기관지를 확대하여 관찰할 수 있도록 고안되었다.

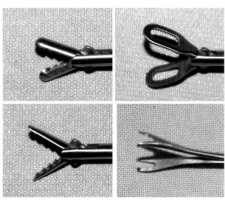

그림 40-8. **이물제거에 사용되는 다양한 모양의 겸자.** 수술자는 여러 종류의 겸자의 특성을 잘 파악하고 익숙하게 사용할 수 있어야 한다.

을 직접 확인하고 보면서 제거할 수 있어 최근에 많이 사용
된다. 하지만, 기관지경을 통해 환기가 제대로 안 될 수 있으
므로 다른 일반적인 검자도 준비하는 것이 좋다(그림 40-10).

2) 수술 방법

(1) 전신 마취

수술 전에 마취과 전문의와 충분히 의논을 해야 한다. 전신
마취하에 시행해야 하며, 식도 이물을 제거할 때에도 반드
시 기도 삽관을 해야 이물이 기도로 흡인되거나 기도를 식
도경이 누르는 것을 방지할 수 있다. 수술 전에 흡인을 방
지하기 위해 충분히 금식을 시켜야 한다. 마스크를 이용하
여 마취유도를 한 후 후두에 1-4% 리도카인을 주입한 후 시
술을 하면 후두 반사와 후두 연축의 가능성을 줄여줄 수 있
다. 초심자는 마취과 전문의에게 요청하여 일단 기관 삽관
을 하고 기관지경을 삽입한 후에 제거하는 것이 안전하다.
후두 이물이 의심된다면 환자는 마스크를 이용하여 마취유
도를 한 후에 비인두 삽관을 통해 튜브를 하인두에 위치시
켜 마취를 유지시킨다.

(2) 환자의 체위

환자의 머리를 수술대보다 약 15cm 높게 위치시켜 경부는
전굴시키고 두부는 신전시키는 자세를 취하게 한다(sniff
position). 이 자세를 취하기 위해서 성인은 머리 밑에 베개
를 넣어야 하지만 소아는 신체에 비해 머리가 크기 때문에
베개를 넣을 필요가 없다(그림 40-11).

(3) 강직형 기관지경의 삽입 및 이물의 제거

① 후두경의 삽입

기관내 삽관을 할 때처럼 후두경을 이용하여 시야를 확보
하고 한다. 초심자는 마취과 전문의에게 요청하여 미리 기
관 삽관을 하고 진행하는 것이 안전하다. 입술이 후두경과
치아 사이에 끼이지 않도록 수술자의 오른손의 첫 번째, 두
번째 손가락으로 환자의 윗입술을 젖힌 후 왼손으로 후두
직달경을 구강의 우측으로 넣어서 혀의 전 2/3의 우측을
따라서 진행한다. 혀의 후방부에 이르면 후두 직달경의 끝
을 정중선으로 향하게 하고 혀를 들어올리면 후두개가 노

그림 40-9. 겸자에 내시경의 길이를 미리 표시한 모습
겸자를 기관지경에 삽입하면 시야가 가려져 보이지 않으므로 겸자에 내시경
의 길이를 미리 표시해 두면 보다 안전하게 제거할 수 있다(화살표).

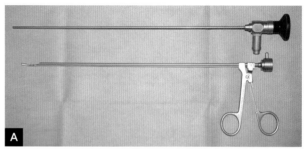
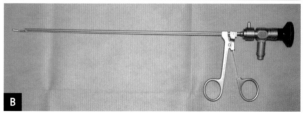

그림 40-10. Optical forcep. A. 기관지 원시경과 결합 전 모습, B. 기관지
원시경과 결합 후 모습 시야확보가 좋아 이물질을 직접 확인하고 보면서 제거
할 수 있어 최근에 많이 사용된다.

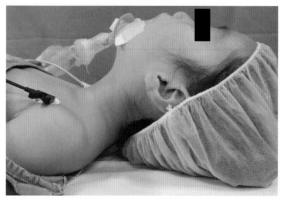

그림 40-11. 환아의 체위. 소아는 머리 밑에 베개를 넣지 않아도 수술에 적
절한 자세를 유지할 수 있다.

출된다. 이때 상악 치아를 지렛대로 쓰면 치아 손상을 줄 수 있으므로 전체를 들어 올려야 한다(lifting motion). 후두 직달경을 약간 후진하였다가 후두개의 후방으로 밀어 넣어서 1 cm 정도 진행시킨다(그림 40-12).

② 강직형 기관지경의 삽입

오른손으로 기관지경을 후두개 하부로 넣고 성문부를 확인하고 성문부를 통과시킨다. 기관 삽관을 미리 한 상태라면 성문부를 확인하고 마취과 전문의에게 요청해 삽관한 튜브를 제거한다. 성문부를 통과할 때 기관지경을 90도 회전시켜 기관지경 원위부의 경사진면이 성대를 향하여 보이도록 하여 성대에 손상을 주지 않도록 삽입하고, 성문부를 통과하면 다시 원위치로 회전시킨다(그림 40-13).

기관지경을 기관 내로 밀어넣고 후두경을 후진시켜 제거하고 기관지경의 환기통로에 마취관을 연결하여 환기를 시작한다. 수술자는 왼손을 상악 절치(upper incisor)에 대어 치아보호 및 기관지경의 지주대로 사용하고 오른손으로 기관지경을 연필을 쥐듯이 편안하게 잡고 기관지경을 전진시킨다. 이때 기관지경의 전진과 후진은 왼손의 손가락을 이용하여 조작해야 한다. 오른손은 원시경, 겸자 등 다른 기구를 조작한다(그림 40-14).

분비물을 흡입 제거한 후 기관과 기관분기점(trachea and

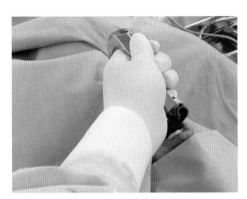

그림 40-12. **후두경을 삽입하고 전체를 들어올린(lifting motion) 모습** 이때 상악 치아를 지렛대로 쓰면 치아 손상을 줄 수 있으므로 전체를 들어 올려야 한다.

A

B

그림 40-13. **A. 강직형 기관지경을 삽입한 모습, B. 기관지경이 성문부를 통과할 때의 모습.** 성문부를 통과할 때 기관지경을 90도 회전시켜 기관지경 원위부의 경사진면이 성대를 향하여 보이도록 하여 성대에 손상을 주지 않도록 삽입하고, 성문부를 통과하면 다시 원위치로 회전시킨다.

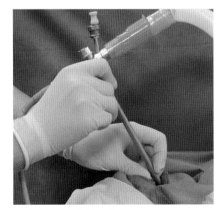

그림 40-14. **강직형 기관지경을 잡은 모습.** 왼손을 상악절치에 대어 치아보호 및 기관지경의 지주대로 사용하고 오른손으로 기관지경을 연필을 쥐듯이 편안하게 잡는다.

tracheal bifurcation)까지 관찰한다. 우측 기관지로 진입하기 전에 수술자는 기관지경의 손잡이(handle)를 우측으로 돌려서 수평으로 맞추고 보조자가 환아의 머리를 좌측으로 약간 돌린 후 삽입한다. 우측 주기관지, 우측 상중하엽 기관지 및 구역기관지의 입구부를 모두 확인한다. 좌측 기관지로 진입 전에는 반대로 방향으로 같은 방법으로 진행한다.

③ 이물질의 확인 및 제거

이물질이 발견되면 기관지경을 바로 앞에 위치시킨 후 분비물을 흡인하여 시야를 확보한다. 100% 산소를 충분히 공급한 후 겸자를 삽입하여 이물질을 잡는다. 이때 기관지경으로 겸자를 삽입하면 시야가 가려져 이물질이 보이지 않게 된다. 수술 전 미리 표시해 둔 깊이까지(수술 전에 겸자에 기관지경의 원위부에 위치했을 때의 깊이를 표시해 둔다) 겸자를 삽입한다. 겸자를 벌리면서 이물질의 길이만큼 더 진행하여 이물질이 겸자 내에 위치하도록 한 후 이물질을 잡는다. 이물질의 특성을 잘 알고 있어야 이물질이 제대로 잡힌 느낌을 느낄 수 있다. 이물질을 잡고 당겼을 때 저항이 강하게 있거나 이물질의 특성과 촉감이 다를 경우에, 기관지 벽을 잡았거나 이물질을 제대로 잡지 못했을 수 있으므로 다시 한번 확인해야 한다. Optical forceps을 이용하면 시야확보가 좋아 이물질을 직접 확인하고 보면서 제거할 수 있어 안전하다. 하지만, 기관지경을 통해 환자의 환기가 제대로 안 될 수 있으므로 다른 겸자도 준비하고 사용할 수 있어야 한다. 일단, 이물질을 잡았다고 판단되면

이물질, 기관지경, 겸자를 한꺼번에 제거한다. 즉시 기관지경을 다시 삽입하여 환기를 유지시키고 또 남은 이물이 있는지 확인한다. 이 때 초심자는 마취과 전문의에게 미리 준비하도록 하여 이물질 제거 즉시 다시 기관 삽관을 하는 것이 안전하다(그림 40-15).

3) 이물질의 종류 및 위치에 따른 고려사항
(1) 크기가 큰 이물

크기가 큰 이물은 성문부가 삼각형 모양으로 되어 있어 성문하부에 걸릴 수 있다. 대부분의 경우에 성문을 통해 이물질을 제거할 수 있으나 드물게 실패할 경우 기관절개술을 통해 제거해야 할 수도 있다. 이때는 기관절개술을 한 후 이물질을 성문하부에서 기관절개부위로 부드럽게 밀어내면 된다. 기도에 부종이 심하지 않으면 시술 후 기관절개관을 유지할 필요는 없다. 후두를 통해 제거하기에 너무 크다고 판단되는 이물은 잘게 나누어서 기관지경을 통해 제거하기도 한다.

(2) 후두에 위치한 이물의 제거

전신마취하에 비인두 삽관을 하고 튜브의 끝이 하인두에 위치하게 하여 마취와 산소공급이 가능하게 한 상태에서 후두 이물을 제거한다. 후두경을 이용하여 후두와 이물질을 노출시키고 적절한 겸자를 이용하여 제거한다. 제거 후에는 후두경을 이용해 남아있는 이물이 있는지 확인해야 한다.

(3) 날카롭거나 뾰족한 이물질의 제거

일반적으로 바늘과 같이 날카로운 이물질은 그 뾰족한 끝이 위를 향하여 위치하므로 원위부로 약간 이동시켜 뾰족한 끝을 자유롭게 해서 제거할 때 점막손상을 막아야 한다. 그 다음 이물질을 근위부로 이동시켜 뾰족한 끝을 기관지경 내에 위치시킨 후 제거해야 기도 손상을 피할 수 있다.

4) 술 후 관리 및 합병증

기도에 특별한 손상이 없었다면 항생제를 통상적으로 사용할 필요는 없다. 적당한 크기의 기관지경이 사용되었으며 시술시간이 짧았다면 스테로이드를 사용할 필요는 없

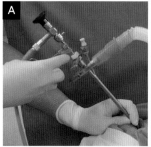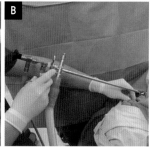

그림 40-15. **기관지 이물 제거.** A. Optical forceps를 이용하여 이물을 잡는 모습. B. 이물질, 기관지경, 겸자를 한꺼번에 제거하는 모습

다. 환자의 증상이 지속되거나 진행하지 않고 술 전 흉부 X선에서 특별한 기형이나 다른 문제가 없었다면 수술 후에 일괄적으로 흉부 X선 검사를 할 필요는 없다. 만약, 이물제거에 실패하였거나 일부를 남겼다고 판단되는 경우에는 며칠간 휴식을 취한 후에 다시 기관지 내시경을 통해 제거해야 한다. 발열이 없고 산소 공급 없이도 호흡음이 정상이라면 일반적으로 수술 다음날 퇴원할 수 있다. 전반적인 사망률은 2.5% 정도이며 이물의 위치에 따라 차이가 있다. 신경계, 순환기, 호흡기 질환과 같은 만성적인 질환이 있는 경우에 사망률이 더 높으며 신경계 질환이 가장 많은 비중을 차지한다.

5. 식도 이물의 제거

환아가 연하곤란 등의 증상이 심각하지 않고 기도 폐색 증상이 없으며 이물질의 표면이 둥글고 부드럽다면(바둑알) 여유를 가지고 지켜볼 수 있다. 환아가 자는 동안 식도 연축이 약화되면서 자연적으로 배출되는 경우도 있다. 근이완제를 사용하는 것은 별다른 효과가 없다고 알려져 있다. 기도 폐색 증상이 있다면 응급한 상황이므로 즉시 내시경을 이용하여 제거해야 한다. 표면이 날카롭거나 뾰족한 이물인 경우에도 식도 천공 가능성이 있으므로 즉시 제거해야 한다. 건전지(단추모양)는 구성 성분(NaOH, KOH, Hg)이 1시간이면 점막 손상을 줄 수 있으며, 2-4시간이면 근육 손상, 8-12시간이면 천공을 일으킬 수 있으므로 응급으로 제거해야 한다. 건전지의 위치를 영상의학적 검사로 확인해서 식도 내에 머물러 있다면 즉시 제거하고 식도를 지나간 이후라면 발열, 통증, 혈변 등의 증상이 없다면 이물질이 나올 때까지 3-4일마다 X-ray를 촬영한다. X-ray에서 위에서 건전지를 확인하였다면, 건전지의 크기가 15 mm 이상이고 6세 이하의 소아라면 내시경으로 제거한다. 장천공의 증상이나 증후가 포착되면 즉시 수술적 제거를 해야 한다.

식도 이물을 안전하게 제거하는 방법에 대하여 여러 이견이 있다. 동전과 같은 방사선 불투과성의 둥근 이물을 방사선 영상을 보면서 제거하는 방법이 보고된 바 있다. 방사선 영상으로 확인하면서 풍선 카테터를 이물질 아래로 통과시킨 후 풍선을 팽창시키고 당겨서 이물질과 함께 제거하는 방법이다. 심각한 합병증 없이 시행되었다는 보고들이 있으나 많은 전문가들은 기도가 보호되지 않기 때문에 이물질이 식도로부터 나와 기도로 흡인되는 것을 우려하고 있다. 또한, 방사선 불투과성 이물 이외에 방사선 투과성 이물이 동반되어 있을 경우 발견할 수 없으며, 또 다른 날카로운 이물이 있다면 식도벽에 손상을 줄 수도 있다. 이물이 흡인되고 시간이 경과하여 식도 벽에 궤양과 육아조직이 형성되었다면 식도 천공을 일으킬 수도 있다. 강직형 식도경은 다양한 크기의 내시경과 겸자를 선택할 수 있으며 기도가 확실히 확보되어 안전하다.

1) 강직형 식도경(Rigid esophagoscopy)
(1) 기구
강직형 식도경은 원형(Jackson type)과 타원형(Roberts-Jesberg type)이 있으며 타원형은 이물 제거에 주로 사용된다(그림 40-16). 소아에서는 연령에 따라 알맞은 식도경을 잘 선택해야 한다(표 40-1).

(2) 수술 방법
① 전신 마취
기도 이물의 제거 참조

② 환자의 체위
기도 이물의 제거 참조

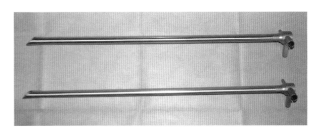

그림 40-16. **강직형 식도경**

③ 강직형 식도경의 삽입 및 이물의 제거

거즈로 상부 치아를 덮어 손상을 방지하며 입을 왼손으로 벌리고 식도경을 오른손으로 잡고 구강의 우측을 따라 삽입하고 점차 중앙을 향하게 방향을 바꾸어 진입한다. 식도경을 당구채를 잡는 것처럼 고쳐 잡고 좌측 손가락으로 윗입술을 젖히고 치아를 보호하면서 식도경을 점차 전진시킨다. 우측 피열 연골과 이상와를 확인한 후 더 삽입하여 이상와로 진입한다. 점막이 국좌(rosette) 모양으로 보이는 윤상인두협착부위를 확인하며 경부 식도로 진입하면 환아의 머리를 낮춘다. 수술 시야를 식도 내강이 보이도록 유지하면서 계속 식도경을 진입하여 이물질이 보일 때까지 진행한다. 흉부 식도로 진입하면 머리를 아래로 더 내려 목을 더 신전시키면 식도경의 이동이 용이하다. 식도의 하방 1/3 부위는 좌측으로 돌아 위식도 연결부에 도달하기 때문에 식도경을 좌측 전상방으로 향하게 하고 환아의 머리는 약간 오른쪽으로 돌린다. 이물질이 확인되면 겸자를 이용하여 잡은 후 이물질, 겸자, 식도경을 한꺼번에 제거한다. 다수의 이물질이 의심된다면, 식도경을 다시 삽입하여 식도점막의 상태도 관찰하고 다른 이물질이 처음 것보다 하부에 있는지 관찰한다. 약 5% 환자에서 복수의 이물질이 발견된다. 힘을 가해 조작을 하면 쉽게 조직 손상을 초래할 수 있으므로 강직형 식도경은 항상 조심스럽게 다루어야 한다.

(3) 특별한 고려사항

한쪽 끝이 날카로운 모양의 이물질이 날카로운 부위가 입구 방향으로 위치하면 들어가기는 쉽지만 날카로운 부위가 식도벽에 걸려 잘 나오지 않으므로 제거하기가 어렵다. 이때는 날카로운 부위를 빼서 내시경 안에 위치시킨 후에 제거해야 한다. 이물질이 식도벽을 뚫거나 찢으면 기흉, 기종격, 종격동염 등이 발생할 수 있다. 식도 이물은 위로 밀어내서 위치를 돌린 후 제거할 수 있으며, 크기가 큰 것은 위를 통해 위루술(gastrostomy)을 시행해서 제거할 수도 있다.

(4) 술 후 관리 및 합병증

기도나 식도에 특별한 손상이 없다면 항생제와 스테로이드를 통상적으로 사용할 필요는 없다. 발열, 빈맥, 빈호흡 등

의 식도천공을 의심할 만한 징후가 있는지 확인해야 하며, 4시간가량 공복 상태를 유지하고 지켜본다. 이물제거에 실패했거나 일부를 남겼을 경우 며칠이 지나서 다시 식도경을 시행해야 한다.

■■■■■ 참고문헌

• Jackson C. The life of Chevalier Jackson. New York: MacMillian Company; 1938:1-38.

• Harlan R. Muntz. Management of foreign bodies. Pediatric Otolaryngology (Thieme, 2012, 2nd ed)

• Lauren D. Holinger, Sheri A. Poznanovic. Foreign bodies of the airway and esophagus. (Cummings 5th edition)

• Hugo Rodriguez et al. Management of foreign bodies in the airway and oesophagus. Int J Pediatr Otorhinolaryngol, 2012. 76S(2012):S84-S91.

• Hsu, W., et al., Clinical experiences of removing foreign bodies in the airway and esophagus with a rigid endoscope: a series of 3217 cases from 1970 to 1996. Otolaryngol Head Neck Surg, 2000. 122(3): p. 450-4.

• Takino, K., [Removal of foreign bodies from the airway and esophagus]. Nihon Jibiinkoka Gakkai Kaiho, 1979. 82(7): p. 728-31.

• Holinger, P.H., Foreign bodies in the air and food passages. Trans Am Acad Ophthalmol Otolaryngol, 1962. 66: p. 193-210.

• Altkorn, R., et al., Fatal and non-fatal food injuries among children (aged 0-14 years). Int J Pediatr Otorhinolaryngol, 2008. 72(7): p. 1041-6.

• Zigon, G., et al., Child mortality due to suffocation in Europe (1980-1995): a review of official data. Acta Otorhinolaryngol Ital, 2006. 26(3): p. 154-61.

• Maves, M.D., J.S. Carithers, and H.G. Birck, Esophageal burns secondary to disc battery ingestion. Ann Otol Rhinol Laryngol, 1984. 93(4 Pt 1): p. 364-9.

• Schunk, J.E., et al., Fluoroscopic foley catheter removal of esophageal foreign bodies in children: experience with 415 episodes. Pediatrics, 1994. 94(5): p. 709-14.

• Kevin, M., et al., Airway foreign bodies in pediatric patients: anatomic location of foreign body affects complications and outcomes, 2017. 33: p. 59-64.

• Karen B.Z., et al., Pediatric airway foreign body retrieval: surgical and anesthetic perspectives, 2009. 19(suppl. 1):p. 109-117.

Chapter 41

부식성 섭취

Caustic Ingestion

구본석

부식성 섭취(caustic ingestion)는 상부 위장관에 심각한 손상을 초래하며, 급성기 혹은 후기 합병증뿐만 아니라 드물게는 사망을 초래할 수 있는 질환이다. 부식성 섭취와 관련된 사망률은 일반적으로 낮지만, 섭취 직후에는 출혈, 천공 등의 급성 합병증이 동반될 수 있고, 시간이 경과하면 식도나 위에 협착 등의 심각한 만성 합병증을 유발시켜 환자의 삶의 질을 심각하게 저하시킬 수 있다. 특히 성인의 경우는 자살 목적의 음독이 많으므로 부식제의 섭취량이 많아 실수로 부식제를 섭취하는 경우가 대부분인 소아에 비해 훨씬 더 심각한 손상을 입는 경우가 많다.

최근 해외 보고에 의하면 국가별로 100,000명당 5건에서 518건으로 다양하게 발생하며, 사회 경제적으로 부식성 섭취에 대한 예방적인 조치가 부족한 개발도상국에서 흔하게 발생한다. 국제 독극물센터(Poison Control Center) 데이터에 의하면 부식성 섭취로 신고된 발생 건수 중 약 80%가 소아에서 발생하며, 47%가 6세 이하의 소아에서 발생한다고 보고하였다.

국내에서도 부식성 섭취에 의한 상부위장관 손상은 흔히 접하지만 현재까지 이에 관한 정확한 통계는 없는 실정이다. 국내에서 음독한 부식제의 종류는 연구 시점에 따라 다르게 보고되었는데 1990년부터 2000년 초반 데이터를 근거로 발표된 결과들은 산성 부식제 음독이 염기성 부식제 음독에 비해 많다고 보고하였고, 2000년 이후 데이터를 근거로 발표된 결과들은 염기성 부식제 음독이 많은 것으로 보고하였다.

1. 원인

부식성 섭취는 소아는 우발적으로, 성인의 경우 자살을 목적으로 고의로 음독하는 경우가 많다. 부식제는 크게 알칼리성 물질(가성소다, 수산화칼륨, 기타 가정용 세제)과 산성 물질(초산, 빙초산, 염산, 살충제, 농약)로 분류할 수 있다.

1) 알칼리성 물질
알칼리성 부식성 손상은 가정에서 흔하게 볼 수 있는 표백제, 세탁 세제, disk 형태 건전지 등을 섭취하여 발생하게 되는데 이들 제품에는 알칼리인 수산화나트륨, 수산화칼륨, 탄산나트륨, 탄산칼륨, 수산화암모늄이 포함되어 있어 부식성 손상을 유발하게 된다. 암모니아(ammonia)의 경우 증기의 형태로 흡입이 가능하며, 따라서 식도의 손상이나 화학성 폐렴(chemical pneumonitis)을 일으킬 수 있으므로 흡입 시에 호흡기능의 면밀한 관찰이 필요하다. 고체나 가루(가성소다)형태의 알칼리 물질 섭취가 액체(양잿물)형태 섭취보다는 식도 손상을 덜 주게 되는데, 이는 고체나 가루형태는 섭취 시 많은 양을 즉시 뱉어 버릴 수 있기 때문이다.

2) 산성 물질

산성 부식성 손상은 변기 세척제, 빙초산이나 염산, 황산 등의 물질을 섭취하여 발생하게 된다. 산성 물질은 섭취 시 강력한 통증을 느끼게 되므로 무색, 무취한 알칼리에 비해 소량만을 섭취하게 되는 경우가 일반적이며 따라서 손상 정도도 알칼리에 비해 경미한 경우가 많다.

3) 버튼형 건전지(Button batteries)

버튼형 건전지는 소아들이 쉽게 삼키게 되며, 6세 이하의 소아에서 전체 사고의 60% 이상이 발생한다. 이러한 버튼형 건전지의 섭취 발생 건수는 해마다 큰 변화가 없지만, 이로 인한 손상은 증가하고 있다. 이러한 이유는 평균 버튼형 건전지 직경이 최대 20-25 mm로 크게 증가하여 이로 인해 식도에 걸리는 경우가 많아졌으며, 리튬(Lithium) 건전지의 보급으로 인하여 전압이 높아졌기 때문이다. 버튼형 건전지는 직접적 손상이나 독성물질의 흡수, 압력 괴사 등의 점막 화상을 일으키게 된다. 그 결과로 식도 화상이 발생하며, 심하면 식도 천공을 동반하게 된다. 또한 기관식도루(tracheoesophageal fistula), 대동맥식도루 (aortoesophageal fistula) 등이 발생할 수 있다.

4) 기타 물질

열에 의한 상부 위장관의 화상은 빈번하게 발생한다. 뜨거운 음료나 감자, 피자 등의 음식 섭취 시에 구강 및 인두점막의 화상을 일으킬 수 있다. 그러나 식도 점막은 대부분 손상되지 않는다. 손상의 흉터는 크게 문제 되는 경우는 드물지만, 상기도의 부종이 가속화될 경우 호흡곤란을 유발할 수도 있다. 특히, 영유아에서 전자레인지에 데워진 분유로 수유하는 경우에 가장 흔하게 상기도 화상이 발생하게 된다.

약물이 식도에서 일정시간 이상 머물게 되는 경우에도 식도에 손상을 줄 수 있다. 약물 독성축적 때문에 점막에 손상을 주게 되며, 성인의 경우 심근 경색을 의심할 정도의 흉통을 호소하게 된다. 식도 운동능력 지연은 모든 사람에게 발생할 수 있지만, 심신이 허약 하거나 탈수된 노약자에서 더욱 흔하게 발생한다. Tetracycline, doxycycline, penicillin과 같은 항생제가 약인성 식도염의 약 60%를 차지한다. 특히, 항염증제나 칼륨제제는 출혈, 협착 심지어 사망에 이르게 하기도 한다.

2. 독성

부식제에 의한 상부위장관 손상의 정도는 섭취한 부식제의 종류, 형태, 양, 점막에 접촉된 시간, 농도 등 여러 인자들과 밀접한 관계가 있으며, 산성 부식제 음독이 알칼리성 부식제 음독에 비해 예후가 나쁜 것으로 알려져 있다. 특히 부식제의 pH 수치, 농도, 양, 점막 노출 시간이 소화기계의 손상에 중요한 요소이다. 알칼리성 부식제가 액화 괴사(liquefaction necrosis)를 유발하는 pH 기준점은 12 이상이다. pH 12 이상의 알칼리 부식제를 음독한 환자의 경우에는 식도손상을 배제하기 위하여 면밀하게 경과를 관찰하여야 한다. 협착으로 진행하는 궤양성 식도점막 손상환자의 대부분은 양잿물과 같은 pH 14 이상의 부식제를 섭취했을 경우이다. 산성 부식제의 경우 일반적으로 pH 1.5 이하에서 응고 괴사(coagulation necrosis)가 일어나며 심각한 식도 손상을 유발할 수 있다.

3. 병태 생리

알칼리 부식제는 점막의 액화 괴사를 일으키며 점막하층이나 근육층까지 침범하여 식도 천공을 유발하기도 한다. 부식제의 pH, 농도, 형태(과립형 또는 액상형태), 시간, 삼킨 양(volume) 등에 의해 손상 정도가 좌우된다. 강알칼리는 수 ml의 양으로도 심각한 식도 손상이 올 수 있으며 대개

pH 12.5 이상이 식도궤양을 유발할 수 있는 산도로 알려져 있다. 일단 알칼리성 물질을 섭취하게 되면 액화 괴사와 함께 혈관 내 혈전이 즉시 유발되게 된다. 섭취 후 4-7일이 경과하면 점막이 탈락하면서 궤양이 발생하게 되고 14-21일이 경과하면 섬유화가 일어나게 되며 결국 수주에서 수년 후에는 협착이 발생하게 된다. 일반적으로 섬유화가 발생하기 전인 부식성 섭취 후 14-21일까지를 급성기로 분류한다. 병변은 특히 윤상인두근, 대동맥궁, 좌측 주기관지, 하부식도의 위식도 경계부 등의 식도의 생리적 협착부에 심하다.

산성 부식제는 응고 괴사를 일으키며 손상 부위에 가피(eschar)를 형성하기 때문에 심층침범이 적고 따라서 천공은 제한적이다. 하지만 산성 부식제는 알칼리 부식제에 비하여 점도가 작기 때문에 빠르게 식도를 통과하여 위나 십이지장에 광범위한 병변을 초래하고 전신반응도 현저하다. 특히, 위의 전정부는 음식물을 일정시간 모아두는 기능을 하기 때문에 부식제와 접촉시간이 연장되어 가장 취약한 부위이다. 반면에 식도는 접촉시간이 적고, 약알칼리성에 의한 보호기능과 식도 편평 상피의 산성에 대한 저항기능 때문에 알칼리 부식제에 비해 손상이 적은 편이다.

버튼형 배터리가 식도에 걸리게 되면 배터리의 양전하와 음전하가 식도 점막 내벽에 전류를 생성하게 된다. 이렇게 생성된 전류는 자유 라디칼(free-radical)을 생성하고 응고 괴사를 유발한다. 이러한 손상은 노출 시점에서 15-30분 내로 빠르게 발생한다.

4. 증상

부식제에 의한 증상은 무증상에서 후두부종이나 하인두, 식도 손상에 의한 심각한 삼킴 곤란 등 다양하게 나타날 수 있다. 병변의 정도에 따라 다양하며, 조직의 결손 없이 발적과 종창을 보이는 경도의 식도염일 때에는 비교적 경미한 통증 및 연하곤란을 호소한다. 심한 궤양을 보이는 중등도 또는 고도의 식도염의 경우는 연하곤란이나 통증이 심해지며, 합병증을 동반하여 출혈, 흉통, 복통, 발열 등의 증

표 41-1. 부식성 섭취의 증상과 징후

Oral mucosal erythema, ulceration
Drooling
Tongue edema
Stridor
Hoarseness
Dysphagia
Odynophagia
Chest or back pain
Epigastric pain or tenderness
Vomiting
Hematemesis

상이 나타날 수 있다. 심하면 호흡곤란, 의식장애와 함께 쇼크상태에 이르게 된다. 급성기는 사고 후 1-2주의 기간으로 처음 48시간 내에는 인후두의 증상으로서 연하통, 구강 점막의 발적, 궤양, 혀의 부종, 천명(stridor), 애성이 나타난다. 식도와 관련된 증상으로는 연하곤란, 연하통, 흉통 등이 있다. 위장관의 증상으로는 상복부의 통증, 구토, 토혈이 나타날 수 있다. 이후 급성기가 지나면 3-6주간 특별한 증상 없다가 반흔 형성에 의한 협착이 진행되어 다양한 정도의 연하장애가 나타난다(표 41-1).

보고에 의하면 소아의 약 6에서 18%에서는 기도 손상(airway injury)에 의한 증상이 동반될 수 있다. 애성, 협착음(stridor), 호흡곤란(dyspnea), 빈호흡(tachypnea)이 동반되고, 청진 시에 염발음(crepitation)이 동반된 천명음(wheezing)이 발생할 경우 기도 손상을 의심할 수 있다. 이러한 기도 손상은 부식제 섭취 시 또는 부식제의 구토 시에 흡인(aspiration)에 의하여 나타난다. 기도 손상이 심할 경우 응급 기관 절개술(tracheostomy)이 필요할 수도 있다.

5. 초기 평가 및 진단

모든 외상 환자에서와 마찬가지로 먼저 기도(airway), 호흡(breathing), 순환(circulation)을 평가한다. 또한 부식제의

종류와 양을 문진을 통하여 정확하게 파악한다. 부식제를 섭취한 소아의 약 70%는 무증상이지만, 초기 12시간에서 48시간까지는 면밀한 관찰이 필요하다. 증상이 동반된 환자의 경우에는 빠른 기도 평가와 기도확보를 위한 치료 여부 결정이 가장 중요하며, 심각한 손상이 의심되는 환자의 경우에는 초기 수액 및 약물 치료가 시행되어야 한다. 경험적 광범위 항생제의 초기 사용은 아직 임상적인 근거가 부족하지만, 식도를 포함한 위장관의 천공의 의심되거나 흡인성 폐렴이 의심될 때, 그리고 식도 내시경 시행 시에 천공의 위험성이 높을 때 초기 항생제의 투여를 고려할 수 있다. 또한 굴곡성 후두경검사(flexible fiberoptic laryngoscopy)는 하인두의 동반손상과 호흡기 폐쇄의 위험을 예측하는 데 도움이 되는 경우가 있다.

초기 식도위장관내시경(esophagogastroduodenoscopy)은 현재까지 식도 손상의 정도를 평가하는 가장 기본적인 검사 방법이다. 식도위장관내시경을 통해 식도 전장에 걸친 정확한 진단이 필요하나, 부식제의 성질, 증상의 정도, 환자의 나이를 고려하여 신중하게 시행 지침에 따라 실시되어야 한다. 식도위장관내시경검사의 원칙은 다음과 같다. 첫째, 가능한 조기에 실시한다. 부식제 음독 후 증상과 징후는 상부위장관 손상의 정도를 예측하는 데 신뢰할 만한 지표가 되지 못하므로, 상부위장관 손상의 정도를 예측하고 식도 천공의 위험을 최소화하기 위해서는 가능한 12시간 이내, 적어도 24시간 이내에 식도위장관내시경검사를 시행하도록 권장하고 있으며 이는 진단뿐만 아니라 환자의 치료를 결정하고 합병증 및 예후를 예측하는 데 유용한 것으로 알려져 있다. 특히 버튼형 건전지를 섭취한 소아의 경우 금식 상태에 관계 없이 최대한 빠르게 내시경을 시행하여 진단 및 처치를 시행하는 것이 중요하다. 둘째, 검사 중 일단 부식성 병변이 확인되고, 진입 가능한 내경이 확보되지 않는다면 그 부위에서 더 이상 내시경을 진입시키지 말아야 한다. 셋째, 이미 식도천공이 인정되거나, 식도위장관내시경검사 자체에 의한 천공의 위험성이 있을 때, 쇼크 등 환자의 전신상태가 위독할 때, 식도부식이 확실할 때에는 내시경 검사를 시행하지 않는다. 넷째, 경직성 식도내시경과 굴곡성 식도위장관내시경 모두 전장에 걸친

식도관찰에 유용하나 위내 병변의 관찰에는 굴곡성 식도내시경 사용이 필요하다. 만일, 괴사가 위점막으로 확장된 소견이 보인다면, 경점막 괴사(transmucosal necrosis)를 배제하기 위해 복강경검사나 진단개복술도 강력하게 고려해야 한다.

초기의 방사선 검사에서는 수용성인 조영제를 사용해야 하고 천공이 없다고 판단되면 바륨을 사용하여 불규칙한 점막과 궤양, 연동운동의 저하 등을 관찰할 수 있다. 하지만, 이는 운동성 장애와 점막의 불규칙성에 의지한 검사로 30-60%의 위양성을 보이고 있다. 또한 technetium 99m labeled sucralfate study가 소아의 부식성 섭취 이후 식도 손상 여부를 결정하는 데 높은 민감도와 특이도를 보이고 있어 매우 유용하다. 하지만, 식도손상의 심각한 정도나 내시경 가능여부는 평가할 수 없는 단점이 있다.

최근에는 흉부 전산화 단층촬영(chest computed tomography)이 성인을 대상으로 부식제 섭취에 의한 식도 손상의 평가에 유용하다고 보고되었다. 식도위장관내시경 검사 결과와 흉부 전산화 단층촬영검사 결과의 재현도가 비슷하며, 합병증의 예측에는 흉부 전산화 단층촬영 검사가 더 유용한 것으로 보고되었다. 하지만 소아에서는 유용성이 아직 연구 중에 있으며, 따라서 응급으로 식도위장관내시경검사가 불가능한 경우 제한적으로 시행할 수 있다.

6. 병기

내시경적 식도점막 손상에 대한 분류 방법은 다양하다.

조직학적으로, 1단계는 점막 발적 또는 점막부종, 2단계는 점막과 점막하손상 및 부분 괴사동반, 3단계는 근육층 손상 및 괴사동반으로 분류한다. 그러나, 내시경 시행 당시 괴사성 삼출물로 인해 실제적인 손상 깊이를 평가하기가 어려운 단점이 있다(표 41-2).

변형된 분류법에서는 손상 정도에 따라 4단계로 나누어 점막충혈(mucosal erythema)만을 보이는 1단계가 가장 흔한 경우로 큰 합병증 없이 치유되며 2단계에서는 점막출혈 및 원주를 형성하지 않는 삼출형태(non-circumferential

표 41-2. **부식성 식도 손상 등급**

단계(Grade)	0	I	IIa	IIb	IIIa	IIIb
내시경 소견 (Endoscopic appearance)	손상 소견 없음 (No evidence of injury)	점막 충혈 및 부종 (Mucosal erythema & edema)	점막출혈 및 원주를 형성하지 않는 삼출형태 (Superficial noncircumferential erosion, ulcers, haemorrhage or exudate)	심층 혹은 원주형태의 궤양 (Deep or circumferential ulceration)	다수의 궤양 혹은 반점 괴사(갈색, 검은색 또는 회색) (Multiple scattered ulcerations with patchy necrosis)	광범위한 괴사 (Extensive Necrosis)
발생률(Incidence)	11-57%	11-88%	7-26%	13.6-28%	0.5-12%	0-1%
식도 협착 위험도 (Risk of stricture formation)	0%	0%	<5%	71.4%	-100%	

exudate)로서 간혹 협착을 일으키는 단계이다. 3단계에서는 원주를 이루는 삼출을 보이는 단계(circumferential exudate)로 대부분 협착을 유발한다. 마지막으로 4단계에서는 식도천공이 발생한 경우로 패혈증이나 종격동염을 유발할 수 있다. 3단계 이상의 환자들은 입원을 통해 수일 동안 경과 관찰이 필수적이다(그림 41-1).

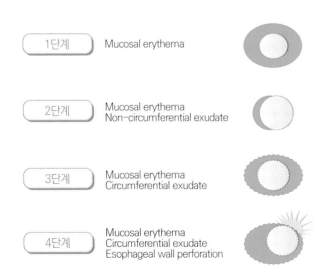

그림 41-1. **식도 손상의 4단계**

7. 치료

기도유지와 수액보충 등 전신처치와 급성 합병증에 대한 처치가 우선되어야 하며, 일단 급성기를 넘긴 환자는 식도협착을 막기 위하여 일련의 치료가 이루어져야 한다. 식도위장관내시경검사를 통하여 부식성 병변의 유무와 정도를 확인하고 치료의 필요성 여부를 결정한다. 치료의 선택은 손상 정도에 따라 달리하게 되는데 1단계 손상에서는 대개 치료가 필요치 않은 경우가 많고 4단계 및 소수의 3단계의 경우는 괴사된 식도점막을 제거하는 수술적 치료로 사망률을 줄일 수 있다. 2단계 및 3단계의 경우 논란의 여지가 있다. 결론적으로 적절한 약물치료와 외과적 방법으로 식도 협착을 방지하고 식도의 내경을 유지하는 것이 치료의 주목적이다.

약물요법으로는 첫째, 금식을 시키고, 수액공급을 시행한다. 금식의 기간은 경우에 따라 다르게 시행한다. 일반적으로 무증상의 소아의 경우 구강과 인후두내 병변을 확인하여 병변이 없고 섭취한 부식제가 약하고 섭취의 양이 적다면 수시간 동안만 금식을 유지하며 깨끗한 물만 섭취 시킨다. 만약 소아가 증상이 동반되어 있다면 식도위장관내시경검사를 시행하기 이전(12-48시간 이내)까지 금식을 유지시킨다. 내시경상 1-2단계의 경미한 식도 손상이 있을 경우 금식을 해제하며, 3단계 이상의 심한 식도 손상이 동반되어 있는 경우 금식을 유지한 상태에서 비위관을 삽입한다. 둘째, 감염으로 인한 육아형성을 줄이고 종격동염이나 식도천공의 경우에 염증파급의 예방을 위하여 항생제를 투여한다. 셋째, 스테로이드(steroid)는 반흔에 의한 협착을 최소화하기 위하여 사용되며, 중등도의 알칼리성 부식의 경우 특히 효과가 있고, 사고 48시간 이내에 치료를 시작하여 3-4주간 사용한다. 그러나 일반적 금기사항과 식도천공, 심한 위의 괴사, 2차성 종격동염 등의 합병증이 있을 때는 투여하지 않는다. 이밖에 치료방법으로 중화제를 사용하는 것은 효과가 입증되어 있지 않으며, 위세척이나 구토를 유발시키는 것은 식도의 병변을 더 심화시키므로 삼가야 한다. 치유과정, 치료효과 및 예후의 판정을 위하여 주기적으로 식도위장관내시경검사를 반복 시행한다. 강직성 식도경 검사는 식도를 확장시키는 효과가 있으나 과격한 진입으로 인한 천공에 주의하여야 한다. 천공의 위험시기는 부식제를 섭취한 후 약 5-8일 사이, 스테로이드 요법을 받은 경우에는 4-6주 사이이다.

식도확장술은 식도 궤양성 병변이 치유된 후 연하곤란이 있어 식도위장관내시경검사나 식도조영 방사선검사로 협착을 보일 때 시행한다. 확장기구는 여러 가지가 있으며, 기구의 종류의 선택이나 방법은 협착의 정도와 범위, 환자의 협조, 연령 등을 고려하여 선정한다. 협착의 예방목적으로 사용하는 비위관(nasogastric tube) 삽입이나 식도 stent 등은 조기에 삽입할 경우 효과가 있다는 주장도 있으나 논란의 여지가 있다. 6주 이후부터 협착이 진행하므로 3주째 식도조영 방사선검사를 기준으로 검사하게 되며 1년 이상

정기적 검사를 통해 협착의 정도와 악성변화를 확인하는 것이 중요하다. 수술적 방법으로는 상행 대장을 이용한 식도대치술이 가장 유용하게 사용되며 드물게 협착 부위가 국한되어 있을 때는 국소제거 및 식도단단문합술도 시행하는 경우가 있다.

버튼형 건전지를 섭취한 소아의 경우 응급 상태로 간주되며, 소아의 NPO 상태에 관계없이 가능한 빨리 식도위장관내시경검사를 시행해야 한다. 내시경을 통하여 식도 내 건전지를 제거할 수 없는 경우, 전신마취하에 경직성 식도경 검사가 필요하다. 섭취 시점이 명확하지 않으며, 엑스레이 촬영상 위(stomach)에 버튼형 건전지가 위치하고 있을 경우, 지속적인 내시경 평가가 필요하다(그림 41-2).

8. 합병증

부식제의 연하에 의해 단순한 식도점막의 발적 상태로부터 심지어 사망에 이르는 합병증을 일으키게 되며, 가장 흔한 합병증은 반흔협착이다. 이외에 식도천공, 종격동염, 식도기관누공 및 전신 중독을 일으킬 수 있으며, 식도암 발생도 1-4%에서 보고되고 있어, 협착 발생 15-20년 경과 후에 연하곤란을 호소하거나 이전의 방사선검사소견에 비해 결절이나 궤양이 관찰되면 이를 의심하여야 한다. 식도협착이 있을 때 암의 발생률이 증가되는 이유는 아직 밝혀지지 않았지만 정상인의 1,000배 이상이다.

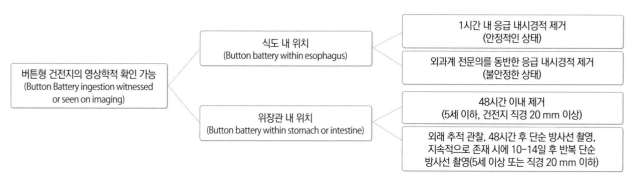

그림 41-2. **소아에서 버튼형 건전지 섭취 시 치료 과정**

9. 결론

부식성 섭취는 단순 점막 발적에서부터 천공을 동반한 식도 및 위의 조직 괴사에 이르기까지 다양한 손상을 일으킬 수 있다. 부식제를 섭취한 소아가 내원하면, 부식물의 농도, pH, 형태를 적절히 확인한 후에 향후 검사 및 치료 방향을 결정하여야 한다. 식도 전장을 확인하는 식도위장관내시경검사가 가장 중요하고 정확한 방법이다. 식도 협착은 향후 삶의 질을 악화시킬 수 있는 주요한 합병증이다. 식도 협착의 경우 반복적인 식도확장술이 주요한 치료 방법이지만, 사전에 심각한 협착의 진행을 예방하는 것이 더욱 중요하다(그림 41-3).

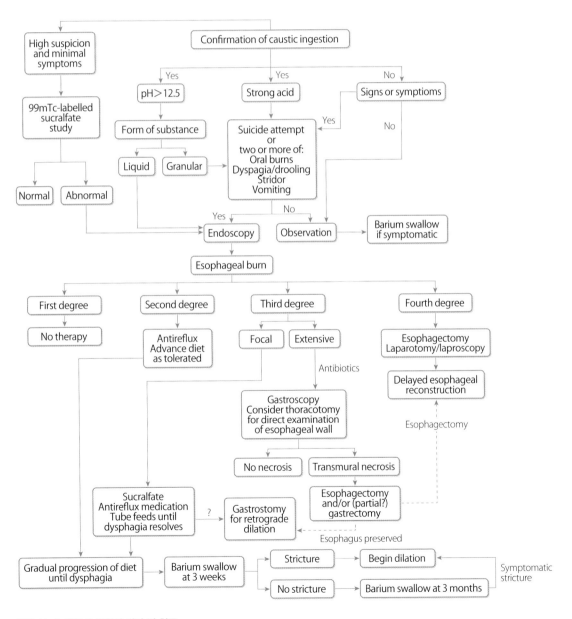

그림 41-3. **부식성 섭취의 평가 및 치료**

■■■■■ 참고문헌

• Ramasamy K, Gumaste VV. Corrosive ingestion in adults. J Clin Gastroenterol 2003;37:119-124.

• Goldman LP, Weigert JM. Corrosive substance ingestion: a review. Am J Gastroenterol 1984;79:85-90.

• Cello JP, Fogel RP, Boland CR. Liquid caustic ingestion. Spectrum of injury. Arch Intern Med 1980;140:501-504.

• Wasserman RL, Ginsburg CM. Caustic substance injuries. J Pediatr 1985;107:169-174.

• Yeom HJ, Shim KN, Kim SE, et al. Clinical characteristics and predisposing factors for complication of caustic injury of the upper digestive tract. Korean J Med 2006;70:371-377.

• Yoon KW, Park MH, Park GS, et al. A clinical study on the upper gastrointestinal tract injury caused by corrosive agent. Korean J Gastrointest Endosc 2001;23:82-87.

• Kim YS, Choi SM, Kim HM, Youn CS, Park KN. The clinical characteristics and risk factors of upper digestive lesions that are due to ingestion of caustic material. J Korean Soc Clin Toxicol 2009;7:113-120.

• Hollinger PH. Management of esophageal lesions caused by chemical burns. Ann Otol Rhinol Laryngol 1968;77:819.

• Howes EL, Plotz CM, Blunt JW, et al. Retardation of wound healing by cortisone. Surgery. 1950;28:177.

• Jackson C. Esophageal stenosis following the swallowing of caustic alkalis. JAMA 1921;77:22.

• Kennedy AP, Cameron BH, McGill CW. Colon patch esophagoplasty for caustic esophageal stricture. J Pediatr Surg 1995;30:1242.

• Lamireau T, Rebouissoux L, Denis D, et al. Accidental caustic ingestion in children: is endoscopy always mandatory J Pediatr Gastroenterol Nutr 2001;33:81.

• Moore WR. Caustic ingestions: pathophysiology, diagnosis, and treatment. Clin Pediatr 1986;25:192.

• Postlewhait RW, Sealy WC, Dillon ML, et al. Colon interposition for esophageal substitution. Ann Thorac Surg 1971;12:89.

• Kikendall JW. Pill-induced esophageal injury. Gastroenterol Clin North Am 1991;20(4):835-846

• Bautista Casasnovas A, Estevez Martinez E, Varela Cives R, Villanueva Jeremias A, Tojo Sierra R, Cadranel S. A retrospective analysis of ingestion of caustic substances by children. Ten-year statistics in Galicia. Eur J Pediatr 1997;156:410-414.

• Ar valo-Silva C, Eliashar R, Wohlgelernter J, Elidan J, Gross M. Ingestion of caustic substances: a 15-year experience. Laryngoscope 2006;116:1422-1426.

• Nuutinen M, Uhari M, Karvali T, Kouvalainen K. Consequences of caustic ingestions in children. Acta Paediatr 1994;83:1200-1205.

• Poley JW, Steyerberg EW, Kuipers EJ, et al. Ingestion of acid and alkaline agents: outcome and prognostic value of early upper endoscopy. Gastrointest Endosc 2004;60:372-377.

• Krey H. On the treatment of corrosive lesions in the oesophagus; an experimental study. Acta Otolaryngol Suppl 1952;102:1-49

• Haller JA, Bachman K. The comparative effect of current therapy on experimental caustic burns of the esophagus. Pediathrics 1964;34:236-245

• Rosenberg N, Kunderman PJ, Vroman L, et al. Prevention of experimental esophageal strictures by cortisone, II: control of suppurative complications by penicillin. Arch Surg 1953;66:593.

• Bosher LH Jr, Burford TH, Ackerman L. The pathology of experimentally produced lye burns and strictures of the esophagus. J Thorac Surg 1951;21:483.

• Williams GB, Browne JD. Caustic ingestion. In: Cummings CW, Flint PW, Haughey BH, et al., eds. Cummings Otolaryngology Head and Neck Surgery. 5th ed. St Louis: Mosby 2005.

• Gasset D, Sarfati E, Celerier M. Early blunt esophagectomy in severe caustic burns of the upper digestive tract: report of 29 cases. J Thorac Cardiovasc Surg 1987;94:188.

• Gun F, Abbasoglu L, Celik A, et al. Early and late term management in caustic ingestion in children: a 16-year experience. Acta Chir Belg 2007;107:49.

• Sarah C, Diana L. Caustic Ingestions in Children. Current Pediatrics Reports 2018;29

• Kramer, Robert E., et al. Management of Ingested Foreign Bodies in Children: A Clinical report of the NASPGHAN Endoscopy Committee. JPGN, 2015;60(4):562–574

• Arnold M, Numanoglu A et al. Caustic ingestion in children- a review. Semin Pediatr Surg. 2017;26(2):95-104.

• Mircea C, Luigi B, Michael DK, Emile S, Pierre C. Caustic ingestion. Lancet 2017;389:2041–2052.

찾아보기

Pediatric Otorhinolaryngology

ㅈ